Berliner Leben
1900–1914

Dieter und Ruth Glatzer

Berliner Leben

1900–1914

Eine historische Reportage
aus Erinnerungen
und Berichten

I

Rütten & Loening
Berlin

Mit 28 farbigen, 194 zweifarbigen und 58 einfarbigen Abbildungen

1. Auflage 1986
© Rütten & Loening, Berlin 1986
Einbandgestaltung Wolfgang Gebhardt
Karl-Marx-Werk, Graphischer Großbetrieb, Pößneck V15/30
Printed in the German Democratic Republic
Lizenznummer 220. 415/51/86
Bestellnummer 618 398 1
I/II 04300

Vorwort

> Das Gewissen einer Nation beruht vor allem auf geschichtlichem Wissen.
>
> *Johannes R. Becher*

Wir möchten mit dem vorliegenden Doppelband „Berliner Leben 1900–1914", dem Titel unserer Reihe entsprechend, in erster Linie *heimat*geschichtliches Wissen vermitteln. Wir wollen helfen, lebendig zu erhalten, was in unserer Hauptstadt an Werten und Werken in jener Zeitspanne geschaffen worden ist. Wir wollen vom Leben und Wirken bedeutender Berliner erzählen, deren Leistungen zu den Traditionen gehören, auf denen wir heute aufbauen. Unser Buch soll die politischen und kulturellen Auseinandersetzungen widerspiegeln, die für das geistige Leben der Metropole in jenen Jahren charakteristisch sind.

Auf den ersten Blick mag es befremdlich erscheinen, daß die Darstellung lokalen Geschehens in einer so verhältnismäßig kurzen Zeitspanne so viel Raum verlangt. Wir haben jedoch versucht, nicht nur den einen oder anderen Aspekt der stadtgeschichtlichen Entwicklung vorzuführen, sondern, soweit das im Rahmen eines *Lesebuches* möglich ist, die Vielfalt der miteinander in Wechselwirkung stehenden sozialökonomischen, wirtschaftlichen, politischen und kulturellen Prozesse und Tendenzen dieses Geschichtsabschnitts deutlich zu machen. Und wie dicht an dramatischen Ereignissen und Entwicklungen sind diese anderthalb Jahrzehnte vom Neujahrstag des Jahres 1900, an dem der Monarch im Hof des Zeughauses den deutschen Anspruch auf Weltgeltung wiederholt, bis hin zu den schwülheißen Sommertagen des Jahres 1914! Das sind anderthalb Jahrzehnte, in denen vieles im Leben der Berliner *anders* wird.

Die Zeitgenossen, die zu Wort kommen, sind Zeugen und Betroffene tiefgreifender wirtschaftlicher Veränderungen, die sich in historisch kurzer Zeit vollziehen: Das Wachsen der neuen Riesenwerkstätten der Elektroindustrie. Die Konzentration des

Kapitals im Verkehrswesen, im Handel und nicht zuletzt in der Finanzwirtschaft. Der Übergang zur modernen Massenproduktion in den Maschinen- und Werkzeugfabriken. Der Einzug der Elektrizität in Fabriken und Werkstätten, im Verkehrswesen, in Läden, Büros und Wohnungen. Die rasch voranschreitende Naturwissenschaft, die immer schneller zur industriell genutzten Produktivkraft wird.

Es ist die Zeit der rasch voranschreitenden Konzentration mächtiger Arbeiterheere in Groß-Berlin. Genaue Zahlen existieren nicht, aber man kann nach den zeitgenössischen Statistiken abschätzen, daß die Zahl der Arbeiter und Angestellten mit ihren Familienangehörigen bereits um 1900 die Million erreicht hat.

Hunderttausende von ihnen schaffen unter barbarischen Arbeitsbedingungen. Die Ausbeutung wird intensiver. Wir sehen, wie die dem Kapitalismus eigentümliche Verschwendung menschlicher Arbeitskraft mit dem Übergang ins Stadium der Monopole nicht nachläßt, sondern zunimmt. Die „industrielle Reservearmee" wird größer. Tausende von Zeit- oder Dauerarbeitslosen hausen in den Vierteln der Armen oder bevölkern die Asyle. Wir hören von dem Arbeiter, der mit 44 Jahren schon für zu alt gehalten wird: „Nicht mal als Nachtwächter kommt man an." Wir hören von dem kleinen Kaufmann, der, auf den Verdienst der Arbeiterfamilien angewiesen, seinen Laden schließen muß: „Alles borgte, keiner Arbeit, keiner Geld."

Zu den ersten Tagesordnungspunkten, mit denen sich das Preußische Abgeordnetenhaus im zwanzigsten Jahrhundert beschäftigt, gehört eine Gehaltserhöhung für die überlasteten Gerichtsvollzieher. Nur dadurch, daß immer neue Kräfte nachrücken, die glauben, sich – unter äußerster Anspannung der eigenen und der Arbeitskraft ihrer Familie – zu einer selbständigen „Existenz" emporarbeiten zu können, wird das große Handwerker- und Kleinhändlersterben noch verdeckt.

Zur gleichen Zeit entwickelt sich eine Oberschicht der Arbeiterklasse aus unentbehrlichen Facharbeitern, Vorarbeitern, Meistern und Polieren. Sie wird von den Monopolunternehmern bewußt über dem Wert ihrer Arbeitskraft bezahlt und lebt in relativem Wohlstand, während sich – trotz der raschen Zunahme der Produktivität der gesellschaftlichen Arbeit – unter dem Druck der Wirtschaftskrisen und der Teuerung das Realeinkommen der Masse der Werktätigen nicht erhöht.

Krasser denn je zuvor sind die Unterschiede in der Verteilung dessen, was an „nationalen Gütern" geschaffen wird. Mit der fortschreitenden Konzentration des Kapitals, mit dem Aufkommen der Ringe, Kartelle, Syndikate und Konzerne, mit dem Verschmelzen von Industrie- und Bankkapital entsteht innerhalb der besitzenden Klassen eine Schicht von Finanzkapitalisten, die eine bis dahin nicht gekannte Wirtschaftsmacht mit einer unersättlichen ökonomischen und schließlich politischen und militärischen Expansionslust vereinen. Wir erleben die Brutalität, mit der diese Schicht allen anderen Klassen ihren Tribut auferlegt. Wir verstehen den Berliner Unternehmer, der die Methoden dieser Imperialisten mit dem Vorgehen des Raubmörders in Dostojewskis „Raskolnikow" vergleicht.

Auch in der städtebaulichen Entwicklung spiegelt sich die zunehmende Differenzierung in den Lebensverhältnissen der Berliner wider. Bis an die Ringbahn und über sie hinaus dehnen sich nun die proletarischen Massenquartiere im Norden und Osten, wo in finsteren Hinterhöfen die Menschen zu sechst und siebent, ja zu zehnt und zwölft in Küche und Kammer zusammengepfercht sind. In den bürgerlichen Wohngegenden schmücken sich die „besseren" Mietshäuser mit Türmchen und Erkern, mit Vorgärten und Gartenhäusern und mit einer winzigen Wohnung für den Portier, der Lieferanten und Dienstboten den Eintritt durch das mit Skulpturen geschmückte Portal verwehrt. In den westlichen Vororten schließlich entstehen ganze Viertel vornehmer Villen, die nobelsten von ihnen, von den besten Architekten des Kontinents entworfen, mit eigenem Seeufer und eigenem Park. In der Stadt Berlin kommt ein Multimillionär auf 16 000 Einwohner, in der Stadt Charlottenburg auf 5 000 Einwohner, in der Gemeinde Grunewald auf 133 Einwohner. Hier sät selbst der Straßenbahnkonzern Rasen zwischen die Gleise: „Durch die Vermehrung der grünen Fläche gewinnt die Straße ungemein an Freundlichkeit."

Das Entstehen eines ausgedehnten gesonderten Siedlungsgebietes der Reichsten mit eigenen Zentren des Verkehrs, des Handels, des kommunalen Lebens, der Kunst und Kultur, das sich schon vor der Jahrhundertwende abgezeichnet hat, ist jetzt unübersehbare Wirklichkeit. „Der Westen Berlins hat sich allmählich zu einer Stadt ausgebildet, die ganz für sich allein lebt", schreibt ein Zeitgenosse. Hier werden die Profite verzehrt, die die Berliner Monopolbourgeoisie aus der Kontrolle ganzer Wirtschaftszweige, aus der Verfügungsgewalt über den Berliner Grund und Boden, aus dem Kapitalexport in aller Herren Länder zieht.

In vielen Erinnerungen der Zeitgenossen ist die stürmische Entwicklung des geistig-kulturellen Lebens zwischen Jahrhundertwende und Kriegsausbruch festgehalten. Wir haben ihr in unseren Bänden bewußt breiten Raum gewährt. Berlin wird in jener Zeit – in kräftigem Wettstreit mit München, Dresden und Wien – zu *dem* Zentrum des literarischen, des Theater- und Musiklebens Deutschlands, zu *dem* Großmarkt künstlerischer Erzeugnisse – mit allen Widersprüchen, die der Entwicklung der Kultur in der spätbürgerlichen Gesellschaft eigen sind. In ein und demselben kurzen Zeitraum entstehen die Wilhelminischen Prunkbauten einerseits und die in ihrer Schlichtheit großartige Turbinenhalle von Peter Behrens andererseits. In ein und derselben kurzen Periode entstehen sowohl die akademischen Schinken der Hofmaler und die „Puppen" der Siegesallee als auch die Meisterwerke der Berliner Impressionisten, ganz zu schweigen von den explosiven Schöpfungen der Expressionisten, denen die Ahnung vom Ende der bürgerlichen Welt den Pinsel führt. Und wie konträr stehen sie in ein und demselben Abschnitt der Berliner Kulturgeschichte: die „Blut-und-Boden"-Romantiker der „Heimatkunst" und der bürgerlich-kritische Realismus Frank Wedekinds, Carl Sternheims oder Heinrich Manns, Leoncavallos „Roland von Berlin", dessen Partitur der Komponist während einer Parade der Potsdamer Garnison überreichen darf, und Arnold Schönbergs Zwölftonmusik!

Wir erleben das Tempo, in dem die mit industriellen Technologien arbeitende bürgerliche Massenpresse sich ausbreitet! Wie rasch entwickelt sich der weltweite Funkverkehr! Wie kurz ist die Zeitspanne zwischen dem Auftauchen der ersten „Kintöppe" und der Verwandlung der lebenden Bilder in eine neue Massenkunst!

So wirken von Berlin aus einerseits extrem konservative weltanschauliche und kulturelle Einflüsse auf die Gesellschaft der Vorkriegszeit ein. Von Berlin aus entsenden andererseits neue Kunstströmungen ihre Impulse, in denen sich die anbrechende Zeitenwende widerspiegelt. Wie aktuell ist vieles von dem, was damals von den sensibelsten der Berliner Schriftsteller und Künstler über Völkerschicksale, über Lebensweisen, über Krieg und Frieden zum ersten Mal gedacht, gesagt, empfunden und gestaltet worden ist!

Da sind die dramatischen Entwicklungen und Begebenheiten auf dem Felde der Politik. Die Kämpfe, die die werktätigen Klassen bis weit ins Bürgertum hinein gegen die verderblichen Schutzzölle führen, die nicht nur das Volk belasten, sondern Deutschland auch auf den Weltmärkten verhaßt machen. Die Auseinandersetzungen um die Fortexistenz des schmachvollen Drei-Klassen-Wahlrechts, das den Besitzenden wichtige Privilegien in allen kommunalpolitischen Angelegenheiten zuschanzt und bis 1918 in Preußen und seinen Gemeinden in Kraft bleibt. Aufstieg und Niedergang jener kleinen Schar bürgerlicher Demokraten, die – „Offiziere ohne Armee", wie Rosa Luxemburg sie nennt – mit dem Einsatz ihrer ganzen Persönlichkeit versuchen, gesellschaftspolitische Fortschritte zu erzielen, ohne daß ihnen aus dem wirtschaftlich bedrängten Kleinbürgertum, aus den vom Byzantinismus verseuchten Mittelschichten ausreichende Unterstützung zuteil wird. Wir erleben die heftigen Konflikte, die sich ergeben, weil die preußische Bürokratie die kümmerlichen Elemente bürgerlicher Selbstverwaltung vorsätzlich untergräbt und die Bewegungsfreiheit der Verwaltung einer Weltstadt bis zur Lächerlichkeit reduziert. Das verhängnisvolle, in diesen Jahren endgültig besiegelte Bündnis der Berliner Liberalen, hinter denen die große Bourgeoisie steht, mit den Konservativen, die das preußische Junkertum und seinen Militärstaat repräsentieren – ein Bündnis, das die anachronistischen politischen und kommunalpolitischen Zustände am Leben hält und allen nach innen und nach außen gerichteten imperialistischen Tendenzen zusätzliche Stoßkraft gibt.

Verfolgen wir schließlich die widerspruchsvolle Entwicklung der Berliner Arbeiterbewegung. In diesen wenigen Jahren wächst die Berliner Sozialdemokratie zur größten sozialistischen Lokalorganisation der Welt an. In dieser Zeit propagieren August Bebel und Paul Singer zusammen mit revolutionären Sozialdemokraten wie Franz Mehring, Rosa Luxemburg und Karl Liebknecht den Sozialismus als das Kampfziel der Arbeiterklasse. In dieser Zeit liegen die Anfänge der Arbeiterjugendbewegung. In dieser Zeit feiern Berlins fortschrittliche Frauen den ersten internationalen Frauentag. In dieser Zeit erleben wir den mächtigen Aufbruch der Arbeiterklasse und ihrer Verbündeten unter den bürgerlichen Demokraten in den Wahlrechtskämpfen von 1908 und 1910. Und wir erleben den Aufmarsch der 250000 Berliner im Treptower Park im Oktober 1912, die geloben, den feierlichen Beschlüssen gemäß, die die II. Internationale gefaßt hat, der Kriegspartei in den Arm zu fallen und, falls der Weltkrieg nicht verhindert werden kann, die bürgerliche Ordnung, die ihn hervorgerufen hat, für immer zu zerschlagen: „Ein Trompetenstoß und dann Hunderttausende Hände, im Sonnenglanz erhoben. Sie alle geloben, daß die Massen der Berliner Arbeiter eins sind und eins bleiben mit den Proletariern der ganzen Welt."

Aber die Jahre zwischen 1900 und 1914 sind auch anderthalb Jahrzehnte einer nicht zu Ende geführten Auseinandersetzung zwischen Marxismus und Revisionismus. Das sind die Jahre, in denen Opportunisten im Parteivorstand, in der Reichstagsfraktion, in den Berliner Parteileitungen, in Gewerkschaften und Genossenschaften eine wichtige Funktion nach der anderen besetzen und ihre revolutionären Gegenspieler mehr und mehr isolieren. Das sind die Jahre, in denen versäumt wird, von den Erfahrungen zu lernen, die im neuen Zentrum der revolutionären Weltbewegung gesammelt werden. „Was wollen Sie? Wir kennen Ihren Lenin nicht." Welche Überheblichkeit spricht aus diesen Worten, mit denen der Chefredakteur des „Vorwärts" die bolschewistischen Abgesandten bei ihrem Besuch in der preußischen Hauptstadt hinauskomplimentiert.

Wie kurz ist die Spanne zwischen Aufstieg und Niedergang! Um 1900 ist sich die Mehrzahl der Berliner Genossen einig darüber, daß die „Schlacht um den Birkenbaum" vor der Türe steht. Dreizehn Jahre später wirft ein Parteitag der Sozialdemokratie mit Billigung der Mehrheit der Berliner Delegierten den Bebelschen Grundsatz „Diesem System keinen Mann und keinen Groschen" über Bord und rechtfertigt das Verhalten der Reichstagsfraktion, die der Finanzierung der wahnwitzigen Rüstungsprogramme zugestimmt hat. Clemens Delbrück, Staatssekretär des Innern: „Das Deutsche Reich konnte also dem Ausbruch des Krieges mit einer gewissen Ruhe entgegensehen."

Entsprechend der Tradition unserer Reihe, deren fünften und sechsten Band wir hiermit vorlegen, sind wir bestrebt, Geschichte vor allem aus zeitgenössischen Zeugnissen sprechen zu lassen. Wir wollen so authentisch wie möglich wiedergeben, was unsere Vorfahren erlebt haben – in einer Zeit, in der die Widersprüche zum ersten Mal so scharf zutage treten, die mit dem Eintritt Deutschlands in das höchste, das letzte Stadium des Kapitalismus verbunden sind. Die Grenzen dieses Bestrebens zieht einerseits der verfügbare Raum, andererseits der Charakter und der begrenzte Umfang der Quellen. Zwei Kriege haben Archive in Trümmer gelegt und Bibliotheken wertvoller Schätze beraubt. Unersetzliche Dokumente sind verloren oder unzugänglich. Vor allem aber haben weder die herrschenden Klassen die volle Wahrheit über ihre expansionistischen Ziele und ihre damit verbundenen Herrschaftsmethoden niedergelegt, noch besaßen die werktätigen Klassen genügend Zeit und Kraft, sich über ihr Leben und Streben, ihre Erkenntnisse und Erfahrungen ausführlich auszusprechen. Wir besitzen kaum Autobiografien von Berliner Handwerkern, kleinen Beamten und Angestellten, Technikern und Ingenieuren. Auch aus der Arbeiterklasse sind nur wenige persönliche Aufzeichnungen erhalten geblieben, die uns lebendige Auskunft über eine Zeit geben könnten, aus der so wichtige Lehren zu ziehen sind. Das gilt insbesondere für die Marxisten in der Berliner Arbeiterbewegung. Was gäben wir dafür, wenn Paul Singer seine Erlebnisse und Eindrücke als Leiter der sozialdemokratischen Fraktion im Roten Rathaus niedergelegt hätte! Was gäben wir dafür, wenn Karl Liebknecht noch die Möglichkeit gehabt hätte, einige Abschnitte seiner Tätigkeit als Berliner Anwalt und Stadtverordneter aufzuzeichnen! Wie aufschlußreich sind für die Geschichte unserer Stadt die unlängst erstmals so umfangreich veröffentlichten Briefe Rosa Luxemburgs!

Wir folgen gleichfalls der Tradition unserer Reihe, wenn wir nicht nur schildern, *was* das Berliner Leben in der Vergangenheit bestimmte, sondern auch darzustellen versuchen, *wie erlebt wurde*, was geschah. Wir wollen bewußt auch die subjektive Sicht historischen Seins und Handelns zur Wirkung bringen, wie sie aus Tagebüchern und Briefen, aus Erinnerungen und Memoiren spricht. Nur so kann jenes spezifische Zeitgefühl in uns aufkommen, das um so erregender wirkt, als wir Heutigen die Folgen dessen kennen, was damals gedacht und gesagt, ausgesprochen oder verschwiegen, getan oder unterlassen worden ist.

Wir haben bei diesem Gestaltungsprinzip in Kauf zu nehmen, daß die Quellen sich nicht immer einer exakten historisch-wissenschaftlichen Terminologie bedienen und daß die vorgetragenen Meinungen und Urteile nicht immer bis ins letzte ausgewogen sind. So heben beispielsweise die meisten die Stadtentwicklung beschreibenden Zeitgenossen vor allem die negativen Seiten der kapitalistischen Urbanisierung hervor: die chaotische Stadtentwicklung. Die widernatürliche Zusammenballung von Millionen Menschen auf wenigen, mit Mietskasernen bedeckten Quadratkilometern. Die Folgen der hochgetriebenen Grundrenten. Die Verweigerung längst fälliger Eingemeindung und die Aufsplitterung Groß-Berlins auf zwei, drei Dutzend selbständige Städte und Gemeinden. Die borniert Selbstsucht lokaler Monopole. Und nicht zuletzt die Vergeudung der natürlichen Ressourcen und landschaftlichen Schönheiten – wären doch beinahe die Müggelberge verschwunden, von einem geschäftstüchtigen Baumaterialienhändler schiffsladungsweise als Sand verkauft. Unbestritten ist heute jedoch, daß trotz aller schreienden Mißstände die Urbanisierung auch in dieser Geschichtsetappe, alles in allem, ein Faktor des historischen Fortschritts ist. Die Konzentration mächtiger Produktivkräfte auf engem Raum beschleunigt die gesellschaftliche Arbeitsteilung, erleichtert die Durchsetzung des technischen Fortschritts und erspart Kosten für Zirkulation und Verteilung. Die rasche Entwicklung der Produktivkräfte fördert ihrerseits die Entwicklung der Produktionsverhältnisse und bringt sie schneller an den Punkt, an dem, mit der politischen Machtergreifung der Arbeiterklasse, das Privateigentum an den Produktionsmitteln beseitigt werden kann. Städtische Lebensverhältnisse geben den Werktätigen größere Beweglichkeit und Freizügigkeit. Die Fortschritte der Medizin kommen zuerst der städtischen Bevölkerung zugute. Ein breites Angebot an Verkehrs-, Kommunikations- und kulturellen Leistungen erleichtert die berufliche Qualifizierung, erweitert den Gesichtskreis, macht die Freizeit reicher, so kärglich sie auch sein mag, und eröffnet den Zutritt zu den Schätzen der Weltkultur. Der Rhythmus der städtischen Lebensweise erzieht zu Organisation und Disziplin. Es ist die Stadt, in der sich die moderne Arbeiterbewegung herausbildet. In der Stadt entstehen die ersten Elemente einer der herrschenden Kultur entgegengesetzten demokratischen und sozialistischen Kultur. Die Stadt läßt die Hauptklassen der kapitalistischen Gesellschaft unmittelbar aufeinanderprallen. In der Stadt, die zugleich Zentrum des staatlichen Unterdrückungsapparats ist, nehmen die wirtschaftlichen Kämpfe rascher den Charakter politischer Kämpfe an. Die „geschichtliche Bewegungskraft der Gesellschaft" vergrößert sich, wie Karl Marx bemerkt, „mit dem stets wachsenden Übergewicht der städtischen Bevölkerung".

Überschattet werden jedoch alle diese Vorgänge und Prozesse von einem besonderen Merkmal jener Etappe der Stadtgeschichte: Mit den anderthalb Jahrzehnten von 1900 bis 1914 geht eine relativ lange Friedensperiode zu Ende. Die Zeit, von der unser Buch handelt, ist eine *Vorkriegszeit*.

Auch in einer solchen Zeit gibt es einen werktätigen Alltag, Arbeit und Freizeit, Theaterabende und Feste, kleinbürgerliches Wohlergehen. Ja, es fehlt nicht an den heitersten Gegenständen und Begebenheiten: von dem Berliner Pastor, der das perpetuum mobile erfindet, bis zum Hubschrauber, mit dem Ganswindt aus Schöneberg den Berlinern den ersten Flug zum Mars verspricht. Vom „preußischen Freibad" bis zu den Riesenhüten, Humpelröcken und anderen Verrücktheiten der Damenmode. Von den Kapricen des Berliner Schloßherrn („Was hätte der Mann der Welt schenken können", bemerkt ein Zeitgenosse, „wäre er nicht Kaiser gewesen, sondern Kinomann") bis zu der bekanntesten aller Grotesken jener Zeit: dem Streich des Schusters Wilhelm Voigt, der als falscher Hauptmann das Rathaus von Köpenick erobert und die Militärfrömmheit des deutschen Bürgertums zum Gespött Europas macht.

Auch in einer solchen Vorkriegszeit gibt es bemerkenswerte wirtschaftliche, wissenschaftliche und kulturelle Leistungen, blühen die Wissenschaften, erprobt sich die Technik an der Meisterung neuer Aufgaben, entstehen beachtliche Werke der Literatur, der Künste, der Unterhaltungskunst.

Aber das alles messen wir Heutigen unwillkürlich an dem, was *danach* geschieht. Was geschehen konnte – und geschehen mußte, weil es bei einer so rasanten wissenschaftlich-technischen und sozialökonomischen Entwicklung auf der einen Seite, so reaktionären politischen Verhältnissen auf der anderen Seite den Volksmassen nicht gelang, sich vom Einfluß der militaristischen Traditionen Preußen-Deutschlands zu befreien. Weil sie ihr Schicksal in der Hand imperialistischer „Weltpolitiker" ließen, denen es, so laut sie auch die patriotischen Trompeten bliesen, an nationalem Gewissen ganz und gar gebrach.

Möge unsere Reportage helfen, sich mit der noch heute verbreiteten Behauptung auseinanderzusetzen, der Weltkrieg sei das Resultat irgendwelcher tragischen, schicksalhaften internationalen Verstrickungen gewesen – und nicht etwa die notwendige Folge konkreter Handlungen konkreter Gruppen der Monopolbourgeoisie und der mit ihnen zusammenarbeitenden Alldeutschen am Hofe und im Generalstab, die zu friedlichem Interessenausgleich mit den internationalen Konkurrenten – Großbritannien, Frankreich, Rußland und anderen – nicht länger bereit waren. Möge der Leser sich einen persönlichen Eindruck davon verschaffen, wie sich die Berliner Finanzkapitalisten auf die Vorbereitung des großen Kräftemessens einstellten, auch wenn es noch Auseinandersetzungen darüber gab, in welcher Reihenfolge die Konkurrenten niederzuwerfen seien. Wie sie sich von den Tagen an, in denen Bernhard von Bülow verkündete, mit Deutschlands Bescheidenheit sei es zu Ende, auf das Rüstungsgeschäft stürzten, das dem deutschen Heer, der deutschen Flotte und den deutschen Luftstreitkräften einen zeitweiligen Vorsprung sichern sollte und gleichzeitig doppelte und dreifache Profite brachte. „Wir wollen keinem Kulturstaat das seine nehmen, aber von künftigen Aufteilungen muß uns so lange das Nötige zufallen, bis wir annähernd wie unsere Nachbarn gesättigt sind", erklärte Walther Rathenau. Und der Generalstabschef Hellmuth von Moltke: „Wenn's doch endlich überbrodeln wollte! Wir sind bereit."

Beklemmende Parallelen führen von der Kriegspartei jener Jahre zu den aggressiven imperialistischen Gruppierungen von heute, die ebenfalls der Welt erklären, sie seien berechtigt, aus einer Position ökonomischer und militärischer Stärke heraus, über den Erdball hinweg Interessensphären zu reklamieren und den Völkern mit Gewalt ihren Willen aufzuzwingen – wobei sie wie ihre Vorgänger zu einer realen Einschätzung der Kräfteverhältnisse nicht in der Lage sind.

Aber die Geschichte verläuft nicht in einfachen Wiederholungen. Die Welt von heute ist nicht mehr die Welt von 1914. Und so knüpfen wir unseren historischen Optimismus an die Tatsache, daß die Kluft zwischen den Plänen jener imperialistischen Gruppierungen und ihrer Macht, sie durchzusetzen, um ein Vielfaches größer geworden ist. Daß sie nicht mehr allein über die Schicksale der Länder und Völker bestimmen. Daß – auch wenn die Durchsetzung der friedlichen Koexistenz noch lange und harte Kämpfe erfordern wird – eine Neuauflage der verhängnisvollen „Weltpolitik" verhindert werden kann.

Um die Lesbarkeit der Texte zu erhöhen, haben wir Rechtschreibung und Zeichensetzung den heute üblichen Regeln angeglichen. Auslassungen innerhalb der Quellentexte sind durch drei Punkte kenntlich gemacht. Fußnoten erläutern Fremdwörter und Redewendungen, die nicht in allgemein zugänglichen Nachschlagewerken zu finden sind. Das Personen- und Literaturverzeichnis findet der interessierte Leser am Ende des zweiten Bandes.

Für sachkundige Durchsicht des Manuskripts und wertvolle Ratschläge danken wir Prof. Dr. Fritz Klein und Prof. Dr. Ingo Materna sowie der Verlagslektorin, Frau Gisela Lüttig. Ständige Förderung erhielt unser Vorhaben durch das Zentrale Parteiarchiv im Institut für Marxismus-Leninismus, durch das Archiv der Bezirksleitung Berlin der SED und durch das Staatsarchiv Potsdam, durch die Bibliothek des Instituts für Marxismus-Leninismus, die Bibliothek der Humboldt-Universität Berlin, die Deutsche Staatsbibliothek, die Berliner Stadtbibliothek, die Ratsbibliothek und die Zentrale Bibliothek der Gewerkschaften. Mit Hinweisen und Hilfeleistungen unterstützten uns unter anderen Helga Altmann, Prof. Dr. Friedrich Beck, Erwin Dorn, Rita Engels, Prof. Dr. Kurt Junghanns, Dr. Margot Pikarski, Dr. Günter Schmitt, Dr. Lothar Skorning und Christa Vogt. Für die mit der Speicherung der Dokumente verbundenen technischen Arbeiten danken wir den Mitarbeitern der Abteilung Fototechnik der Studiotechnik Fernsehen, für die oft komplizierten Schreibarbeiten Jutta Zehe und Martina Boy. Brigitte Dombrowski unterstützte uns bei der Anfertigung des Personenregisters und bei der technischen Redaktion. Bei der Suche nach Illustrationen halfen uns besonders Marlies Ebert (Märkisches Museum), Evelin Schmidt und Günter Wegner (Berliner Stadtarchiv) und Lisa Leistikow (Sporthistorisches Kabinett des DTSB Berlin). Für die Anfertigung qualifizierter Reproduktionen sind wir Eberhard Renno (Weimar) und Dietmar Riemann (Berlin) besonders verpflichtet. Unser Dank gehört schließlich Frau Monika Bytel, in deren Hand Organisation und Recherche lagen, die die Vorauswahl der Illustrationen durchführte und sich stets als engagierte Helferin erwies.

Berlin, Oktober 1985

Begegnungen mit Berlin

798612 „Fremde" zählt die Statistik im Jahre 1900 in Berlin. „Fremde" – das sind Fürsten und Finanziers, Junker und Journalisten, Botschafter und Bankiers, Politiker und Professoren, Heilungsuchende und Hochstapler, die in Grandhotels und Gasthäusern logieren.
„Fremde" – das sind aber auch die Tausende von in- und ausländischen Arbeitern und Arbeiterinnen, die voller Hoffnung auf Arbeit und ein wenig Lebensglück in die große Industriestadt ziehen. „Fremde" – das sind schließlich auch die vielen Abgesandten fortschrittlicher Bewegungen aus allen Teilen der Welt, die – bei Genossen oder Freunden, in billigen Pensionen oder Mietzimmern wohnend – wenig willkommene Gäste des Wilhelminischen Deutschlands sind.
„Fremde" – das sind schließlich auch die Schriftsteller und Künstler aus aller Herren Ländern, zu deren Beruf es gehört, ein Reisetagebuch im Koffer mitzuführen und ihre Eindrücke zu notieren.
Der dänische Schriftsteller Martin Andersen Nexö:

Für den Ausländer, der in den beiden letzten Jahrzehnten vor dem Kriege regelmäßig nach Berlin kam, war jeder neue Besuch eine Überraschung. Von Jahr zu Jahr mußte man seine Vorstellung von der Stadt revidieren, so irrsinnig rasch war das Tempo, womit sie sich nach innen wie nach außen entwickelte. In verblüffender Hast wuchs die Stadt über Preußen hinaus und wurde Reichshauptstadt, sprengte auch diesen Rahmen und war bei Ausbruch des Weltkrieges durch ihre neugeschaffenen gewaltigen Kunstsammlungen, durch ihre weltumspannenden Finanzinstitute, durch Musik, Theater, Ausländerverkehr und seine internationale Halbwelt eine Art Weltzentrum, ja auf mehreren Gebieten *das* Weltzentrum. Die gewaltige Entwicklung der gesamten Nation – in Einwohnerzahl, Wohlstand, Geschmack – ließ sich von Jahr zu Jahr aus der Physiognomie der Stadt ablesen, die sprunghaft von dürftigem Provinzialismus zu Weltgeltung wechselte ...
An einem Sonntagvormittag verließ ich meine Wohnung am Belle-Alliance-Platz, um zu Fuß an den Tegeler See zu spazieren; als gegen vier Uhr die Sonne unterging, sah ich noch kein Ende der Häuserreihen und mußte das Unternehmen aufgeben. Es war eine Wanderung vom Zentrum über die mittlere Stadt

an den Stadtrand und von da über die gleichen Etappen, nur in umgekehrter Reihenfolge, in ein neues Zentrum: vier-, fünfmal hintereinander. Wie viele Wiederholungen mich noch erwarteten, weiß ich nicht; Berlin ist tatsächlich nicht zu bewältigen.

Wahrscheinlich weil die Stadt in einem Zug auf seinen eigenen Beinen zu durchwandern unmöglich ist, steht sie einem so formlos, so unüberschaubar vor dem Bewußtsein. Oder ist es vielmehr ihr internationaler Anstrich? ... Wie ein Weltlager kam einem die Stadt vor; jedesmal, wenn ein neues Volk in die Weltkonkurrenz eintrat oder sich auch bloß der modernen Entwicklung öffnete, wuchs Berlin um neue Hunderttausende und vermehrte sich das Gewimmel auf den Hauptstraßen um neue Repräsentanten der fernsten Winkel der Erde. In allem diesem war der Berliner schwer zu entdecken; existierte er überhaupt? Jedesmal wenn ich meinte, einem echten Berliner gegenüberzustehen, stellte es sich bei näherer Bekanntschaft heraus, daß er ganz woanders wurzelte ...

Nach mehreren Monaten Aufenthalt in Berlin erlebte ich eines Tages, daß dort zwei Männer den Hut voreinander zogen. Das war tatsächlich ein Erlebnis; in diesem Babel begegneten sich zwei, die einander von früher kannten!

Eben dies ist ein Reiz der Stadt, dieses absolute Einanderfremd-Sein, das alle Beziehungen kennzeichnet. Das bißchen gesellschaftliche Verbindung, das die Durcheinandermischung der Menschen überlebt hat, wird durch die unüberwindbaren Entfernungen umgebracht; Zufallsbegegnungen ersetzen sie. Man schließt sich dem an, der zufällig an demselben Tisch sitzt; trinkt mit ihm, ißt mit ihm, und am nächsten Tag kennt man einander nicht mehr. In diesem Überfluß von Menschen ist der einzelne isoliert und selbst jener Wahlmöglichkeit beraubt, die ihm das abgelegene kleine Dorf noch bietet. Die meisten Menschen in Berlin heiraten durch die Zeitung; normalerweise erscheinen drei Eheanzeiger in der Stadt.

In allen Ländern allerdings nimmt die Großstadt die überschüssigen Kräfte der Nation auf, alles das, was aus dem einen oder anderen Grunde in den nüchternen simplen Alltag nicht eingeht. Im geräumigen Schoß der Großstadt begegnen einander das Herz und die Herzlosigkeit, die erhabenen Ideen und der bittere Bodensatz – und zeugen die Zukunft. Berlin nimmt die Welt auf! Hierher strömen aus allen Gegenden der Erde die Genialität und das Verbrechen – alles das, was dem Heute so schwer zu begreifen ist, womit es sich so schwer versöhnt.

Andersen Nexö, Deutschlandbriefe

Der belgische Architekt und Kunstreformer Henry van de Velde:

Ich ließ mich in dem Augenblick in Berlin nieder, als eine Welle der Begeisterung und Aktivität die geistig und künstlerisch Interessierten erfaßt hatte, für die jede neu auftretende Erscheinung ein Erlebnis bedeutete. In keinem anderen Land Europas war in die Vorherrschaft der offiziellen Kunst eine derartig große Bresche geschlagen worden wie in Deutschland. Weder in Belgien während der Epoche der „Vingt"* oder der „Libre Esthétique" noch in Frankreich zur Zeit des Streites um Courbet oder beim Hervortreten Manets und seiner Freunde war die Hohlheit der offiziellen Kunst in ähnlicher Weise angeprangert und angegriffen worden. In Paris hatten die Meister der modernen Kunst noch schwer zu kämpfen, als in Deutschland die französischen Impressionisten und Bildhauer wie Auguste Rodin, Constantin Meunier und Georges Minne von öffentlichen Museen erworben und von Kunstfreunden aus den Kreisen der Industrie- und Finanzaristokratie gesammelt wurden.

Die geistige Erregung, von der Deutschland stärker als andere Länder erfaßt worden war, beschränkte sich nicht allein auf das Gebiet der bildenden Kunst. Die neue Literatur und Musik, die nicht weniger in Bewegung geraten waren, fanden in ähnlicher Weise Resonanz und Erfolg. Der Kult der Musik und des Thea-

---

* Vingt: „Gesellschaft der Zwanzig", eine belgische Künstlervereinigung, die dem allgemeinen Historizismus ablehnend gegenüberstand.

Umseitig: Kurfürstenbrücke und Schloßplatz

ters ist in Deutschland älter als das Verständnis für Malerei und Plastik. Das Interesse an der Literatur war seit der Mitte des 18. Jahrhunderts ständig gewachsen. Eine leidenschaftliche Neigung zu Neuem und zur Entdeckung bisher unbekannter künstlerischer Ausdrucksmöglichkeiten griff um sich und förderte das Entstehen kühner Unternehmungen.

Auf dem Gebiet der Literatur wagte eine Reihe von Verlegern die ersten Vorstöße in das Reich der Weltliteratur und legte dem Publikum in rascher Folge ausgezeichnete Übersetzungen der Meisterwerke aller Zeiten und Völker vor. So wurden in dieser brausenden Epoche die modernen englischen, russischen, polnischen und skandinavischen Dichter und Schriftsteller in Deutschland populär. Aber man begnügte sich nicht mit den Übersetzungen allein. Die Verleger bemühten sich auch um die künstlerische Erneuerung der Typographie und holten in kurzer Zeit den Vorsprung Englands und Frankreichs ein. Der Insel-Verlag und die „Ernst-Ludwig-Presse" brachten Bücher heraus, die es mit den Erzeugnissen William Morris', Cobden-Sandersons oder der Imprimerie Nationale de France wohl aufnehmen konnten ...

Maria und ich schätzten an der Berliner Gesellschaft vor allem den Enthusiasmus, welcher der Kunst und Kultur der außerdeutschen Länder entgegengebracht wurde. Im Reich der Musik wurden Werke Berlioz' aufgeführt, und Bizet wurde hoch verehrt. Wir haben während unserer Berliner Zeit kaum einen Tag verbracht, an dem wir nicht ein bisher unbekanntes Werk von entscheidender Bedeutung kennenlernten. Unser Horizont erweiterte sich mehr und mehr, und der Kontakt mit der zeitgenössischen Kunst bereicherte uns täglich. Zu Beginn des 20. Jahrhunderts wehte in Berlin ein Wind, der den Nebel vertrieb, der in den westlichen Ländern über einer beschränkten, dünkelhaften und veralteten Kultur lag.

Van de Velde, Geschichte meines Lebens

Der Wiener Dichter und Essayist Felix Braun, der für einige Jahre als Feuilletonredakteur an einer Berliner Zeitung tätig ist:

Ich erkundigte mich nach der Mitte der Stadt; aber es gab keine. Aus alter Zeit stand nur noch weniges um das Rathaus herum und machte nicht eben besonderen Eindruck. Dagegen liebte ich es, von der Museumsinsel die Linden hinunter zum Brandenburger Tor und weiter in den Tiergarten zu gehen. Die einfachen Harmonien Schinkelscher Fronten klangen von Goethes Schönheitslehren wider. Das Schloß, die Oper, die Bibliothek, der schmucklos weiße Pariser Platz, Schlüters Großer Kurfürst bezeugten denselben strengen Geist, der sich in Kleists Dramen verspätet hatte. Im Kaiser-Friedrich-Museum sah ich, zum erstenmal, die Florentiner des Trecento und Quattrocento*, die in unserem Hofmuseum fehlten, und nicht nur die Werke der Maler, auch der edlen Bildhauer, deren Marmorhände d'Annunzios „Gioconda" erst verstehen lassen ...

Berlin: das war der straßenoffene, wagenlärmende Potsdamer Platz, den zu überqueren einem Abenteuer gleichkam; die Friedrichstraße bei Nacht voll Flanierender aller Stände, Proletarier vor Aschingerhallen, aus Untergrundbahnhöfen Strömender, Zeitungsausrufer, Prostituierter; der Kurfürstendamm mit Warenhäusern, Geschäften, hohen Omnibussen, aller Art Wagen, deren Kutscher seltsam glänzende Hüte trugen, intellektuellen Gesichtern, auffallend gekleideten Frauen; Straßen um Straßen, hier und dort in einen Platz sich öffnend, der sich mit irgendwelchem Grün wie mit falschem Smaragd schmückte oder eine der neu in romanischem oder gotischem Stil erbauten Kirchen darbot, die fast nichts von einem Bahnhof oder Kinematographen oder dem Messelschen Warenhaus unterschied. Berlin: das war die Hochbahn der Bülowstraße und die glasierten und plakatbeklebten Wände der Untergrundbahnen, ihre roten und gelben Waggons; der Geruch von Teer, den der strenge, kühle Nordwind überallhin wehte; das starke Leben, nicht in, aber zwischen den Menschen. Oft schien es mir, daß ich mich in einer asiatischen Stadt, in Ninive oder Babylon, befände, und immer hat Berlin dieses orientalische und zerstörbare Wesen für mich behalten ...

* Trecento, Quattrocento: kunstgeschichtliche Begriffe für die Epoche der Renaissance.

An Sonntagen war ich häufig in Bondis gastlichem Haus in Nikolassee eingeladen oder nahm an Ausflügen des herzhaften, edlen Max Lesser mit seiner Familie und seinen Freunden teil. Den dunklen, föhrenumkränzten, schwermutblickenden Schlachtensee, den Walter Leistikow gemalt hat, liebte ich, auch den offenen, lichteren Wannsee mit seinen vielen weißen Segeln. Lange stand ich an Kleists Grab. Die Havelseen lehrten mich, was preußischblau ist. Wohl fühlte ich die Öde des sandigen Tieflandes, darin keine barocke oder gar gotische Kirche, kein Feldkreuz, keine Heiligenfigur zu sehen war, keine Musik erklang, kaum da und dort ein ungefüges Gasthaus stand, das schlechten Kaffee oder untrinkbares Weißbier widerwillig darbot. Und doch ging mir die Langmut der Ebene zu Herzen. An dem Landwehrkanal, an dem hin ich abends zu spazieren pflegte, an der Spree, am „Weihenstephan"* lebte etwas von der unvergessenen Landschaft nach, auf der Berlins Häuser, ein steinerner Riesenheuschreckenschwarm, sich niedergelassen hatten und immer noch weiter festsetzten.

Felix Braun, Das Licht der Welt

Der englische Journalist Bart Kennedy:

Berlin ist eine Stadt der rechten Winkel und Denkmäler – besonders der Denkmäler. Und ich hoffe, daß mich niemand für grob halten wird, wenn ich sage, daß der allgemeine Gesamteindruck, den ich hatte, der einer feinen und glänzend angelegten Strafkolonie war. Berlin hat schöne Parks, Brunnen und Plätze, aber alle haben eine korrekte, wie nach der Uhr geregelte Stimmung. Es ist keine Stadt, die eine persönliche, individuelle Note hat, sondern alles ist einförmig. Ein Fleck ist genauso wie der andere. Nimmt man dazu das regelmäßige klappernde Geräusch, das von den genau in Reih und Glied marschierenden Soldaten herkommt, die beständig durch die Straßen stampfen, so hat man das dominierende Gefühl, sich an einem Orte zu befinden,

---

* ein Restaurant in der südlichen Friedrichstraße

In der Siegesallee

an dem pünktliches und korrektes Benehmen die Parole des Tages ist. Daß Berlin der ideale Aufenthaltsort für einen gemächlich wandernden beschaulichen Menschen wie mich sei, habe ich nicht bemerken können. Man kann kaum seinen Kopf wenden, ohne gleich ein Bildwerk zu sehen. Sie sind hier und dort und überall, in den schönen laubreichen, so sauber gepflegten Anlagen, auf den Plätzen, an den Ecken der Straßen, in der Mitte der Straßen, am Anfang und Ende der Straßen. Denkmäler und Bildwerke überall. Und bleibst du vor einem Laden stehen und ein Bild zieht dein Auge auf sich, dann ist es sicher ein Gemälde von Kaiser Wilhelm. Wenn du in einem Restaurant deine Mahlzeit einnimmst, so sitzest du unter einem Gemälde von Kaiser Wilhelm. Überall ruht sein Auge auf dir. Er blickt auf dich in allen Arten von Uniformen und Anzügen.

Vorwärts, 21. Juni 1906

Eisverkauf unterm Haustor, um 1910

Die Anmut läuft auf den Straßen Berlins nicht umher. Trotz meines Alters, meines grauen Bartes und der grauen Haare wurde ich von einem Grobian vom Bürgersteig in den Rinnstein gestoßen, einem Manne, der hartnäckig geradeaus läuft wie eine Granate. Ich blieb verdutzt stehen. Eines Tages bekam ich so einen Stoß in die Lebergegend, die ja bei mir sehr empfindlich ist, daß ich fast unter ein Fuhrwerk gefallen wäre. Man setzte mir auseinander, daß der Fehler auf meiner Seite läge, ich solle mich nicht beklagen, sondern entschuldigen; ich hätte die Vorschriften verletzt; daß in dem Ordnungslande Deutschland ein Trottoir für die Leute bestimmt sei, die nach der einen, ein anderes für die, die nach der anderen Seite gingen. Man zeigte mir die Anschläge, auf denen das stand. Jeder müsse sich diesen genauen Vorschriften unterwerfen, jeder, außer natürlich den hohen Militärs; denen müsse man ausweichen. Ich fragte meine höflichen und aufmerksamen Berliner Freunde: „Was wird denn aus den zerstreuten Leuten, den Poeten, Verliebten bei solchen Vorschriften?" Die artigen Berliner antworteten mir: „Sie kommen auf die Wache, zahlen hohe Geldstrafen und streifen oft das Gefängnis." Das geschieht ihnen recht. Die deutsche Hauptstadt ist ein Muster von Ordnung. Die Verliebten, die Dichter und andere unordentliche Leute haben eben aufs Land, nicht in die Stadt zu gehen.
France, Berlin eine Kaserne

Der Galizier Jessaia Gronach, der sich als Schauspieler Alexander Granach nennt und 1909 in Reinhardts Theaterschule aufgenommen wird:

So kam ich, sechzehnjährig, mit meinem gleichaltrigen Freund Schlüsselberg nach Berlin. Horodenka, Zaleszczyki, Stanislau, Lemberg hatte ich beschauen, beobachten, entdecken können, ich hatte Eindrücke registriert, Vergleiche angestellt. Hier kam ich nicht in eine Stadt. Hier kam eine Stadt über mich. Hier fühlte ich mich überfallen, attackiert, nach allen Seiten gerissen von einem neuen Rhythmus, neuen Menschen, einer neuen Sprache, neuen Sitten und Gebräuchen. Ich mußte an mich halten, Augen aufreißen, Muskeln anspannen, um nicht überrannt, nicht zermalmt, nicht zerquetscht zu werden. Die Theatersehnsucht mit den vielen Plänen, da hineinzukommen, war im Hintergrund verschwunden. Jeder Tag gebar seine eigenen Forderungen: arbeiten, essen, wohnen, Miete zahlen. Ich hatte gar keine Papiere, nur ein kleines Büchelchen, eine Legitimationskarte: Ich war Mitglied der österreichischen Bäckergewerkschaft. Also war mein erster Gang zum Gewerkschaftshaus Engelufer 12, dort zum Bäckernachweis. Und siehe da, man wird als Kollege, als Genosse angesprochen. Die Menschen sind sehr freundlich, und niemand ist überrascht, daß zwei Handwerksburschen aus dem Österreichischen auf der Wanderschaft sind und sich bis Berlin durchgeschlagen haben. Ich bekam Auskunft, eine Wartenummer des Nachweises, eine geldliche Unterstützung und Ratschläge wegen Schlafstelle und Essen. Als wir das Gewerkschaftshaus verließen, beneidete mein Freund mich um mein Handwerk, um mein Fach, das mir in dieser fremden Welt, in dieser wilden Stadt eine Aussicht auf Arbeit, auf unabhängiges Leben bot. Das war auch eine ganz große Sache für mich. Berlin! Es war, als ob ein Riese mich freundlich anlächelte, ja, ich hatte Angst! Dieser Riese flößte mir Respekt ein – aber Engelufer 12 war freundlich, nannte mich Kollege, Genosse und reichte mir die Hand. Mein Herz füllte sich mit Selbstvertrauen, und an diesem Tage habe ich mich wirklich in Berlin verliebt.

Wir bestiegen eine Elektrische und fuhren zwei Stunden durch ein Häusermeer zu irgendeiner Endstation und zurück, ohne auszusteigen, immer vorne beim Fahrer, und bekamen einen vagen Begriff von etwas sehr Großem und Fürchterlichem, das doch einen freundlich aufzunehmen schien. Nach Beendigung unserer Fahrt sahen wir in einer Kutscherkneipe schön belegte Brote im Fenster, mit Zungenwurst, mit Schmorbraten und Stückchen Gelee und mit Schweizer Käse. Zehn Pfennig das Stück. Wir gingen hinein und bestellten jeder eins, und ein dicker Wirt mit rundem Kahlkopf und großem Schnurrbart musterte unsere gierigen Augen und fragte: „Klappstulle?" Und ich sagte: „Ja." Mein Freund guckte mich fragend an: „Was ist das?"

Währenddessen strich schon der Wirt ein anderes Brot mit Fett und legte es über das belegte Brot, schnitt es in der Mitte durch und reichte es uns. Und ich sagte: „Siehst doch, Klappstulle." Und wir aßen zum ersten Male Klappstullen und tranken eine Molle dazu. Kinder, war das großartig! Eine Klappstulle! Eine Klappstulle mit Zungenwurst und noch eine mit Braten und eine mit Käse! Die weite Fahrt, das gute Essen, Brot mit Butter und Fleisch dazu, Brot mit Belag und Bier und die Aussicht auf Arbeit! Den möchte ich sehen, der dabei nicht jauchzte vor Glück!

Granach, Da geht ein Mensch

Der russische Sozialdemokrat und bolschewistische Funktionär Ossip Aronowitsch Pjatnizki, Beauftragter der „Iskra"-Redaktion in Berlin:

Berlin, diese riesige Stadt mit ihren Straßenbahnen, ihrer Stadtbahn, mit ihren ungeheuren Warenhäusern und dem blendenden Licht, eine Stadt, wie ich sie noch nie zuvor gesehen hatte, machte auf mich einen geradezu überwältigenden Eindruck. Einen nicht geringeren Eindruck machte auf mich auch das Berliner Volkshaus, das auch „Gewerkschaftshaus" genannt wurde, ferner die Druckerei, die Buchhandlung und die Redaktion des „Vorwärts" und vor allen Dingen die deutschen Arbeiter. Als ich zum ersten Male in eine Versammlung kam und dort gutgekleidete Herren erblickte, die vor Bierkrügen an Tischen saßen, glaubte ich in eine Versammlung von Bürgerlichen geraten zu sein, da ich solchen Arbeitern in Rußland nie begegnet war ...

Bei meiner ersten Bekanntschaft mit den deutschen Arbeitern hatte ich den Eindruck, als lebten sie wie der liebe Gott in Frankreich. Die Arbeiter, die ich in den Versammlungen sah, waren – im Vergleich zu den russischen – ausgezeichnet gekleidet, tranken während der Versammlungen viel Bier und aßen mitgebrachte Stullen. Nicht übel waren auch die Wohnungen der Funktionäre, zu denen ich ins Haus kam. Fügt man noch all die Freiheiten hinzu, die sie damals hatten, so erhält man eine Vorstellung von dem „Ideal", das ich zu jener Zeit für das russische Proletariat ersehnte. Sehr bald aber blieb von meinem „Ideal" nichts übrig. Ich kam in die Berliner Arbeiterviertel und Arbeiterwohnungen, die sehr wenig denen glichen, die ich bis dahin zu sehen bekommen hatte. Die Wohnungen der Arbeiter bestanden aus einem Vorzimmer, das als Küche benutzt wurde, und einem kleinen Raum, in dem eine vier- bis fünfköpfige Familie wohnte. In diesen Wohnungen war auch die Einrichtung nicht gerade komfortabel. Trotz des industriellen Aufschwungs konnte man im Volkshaus, in dem alle Gewerkschaften Berlins ihre Büros hatten, stets viele Arbeitslose aus Berlin oder der Provinz treffen. Die Asyle waren von Obdachlosen überfüllt.

Pjatnizki, Aufzeichnungen eines Bolschewiks

Schließlich der Wiener Schriftsteller Stefan Zweig in seinem Erinnerungsbuch „Die Welt von gestern":

Vierzig Jahre Frieden hatten den wirtschaftlichen Organismus der Länder gekräftigt, die Technik den Rhythmus des Lebens beschwingt, die wissenschaftlichen Entdeckungen den Geist jener Generation stolz gemacht; ein Aufschwung begann, der in allen Ländern unseres Europa fast gleichmäßig zu fühlen war. Die Städte wurden schöner und volkreicher von Jahr zu Jahr, das Berlin von 1905 glich nicht mehr jenem, das ich 1901 gekannt, aus der Residenzstadt war eine Weltstadt geworden und war schon wieder großartig überholt von dem Berlin von 1910... Breiter, prunkvoller wurden die Straßen, machtvoller die öffentlichen Bauten, luxuriöser und geschmackvoller die Geschäfte. Man spürte es an allen Dingen, wie der Reichtum wuchs und wie er sich verbreitete; selbst wir Schriftsteller merkten es an den Auflagen, die sich in dieser einen Spanne von zehn Jahren verdreifachten, verfünffachten, verzehnfachten. Überall entstanden neue Theater, Bibliotheken, Museen; Bequemlichkeiten, die wie Badezimmer und Telefon vordem das Privileg enger Kreise gewesen, drangen ein in die kleinbürgerlichen Kreise...

Umseitig: Der Potsdamer Platz, 1914

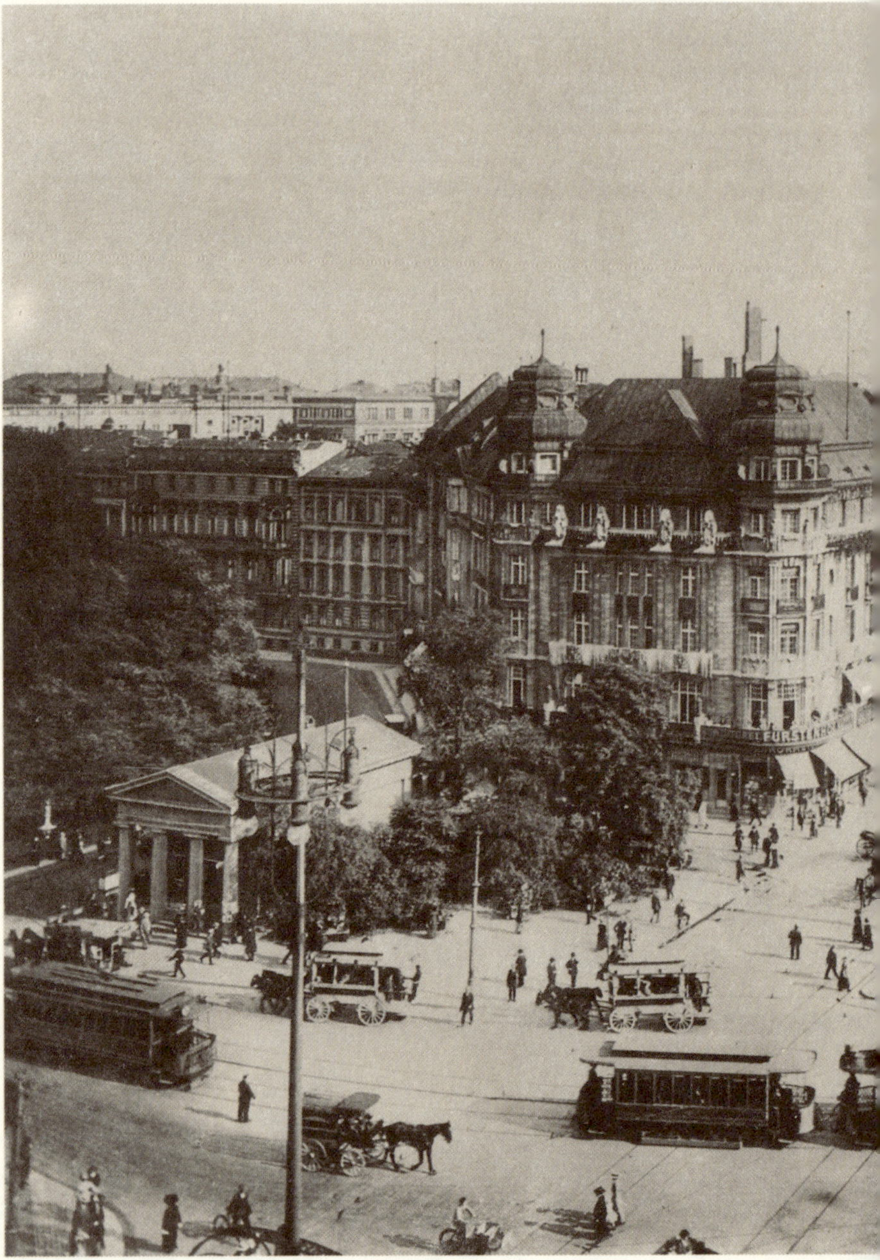

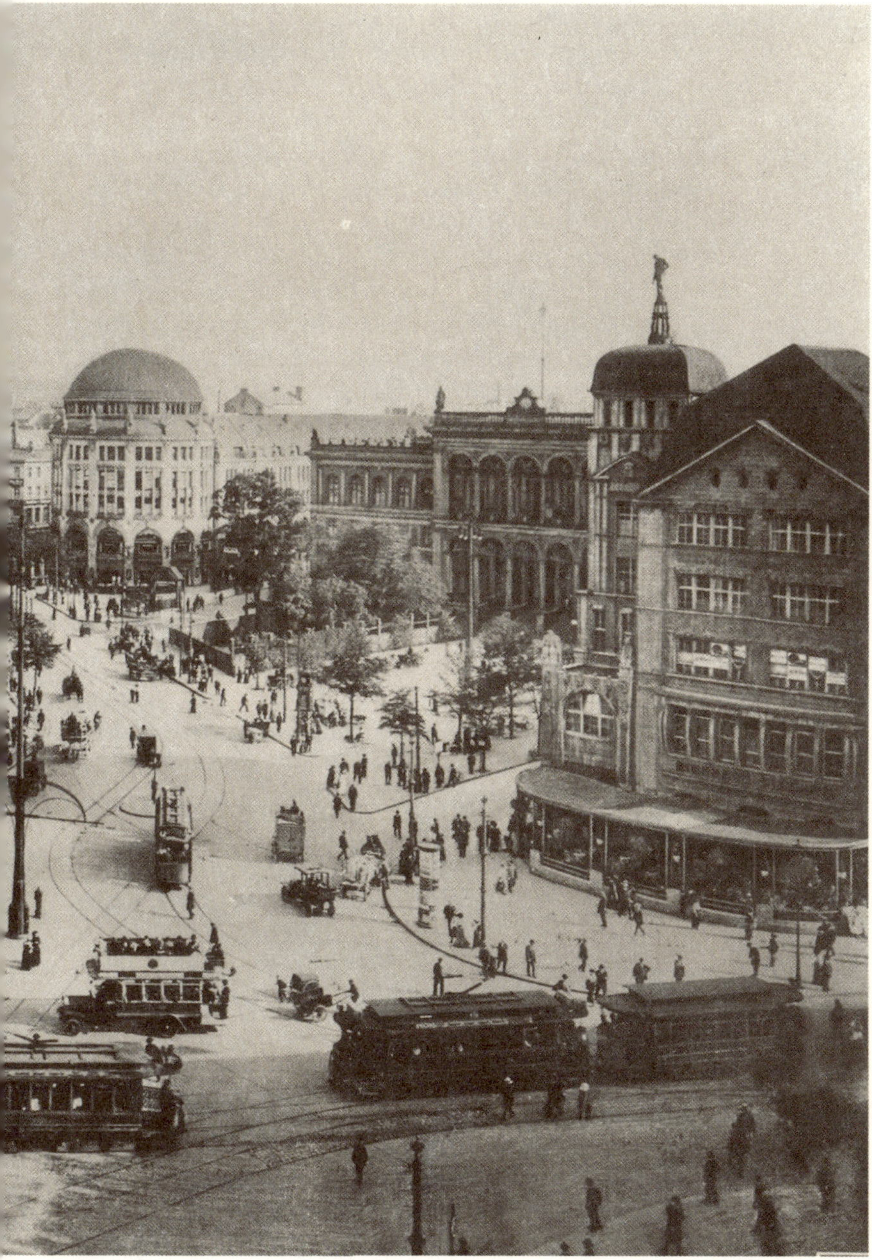

Das Fahrrad, das Automobil, die elektrischen Bahnen hatten die Distanzen zerkleinert und der Welt ein neues Raumgefühl gegeben. Sonntags sausten in grellen Sportjacken auf Skiern und Rodeln Tausende und Zehntausende die Schneehalden hinab, überall entstanden Sportpaläste und Schwimmbäder. Und gerade im Schwimmbad konnte man die Verwandlung deutlich gewahren; während in meinen Jugendjahren ein wirklich wohlgewachsener Mann auffiel inmitten der Dickhälse, Schmerbäuche und eingefallenen Brüste, wetteiferten jetzt miteinander turnerisch gelenkige, von Sonne gebräunte, von Sport gestraffte Gestalten in antikisch heiterem Wettkampf. Niemand außer den Allerärmsten blieb sonntags mehr zu Hause ... Die ganze Generation entschloß sich, jugendlicher zu werden, jeder war im Gegensatz zu meiner Eltern Welt stolz darauf, jung zu sein; plötzlich verschwanden zuerst bei den Jüngeren die Bärte, dann ahmten ihnen die Älteren nach, um nicht als alt zu gelten. Jungsein, Frischsein und nicht mehr Würdigtun wurde die Parole. Die Frauen warfen die Korsetts weg, die ihnen die Brüste eingeengt, sie verzichteten auf die Sonnenschirme und Schleier, weil sie Luft und Sonne nicht mehr scheuten, sie kürzten die Röcke, um besser beim Tennis die Beine regen zu können, und zeigten keine Scham mehr, die wohlgewachsenen sichtbar werden zu lassen. Die Mode wurde immer natürlicher, Männer trugen Breeches, Frauen wagten sich in den Herrensattel, man verhüllte, man versteckte sich nicht mehr voreinander ...

Herrlich war diese tonische Welle von Kraft, die von allen Küsten Europas gegen unsere Herzen schlug. Aber was uns beglückte, war, ohne daß wir es ahnten, zugleich Gefahr ... Frankreich strotzte von Reichtum. Aber es wollte noch mehr, wollte noch eine Kolonie, obwohl es gar keine überflüssigen Menschen hatte für die alten ... Österreich annektierte Bosnien. Serbien und Bulgarien wiederum stießen gegen die Türkei vor, und Deutschland, vorläufig noch ausgeschaltet, spannte schon die Pranke zum zornigen Hieb ... Die französischen Industriellen, die dick verdienten, hetzten gegen die deutschen, die ebenso im Fett saßen, weil beide mehr Lieferungen von Kanonen wollten, Krupp und Schneider-Creuzot. Die Hamburger Schiffahrt mit ihren riesigen Dividenden arbeitete gegen die von Southampton, die ungarischen Landwirte gegen die serbischen, die einen Konzerne gegen die andern – die Konjunktur hatte sie alle toll gemacht, hüben und drüben, nach einem wilden Mehr und Mehr ... In Deutschland wurde eine Kriegssteuer eingeführt mitten im Frieden, in Frankreich die Dienstzeit verlängert; schließlich mußte sich die Überkraft entladen, und die Wetterzeichen am Balkan zeigten die Richtung, von der die Wolken sich schon Europa näherten.

Es war noch keine Panik, aber doch eine ständige schwelende Unruhe; immer fühlten wir ein leises Unbehagen, wenn vom Balkan her die Schüsse knatterten. Sollte wirklich der Krieg uns überfallen, ohne daß wir wußten, warum und wozu?

Zweig, Die Welt von gestern

Weltstadt
nach der Jahrhundertwende
(1900 bis 1904)

Wann beginnt das neue Jahrhundert?

Schon seit dem Herbst ereiferten sich die Kalendergelehrten gegeneinander in der Presse, unterstützt oder bekämpft von einem Chorus meist uneingeweihter, aber aus irgendeinem Grunde interessierter Leute, wann das 20. Jahrhundert beginne. Diejenigen, die es am 1. Januar 1900 anfangen lassen wollten, fragten ihre Gegner höhnisch, ob es etwa ein Jahr Null nach Christus gegeben hätte, während diese mit Fug und Recht erwiderten, daß erst am 31. Dezember 1900 neunzehn Jahrhunderte abgelaufen seien. Die Bevölkerung machte sich entweder, vernünftigerweise, über dieses Problem gar keine Gedanken, oder sie betrachtete den Tag, an dem die Jahrhundertzahl mit 19 begann, als Jahrhundertwende. Hohenlohe als vorsichtiger Mann ließ das Auswärtige Amt bei den fremden Regierungen anfragen, um Material in die Hand zu bekommen. Soweit ich mich erinnere, war es nicht einheitlich. Die Kurie gab eine ausweichende Antwort, da auch ihre Gelehrten nicht einig waren. Daß aber der Heilige Stuhl das 19. Jahrhundert erst Silvester 1900 schließen würde, konnte schon damals kaum zweifelhaft sein, denn bereits im Frühjahr hatte der Papst das Jahr zum Jubiläums- und Ablaßjahr und damit also zum letzten des alten Jahrhunderts bestimmt. Die Entscheidung für Deutschland fällte der Bundesrat nach dem Vorschlage des preußischen Bevollmächtigten Graf Posadowsky für den 1. Januar 1900. Er entsprach damit dem Wunsche des Kaisers, der gleichzeitig durch Allerhöchsten Befehl als König von Preußen die feierliche Begehung dieses Tages anordnete.

Hutten-Czapski, Sechzig Jahre Politik und Gesellschaft/1

So ist es Wilhelm II. – „Deutscher Kaiser, König von Preußen, Markgraf zu Brandenburg, Burggraf zu Nürnberg, Graf zu Hohenzollern, souveräner und oberster Herzog von Schlesien wie auch der Grafschaft Glatz, Großherzog von Niederrhein und Posen, Herzog zu Sachsen, Westfalen und Engern, zu Pommern, Lüneburg, Holstein und Schles-

wig, zu Magdeburg, Bremen, Geldern, Kleve, Jülich und Berg, sowie auch der Wenden und Kassuben, zu Krossen, Lauenburg, Mecklenburg, Landgraf zu Hessen und Thüringen, Markgraf der Ober- und Nieder-Lausitz, Prinz von Oranien, Fürst zu Rügen, zu Ostfriesland, zu Paderborn und Pyrmont, zu Halberstadt, Münster, Minden, Osnabrück, Hildesheim, zu Verden, Kammin, Fulda, Nassau und Mörs, gefürsteter Graf zu Henneberg, Graf der Mark und zu Ravensberg, zu Hohenstein, Tecklenburg und Lingen, zu Mansfeld, Sigmaringen und Veringen, Herr zu Frankfurt" –, der festlegt, wann für die Berliner offiziell das 20. Jahrhundert beginnt.

In den proletarischen Außenbezirken verläuft der Jahrhundertwechsel ruhig.

Durch die Straßen ziehen mit Hausrat beladene Fuhrwerke. Trotz der noch anhaltenden Konjunktur sehen sich Zehntausende nach einer erschwinglichen Wohnung um. Mietsteigerungen in ungewöhnlichem Umfang werden in den Zeitungen gemeldet; Hauptargument der Hausbesitzer: die Steigerung der Grundstückswerte durch die Einführung des elektrischen Betriebs auf der Straßenbahn.

„Silvesterbetrieb" herrscht eigentlich nur in der Innenstadt.

Drei Zentren gab es in diesem Jahre für den Silvesterverkehr, nach denen gegen Mitternacht unaufhaltsam die Ströme der Wandernden hindrängten. Es war dies in erster Linie, wie immer, die Straße Unter den Linden und als deren Mittelpunkt die berühmte Ecke von Kranzler und Café Bauer. Der zweite Versammlungsort war diesmal der Schloßplatz.

Mächtige Scheinwerfer bestrahlten von den Zinnen des Schlosses das Denkmal Kaiser Wilhelm I., vom Lustgarten her dröhnten, auch zum ersten Mal seit langer Zeit in der Silvesternacht, Schüsse der dort aufgestellten Batterie der Garde-Artillerie, die das neue Jahrhundert begrüßen sollten, und auf dem Schloßplatz sowie innerhalb des weiten Schloßhofs waren Hunderte von Equipagen der Minister, der Hofgesellschaft, der Botschafter, Gesandten und sonstigen Würdenträger aufgefahren, deren Herren zur Feier der Jahrhundertwende in das Schloß geladen waren.

Auch vor dem Rathaus hatten Tausende und Abertausende

Aufstellung genommen. Hatte doch der große Erker des Rathauses eine ungewöhnliche Attraktion aufzuweisen, nämlich die mit Festtagsgewand geschmückten Mitglieder der Stadtkapelle, die bereitstanden, das neue Jahrhundert mit Fanfarenklängen zu begrüßen. Als nun der ersehnte Moment endlich erschien, da ging es wie ein brausender Sturm durch die Luft. Die ununterbrochene, teils von der Polizei in gezwungener Bewegung gehaltene, teils auf den Trottoirs feststehende Menschenmenge zwischen Brandenburger Tor und Rathaus brach in denselben donnernden Ruf „Prosit Neujahr!" aus.

Freisinnige Zeitung, 3. Januar 1900

Am Neujahrsmorgen veranstaltet die Garnison ein Großes Wecken. Auf den Staatsgebäuden wehen schwarz-weiße oder schwarz-weiß-rote Fahnen mit dem Kaiserwappen.

Am Mittag des Neujahrsmorgens werden im Zeughaus die Fahnen und Standarten des Gardekorps neu geweiht. Der Feldprobst Dr. Richter hält die große Weiherede: „Zu Schirm und Schutz, zu Tat und Trutz, zu Sieg im Streit, von Gott geweiht!"

Dann hält Wilhelm II. eine Ansprache, in der er neue Flottenrüstungen ankündigt, mit denen Deutschland einen „Platz an der Sonne" erkämpfen will:

Der erste Tag des neuen Jahrhunderts sieht Unsere Armee, das heißt Unser Volk in Waffen vor dem Herrn der Heerscharen knien ...

Und wie Mein Großvater für sein Landheer, so werde auch Ich für Meine Marine unbeirrt in gleicher Weise das Werk der Reorganisation fort- und durchführen, damit auch sie gleichberechtigt an der Seite Meiner Streitkräfte zu Lande stehen möge und durch sie das deutsche Reich auch im Auslande in der Lage sei, den noch nicht erreichten Platz zu erringen. Mit beiden vereint hoffe Ich in der Lage zu sein, mit festem Vertrauen auf Gottes Führung den Spruch Friedrich Wilhelms I. wahrzumachen:

Umseitig: Friedrichstraße / Ecke Unter den Linden, Ansicht von Süden, 1908

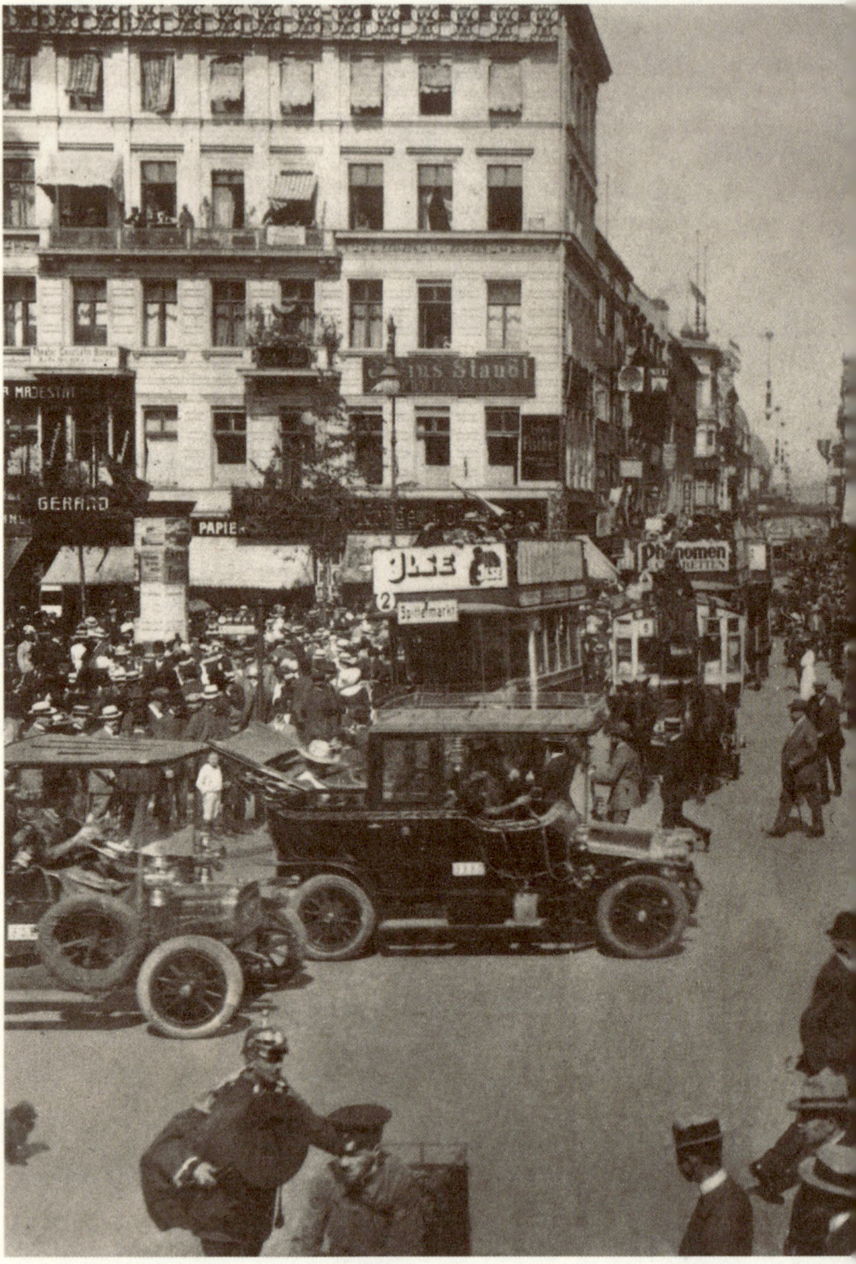
GERARD
PAPIER

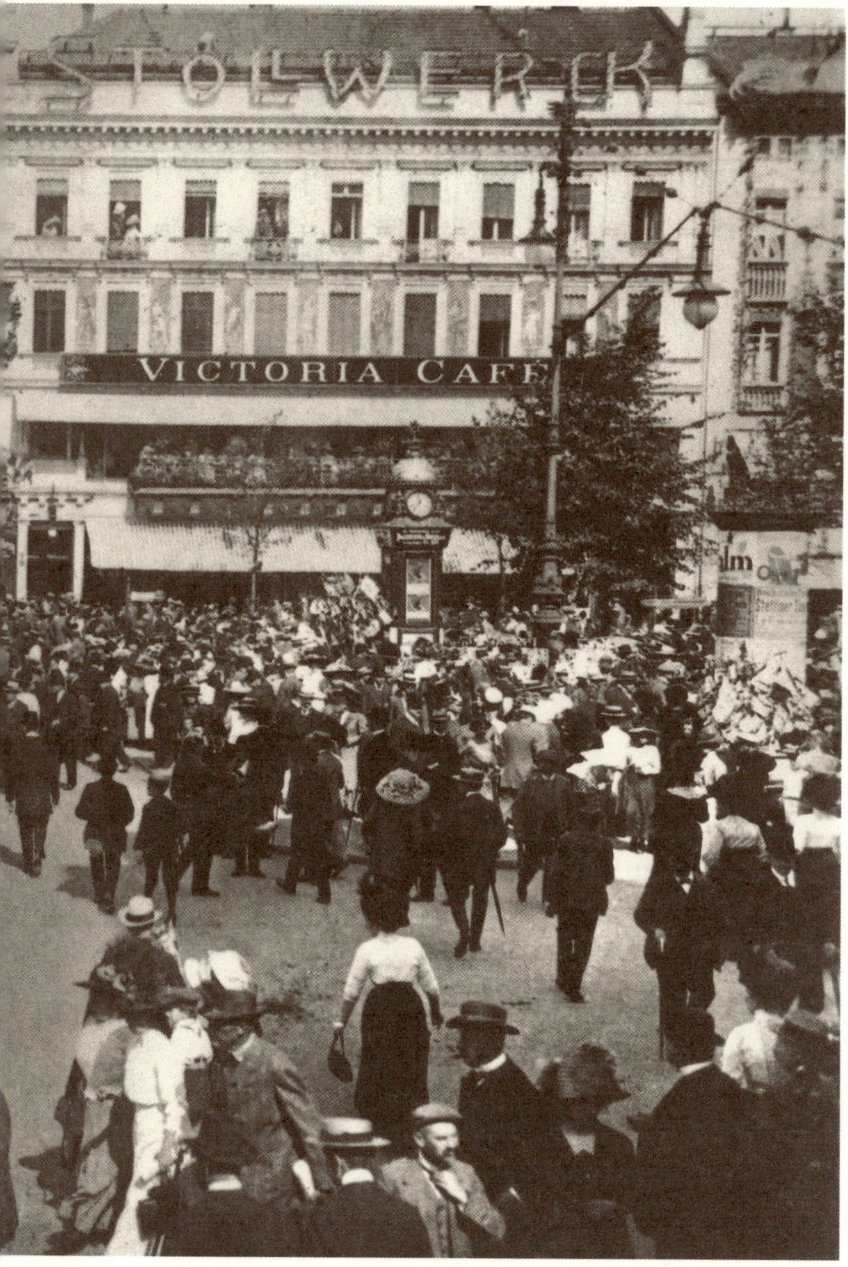
STOLLWERCK
VICTORIA CAFE

„Wenn man in der Welt etwas will decidieren, will es die Feder nicht machen, wenn sie nicht von der force des Schwertes souteniret wird."*

Deutscher Geschichtskalender, 1900

Der bekannte Fototechniker Ottomar Anschütz fertigt von den Ereignissen rings um das Zeughaus fotografische Aufnahmen an, „welche trotz der ungünstigen Witterung sehr gut gelungen sind".

* Wenn man in der Welt etwas zur Entscheidung bringen will, wird es die Feder nicht machen, wenn sie nicht von der Gewalt des Schwertes Unterstützung erhält.

Auf dem Wege
zur „schönsten Stadt der Welt"

Wilhelm II. formuliert nicht nur den Expansionswillen der herrschenden Klassen, er sorgt auch für die städtebauliche Kulisse, die der Verkündung der „Weltpolitik" den suggestiven Rahmen gibt. Mächtige Repräsentationsgebäude sollen die Hauptstadt zur „schönsten Stadt der Welt" machen. In den gewaltigen Hausteinen der Wilhelminischen Bauten drückt sich der Anspruch der Machthaber auf ewigen Bestand ihrer Herrschaft aus.

Der Zug zum Monumentalen wird immer stärker und rascher in der Metropole des Reiches. Dort, wo von der Kuppel des merkwürdigen Wallotschen Baues*, dessen imposante Originalität sich siegreich durchgesetzt hat, und von der Siegessäule die goldenen Zeichen weit hinaus schimmern, nimmt der Boden bereits die Fundamente für das Kolossalstandbild auf ..., wachsen die Gerüste um das werdende Bismarckdenkmal: der belebende, schaffende Geist soll sich da sichtbar zwischen den gewaltigen Formen, die das Geschaffene versinnbildlichen, erheben. Am andern Ende der Linden, jenseits der Schloßbrücke, erfährt das Ehrwürdige und historisch Große seine Verjüngung ... Unablässig wird da gearbeitet, das alte Schloß von allen Seiten mit Terrassen zu umgeben und der Säulenhalle des Kaiser-Wilhelm-Denkmals in einem monumentalen Kai einen würdigen Hintergrund zu schaffen. Jenseits des Nationalmuseums aber, am alten Kupfergraben, wächst im Kern der Stadt das Neue in großen Formen empor ...

Schon ist jenseits des Stadtbahnbogens eine neue Kasernenstraße entstanden, deren Massigkeit durch die glückliche Gliederung in altdeutschen, der Gotik angenäherten Formen bezwungen wird, schon bietet sich von der Ebertsbrücke aus ein überraschendes Bild des der Vollendung zustrebenden Monu-

---

* Gemeint ist das von Paul Wallot 1884 bis 1894 errichtete Reichstagsgebäude.

mentalbaues, des Kaiser-Friedrich-Museums, das den Mittelpunkt dieser neuen architektonischen Welt bildet. Das Werk ist so weit gediehen, daß der Geist des Beschauers die noch fehlenden Formen ergänzen und die Zukunftswirkung vorwegnehmen kann ...

Immer stärker fordert die neuere ruhmreiche Geschichte Deutschlands in Berlin ihr Recht. Der wirtschaftliche Aufschwung baute am raschesten, der nationale und politische gesellt den großartigen Schmuck und die imponierende Krönung hinzu. Um die alten Gedenkbauten preußischer Geschichte schließen sich konzentrisch, in weiterem Kreise und in höher strebender Tendenz die Monumente reichsdeutscher Herrlichkeit.

Berliner Neueste Nachrichten, 16. Oktober 1900

Die Bebauung der Nordhälfte der Spreeinsel geht ihrem Ende zu. Im Dezember 1901 wird ein Pergamonmuseum eingeweiht. Es fällt jedoch bald der Baufreiheit für das Kaiser-Friedrich-Museum zum Opfer, das im Oktober 1904 eröffnet wird. Das architektonische Ensemble, zu dem auch ein mächtiges Reiterstandbild Friedrichs III. gehört, findet nicht die ungeteilte Zustimmung der Berliner Kunstfreunde:

Seufzend betrachtet man Rudolf Maisons mißlungene Reiterfigur, die so matt und nichtssagend auf ihrem schön modellierten Pferde sitzt. Verwundert sieht man sie statt aus dem Gebäude heraus auf dieses zu reiten, so daß man sich an den wenigen Stellen, von denen sich überhaupt eine freie Aussicht auf das Denkmal bietet, mit dem wenig eindrucksvollen Anblick eines Uniformrückens und eines Pferdeschwanzes begnügen muß. Mißmutig hält man Umschau über die Klinik- und Kasernenbauten in der Runde, die eine so sonderbare Umgebung für ein monumentales Arrangement abgeben. Und ärgerlich blickt man auf das Spätrenaissanceschema der neuen Museumsarchitektur ...

Wir haben das Talent zum Städtebau, das wir in der ersten Hälfte des neunzehnten Jahrhunderts noch in so hohem Grade

Die Sparkasse am Mühlendamm, 1909

besaßen, offenbar gänzlich verloren. Und zu der falschen Aufstellung des Reichstagsgebäudes, an das man nur von hinten, und des Kaiser-Wilhelm-Denkmals, an das man nur von der Seite herankommen kann, tritt nun die des Kaiser-Friedrich-Museums und des neuen Denkmals, die sich den Augen der Menschen soweit möglich überhaupt entziehen.

Osborn, Kaiser-Friedrich-Museum

*Unmittelbar am Schloß, an der Kurfürstenbrücke, am östlichen Spreearm, öffnet sich ein riesiger Bauplatz. Hier entsteht der Neue Marstall. Vom Hofbaumeister Ihne entworfen, wird der neubarocke Monumentalbau, 1902 fertiggestellt, eine Art Hochgarage der ausgehenden Pferdezeit.
Ein Bauplatz dehnt sich auch nördlich des Schlosses. Alles, was in vier Jahrhunderten auf der Spreeinsel entstanden ist, soll ein neuer Dom überragen, „ein Gotteshaus, das zugleich auch Repräsentationshaus ist". (Berliner Illustrierte Zeitung) Der von Raschdorff im Stil der italienischen Hochrenaissance errichtete Bau wird im Februar 1905 eingeweiht. Die Meinungen der Zeitgenossen gehen schroff auseinander.*

Ein wahrhafter Prachtbau. Mag er seinen Charakter als protestantische Predigtkirche nach außen hin verleugnen; mögen die Leute vom Fach das Unpersönliche des Stils tadeln und dem Erbauer eine allzu peinliche Benutzung fremder Ideen nachsagen, mögen sie recht haben, daß durch diesen Bau das Schinkelsche Museum mit seiner edlen Linienführung, das so lange im Verein mit dem Schloß dem Lustgarten das architektonische Relief gab, herabgedrückt wird, das eine ist sicher: Der neue Dom ist eines der hervorragendsten Bauwerke des neuen Berlin, er zwingt zum Anschauen und in vielem auch zur Bewunderung.
Berliner Illustrierte Zeitung, 16/1900

Was man erreicht hat, ist Eleganz, nichts mehr ... Welchen Sinn hat der gewaltige Triumphbogen über der bescheidenen Tür in der Mitte? Drückt er irgend etwas Architektonisches aus, oder symbolisiert er an dieser Stelle irgend einen kirchlichen Gedanken oder irgend ein Gefühl überhaupt? Er prunkt, und das ist alles. Hunderte von Säulen, Pilaster, Gesimse, Bögen, Giebel, Statuen und andere Zierstücke prunken, prunken, prunken und sind ihrem Wesen nach nur ein immer wiederholtes Nichts. Auch die italienische Renaissance, die hier Vorbild war, hat zuzeiten geprunkt. Aber ihr Prunk lebte dann wenigstens; wenn er von keiner Realität Ausdruck war, war er's von spielendem Kraftgefühl und von schaffenslustiger Phantasie. Die Architektur des Domes ist bis in alle Einzelheiten hinein Nachlese, Nach-

Friedrichsbrücke, Börse, Dom, 1905

ahmung, Nachschrift, es ist eine Architektur des Auswendiglernens, des Umarrangierens und des Hersagens ohne zu stocken. Wo wäre an diesem ganzen Äußeren eine bauliche Schönheit eigener Art? ... Im Innern findet sich vielleicht dies und jenes Bessere, auch unter den Skulpturen und Bildern, es haben ja viele zusammengewirkt, und nicht allen ist dreingeredet worden. Welche Sorte aber von Kunst hier herrscht, an das zu erinnern genügt, daß man angesichts all der Aufträge Anton von Werners Beruf zum religiösen Maler entdeckte und ihm und seinesgleichen alles Wichtige übergab.

Avenarius, Der Dom

Der Dom ist übrigens nur eines von den unzähligen Gotteshäusern, die in diesen Jahren in und um Berlin errichtet werden. „Wir sind seit

zwanzig Jahren mit einer solchen Fülle neuer und neuester Kirchen in der Reichshauptstadt und ihrem Umkreis bedacht worden, daß in Berlin die Scherzrede geht, es würden jeden Mittwoch- und Sonnabendvormittag (von zehn bis zwölf Uhr) neue Kirchen eingeweiht." (Kappstein)
Nicht nur die Gläubigen zahlen für den Bau der vielen Kirchen. Die Mittel für den Bau der protestantischen Gotteshäuser werden zum Teil durch den Verkauf von Titeln und Orden wieder hereingebracht. Ein weiterer Teil stammt aus den Spenden eines betrügerischen Hypothekenbankdirektors, der mit den Einlagen seiner Aktionäre abenteuerliche Spekulationen betreibt.

Die Pommernbank feiert den Beginn des zwanzigsten Jahrhundert durch Versendung prachtvoll ausgestatteter Prospekte, in denen der erstaunten Welt die Mitteilung gemacht wurde, daß diese Hypothekenbank als „Hofbank der Kaiserin und Königin" anzusprechen sei ... Eine Hypothekenbank muß ja ausgezeichnet solide fundiert sein, der es gestattet wird, ihr Geschäftsschild mit dem Namen der ersten Frau des Landes zu zieren. Bald darauf verkrachte die Hofbank der Kaiserin, und zahllose gutgläubige Aktionäre und Pfandbriefabnehmer verloren ihr Geld. Schon damals, ehe man noch den Zusammenhang der Dinge überschaute, wunderte man sich, daß die Persönlichkeiten am Hofe, die für die Verleihung des Titels „Hofbank" die Verantwortung trugen, nicht sofort ihrer Posten entsetzt wurden. Ein wie unglaublicher Skandal hinter der ganzen Affäre steckte, weiß man erst seit Mittwoch, seitdem zeugeneidlich festgestellt ist, daß dem Oberhofmeister der Kaiserin, Freiherrn von Mirbach, aus den Mitteln einer Filialbank durch deren jetzt wegen betrügerischer Geschäftsmanipulation angeklagte Direktoren mehrere Hunderttausende Mark überwiesen sind, wie es scheint, zumeist für Kirchenbauzwecke ...

Aus diesem Tatbestand erheben sich nun eine Reihe von Fragen an den Oberhofmeister Freiherrn von Mirbach. Ist es denkbar, daß derselbe so naiv und weltunkundig war, um nicht zu ahnen, daß die ihm durch die Direktoren der Pommernbank zur Verfügung gestellten Hunderttausende keine persönlichen milden Gaben seien, mittels deren ein frommes Gemüt seinen

kirchlichen Sinn betätigt? Mußte er nicht wissen, daß diese Summen dem Bankvermögen entnommen wurden und daß kein Bankdirektor der Welt berechtigt ist, mit den Kassen der Bank entnommenen Almosen, die nach Hunderttausenden zählen, Kirchenbau oder ähnliche Zwecke zu fördern? ...
Dann aber weiter: Der Zusammenbruch der Pommernbank erfolgte kurze Zeit nach der Auszahlung der betreffenden Summen. Dem Freiherrn von Mirbach kann es nicht verborgen geblieben sein, wie viele unschuldige Opfer dieser Bankkrach gefordert hat. Waren die in Frage stehenden Hunderttausende von Mark bei dem Zusammenbruch der Bank schon verausgabt? Wenn nicht, durfte der Oberhofmeister auch nur einen Augenblick zaudern, das noch nicht verausgabte Geld der zahlungsunfähig gewordenen Bank wiederzuverschaffen? Man denke sich, daß Kirchen gebaut werden aus Mitteln, die ein ungetreuer und bereits vom Staatsanwalt verfolgter Direktor einer verkrachten Bank widerrechtlich entnommen hat!

Svendsen, Bakschisch

1900 erfährt die Berliner Öffentlichkeit von der geplanten „Regulierung" der Linden, die den Boulevard in eine leistungsfähige Verkehrsader verwandeln soll. Die Fahrbahnen und die Bürgersteige werden verbreitert, die kleinen Verkaufsstände und Trinkhallen verschwinden. Die Rasenstreifen zu beiden Seiten der Promenade sollen schmaler werden und nur noch eine Baumreihe aufnehmen. An den Bordschwellen der verbreiterten Bürgersteige werden dafür neue Linden (und Kastanien) gepflanzt werden. Der kaiserliche Reitweg bleibt.

Noch immer sind die „Linden" eine der schönsten Straßen Europas. Heinrich Mann zählt sie zu den „überdimensionalen Schöpfungen europäischer Kultur".

Es fahren keine elektrischen Bahnen hier, denen die Menschen eilig mit unschönen Laufbewegungen nachjagen. Keine eisernen Spinnennetze begrenzen den Straßenhimmel, keine klappernden Stadtbahnwagen donnern über unsern Köpfen dahin, nur die Autos pusten, rasen und dünsten, und es scheint hier sogar – ein

Unter den Linden

Wunder in Berlin – Leute zu geben, die nicht nur rasch einem Ziele zustreben, sondern die sich Zeit nehmen unterwegs. Leute, die die Straße als Aufenthalt, nicht nur als Weg benutzen.

Weltstädtisch sind die großen eleganten Hotels, die Auffahrten zum Schloß mit all den Equipagen der auswärtigen Hofgäste, der Diplomaten, weltstädtisch die Gesandtschaftshotels, deren Vertreter einander feierlich besuchen. Weltstädtisch der Zusammenfluß der Fremden hier ... Die Schaufenster Unter den Linden zeichnen sich durch gediegene teure Prachtstücke aus. Roben mit prachtvoll gestickten Kurschleppen werden im Hintergrund der Modesalons sichtbar, in die man durch die Vitrinen hineinschaut.

In den Obsthandlungen sieht man zu jeder Jahreszeit Riesenexemplare von Äpfeln und Birnen, die den Gedanken an gemeines gewachsenes Obst, das man essen möchte, verbannen und nur einzig an Tafelschmuck denken lassen, den die gefällige Natur irgendwie mühsam fabriziert hat. In den Auslagen der Goldschmiede funkelt und blitzt es. Oft künstlerisch vornehme Arbeit, die freilich nicht überall Überladenheit und aufdringlichen Prunk vermeidet. Cafés und Restaurants reihen sich aneinander, alte und neue. Noch immer hat die Konditorei Kranzler ihren Ruf als Rendezvousplatz von Elementen jeder Welt, und es heimelt an, daß dieses Renommee keine Auffrischung durch elegantere zeitgemäßere Räume sucht und daß es dem Café Bauer, dem Viktoriacafé und all den jüngeren, stilvolleren Etablissements ihren modernen Zuschnitt nicht neidet ...

Weltstädtisch sind die Schaufenster des Bremer und Hamburger Lloyds mit ihren großen Reliefkarten, auf denen die Schiffe ihre Reisen machen, so daß man seine nach Amerika oder nach der Südsee eingeschifften Freunde auf ihren Wegen verfolgen kann.

Die berühmten Lindenbäume selber freilich inmitten der Straße, Enkel der vom Großen Kurfürsten gepflanzten, enttäuschen durch ihre spärlichen Kronen; aber sie gliedern doch mit ihrem Grün das dreigeteilte Boulevard, das sich vom Schloß zum Brandenburger Tore hinabzieht und mit seinen breit wirkenden offiziellen Gebäuden zu beiden Seiten etwas Repräsentatives, Vornehmes hat. Gerade vielleicht durch die Abwesenheit des allzu Großstädtischen.

Die großen Milchglasbälle der elektrischen Bogenlampen neigen sich von ihren schlanken Schäften in regelmäßigen Abständen hoch über die Allee. Am Tage sehen sie aus wie Riesentropfen, die niederfallen wollen. Am Abend schweben sie wie eine Reihe unbegreiflich naher Sonnen über den Köpfen der zum Opernhaus Ziehenden, die sich in dem alten Schinkeltempel*, der leider jetzt durch Nottreppen verunstaltet ist, Wagner, Meyerbeer oder Massenet anhören wollen.

Anselm Heine, Berlins Physiognomie

* Das Opernhaus Unter den Linden wurde nicht von Schinkel, sondern von Georg von Knobelsdorff 1741 bis 1743 errichtet und nach einem Brand 1843 bis 1844 von Carl Ferdinand Langhans wieder aufgebaut.

Während der Monarch das Friedrichsforum* in eine Art Wilhelmsforum verwandelt, ändert, wenn auch langsamer, die ganze Innenstadt ihr Gesicht.

Es baut der preußische Fiskus. Es bauen Post, Justiz und Polizei. Es baut das Geheime Zivilkabinett des Kaisers. Es baut das Kultusministerium. Es baut die Generalordenskommission. Nördlich der Spree wird die Charité erneuert und umgebaut.

Ein Dutzend Gerichtsgebäude wird zwischen 1900 und 1914 in Groß-Berlin errichtet oder erweitert. Otto Schmalz verleiht dem Amts- und Landgericht I an der heutigen Littenstraße zwei gewaltige Treppenhäuser im Jugendstil: aus dem Gerichtshaus wird ein „Justizpalast".

Immer mehr Wohnhäuser des Zentrums weichen Geschäfts- und Bürogebäuden, Banken und Versicherungsanstalten. Werkstätten und kleine Läden machen Luxusgeschäften Platz. So entsteht die „City", die sich gleichzeitig immer deutlicher in spezialisierte „Viertel" teilt.

Straßen und Plätze bilden dabei meist den Mittelpunkt der einzelnen Sphären. Im Westen, und zwar im Verlaufe der Wilhelmstraße, nordwärts der Anhaltstraße, breitet sich das Regierungs- und Gesandtschaftsviertel aus, das nach Westen zu bis zur Königgrätzer und Budapester Straße, nach Osten bis in die Gegend der Mauerstraße reicht und das in der Gegend des Pariser Platzes in die Straße Unter den Linden einbiegt.

Nordwärts der Linden bis zur Weidendammer Brücke, seitlich durch die Neue Wilhelm- und die Charlottenstraße begrenzt, befindet sich das Hotelviertel. Ein Hotel reiht sich hier neben das andere, und selbst diejenigen Häuser, die nicht für diesen Zweck errichtet sind, bergen unter anderem ein Hotel niedrigen Ranges.

Noch eine zweite Hotelgegend ist im Entstehen begriffen. Diese breitet sich rings um den Leipziger Platz auf der südlichen Seite der Königgrätzer Straße bis zum Askanischen Platz aus. Auch dieser letztere Platz ist in letzter Zeit mehr und mehr zugleich mit der Anhaltstraße zur Hotelgegend gestempelt worden.

Die eigentliche Geschäftsstadt, wo sich die modernen Ge-

---

* Das vor allem im 18. Jahrhundert entstandene architektonische Ensemble rings um den heutigen Bebelplatz

Heinrich Zille: Abbruch in der Wallstraße, 1909

schäftspaläste mit ihrem Detailverkehr aneinanderreihen, wird durch die beiden schon vorher erwähnten Haupt-Straßenzüge der Leipziger, Gertrauden-, Spandauer, Königstraße einerseits und andererseits durch die Friedrichstraße gebildet. Der Wert der Gelände in diesen Straßen liegt hauptsächlich in den Läden, allenthalben noch in den ersten Stockwerken, wo Restaurants und sonstige Vergnügungsstätten eingerichtet sind ...

Nordwärts der Leipziger Straße, und zwar im wesentlichen zwischen Französischer Straße und Unter den Linden, westlich von der Mauerstraße und dem Wilhelmplatz, östlich von der Oberwallstraße und dem Hausvogteiplatz begrenzt, befindet sich das Bankenviertel, mit der Behrenstraße als Hauptstraße. Hier haben die meisten Großbanken ihre Wirkungsstätte. Sie hatten bis vor dem Kriege das Bestreben, sich immer weiter auszudehnen, wodurch ... ganz kolossale Areale mit ungeheurem Grundstückswert allmählich entstanden sind, ja, wie das Beispiel der Deutschen Bank lehrt, man schreckt nicht davor zurück, zur

Vereinfachung des inneren Betriebes Straßen zu überbrücken, um so Verbindungen zwischen den einzelnen Komplexen zu schaffen ...

Östlich davon, und zwar mit dem Hausvogteiplatz als Mittelpunkt, südlich durch den Dönhoffplatz, nördlich durch den Werderschen Markt begrenzt, seitlich durch den Gendarmenmarkt und den Spittelmarkt, liegt das Konfektionsviertel. Hier befinden sich die alteingesessenen, vornehmen Häuser der Residenz, in denen die feine Welt ihre Einkäufe macht.

Südlich der Leipziger Straße, wohl auch nordwärts bis zur Mohrenstraße reichend, zieht sich das neuere Viertel der Geschäftshäuser für Büro- und Engroszwecke verschiedenster Art hin. Durch Abriß der alten Gebäude und durch Zusammenfassung mehrerer Gelände ist hier ein in architektonischer Hinsicht bemerkenswerter Bezirk seit dem Anfange dieses Jahrhunderts erstanden. Einen Ausläufer bildet das Zeitungsviertel, das bis zur Linden- und Kochstraße reicht ...

Östlich des Schlosses kann man schwer Geschäftsviertel bestimmten Charakters unterscheiden. Da sich hier das älteste Berlin befindet, sind die ursprünglichen Gelände klein und die Straßen eng, wodurch moderne Geschäftsgründungen erheblich erschwert werden. Hinzu kommt, daß hier noch viel städtischer und staatlicher Besitz liegt. So ist allein um den Molkenmarkt im Zuge der großen Ost-West-Straße und nördlich der Königstraße, in dem nach Westen offenen Boden der Neuen Friedrichstraße ein Geschäftsviertel entstanden, in dem die Tuch- und Wäschebranche zahlreich vertreten ist.

Lesser, Geschäftsstadt Berlin

Während die Fabrikanten die Gewalt des „Herrn im Hause" mit burgenartigen Bauwerken betonen (Beispiel: die Tore der AEG in der Brunnenstraße), während die großen Aktienbanken ihren Machtanspruch durch Prunkpaläste im italienischen Stil ausdrücken, in denen mit Marmor und Mosaiken nicht gespart wird, gelangen einzelne Bauherren zu der Einsicht, daß etwas mehr Sachbezogenheit beim Bauen auch die Geschäfte solider erscheinen läßt.

Den ersten Schritt zu einer moderneren Architekturauffassung bringt ein Warenhaus.

Messels erster Geschäftsbau, das Wertheimhaus an der Leipziger Straße, war eine um so kühnere Tat, als der Geschäftsbetrieb der Firma vorher dem Architekten ein Ansporn zu unerhörten Neuerungen nicht sein konnte. Der Basar war ursprünglich in den vier Stockwerken eines Wohngebäudes untergebracht, man mußte durch hundert Zimmer einer Berliner Wohnung laufen, wenn man einkaufen wollte. Demgegenüber war dann der Plan Messels von einer geradezu großartigen Einfachheit. Ein riesiger Lichthof und ringsherum, in allen Stockwerken, ein einziger endloser Raum; die Decke nur von Säulen getragen, die Außenwände nur durch Pfeiler gegliedert. Der Anblick der Fassade schüchterte zuerst die Kühnsten ein. Aber die Zustimmung wurde schnell erzwungen durch die überzeugende Logik, die hier an der Arbeit war. Stein und Eisen wurde endlich als Material des Geschäftshauses offen anerkannt; die Stockwerkteilungen fielen fort, die hochstrebenden Pfeiler stellten das Ganze als eine Einheit hin, boten nur die notwendigen Stützpunkte für die Verankerungen dar und überließen die Fläche dem durch Eisenstäbe geteilten Glas. Der erste Blick belehrt nun den Vorübergehenden, was dieses Haus ist und sein will: ein Kaufhaus, worin sich die Menge frei und ungehindert durch alle Teile des Raumes zerstreuen kann, wo die Waren nicht in Schränken und Kisten versteckt, sondern offen vor aller Augen ausgelegt sind … Eine Entwicklungsidee, die immer wieder durch feige Bedenken aufgehalten worden war, gewann Gestalt.

Scheffler, Moderne Baukunst

Damals sprach ganz Berlin von dem Warenhausneubau, der am Leipziger Platz und in der Leipziger Straße entstanden war, rühmte den Bärenbrunnen und den Wintergarten, den ungeheuerlichen Luxus des Lichthofes und pilgerte, sooft es irgend ging, dorthin, ob nun Einkauf nötig war oder nicht.

Und wir Jungen machten es nicht anders. Zwar hatten die Portiers Anweisung, allein kommende Kinder nicht in den Bau zu lassen, aber wir wußten uns schon zu helfen. Rasch wählten wir in der Vorhalle eine dickliche, nicht gar zu energisch aussehende Madam und gingen nun sittsam rechts und links von ihr durch die verbotene Pforte, wobei wir uns, an ihr vorbei, eifrig unterhielten.

Waren wir dann erst im Bau, so streiften wir ihn von oben bis unten ab. Lange schien es, als kämen wir nie mit ihm zu Ende. Immer wieder entdeckten wir neue Abteilungen, drangen in völlig Unbekanntes ein. Wir müssen dabei Ähnliches empfunden haben wie Livingstone oder Stanley, als sie in den schwarzen Erdteil vorstießen. Und alles war mit den wunderbarsten Schätzen gefüllt. Wir träumten davon. Wir unterlagen derselben Verblendung wie ganz Berlin, das sich in jener Zeit, da solcher Prunk noch neu war, in den Gängen und vor den Tischen drängte: eine fieberische Besitzgier, eine wahre Kaufwut hatte alle erfaßt. Hier sah auch der Ärmste die Reichtümer der Welt vor sich ausgebreitet, nicht in Läden verstreut, die zu betreten er nie gewagt hätte, sondern gewissermaßen grade für ihn zurechtgelegt...

Im Warenhaus hatten wir unsere Lieblingslager, vor allem das Bücherlager selbstverständlich und die Spielwarenabteilung. Aber ich speziell bevorzugte besonders die vergleichsweise leere Bettenabteilung. Da ging ich gerne auf und ab. Ich liebte das Ansehen und den Geruch der steifen roten, blauen und gestreiften Inlettstoffe, ich liebte die großen Kästen, mit einer Glasscheibe an ihrer Vorderseite, in denen so leicht und duftig die Bettfedern lagen, von der feinsten Eiderdaune bis zur grob gesplissenen Hühnerfeder. War aber gar erst die große Maschine zum Reinigen der Bettfedern in Gang und ich konnte hineinsehen in den tanzenden, sich drehenden Wirbel aus Federn und Staub, so kannte mein Entzücken keine Grenzen!

Hans Fötsch wieder bevorzugte die Lebensmittelabteilung. Da ging er mit seiner sommers wie winters sprossigen Nase genußsüchtig witternd auf und ab, sah andächtig zu, wie herkulische Fleischer mit Rindervierteln und Schweinehälften jonglierten,

Kaufhaus Wertheim, Leipziger Straße, um 1910

wie starke Hirsche ausgeworfen wurden, und stand zum Schluß am längsten vor den Glasbassins mit den lebenden Flußfischen. Blau- und gelbschuppige Karpfen bewegten sich dort, träge die Flossen rührend, während ihre Erbfeinde, die Hechte, jetzt ohne alle Angriffsabsicht still und reglos über dem Grunde standen, auf dem sich Aale verknäult hatten.

Zum Schluß gingen wir meist noch in die Uhrenabteilung, die leider nur klein war. Wir lauschten andächtig dem Ticken vieler, vieler Uhren. Es schien hier gewissermaßen eine Werkstatt der Zeit zu sein, dieses unbegreifbaren Dinges Zeit, das wir nie verstehen konnten, das uns jeden Tag unfaßlich verwandelte, uns selber immer fremder machte. Dieser unheimlichen Zeit schienen wir hier näher gekommen beim Kuckucksruf der Schwarzwälder Uhr, beim Gongschlag der Standuhren und Regulatoren und vor allem bei jenen Uhren, die wir „Schleifuhren" getauft hatten. Sie saßen unter einem Glassturz, und das blanke, messingpolierte Werk bewegte sich offen vor unsern Augen, vorwärts, rückwärts, immer eine halbe Drehung, völlig lautlos, aber eben sichtbar. So stellte ich mir „Zeit" vor: rückwärts, vorwärts, vor allem aber lautlos.

Sahen wir dann wirklich einmal auf das Zifferblatt dieser Uhren, so entdeckten wir oft, daß es zum Heimlaufen schon viel zu spät war. Willig opferten wir den letzten Groschen unseres Taschengeldes und fuhren mit der Elektrischen. Glücklich und strahlend kamen wir daheim an, verrieten aber, um einem etwaigen Verbot vorzubeugen, den Eltern nie das Ziel unserer Exkursionen. Wir waren ganz einfach spazierengegangen. Wohin? Och ...

Fallada, Damals bei uns daheim

Noch existieren Reste des mittelalterlichen Berlins. Da ist der Krögel, eine verfallene Gasse, die vom Molkenmarkt zur Spree herniederführt.

Der Krögel liegt zwischen den Häusern Molkenmarkt 3 und Molkenmarkt 4. Er sieht von außen wie ein Durchgang aus und ist auch vormals weiter nichts wie ein Durchgang zum Wasser gewesen, nur daß ihn links Häuser flankieren. Was für Häuser! Der Name Krögel kommt aus dem wendischen „Cruwel" und bedeutet Bucht. Er war in den früheren Jahrhunderten (seit dem 14. Jahrhundert) die Bucht zur Spree. An ihm standen Kaufhäuser und Badehäuser.

Man gehe in das Haus, in dem sich die Tischlerei von Wolff befindet, aber nicht durch den breiten Torweg, sondern vorher durch den engen Eingang. Man kommt auf einen schönen alten Hof, der heute verwahrlost ist, aber in sauberem, hergerichtetem Zustande mit den angebauten Holzgalerien an den Häusern eine starke Stimmung ausübte. Durch den breiten Torweg aus dem Hofe hinaus ans Wasser: Blick auf Alt-Berlin.

Berlin für Kenner

Der Krögel, 1910

Da ist das Scheunenviertel zwischen Münzstraße im Süden und Lothringer Straße im Norden, zwischen der Alten Schönhauser Straße im Westen und der Prenzlauer Straße im Osten – ein Konglomerat von heruntergekommener Kleinbürgersiedlung, jüdischem Ghetto, Kaschemmenviertel und Unterschlupf für das Berliner Lumpenproletariat:

Kleine, enge, finstere Gäßchen mit Obst- und Gemüseständen an den Ecken. Frauen mit bemalten Gesichtern, mit großen Schlüsseln in den Händen strichen herum wie in der Zosina-Wolja-Gasse in Stanislau oder in der Spitalna in Lemberg. Viele Läden, Restaurants, Eier-, Butter-, Milchgeschäfte, Bäckereien mit der Aufschrift „Koscher". Juden gingen herum, gekleidet wie in Galizien, Rumänien und Rußland. Die keine Geschäfte hatten, handelten mit Bildern und Möbeln auf Abzahlung. Man ging hausieren mit Tischtüchern, Handtüchern, Hosenträgern, Schnürsenkeln, Kragenknöpfen, Strümpfen und Damenwäsche. Andere wieder gingen von Haus zu Haus, alte Kleider kaufen, die Großhändler wieder kauften und an die alte Heimat lieferten. Die meisten aber in dieser Gegend waren Arbeiter und Arbeiterinnen, die in den Zigarettenfabriken von Manoli, Garbaty oder Muratti beschäftigt waren. Da war auch ein reges, gesellschaftliches Leben. Die Frommen hatten verschiedene Gebetshäuser, nach ihren Sekten, nach ihren Rabbis benannt. Da gab es Zionisten aller Schattierungen. Da gab es Sozialrevolutionäre, Sozialisten, den „Bund" und Anarchisten. Es gab auch Theater und Sänger. Im Königs-Café in der Münzstraße trat der Komiker Kanapoff auf. Und das Restaurant Löwenthal in der Grenadierstraße, nahe der Münzstraße, hatte eine Bühne und spielte Theater. Da traten kleine Schauspieler und Statisten auf von den guten Theatern in Rußland, Rumänien, Galizien und priesen sich mit Riesenlettern und Klischees auf den Plakaten als berühmte internationale Stars an.

Granach, Da geht ein Mensch

Für den jungen Hans Fallada ist ein Gang durchs Scheunenviertel wie eine Reise in ein fremdes Land:

Das ganze Leben seiner Bewohner schien sich auf der Straße abzuspielen, alles stand dort herum, in den unglaublichsten Aufzügen, schnatterte, stritt miteinander ... Jüdische Händler im Kaftan mit langen, schmierigen, gedrehten Löckchen, Kleider über dem Arm, strichen durch die Menge und flüsterten bald hier, bald dort Anpreisungen. Vor einem Kellereingang saß ein dikkes, schmieriges Weib, hatte den Kopf eines jaulenden Pudels zwischen die Beine geklemmt und schor ihm mit einer Art Rasenschere den Hinterteil.

Und überall gab es Händler. Händler mit heißen Würstchen, mit „Buletten" aus prima kernfettem Roßfleisch, das Stück 'nen Sechser, mit Schlipsen (der janze Adel trägt meine Binder!), mit Seife und Parfüms. An einer Ecke prügelten sich ein paar Kerle, umringt von einem Kreis von Zuschauern, die, trotzdem schon Blut floß, weiter höchst amüsiert blieben. Mir, dem Juristensohn, fiel zuerst das völlige Fehlen von „Blauen" auf, von Schutzleuten also.

In diesen engen Gassen schien ein aller Ordnung und Gesetzmäßigkeit entzogenes Leben zu herrschen. Bisher hatte ich fest daran geglaubt, daß, was in der Luitpoldstraße galt, mit geringen, durch die Stufen reich und arm bedingten Abweichungen überall galt. Hier sah ich nun, wie der eine Kerl sich über den zu Boden gestürzten Gegner warf, der kaum noch bei Besinnung war, und ihm unter dem johlenden Beifallsgeschrei der Zuschauer immer wieder den blutigen Kopf gegen das Pflaster schlug.

Es wurde uns unheimlich, wir machten, daß wir davonkamen. Aber an der nächsten Straßenecke hielt uns ein Kaftanjude an, flüsternd, in einem kaum verständlichen Deutsch schlug er uns vor, ihm unsere Wintermäntel zu verkaufen. „Zwei Mork das Stück! Und eurer Momme seggt ihr, ihr hebbt se verloren..."

Dabei fing er schon an, mir meinen Mantel aufzuknöpfen.

Mit Mühe riß ich mich los, Fötsch und ich fingen an zu laufen. Aber das war nicht richtig. Denn nun fing die Jugend an, auf uns aufmerksam zu werden. Ein großer Junge, den ich angerannt hatte, rief: „Du bist woll von jestern übrigjeblieben?!" und gab damit das Signal zu einer Jagd auf uns.

Abbruch des Neumarktes, um 1910

Wir rannten, was wir konnten, durch ein Gewirr von Gassen und Sträßchen, ratlos, wann und wo dies einmal ein Ende nehmen würde. Eine ganze Horde stürzte schreiend, lachend, hetzend hinter uns her. Ein großer Kerl, durch den Lärm aufmerksam geworden, schlug nach Hans Fötsch. Aber der lief weiter, nur seine Mütze fiel verloren auf das Pflaster. Bei meinem Annähern zog eine Frau, die vor ihrer Tür an einem Strumpf strickte, sachte die Nadel aus der Strickerei und stach damit nach mir, mit der gleichgültigsten Miene von der Welt. Nur ein Sprung rettete mich.

Fallada, Damals bei uns daheim

Im November 1900 behandeln die Stadtverordneten die Pläne zum Neubau des Scheunenviertels. 1908 beginnt der Abriß, aber der Erste Weltkrieg, die revolutionäre Nachkriegskrise, die Inflation gehen über das Trümmerfeld hinweg, bevor 1928 der zentrale Teil des Viertels neu bebaut wird.

Auch der Bullenwinkel in der Alten Jacobstraße wird „saniert". Dem Bau des Berliner Stadthauses fällt ein Teil des alten Stadtkerns um die Parochialkirche zum Opfer, schmale wacklige Häuschen aus dem 17. und 18. Jahrhundert, in denen Schuh- und Kesselflicker, Hausierer und kleine Händler zu Hause sind. Die Kaiser-Wilhelm-Straße, die heutige Karl-Liebknecht-Straße, wird von der Spreebrücke bis zur Hirtenstraße durchgelegt, der alte Mühlendamm beseitigt, die Gertraudenstraße reguliert, die Fischerbrücke erneuert; die Roßstraße, die Königstraße und die Spandauer Straße werden verbreitert, Rosenstraße und Wallstraße reguliert, der Abbruch des Inselspeichers wird vorbereitet ...

Der reizvolle Bau der preußischen Seehandlung wird 1904 abgerissen, um der Reichsbank Platz zu machen. 1908 kommt das Köllnische Rathaus unter die Spitzhacke. Am Gendarmenmarkt wird die friderizianische Randbebauung niedergelegt. Schinkels Schauspielhaus und Gontards Domkuppeln werden zwischen sechsgeschossige Geschäftsgebäude eingezwängt. So wird nicht nur verfallenes Gemäuer beseitigt, sondern auch städtebaulich Wertvolles beschädigt. (Nur einmal gelingt es, ein Stück Alt-Berlin mit einem Neubau überzeugend zu verbinden: als neben der Börse in den Jahren 1904 bis 1906 die Handelshochschule errichtet wird, wird das alte Heiligen-Geist-Kirchlein als Hörsaal eingebaut.)

Jetzt steht die „Freilegung" des Brandenburger Tores auf der Tagesordnung. Man kennt den Plan seit einer Reihe von Jahren: die beiden Häuser des Pariser Platzes, die sich an die alten Torhäuschen anschließen, sollen abgerissen werden, damit das Tor selbst „frei" dastehe. Es heißt, die ganze Sache sei bereits abgemacht. Näheres zu erfahren ist unmöglich, alle Beteiligten hüllen sich in Stillschweigen. Wie die Angelegenheit im einzelnen gehandhabt werden soll, ist noch dunkel. Ob die Torhäuschen, also auch die Wache, und die Kolonnadenanbauten mit fallen sollen, ist mir nicht bekannt; es käme aber auch jedenfalls erst in zweiter Linie in Betracht, so undenkbar es jedem Berliner erscheinen wird, daß die Wache am Brandenburger Tor, ein soldatisches Bild von altpreußischer Echtheit, nicht mehr existieren soll. Doch andererseits: welchen Sinn hätte die Wache, die jetzt wirklich einen Stadteingang behütet, wenn man sie umgehen, welchen Sinn hätte überhaupt ein Tor, um das man herumspazieren kann? Ganz abgesehen von der Vernichtung des schönsten, weil geschlossensten und in seinen Verhältnissen am feinsten abgemessenen Berliner Platzes, die mit der Freilegung Hand in Hand gehen würde! Der ganze Reiz dieser kostbaren, historischen Stelle wäre verloren, und als Ersatz wäre von den Linden her die Aussicht auf die Denkmalsanlagen vor dem Tore eröffnet, die jetzt gnädig versperrt ist. Der Platz vor dem Brandenburger Tor ist heute einer der häßlichsten, die man in modernen Städten finden kann, der Pariser Platz einer der schönsten der Welt – fällt die Trennung, so entsteht ein unbeschreibliches Konglomerat, und die Schönheit hier wird von der Häßlichkeit dort aufgesogen. Der ganze Plan erscheint so ungeheuerlich, daß man an ihn nicht glauben würde, wenn ihn nicht geschäftige Byzantiner, die sich damit doch wohl an maßgebenden Stellen beliebt machen wollen, so beredt verteidigten und anpriesen ...

Keine vulkanischen Ausbrüche mit Lavaströmen und Ascheregen, keine Erdbebenstöße, Springfluten und Feuersbrünste, keine fremden Eroberer und blutrünstigen Communards – wir, wir selbst sind die Zerstörer Berlins. Mit einem Eifer und einer Rastlosigkeit, als gelte es, eine große und gute Tat zu tun, sind wir dabei, die Reste der schönen Stadt zu vernichten, die sich einstens an den Ufern der Spree erhoben hat.

Osborn, Die Zerstörung Berlins

Während die innerste Innenstadt mehr und mehr den Charakter eines Wohnquartiers verliert, wachsen in den Außenbezirken Berlins immer neue Siedlungen aus dem märkischen Sand empor.

Berlins Weichbild ist in wenigen Jahren bebaut. Im Nordwesten, Westen, Süden und Südosten ist bis auf wenige Baustellen schon jetzt das Weichbild, angrenzend an Plötzensee, Charlottenburg, Schöneberg, Tempelhof, Rixdorf und Treptow, mit neuen Häusern in großen Straßenzügen besetzt. In Moabit gibt es gegenüber dem Hansaviertel noch einige Baublocks an der Levetzowstraße, indessen werden diese jetzt von Laubenkolonisten benutzten Wiesenflächen – Überbleibsel der ehemaligen Judenwiese – in kürzester Zeit verschwinden. Die kleinen Lauben müssen vierstöckigen Mietskasernen Platz machen. Im Osten, wo Berlin schon mit seinem Häusermeer hart an Stralau, Rummelsburg, Lichtenberg und Friedrichsberg grenzt, herrscht jetzt eine so rege Bautätigkeit, daß dort innerhalb Berlins, wo noch vor nicht langer Zeit große Felder Hyazinthen blühten, kaum noch eine Baustelle zu haben sein wird. Berliner aus dem Westen finden sich schon jetzt nur mit Mühe in den dort entstandenen Stadtvierteln zurecht. Die Zeit ist nicht fern, wo der Zentralviehhof wie der alte in der Usedomstraße von neuen Stadtgegenden mit zahlreicher Bewohnerschaft umgeben ist, während vor einigen Jahren noch weite Felder mit wogendem Roggen der Gegend am Viehhof das Gepräge gaben. Aber auch im Norden und Nordosten reckt sich Berlin. Immer näher rücken die Neubauten

Umseitig:
Paul Hoeniger: Der Spittelmarkt, 1912

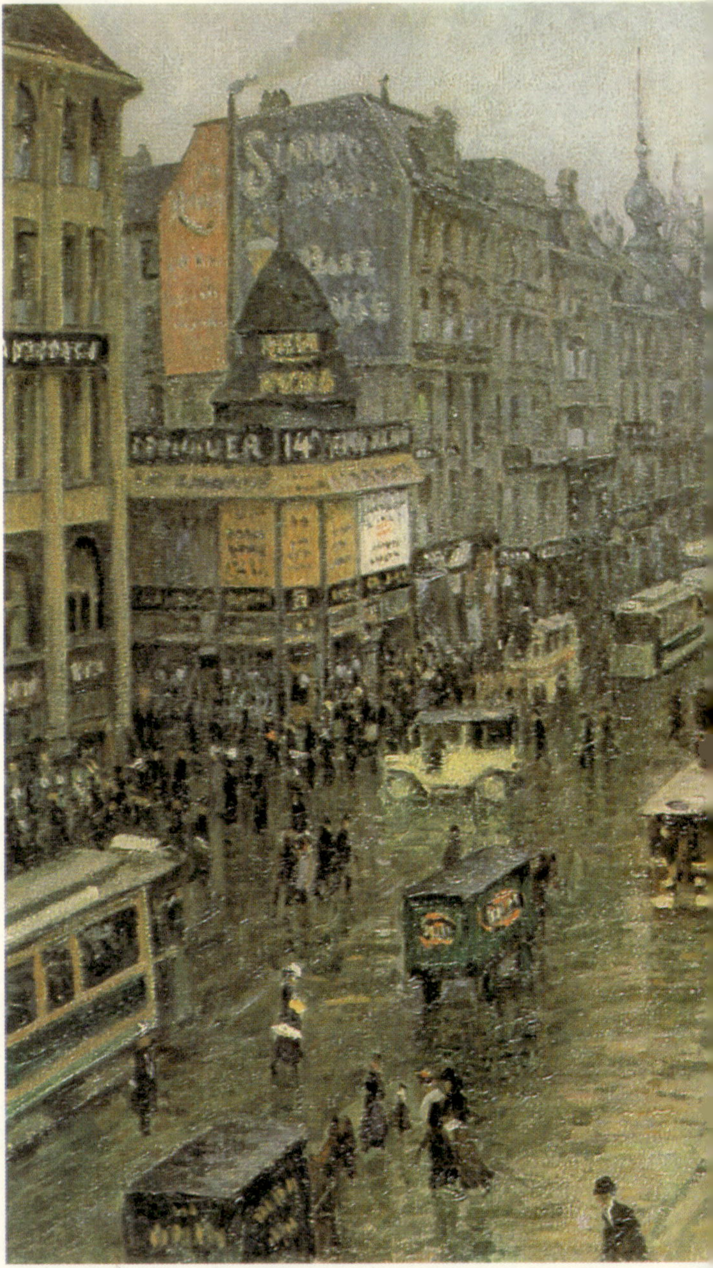

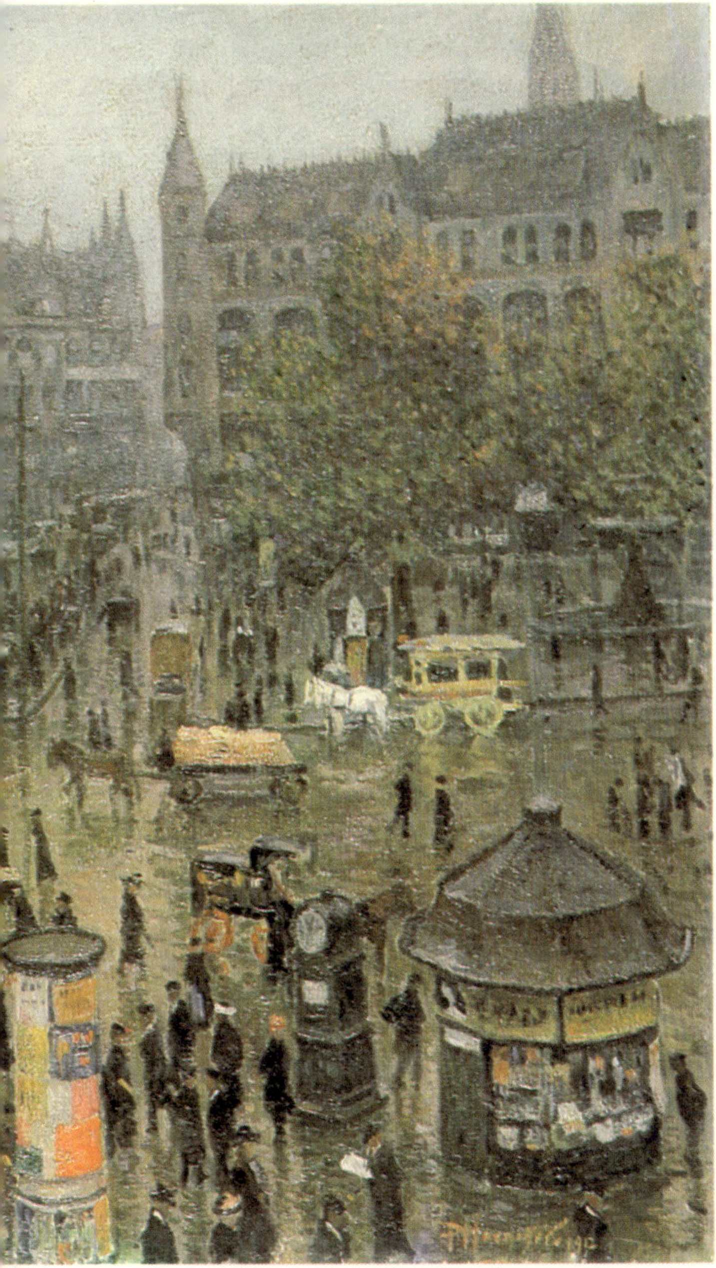

gen Pankow, Weißensee, Schönholz und Reinickendorf. Immer kleiner wird der Abstand, und immer schwerer wird es werden, die Grenzen zwischen Berlin und seinen Vororten zu finden.
Berliner Tageblatt, 14. Oktober 1903

Innerhalb dieser riesigen Stadtlandschaft werden die verschiedenen Wohngegenden immer deutlicher durch die unterschiedliche soziale Stellung ihrer Bewohner geprägt. Um sich von dieser Entwicklung ein Bild zu machen, empfiehlt der Feuilletonist des „Vorwärts" eine Besteigung des Rathausturms:

Manche Erkenntnis, die man sich unten erst mehr oder weniger mühsam zusammensuchen muß und nur durch längere Beobachtung erwirbt, kann man sich auf der Plattform des Rathausturmes mit einem einzigen Blick zu eigen machen. Sehr anschaulich wirkt zum Beispiel der Wald von Kirchturmspitzen und von Fabrikschornsteinen, der uns entgegenstarrt. Das ist ein Bild, bei dessen Betrachtung es jedermann sozusagen mit Händen greifen kann, daß Berlin eine Industriestadt ist, deren Arbeiterbevölkerung in die Kirchen zurückgezwungen werden soll. Wer zu der Turmbesteigung einen Wochentag wählt, dem wird beim Anblick der Fabrikschornsteine noch etwas andres sofort auffallen. Im Westen wird er nur sehr wenige von diesen qualmenden Schlotriesen bemerken. Der Gegensatz zwischen Berlin-West und Berlin-Ost ist ja an sich schon frappant genug. Er kommt schon in der Verschiedenheit der Bebauungsdichtigkeit, der Bauweise usw. zu so deutlichem Ausdruck, daß er auch hier oben niemand ganz entgehen kann. Selbst ein Fremder, der von dem besonderen Charakter der einzelnen Stadtteile Berlins nichts weiß, würde beim Umschreiten der Zinne des Rathausturmes schwerlich darüber in Zweifel sein können, wo er die Wohnviertel der Wohlhabenden und wo die Wohnviertel der Unbemittelten zu suchen hat. Wenn er sich aber ein paar Minuten lang abgemüht haben wird, mit spähendem Auge die dicke, träge, selbst dem Sonnenstrahl den Weg versperrende Dunstmasse zu durchdringen, die über dem größeren Teil Berlins vom

Süden und Südosten über den Osten herum bis zum Nordosten und Norden lagert, dann wird ihm noch energischer zum Bewußtsein kommen, daß man in den Fabrik- und Arbeitervierteln anders wohnt und lebt als in dem vornehmen Westen. Einen vollen, ungeschmälerten Genuß hat man von der Besteigung des Rathausturmes nur an Sonntagen. Dann zerteilt sich die Dunstmasse, die die Woche hindurch über den Wohnvierteln der Arbeiterbevölkerung lag, dann vermag das Auge nach allen Seiten hin meilenweit über die Weichbildgrenze vorzudringen. Frei und ungehindert schweift dann auch im Osten der Blick über den Treptower Park und die Oberspree hinweg bis zu den Müggelbergen.

Vorwärts, 22. Juni 1902

Die Besitzer der Banken, die Direktoren der Versicherungsanstalten, die großen Handelskapitalisten, die Industrieherren, die reichen Rentiers lassen sich an den kleinen, von hohen Kiefern umsäumten Seen östlich der Havel nieder. Grunewald, Groß-Lichterfelde, Zehlendorf, Schlachtensee und Nikolassee heißen nun die bevorzugten Wohngegenden der Berliner Großbourgeoisie.

Aus einer Zeitungsannonce:

Am Grunewald

Schlachtensee, Krumme Lanke, Waldsee, inmitten meilenweiter Waldungen, in denkbar gesunder, landschaftlich schöner Lage, herrliche Baustellen jeder Größe mit auch ohne Waldbestand, auch am Wasser gelegen, zur Erbauung herrschaftlicher Villen und Landsitze in der neuen Villenkolonie Zehlendorf-West, rund um den neuen Wannseebahnhof „Zehlendorf-Beerenstraße". Die Straßen sind mit Reihenpflaster, Gas- und Wasserleitung versehen, Kirchen, Gymnasium, Höhere Töchterschule, Ärzte, Apotheke am Orte. Zahlreiche Villen im Bau begriffen. Genaueste Informationen über Baustellenpreise, Baukosten, Hypothekenregulierung etc. einschließlich Anfertigung künstlerischer Entwurfsskizzen für Villen erhalten ernsthafte Interessenten kostenlos durch die Zehlendorf-West-Terrain AG Berlin W., Potsdamer Straße 6, I.

Der Tag, 15. November 1905

Architekten wie Hermann Muthesius errichten – am Vorbild des Lebensstils der englischen Oberschicht geschult – inmitten privater Gärten Heime für alle Varianten „bürgerlicher Feierabendkultur", darunter das wohl bekannteste, das Haus Freudenberg in Nikolassee, mit der repräsentativen zweigeschossigen Halle, mit dem Herrenzimmer, dem Damenzimmer, dem Empfangszimmer, dem Speisezimmer, dem Musikzimmer, dem Kinderzimmer, dem Atelier, mehreren Fremdenzimmern – und natürlich mit der „Leutestube", denn das Landhaus der Reichen ist eine mit allem „Notwendigen" ausgestattete Welt für sich.

Julius Posener erinnert sich an die Kindheit in solch einem „Haus an der Sonne" in Zehlendorf:

Meine Eltern ließen sich im Jahre 1909 ihre Villa bauen, eine Villa im Landhausstil, wie man etwas inkonsequenterweise sagte ...

Wir lebten wirklich dort. Die Stadt war fern ... Der Arzt kam ins Haus, einmal wurde ich sogar stehend im Kinderzimmer operiert. Anfangs kam sogar der Familienschuster ins Haus, der alte Matschke, der schon meinem Vater als jungem Mann die Schuhe angemessen hatte. Überhaupt war so ein Haus ein Betrieb. Es gab da die Köchin und mindestens ein Hausmädchen, das Kinderfräulein, die Gärtnersleute. Zur großen Wäsche kam Frau Pfeiffer, die Waschfrau, danach Frau Gerling, die Plätterin; und endlich, wenn alles ausgesondert war, die Flickschneiderin ...

Das Landhaus ist durchaus nicht rationell, und für die Hauswirtschaft hat es auch vorher schon praktischere Lösungen gegeben. Die Wohnform, die hier verkörpert wird, war viel zu sehr Feierabendkultur, viel zu sehr Leben der Dame und der Kinder, als daß ihre Hülle von den strengen Gesetzen einer ökonomischen Ratio ihre Form hätte empfangen sollen, und viel wichtiger wurde es genommen, daß das Dienstmädchen auf seinem

Villa eines Bankiers in Berlin-Grunewald, 1913

Weg von der Küche zur Tür, zur Wäsche, zu den Kindern den Weg der Herrschaft nicht kreuzte, als daß etwa diese Wege der Dienstboten besonders bequem zurückzulegen waren. Man muß als Halbwüchsiger in einem solchen Haus aufgewachsen sein: Geselligkeit, Garten, Musik, Tennis, Basteln, Naturkunde, Zeichnen, Poussieren, und das alles in einer höchst artigen, ästhetisch betonten Form (bei breitgelagerten Zargenfenstern, darunter Zentralheizung mit Holzverkleidung – weiß gestrichen – in hellen, geräumigen Stuben – Linoleum, elektrisch Licht, Korbstühle, gestrichene Schränke), um zu empfinden, wie sehr das alles zusammen gehörte, wie wahrhaftig die meisten Landhäuser von Muthesius sind. Die Zeit selbst empfand diese Einheitlichkeit noch stärker als wir im Zurückschauen, aber selbst wir müs-

sen zugeben, eine solche Gemeinsamkeit (die nicht Mode war) ist seit dem Kriege nicht wieder aufgetreten. Das Leben der oberen Zehntausend vor dem Kriege ist von uns schlechterdings abzulehnen. Aber es war eine Kultur; eine Treibhauskultur, überzart, ohne breite Grundlage, eine Kultur endlich, die sich selbst ein historisches Todesurteil gesprochen hat ...
Muthesius' Einfluß mußte untergehen, zusammen mit dem Lebensstil der oberen Zehntausend der Zeit vor dem Kriege, deren Exponent er war.

Posener, Hermann Muthesius

Auch die Wohlhabenden aus den Mittelschichten fliehen aus dem steinernen Meer der Mietskasernen und siedeln dort, wo eine Vorortbahn ein Häuschen im Grünen ermöglicht. Werbeschriften schildern den „Reigen der Landhausvororte", die rings um Berlin entstehen: Hermsdorf („bevorzugte Waldgebiete"), Birkenwerder und Lehnitz („malerisch gesunde Lage im Walde"), Wandlitz („eine hübsche Ansiedlung im Werden"), Ruhleben und Gatow („schnelles Aufblühen"), Grünau mit Falkenberg und Wendenschloß, Tegel, Eichwalde, Neubabelsberg.

An den Vorortbahnhöfen stehen die Schlepper der „Parzellenschlächter", die den Interessenten ein Stück eigenen Grund und Boden für eine „Villa Sonnenblick" aufschwatzen. „Eine derartige Ausgabe setzt aber ein dauerndes jährliches Einkommen von 18 bis 20000 Mark voraus ..." (Reich, Die Wohnungsnot des Mittelstandes)

Der Magnat Henckel von Donnersmarck errichtet auf dem Gelände des Frohnauer Rittergutes eine Siedlung mit eigenem Vorortbahnhof. Die Häuser mittelständischer Besitzer schießen hier wie die Pilze aus dem Boden, da der Fürst, als Herrscher über einen „selbständigen Gutsbezirk", keine Gemeindesteuern erhebt.

Frohnau. Zahlreich wie die „Kintöppe" sind in den letzten Jahren rings um Berlin die „Gartenstädte" aus der Erde gewachsen. Irgendein Stück Land in der Wildnis oder in der Nachbarschaft eines kleinen Dörfleins wird eines schönen Tages zur „Gartenstadt" erhoben. Ein paar Straßen werden abgesteckt, ein paar Bauplätze umzäunt, hier und dort wird mit einem Hausbau be-

gonnen, und – was die Hauptsache ist – die Reklame setzt ein. Inserate, Plakate, bemalte Giebel und Planken längs der Bahn. Scheinwerfer und was es derlei nette Sachen sonst noch gibt, verkünden dem p. t. Publikum, die Gartenstadt X sei die herrlichst gelegene, billigste, angenehmste in der ganzen Umgegend von Groß-Berlin ...
Wer will es leugnen – Frohnau ist ein Schmuckkästlein, wenigstens in vielen Partien. Rings überall und auch mittendrin die schönen, hohen märkischen Kiefern, hochragend und sich im Winde wiegend. Straßen in gewundenen Linien, nie langweilig-gerade, weißgepflastert, in der Mitte Blumen, oder die hellen Trottoirs in saftig-grünen Streifen, alle von jungen Laubbäumen gesäumt, die erst ihre ganze Schönheit entfalten werden, wenn sie älter sind. Hier und da wunderschöne Schmuckplätze ...
Jeder ein eigenes Häuschen, im Grün gelegen, fernab vom Rauch und Qualm der Stadt. Wenn nur nicht das, was sich da in Berlins Umgebung als „Gartenstadt" etabliert, ganz andere Ziele hätte, als dem überhasteten, müden Berliner ein bißchen Ruhe und Erholung, frische Luft und würzigen Waldesduft zu spenden. Das schöne Wort ist nur ein neues zugkräftiges Aushängeschild für eine alte, ganz gewöhnliche Terrainspekulation. Grund und Boden, der noch weitab der Weltstadt liegt und daher billig aufzukaufen war, soll nun schon in kurzer Zeit den ungeduldigen Spekulanten die Möglichkeit bieten, durch Anlage einer „Gartenstadt" fette Profite einzustecken.

Vorwärts, 16. August 1912

In den städtischen Zentren der westlichen und südwestlichen Vororte – in Charlottenburg, Wilmersdorf, Schöneberg oder Friedenau – dominiert das „hochherrschaftliche Haus": mit Säulen, Pilastern, bronzierten Balkons, schiefergedeckten Türmchen und fabrikmäßig hergestellten Steinfiguren auf den Giebeln. Hier sind die Wohnungen geräumig und mit Bequemlichkeiten ausgestattet. Hier sind die Brandmauern verputzt, hier ist ein Vorgarten angedeutet. Aus Quer- und Hintergebäuden werden „Gartenhäuser", in denen untere Beamte und kaufmännische Angestellte

Mietshäuser des Beamtenwohnungsvereins, 1904/05

wohnen, deren Miete dreißig bis vierzig Prozent ihres Einkommens verschlingt.

Georg Hermann schildert in seinem Roman „Kubinke" ein Mietshaus, wie es zu Hunderten an den „besseren Straßen" des Berliner Westens steht:

Ja, es war jetzt wirklich ein hochherrschaftliches Haus, wie es so in der Sonne lag, gelbgrün wie Kurellasches Brustpulver. Unvermittelt und plötzlich – wie Badekästen an Vogelbauern – hingen die Glasverschläge der Wintergärten an der Fassade. Und über dem gequetschten Portal saß mit dem Kopfe gegen eine Fensterbrüstung eine kaum bekleidete Dame mit einem Merkurstab und tauschte mit einem leicht geschürzten Jüngling, der einen Amboß liebkoste, verheißungsvolle Blicke aus. Die Balkons quollen rund und schwer wie Bierbäuche aus der Front und hatten vergoldete Gitter, dünn wie Spatzenbeine und unruhig wie Regenwürmer, die immer zwischen je zwei kleinen Stuckbären mit Wappenschildern hin und her liefen. Aber nicht genug der Schmuckfreude, umspannten oben unter dem Dach, unter dem Giebel, noch den runden Rachen eines Bodenfensters zwei Seejungfrauen, die ihre Fischschwänze ineinander kringelten und „ihrem Berufe getreu" eine Lorbeergirlande mit flatternden Enden gemeinsam in erhobenen Armen hielten. Es war eben ein hochherrschaftliches Haus! Es hatte keinen Torweg, sondern ein Vestibül mit einer Marmorbank, hart und kalt wie das Herz eines Wucherers. Und es hatte da einen Kamin mit einer Bronzefigur aus Zinkguß. Auf einem Felsblock, der mit Efeu umrankt und mit gelben elektrischen Leitungsdrähten umwickelt war, stand eine schöne Person in edler Nacktheit, stolz wie eine Tochter Capris, und hielt in jeder Hand ein grünes Glasgefäß, aus dem nur manchmal zu feierlichen Gelegenheiten ein magisches Licht strömte. Ja, es war ein hochherrschaftliches Haus mit roten Läufern auf der Treppe und mit goldenen Tapeten an den Wänden und mit farbigen Flurfenstern, grün und rosa, wie Pistazien- und Himbeereis. Und zum Überfluß kullerte noch hinter Drahtgittern ein Fahrstuhl und brachte jeden dorthin, wohin er gerade wollte, wenn er nicht eben seine Mucken hatte und steckenblieb. Es hätte gar nicht draußen am Torweg zu stehen brauchen „Nur für Herrschaften", man hätte es auch so gemerkt. Die Dienstmädchen und die Boten, die Hausdiener und die Handwerker, die mußten natürlich durch den Nebeneingang gehen. Ja – wie gesagt – es war eben ein hochherrschaftliches Haus!

Und das Gartenhaus war genauso schön wie das Vorderhaus. Da gab's Schilder mit „Nebeneingang I" und „Nebeneingang II", mit „Nur für Herrschaften" und „Bitte Füße reinigen" gerade wie vorn. Da gab es auf dem engen quadratischen Hof ein Miniaturlabyrinth von Inseln, Beeten und weißen Fliesenwegen in höchst raffinierter Einteilung. Kleine vergilbte Tannenbäumchen und zerschlissene Thujakegel scharten sich im dunkelen Boden um schwarze Säulenstümpfe, auf denen Büsten von Dante, Luther und dem Apoll von Belvedere schwermütig dahinträumten, vielleicht weil keiner von ihnen zu dem Besitzer des Hauses in irgendwelchen persönlichen Beziehungen stand. Und es gab im Gartenhaus dieselben Himbeer- und Pistazieneisfenster und die gleichen Goldtapeten; während bei den beiden Nebenaufgängen nur die schmalen Treppen wie die Korkenzieher von Stockwerk zu Stockwerk sich wanden – kaum erhellt von den kleinen quadratischen Luken, die sich Fenster nannten. Und der Fahrstuhl blieb ebenso stecken, wenn er seine Launen hatte; und die Heizung schnurgelte ebenso unter den Fenstern; und das Warmwasser war ebenso lau und verschlagen wie im Vorderhaus; nur daß alles so ein bißchen schäbiger, so ein bißchen kleiner, geringer, kümmerlicher war als im Vorderhaus. Aber endlich kann doch kein Mensch für 1500 Mark ebendas verlangen wie für 3000 Mark; und ein kleiner Unterschied muß sein, ... sonst möchten ja gleich alle ins Gartenhaus ziehen! Ja – vorn hatten die Wohnungen also eine Diele und hinten nur einen Flur. Und vorn hatten sie Zimmer zum Essen, Säle für Gesellschaften und Hundelöcher zum Schlafen, während die hinten keine Räume für Gesellschaften hatten und auch in Hundelöchern aßen. Ja, es war eben ein wirklich hochherrschaftliches Haus, von oben bis unten, vom Keller bis zum Dach!

Hermann, Kubinke

Die Masse der Berliner Werktätigen aber muß mit Behausungen vorliebnehmen, die zu dem wachsenden Reichtum, den sie den Besitzenden schaffen, in krassestem Widerspruch stehen.

Man gehe hinaus in die Riesenquartiere des Berliner Ostens oder Nordens, dort wohnt der Arbeiter. Es sieht in vielen Straßen und besonders in den neuen Vierteln gar nicht so übel aus – stattliche Häuser, blumengeschmückte Balkons – der Provinzler, der neugierig auszog, um Großstadtelend zu studieren, ist etwas enttäuscht, wenn er hört, daß in diesen stattlichen Burgen, vorn und hinten, nur Arbeiter, nichts als Arbeiter wohnen. Aber freilich, das Land des Elends ist hier auch – es liegt nur nicht so offen auf der Straße wie in London oder in Paris. Man gehe nur in die tiefen Hinterhäuser mit ihren trostlosen Höfen. Dort wohnt der ungelernte Arbeiter, der es mit allem Mühen nicht über zwanzig Mark die Woche bringt – davon kann man nicht leben, wenn man Frau und Kinder hat –, und die Zahl der Ungelernten wächst. Dort wohnen die Witwen mit ihren Kindern, die Woche um Woche Kaffee und Butterbrot als Mittagessen bekommen, mit stumpfer Miene einhergehende Frauen – dort ist die Unzahl der übervölkerten Einzimmerwohnungen, dort ist Lärm und Geschrei in den Häusern mit ihren 150 bis 200 Einwohnern von früh bis spät.

Dehn, Proletarier-Jugend

Vom Wedding, vom Gesundbrunnen und vom Bahnhof Schönhauser Allee bis zum Schlesischen Bahnhof sind auf zehn Quadratkilometern über 700 000 Menschen zusammengedrängt. Zwischen der Brunnenstraße und der Schwedter Straße hat man auf einem knappen Quadratkilometer 100 000 Menschen gezählt. In Neukölln beträgt 1908 die Wohndichte 838 Menschen pro Hektar. Aber auch südlich des Hallesches Tores, im Schöneberger Viertel, in Schöneberg selbst, in Teilen Charlottenburgs kommen Wohnungsdichten zwischen 560 und 880 Bewohnern pro Hektar vor.

Die Berliner Stube, in der ich zur Welt kam, hatte nur in der Nähe des Fensters ein wenig Helligkeit. Das Bett, in dem meine Mutter mich geboren hat, soll in der äußersten dunklen Ecke der Stube gestanden haben. Ich wurde der siebente Bewohner der Wohnung, die aus einer Küche ohne Korridor und der besagten Stube bestand. Allerdings gehörte noch ein weiterer kleiner Raum dazu, der aber nicht zum Wohnen benutzt wurde, sondern dem Vater als Tischlerwerkstatt diente. Das Mobiliar der Berliner Stube war das übliche. Ringsherum standen die Betten, es gab ein Sofa mit einem ovalen Tisch davor, in einer Ecke befand sich ein Vertiko mit Aufsatz, auf dem verschiedene Nippesgegenstände standen. Der Hof, auf den das Fenster ging, war dunkel. An drei Seiten wurde er von grauen, trostlosen Fassaden begrenzt. Da und dort war auf einem Fensterbrett ein grünlicher Kasten angebracht, über dem eine unterernährte Geranie auf magerem Stengel schwebte, die etwas Farbe in die triste Dunkelheit brachte. Direkt meinem Fenster gegenüber zog sich ein schwarzer Giebel hoch, der die eine Hälfte der vierten Hofseite zudeckte. Die andere Hälfte wurde durch eine Steinmauer abgegrenzt, hinter der ein verfallenes, niedriges Gebäude stand, in dem eine Lumpenstampe untergebracht war. Ich erinnere mich, daß ich in meiner frühesten Kindheit immer wieder am Fenster saß und das Stückchen Himmel beobachtete, das über der Lumpenstampe zu sehen war ...

Nagel, Autobiographische Zeugnisse

Der bürgerliche Bodenreformer Adolf Damaschke erklärt vor den Teilnehmern eines Berliner Kongresses der Kinder- und Jugendfürsorger 1906: „Die Behausungsziffer, die noch im Jahre 1875 für Berlin 58 betrug, war im Jahre 1900 schon auf 77 gestiegen. In der nördlichen Rosenthaler Vorstadt beträgt diese Durchschnittsziffer 114, in der jenseitigen Luisenstadt 120."

Die „Behausungsziffer" – das ist die Zahl der Einwohner, geteilt durch die Zahl der Wohnstätten. Aber es ist nicht die Zahl der Familien in einem Wohnhaus, die die Mietskaserne zur Hölle für die Bewohner macht. Es ist die rücksichtslose, totale Überbauung unsinnig geschnittener Baublöcke von 450 Meter Länge und 350 Meter Tiefe, die mit Massenquartieren vollgestopft werden, solange noch eine Feuerspritze in den schluchtartigen Höfen wenden kann. Es ist das Fehlen von Licht und Luft in den Wohnungen, in den Höfen, in den Quer- und Hintergebäuden, die von den Straßen durch turmhohe Mauern abgesperrt sind: 47 Prozent aller Berliner hausen um die Jahrhundertwende in solchen Hinterhäusern! Es ist die primitive Ausstattung der Wohnungen, die jeder Volkshygiene spotten, und es ist schließlich die unglaubliche Überfüllung der Behausungen, die von den wahnwitzig hochgeschraubten Mieten erzwungen wird.

Elendsbilder, die die Not in den armen Bevölkerungskreisen Berlins widerspiegeln, gibt der soeben veröffentlichte Jahresbericht der deutschen Zentrale für Jugendfürsorge. Von den Helfe-

rinnen sind unter anderem folgende haarsträubenden Wohnungsverhältnisse festgestellt worden: Hagelsberger Straße: Eine Stube und Küche, Mutter schläft mit vier Kindern und einem Schlafmädchen in der Stube. Waldemarstraße: Eine Stube und Küche, von der Mutter und sieben Kindern bewohnt. Schönhauser Allee: Eine Stube und Küche, Mutter und drei Kinder. Ebertystraße: Eine einfenstrige Stube und Küche, von den Eltern und sechs Kindern bewohnt. Rheinsberger Straße: Küche und eine enge Stube, Eltern mit vier Kindern und einem Schlafburschen, manchmal auch mehreren. Rügener Straße: Mutter, Kind, Schlafbursche. Die drei Personen schlafen auf der Erde. Müllerstraße: Eine Stube und Küche, Mutter mit sechs Kindern, manchmal auch der Vater. Demminer Straße: Nur eine Küche, Mutter, Kind, Liebhaber. Liesenstraße: Eine Stube und Küche, Eltern und sechs Kinder. Rathenower Straße: Eine Stube und Küche, dunkle Kellerwohnung, Eltern, vier Kinder, Schlafbursche. Waldemarstraße: Ein kleines Hinterzimmer im Keller, Mutter, zwei Kinder, Liebhaber. Die Krone setzt aber allem eine Wohnung von Stube und Küche in der Marienburger Straße auf. In ihr hausen die Eltern und nicht weniger als neun Kinder. In der Küche schlafen die beiden 18- und 15jährigen Schwestern mit dem siebenjährigen Bruder zusammen in einem Bett.

Gartenstadt, 6/1913

300 000 Großberliner hausen zu sechst oder mehr in einem Zimmer. 600 000 Großberliner hausen zu fünft oder mehr in einem Raum. Die Berliner Statistiker aber halten eine Wohnung erst dann für „übervölkert", wenn in einem heizbaren Raum sechs oder mehr, in zwei heizbaren Räumen elf oder mehr Menschen wohnen. Der Schöneberger Statistiker Robert Kuczynski erklärt indessen, es seien wohl auch die Wohnungen mit fünf Personen pro Zimmer als „übermäßig und unhygienisch ausgenutzt", als „übervölkert" anzusehen. Und warum, fragt Kuczynski auf einer öffentlichen Versammlung des „Propagandaausschusses für Groß-Berlin", warum die Grenze bei fünf Personen pro Zimmer ziehen?

... sind nicht vielmehr zum Beispiel all die zahlreichen Zweizimmerwohnungen mit acht Bewohnern, die wir nicht als übervölkert rechnen, weil „nur" vier Personen auf das Zimmer treffen, längst übervölkert? Erst vorgestern war ich in der Grunewaldstraße in einer derartigen Wohnung. In der einen einfenstrigen Stube schliefen fünf Menschen, darunter eine tuberkulöse Frau, in der andern noch kleineren Stube schliefen drei. Nach unserem Maßstabe keine Übervölkerung! Alle die Menschen, die so hausen, sind bei den 600000 nicht mitgezählt. Als ich von dieser muffigen Hofwohnung, in die fast nie ein Sonnenstrahl fällt, herunterkam und auf die Straße trat, da stand ich gegenüber dem früheren Botanischen Garten, in dem der Dichter Chamisso als Kustos gewirkt hat, Chamisso, der die Geschichte von dem Peter Schlemihl geschrieben hat, der so unglücklich wird, weil er seinen Schatten weggegeben hat. Wenn Chamisso heute dort leben würde und er ginge hinüber in jene sonnenlose Wohnung, er würde die Geschichte vom Peter Schlemihl anders schreiben. Sein Schlemihl wäre heute der Groß-Berliner, der für sich und seine Kinder auf die Sonne verzichtet hat.

Für Groß-Berlin

Noch die vermodertsten Gemäuer dienen armen Familien als Unterkunft.

Auch in der alten Kaserne in der Alexanderstraße, die Gerhart Hauptmann als Vorbild für den Handlungsort der „Ratten" dienen wird, hausen Dutzende Berliner Familien: „Das Innere dieser Ruine entspricht vollkommen dem äußeren Eindruck; die früheren Mannschaftsstuben sind durch Holzwände in zwei Räume geteilt und so in Stube und Küche umgewandelt. Familien von zum Teil acht bis neun Köpfen bewohnen zusammengedrängt ein Zimmer, die schmutzigen Treppen, Korridore und Wohnungen bieten einen Herd für Seuchen und Epidemien." (Vossische Zeitung, 30. Mai 1900)

Und dann die Kellerwohnungen ...

Berliner Mietskaserne mit drei Hinterhöfen, Schönhauser Allee 62 b

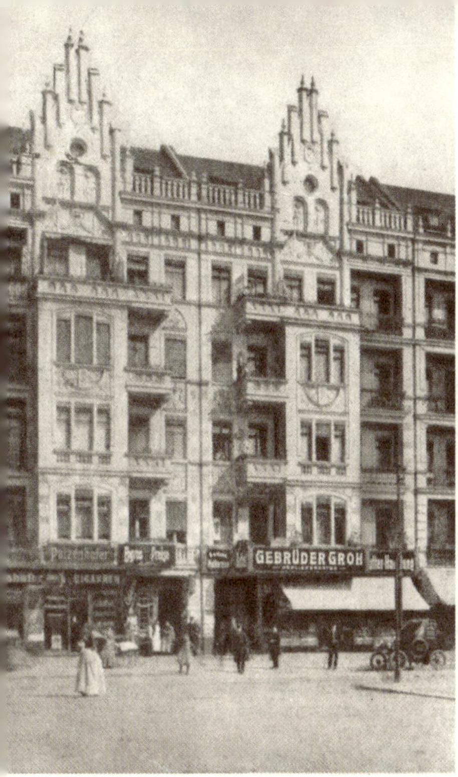
GEBRÜDER GROH
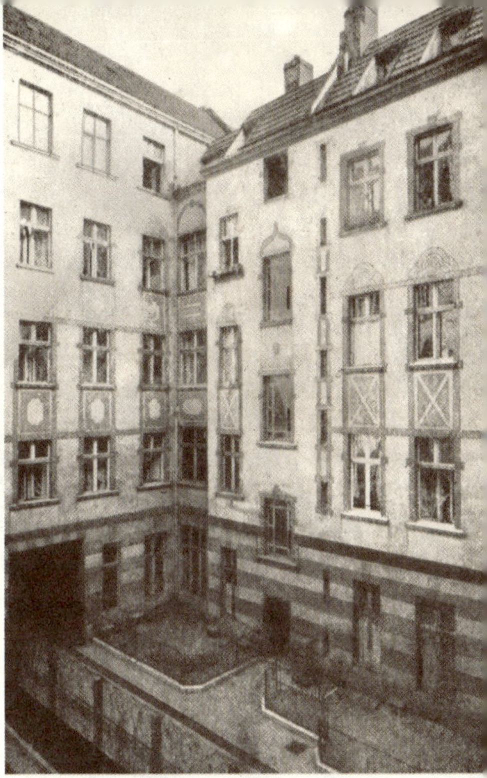
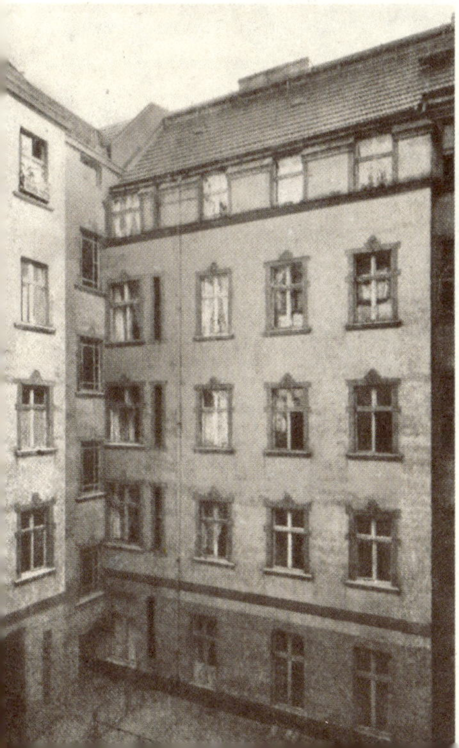
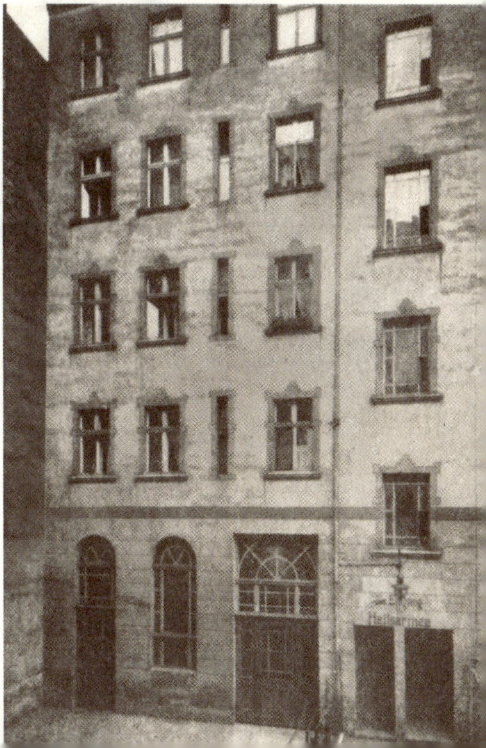

Bergstraße 38, linker Seitenflügel, um 1910

Soweit diese Kellerbehausungen in den Seitenflügeln oder Quergebäuden vorhanden waren, dienten sie fast ausschließlich zu Wohnzwecken und nur in Ausnahmefällen als Lagerräume. Sie waren alle so angelegt, daß sie zur Hälfte des Raumes unterhalb der Erdoberfläche lagen. Daher waren sie fast immer dunkel, feucht und muffig, nur ganz selten erreichte sie jemals ein Sonnenstrahl ...

Es gab besonders im Berliner Osten, in der näheren und weiteren Umgebung des Schlesischen Bahnhofs, Kellerwohnungen, die jeder Beschreibung spotteten und deren Benutzung geradezu lebensgefährlich war. Damals, um 1900, gab es nach amtlicher Zählung in Berlin 30 000 Kellerwohnungen, in denen 120 000 Menschen hausten. Nicht wenige von diesen Kellerräumen waren in einem so schlimmen baulichen Zustand, daß sie den Maler Heinrich Zille zu dem Ausspruch veranlaßten, man könne einen Menschen mit einer Wohnung genauso erschlagen wie mit einer Axt ... Aktenberichte von Jugendfürsorgerinnen aus jener Zeit enthalten darüber Schilderungen folgender Art:

Es waren die Elendsten der Armen, die in solchen Höhlen hausten. Ich habe viele solcher Kellerwohnungen gesehen und betreten, die so feucht waren, daß das Wasser an den Wänden herunterlief. Man konnte nur hineingelangen, wenn man gebückt die gewöhnlich zerbröckelte Kellertreppe hinuntertappte. Man mußte sich immer erst an die Dunkelheit und an den dumpfen, meist übelriechenden Geruch, der einem entgegenschlug, gewöhnen. Selbstverständlich verlangte der Hausbesitzer für solch ein Loch auch Miete, ohne daß auch nur die geringste Verbesserung vorgenommen wurde. Erwachsene wie Kinder, die aus diesen unterirdischen Löchern hervorkrochen, sahen alle bleich und verhärmt aus; sie waren durchweg lebensunlustig und verbittert, waren Strandgut der kapitalistischen Gesellschaft, um das sich nicht einmal mehr die in jedem Stadtteil vorhandene Armenkommission kümmerte. Diese armseligen Menschen wurden von dem kapitalistischen System ausgemergelt und dann achtlos beiseite geworfen, wenn sie nicht mehr schuften konnten.

Theek, Keller-Erinnerungen

Fast hunderttausend zugewanderte junge Arbeiter und Angestellte können überhaupt nicht an ein eigenes Zimmer, geschweige denn an eine eigene Wohnung denken. Sie suchen in den ohnehin überfüllten Wohnstätten als „Schlafburschen" ein Obdach für die Nacht (wobei in der Regel in den Schlafpreis von zwei Mark pro Woche eine Tasse Kaffee mit einer trockenen Semmel eingeschlossen ist).

Fast hunderttausend Berliner hausen als Gewerbegehilfen oder als Dienstboten im Haushalt des „Arbeitgebers". Die Zustände in diesen Unterkünften spotten jeder Beschreibung. Aus einer Umfrage in Berliner Fleischereien:

In Berlin schlafen unter 288 Personen, über die Angaben gemacht sind, 22 in sieben Betrieben im Keller, 34 in acht Betrieben im Dachraum, 6 in drei Betrieben im Stalle. In einem Betriebe schlafen 2 Personen auf dem Heuboden, in einem anderen 6 Personen über dem Kesselhause, in einem dritten 3 Personen in der Waschküche. Ohne Fenster ist der Schlafraum in drei Betrieben, in 57 Fällen hat er nur ein Fenster, es kommt vor, daß 6 und mehr Personen in einem solchen Gelaß schlafen. In zwei Fällen besteht die Diele des Schlafraumes aus Steinpflaster. Dunkel wird in Berlin der Schlafraum in 15 Betrieben genannt, feucht in 19 Betrieben, kalt in 20 Betrieben. Übereinander stehen die Betten dem polizeilichen Verbot zum Trotze in 30 Schlafräumen, darunter regelmäßig dort, wo eine größere Anzahl Personen beherbergt wird. Daß zwei Personen in einem Bette schlafen, kommt in Berlin nur in einem Betrieb vor; in der Provinz ereignet sich dieser Fall häufiger ...

Die Bettwäsche der Gesellen wurde gewechselt im Vierteljahr vor der Aufnahme: einmal oder gar nicht in 43 Betrieben, zweimal in 62 Betrieben, dreimal in 103 Betrieben, viermal in 14 Betrieben, öfter in 20 Betrieben. Also nur in 14 Prozent der Betriebe erfolgt der Wechsel der Bettwäsche häufiger als allmonatlich.

Kaum besser ist es um die Waschgelegenheit in den Schlafräumen der Gesellen bestellt. In Berlin wird sie in 60 Fällen als genügend, in 22 Fällen als ungenügend bezeichnet ...

Und das bei dem Schmutze, in dem die Gesellen ständig ar-

Heinrich Zille: Trockenwohner

beiten müssen, bei dem Mangel an Gelegenheit im Arbeitsraum, sich ordentlich zu reinigen!

Einige Einzelheiten mögen die Wirkung solcher Vernachlässigung illustrieren.

Aus einem Berliner Betriebe berichten drei Schlächtergesellen: „Seit zwei Jahren haben wir nur einmal frisches Stroh in die Betten bekommen. Die Schlafstube spottet jeder Beschreibung. Sie befindet sich neben dem Arbeitsraum und muß den ganzen Tag offengehalten werden, da sonst der Rauch nicht abzieht. Es ist kein Tisch im Schlafraum und nur ein Stuhl, der aber im Arbeitsraum stehen muß. Das Mittagessen wird im Arbeitsraum verzehrt; es setzt sich dann einer auf den Koffer und einer auf das Schmalzfaß."

Aus anderen Betrieben heißt es: „Im Schlafraum der Mamsell hängt die Dauerwurst." – „Das Wasser läuft vom Arbeitsraum aus immer in den Schlafraum, ebenso zieht der Wrasen immer hinein." – „Der Arbeitsraum ist ungesund, der Schlafraum ist schmutzig." ...

Zieht man zum Schlusse noch in Betracht, daß der Schlächtergeselle in Berlin und in einigen anderen Großstädten für den Nachweis von Arbeit entweder der Innung oder privaten Vermittlern schweres Geld entrichten muß und daß sich unter den privaten Stellenwucherern ein förmliches Schwindelsystem herausgebildet hat, so ist das Spiegelbild fertig ...

Die Öffentlichkeit aber sei gemahnt, sich nicht nur über Chicago zu entrüsten, sondern auch auf das deutsche Fleisch und seine Zubereitung gründlich achtzugeben. Denn auf die Gewerbeaufsicht ist, wie unsere Schilderungen zeigen, kein Verlaß.

Schröder, Aus deutschen Fleischereien

Die sozialdemokratischen Abgeordneten in den Gemeindevertretungen Groß-Berlins formulieren im Dezember 1900 ein Wohnungsprogramm, das der Preußische Parteitag der Sozialdemokratie von 1904 ergänzt. Die Gemeinden sollen so viel Grund und Boden wie möglich erwerben und ihn durch moderne Verkehrsmittel erschließen; auf diesen Terrains sollen Häuser auf genossenschaftlicher Basis errichtet werden, „die allen

Forderungen der Volkswohlfahrt entsprechende Wohnungen enthalten" und deren Mieten den Selbstkosten entsprechen; städtische Wohnungsämter und -inspektoren sollen schließlich den Auswüchsen des Wohnungselends und Wohnungswuchers zu Leibe rücken. Jedoch lassen die Sozialdemokraten keinen Zweifel daran, daß dieses „Sofortprogramm" keine endgültige Lösung der Wohnungsfrage bringt: „Um eine durchgreifende Änderung dieser Verhältnisse zu bewirken, bedarf es der Loslösung des Grund und Bodens von kapitalistischen Interessen, da diese einzig auf Auswucherung des Grund und Bodens und möglichste Steigerung der Grundrente hinzielen. Erst auf dem in Gemeinbesitz befindlichen, nicht dem Kapitalismus dienstbaren Grund und Boden können Einrichtungen geschaffen werden, welche gesunde und zweckmäßige Wohnräume für die Allgemeinheit sichern." (Vorwärts, 8. November 1900)

Ein Wald von Fabrikschornsteinen

Berlin ist mit 16000 Fabriken und größeren Werkstätten* eine der bedeutendsten Fabrikstädte des Kontinents. Es gebe nur wenige Orte auf der Welt, „wo sich auf gleichem Raum eine in ihren Absatzgebieten so vielseitige, in ihrer Leistungsfähigkeit so weltbeherrschende Industrie entwickelt hat." (Matschoß, Die Berliner Industrie einst und jetzt)
Entscheidend für das hohe technische Niveau der Berliner Industrie ist der Maschinenbau. Mit 430 Maschinenfabriken, die 1902 etwa 60000 Arbeiter beschäftigen, hat Berlin Chemnitz, den früheren Hauptsitz des deutschen Maschinenbaus, überflügelt. Zu den bedeutendsten Maschinenbauanstalten zählen A. Borsig in Tegel, die Berliner Maschinenbau AG vorm. L. Schwartzkopff, Ludwig Loewe & Co., die Deutsche Niles Werkzeugmaschinenfabrik in Oberschöneweide.
An der Spitze des technischen Fortschritts im Maschinenbau stehen zweifellos die Werke von Ludwig Loewe & Co. Georg Schlesinger, leitender Ingenieur, berichtet von der Durchsetzung genormter Bauteile und vom amerikanischen Schnellstahl, der zu einer Umwälzung in der Metallbearbeitung führt:

Im Winter 1901/02 wechselte ich meine Stellung als Betriebsingenieur des Maschinenbaues von Ludwig Loewe & Co. in die des damals vereinigten Konstruktionsbüros für Werkzeuge und Werkzeugmaschinen einschließlich der Offertenausarbeitung. Pajeken sagte damals zu mir: Jetzt haben Sie zwei Jahre auf das technische Büro geschimpft, nun machen Sie es selbst besser!

In diesem Winter wurde das erste deutsche Normenbüro eingerichtet. Der jetzige Direktor Hegner, der damals gerade ausgelernt hatte, war einer der ersten, die dort ihre erste Bürotätigkeit ausgeübt haben und die Rückwirkung zum Beispiel der genormten Bohrungen von Stoßringen auf den Wellendurchmesser, das dahinter sitzende Rad oder die davor sitzende Lagerstelle kennenlernten. Wehe, wenn nicht alle Folgerungen einer solchen Änderung an allen zusammengehörigen Zeichnungen gezogen

---

* 1906; Zahl für Berlin, Neukölln, Schöneberg und Charlottenburg

wurden; denn mit tödlicher Sicherheit erschien dann später der zunächst betroffene Meister mit der Zeichnung beim Bürochef und nagelte den Sünder fest. Die „Malergesellen" haben mal wieder Ausschuß verursacht! Aber sehr schnell wirkte sich die Normung der überall gleichmäßig verwendbaren Grundelemente nach jeder Richtung segensreich aus. Die Teile paßten, sie lagen in großer Zahl unabhängig vom Sonderauftrag auf Lager. Platzten einmal ein paar Ringe in der Montage, so holte sich der Monteur sofort ohne Aufenthalt, vor allem ohne den ganzen Bestell- und Terminapparat der großen Fabrik zu beanspruchen, den Ersatz vom Lager. Der Normengedanke hatte infolge seiner augenfälligen sofortigen praktischen Auswirkung innerhalb der Fabrikation selbst Wurzel geschlagen und wuchs selbsttätig weiter ...

1903 erschienen die Aufsätze von Taylor über die „Art of Cutting Metals"* und „Shop Management"**. Wir mußten vor allem feststellen, ob die besonders in der Materialgüte als erstklassig bekannten Loewe-Maschinen die erhöhten Beanspruchungen und Geschwindigkeiten auch dauernd aushalten würden. Dazu war das Versuchsfeld der geeignete Ort. Wir machten das Fahrgestell ortsfest und nahmen zunächst eine Bohrmaschine und eine Drehbank in Behandlung. Nach vierwöchentlichem Betrieb war die Bohrmaschine, mit den ersten Schnellstahlbohrern ausgerüstet, mit 20 m Schnittgeschwindigkeit und dem damals unerhörten Vorschub von 1 mm/U betrieben, im wahren Sinne des Wortes „fertig". Alle Keile fielen nämlich aus den Rädern und Wellen, die Gußräder waren zum Teil zerbrochen, die Hauptspindel verdreht, das Hauptkugeldrucklager zerstört, weil es viel zu klein war und die Kugeln sich in die damals nicht genügend widerstandsfähigen Bahnen ungleich eindrückten. Ähnlich sah die Drehbank aus. Hier war außer den Rädern vor allem die Schmierung der Lager verbesserungsbedürftig. Die Folge war eine sehr gründliche Überprüfung der bisher verwendeten Baustoffe und ihr Ersatz durch festere und bessere. Der Schnellstahl begann seinen großen Einfluß auf die innere Kon-

---

* Die Kunst der spanabhebenden Formung von Metallen
** Die Leitung von Industriebetrieben

struktion der Werkzeugmaschinen auszuüben, die er, wie keine zweite Erfindung, von Grund aus gewandelt hat.

Schlesinger, 60 Jahre Edelarbeit

Ludwig Loewe & Co. verläßt sich auch nicht mehr, um einen Stamm hochqualifizierter Arbeiter zu erhalten, auf die Abwerbung von Lehrlingen, die das Handwerk ausbildet, sondern richtet 1900 eine eigene „Lehrlingsschule" ein.

Gestützt auf die ausgezeichneten Erzeugnisse des Berliner Maschinenbaus können die fortgeschrittensten Betriebe aller *Zweige zur Massenproduktion auch kompliziertester Erzeugnisse übergehen. In einen Industriezweig nach dem anderen ziehen moderne Maschinen, moderne Technologien ein. So in Berlins Druckgewerbe: Fast 700 Gieß- und Setzmaschinen zählt um 1913 eine Statistik des Brandenburgischen Maschinensetzvereins. So in der Schuhherstellung: Aus den USA kommen nicht nur fabrikgefertigte Schuhe, die durch Eleganz und solide Ausführung überzeugen; der amerikanische Trust verpachtet auch seine patentierten Schuhfertigungsmaschinen an Berliner Firmen wie Jacoby, Leiser Nachfolger, Salamander und Tack. So in der Möbelproduktion, in der es bereits Spezialfabriken für Tischplatten und Stuhlbeine, für Jalousien und Treppengeländer, für Fässer, Kisten und Stöcke gibt. Auch in der Lebens- und Genußmittelproduktion rüsten sich die Berliner Großbetriebe mit modernster Technik aus. Ein Beispiel: die Zigarettenfabrik Manoli, deren Reklame jedem Berliner ins Auge fällt.*

Es war den Amerikanern gelungen, eine Maschine zu bauen, die die Herstellung einer Zigarette automatisch von Anfang bis zu Ende selbst besorgt. Die erste derartige Maschine, die eine Leistungsfähigkeit von 100 000 bis 120 000 Zigaretten pro Tag hatte, wurde in der Manoli-Zigarettenfabrik, und zwar zunächst für billigere Sorten, im Jahre 1905 aufgestellt ... Im Jahre 1909 brachte die Manoli-Zigarettenfabrik eine neue Marke auf den deutschen Markt, ein schlankes, flaches Format, mit Goldmundstück, in einer ganz modernen, auffallenden Packung, mit einer erstklassigen Tabakmischung. Diese Zigarette wurde von Anfang an durchweg auf der Maschine hergestellt. Sie errang sich in kürzester Zeit eine Berühmtheit, und ihr Absatz stieg dermaßen, daß die Fabrik mit der Herstellung kaum Schritt halten konnte. Es war dies die berühmte Marke „Dandy", welche später den Namen „Dalli" erhielt. Zur Bewältigung des nunmehr mit Riesenschritten steigenden Bedarfs wurde eine Zigarettenmaschine nach der anderen aufgestellt, so daß bereits im Jahre 1911 die Fabrik 12 Zigarettenmaschinen für Zigaretten mit Goldmundstück, 3 Mundstück-Zigaretten-Stopfmaschinen, 5 Mundstück-Zigaretten-Hülsenmaschinen sowie 10 Hülsenmaschinen für Handarbeitszigaretten beschäftigte ... Die Ausdehnung des Betriebes ist eine derartige geworden, daß die hergestellte Menge Zigaretten zu Beginn des Krieges, im August 1914, bereits das Dreifache der im Jahre 1911 hergestellten Menge betrug.

Manoli-Festschrift

Das Großberliner Industriegebiet ist ein ideales Versuchsfeld für die Erprobung eines neuen Energieträgers: des elektrischen Stroms. Die Anwendung des Elektromotors in den Werkstätten und Industriebetrieben revolutioniert die Technologien.

An die Stelle des Dampfmaschinenantriebs mit seiner Haupttransmission und den vielen Riemen trat der elektrische Antrieb, bei dem jede Maschine einzeln von einem Elektromotor angetrieben wird oder nur wenige benachbarte Maschinen zu einer Gruppe zusammengefaßt werden. Die Arbeitsräume wurden dadurch heller und sauberer, die störenden Riemen verschwanden, und die Gefahr des Betriebes wurde vermindert. Die bequeme Handhabung des Elektromotors, das leichte An- und Abstellen, sein wirtschaftliches Arbeiten auch bei kleinen Leistungen führten im Laufe der letzten beiden Jahrzehnte dazu, daß die Industrie fast allgemein zum elektrischen Betrieb übergegangen ist. Der mechanische Antrieb, der durch Einführung des Elektromotors so sehr begünstigt wird, bringt es dann in vielen Betrieben mit sich, daß die Arbeit nach bestimmten Schablonen und Normalien als Massenarbeit ausgeführt wird, wodurch eine

außerordentliche Vermehrung der Produktion und eine Verbilligung der Produkte bedingt ist. Wir wären heute gar nicht in der Lage, alle Bedürfnisse des täglichen Lebens, die wir als einen wesentlichen Bestandteil unserer Kultur ansehen, in den üblich gewordenen Mengen und zu annehmbaren Preisen zu beziehen, wenn sie nicht auf maschinellem Wege als Massenware hergestellt würden. Dabei ist die frühere Anschauung, daß die Maschinenware gegenüber dem von Hand hergestellten Produkt an Sauberkeit, Haltbarkeit und Schönheit der Ausführung zurücksteht, durch die Entwicklung vollständig widerlegt.
Raps, Elektrizität und Volkswohlfahrt

Die Hauptplätze und -straßen der Innenstadt, die öffentlichen Gebäude, die Luxushotels, die Schaufenster der Geschäfte in der City, die Fenster der Restaurants erstrahlen nun im Schein elektrischer Beleuchtungskörper. „Über tausend elektrische Lampen", so schreibt der „Vorwärts" im Dezember 1909, „machen die Stadt zu einer der besterleuchteten der Welt." (In den Wohnungen bleibt allerdings das elektrische Licht bis

Das Elektrizitätswerk in Charlottenburg

zum Ersten Weltkrieg auf die Behausungen des Bürgertums beschränkt.)
Die Reklame bemächtigt sich rasch der neuen Lichteffekte:

So strahlt Leibnizens epochaler Name, wenn auch in Verbindung mit einem Gebäck, zu dessen Entstehung der große Philosoph, Mathematiker, Theologe, Rechtsgelehrte und Staatsmann trotz dieser seiner Vielseitigkeit kaum etwas beigetragen haben dürfte, in heller Pracht von einem hohen Dachfirst hernieder, ein eigenartiges Denkmal und das einzige öffentliche in Berlin, das an die hohen Verdienste des Stifters der hiesigen Akademie der Wissenschaften erinnert. Nicht weit davon und in ebensolcher Höhe feiert aber eine andere elektrische und elektrisierende Reklame geradezu Leuchtorgien. Jede viertel Minute rast aus dem Dunkel da oben eine Flamme und schreibt einen Namen in grell roten oder weißen Buchstaben, die in der nächsten Viertelminute wieder von der Finsternis verschlungen werden, als ob der alte Sisyphus statt des ihm immer wieder „entrollenden tückischen Marmors" jetzt zur schriftlichen Strafarbeit gezwungen wäre, die ein riesiger schwarzer Schwamm jedesmal fortwischt, wenn er bis an das Schwungende gekommen ist. Diese im vollsten Sinne des Wortes in die Augen springende Reklameart pflanzt sich zusehends auf der ganzen Strecke der großen Promenade, über die Leipziger, Friedrichstraße und die Linden fort. In diesem fortwährenden und unerbittlichen Wechsel zwischen Tag und Nacht liegt unleugbar eine suggestive Kraft, die auf die Dauer selbst den Weltstädter, den nichts mehr wundert, endlich mürbe macht.

Vossische Zeitung, 7. Oktober 1900

Günstige Tarife werben für elektrisches Schweißen, für elektrisches Schmelzen, für elektrisches Heizen, für elektrisches Bügeln, für elektrisches Haartrocknen, für elektrisches Kochen, für elektrisches Staubsaugen. „Die Entstaubung geht geräuschlos, rasch, ohne Störung des sonstigen Betriebes und ohne Verstreuung von Staubteilen in die Luft vonstatten. Welche erstaunlich große Mengen von Staub mit dem Vacuum-Reiniger entfernt werden können, läßt sich leicht daran erkennen, daß

eine Reinigung des Apollotheaters in Berlin 202 kg Staub ergab." (Das Buch der neuesten Erfindungen)
Die alten Gleichstromwerke im Innern der Stadt werden aufgegeben. Am Stadtrand entstehen neue Kraftwerke, die hochgespannten Drehstrom zu den „Umspannwerken" transportieren. In den Kraftwerken treten Turbinen an die Stelle der mächtigen Dampfmaschinen:

Wer vor einer Reihe von Jahren den Maschinensaal des großen Kraftwerks Moabit in Berlin betrat, hatte treffliche Gelegenheit, zwei Zeitalter des Großdampfmaschinenbaus miteinander zu vergleichen.

Da lagerten inmitten der Halle schwer und mächtig, mit vielen blanken Gliedern und hochgewölbten Schwungrädern prunkend, die vierzylindrigen Verbund-Kolbenmaschinen, sehr schöne und viel bewunderte Erzeugnisse der Firma Gebrüder Sulzer. An einer Querseite des Maschinensaals hatte man aber anstelle einer der Kolbenmaschinen drei kleine, in bescheidene glatte Kapseln gehüllte Vorrichtungen aufgestellt, die ohne jedes Hin und Her von Kurbeln, Schub- und Steuerstangen umliefen. Während nun das verwirrende Gezappel der sechs weithin gebreiteten Sulzer-Maschinen mit viel Gestöhn und Gestampf 18 000 Pferdestärken hervorbrachte, lieferten die stillen Nachkömmlinge 21 000 Pferdestärken. Sie nahmen zusammen nicht mehr Platz in Anspruch als eine der 4000-PS-Maschinen, verfünffachten also die Raumnutzung.

Den prächtigen Kolbenmaschinen erging es wie den Gespielinnen der Prinzessin Emma, die der Geist des Riesengebirges aus Rüben hervorgezaubert hatte. Sie sahen, da ihre Stunde gekommen war, plötzlich alt, grau und verfallen aus. Man hatte nicht mehr den Eindruck, Schöpfungen neuzeitlicher Technik vor sich zu sehen, sondern glaubte eine Ansammlung von Riesen der Vorzeit, von Sauriern, zu erblicken. Ein jüngeres, flinkeres, der Neuzeit besser angepaßtes Geschlecht war in die Halle eingezogen und beschämte mit seinem munteren Lauf die Behäbigkeit der Voreltern. Der Vormarsch der Dampfturbine hatte begonnen.

Fürst, Das Weltreich der Technik/4

Schritt für Schritt lernen die Elektrotechniker, die Verteilung hochgespannter Ströme zu bewältigen:

Heut, da wir Spannungen von mehreren hunderttausend Volt sicher beherrschen, kann man sich kaum noch vorstellen, wie primitiv und wenig entwickelt die Hochspannungstechnik im Jahre 1900 doch noch war. Auch im Charlottenburger Werk mußte fast alles, was zu derartigen Hochspannungsanlagen gehörte, erst in den Laboratorien, Versuchsanlagen und Prüfständen entwickelt werden. Mich störte im Hochsommer 1900 in meiner Arbeit ein fortwährendes starkes Knallen. Es klang ungefähr so, als ob sich in nächster Nähe ein Schießstand befand, auf dem mit schweren Handwaffen, etwa mit Armeegewehren, geschossen wurde. „Ach, Sie kennen unsere Schießbude noch nicht?" klärte mich ein Kollege darüber auf. „Kommen Sie doch mal mit, das ist ganz interessant." Er führte mich zu einer auf dem Gelände des Werkes neu errichteten Bretterbude, und was ich dort zu sehen bekam, war in der Tat überraschend. Man probierte dort neue Sicherungen für Spannungen von zehn- bis zwanzigtausend Volt.

Zum Verständnis dieser Versuche muß vermerkt werden, daß es die Ölausschalter, ohne die heute eine Hochspannungsanlage undenkbar ist, damals noch nicht gab. Die Hochspannungssicherungen, die man 1900 entwickelte und ausprobierte, waren letzten Endes nur stark vergrößerte Bleisicherungen. In sehr langen, an beiden Enden offenen druckfesten Glaszylindern waren die Schmelzdrähte untergebracht. In der erwähnten Schießbude gab man nun eine Hochspannung im Kurzschluß darauf. Mit einem donnerartigen Knall und unter grellen Lichterscheinungen zerstäubte das Blei, und alles kam darauf an, daß kein Lichtbogen stehenblieb, sondern der hochgespannte Strom durch die Zerstörung des Bleiblattes wirklich abgeschaltet wurde. Es hat viele Monate Versuchsarbeit gekostet, bis das wirklich erreicht wurde ...

In ähnlicher Weise wurden an einer anderen Stelle des Werkes die neuen Hochspannungsisolatoren entwickelt. Auch dort gab es viel Krach und viel Feuerwerk, und eine Unmenge Steingut wurde von der elektrischen Energie zerschmettert, bis man auch hier zum Ziel kam und nun von einem Angstbetrieb nicht mehr die Rede sein konnte.

Dominik, Vom Schraubstock zum Schreibtisch

1906 geht vom Überlandwerk Oberspree die erste 10 000-Volt-Leitung aus. 1910 folgt ihr ein 30 000-Volt-Kabelnetz, das erste dieses Umfangs auf dem Kontinent.

Berlin ist nicht nur der große Markt für elektrischen Strom, elektrische Maschinen und Geräte. Berlin ist auch der Sitz der größten elektrotechnischen Produktionsstätten des Deutschen Reichs.

15 000 AEG-Arbeiter werken in der „Stadt der Elektrizität" südlich des Humboldthains, in der Großmaschinenfabrik, in der Fabrik für Bahnmaterial, in der Fabrik für Hochspannungsmaterial, in den Fabriken für Kleinmotoren und elektrische Bauteile. Die Jahresproduktion allein dieses Komplexes übersteigt den Wert von 100 Millionen Mark.

Aber schon längst genügt der Komplex der Fabriken im Norden der Stadt nicht mehr der rasend voranschreitenden Ausdehnung des AEG-

Kolbendampfmaschine und Dampfturbinen. Blick in den Maschinensaal des Kraftwerks Moabit

Konzerns, hinter der der Ingenieur und Finanzkapitalist Emil Rathenau steht, in dessen Reich – nach den Worten eines seiner Hofbiographen – „die Sonne nicht untergeht".

Der wichtigste und leistungsfähigste „Außenposten" der AEG befindet sich um die Jahrhundertwende auf den früheren Kattunbleichen zwischen Rummelsburg und Köpenick. 8000 Hektar des ehemaligen Gutes Wilhelminenhof werden durch eine elektrische Industriebahn erschlossen. Zwei neue Brücken, die Treskowbrücke und die Stubenrauchbrücke, verbinden das „Berliner Ruhrgebiet" mit Niederschöneweide, wo gleichfalls ein Industriegebiet entsteht. Kurz vor der Jahrhundertwende beherbergt Oberschöneweide kaum 300 Einwohner; vor dem Ersten Weltkrieg hat der Ort bereits eine Bevölkerungszahl von 20000 erreicht.

Zentrum der Industrieansiedlung an der Oberspree ist das Kabelwerk.

Der Bau des der Zentrale Oberspree benachbarten Kabelwerks Oberspree wurde für die AEG eine Notwendigkeit, als Ende der neunziger Jahre der Bedarf an Leitungsmaterial mit dem Neubau vieler Elektrizitätswerke in Deutschland und im Ausland gewaltig stieg.

Dem eigentlichen Kabelwerk wurden Jahr für Jahr neue Betriebe angegliedert. Da zur Drahtisolation Gummi gebraucht wurde, begann das Werk auch die Fabrikation technischer Gummiartikel. Kupfer- und Messingblech mußten für den Apparate- und Maschinenbau in großer Menge gekauft werden. Was lag näher, als daß ein eigenes Blechwalzwerk im Anschluß an das Kabelwerk erbaut wurde und im Interesse seiner besseren Rentabilität auch für fremde Auftraggeber arbeitete. Ähnlich war es mit der Herstellung von Profilstangen, Rohren und Draht.

So streckte sich das Kabelwerk Oberspree – längst nicht mehr bloß ein Kabelwerk, sondern eine Vereinigung verschiedener Fabriken – im Lauf eines Jahrzehnts über einen Flächenraum von mehr als 100000 qm aus. Täglich führen ihm Lastkähne – meist über Hamburg – Rohmaterial zu: Kupfer in Form von Barren und Platten aus Nordamerika, Blei aus Australien, Spanien und Schlesien. Aus Schlesien kommt auch Zink. Holländisch-Indien liefert Zinn, die Schweiz und Frankreich senden Aluminium. Die Jute, eine für die Kabelisolation ver-

In der AEG-Kleinmotorenfabrik Brunnenstraße, 1908

wendete Pflanzenfaser, wächst in Bengalen, die Baumwolle, die als Umhüllung für elektrische Leitungen dient, in Ägypten und Amerika. Der Rohgummi stammt aus den Wäldern Brasiliens, aus Mittel- und Südafrika, Guttapercha* aus Hinterindien, Italien und China schicken Rohseide, Amerika Harz und Asphalt.

Bei den meisten dieser Rohprodukte handelt es sich um gewaltige Mengen. Verarbeitet doch das Kabelwerk Oberspree allein an Kupfer täglich sechzig bis siebzig Tonnen im Wert von über 100 000 Mark. Der siebente Teil alles in Deutschland eingeführten und gewonnenen Kupfers wandert in das Kabelwerk Oberspree.

Wie Rohmaterial aus der ganzen Welt im Kabelwerk der AEG zusammenströmt, so finden auch die Fabrikate, hauptsäch-

---

* Eingetrockneter, dem Naturkautschuk verwandter Saft tropischer Bäume

lich in Form von Kabeln, eine internationale Verbreitung. In Berlin selbst kann man keinen Bürgersteig kreuzen, ohne über mehrere darunter verlegte Kabel zu schreiten, die aus dem Kabelwerk Oberspree stammen. Aber auch wer in Schweden, Dänemark, England oder Belgien, in Ägypten oder Japan durchs Telephon spricht, bedient sich vielfach der Oberspree-Kabel.
Fürst, Emil Rathenau

Der Siemenskonzern, gleichfalls in rascher Expansion begriffen, stützt sich vor allem auf riesige Neubauten am Nonnendamm.

Da in Charlottenburg nichts mehr zu haben war und man mit Rücksicht auf die Verhältnisse im Berliner Werk sich nicht wieder mit Teillösungen begnügen wollte, fiel die Wahl auf eine Gegend nördlich der Spree zwischen Charlottenburg und Spandau. Dort bot sich in den sogenannten Nonnenwiesen ein ausgedehntes Gelände, das freilich, wo es an die Spree grenzte, stark versumpft war und von dort in die Kiefernsandwüste der Jungfernheide überging. Verkehrsmäßig war es gänzlich entlegen, die nächsten Siedlungen waren etwa in drei Viertelstunden zu Fuß zu erreichen. Es kostete die Firmenleitung einen gewissen Entschluß, sich in dieser Wildnis anzukaufen, denn eigentlich sprach alles dagegen und nur eines dafür: hier war endlich Platz. Aber man war von den chronischen Raumnöten allmählich derart mürbe geworden, daß man den Vorteil der Ausdehnungsmöglichkeit allem anderen voranstellte. Daher machte man bei dem im Jahre 1897 erfolgten ersten Landkauf ausgiebig Gebrauch von dieser Möglichkeit und sicherte sich gleich 200 Hektar Bodenfläche. Bereits im nächsten Jahre wurde dort mit dem Bau eines Kabelwerks begonnen ...
Siemens, Der Weg der Elektrotechnik

Oberschöneweide und die „Siemensstadt" sind nur zwei Stützpunkte der „zweiten Randwanderung", die die Großindustrie unternimmt. In Rosenthal, weit nördlich der Ringbahn, hat die Bergmann Elektrizitäts

AG eine Fabrik für Turbinen, für Elektromobile, für elektrische Apparate erbaut. Die Borsigs ziehen nach Tegel hinaus. Neben dem Stahlwerk, der Gießerei, der Kesselschmiede, den Lokomotivwerkstätten – die 1902 die 5 000. Lokomotive fertigen – entstehen ein eigenes Kraftwerk, ein eigener Hafen und eine eigene Siedlung für „Beamte" und Facharbeiter.

Die Berliner Maschinenbau AG vormals L. Schwartzkopff erbaut auf dem Gelände des Gutes Wildau ein riesiges Werk: Hier werden vierhundert Lokomotiven jährlich hergestellt.

Infolge des gewaltigen Aufschwunges der Firma war der in der Chausseestraße zur Verfügung stehende Raum bereits Ende der sechziger Jahre zu eng geworden, und man entschloß sich deshalb, ein neues Werk in der Ackerstraße zu errichten, das 1869 eröffnet wurde. Als später der immer mehr wachsende Umfang der Anlagen Erweiterungen erheischte, faßte man den großartigen Plan, eine vollständig neue Fabrik zu erbauen, welche alle Betriebe wieder vereinigen, also die durch die beiden getrennten Betriebstätten verursachten Unzuträglichkeiten beseitigen sollte.

Oberschöneweide, Wilhelminenhofstraße

Eingangstor der Borsigwerke in Tegel

Als Platz für diese neue Anlage wurde das Gut Wildau bei Königs Wusterhausen von rund 235 Morgen Grundfläche, etwa 25 km von Berlin entfernt an der Görlitzer Bahn gelegen, gewählt ...

Daß es nicht leicht sein würde, eine so erhebliche Zahl von Arbeitern nach Wildau zu ziehen, darüber war man sich von vornherein klar; denn die Entfernung von Berlin ist zu groß, als daß die Arbeiter im allgemeinen in Berlin wohnen könnten, und um sie zu bewegen, die Großstadt aufzugeben, dazu mußten ihnen besondere Vorteile geboten werden. In den Nachbarorten von Wildau: Königs Wusterhausen und Zeuthen, gab es zwar einige, aber nicht ausreichende Wohngelegenheiten, und so entschloß man sich, in Wildau eine eigene Kolonie zu errichten, deren musterhafte Einrichtungen dem Arbeiter einen Ersatz für die Annehmlichkeiten der Großstadt bieten könnten.

Gegenüber dem Werk erheben sich an der Eisenbahn fünfundsiebzig freundliche Wohnhäuser für Beamte und Arbeiter, deren Mittelpunkt ein Kasino mit Erholungsräumen und Gastwirtschaft bildet. Die Häuser liegen inmitten von Gartenanlagen, und in ihrem Aufbau ist alles Kasernenartige geschickt vermieden. Die Häuser für mittlere Beamte und Meister, elf an der Zahl, enthalten je zwei Wohnungen, die aus vier Zimmern und Küche bestehen. Die Arbeiterhäuser sind für vier Familien bestimmt, und eine jede enthält zwei Zimmer und eine Küche; der Mietpreis beträgt fünf Mark wöchentlich und wird bei der Lohnzahlung einbehalten ...

Auch die Wohlfahrteinrichtungen sind dazu angetan, die Angestellten an das Unternehmen zu fesseln. Für Beamte und Arbeiter besteht je eine Kasse, aus der Vorschüsse gegen einen geringen Zinssatz und Geldunterstützungen im Falle von Krankheit oder ähnlicher Notlage gegeben werden. Ferner haben sowohl Schwartzkopff wie Kaselowsky, als sie ihr Amt als Direktor niederlegten, namhafte Summen zu Wohlfahrtzwecken geschenkt. Aus der „Schwartzkopff-Stiftung" und der „Kaselowsky-Stiftung" werden bedürftigen Beamten und Arbeitern, namentlich, wenn sie durch Alter erwerbsunfähig geworden sind, Unterstützungen gezahlt.

Ingenieurwerke in und bei Berlin

„Dazu angetan, die Angestellten an das Unternehmen zu fesseln..."
Gewiß – für einige hundert Arbeiter, Angestellte und Beamte sind die Werkwohnungen und Wohlfahrtseinrichtungen ein sozialer Fortschritt, ein Stück „Lebensqualität". Aber das Risiko jederzeitiger Kündigung macht die Werkwohnung zugleich zu einer Fessel im Arbeitskampf. „Das Recht auf Benutzung der Wohnung erlischt an dem Tage, an welchem das Arbeitsverhältnis aufhört, und muß die Wohnung spätestens nach Ablauf einer Frist von dreimal vierundzwanzig Stunden geräumt sein." (Vordruck eines Arbeitsvertrages aus dem Jahre 1911)

Berliner Verkehr:
„Keine Zeit, keine Zeit!"

Die Stadt Berlin bedeckt zu dieser Zeit eine Fläche von 63,5 Quadratkilometern, von denen 37,7 Quadratkilometer bebautes Land oder Baugrund sind. Im Jahre 1900 wohnen auf dieser Fläche 1,9 Millionen Menschen; zwischen 1904 und 1905 wird die zweite Einwohnermillion erreicht. In den Folgejahren aber hört jede nennenswerte Zunahme der Bevölkerung innerhalb der Berliner Stadtgrenze auf.

Das ständige Anwachsen der Berliner Bevölkerung vollzieht sich vielmehr in „Groß-Berlin", einer Fläche von etwa 220 Quadratkilometern, die neben der Stadt Berlin 23 benachbarte „Vororte" – Städte, Dörfer, Kolonien und Gutsbezirke aller Art – umfaßt. Auf dieser Fläche hat sich die Zahl der Bewohner von der Reichsgründung bis zum Jahre 1900 verelffacht, bis zum Jahre 1905 versechzehnfacht; sie wächst von 1900: 653000 auf 1905: 953000 Bewohner an.

Ein großer Prozentsatz der in den Vororten Wohnenden arbeitet in Berlin. 13500 Charlottenburger üben ihren Beruf in Berlin aus, 12300 Rixdorfer, 11600 Schöneberger. Umgekehrt begeben sich Tausende Einwohner der Stadt Berlin nach Beschäftigungsorten außerhalb der Stadtgrenzen. Das Ergebnis der raschen Ausdehnung des Siedlungsgebiets und der ständigen Zunahme seiner Bevölkerung ist eine explosive Entwicklung des Verkehrs. In einem einzigen Jahre (1905) befördern die städtischen Nahverkehrsmittel mehr als eine Dreiviertelmilliarde Passagiere!

Das Berlin der Jahrhundertwende war die unruhigste und betriebsamste Stadt in der ganzen Welt. Räumlich erstreckte es sich im Norden und Osten etwa bis an die Ringbahn, aber im Süden und Westen, vor allem im Südwesten, hatte es diese noch lange nicht erreicht, und namentlich der spätere Stadtteil Wilmersdorf war noch Bauland, über das, man muß schon sagen, die Bauwut der wachsenden Stadt sich ergoß. Zu diesen ungezählten Wohnbauten wurde gerade neben einer ganzen Reihe von öffentlichen Gebäuden, Brücken, Straßen und Plätzen die erste Strecke der Hoch- und Untergrundbahn gebaut, die bisherigen Pferdebahnen auf elektrischen Betrieb umgestellt, Denkmäler in Reihen verfertigt – kurz, das Baufieber raste in den Adern der Stadt. Überall sah man Straßen aufgerissen, Spundwände eingetrieben, Bauzäune kilometerweise errichtet und Notstege angelegt, über die der Verkehr weiterging. Das häufigste Lastfahrzeug im Straßenverkehr war der Mörtelwagen. Aber die Unbeteiligten kümmerte das alles nicht; es war erstaunlich, wie wenig der Baubetrieb den Verkehr beeinträchtigte. Dieser flutete in ungebrochenem Strome Tag und Nacht durch die Straßen; wenn die letzten Nachtschwärmer nach Hause gingen, kamen ihnen schon die ersten Früharbeiter wieder entgegen.

Siemens, Erziehendes Leben

Brennpunkte des innerstädtischen Verkehrs sind der Potsdamer Platz, die Leipziger Straße, der Alexanderplatz. Auf dem Potsdamer Platz, an dem sich die Endstationen zweier Fernbahnen befinden, zählt man an einem Oktobertag des Jahres 1900 in sechzehn Stunden 146 000 Fußgänger und 27 412 Fahrzeuge.

Über den Potsdamer Platz fahren 35 Straßenbahnlinien mit stündlich 328 Zügen (!). In der Leipziger Straße bildet sich immer wieder ein Chaos von Fuhrwerken, Omnibussen, Straßenbahnen. Auf dem Alexanderplatz werden an einem Tage an der Unterführung der Königstraße 139 000 Fußgänger und 13 000 Fahrzeuge gezählt ...

Sähe ein Unbeteiligter, Ruhiger, von irgendwoher hinein in dieses unablässige Rollen, Tuten, Drängen, Rufen, Scharren, Klingeln, in dieses Vorwärtsschieben und Umherwimmeln, es müßte ihm vorkommen, als jagte ein böser Dämon alle diese Menschen dort im Kreise umher; wie in den Wirbelstürmen der Danteschen Hölle, atemlos und scheinbar zwecklos: wie das Mädchen im Andersenschen Märchen, dem die roten Schuhe an den Füßen haften und das nun tanzen muß – tanzen, bis es tot zu Boden sinkt. Es ist, als riefe jedem eine unsichtbare Stimme zu: „Da, wo du nicht bist, da ist das Glück." ...

Donnernd überqueren die Züge der Stadtbahn die überfüllten Straßen mit ihrem Gewimmel von elektrischen Bahnen, Omnibussen, großen Geschäftsautomobilen, Handwagen, Frachtwagen, Bäcker-, Bier- und Milchwagen, Geschäftsomnibussen und Postfahrrädern, dazwischen die Weißhüte der Taxameterdroschken und die kanariengelben alten Postwagen, dann ein Trupp mittelalterlich kostümierter Postillone; daneben jagt eine ganze Kolonne von Wagen mit Warenfrachten, die den Güterverkehr zwischen dem Osten und dem Zentrum vermitteln...

Diese rastlose Eile bleibt auch denen noch in den Gliedern, die sich für einige Zeit in körperliche Ruhe versetzt haben: den Menschen in den elektrischen Bahnen. Nur für „unterdessen" sitzen sie da, wie auf jeden Anruf bereit. Fast alle lesen, „Morgenpost", „Lokal-Anzeiger", „Berliner Tageblatt", Fachzeitungen; die Schulkinder lernen noch rasch an ihren Aufgaben. Sie reden wie die Alten von Versetzungen, Zensuren, Markenbörse und guten Fahrtverbindungen.

Da sitzen die Lehrlinge, die in ihre Ateliers fahren: der Porzellanvergolder, der Tischlerlehrling, neben ihm der Zuschneider für die Konfektionsgeschäfte, die kleine Blumenmacherin, die Putz- und Wäschenäherin, kaufmännische Angestellte, Kassierer, Ärzte, Rechtsanwälte, die Liftboys, die nach den Hotels eilen, Messengerboys* und Laufburschen, alle noch ohne ihre Uniform, die ihnen Wichtigkeit gibt. Sie sehen aus wie ganz gewöhnliche, arme, hungrige kleine Jungen in schlechtsitzenden, dürftigen Kleidern. Da schläft der Bäckergeselle, der Wagenwäscher, der die Nacht durchgearbeitet hat. Einen unruhigen, halbwachen Schlaf, der ihn jede der bekannten Haltestellen kontrollieren läßt. Glasbläser, Goldarbeiter, Schuhmacher, Redakteure, Reporter, Agenten jeder Art, die Zettelzustecker für die Straße, Masseusen, Friseure, Bauarbeiter. Diese ganze Welt von Schweiß und Willenskraft, Fleiß und Geduld, die da für einen Augenblick unruhige Rast macht, diese ganze Welt hat in diesem Augenblick nur einen einzigen Traum: Jeder einzelne hofft auf irgendeine glückliche Chance für heute, eine Sensation, die man erlebt, eine Unterrichtsstunde, die ausfällt, eine Beförde-

---

* Botenjungen

rung, eine Gehaltserhöhung, einen Extraerwerb, eine Spekulation, die glückt. Das behagliche Element des Wagens bilden dicke Frauen mit gerötetem Gesicht, kunstvoll frisiert, mit Brillanten in den Ohren: Schlächterfrauen, die vom Fettviehschlächter auf dem Viehhof kommen und Bestellungen für ihren eigenen Laden oder Marktstand gemacht haben. Neben ihnen sitzen die bleichen, fetten Herren, die den ganzen Tag in dunklen, vom Gas erhitzten Kontoren zubringen, vom Schreiben gebückt, mit Glatzen unter den weichen verbrauchten Hüten.

Sparsame Hausfrauen haben sich in ihren Körben die billigen flachen Hammelrippen vom Hammelfleischdepot in der Zentralmarkthalle am Alexanderplatz geholt. Offiziere, gut anzusehen, rauchen auf der Plattform ihre Morgenzigarre, sprechen vom Dienst, von Beförderung.

Vorwärts, vorwärts.

Anselm Heine, Berlins Physiognomie

Das erste große Verkehrsbauwerk des neuen Jahrhunderts ist die Hoch- und Untergrundbahn, die von der Warschauer Brücke im Osten zum Potsdamer Bahnhof einerseits, zum Zoologischen Garten im Westen andererseits führt. Der Siemenskonzern baut die Bahn. Die Deutsche Bank finanziert sie. Gleichzeitig kauft sie in der Nähe der Bahnstrecke umfangreiche Terrains auf, deren Grundrente sich durch die verbesserte Verkehrsverbindung vervielfachen wird.

Wie es in unseren Zeiten der übermächtigen Geldherrschaft kaum anders möglich war, stand die ganze Planung der Anlage anfangs ausschließlich unter der Herrschaft des Prinzips: Nur praktisch, nur billig: das errechnet nun, Ihr Herren Ingenieure! – Und so begann man das Werk: nur keinen Nietkopf, kein oktavblattgroßes Lamellchen etwa der Ästhetik zuliebe über die Rechnung hinaus angebracht! Das wäre – unwissenschaftlich! Aber als diese errechneten Skelette sich nun erhoben, als man sie – etwas unpolitisch, muß man sagen – gar monatelang in ihrem branstigen Mennigeanstrich schafottartig die guten Berliner „anärgern" ließ, da erhob sich ein so lebhafter und nachdrücklicher Einspruch gegen die Vernachlässigung der künstlerischen Erscheinung selbst von den beachtenswertesten Stellen, daß etwas wie ein Wunder geschah: Die einzig auf Rentabilität begründete Gesellschaft opferte freiwillig eine sehr erhebliche Summe lediglich der ästhetischen Ausgestaltung des Unternehmens und ging mitten in der Arbeit daran, künstlerisch zu retten, was noch zu retten war.

Schliepmann, Die Hochbahn als Kunstwerk

Tatsächlich steckt der Siemenskonzern ein paar Millionen Mark in die „vornehme architektonische Ausgestaltung" der Bahn.

Den Platz am Schlesischen Tor schmückt als Haltestelle „ein massives Gebäude im Stil der Renaissance", das zum größten Teil von einer Bahnhofswirtschaft eingenommen wird. Der Eintritt in die Bülowstraße wird durch ein monumentales Steinportal gewürdigt. Der Viadukt über die Oberbaumbrücke wird als mittelalterlicher Kreuzgang ausgeführt – „eine Theaterdekoration, die unleugbar ihren Zauber hat" (Schliepmann).

Die Oberbaumbrücke mit dem Hochbahnviadukt

Hochbahnhof Bülowstraße

Noch hat sich das Auge der jetzigen Generation längst nicht an die neuen leichten Konstruktionsformen dieses Wunderbaues gewöhnt, noch steht das allgemeine statische Gefühl im Banne der massiven Stadtbahnbogen, die, wo sie Eisen nicht entbehren können, es entweder plump oder langweilig zusammengeflickt anwenden. Hier endlich, an der Hochbahn, haben wir trotz aller Unsicherheiten so etwas wie einen stärker und stärker anschwellenden Jubelruf der modernen Technik als Ausdruck neuer ästhetischer Werte ...

Wer den Bahnhof des Ostens am Schlesischen Tor sieht, der ahnt dieses Hohelied einstweilen mehr, als er es sieht. Eine gemütliche kleine Anlage in Ziegel- und Sandstein, mit ehrbaren

Rundbogen, Säulen und architektonischen Schnipseln. Aus ihr, nur durch ein merkwürdig eisern gestütztes, freistehendes Dach vermittelt, führt in die Höhe des ersten Geschosses die „Strecke" hinaus, die eiserne Schienenstrecke, auf eisern geschientem Unterbau und flachen vernieteten eisernen Trägern, die geradeswegs in den Boden hinein wurzeln. Ein seltsamer und befremdlicher Anblick. Wir setzen uns in einen der trefflich solide konstruierten, aber grundhäßlich rot oder gelb gestrichenen Wagen: erstaunlich schnell sind wir in „Schuß", und ein ganz köstlich geschwindes Bewegungsgefühl, mit keinem früheren zu verwechseln, teilt sich uns mit. Am Halleschen Tor der Bahnhof – welch eine überraschende Lösung; er steht ganz und gar auf eisernen, breit ausladenden Strebepfeilern, überragt die steinerne Uferlinie des Spreekanals und schwebt, nur durch einen massiven Treppenaufgang mit der Straße verbunden, sozusagen in der Luft.

Kalkschmidt, Großstadtgedanken

Die wohlhabenden Vororte erreichen, daß die elektrische Schnellbahn auf ihrem Gebiet unter die Erde kommt. Vom August 1900 an arbeiten in der Tauentzienstraße die Rammen für den U-Bahn-Bau.

Da, wo die elektrische Untergrundbahn in Arbeit ist, hat das Terrain einen gewissen alpinen Charakter angenommen; es wechselt angenehm zwischen Höhen und Tiefen, Sandbergen und schwebenden Brücken, schmalen Pfaden und gefährlich engen Passagen. Wenn man sich einen Rucksack über die Schultern hängt, einen Eispickel in die Hand nimmt, die Augen zumacht und so vorwärts tappend zu jodeln beginnt, kann man sich ohne Kosten in die Alpenwelt versetzt fühlen. In der Gegend der Kaiser-Wilhelm-Gedächtniskirche war es bis vor kurzem geradezu beängstigend. Da türmten sich die Berge hoch auf, und zwischen ihnen gähnten tiefe Schluchten, in denen das Grundwasser gurgelte. Jetzt beginnt sich das Chaos ganz allmählich zu lichten. Es war bekanntlich ein Wunsch des Kaisers, die elektrische Bahn hier nicht in den Lüften, sondern unterirdisch

Bau der Steinviadukte für das Gleisdreieck, 1900

zu führen. Am Nollendorfplatz beginnt erst die Hochbahn. In mächtiger Höhe über dem Platze, ein Wirrwarr von Eisenlinien, Bogen und Brücken und Treppen, erhebt sich der Luftbahnhof. Jules Vernesche Phantasie ist hier in die Wirklichkeit übertragen worden.

Zobeltitz, Chronik der Gesellschaft

Hoch über den Gleisfeldern der Potsdamer und Anhalter Bahn entsteht, um die Strecke zum Potsdamer Platz mit der Ost-West-Strecke zu verbinden, das „Gleisdreieck", ein Spinnennetz von Brücken und Viadukten, das dafür sorgen soll, daß von den 120 stündlich durchlaufenden Zügen keiner den anderen auf gleicher Ebene kreuzt. Das Modell des „technischen Wunderwerks" wird auf der Weltausstellung 1904 in St. Louis vorgeführt.

Am 17. August 1902 wird die Teilstrecke Warschauer Brücke – Potsdamer Platz in Betrieb genommen.

Es war heute am frühen Morgen, und noch stockfinster schaute der Himmel drein, als der Untergrundbahntunnel am Potsdamer Bahnhof sich öffnete. Die feierliche Ehrenpforte mit der goldgrünen Bekleidung verdeckte, was noch primitiv und nicht rechtzeitig fertig geworden war. Ein elektrischer Strahlenkranz leuchtete die Treppen hinunter zum unterirdischen Verlies. Das nächtliche Berlin sandte der Hochbahn die ersten Passanten. Meist müde Herrschaften, die nach Hause strebten und das Nützliche mit der Annehmlichkeit einer Tour auf der neuen Bahn verbinden wollten. Und dann gab es Superkluge, die auf billige Weise historisch werden wollten als erste Passagiere der Hochbahn. Aber sie waren nicht früh genug aufgestanden. Die Billets mit der Nummer 1 waren nur in je einem Exemplar zweiter und dritter Klasse vorhanden, und schon frühzeitig waren diese Raritäten in festen Händen ... Auf der ersten Fahrt sah es im übrigen recht dünn aus. Sechs Fahrgäste saßen in dem Wagen zweiter und siebenundzwanzig in den beiden Wagen dritter Güte.

Die Premiere war ja kein so billiger Spaß, heute und morgen und übermorgen kostet die Fahrt vom Potsdamer Tor zum Stralauer Tor – man nennt das noch immer eine Besichtigungsfahrt – in der zweiten Klasse fünfzig und in dritter dreißig Pfennige. Nur hin und nicht retour. Das hatten fünf Passagiere des ersten Hochbahnzuges, der um 5 Uhr 26 Minuten das Stralauer Tor verließ und wohlgezählte neun Gäste dritter und fünf zweiter Klasse beherbergte, nicht beachtet, und als sie mit ihren alten Billets die Retourfahrt antraten, mußten sie wohl oder übel noch einmal in die Tasche greifen.

Pfeilschnell flogen die Züge dahin. Alle fünf Minuten ein Zug. An den sieben Stationen gab es nur einige Sekunden Aufenthalt. Es klappte alles wie am Schnürchen. Nur voll wurde es nicht, auch nicht um die Mittagszeit. Der Berliner wartet lieber, bis es billiger wird.

Berliner Tageblatt, 18. Februar 1902

Auch die Eisenbahnen sollen, wenn es nach dem Willen der Elektrokonzerne geht, so rasch wie möglich zum elektrischen Betriebe übergehen.

Versuchszüge, die zwischen Niederschöneweide und Spindlersfeld und auf der Wannseebahn verkehren, sollen die Elektrifizierung des Nahverkehrs vorbereiten. Auf der umgerüsteten Militärbahn zwischen Marienfelde und Zossen fährt eine elektrische Vollbahnlokomotive von Siemens Weltrekord. „Oberingenieur Reicke stand während der sausenden Fahrt auf dem Dach und studierte mit wissenschaftlicher Ruhe das Verhalten der Stromabnehmer", erzählt Hans Dominik. („Vom Schraubstock zum Schreibtisch")

Die elektrischen Schnellfahrten des Siemens-Wagens, welche am Dienstag auf der Militärbahnstrecke Marienfelde – Zossen stattfinden sollten, hatten ein zahlreiches Publikum und viele Fachleute in Zivil und Uniform angelockt; war es doch bekannt geworden, daß es heute galt, das „Ziel" zu nehmen, das heißt die Fahrgeschwindigkeit auf 200 Kilometer pro Stunde zu steigern! Die vom Potsdamer Ringbahnhofe abgehenden Frühzüge waren voll besetzt; auf der Station Papestraße füllten sich die Abteile 2. Klasse mit Offizieren der Ingenieurtruppen. Ein Teil der Fahrgäste verließ schon in Marienfelde den Zug, um der Abfahrt des Siemens-Wagens beizuwohnen oder gar – mitzufahren (diesen Vorzug genießen bekanntlich nur wenige Leute, Beamte der Staatsbahnen oder der Studiengesellschaft, deren Leben oder Gesundheit hoch versichert ist ...). Bei einer Stromspannung von 14000 Volt gelang es nun heute tatsächlich, eine Fahrgeschwindigkeit von 201 Kilometer pro Stunde zu erreichen. Wie nach allen Erfolgen der vorvergangenen Woche erwartet werden durfte, hat sich auch bei dieser denkwürdigen Fahrt die gesamte elektrische Einrichtung des Siemens-Wagens trotz der enormen Beanspruchungen, die das Anfahren auf der verhältnismäßig kurzen Strecke bedingt, durchaus gut bewährt, ebenso tadellos arbeitete die Fahrleitung, welche die Firma Siemens & Halske auf Grundlage früher unternommener Versuchsfahrten eingerichtet hat. Die 23 Kilometer lange Strecke Marienfelde – Zossen wurde wiederholt in dem kurzen Zeitraum von 8 Minuten (einschließlich Anfahren und Bremsen) durchfahren und die erwähnte höchste Geschwindigkeit auf der Strecke Mahlow – Dahlewitz – Rangsdorf welche in anderthalb Minuten durchfahren ward, in einer Länge von zirka 5 Kilometer erreicht.

Vorwärts, 7. Oktober 1903

Am 28. Oktober 1903 schraubt die Lokomotive der AEG die Rekordmarke noch höher, indem sie mit 210,2 km/h über die Strecke fährt. „Der Lauf des Wagens war dabei so ruhig, daß man in seinem Innern ein vollgeschenktes Glas Wasser in der ausgestreckten Hand halten konnte, ohne etwas zu verschütten." (Fürst, Emil Rathenau)

Allerdings führen die Rekordfahrten nicht zu praktischen Ergebnissen. Unter dem Druck des Dampflokomotivenkartells, in dem Borsig und Schwartzkopff ein Drittel der Produktion beherrschen, verzichtet die preußische Staatsbahn auf die elektrische Zugförderung von und nach Berlin. Auch die Einrichtung des elektrischen Schnellverkehrs auf der Stadt-, Ring- und Vorortbahn muß warten, obwohl die Überfüllung der veralteten Verkehrsmittel chaotische Züge annimmt.

1913 wird vom Preußischen Landtag mit knapper Mehrheit doch die Elektrifizierung der Stadtbahn beschlossen. Im April 1914 besichtigt der Präsident der Berliner Eisenbahndirektion die ersten zwölf neuen Stadtbahnwagen: dunkelgrün gestrichen, die Stromabnehmer auf dem Dach. Zwischen Bitterfeld und Dessau sollen sie ihre Versuchsfahrten aufnehmen. Inzwischen bricht der Weltkrieg aus. Es ist zu spät.

Mit Entschlossenheit nutzt hingegen die Straßenbahngesellschaft die Möglichkeiten der elektrischen Antriebskraft.

Um die Jahrhundertwende wird das Netz der „Großen Berliner Straßenbahn" elektrifiziert. Auch die Vorortstrecken gehen zum elektrischen Betrieb über; selbst die „Lahme Ente", die Dampfbahn von Groß Lichterfelde zur Machnower Schleuse, wird auf elektrischen Betrieb umgestellt. Die letzte Pferdebahn fährt am 28. August 1902 auf der Linie Großgörschenstraße – Weddingplatz.

Hauptfinanzier der Elektrifizierung ist die Dresdner Bank. Die Union-Elektrizitäts-Gesellschaft liefert für 100 Millionen Mark Kraftwerke, Transformatoren, Kabel und Motoren.

Umseitig: Alexanderplatz, 1906

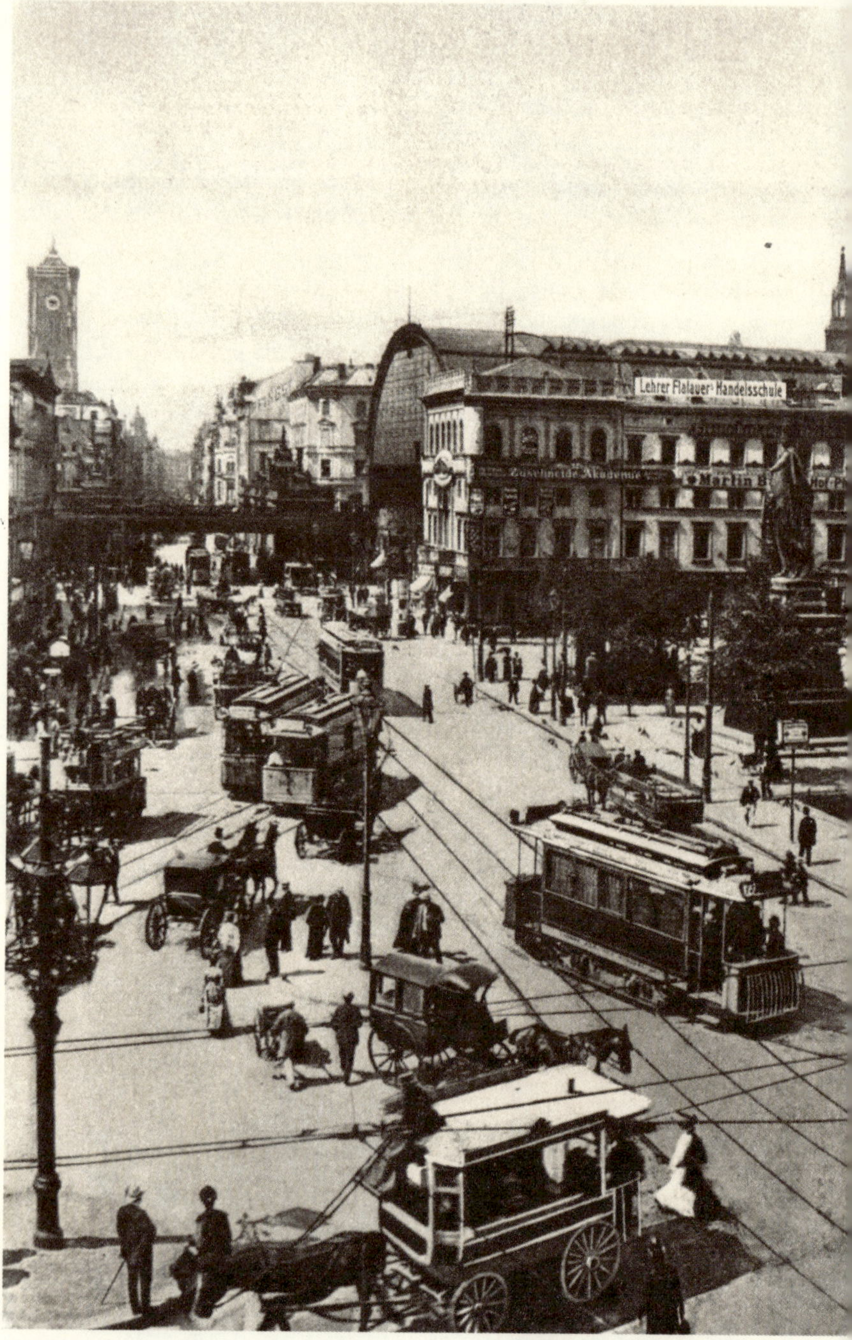
Lehrer Flatauer's Handelsschule

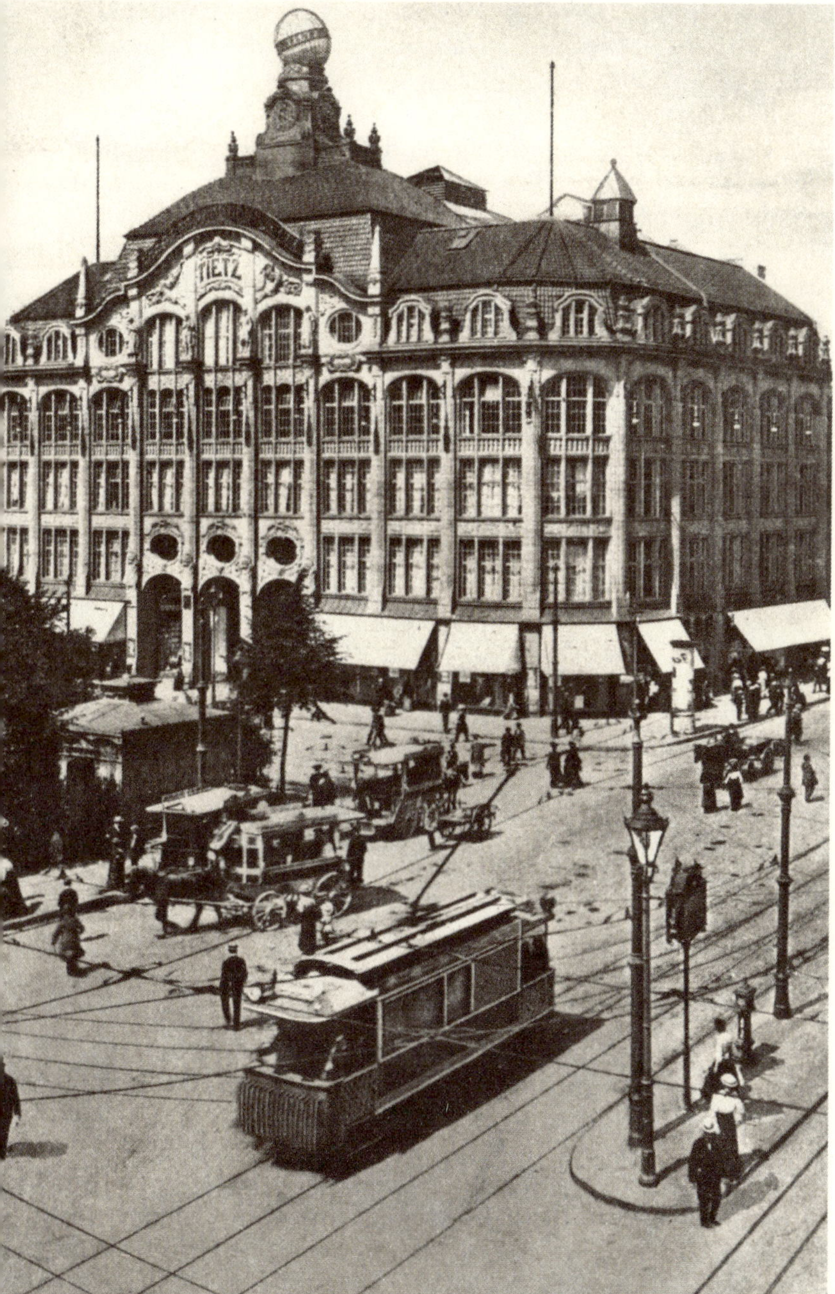
TIETZ

Unheimlich sind allerdings den Berlinern die stromführenden Drähte der Oberleitung, zumal deren elastische, bruchsichere Aufhängung erst noch erfunden werden muß.

Die Gefahren der Oberleitung bei der elektrischen Straßenbahn wachsen mit jedem Tag. Gestern (Sonnabend) nachmittag brannten gleichzeitig beide Leitungsdrähte an der Ecke Chaussee-/Invalidenstraße ... Als kurz vor einhalb zwei Uhr ein elektrischer Straßenbahnwagen aus der Richtung Moabit vor dem Hause Invalidenstraße 105 ankam, erfolgte ein heftiger Knall, und nach wenigen Schritten stockte der Wagen. Ehe sich die Fahrgäste von ihrem Schrecken erholt hatten, brannte das vor ihnen quer über die Straße führende Schaltkabel, das die beiden Leitungsdrähte verband. Alles stürmte aus dem Wagen, und binnen wenigen Minuten hatte sich ein vielhundertköpfiges Publikum zu beiden Seiten des Straßendamms angesammelt, um der Weiterentwicklung des Vorgangs zu warten. Vor dem Hause 105 war mittlerweile ein Draht gerissen und zur Erde gefallen, was zur Folge hatte, daß meterhohe Flammen dort emporloderten.

Einbau der unterirdischen Stromzuführung in die Straßenbahngleise auf dem Potsdamer Platz

Ein Kutscher, der gerade die Straße passierte, wäre beinahe samt seinem Pferde verloren gewesen. Als er über den herabgefallenen Draht fuhr, erhielt seine Droschke einen solchen Schlag, daß sie mit gewaltigem Ruck zur Seite geschleudert wurde. Die alarmierte Feuerwehr machte sich sofort daran, die beiden Drähte von dem nächsten Schaltkabel abzuschneiden, um den Strom ungefährlich zu machen. Ehe dieses aber besorgt war, riß der Verbindungsdraht (Kabel) zwischen den Häusern Invalidenstraße 110/38 und traf beim Herabfallen den Oberfeuermann Schneider und den Feuermann Nowodnick. Beide wurden erheblich verletzt und wurden sofort nach der königlichen Klinik in der Ziegelstraße gebracht ... Die meisten „Elektrischen" wurden durch Pferde gezogen, auch waren mehrfach Akkumulatoren der Linie Charlottenburg herangezogen, um den Verkehr einigermaßen aufrechtzuerhalten.

So sieht es um die Verkehrssicherheit unter der Herrschaft der „Großen" aus!

Vorwärts, 9. Juni 1901

Einige der Argumente gegen die Oberleitungen der Straßenbahn sind uns heute kaum verständlich. Die Tierschützer befürchten ein Massensterben unter den Berliner Vögeln. Biologen erklären, daß das von den Drähten erzeugte magnetische Feld die Säfte des menschlichen Körpers ungünstig beeinflusse. Die Physikalisch-Technische Reichsanstalt befürchtet vagabundierende Ströme, die ihre Messungen stören könnten. In den Hauptstraßen der Innenstadt aber fordern die Hofkreise den Verzicht auf die Oberleitung, „weil sie das Stadtbild verunziert". Der Versuch, hier mit Akkumulatoren betriebene Straßenbahnen einzusetzen, scheitert jedoch.

Von alters her fuhr die Pferdebahn durch den Tiergarten über die Charlottenburger Chaussee. Als die Berliner Pferdebahnen auf elektrischen Betrieb umgestellt wurden, weigerte sich der Kaiser, seine Zustimmung dazu zu geben, daß über den Gleisen der Charlottenburger Chaussee der Oberleitungsdraht gespannt werde; der Tiergarten dürfe nicht verschandelt werden ... Als alle Versuche, ihn umzustimmen, gescheitert waren, entschloß sich die Straßenbahngesellschaft zur Einführung des Akkumulatorenbetriebes auf dieser Strecke. Es wurden besonders große und schwere Wagen beschafft, die im Volksmunde die Donnerwagen hießen wegen des furchtbaren Lärms, den sie in Weichen und Kreuzungen machten; eine Eigentümlichkeit von ihnen war ihre Vorliebe für unerwartetes Stehenbleiben. In den Wagen husteten und niesten die Leute, gelegentlich floß auch die Säure aus und zerfraß Schuhe und Kleider der Fahrgäste. Es war ein Skandal, aber der Kaiser blieb eigensinnig.

Da kam eine der Schranzen auf einen guten Einfall. Nachdem man sich der Zustimmung der Straßenbahngesellschaft versichert hatte, wurde dem Kaiser folgendes vorgetragen: Zugegeben, daß die Oberleitung nicht zur Verschönerung des Tiergartens beitrage. Aber die Donnerwagen täten es auch nicht mit ihrem Getöse, und der Betrieb mit ihnen sei eine Unmöglichkeit; alle Ausländer belustigten sich über das technisch rückständige Berlin. Die Straßenbahn wolle aus dem Übergang zur Oberleitung kein Geschäft machen, und um das zu beweisen, sei sie bereit, ein erhebliches Opfer zu bringen, falls ihr die Oberleitung genehmigt würde. Wie wäre es, wenn sie zum Ausgleich der durch die Leitung bedingten Verunzierung des Parks beitrüge, indem sie einige Denkmäler stiftete? Anbei einige Vorschläge gleich im Entwurf: Jagd in grauer Vorzeit – Auerochs, wilder Eber, Bär und dergleichen, dazu St. Hubertus mit dem Hirschen, alles um den Großen Stern gruppiert.

Der Plan fand die freudige Zustimmung des allerhöchsten Jagdherrn ... Berlin war wieder um ein Halbdutzend Denkmäler reicher.

Siemens, Erziehendes Leben

Keine Vorstellungen aber können den Kaiser davon überzeugen, daß eine Straßenbahn die Linden überqueren muß. „Unten durch, nicht drüber weg", schreibt er auf das Gesuch des Magistrats. Dann empfiehlt er, Lifts „zum Herablassen und Wiederhinaufbefördern eines oder mehrerer Straßenbahnwagen" anzubringen. Schließlich erzwingt er die

Anlage eines noch heute sichtbaren Tunnels zwischen Singakademie und Opernplatz.

1905 gibt es 52 000 Arbeitspferde in der Stadt Berlin. Noch befördern pferdebespannte Omnibusse fast 100 Millionen Fahrgäste im Jahr. Noch wird der Lastverkehr fast ausschließlich durch Pferde bewältigt, denen die Glätte der neuen Asphaltstraßen nicht selten zum Verhängnis wird.

Eine Pferde-Aufhebemaschine, die der Deutsche Tierschutzverein in Hamburg anfertigen ließ, wird demnächst in Berlin in Benutzung kommen. Die Vorrichtung hat den Zweck, diejenigen Pferde, die auf der Straße gestürzt sind und mitunter halbe Stunden lang am Boden liegen, ohne sich erheben zu können, ohne Schwierigkeiten wieder aufzurichten. Die Maschine besteht aus einem hölzernen Dreifuß, ähnlich denjenigen, die bei Brunnenbohrungen benutzt werden, mit einem an der Spitze des Apparates angebrachten Flaschenzug. In dem Kran dieses Flaschenzuges wird ein aus festem Hanf gefertigter Doppelleibgurt befestigt. Dieser Gurt wird um den Körper des gefallenen und hochzuhebenden Tieres geschnallt, und nun kann das Pferd mit leichter Mühe und ohne Quälerei hochgezogen werden. Die Maschine wird in dem Depot des Tierschutzvereins, An der Stadtbahn, Bogen 79/80, eingestellt und im Gebrauchsfalle, jedoch nur in der weiteren Umgebung des Standplatzes, den Kutschern unentgeltlich zur Verfügung gestellt.
Vossische Zeitung, 26. Oktober 1900

Noch gibt es 6200 Pferdedroschken I. Klasse und 400 Pferdedroschken II. Klasse in Berlin.

Wer in meinen ersten Jahren in Berlin, also in den Jahren nach der Jahrhundertwende, nicht die öffentlichen Verkehrsmittel benutzen wollte, „spendierte" sich eine Droschke. Es gab Droschken „2. Jiete". Sie entsprachen dem heutigen Kleintaxi. Es gab auch Droschken „1. Jiete", also gewissermaßen Großtaxis. Die

Taxis „1. Jiete" gab es schwarzlackiert und weißlackiert. Man konnte wählen. Damals waren die meisten Droschken noch Pferdedroschken. Die Berliner Droschkenkutscher galten als Originale. Sie waren schlagfertig, aber nicht ohne Gemüt. Die Umstellung der Droschken auf Benzinmotoren ging natürlich auch in raschem Tempo vor sich. 1899 hatte man über das erste zugelassene Benzindroschkenauto schallend gelacht. Mit den Jahren aber hielten sich nur noch vereinzelt Pferdedroschken. Eigentlich mehr für Spazierfahrten durch den Tiergarten. „Provinzler" und Liebespaare bevorzugten sie. Der Berliner selber hatte keine Zeit.

Stoeckel, Erinnerungen

Der Vormarsch des Kraftverkehrs beginnt. Im Februar 1900 fährt der erste elektrische Versuchsomnibus zwischen dem Anhalter und dem Stettiner Bahnhof. Die Firma Siemens & Halske hat ihn erbaut.

Ein Unglücksstern waltet über dem neu eingestellten elektrischen Omnibus No. 654. Bei der Abnahme am Dienstag morgen sollte er mit seinem Zwillingsbruder wegen der Ansammlung von Neugierigen von der Straße an der Stadtbahn nach dem Lichthof des Polizeipräsidialgebäudes hineinfahren. Dabei rannte er in Folge schlechter Führung gegen einen Pfeiler, so daß er weder rück- noch vorwärts bewegt werden konnte. Ein Versuch brachte nur zuwege, daß sich die Räder auf dem Asphalt schnurrend um sich selbst drehten. Schließlich befreite ihn das Publikum und schob ihn hinein. Am Nachmittag um fünf Uhr aber sollte dem kurzen Dasein des Omnibus ein jähes Ende bereitet werden. Von einer Übungsfahrt sollte der Elektrische nach der Usedomstraße heimkehren. An der Ecke der Invaliden- und Gartenstraße fuhr er sich in einer Straßenbahnschiene fest, und das Steuer konnte nicht in Tätigkeit treten. Der Fahrer gab größere Kraft, und der Wagen schoß, aus den Schienen springend, gegen die Bordschwelle. Dabei wurden das rechte Vorder-

Der Pferdeomnibus, Linie 4, 1904 und der Autobus, Linie 4, um 1910

Chaussée Str.
KODAK

Apotheke
4
Hallesches Tor
Chaussee Str.
1330

rad und das Schutzbrett zertrümmert. Der betriebsunfähig gewordene Wagen konnte nur mühsam vom Bürgersteig heruntergebracht werden, um später nach dem Hof abgeholt zu werden. Ob er seinen Dienst zum 1. März aufnehmen kann, läßt sich noch nicht beurteilen.

Vossische Zeitung, 28. Februar 1900

Aber das sind Kinderkrankheiten. Im Juli 1900 kann Berlin – als erste Stadt der Welt – einen vollständig durchgeführten elektrischen Omnibusbetrieb aufweisen. Auf den Straßen tauchen elektrische Droschken und elektrische Lastwagen auf. Die Paketpost kauft Elektromobile. Die Konfektionsfirma Hertzog beschafft elektrische Lieferwagen „in hellen, leuchtenden Farben gehalten und mit vergoldeten Kunstschmiedearbeiten im Sezessionsstil geschmackvoll ausgestattet, an denen das Auge das Fehlen der Pferde nicht vermißt". (Vossische Zeitung, 20. Dezember 1900) Das erste elektrische Leichenautomobil geht 1907 in Betrieb. Aber es ist nicht der Elektroantrieb, sondern der Verbrennungsmotor, der die neue Entwicklungsetappe des Berliner Verkehrs bestimmt. 1899 erklimmt der Chefredakteur der „Berliner Morgenpost" mit einem Automobil den Gipfel des Brockens und beweist damit, daß dem Kraftwagen jede gewünschte Leistung abverlangt werden kann.

1901 gibt es bereits eine Rallye Paris–Berlin.

Berlin, 23. Juli 1901

Liebe Ida,

... Einen neuen und interessanten Eindruck hatte ich, als neulich die Automobilen von Paris ankamen. Ich stand um einhalb sechs auf, fuhr eine Strecke mit der Bahn, wanderte dann auf der Chaussee und ließ die ganze Gesellschaft bei Spandau an mir vorbeifahren. Es ist, als wenn eine Schar von Lokomotiven im schnellsten Kuriertempo auf der freien Chaussee dahinrast. Imposant, aber unsinnig. Und was wird aus den Pferden, wenn dieses Beförderungsmittel sich noch vervollkommnet, was es jedenfalls tun wird? Indessen, darüber mögen die nächsten Generationen nachdenken.

Holstein, Lebensbekenntnis

Der Schriftsteller Otto Julius Bierbaum übernimmt 1902 von August Scherl den Auftrag, eine Werbefahrt mit dem neuen „Laufwagen" zu unternehmen. Ihm verdanken wir die Beschreibung des Automobils, mit dem er – mit Ehefrau und Chauffeur – eine „empfindsame Reise" bis nach Italien in Angriff nimmt:

Stellen Sie sich mit mir dorthin, wo die Pferde stehen würden, wenn es ein gemeiner Zieh- und kein Laufwagen wäre (auf dieses Wort habe ich Markenschutz genommen), so werden Sie finden, daß das Dach sich sehr hübsch nach hinten aufbaut, in Form eines Keiles gewissermaßen. Die Spitze des Keiles bildet der Klappdeckel des Motors, dann kommt der Bock mit dem Lenkrad und den Einrichtungen zum Einstellen der drei Geschwindigkeiten und zum Bremsen, und schließlich in gleicher Höhe mit dem Bock, aber die Lehne mit dem Verdeck etwas erhöht, der Doppelsitz für meine Frau und mich. Nun bitte ich Sie, mit nach hinten zu kommen. Was Sie da sehen, dieses Stahlgestänge mit Riemen, ist bestimmt, einen großen Koffer zu halten. Dafür war eigentlich nichts Ordentliches da, denn das dafür bestimmte Brettchen hätte kaum genügt, den Hutschachteln meiner Frau zur Unterlage zu dienen. Man denkt eben im allgemeinen beim Bau der Laufwagen noch nicht an die Bedürfnisse größerer Reisen. So waren wir auch genötigt, den Sitz neben dem Führer zur Aufnahme weiterer Koffer adaptieren zu lassen. Das Verdeck ist, wie Sie sehen, auch nicht eigentlich reisemäßig. Es schützt zwar gegen Nässe von oben, von den Seiten und von hinten – wenn aber der Regen rücksichtslos genug ist, von vorne zu kommen (was bei der „dritten Geschwindigkeit" die Regel sein dürfte), so werden wir ihm auf Gnade und Ungnade ausgeliefert sein. – Werden wir? Nein, wir werden nicht: Denn, sehen Sie sich, bitte, dieses Lederpaket an: Es ist eine ingeniös erfundene Vorderplane mit zwei Guckfenstern. Diese werden wir uns vorknöpfen, wenn das Wetter grob wird. – Und wenn's die Sonne zu gut meint? Dann, mein Herr, bleibt vom Regendach nur der obere Teil und das Gestänge übrig, während die andern Bestandteile hinaufgerollt werden. Sie sehen, wir Genießer haben an alles gedacht. Nur ein Schutzglas gegen den Luftzug ha-

ben wir nicht, weil man uns gesagt hat, es habe allerlei Nachteile, klappere gerne und sei alle Augenblicke voll Staub ...
Die Ästhetik des Automobils steckt noch im Anfangsstadium. Man kann sagen: seine Schönheit leidet augenblicklich daran, daß seine Konstrukteure noch nicht völlig das Pferd vergessen haben – nämlich das Pferd vor dem Wagen. Unsere Automobile sind ästhetisch noch keine Laufwagen – das ist ihr Geschmacksmanko. Sie sehen aus wie Zugwagen ohne Zugtiere. Ein Laufwagen soll aber Selbstgefühl genug haben, auszusehen wie eine Maschine. Und die kann schön sein. Ich will nicht sagen: schön wie ein Pferd. So was Schönes bringt nur der liebe Gott fertig. Aber ein Laufwagen könnte wenigstens so schön sein wie ein Dampfschiff. An dem vermißt man keine Flossen oder vorgespannte Seeungeheuer, ja nicht einmal das volle Segelwerk.
Wer wird uns diesen Laufwagen bescheren? Hier ist eine ästhetisch-konstruktive Aufgabe zu erledigen, der nur ein wahrhaft schöpferischer Künstler gewachsen ist.

Bierbaum, Eine empfindsame Reise im Automobil

Ein Jahr später wird in Berlin das erste Autorennen gestartet: auf der Trabrennbahn in Westend!

Es hätte auf der Traberbahn gestern so hübsch werden können. Aber dieses Hunderegenwetter kam dazwischengefahren, machte einen dicken großen Schmutzfleck und ließ die ersten Berliner Automobilrennen im wahrsten Sinne versumpfen... Wer mittags nach dem zwölften Glockenschlag bei dunkelgrauem Wolkenhimmel die Bahn betrat, wo sonst die Vierfüßler im Trabe herummarschieren, sah den ganzen lehmigen Rennkurs – eine englische Meile – von Anfang bis Ende in Wasser und tiefen gelben Schlamm getaucht... „Herrgott, in diesem Morast Automobilrennen? – Das können ja fast Motorbootrennen werden!" so sagte man sich mitleidig lächelnd. Und doch, Respekt vor den Herren Chauffeuren, sie fuhren, und sie fuhren mit wahrer Todesverachtung trotz der schlüpfrigen Schlammbahn. Schon früh waren die Wagen im grasbewachsenen Innenraum kunterbunt

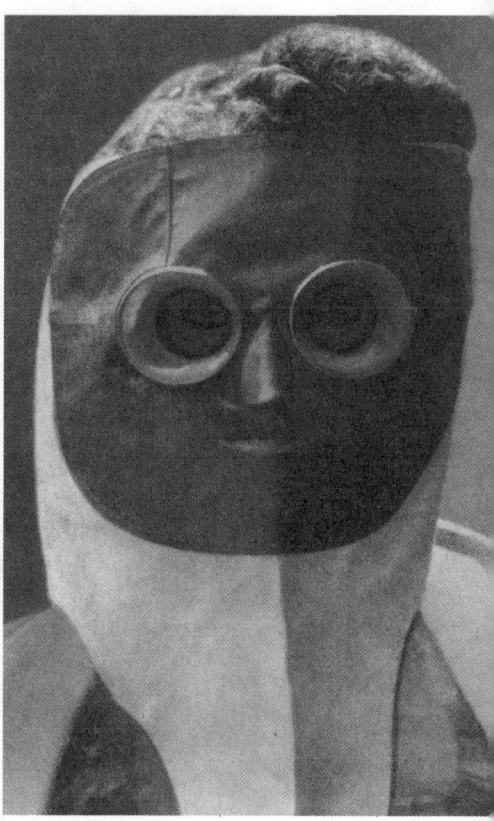

Automobilschutzmasken für die Dame, 1909

aufgefahren. Die Motoren klapperten ein betäubendes Indianerkonzert zusammen, und piff-paff-puff zischten die Ventile. Mancher Wagen, der genannt war, blieb daheim, doch nach und nach war eine über fünfzig Wagen starke Burg von Autos eng beieinander. Vom leichten Tourenwagen bis zum vierzigpferdigen Renner. Aber die Tourenkarosserie überwog auch bei den Rennwagen, und torpedoartige Ungetüme, wie sie in großen Fernfahrten, so in Paris–Berlin, angefaucht kamen, ließen sich nicht blicken ...

Der Automobilismus hat seine Fangarme ganz gewaltig ausgestreckt, das wurde einem wieder deutlich klar, wenn man seine Blicke über die Logen und den Platz davor schweifen ließ. Kreise, die anders als im Frack, Claque* und Lack gar nicht zu denken sind, hatten sich gestern in die Schmutz- und Regenszenerie hinausgewagt. Zum Teil per Auto und im ledernen Dreß. Die Uniform trat stark in den Vordergrund, namentlich die Kavallerie und unsere Rennreiter, die mehr und mehr Geschmack am Töff-Töff gefunden haben.

Berliner Tageblatt, 19. Oktober 1903

Um das Automobil als Privatfahrzeug zu popularisieren, organisieren „maßgebendste Persönlichkeiten der Finanz, der Industrie und des Sports" (Vossische Zeitung, 9. März 1900) jährliche Automobilausstellungen – erst unter den S-Bahn-Bögen am Alexanderplatz, später in den neuerrichteten Ausstellungshallen am Zoo. Hier werden die Erzeugnisse von mehr als einem Dutzend Betrieben vorgeführt, die in Berlin Automobile herstellen – mit Marken wie Argus, Deutschland, Dixi, NAG, Protos und Ultramobil. Ein Auto ist freilich noch immer ein Luxusartikel: 2700 Mark verlangt man beispielsweise für einen 7-PS-Kleinwagen Marke „Passe partout" („Kommt überall durch").

Im November 1905 wird auf der Friedrichstraße die erste Berliner Automobil-Omnibuslinie eingerichtet:

Die neuen Wagen erinnern mit ihren Fenstern und dem weißbraunen Anstrich an die durch Pferdekraft betriebenen Omnibusse. Um das Oberdeck zieht sich eine Geländerstange; unten ist eine feste Wand angebracht, welche die Fahrgäste besser schützen soll. Die mit grau-grünem Plüsch überzogenen Polstersitze stehen quer zur Längslinie des Wagens. Im ganzen kann jeder der Automobil-Omnibusse siebenunddreißig Personen befördern. Das Innere des Wagens wird im Winter durch das Kühlwasser der Motoren geheizt und abends durch drei an der Decke angebrachte elektrische Glühlampen erhellt... Außer den zwei bereits zirkulierenden Automobilen sind noch vier an-

---

* eigentlich chapeau claque: Klappzylinder

dere durch Benzinmotoren betriebene Omnibusse fertiggestellt und lackiert. Die Omnibuslinie, auf welcher der Schnellverkehr stattfindet, hat versuchsweise Haltestellen erhalten, die zunächst durch Angestellte der Omnibusgesellschaft, die Tafeln tragen, markiert werden. Der Betrieb dürfte auf dem Asphaltpflaster absolut ruhig vor sich gehen.

Der Tag, 19. November 1905

Das neue Verkehrsmittel bewährte sich tadellos; auch als der Abend mit starken Regenfällen einsetzte, blieb entgegen allen Befürchtungen die Steuerung auf der schlüpfrigen Straße vollständig sicher. Berlin ist gestern um eine billige Attraktion reicher geworden ... An den Haltestellen sammelten sich viele Hunderte, die den Anspruch auf Beförderung erhoben. Der Bewerb um einen Platz war oft unlauter genug; es gab Kampfnaturen, die ihr Recht auf die Spitze des Regenschirms stellten, den sie dem Vordermann in die Rippen bohrten. „Der Mann, der hinter dem Omnibus herläuft", sonst eine beliebte Coupletfigur, wurde gestern zur Tatsache. Der Automobil-Omnibus wird zwar dereinst feste Haltestellen erhalten, vorläufig aber nimmt er noch jedermann auf dem Wege auf. Dieses Recht des Fahrgastes war gestern unwirksam. „Besetzt, besetzt!", oben und unten besetzt – wer einen Platz hatte, hielt bis zur Endstation aus. Der Mann, der hinter dem elegant und schwungvoll dahinsausenden Auto dahertrabte, gab bald das Rennen auf. Schon verschwand der Blitzwagen in der Ferne; nur ein zartes Parfum, das angenehm die Nase kitzelte, erinnerte daran.

Berliner Lokal-Anzeiger, 20. November 1905

Eine Fahrt mit dem Autobus, bei schönem Wetter auf dem „Blumenbrett", wird rasch zum beliebten Vergnügen für Einheimische und Fremde. 1909 befördert bereits ein regelmäßig verkehrender „Luxus-Autobus" die Vergnügungssüchtigen vom Café Viktoria zum Lunapark in Halensee.

Auch das „Fahrrad mit Kraftbetrieb" erscheint im Straßenbild. Hans

Dominik schildert in seinen Erinnerungen, wie es Berliner Motorradtouristen kurz nach der Jahrhundertwende ergeht:

In den Jahren 1904 und 1905 ließ die Zuverlässigkeit noch viel zu wünschen übrig. Das mußte ich selbst erfahren, als ich mir im Frühjahr 1904 ein Einzylindermotorrad zulegte, das ich 1905 durch ein fünfpferdiges Zweizylinderrad ersetzte. Ich habe mit beiden Maschinen schöne Fahrten gemacht, doch ging ich grundsätzlich nur mit einem Rucksack auf die Reise, in dem sich Reserveteile im Gewicht von mehreren Kilogrammen befanden. Immer reichte aber auch das nicht aus. Bei mancher Schmiede habe ich unterwegs Halt gemacht und mir einzelne Teile, die zu Bruch gegangen waren, aus Draht und Blech selbst hergestellt. Wer nicht sein eigener Schlosser und Mechaniker sein konnte, der tat in jenen Jahren besser daran, das Motorradfahren bleibenzulassen; für den aber, der das konnte, war das Motorrad eine wundervolle Errungenschaft. Öfter als einmal bin ich des Morgens um vier Uhr von Berlin abgebraust und konnte mittags um zwölf Uhr schon in Bad Grund im Westharz mit meiner Mutter zusammen sein, die dort ihre Sommerfrische verlebte. Durch Tannenwald und Berge ging es dann am Nachmittag wieder zurück, und vor Mitternacht war ich nach einer Gesamtstrecke von sechshundert Kilometern wieder in Berlin. Es war anstrengend und zuweilen ein wenig abenteuerlich, aber man war ja noch jung und konnte den Reiz solcher Fahrt voll genießen. Gelegentlich kam ich auch durch Gegenden, wo man noch niemals ein Motorrad gesehen hatte. Als ich einmal in einem hannoverschen Dorf vor dem Wirtshaus haltmachte, sammelten sich die Eingeborenen, und ich hörte, wie einer zu einem anderen sagte: „Kiek mal, een Dampfrad!" Vom Benzinmotor wußten die Leute noch nichts.

Dominik, Vom Schraubstock zum Schreibtisch

1901 erscheint die erste Verkehrsordnung für Kraftfahrzeuge. „Es ist eine Fahrgeschwindigkeit von 14 km/h vorgesehen ... Auf Landstraßen darf die Geschwindigkeit etwas gesteigert werden."

Ein Sonntagsausflug mit dem Fahrrad, 1900

1902 wird der erste Verkehrspolizist Berlins an der Ecke Unter den Linden/Friedrichstraße aufgestellt.

Im Seminar des Berliner Professors von Halle erläutert ein Student namens Rudolf Lerch den Nutzen des Fahrrades für die werktätige Bevölkerung:

Es ist das Fuhrwerk der kleinen Leute. Gegen die beiden früheren Beförderungsmethoden, Eisenbahn und Wagen, hat es verschiedene Vorteile: es ist weniger an bestimmte Routen und Wege gebunden, gegen den Wagen schneller, billiger, zugleich verbunden mit eigener Anstrengung und damit gesünder. Es ermöglicht ein viel intensiveres Betrachten und Aufgehen in der Umgebung. In dieser Richtung findet das Fahrrad deshalb auch die weitgehendste, ausgedehnteste Verwendung. Das beweisen sehr deutlich, besonders an den Sonntagen, die belebten Landstraßen. Für all die Leute, die den Tag oder die Woche über in engen Räumen, am Schraubstock oder am Schreibtisch, in der Küche oder Kinderstube, in Werk- und Arbeitsstätten aller Art bei der Arbeit sein müssen, wird in dem Fahrrade geradezu ein ideales Fortbewegungsmittel zur Erholung gegeben.

Lerch, Das Fahrrad

Ganz billig ist auch dieses „ideale Fortbewegungsmittel" nicht. Um 1900 kostet ein gewöhnliches „Niederrad" mit Kugellagern und Luftgummireifen zweihundert Mark. Hinzu kommt die erforderliche Radfahrerbekleidung. „Der Arbeiterradfahrer" empfiehlt seinen Lesern:

Tirolertuch oder Lodentuch mit stumpfem Spiegel, wie es allenthalben erhältlich ist, ist der beste Stoff für Radfahrerkleidung ... Der einzige Fehler, den dieses Tuch besitzt, ist, daß es ziemlich teuer ist; aber man holt den Mehranschaffungspreis sehr schnell wieder durch die ersparte Erneuerung der Kleidung ein. Man muß natürlich darauf bedacht sein, den Hosenboden, der sich am schnellsten abnutzt, füttern zu lassen, und außerdem sollte man sich beim Ankauf des Stoffs stets ein Reservestück geben lassen, das man später für die Erneuerung jenes Teils benutzen kann.

Die Radfahrerhosen müssen weit und leicht anzulegen sein. Früher gehörte es zum guten Geschmack und es war modern, sie an den Knien sehr eng zu machen, aber das war ein großer Fehler. Um mit Leichtigkeit und ohne Ermüdung die Pedale treten zu können, müssen die Muskeln ihre volle Bewegungsfreiheit haben. Die an den Knien geschnürten Radfahrerhosen sind auch bereits außer Mode gekommen, und das ist mit Freuden zu begrüßen. Ebensowenig dürfen die Radfahrerhosen am Knie durch eine Reihe von Knöpfen zu verschließen sein ...

Die Radfahrerweste muß gefüttert sein: im Sommer wird man sie ohne besondere Unzuträglichkeit auslassen können, aber im Winter wird sie vorzügliche Dienste leisten. Sie muß mit tiefen

Klappentaschen versehen sein, die gleichfalls zugeknöpft werden können, so daß das Verlieren von Gegenständen verhütet wird.

Was die Radfahrerstrümpfe anbelangt, so hüte man sich, solche zu wählen, welche von sogenannten Phantasiemustern sind. Diese sind recht unpraktisch. Einfarbige schwarze Kaschmirstrümpfe sind das geeigneteste und gleichzeitig auch schönste für Radfahrer. Das Umklappen der Strümpfe unterhalb der Beinkleider ist recht geschmacklos und sollte lieber unterlassen werden ...

Die Wadenbänder werden von den Radfahrern entschieden nicht in hinreichendem Maße gewürdigt. Sie besitzen große Vorzüge, deren geringster noch der ist, daß sie im Sommer vor den Stichen großer Insekten hüten, gegen die die einfachen Strümpfe einen hinreichenden Schutz nicht gewähren. Im Winter sind sie ein geradezu ideales Schutzmittel, sie sind undurchlässig und leicht zu reinigen.

Man achte auch darauf, richtige und zweckmäßige Hosenträger zu wählen. Die gewöhnlichen Träger sind unbequem, und die Metallbügel verursachen auf der Wäsche Rostflecke. Sehr zu empfehlen sind die Flanell-Halsbänder, denn sie schützen bei Fahrtunterbrechungen am allerbesten gegen Erkältungen. Auch ein seidenes Halstuch ist sehr ratsam, mit dem man an frischen Sommerabenden den Hals umwickeln kann.

Der Arbeiter-Radfahrer, 1. Juni 1912

Die Behörden tun sich schwer, sich an das neue Massenverkehrsmittel zu gewöhnen. Einerseits legt Charlottenburg die ersten Radfahrwege an. Die Polizisten im Tiergarten werden auf Fahrräder gesetzt. Stolz meldet das Polizeipräsidium, daß 1907 schon mehr als tausend „radfahrkundige Beamte" vorhanden sind. Andererseits ist das Radfahren auf den wichtigsten Straßen der Stadt untersagt. Dreizehn Paragraphen enthält eine (bereits gemilderte!) Polizeiverordnung für den Gebrauch von Fahrrädern, die unter anderem vorschreibt, daß jedes Fahrrad eine sicher wirkende „Hemmvorrichtung" und eine helltönende Glocke haben muß und daß jeder Fahrer stets seine Radfahrkarte (gültig für ein Jahr) bei sich zu führen habe.

Sowie in England der Radfahrsport aufkam, wurde ihm von den Gemeinden in jeder möglichen Weise Vorschub geleistet. Hierzulande muß jede kleine Berechtigung schwer erkämpft werden. Ganz unglaubliche Schikanen haben sich die deutschen Radfahrer von der Polizei schon gefallen lassen müssen. Manche Gemeinden haben scheinbar ihren Finanzstand durch strenge Radlerverbote aufbessern wollen ...

Als ich im Grunewalde beim Radfahren zum zwanzigsten Male abgesessen war, um keine der endlosen Vorschriften zu verletzen, und eben wieder bei einer Anschlagsäule aufsteigen wollte, sah ich auf menschenleerer Bahn zehn Schritt vor mir einen Polizisten. „Das war Ihr Glück", rief er mir zu, „daß Sie noch nicht aufgestiegen sind, sonst hätten Sie neun Mark bezahlt, und wenn Sie auch nur einen Meter vor der Säule aufstiegen." Ich hatte nämlich irrtümlich eine andere dicht davorstehende Anschlagsäule als Grenze angesehen.

Gurlitt, Der Deutsche und sein Vaterland

„Wer nie bei Siemens-Schuckert war ..."

„Wer nie bei Siemens-Schuckert war, / bei AEG und Borsig, / der kennt des Lebens Jammer nicht, / der hat ihn erst noch vor sich."
Dieser in vielen Varianten zitierte Vers erinnert daran, daß Berlin nicht nur die modernste Industriestadt des Reiches ist, sondern auch die Verkörperung all dessen, was die kapitalistische Produktionsweise für die Werktätigen bedeutet. Ein Berliner Plüschweber schreibt in seiner Antwort auf eine Umfrage des Arztes und Sozialreformers Adolf Levenstein:

Früh sieben Uhr beginnt die Fabriksirene zu pfeifen. Es sind die Pfeifen meines Brotherrn, der damit andeuten will, mich zu beeilen. So werde ich herangepfiffen, wie der Herr seinem Hund pfeift. Fünf Minuten später wird das Fabriktor geschlossen oder der Markenautomat gesperrt, und ich bin im Zuchthaus drin.
Levenstein, Die Arbeiterfrage

233 762 Arbeiter und Arbeiterinnen zählt die Gewerbeinspektion in Berlin, Charlottenburg, Schöneberg und Rixdorf 1901 in „Fabriken und diesen gleichgestellten Anlagen".
Die Arbeitsbedingungen in diesen Betrieben sind heute kaum noch vorstellbar. Die folgende Notiz stammt nicht aus irgendeiner Winkelbude, sondern aus einem Musterbetrieb der Großindustrie, über dessen „großartige technische und hygienische Einrichtungen" (Landé) viel Rühmens ist.

Die Bleipresse ist gewissermaßen die Strafabteilung des Werkes. Hier werden die mißliebigen Arbeiter hinversetzt, sei es, daß sie sich wirklich irgend etwas haben zuschulden kommen lassen, oder sei es nur, daß sie sich bei einem Ingenieur oder Meister unbeliebt gemacht haben. An der Presse, speziell an den Warmbleipressen, herrscht infolge der durchaus ungenügenden Ventilation eine kaum zu atmende Luft. Dazu kommt die Hitze von

Metallgießer im Kabelwerk der AEG, 1908

dem Dampf und den Schmelzpfannen; der Blei-, Kohlen-, Talkum- und Gummistaub, die schmierigen, von Masse starrenden Geräte und Werkzeuge. Alles was abgekühlt ist, bleibt an den Händen kleben, und umgekehrt kleben die Hände an allem, was heiß ist. Der Staub lagert sich fest auf der Haut und erzeugt ein widerwärtig brennendes Jucken. Da die Firma nur eine Stunde Frühstück und Vesper gibt, so hat kein Mensch Zeit, nach dem Waschraum im Keller zu gehen und sich zu reinigen. So reibt denn alles nach dem Pfeifen die Hände mit Öl ab, und dann wird drauflosgefuttert. Ein Waschen vor dem Pfeifen wird mit

Entlassung geahndet. Übrigens fehlt es in der Wascheinrichtung an warmem Wasser; mit kaltem Wasser aber läßt sich der Bleischmutz nicht entfernen. Eine Badeeinrichtung, die so nötig wäre, den Körper von Staub und Schmiere zu reinigen, gibt es hier überhaupt nicht. Ebenfalls bekommen die Arbeiter in dem Bleiwerk auch keine Milch, obwohl solche vorgeschrieben ist.

Vorwärts, 12. August 1903

„Sibirien", so wird dieser Betriebsteil des Siemenskonzerns zwischen Jahrhundertwende und Erstem Weltkrieg genannt ...
Das Fehlen selbst einfachster sozialer und hygienischer Einrichtungen ist in den Berliner Großbetrieben zu dieser Zeit kein Einzelfall. Aus den Erinnerungen Fritz Apelts, der aus einem schlesischen Bergarbeiterdorf in eine kurz zuvor erbaute Werkstätte der Waggonfabrik von Orenstein & Koppel kommt:

Es war eine riesige Halle, in die ich von einem jungen Angestellten geführt wurde. Er übergab mich einem Mann, den er mit Herr Vorarbeiter anredete. Der fragte mich kurz, ob ich schon einmal in einer Nieterkolonne gearbeitet hätte, was ich verneinen mußte. Da führte er mich an eine Art Feldschmiede und sagte, ich solle zunächst als Nietenwärmer arbeiten ...
In der vom tosenden Lärm der Preßlufthämmer erfüllten Halle machte er mir nun klar, daß ich die daumendicken Nietbolzen im Schmiedefeuer so erhitzen müßte, daß der Nietkopf möglichst dunkelrot, der Schaft aber hellrot bis weißwarm sein müßte. Um dies zu ermöglichen, mußten die Nieten der Reihe nach in eine Gabel gesteckt werden, die im Schmiedefeuer lag. Dabei mußte man darauf achten, daß immer nur eine Niete die richtige Glut hatte, und jetzt kam der Trick, der einige Geschicklichkeit erforderte; diese Niete faßte man mit einer Spezialzange, hob sie aus dem Feuer und schleuderte sie durch die Luft genau zu der Stelle, wo gerade die Nieter arbeiten. Dort fing sie ein Kollege mit einem Weidenkorb, wie sie manchmal auf dem Markt zu sehen sind, auf und faßte sie schnell mit der Zange,

Hans Baluschek: *Mittag*, 1911

um sie in das Nietloch zu stecken. Ein zweiter hatte schon den Vorhalter unter den Nietbolzen gebracht, und schon ratterte mit Getöse der Preßlufthammer und setzte den Gegenkopf auf. Das alles war das Werk von Sekunden, und schon mußte die nächste Niete durch die Luft fliegen und im Korb des Fängers landen. Nur wenn die Nieter ihren Platz wechselten, gab es eine kurze Pause, danach aber auch eine neue Flugbahn für meine Nieten. Jedenfalls war bei dieser Arbeit von meiner Seite fast mehr artistische als handwerkliche Geschicklichkeit notwendig.

Das hatte mit Arbeitsschutz sehr wenig zu tun. Doch was wußte ich schon von Arbeitsschutz, was von Arbeitshygiene. Es gab keine Kantine in dem großen Werk, das 1896 erbaut war. Die Mahlzeiten wurden in den kurzen Pausen am Arbeitsplatz eingenommen. Die Arbeiter brachten ihre belegten oder auch nicht belegten Brote mit, ebenso ein Blechkännchen mit Kaffee, manche auch ein Henkeltöpfchen mit Suppe. Ich hatte nebenbei die Aufgabe, die Kaffeeflaschen und Suppentöpfe am Schmiedefeuer warm zu machen. Wehe aber, wenn die Suppe anbrannte oder der Kaffee aus der Kanne überkochte. Ich mußte also kurz vor den Pausen nicht nur auf meine Nieten, sondern auch auf die Kaffeekännchen aufpassen.

Kurz vor Feierabend mußte ich auch noch in einem Kübel Wasser warm machen zum Waschen. Zu diesem Zweck stand eine dicke Eisenstange von etwa einem Meter Länge neben der Feldschmiede, die wurde glühend gemacht und im gefüllten Wasserkübel abgekühlt. Alle vier Mann unserer Kolonne wuschen sich dann in diesem Kübel, doch erst, wenn das Signal zum Feierabend gegeben war.

Apelt, Erinnerungen

Die mitgebrachte Suppe am Arbeitsplatz oder auch nur auf dem Betriebsgelände einzunehmen ist keineswegs überall erlaubt:

So fand ich in der Arbeitsordnung eines vor den Toren Berlins gelegenen Großbetriebes mit ca. 4 000 Arbeitern, darunter ca. 1 000 Arbeiterinnen, die Bestimmung, daß während der einstündigen Mittagspause alle Arbeiter und Arbeiterinnen den Betrieb zu verlassen hätten. Die Folge davon ist, daß diejenigen, die einen weiten Heimweg haben, um die Mittagszeit im Winter und Sommer ihr Brot ohne ein warmes Getränk auf der Straße verzehren müssen. Frierend umlagern sie, jung und alt, zu Hunderten das ganze Straßenviertel, das das geradezu prächtige Fabrikgebäude einnimmt!

Dora Landé, Arbeitsverhältnisse in der Berliner Maschinenindustrie

Eine staatliche Gewerbeaufsicht soll den Fabrikarbeitern Schutz gewähren, „ohne dem Gewerbeunternehmer unnötige Opfer und zwecklose Beschränkungen aufzuerlegen".

Es ist eine allbekannte – wenigstens bei den Arbeitern der chemischen Industrie allbekannte – Tatsache, daß den revidierenden Aufsichtsbeamten Potemkinsche Dörfer gebaut werden ... Die meisten Beamten nehmen den Weg in die Fabrik durch das Kontor und vollziehen die Revision im Beisein des Unternehmers oder seines Vertreters. Bevor dann der Beamte die Fabrikräume betritt, hat die durch den Pförtner oder das Telefon gegebene Meldung ihre Wirkung schon getan. Dann wird schnell ventiliert, Klärpfannen werden abgestellt, die Beschickung der Kiesöfen hört auf, Leute mit äußeren Krankheiten verschwinden, Instruktionen werden erteilt und so weiter. Kommt der Beamte in die Fabrik, dann ist das Gröbste beiseite geschafft.

Immerhin würde der Beamte noch viel sehen und erfahren können, wenn er sich nicht in Begleitung des Unternehmers befände. Dessen Anwesenheit bindet den Arbeitern den Mund. Selbst auf Fragen geben sie nur widerwillig unbestimmte, zuweilen auch unrichtige Antworten. Wer nie die Schikanen eines gereizten Unternehmers kennengelernt, die Geißel der Arbeitslosigkeit nie gefühlt hat, mag das Feigheit nennen – wo die Versuchung fehlt, ist die Tugend billig.

Schneider, Gefahren der Arbeit in der chemischen Industrie

In der Industrie setzt sich mehr und mehr das Prinzip durch: Intensivierung der Arbeit bei kürzerer Arbeitszeit. Kleine und mittlere Betriebe des Berliner Maschinenbaus verlangen Arbeitszeiten zwischen 10 und 11 Stunden; Großbetriebe des Maschinenbaus bevorzugen eine neun- bis zehnstündige Arbeitszeit. Ein einziger Maschinenbaubetrieb, so berichtet Dora Landé, hat eine Arbeitszeit von halb acht Uhr bis vier Uhr, also, mit einer Mittagszeit von dreißig Minuten, den Achtstundentag eingeführt.

Emsigster Propagandist des Achtstundentages unter den Berliner Industriellen ist der freisinnige Sozialreformer Heinrich Freese, der aus seiner Jalousiefabrik eine „konstitutionelle Fabrik" macht – das heißt einen Arbeiterausschuß einsetzt, der zu bestimmten sozialen Fragen seine Meinung äußern darf. Freese sagt ganz offen, warum er gegen lange Arbeitszeiten ist:

Ich sah ein, daß nicht nur die Gesundheit und Leistungsfähigkeit der Arbeiter, sondern daß auch meine eigenen Interessen unter

Asphaltarbeiter, 1906

dem System unverhältnismäßig langer Arbeitszeiten litten. Ich hoffte, den Konkurrenzkampf besser bestehen zu können mit Arbeitern, die vom letzten Tagewerk ausgeruht hatten, als mit solchen, die noch von der letzten Überstunden-, Sonntag- und Nachtarbeit ermüdet waren. Ich beschloß, die Arbeitszeit systematisch zu verkürzen ...

Die guten Erfahrungen, die ich mit den verkürzten Arbeitstagen gemacht hatte, veranlaßten mich zwei Jahre später, in der stillen Jahreszeit, der Arbeitervertretung den Vorschlag zu machen, einen entscheidenden Versuch mit dem Achtstundentag zu machen. Ich sehe noch die erstaunten Gesichter, die die Mitglieder der Arbeitervertretung machten, als ihr Arbeitgeber mit diesem Vorschlage kam. Für so fortgeschritten hatten sie mich doch nicht gehalten. Mich leitete aber keine Schwärmerei für die bekannte Forderung einer Dreiteilung des Tages in Arbeit, Erholung und Schlaf, womit mancher Arbeitgeber, wenn sie ihm bewilligt würde, sehr zufrieden sein würde. Ich hoffte durch eine Verkürzung der Arbeitszeit auf acht Stunden die Kosten für den Maschinenbetrieb, die Beleuchtung und Heizung zu vermindern und durch Gewöhnung der Arbeiter an eine bessere Zeitausnutzung die Leistungsfähigkeit der Fabrik zu erhöhen.

Freese, Die konstitutionelle Fabrik

Außerhalb der Industrie herrschen noch überlange Arbeitszeiten. 15 bis 17 Stunden täglich schuften die Arbeiter auf den Berliner Rieselfeldern. Bis zu 15 Stunden täglich arbeiten Herrenschneider und Schneiderinnen. „Während der sogenannten Saisonzeit kann sich jedermann davon überzeugen, daß in den verschiedensten Konfektionsgeschäften am Hausvogteiplatz zu Berlin bis zwölf, auch ein und zwei Uhr nachts gearbeitet wird." (Dreher/Schumann) Als Überstunden gelten in der Berliner Konfektion erst die Stunden, die nach zehn Uhr abends geleistet werden!

Die Rollkutscher haben Schichten bis zu 18 Stunden.

Besonders stark äußern sich die Folgen der langen Dauer der Arbeitszeit und Überarbeitung in den heißen Sommermonaten für die Kutscher. Zu dieser Jahreszeit überfällt der Schlaf die Kutscher auf dem Bock im größten Verkehrsgewühl; alles Sträuben dagegen nützt ihnen einfach nichts, ihr festester Wille vermag die Anforderungen der Natur nicht zu überwinden. Man hat umsonst versucht, die Kutscher durch Androhung hoher Polizeistrafen zur Wachsamkeit zu zwingen; der Herr Polizeipräsident hat daher, die Nutzlosigkeit dieser Strafen einsehend, die Schutzmannschaft angewiesen und das Publikum in der Presse ersucht, bei großer Hitze auf ihrem Gefährt eingeschlafene Kutscher zu wecken. In diesem Falle wird also die lange Arbeitsdauer der Kutscher nicht nur zu einer ständigen Lebensgefahr für sie selbst, sondern auch für das die Straßen passierende Publikum, welches hierdurch in erhöhtem Maße der ohnedies stets drohenden Gefahr des Überfahrens ausgesetzt wird ...

Eine Fortbildung der Kutscher ist bei der langen und angestrengten Arbeit einfach unmöglich. Dieselben sind durch die Übermüdung gegen alle geistige Kost vollständig unzugänglich und leben dahin, ohne sich um die wichtigsten Staatsbürgerrechte und -pflichten auch nur im geringsten zu kümmern. Der Alkohol ist dieser Leute einziger Trost und Erholung, sie finden in der Betäubung das einzige Mittel, sich über ihr licht- und freudloses, der Mühen volles Dasein hinwegzutäuschen, und nur wenigen, moralisch kraftvollen Naturen gelingt es, sich aus der allgemeinen Misere zu erheben und im Kampf für eine bessere Lebenshaltung ihren Mann zu stehen.

Dreher/Schumann, Geschichte der Verkehrsarbeiter-Bewegung

Ein Recht auf „Erholungsurlaub" wird man in den Fabrikordnungen jener Zeit vergeblich suchen. Wo bestimmten Arbeitergruppen – wie bei Siemens, bei der AEG, im Druckgewerbe und bei einzelnen Gemeinden – Urlaub gewährt wird, ist er vor allem Mittel zur Bindung einer Stammbelegschaft an den Betrieb. Ehe ein Arbeiter in Berlins Chemiebetrieben Ferien erhalten kann, muß er bei Kunheim in Niederschöneweide fünf Jahre, in der Teerfabrik Erkner fünfzehn Jahre, bei Schering zwanzig Jahre ununterbrochen beschäftigt sein.

Mein Vater war Arbeiter in der Schwartzkopffschen Maschinenfabrik, die damals noch in der Chausseestraße, unweit des damaligen Stettiner Bahnhofs lag, bis dann die Fabrikation der Torpedos, an denen mein Vater hauptsächlich arbeitete, nach „Sibirien", einem Fabrikgelände in der Scheringstraße, zwischen Humboldthain und der Vorortbahn, verlegt wurde... Mittags rannte er in einer Viertelstunde den weiten Weg von der Fabrik nach Hause. Schleunigst wurde dann gegessen; das Mittagessen mußte immer auf die Minute pünktlich auf dem Tisch stehen, wenn er eintrat, dazu ein Glas Wasser, das er sofort austrank; nach dem Essen legte er sich eine Viertelstunde lang aufs Sofa, dann ging er im Eiltempo wieder los...

Als junger Mann war mein Vater nach Berlin gegangen und hatte hier schließlich bei Schwartzkopff Arbeit gefunden, nachdem er zuerst hie und da in kleineren „Buden" beschäftigt gewesen war. Zweiundfünfzig Jahre seines Lebens ist er in diese Fabrik gegangen, nie hat er auch nur einen Tag Urlaub gehabt. Ich weiß noch, daß er, als sein älterer Bruder plötzlich starb und eine lungenkranke Frau mit vier unmündigen Kindern zurückließ, wenigstens einen Tag über nach Wittenberge fahren wollte, um der Witwe irgendwie beizustehen: auch dieser eine Tag wurde vom Arbeitgeber abgelehnt!

Theek, Keller, Kanzel und Kaschott

Von einer Sicherheit des Arbeitsplatzes kann auch für den Tüchtigsten nicht die Rede sein. Selbst für den Facharbeiter gilt in den meisten Betrieben die „Stundenkündigung": Das Arbeitsverhältnis kann von beiden Seiten zu jeder Zeit und Stunde ohne Kündigungsfrist gelöst werden.

Vor den Toren der Fabriken wartet bereits eine ständig wachsende „industrielle Reservearmee": Mädchen und Frauen, die sich als gering bezahlte anzulernende Maschinenarbeiterinnen anbieten; verarmte Handwerker, Kleinhändler und Kleineigentümer; ausländische Wanderarbeiter, die als Lohndrücker eingesetzt werden.

Vor allem aber wandern aus den ostelbischen Provinzen Jahr für Jahr Tausende Landarbeiter und Bauernkinder auf der Suche nach besseren Arbeits- und Lebensverhältnissen nach Berlin. Von den 1200

Ausgabe des „Berliner Arbeitsmarkts", 1910

männlichen Arbeitern der Kabelfabrik Oberspree stammen nur 11 Prozent aus Berlin: 78 Prozent kommen aus der Provinz Brandenburg oder aus den Ostprovinzen.

Demütig, die Mütze in der Hand, stehen die Zuwanderer vor den arroganten Mitarbeitern der Arbeitsvermittlung des jeweiligen Unternehmerverbandes.

Wer damals Arbeit in einem Großbetrieb haben wollte, mußte sich erst beim Unternehmerverband, bekannt unter dem Namen „Kühnemänner"-Verband*, in der Gartenstraße registrieren las-

---

* „Kühnemänner"-Verband ist der Spottname für den Verband Berliner Metallindustrieller, dessen „Vertrauenskommission" der Kommerzienrat Fritz Kühnemann präsidiert. Die eigentlichen Herren dieses Verbandes sind Ernst Borsig, Isidor Loewe, Emil Rathenau und Richard Schwartzkopff, die Großunternehmer der Metall-, Maschinenbau- und Elektroindustrie.

sen. Schon beim Betreten der Räume erfaßte einen der Ekel vor dem Dreck und dem Gestank in den Räumen. Nach dem Betreten des Raumes wurde von dem in ganz Berlin bekannten „Meier" die Tür zugeschlossen. Man war praktisch der Gefangene der Unternehmer. Durch einen mit einem Gitter versehenen Gang ging es dann ins Büro. Hier wurde man dann registriert. Bei Streiks wurde auch Arbeit nachgewiesen. Hatte man sich nicht so bewegt, wie es die Unternehmer wünschten, dann mußte man in die erste Etage zum Hauptmann Kleffel, der die Kollegen wie Verbrecher abkanzelte, ja, wenn es ihm beliebte, sie auf die schwarze Liste setzte. Sie erhielten dann in den Betrieben, die Mitglied des „Kühnemänner"-Verbandes waren, keine Arbeit.

Berg, Erinnerungen

Um die Suche nach einem Arbeitsplatz ihres demütigenden Charakters zu entkleiden, setzen die Gewerkschaften die Einrichtung eines von der Stadt unterstützten „paritätischen" Arbeitsnachweises durch. Im November 1902 wird in der Gormannstraße, in der Nähe des Scheunenviertels, das Gebäude für den „Zentralen Arbeitsnachweis" eingeweiht.

Arbeitsnachweise aber verlieren jeden Sinn, wenn Arbeitskräfte überhaupt nicht mehr gebraucht werden. Drei große zyklische Überproduktionskrisen zwischen der Jahrhundertwende und dem Ersten Weltkrieg verschärfen die soziale Unsicherheit aufs äußerste. Als die erste der Krisen einsetzt, ist das neue Jahrhundert kaum ein paar Monate alt.

Bekanntlich wird an verschiedenen Stellen der Stadt jeden Nachmittag der Arbeitsmarkt hiesiger Zeitungen verteilt ... Sorgfältig wachen die Schutzleute darüber, daß die Scharen der Männer, Frauen und jugendlichen Personen in wohlgeordnetem Zuge hart an der Bordschwelle Aufstellung nehmen. In dumpfem Schweigen, mit sorgenvollen Gesichtern harren die Kolonnen der Arbeitslosen auf die Ausgabe des Blattes. Da endlich erscheint der Zeitungsbote. Jetzt kommt Bewegung in die schweigende Menge. Hunderte von Händen strecken sich dem

Zettelverteiler entgegen, um das ersehnte Blatt, die Möglichkeit einer Arbeitsgelegenheit, zu erhaschen. Jeder möchte der erste sein, der es in die Hand bekommt. Wenige Minuten, und der wohlgeordnete Zug hat sich aufgelöst. Mit eiligen Blicken wird das Blatt durchflogen. Wer eine für ihn passende Arbeitsstelle angezeigt findet, beeilt sich, dieselbe zu erreichen, und zwar schnell, denn die Zahl der Bewerber ist groß, und von wenigen Minuten kann es abhängen, ob man die ausgeschriebene Stelle erreicht, bevor sie durch einen Schicksalsgefährten besetzt ist. Das ist kein Arbeitssuchen, nein, das ist im wahren Sinne des Wortes eine Jagd nach Arbeit, bei der der jugendkräftige, schnelle Läufer die besten Aussichten hat, während der ältere, abgerackerte Arbeiter, dessen Beine den Wettbewerb mit denen der jüngeren Kollegen nicht mehr aufnehmen können, ins Hintertreffen gerät. Freilich, die meisten der Arbeitsuchenden brauchen an solchen Wettläufen nicht teilzunehmen. Sie haben nichts im Blatte gefunden. Niedergeschlagen kehren sie langsamen Schrittes heim, um am nächsten Tage, und wer weiß noch wie oft, wiederum auf die Jagd nach Arbeit und Brot zu gehen.

Vorwärts, 15. November 1901

1903 veröffentlicht eine Berliner Arbeiterfrau Details aus ihrem Haushaltsbuch von 1902 – dem letzten Jahr der großen Krise, die seit 1900 die Wirtschaft Deutschlands gefangen hält:

A. Einnahmen

In der Kasse der Arbeiterfamilie befand sich am 1. Januar 1902 ein Bestand von	34,60 Mark
Jahresverdienst des Mannes, eines Maurers mit 65 Pfennig Stundenlohn	1 532,36 Mark
Verdienst der Frau	99,60 Mark
Summa	1 666,56 Mark

B. Ausgaben

Ernährung (pro Woche im Durchschnitt 15,81 Mark)	823,20 Mark
Wohnungsmiete (für eine sehr kleine Stube und Küche)	183,— Mark
Kleidung (darunter ein Anzug für den Mann à 36 Mark), Wäsche, Schuhwerk	147,45 Mark
Heizung (16½ Zentner Ilse-Kohlen 16,50 Mark, ½ Meter Klobenholz 4,50 Mark)	21,— Mark
Wirtschaftsgegenstände	46,90 Mark
Steuern	22,52 Mark
Zeitungen, darunter „Modenwelt"	13,20 Mark
Schulbücher	4,70 Mark
Sonstige Bücher	7,— Mark
Versicherungsbeiträge für „Viktoria" 15,70 Mark, Feuerversicherung 2,50 Mark, Invaliden- und Krankenkasse	58,70 Mark
Mitgliedsbeiträge für die gewerkschaftliche (19 Mark) und politische Organisation	21,40 Mark
Fahrgeld nach dem Arbeitsplatz	37,80 Mark
Unterstützung für die kranke Mutter	14,— Mark
Konzert, Theater, Ausflüge etc.	26,95 Mark
Bier, Tabak, Versammlungsbesuch	123,84 Mark
Ärztliche Ausgaben, Bäder, Rasieren	23,90 Mark
Summa	1 575,56 Mark

A. Einnahmen	1 666,56 Mark
B. Ausgaben	1 575,56 Mark
Bleibt Bestand für 1903	91,— Mark

Die Ausgaben für die Ernährung verteilten sich pro Woche wie folgt:

2 Brote à 50 Pfennig	1,— Mark
Schrippen etc.	1,05 Mark
Sonntagsgebäck	—,25 Mark

Milch, 1 Liter täglich, sonntags 2 Liter	1,60 Mark
Fleisch, täglich ½ Pfund à 35 Pfennig, sonntags für 1 Mark	3,10 Mark
Wurst, täglich ½ Pfund	2,45 Mark
Käse	–,32 Mark
Grünes Gemüse	–,40 Mark
Reis, Erbsen, Hafermehl, Kakao ½ Pfund.....	1,— Mark
Weizenmehl, 1 Pfund	–,19 Mark
Zucker, 1 Pfund.........................	–,30 Mark
Gedörrtes Obst, frisches Obst	–,40 Mark
Schmalz, 1½ Pfund	1,05 Mark
Butter, ½ Pfund	–,60 Mark
Rindstalg, ½ Pfund	–,30 Mark
Malzkaffee, ½ Pfund	–,18 Mark
Bohnenkaffee, ⅛ Pfund...................	–,15 Mark
Petroleum und Streichhölzchen	–,20 Mark
Koks	–,30 Mark
Seifenpulver, weiße und grüne Seife	–,50 Mark
Zwiebeln und Gewürz....................	–,05 Mark
Salz	–,07 Mark
Kartoffeln, 10 Pfund	–,25 Mark
Summa	15,81 Mark*

Die vorstehenden Zahlen erzählen schon deutlich genug von einer mehr als bescheidenen, von einer mühe- und sorgenreichen, dürftigen Lebenshaltung. Aber ... Unsere Familie besteht nur aus drei Personen: Vater, Mutter und einem zwölfjährigen Knaben. Wir blieben glücklicherweise 1902 sowohl von Arbeitslosigkeit wie von schwerer Krankheit verschont. Abgesehen davon, daß ich dem Haushalte baren Verdienst zuführe, spare ich nicht wenige Ausgaben. Wäsche, Kleidung, die Arbeitskleidung des Mannes inbegriffen, ebenso meine Hüte, fertige ich selbst an. Nur das Schuhwerk und der Sonntagsanzug des Mannes wird fertig gekauft. Beiläufig sei bemerkt, daß es uns seit vier

---

* Frau Jeetze hat offenbar beim Addieren der Ausgaben für die Ernährung einen Posten von 10 Pfennig übersehen.

Frauen beim Straßenbau, 1906

Jahren erst 1902 möglich war, einen neuen Sonntagsanzug für den Mann zu beschaffen. Unsere Wohnung, die für drei Personen zu klein ist, liegt in einem Vorort und ist deshalb verhältnismäßig noch „billig". Die mitgeteilten Ziffern weisen aus, daß ohne meinen Verdienst von 99,60 Mark statt eines Überschusses von 91,– Mark am Jahresschluß ein Defizit von 5,60 Mark vorhanden sein würde ... Ich frage: wie bitter müssen die Sorgen, wie hart die Entbehrungen der Tausende und Zehntausende von Arbeiterfamilien sein, für welche bei gleichem Einkommen wie dem unserigen jene Umstände in Wegfall kommen, die unsere Lage günstig beeinflußten? Im allgemeinen trifft man in einem proletarischen Heim mehr als ein einziges Kind an; die Ausgaben für die Wohnung sind vielfach höher als in unserem Falle, weil nicht im Vorort gewohnt werden kann oder zahlreiche Kinder da sind; nicht jede Hausmutter kann dem Verdienst nachgehen, Wäsche und Kleidung selbst anfertigen; Krankheit und Arbeitslosigkeit sind häufige Gäste im Proletariat. Wenn auch nur einer von diesen Umständen vorhanden ist, so wird die Lage der Familie verschlechtert, und Soll und Haben deckt sich nicht mehr.

M. Jeetze, Einnahmen und Ausgaben einer Berliner Arbeiterfamilie

Den nach heutigen Maßstäben niedrigen Preisen für die Lebensmittel stehen entsprechend niedrige Einkünfte gegenüber. Jürgen Kuczynski nennt für gelernte Berliner Arbeiter um 1900 folgende Wochenlöhne: Drucker 26,25 Mark, Bautischler 28,10 Mark, Metallarbeiter 28,91 Mark, Zimmerer 32,70 Mark, Maurer 33,90 Mark.

Aber der Anteil der qualifizierten Arbeiter sinkt. Betrug er 1895 noch 65 Prozent, so macht er 1907 nur noch 58 Prozent der Berliner Arbeiter aus. Ein wachsender Teil des Proletariats besteht aus „Ungelernten", die in wenigen Wochen zu „Angelernten" herangebildet werden. Der Siemensingenieur Raps verlangt von diesen Maschinenarbeitern „ein gewisses Verständnis für die Arbeitsvorgänge, eine Einsicht in den Mechanismus der Maschine und angestrengte Aufmerksamkeit bei ihrer Betätigung" – und mehr bezahlt Siemens auch nicht.

Ein ehemaliger Facharbeiter berichtet, wie in der Telefonfabrik von Mix & Genest die Technologie auf die Beschäftigung von einigen wenigen Vorarbeitern einerseits, von einem Dutzend Angelernter andererseits eingerichtet wird:

Die Mikrotelefone auf den Tischstationen wurden früher von einem Mechaniker fix und fertig gemacht. Jetzt werden die Polschuhe vom Mechaniker gefeilt, vom Mädchen ins Telefon eingesetzt, die Griffe bohrt ebenfalls ein Mädchen, und die Dosen für das Mikrofon paßt ein Mechaniker ein und richtet sie vor, die Leitung und Schnur zieht auch wieder ein Mädchen ein. Diese Arbeiten wurden noch vor etwa einem dreiviertel Jahr von einem Mechaniker allein gemacht. Die Arbeitsteilung ist im Großbetrieb noch nicht ganz durchgeführt, sondern wird immer noch mehr vervollkommnet. Es wird immer noch mehr auseinandergerissen, damit es immer noch billiger werden soll. Dieser Vorgang war bei den besseren Telefonen zu beobachten, während die gewöhnlichen Telefone schon seit Jahren Mädchen machen. Es geschieht immer zu dem Zweck, um die Sache billiger zu machen, um Arbeitslohn zu sparen.

Das meiste der Frauenarbeit ist Maschinenarbeit und vorgerichtete Arbeit, äußerst wenig selbständige Arbeit. Für solche Arbeiten sind die ungelernten Frauen brauchbar, das gleiche trifft zu bei den angelernten Arbeitern, die auch auf die Einrichter und Mechaniker angewiesen sind. Durch den Aufschwung der Industrie wurden viele Mechaniker eingestellt. Jetzt aber sind durch die Einstellung von Mädchen wieder sehr viele unnötig geworden. In einem Saale von dreißig Mann, wo früher alles Mechaniker waren, sind es jetzt nur noch acht bis zehn Mechaniker, das übrige Mädchen. Manchmal ist als Ersatz nur dieselbe Anzahl, manchmal auch viel mehr Mädchen nötig, weil die Arbeit weiter zerlegt wird.

Heiß, Auslese und Anpassung

Ausgeklügelte Akkordsysteme führen einerseits zu einer gewissen Erhöhung des Nominallohns, vor allem der leistungsfähigsten Arbeiter, steigern jedoch andererseits – und noch weit rascher – die Intensität der Ausbeutung: „Akkord ist Mord."

Hier in der Gießerei sind die Meister stark an der Regelung der Akkorde beteiligt. Es ist ihnen eine außerordentliche Macht über die Arbeiter gelassen ... Seitens einiger Arbeiter wurde uns folgender interessante Fall mitgeteilt: Wenn die Arbeiter bei ihrem Meister um eine Akkorderhöhung nachsuchen, werden sie von ihm manchmal überredet, die Ausführung des Auftrages erst für den festgesetzten Lohn zu versuchen. Kommt der Arbeiter mit dem Akkord aber doch nicht zurecht, so stellt ihm sein Meister nachträglich eine Bescheinigung über die Anfertigung einer Reparatur aus und gibt dafür einen Lohn an, der dem Fehlbetrag des Akkords ungefähr entspricht. In Wirklichkeit hat der Arbeiter die Reparatur gar nicht ausgeführt. Läuft diese Bestellung nun zum zweitenmal ein und weigert sich ein anderer Arbeiter, die Arbeit zu dem niedrigen Lohn zu übernehmen, so weist ihm der Meister mit Hilfe des alten Akkordzettels nach, daß die Arbeit bereits zu dem Akkordpreis hergestellt worden ist. Von jenem anderen Schein erfährt er natürlich nichts. Er ist so zur Übernahme des Auftrags für den niedrigen Lohn verpflichtet, da es in der ganzen Fabrik Brauch ist, bei Wiederholungen von Arbeiten den alten Akkordlohn auf keinen Fall zu erhöhen. Der erste Arbeiter ist bei diesem Verfahren nicht im Nachteil, um so größeren Schaden haben aber alle übrigen Leute.

Reichelt, Die Arbeitsverhältnisse in einem Großbetrieb

Eine kleine Schicht des Berliner Proletariats – Meister, Vorarbeiter und Arbeiter mit Spitzenlöhnen – erreicht einen Verdienst, der etwa dem eines Kleingewerbetreibenden oder Technikers entspricht. Die Marxisten sprechen im Zusammenhang mit dieser sozial besser gestellten Oberschicht der Arbeiterklasse von einer „Arbeiteraristokratie", die um die Jahrhundertwende etwa drei Prozent, kurz vor dem Ersten Weltkrieg etwa zehn Prozent der Arbeiterklasse Berlins beträgt.

Der Korrespondent des bürgerlichen Pariser „Figaro" läßt sich um 1905 einen Berliner Kartonagendrucker vorstellen, der einen Wochenlohn von 37,50 Mark nach Hause trägt. Nach Abzug der Ausgaben für Essen (18 Mark), Miete (5,60 Mark), Versicherung (0,40 Mark) und für die Kasse der Buchbindergenossenschaft (0,60 Mark) verbleiben ihm und seiner Familie rund 13 Mark in der Woche.

„Wie verwenden Sie diesen Betrag?" fragte ich.

„Fünf Personen wollen gekleidet sein."

„Das stimmt."

„Und am Sonntag spazierengehen."

„Natürlich! Kennen Sie jemand in Berlin, der sonntags nicht spazierengeht?"

„Nein, niemand", meinte er lächelnd nach einigem Besinnen.

„Was essen Sie und Ihre Kinder für diese 2 Mark 60 Pfennig am Tage?"

„Nun, morgens um halb sieben Uhr, nachdem man aufgestanden ist, wird eine große Tasse Milchkaffee getrunken und ein Butterbrot dazu gegessen. Zur Arbeit nehme ich mir zwei große, mit etwas Fleisch, Wurst oder Käse belegte Brote mit, die ich um neun zu einer Flasche Bier für 8 Pfennig esse. Mittags gehe ich heim: da gibt es Erbsen, Kraut, Linsen und Schweinefleisch, dann Kaffee. Sonntags einen Braten, manchmal einen Gänsebraten, der für zwei Tage reichen muß.

Ein Viertel nach fünf ist Feierabend, dann gehe ich wieder nach Hause, lese meine Zeitung, esse etwas Suppe und Butterbrot mit Fleisch oder Käse, nachher gibt's wieder Kaffee. Später gehe ich ins Wirtshaus und trinke mit Bekannten ein bis zwei Gläser Bier."

„Worüber sprechen Sie in ihrem Bierlokal?"

„Über Politik und hauptsächlich über genossenschaftliche Angelegenheiten, über die Einnahmen, über das, was noch aussteht, über die Statuten. Unsere Kasse hat ein Vermögen von 500 000 Mark. Augenblicklich beschäftigen uns unsere Altersversicherungen stark. Sie wissen wohl, daß die alten Leute vom siebzigsten Lebensjahre ab monatlich 15 Mark erhalten. Wir finden, das sei zu wenig. Und deshalb arbeiten gegenwärtig alle Gewerkschaften daran, einen neuen Plan für Altersversicherungen aufzustellen, der eine Ergänzung der staatlichen Pension bilden soll. Die Buchdrucker, die in Deutschland an der Spitze der berufsgenossenschaftlichen Bewegung stehen und deren ganze Organisation mustergültig ist, was Zusammenhalt, Verständnis und Vorsorge anbetrifft, haben eine Alterskasse gegründet, die allen ihren Mitgliedern, die während ihrer Arbeitszeit wöchentlich 1 Mark 50 Pfennig einzahlten, 1 Mark 20 Pfennig pro Tag sichert. Wir wollen auch so weit kommen."

Huret, Berlin

Es ist bemerkenswert, daß Hurets Gesprächspartner den Buchdruckerverband als Muster einer „Berufsgenossenschaft" darstellt. Dieser Verband steht ganz unter dem Einfluß opportunistischer Funktionäre. Unwillkürlich erinnert man sich an Lenins Bemerkung, daß mit dem Übergang zum Kapitalismus der Monopole die Unternehmer eines Industriezweiges die ökonomische Möglichkeit erhalten, bestimmte Schichten der Arbeiterklasse zu bestechen und auf die Seite der Bourgeoisie zu ziehen.

1906, so berichtet die Handelskammer, gibt es in Berlin 140000 Heimarbeiter: 2000 in der Schuhherstellung, 3000 in der Zigarren- und Zigarettenindustrie, 5000 in der Papier-, Leder- und Schmuckwarenbranche, 6000 fabrizieren Hüte und Mützen, Kunstblumen und -federn. Die Masse der Heimarbeiter aber – 119000 – front für die Berliner Konfektion. Die Rentabilität dieser Industrie, ihr Vordringen auf den Binnen- und Außenmärkten beruht auf der brutalen Ausbeutung Zehntausender Mantel-, Blusen-, Kostüm-, Korsett-, Handschuh-, Krawatten-, Schirmnäherinnen und Hand-, Gold-, Silber-, Weiß-, Monogramm- und Tapisseriestickerinnen: „Kulis des Chics".

In der Skalitzer Straße hat eine Konfektionsarbeiterin auf dem Hof drei Treppen hoch ihre Schlafstelle. Morgens um halb sieben oder sieben Uhr steht sie auf, besorgt sich ihr erstes Frühstück und macht das zweite zurecht zum Mitnehmen. Um acht Uhr muß sie in der Werkstelle des Meisters sein, die 15 bis 20 Minuten entfernt liegt. Die Werkstelle liegt vier Treppen hoch im Vorderhause. – Ihrer acht sitzen sie da in einer Stube zusammen, die 3½ m breit und 4 m tief ist. Vor dem einen der beiden Fenster steht die Nähmaschine der Stepperin, vor dem anderen der Vorrichtetisch, an dem die Frau des Meisters zeitweilig arbeitet. Dahinter sitzen nun die sieben Arbeiterinnen, ohne Tisch, jede auf ihren Stuhl angewiesen. – Es ist Anfang März und viel zu tun. Der Meister steht nebenan in der Küche am Bügelherd, treibend und scheltend. – Jede Minute ist kostbar, denn je flotter die Arbeit geht, je schneller er sie dem Konfektionsgeschäft abliefert, desto größer der Verdienst, desto sicherer die Aussicht auf neue Aufträge. Das Frühstück muß nebenbei verzehrt werden, immer heißer wird die Luft in dem Zimmer

von dem glühenden Bügeleisen auf dem Herd, immer schwüler der Dunst der gebügelten Sachen, aber rastlos jagt die Nadel vorwärts. Endlich ist es zwölf Uhr. Bei flauer Zeit kommt jetzt eine Pause von eineinhalb oder zwei Stunden; dann geht die Arbeiterin nach Hause und ißt bei ihren Wirtsleuten zu Mittag. Heute aber heißt es jede Minute ausnutzen. Schnell wird das Mittagsmahl gewärmt und verzehrt, das eine Arbeitsgenossin, die bei ihren Eltern wohnt, ihr mitgebracht hat. Die älteren Arbeiterinnen setzen sich zurecht, um zwischen Stoffballen und Flickenhaufen einen Augenblick zu ruhen. Die jüngeren wollen wenigstens auf einige Minuten in die Luft. Im Hinterhause ist eine Druckerei; männliches Personal kommt von dort auf den Hof heraus. In Plaudereien und oft nicht ganz zarten Scherzen verfliegen die Minuten, bis eine nahe Fabrikuhr eins schlägt... Rastlos geht es nun wieder vorwärts, das Vesperbrot wird im Fluge nebenbei eingenommen, die Luft im Zimmer wird immer unerträglicher, es wird immer rastloser, aber auch immer nervöser und unruhiger gearbeitet. Endlich ist es 8 Uhr. Der Meister möchte die Erkenntnis dieser Tatsache gern noch um einige Minuten hinausschieben, er sucht wenigstens die Beendigung angefangener Teilarbeiten noch zu erzwingen; aber die Arbeiterinnen kennen seine Art, sie haben sich so eingerichtet, daß sie in wenigen Minuten einen Abschnitt erreicht haben. – Die Mädchen, die im Elternhause wohnen, und einige verheiratete Frauen, die auch nicht so ausschließlich auf ihren eigenen Arbeitsverdienst angewiesen sind, sind die ersten, die sich auf den Heimweg machen. Die Arbeiterin, von der wir reden, gehört zu den letzten, die fortgehen. Wie fast jede der abgehenden, nimmt auch sie Arbeit mit nach Hause und kommt gegen neun Uhr nun endlich zu ihrer Hauptmahlzeit, die ihr die Wirtsleute aufgehoben haben. Bis gegen zehn Uhr sitzt sie noch mit den anderen zusammen, dann sucht jeder in der Küche oder auf dem Korridor seine Schlafstelle auf, und sie ist schließlich noch die einzige, die sich bis zwölf, ein oder zwei Uhr mühsam aufrecht erhält, um zu arbeiten. Endlich sucht auch sie ihr Lager auf.
Bilder aus der deutschen Heimarbeit

Ernst Heilemann: Die Nähterin, 1899

Zigarrenfabrikation in Heimarbeit, 1910

Als ich neulich in einen Straßenbahnwagen einstieg, kam ich einer Frau gegenüber zu sitzen, die neben sich ein großes Bündel liegen hatte. Es waren Kinderfilzschuhe darin, welche offenbar abgeliefert werden sollten. Zeit ist Geld, nicht bloß für den praktischen, dollargierigen Amerikaner, auch für die jammervoll entlohnten Heimarbeiterinnen, die mit jedem Pfennig rechnen müssen. Die Frau hatte noch nicht ganz fertige Filzschuhe neben sich liegen und arbeitete, während der Tram durch die Straßen flog, emsig darauf los. Mit kleinen Stichen befestigte sie den Oberstoff aus gutem Tuch an der Filzsohle; war dies geschehen, so wurde der Schuh umgewendet und zu der fertigen Ware gelegt.

Ich frug die Heimarbeiterin, was ihr die Arbeit einbrächte, und bekam zur Antwort: 15 Pfennig für das Dutzend Paar der kleinen Filzschuhe. Das nötige Nähgarn mußte sie dabei aus ihrer Tasche zahlen. Die Frau erzählte mir, daß sie gewöhnlich nachts um zwei Uhr aufstünde, um ihre Arbeit zu beginnen, und bis sehr spät abends schaffe. Bei dem üblichen Lohn sei es ihr nur durch diese Ausdehnung der Arbeitszeit möglich, einen einigermaßen nennenswerten Verdienst zu erzielen. Unser Gespräch endete damit, denn die Frau hatte ihr Ziel erreicht. Hastig schob sie ihre Nähutensilien ein, legte die im Tram fertiggestellten Schuhe zu den übrigen, und mühsam, müde, schleppte sie ihr schweres Bündel fort.

Nicht lange darauf traf ich die nämliche Heimarbeiterin wieder im Tram. Diesmal nähte sie aber Damenpantoffeln, eine bessere Qualität, bei der nicht nur vorn die Blätter, sondern auch hinten ein Streifen Stoff angenäht werden mußte. Für diese Arbeit, die bedeutend mehr Zeitaufwand erfordert als das Nähen von Kinderfilzschuhen, zahlte das Geschäft 5 Pfennig mehr pro Dutzend Paar, also ganze 50 Pfennig. Die Frau fuhr nicht allein. Neben ihr saß ihr kleiner Junge von ungefähr vier Jahren. Sobald die Mutter einen Pantoffel genäht hatte, mußte das Kind denselben umwenden. Wahrhaftig keine leichte Arbeit für den schwächlichen Kleinen. Seine Händchen allein kamen nicht damit zustande, er mußte mit der Brust nachhelfen, indem er die harte Kante der Filzsohle dagegen stemmte. Das Herz drehte sich mir im Leibe um bei diesem Anblick.

Das Kind arbeitete so geschickt und flink, daß ich mir sagen mußte, es helfe sicherlich tagtäglich lange Stunden durch Umwenden der Mutter bei der Arbeit. Auf meine Anfrage bestätigte es die Frau ... Kurz ehe die Frau aussteigen mußte, erlaubte sich der Kleine, durch das Tramfenster zu schauen. Hastig wurde er von der Mutter angetrieben, das bleibenzulassen und einzupakken. Sie selbst nähte unterdes am letzten Pantoffel weiter, und es kam noch zu einer Scheltszene, als das Kind das Messer nicht fand (es stellte sich schließlich heraus, daß die Frau darauf gesessen hatte), das zum Abschneiden des Nähfadens diente. Deutlich konnte ich beobachten, wie das Jüngelchen krampfhaft alle Nerven anspannte vor Furcht, etwas nicht recht zu machen.

Nicht genug damit, daß die Heimarbeit ermöglicht, ja durch ihre elende Entlohnung dazu anreizt, daß ein Kind schon im zarten Alter ins Joch der Arbeit gespannt wird und das Stück Brot verdienen muß, das sein kleiner Magen verlangt! Sie läßt auch eine Mutter lieblos und hart gegen ihr Kind werden, die sicherlich von Haus aus ein nicht weniger liebevolles Gemüt besitzt wie eine reiche Dame, die ihr Söhnchen unter hunderterlei Verhaltungsmaßregeln der Obhut einer Kindergärtnerin anvertraut.

Frida Wulff, Heimarbeit in der Straßenbahn

Zwei Ausstellungen zeigen 1904 und 1906 das Elend der Heimarbeiter; die erste organisieren die Gewerkschaften allein, an der Vorbereitung der zweiten nehmen auch bürgerliche Sozialreformer teil. Die letztere – in der zum Abriß vorgesehenen alten Akademie der Künste an der Universitätsstraße – sieht hohe und höchste Herrschaften in ihren Räumen, da sich herumgesprochen hat, daß die allen hygienischen Anforderungen spottenden Arbeitsräume der Heimarbeiter als Seuchenherde auch den Oberklassen gefährlich sind.

Aber es sind nicht die Spitzen der Gesellschaft, die die widerstrebenden Unternehmer dazu zwingen, schrittweise zur Einrichtung von festen Werkstätten mit kontrollierbaren Arbeitsbedingungen überzugehen, sondern die Gewerkschaften. So heißt es in der Geschichte der Berliner Schneidergewerkschaft, daß der von ihr 1907 ausgerufene, von den So-

zialdemokraten in allen Wahlkreisen unterstützte Boykott der Konfektionäre „die Einrichtung von Betriebswerkstätten wesentlich gefördert hat".

Rasch wächst die Schicht der Angestellten, besonders rasch in einer Stadt, die das Verkehrs-, Wirtschafts- und Verwaltungszentrum einer kapitalistischen Großmacht ist. Die Lebenslage der Masse der kleinen Angestellten unterscheidet sich kaum von der des Proletariats, auch wenn Staat, Stadt und Unternehmer versuchen, sie mit winzigen Privilegien – ein paar Tagen (unbezahltem) Urlaub, einer Pensionskasse oder mit Zuschüssen zu einem firmeneigenen Ruderverein – von der Arbeiterklasse zu isolieren.

Als Beispiel für die Lage dieser Werktätigen seien die Berliner Straßenbahner genannt. Zur „Großen Berliner Straßenbahn" drängen sich Tausende Ungelernter, vor allem entwurzelte Existenzen aus den kleinbürgerlichen Schichten. Das machen sich die Unternehmer zunutze: ohne Kaution wird niemand eingestellt. Während einer langen Probezeit wird nur ein lächerliches Entgelt gezahlt. Der Übergang zum elektrischen Betrieb ist mit erhöhter Anspannung der Nerven verbunden, aber der Lohn wird nicht erhöht.

In der Fahrschule der Großen Berliner Straßenbahn

Man muß dabei in Betracht ziehen, daß ein elektrischer Wagen eine viel größere Geschwindigkeit hat als ein anderes Gefährt; die elektrischen Straßenbahnen fahren in den Außenbezirken mehr als 30 Kilometer in der Stunde. Bei dem regen Wagen- und Fußgängerverkehr in den Hauptstraßen Berlins, welcher zeit- resp. stellenweise eine solche Dichtigkeit erlangt, daß er überhaupt nicht mehr gesteigert werden kann, gehört eine nervöse Aufmerksamkeit und Anspannung dazu, auf alle Hindernisse zu achten, zumal der Wagen wegen seiner Gebundenheit an die Schiene nicht ausweichen kann. Der Führer schwebt in steter Gefahr, mit anderen Fuhrwerken zusammenzustoßen oder gar Menschen zu überfahren. Andererseits darf er auch nicht ängstlich sein, denn sonst würde er in dem Wagengedränge überhaupt nicht vom Fleck kommen ...

Dem Wind und Wetter ist der Führer vollkommen preisgegeben. Selbst bei strömendem Gewitterregen darf er seinen Posten nicht verlassen. Trotzdem er oft bis auf die Haut durchnäßt ist, muß er, zitternd vor Kälte, bis in die tiefe Nacht hinein seinen Dienst versehen ...

In dem letzten Winter, in dem wir mehrfach 14 bis 16 Grad Kälte hatten, bot der Anblick eines in Pelz, Handschuhe und Mütze eingehüllten Motorwagenführers, von dem äußerlich beinahe nur die blauen Schutzbrillen sichtbar waren, geradezu ein bemitleidenswertes Bild.

Deichen, Erhebungen im Straßenverkehrsgewerbe

Für solche harte Arbeit – „mit einem Fuß auf der Signalglocke, mit dem anderen im Gefängnis oder halb im Grabe" (Deichen) – erhalten die Straßenbahnbeamten bei ihrer Anstellung 95 Mark im Monat, nach einem Jahr 100 Mark, nach fünf Jahren 110 Mark, nach fünfzehn Jahren 125 Mark, nach zwanzig Jahren 130 Mark ...

Von diesem Lohn aber gehen noch zahllose Strafen ab, sooft irgendeine der auf 117 eng bedruckten Seiten formulierten „Dienstanweisungen für das Personal" nicht auf den Punkt beachtet wurde. Aus der Strafverfügungsliste des Bahnhofs Elsenstraße, Juli/August 1901:

Fahrer Drebes, Nr. 720, weil er über den 5. Kontakt fuhr, mit .... 1,00 Mark
Fahrer Hahn, Nr. ?, wegen Unterhaltung im Fahrdienst, mit .... 1,00 Mark
Fahrer Schacht, Nr. ?, vier Minuten zu früh angekommen, mit .... 0,50 Mark
Fahrer Holzki, Nr. 4852, Zusammenstoß zu spät gemeldet, mit .... 0,60 Mark
Fahrer Haase, Nr. 1729, zu spät zum Dienst gekommen, mit .... 1,00 Mark
Schaffner Michalak, Nr. 4011, wegen Unterhaltung im Fahrdienst, mit .... 1,00 Mark
Schaffner Schierbaum, Nr. 2907, wegen Rauchen auf dem Wagen, mit........................ 1,00 Mark
Schaffner Schröder, Nr. 591, wegen Fahrscheinverlochung, mit .... 0,50 Mark
Schaffner Falk, Nr. 4549, Nichtbefolgung eines gegebenen Befehls, mit .... 1,00 Mark
Schaffner Schmidt, Nr. 1966, weil er einen Fahrgast ohne Fahrschein auf dem Wagen hatte, mit 0,50 Mark
Schaffner Kniep, Nr. 2991, hat einen Fahrschein verlocht, mit .... 0,50 Mark
Schaffner Link, Nr. 675, drei Minuten zu spät abgefahren, mit................................ 0,50 Mark
Schaffner Figaczewski, Nr. 403, zu spät abgelöst, mit .... 0,50 Mark

Quarck, Die deutschen Straßenbahner

Im Mai 1900 verlangen die Straßenbahner unter dem Einfluß des Transportarbeiterverbandes höhere Löhne, kürzere Dienste, die Beseitigung der Schikanen der Kontrolleure und die Anerkennung des Arbeitsnachweises, den die Gewerkschaftsorganisation betreibt. Da die Direktion jede Verhandlung verweigert, proklamieren die Straßenbahner den Ausstand. Am 19. Mai 1900 ruht in Groß-Berlin der Straßenbahnbetrieb.

Umseitig:
Fernsprechamt in der Körnerstraße: Fräulein vom Amt, 1906

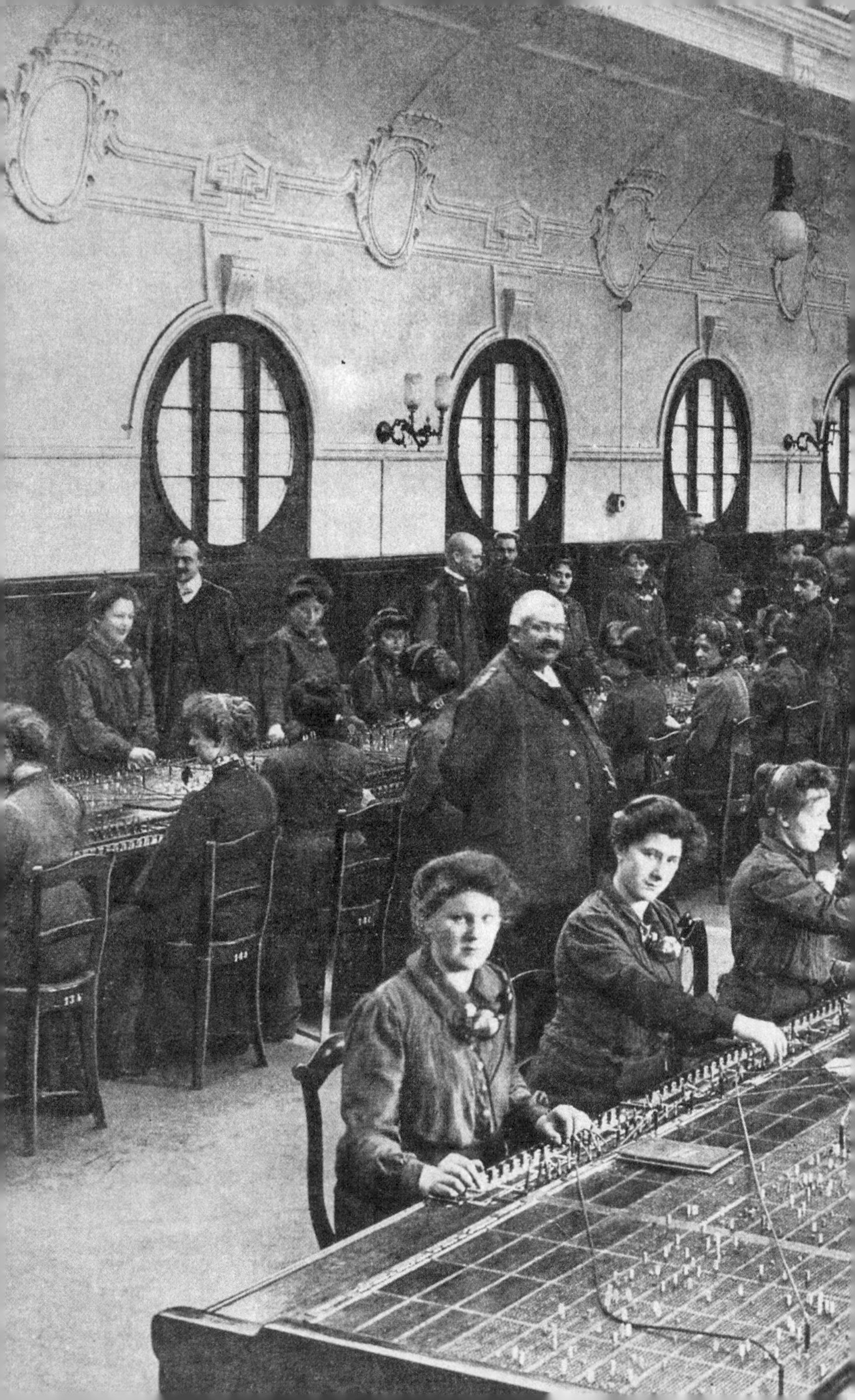

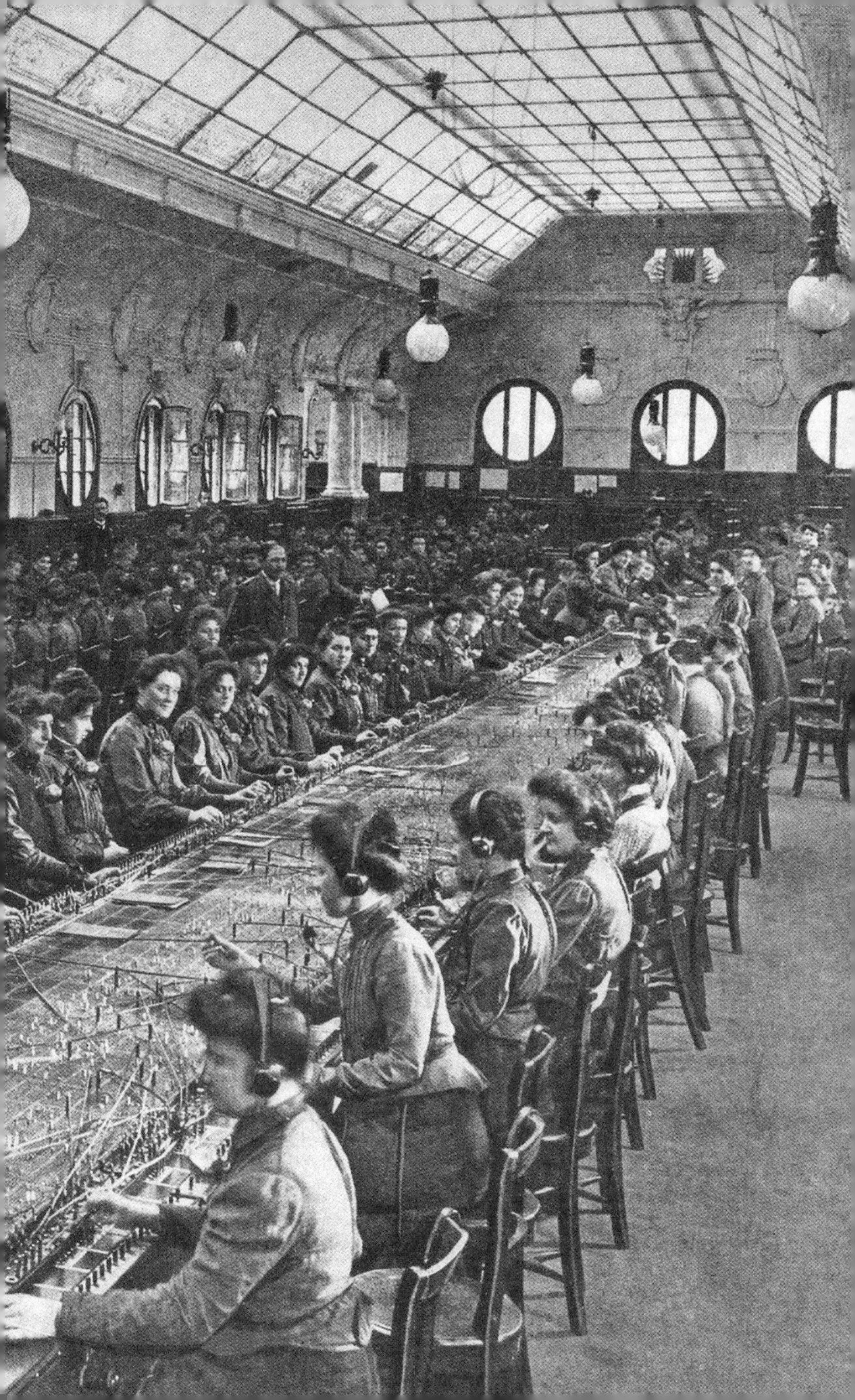

Nur ein aus etwa 400 aus den verschiedensten Elementen bestehendes Personal war früh zur Stelle. Alle höheren Beamten, Kontrolleure, Inspektoren mußten als Fahrer und Kutscher auf die wenigen Wagen steigen, die in großen Pausen unter dem Hallo der Arbeiterschaft die Bahnhöfe verließen. Die Schaffner waren teils neueingestellte Leute, teils wurden sie aus Stalleuten und Bürobeamten rekrutiert... Ein Schaffner bediente zwei Wagen, die Fahrscheine konnten nicht durchlocht werden, weil es an Zangen fehlte...

Die Schutzleute, die unter dem Befehl eines Polizeileutnants die Ordnung aufrechthalten sollten, hatten einen schweren Stand, einen schwereren die Wagenführer und Schaffner. Die Sympathie des Straßenpublikums war entschieden auf Seite der Ausständigen. Die Arbeitswilligen mußten sich gefallenlassen, daß ihnen manche trockene Redensart und mancher feuchte Gegenstand zuflog. Strenger als sonst die Polizei prüfte das Publikum die einzelnen Wagenplattformen auf die Zahl der zulässigen Fahrgäste. „Du hast überladen, der muß wieder runter!", „Hast du denn 'nen Fahrschein, oder geht's heute auch so", und manche nicht immer schmeichelhaften Worte steckten die Wagenführer und Schaffner ohne Erwiderung ein. Der Tumult erreichte einen Höhepunkt, als ein Kremser mit Ausständigen den Spittelmarkt passierte. Mit Hurra- und Hochrufen wurde er begrüßt, und ein großer Schwarm junger Burschen gab ihm im Trabe das Geleit auf seiner weiteren Fahrt.

Vossische Zeitung, 19. Mai 1900

Selbst Teile des städtischen Bürgertums verfolgen mit einer gewissen Schadenfreude die Schwierigkeiten des Straßenbahnkonzerns. Aber die „Große Berliner" erhält Unterstützung durch den Staatsapparat, der den Herren im Vorstand und Aufsichtsrat auf den ersten Wink hin zur Verfügung steht. Der Kriegsminister hält in den Kasernen Truppen zur „Säuberung" der Stadt bereit. Der Kaiser schickt ein Telegramm an das Generalkommando des Gardekorps: „Ich erwarte, daß beim Einschreiten der Truppen mindestens fünfhundert Leute zur Strecke gebracht wer-

den." (!) Am 20. Mai 1900 führen Provokateure am Weinbergsweg und am Rosenthaler Tor einen Tumult herbei.

Der Weinbergsweg, wo ein förmlicher Kampf wogte, war gegenüber der Zehdenicker Straße polizeilich abgesperrt. Die Menge durchbrach aber wiederholt die Schutzmannskette, die wiederholt Verhaftungen vornahm, was dann jedesmal zu Tumulten führte. Die Menge versuchte die Festgenommenen zu befreien, hieb mit Stöcken und Schirmen auf die Schutzleute ein und setzte sich mit Messern zur Wehr...

Über die am Rosenthaler Tor Verwundeten wird näher berichtet: Der 36 Jahre alte Tischlergeselle Karl Stuppe, ein verheirateter Mann aus der Choriner Straße 58, erhielt drei schwere Säbelhiebe über den Kopf und wurde durch einen Schutzmann, schwer verletzt, nach der Charité gebracht. Der Mann will als unbeteiligter Zuschauer wider seinen Willen in den Tumult hineingeraten sein... Ebenfalls unverschuldet zu Säbelhieben gekommen zu sein, behauptet der 54 Jahre alte Drechsler Hugo Vathke aus der Georgenkirchstraße, der nach der Charité gebracht werden mußte. Er erhielt mit der flachen Klinge fünf Hiebe über das Kreuz, schleppte sich noch bis zu dem Hause Kleine Rosenthaler Straße 9 und wurde von hier aus durch einen Schutzmann dem Krankenhause zugeführt. Ein Arbeiter Bruseberg aus Pankow, der mit vielen anderen, die entkommen sind, sich der Polizei widersetzte, wurde durch Säbelhiebe sehr schwer verwundet und nach dem St.-Hedwigs-Krankenhaus gebracht, wo er später verstarb.

Vossische Zeitung, 21. Mai 1900

Tote sind keine gute Reklame; der Straßenbahnkonzern läßt sich herab, an Verhandlungen unter Vorsitz des Oberbürgermeisters Kirschner teilzunehmen. Ein Kompromiß beendet den Streik, der den Straßenbahnern immerhin eine gewisse Verbesserung ihrer Lage bringt. Durch Handschlag versprechen die Direktoren, daß Maßregelungen nicht stattfinden.

Nach dem Streik ändert die Gesellschaft ihren Kurs: Sie gründet eine Betriebskrankenkasse, eine Pensionskasse, eine Unfallversicherung, sie richtet eine Witwenversorgung ein. Sie stiftet Ehrenuhren für fünfundzwanzigjährige Dienste. Sie gründet eine Ferienkolonie. Sie gründet einen „Verein der Angestellten" und eine Baugenossenschaft, die Werkwohnungen zu mäßigem Preis verspricht. Ebenso ungesäumt macht sich der Konzern an die Verfolgung der „roten Hetzer": Allen Versprechungen zum Trotz werden sechzehn Gewerkschafter „aus dem Dienst entfernt".

Erbärmlicher noch als das Los der männlichen Angestellten ist das der weiblichen. Eine Volksschülerin, die sich in irgendeiner der zahllosen „Handelsakademien" etwas Fachwissen angeeignet hat, muß sich glücklich schätzen, wenn sie als Stenotypistin oder als Buchhalterin anfangs ein Gehalt von 20 bis 30 Mark monatlich und nach langen Arbeitsjahren von 60 bis 80 Mark erreicht. Hebammen, Pflegerinnen, Masseusen kommen auf ein Jahreseinkommen von 400 bis 600 Mark. Eine Krankenschwester beginnt – bei einem Arbeitstag von 12 Stunden – mit 15 Mark. Die Telefonistinnen werden nicht nur miserabel bezahlt, sondern auch noch grob behandelt. Sie haben „im Dienst nicht rechts und nicht links, sondern nur geradeaus zu schauen".

Die Behandlung, die uns vielfach zuteil wird, ist vielleicht die, wie sie auf dem Kasernenhofe üblich ist ...

Ist es nicht geradezu lächerlich, daß eine Beamtin, die in Stunden höchster Anspannung eine Nummer undeutlich wiederholt, die vielleicht statt siebenzig nur siebzig, statt einhundert nur hundert usw. sagte, zwei bis drei Herren der Amtsleitung eine halbe Stunde lang beschäftigt? Die Herren nehmen über diese Verfehlungen schriftliche Protokolle auf ... Schade um das Geld, das die Beamten erhalten! Außer diesem Protokoll, das ja an sich schon eine Strafe bedeutet, erhalten die Beamtinnen, die vielleicht 2,50 Mark pro Tag verdienen, noch Geldstrafen, und zwar hat an einem Amt eine Beamtin 9 Mark in einem Monat zu zahlen gehabt. Wozu das Geld verwendet wird, weiß keine der Beamtinnen. Wird es zu unserem Besten verwendet, oder wer hat den Nutzen davon?

Ist es nicht empörend, daß alte langgediente Beamtinnen, die erkrankt waren, mit Strafdienst belegt wurden und an zwei Feiertagen hintereinander Dienst machen mußten?

Ist es in der Industrie gestattet, daß Angestellte, die bis abends 10 Uhr respektive ¼ 11 Uhr beschäftigt werden, am anderen Morgen um 8 Uhr anfangen? Oder die bis abends 8 Uhr respektive ¼ 9 Uhr arbeiten, morgens um 6 Uhr beginnen?

Ist die Beamtin aber nicht 5 Minuten vorher an ihrem Arbeitsplatz, so hat sie wieder Protokoll und eventuelle Bestrafung zu gewärtigen. Bei achtstündigem Dienst haben wir nur eine Pause von 20 (früher 25) Minuten und eine Pause von 5 Minuten. Welcher Geschäftsmann darf dies dulden?...

Daß sonst noch der größte Zwang besteht, ist fast selbstverständlich. Nicht sprechen, nicht umdrehen, nicht rühren, und da soll die Beamtin leistungsfähig bleiben!

Berliner Volkszeitung, 25. April 1914

Die jämmerlichste Position unter all den weiblichen Angestellten aber hat gewiß das „Fräulein", das der kleinbürgerlichen Beamtenfamilie als Ersatz für eine standesgemäße Dienerschaft dienen muß.

„Fräulein, stecken Sie mir doch die Zöpfe hoch, die Minna ist so ungeschickt." – „Fräulein, haben Sie nicht mein Aufsatzheft gesehen?" – „Fräulein, streichen Sie mir noch eine Buttersemmel." – „Fräulein, Sie müssen mich noch meine lateinischen Vokabeln überhören."

Atemlos hetzt das „Fräulein" von einem Kind zum andern. Eben will sie sich mit ihnen auf den Schulweg begeben, da schreit ihr noch die Köchin nach: „Fräulein, Sie möchten recht schnell zurückkommen, wir haben heute mittag Besuch. Blumen für die Vasen möchten Sie gleich mitbringen. Gehen Sie doch auch gleich bei dem Fleischer vorbei. Er hat vergessen, Speck mitzuschicken. Kaffeekuchen brauchen wir auch von dem Konditor in der Uhlandstraße und..." Das übrige hört das „Fräulein" nicht mehr. Sie ist schon auf der Straße, denn es ist höchste Zeit für die Schule. Auf dem Rückgang macht sie die Besorgungen. Zu dem Konditor in der Uhlandstraße führt zwar ein riesiger Umweg, aber was hilft es? Die Gnädige will keinen anderen Kuchen...

Und so geht es Tag für Tag im Leben des „Fräuleins". Ja, gibt es denn junge Mädchen, die sich zu einem solchen Sklavenleben hergeben? Das „Fräulein" wird schlechter bezahlt als die Köchin, auch schlechter behandelt als eine gute Köchin. Für die findet sich nicht so leicht Ersatz, aber „Fräuleins" gibt es jederzeit zehn für eine. Diese „Fräuleins" rekrutieren sich meist aus dem kleinen Beamtenstand. Sie haben gewöhnlich die höhere Töchterschule besucht. Die Eltern sind nicht in der Lage, mehr für ihre Ausbildung zu tun, und sie suchen nun „standesgemäß" irgendwo unterzuschlüpfen. Natürlich sind sie zu vornehm, Ladenmädchen zu werden, zu vornehm, sich Dienstmädchen zu nennen oder in eine Fabrik zu gehen. Für einen wirklichen Beruf sind sie nicht vorgebildet. Diese Notlage machen sich die „Gnädigen" zunutze. Es klingt so vornehm, ein „Fräulein" zu haben. Ein „Fräulein" ist zu allem zu brauchen. Sie muß die Kenntnisse einer Köchin, eines Stubenmädchens, einer Schneiderin, einer Plätterin in sich vereinigen. Sie muß etwas Klavier spielen, sie muß Französisch, womöglich auch Latein können. Sie muß zugleich Kindermädchen und Erzieherin sein. Sie muß sich kleiden wie eine Dame und darf nicht so viel Ansprüche stellen wie ein Dienstbote. Täglich kann man in den Inseraten der bürgerlichen Zeitungen verfolgen, was so ein „Fräulein" alles können muß. Häufig wird die Stellung „au pair" angeboten; das heißt, das „Fräulein" bekommt nur Essen und Trinken.

Und doch übertrifft die Zahl der Angebote noch die der Nachfragen. „Bessere Fräulein" bieten ihre Dienste in Menge an. Das Hauptgewicht legen sie auf Familienanschluß. Sie sind Lohndrücker, denn aus lauter Vornehmheit lassen sie sich ihre Dienste schlecht oder gar nicht bezahlen. Einer Organisation gehören sie nicht an. Sie sind ja nicht Hausangestellte, sondern „Fräulein".

Vorwärts, 15. August 1912

„Mann der Arbeit, aufgewacht!
Und erkenne deine Macht!"

In erbitterten Auseinandersetzungen versuchen die Berliner Arbeiter und Arbeiterinnen der verschiedenen Branchen, erträglichere Arbeitsbedingungen und einen Lohn zu erkämpfen, der dem Wert ihrer Arbeitskraft einigermaßen entspricht. Im Februar 1900 streiken die Möbeltischler. Mehrere hundert ledige Tischlergesellen verlassen Berlin und werden von den Streikenden mit Reisegeld versehen. Es streiken die Buchbinder und die Falzerinnen. Es streiken die Drechsler und die Maler. Die Portefeuillearbeiter Berlins bereiten sich auf einen Lohnkampf vor. Es kämpfen die Tapezierer, es kämpfen die Glühlampenarbeiterinnen der AEG, die Seidenfärber in Spindlersfeld, ja die Kellnerinnen im „Grand-Hotel". Beim Streik der Kutscher und Fuhrgehilfen im November 1900 streiken selbst die Leichenkutscher. Auf Straßenbahnanhängern fährt man die Toten zur letzten Ruhestatt.

Solidarische Hilfe der in Arbeit Stehenden für Streikende auch über die Grenzen der eigenen Stadt hinaus wird mehr und mehr selbstverständlich. 11 400 Mark werden 1902 für die streikenden Weber in Meerane gesammelt, 180 400 Mark 1903/04 für die streikenden Textilarbeiter von Crimmitschau.

Zur jetzigen Weihnachtszeit hat sich auch in Berlin in jeder Arbeiterfamilie noch ein Kind mehr an den bescheidenen Weihnachtstisch gestellt: ein Crimmitschauer Weberkind. Tausende Hände, sie selber ihr Teil zu schaffen haben, um im eignen Hausstand das bißchen Festesfreude für die Lieben zu bereiten, heben von den für den Weihnachtstisch bereiteten Gaben ein Stückchen auf, um es einer Crimmitschauer Familie zukommen zu lassen. Hier ein Püppchen, hübsch bekleidet, dort eine Spielzeugschachtel, auch der berühmte Waldteufel wird nicht fehlen ... Gabe um Gabe wird im Gewerkschaftshaus abgeliefert, Geld und Spielwaren bunt durcheinander. Da tritt eine frierende Gestalt im abgeschabten Rock an den Tisch; das Elend starrt dem Manne aus den Augen. In roten Kupfermünzen legt

Weihnachts-Bescheerung!

Die Ausstellung und Bescheerung der Kinder der ausgesperrten und streikenden Metall-, Holz- und anderer Arbeiter beginnt am Sonnabend, den 24. Dezember 1904, Vormittags 10 Uhr, und dauert wahrscheinlich bis Nachmittags 3 Uhr.

Die Bescheerung der Kinder der Metallarbeiter ist in der „Neuen Welt", Hasenhaide, die der im Holzarbeiter-Verbande Organisirten bei Keller, Koppstr. 29; ☛ **alle anderen Kinder gehen nach dem Gewerkschaftshaus.** ☚

Beim Betreten des Lokals sind die Karten nur vorzuzeigen. Es ist erwünscht, daß die Kinder nicht alle um 10 Uhr erscheinen, um überflüssigen Andrang zu vermeiden, doch erscheint es als geboten, daß kleinere Kinder in Begleitung erwachsener Personen kommen. Zunächst verweilen die Kinder wie Erwachsene in den großen Sälen der betreffenden Lokale, woselbst Konzert und Marionetten-Theater stattfindet.

Alsdann werden dieselben in ungefährer Zahl von 100 mit Begleitung in die Ausstellungs-Säle geführt, wo sie nach einmaliger Herumführung sich die entsprechenden Gegenstände aussuchen können.

Die Ausstellung ist getrennt, für Knaben links, für Mädchen rechts. Ferner ist sie nach 14 Ständen geordnet, welche durch Farben erkentlich sind:

Stand I, bis 2 Jahr, für Knaben und Mädchen dunkelrothe Karten.
" II, " 4 " " " " " blaue Karten.
" III, " 6 " " " " " grüne Karten.
" IV, " 8 " " " " " gelbe Karten.
" V, " 10 " " " " " braune Karten.
" VI, " 12 " " " " " hellrothe Karten.
" VII, " 14 " " " " " weiße Karten.

Die Eltern, welche mehrere Kinder haben, gehen wie alle anderen von Stand zu Stand und wählen nach den Altersstufen ihrer Kinder unter den Geschenken.

Um die Ordnung aufrecht zu erhalten, ist es erforderlich, daß Jeder die Gegenstände von dem Stand entnimmt, wie es die Farbe seiner Karte anzeigt.

Nach Empfang der Geschenke sind die Ausstellungsräume zu verlassen, um die Nachfolgenden eintreten zu lassen; doch ist es den Kindern wie Eltern freigestellt, sich in den großen Sälen aufzuhalten.

Es ist nicht erforderlich, daß alle Kinder mitgebracht werden müssen, sondern es genügen zur Abnahme der Geschenke die von der zuständigen Gewerkschaft erhaltenen Karten.

Die Eltern werden ersucht, den Kindern etwas mitzugeben, da es doch vorkommen kann, daß die Abfertigung etwas länger dauert; doch machen wir noch einmal darauf aufmerksam, daß auch für die Späterkommenden Geschenke zur Genüge vorhanden sind.

☛ **Ein Umtausch der Gegenstände findet n i c h t statt.** ☚

Der Ausschuß der Berliner Gewerkschafts-Kommission.

Druck von E. Janiszewski, Berlin SO., Elisabeth-Ufer 29.

er siebzig Pfennige hin und daneben einen Zettel folgenden Inhalts:

Siebzig Pfennige, gesammelt von den Obdachlosen in der Wiesenstraße für unsre kämpfenden Brüder in Crimmitschau. An der Sammlung haben sich siebzig Obdachlose beteiligt; jeder gab einen Pfennig.

Vorwärts, 20. Dezember 1903

Rückhalt und organisatorisches Zentrum in diesen Kämpfen sind die mit der Sozialdemokratie eng verbundenen „freien Gewerkschaften". Mehr als 102000 Mitglieder zählt 1903 die Berliner Gewerkschaftskommission; 1906 sind es bereits 212000.

Unter den Bezirksorganisationen der freien Gewerkschaften Groß-Berlins gibt es so mächtige Verbände wie den der Metallarbeiter mit 64100 Mitgliedern, den der Transportarbeiter mit 32300 Mitgliedern oder den der Holzarbeiter mit 25000 Mitgliedern; aber auch die kleinen Gewerkschaften, wie die der Blumenbinderinnen mit 68 Mitgliedern, die der Schiffbauer mit 65 Mitgliedern oder die der Forstarbeiter mit 40 Mitgliedern haben ihre Bedeutung als Organisatoren der wirtschaftlichen Kämpfe, als Erzieher zur Solidarität.

Wer in der damaligen Zeit unter den Kollegen nicht bekannt war und Arbeit suchte, ging „Klinken putzen", das heißt, er ging von Betrieb zu Betrieb und fragte nach Arbeit. Auf diese Art erhielt ich Mitte Februar 1900 bei der Firma Hasse & Wrede Arbeit und fing am 14. Februar 1900 an. Der Betrieb war für damalige Verhältnisse gut organisiert. Kaum stand ich an der Werkbank und hatte mein Werkzeug erhalten, da war schon der Vertrauensmann neben mir und fragte nach der „reinen Wäsche". Er ging erst vom Platz, als er den ausgefüllten Aufnahmeschein für den Verband in Händen hatte. Auch hier ging der Kampf gleich weiter. Bei der Lohnzahlung stellte ich fest, daß ich auch hier nur 30 Pfennige die Stunde erhielt.

Berg, Erinnerungen

Das Gewerkschaftshaus am Engelufer

Um den Leitungen der Bezirksorganisationen und der Generalkommission, die 1903 ihren Sitz in Berlin nimmt, eine Heimstatt zu geben, erbauen sich die Gewerkschaften – mit einer Hypothek des sozialdemokratischen Physikers Leo Arons – am Engelufer ein eigenes Haus. Selbst die „Berliner Illustrierte" hält die „rote Burg" für eine Sehenswürdigkeit:

Von der Herberge für den wegmüden, fremden Arbeiter bis zur Kegelbahn, vom großen Versammlungssaal bis zu den Baderäumen, vom Restaurant bis zur Waschküche ist in reichster und mannigfaltigster Art für alles vorgesorgt, was man von einem Gewerkschaftshaus im Sinne der modernen Arbeiterschaft verlangen kann …

Das schmucke Vorderhaus enthält zwei Verkaufsläden und ein großes Restaurant, das durch die Berliner Schultheiß-Brauerei betrieben wird. Die ersten drei Stockwerke enthalten die Büros für die Gewerkschaften, während für kleinere Gewerkschaften, die nur periodisch einen Raum für Arbeitsnachweis brauchen, ein Saal mit Tischen eingerichtet ist.

Der erste Hof wird wohl in eine Art Restaurationsgarten für den Sommer verwandelt werden. Das erste Quergebäude enthält zu ebener Erde die sehenswerten Küchenräume des Restaurants. Eine breite Treppe führt zum Hochparterre, das zwei kleine Säle und die Garderobenräume enthält. Über diesen befindet sich der große, über tausend Personen fassende Saal, der wohl in erster Linie zu Vorträgen bestimmt ist. Auch in diesem Teile sind die Räumlichkeiten sehr schön ausgestattet und die Fußböden parkettiert.

Weitaus der interessanteste Teil ist das zweite Quergebäude. Hier befindet sich die Herberge mit 200 Betten. Luftige, saubere, anheimelnde Räume. Ein Nachtquartier kostet hier von 40 bis 45 Pfennige. Hier ist der zugereiste Arbeiter prächtig aufgehoben ... Auch ein Lesesaal ist da, in den Seitenflügeln und in den anderen Stockwerken befinden sich noch einige separierte Logiszimmer.

Mit der Raumverteilung wurde musterhaft vorgegangen. Der Bau entspricht in allen Teilen seinen Zwecken auf das beste und bildet so eine Sehenswürdigkeit Berlins.

Berliner Illustrierte Zeitung, 18/1900

Mit „schwarzen Listen", mit Entlassungen „roter Hetzer" und schließlich mit der Aussperrung ganzer Belegschaften gehen die Unternehmer und ihre Verbände gegen die freien Gewerkschaften vor. Bruno Theek schildert, welche Opfer eine solche Aussperrung, die die Unterstützungskassen ruinieren und die proletarische Solidarität zerbrechen soll, einer Arbeiterfamilie auferlegt:

Unser wohlgeordnetes Familiengefüge erlitt eine heftige Erschütterung, als eines Tages mein Vater schon kurze Zeit nach seinem Weggang von Hause wieder zurückkehrte: die Fabrikleitung hatte die Arbeiter ausgesperrt! Wir Kinder hatten natürlich keine Ahnung, was das sei, merkten aber bald an dem finsteren Gesicht, mit dem der Vater in einer Ecke saß, und an den unterdrückten Tränen meiner Mutter, daß ein Unheil über uns hereingebrochen war. Die ständigen Ermahnungen zur Sparsamkeit wurden nun noch häufiger und dringender, Schmalhans wurde Küchenmeister, und es war ein Glück, daß meine Mutter gerade eine kurze Zeit vorher angefangen hatte, durch Heimarbeit etwas hinzuzuverdienen. Sie nähte Krawatten für einen Zwischenmeister, mußte für ein paar Pfennige Tag für Tag in jeder freien Minute bei der Näharbeit sitzen und konnte nun nicht mehr mit uns Kindern, wie sie es bis dahin so oft und so gern getan hatte, in den Humboldthain oder in die Anlagen rings um die Gnadenkirche in der Invalidenstraße gehen, wo wir so schön unter Bäumen oder auf dem Rasen umhertollen konnten ...

Die drei Wochen der Aussperrung gingen schließlich auch vorüber. Aber nie, bis heute nicht, habe ich jene angstvolle Zeit aus meinem Gedächtnis löschen können, in der unser Vater aufgeregt und brummig in der Wohnung umherlief, immer wieder verzweifelt nach Hause kam, weil er noch keine andere Arbeit gefunden hatte, in der alles in der Familie zum Unfreundlichen verwandelt erschien, in der das Essen immer kärglicher wurde und alle Ausgaben auf das äußerste eingeschränkt werden mußten! Und noch heute kann ich kein achtlos fortgeworfenes Stückchen Brot auf der Straße, erst recht nicht im Hause liegen sehen, ohne jener Zeit der unverschuldeten Not zu gedenken ...

Durch die Aussperrung hatte mein Vater wenigstens das eine gelernt, daß der Arbeiter nichts und aller Willkür ausgeliefert ist, wenn er allein steht. Er hatte sich zwar nie um Politik gekümmert, sah aber nun doch ein, daß es besser sei, sich für künftige ähnliche Fälle einen Rückhalt zu verschaffen. Den Weg zur freien Arbeitergewerkschaft fand er allerdings auch damals nicht, und er hat es auch späterhin nie verstanden, daß seine beiden Söhne einer freien Gewerkschaft beitreten konnten und ich darin sogar eine führende Rolle übernahm. Aber er organisierte sich nun doch, und zwar bei den „Hirsch-Dunckerschen Gewerkvereinen". Freilich kann ich mich nicht entsinnen, daß er jemals an einem der monatlichen Zahlabende seiner Organisation teilgenommen hat; die Beiträge dafür habe ich jahrelang an seiner Stelle dorthin bringen müssen.

Theek, Keller, Kanzel und Kaschott

Der Aufklärungsarbeit der Gewerkschaften setzen die Unternehmerverbände aus immer reicheren Fonds gespeiste Pressekampagnen und Flugblattaktionen entgegen. Während der Auseinandersetzung, die 1904 in den Berliner Möbelfabriken und -tischlereien um einen Garantielohn geführt wird – sie wächst sich zu einer großen Schlacht zwischen der Vereinigung der Holzindustriellen und dem Deutschen Holzarbeiterverband aus –, versucht beispielsweise der „Schutzverband" der Arbeitgeber die selbständigen Handwerksmeister mit folgendem Flugblatt für eine Generalaussperrung zu gewinnen, die unweigerlich Hunderte schwacher Kleinbetriebe in den Untergang reißen muß:

Die Unternehmerleitung arbeitete mit den stärksten Mitteln. Mit blutrünstiger Phantasie wurde den erschauernden Meistern ein Schreckensbild des teuflischen Holzarbeiterverbandes aufgezeichnet:

„Wach auf, Meister, erwache!

Ein grimmer Feind rüttelt an der friedlichen Tür Deiner Werkstatt, in frevler Hand trägt er die Fackel der Zwietracht und des Haders, um sie in Deine stille Betriebsstätte zu schleudern; er fletscht Dir seine gierigen Zähne entgegen, um Dich und alles, was Dir lieb auf Erden, zu zerreißen.

Kennst Du den Feind, der Dich mit Weib und Kind zu erwürgen trachtet, um Dich dann hohnlachend zu dem großen Leichenhaufen der durch ihn vernichteten Existenzen zu werfen?

Wir alle kennen diesen unersättlichen Feind, in unser aller Fleisch hat der Holzarbeiterverband seine scharfen Krallen geschlagen, und ein flammender Zorn über gemeinsam erlittene Unbill eint uns zum heiligen Kampf für das höchste Lebensgut: die wirtschaftliche Selbständigkeit."

Aber trotz des erschröcklichen Rüttelns an den friedlichen Werkstattüren sah die Masse der Meister im Holzarbeiterverband immer noch das kleinere Übel gegenüber der aussperrungstollen Unternehmerleitung. Den tönenden Worten von der Generalaussperrung folgte auch diesmal wieder eine verhältnismäßig klägliche Aktion.

Tarnow, Kämpfe und Organisation

Neben den freien Gewerkschaften existieren christliche Gewerkschaften („Fleiß, Gottesfurcht, Nüchternheit und Zufriedenheit" – sind ihr Motto). Es existieren von bürgerlichen Sozialreformern begründete Gewerkvereine; so rekrutieren die Hirsch-Dunckerschen Gewerkvereine 1909 noch immer 16 800 Mitglieder in Berlin.

Und es existieren die sogenannten „gelben" Werkvereine, die direkt von den Unternehmern bezahlt werden und zum Entgelt den „Frieden in der deutschen Industrie" predigen. Ein Metallarbeiter schildert den Gang eines Arbeitsuchenden in das Büro des Siemensschen Werkvereins:

Michaelkirchstraße 20 angekommen, wird der Arbeiter ins Kreuzverhör genommen. Wer glaubt, die Abfertigung daselbst erfolge in gesitteter Weise, irrt sich gewaltig. Selbst der gröbste Ausfall auf einem Kasernenhof kann den Sauherdenton im Büro Michaelkirchstraße nicht übertreffen.

Der Arbeitsuchende erhält ein Flugblatt mit der Überschrift: „Was will der gelbe Arbeitsbund?" und der Anrede: „Der gelbe Arbeitsbund ist die Organisation, welcher Sie sich angeschlossen haben." Dann werden die Entlassungspapiere der letzten drei Jahre verlangt. Hat der Arbeiter sich dieser Musterung unterzogen, so wird er nach der Organisationszugehörigkeit gefragt. Man vermutet in jedem Arbeitsuchenden ein Mitglied des Metallarbeiterverbandes. Wer erklärt, keinem Verbande anzugehören, wird durch Redensarten traktiert wie: „Was, Sie sind nicht im Verband? Sie haben doch in dem Betriebe (AEG usw.) gearbeitet. Sie sind organisiert. Geben Sie mal Ihr Verbandsbuch her!" Es sind Fälle vorgekommen, wo man sogar die – sagen wir – „Kühnheit" besessen hat, den Leuten die Verbandsbücher aus der Tasche zu ziehen! Wer solche Behandlung für unter seiner Würde hält und sich darüber ungehalten zeigt, dem wird die Tür gewiesen.

Alle anderen müssen einen Revers unterschreiben, wonach sie ihren Austritt aus dem Metallarbeiterverband erklären, obgleich sie gar nicht Mitglied sind. Wird bei der Abgabe der Papiere ein Verbandsbuch entdeckt, so wird dasselbe abgenommen mit dem Hinweis, es werde dem Verbandsbüro übermittelt.

Zu alledem kommt, daß derjenige, welcher in Lammsgeduld alles über sich ergehen läßt, nur dann einen von der Firma Siemens verlangten Schein erhält, wenn er 50 Pfennig entrichtet. Mit Namensunterschrift muß dann ein Revers unterzeichnet werden, der lautet: „Gehöre weder einer gegnerischen Arbeiterorganisation an, noch unterstütze ich eine solche." Auch eine auf seinen Namen ausgestellte Mitgliedskarte vom gelben Bund wird ihm ausgehändigt. Auf der einen Seite stehen die Leitsätze der Gelben, auf der anderen Name, Geburtstag und Wohnung.

Nun ist der Arbeitslose so weit vorbearbeitet, daß er auf dem Industriellennachweis Wusterhausener Straße 16 den üblichen Schein erhalten kann, und reif genug, in die Siemenswerke aufgenommen zu werden.

Sozialdemokratische Partei-Correspondenz, 13. Dezember 1913

Freilich radikalisieren sich auf Grund ihrer Erfahrungen im Alltag auch die Mitglieder derjenigen Verbände, deren Leitungen die Harmonie von Kapital und Arbeit predigen. So rebellieren die christlichen Berliner Metallarbeiter solange gegen den Verzicht auf das Streikrecht, bis ihr Verband von seiner Zentrale ausgeschlossen wird.

Andererseits ist auch bei den freien Gewerkschaften das rasche Wachstum der Organisationen nicht automatisch mit einem wachsenden Klassenbewußtsein verbunden. Immer häufiger stecken Gewerkschaftsbeamte die rote Fahne in die Tasche und streichen die „politische Neutralität" der Gewerkschaftsorganisation heraus. Ist es da ein Wunder, wenn Berliner Arbeiter sich immer kritischer äußern, wenn von der Haltung der Gewerkschaftsleitungen die Rede ist?

Fräser, 46 Jahre alt, 39 Mark Wochenlohn
„Ich bin hoffnungslos, weil die Gewerkschaftsbewegung in der heutigen Bewegung ein Koloß auf tönernen Füßen ist. Schwer beweglich, hat sie nur den hauptsächlichsten Zweck, viele Beamte anzustellen und dem heiligen Bürokratismus im verdünnten Aufguß satte Pfründe zu schaffen."

Teppichweber, 27 Jahre alt, 28 Mark Wochenlohn
„Früher ein begeisterter Anhänger der Gewerkschaft, stehe ich heute auf dem Standpunkt, daß dieselbe uns nicht mehr das ist, was sie sein sollte. Machten früher unsere Führer uns aufmerksam auf die guten und besten Mittel zum Kampfe um die Freiheit, so muß man heute leider wahrnehmen, daß dieselben uns nur dazu gebrauchen, um sich einen Sitz in dem Reichs- oder Landtag zu verschaffen oder als Zahl- und Wahlmaschinen. Was nützt ein Kriegsheer, das keine Begeisterung in sich hat; es wird beim ersten energischen Anprall des Feindes geschlagen am Boden liegen. Erst wenn das Volk sich frei gemacht hat von allen es umgebenden Gauklern, als da sind Parlamentarier, reichstarifabschließende Beamte usw., dann naht für uns die Freiheit, dann wird das Schillersche Wort: ‚Doch eine Grenze hat Tyrannenmacht' usw. auch für uns in Erfüllung gehn."

Teppichweber, 42 Jahre alt, 33 Mark Wochenlohn
„Ich bin Sozialdemokrat aus Überzeugung, ohne daß ich in der Lage bin, eine Definition des wissenschaftlichen Sozialismus geben zu können. Und doch bin ich ziemlich hoffnungslos und sage: Mensch, der du Sozialdemokrat bist oder Gewerkschaftler oder beides zugleich, laß alle Hoffnung hinter dir. Warum? Die Schuld liegt an den Führern der Gewerkschaften. Die kleinen Tagesfragen, mit denen sie sich fortgesetzt befassen müssen, trüben den weiten Blick und lassen ihnen das Endziel als Utopie erscheinen. Sie betrachten alles wie vorsichtige Geschäftsleute nach dem Kostenpunkt. Dann werfen sie einen Blick in die Kassen und sagen: Das wird uns zu teuer."
Levenstein, Die Arbeiterfrage

Die Probe auf Klassenbewußtsein und Kampfbereitschaft der organisierten Arbeiter ist der 1. Mai, der Kampftag, der Tag der Heerschau über alles, was zu den sozialistischen Idealen steht. Der Morgen des 1. Mai 1901 sieht eine schon vertraute Szene:

Hans Baluschek: *Die rote Fahne am 1. Mai,* 1898

Hoch der erste Mai! Diese Aufschrift trug eine vier Meter lange und zwei Meter breite rote Fahne, welche am Morgen des Arbeiter-Feiertages in der Siemensstraße zu Oberschöneweide lustig vom Telefondraht herabflatterte. Nachdem Hunderte von Arbeitern das Schmuckstück in Augenschein genommen hatten, erschien eine Abteilung Soldaten, welche in der Gegend von Oberschöneweide eine Übung zu machen hatten. Der Offizier, welcher die Truppe führte, machte sich eigenhändig ans Werk, um die rote Fahne herabzunehmen, doch war die Arbeit vergeblich, so daß das Militär schließlich weitermarschierte. Eine halbe Stunde später sah der erste Polizeibeamte unsres Nachbarorts das rote Feldzeichen. Doch auch diesem Herrn gelang es bei aller Anstrengung nicht, die Fahne zu entfernen. Endlich jedoch kam ein ordnungsstützender Staatsbürger auf Geheiß des Beamten mit einer langen Stange daher, und vermöge dieses Apparats war es nach einigen Mühen möglich, die Fahne herunterzureißen und somit die Ordnung wieder ins Geleise zu bringen.

Vorwärts, 4. Mai 1901

Die Arbeitgeberverbände Berlins drohen, alle Arbeiter, die den 1. Mai feiern, bis zum Schluß der Woche auszusperren. Die Innungen fordern ihre Mitglieder auf, jeden Gesellen, der an diesem Tag der Arbeit fernbleibt, unter allen Umständen zu entlassen. Die leitenden Gewerkschaftsbeamten warnen, es sei nicht ratsam in einer Zeit der Wirtschaftskrise „Konflikte heraufzubeschwören". Dennoch legen am 1. Mai 1901 vierzigtausend Berliner die Arbeit nieder, um ihren Feiertag mit den Familien, Kollegen und Genossen zu begehen.

Der Vormittag des 1. Mai ist den Veranstaltungen der Gewerkschaften vorbehalten. Über vierzig große Zusammenkünfte vereinigen Bauarbeiter und Fliesenleger, Maler und Zimmerer, Zinkgießer und Möbelpolierer, Lederarbeiter und Musikinstrumentenbauer mit ihren Frauen in den traditionellen Versammlungslokalen der Arbeiter in und um Berlin.

Am Nachmittag und Abend finden die Maifeiern der Parteigenossen statt: im Feenpalast, in der „Neuen Welt" in der Hasenheide, in Kellers

Festsälen in der Koppenstraße, in der Brauerei Friedrichshain, im Berliner Prater in der Kastanienallee, im Saal der Bockbrauerei am Tempelhofer Berg.

Schon am Nachmittag hatten sich zahlreiche Familien eingefunden, und der Strom der Kommenden hörte bis zum späten Abend nicht auf. Die Zahl der Festteilnehmer dürfte mit 7000 nicht zu hoch geschätzt sein. Das frische duftige Maiengrün im Garten harmonierte trefflich mit dem sieghaften Rot der überall wehenden Flaggen. Und Harmonie war in der ganzen großen Gemeinschaft, die hier, entrückt dem grauen Einerlei des Werktags, sich an den Klängen der Musik sowie an den stimmungsvollen Frühlingsliedern und begeisternden Streitgesängen erfreute, welche die Sänger darboten. Gegen acht Uhr begann Genosse Paul Singer im festlich geschmückten großen Saal vor etwa 1500 Zuhörern seine Festrede. In wuchtigen Worten wandte er sich gegen den Kapitalismus und Militarismus unsrer Tage und betonte den Charakter der Maimanifestation der Arbeiter der Welt als einer Manifestation für Sozialreform, für Völkerfrieden und Völkerfreiheit. Nach kritischer Berührung des Kampfes in Transvaal und der Chinaabenteuer, die der Redner mit beißendem Spott glossierte, dankte er mit Wärme den heldenhaften Freiheitskämpfern in Rußland und gab dem Abscheu vor den barbarischen Taten des Zarismus kräftigen Ausdruck. Seine vielfach von lebhaftem Beifall unterbrochenen Ausführungen schloß er mit einem Hoch auf die internationale Sozialdemokratie, auf den Achtstundentag und auf das Proletariat aller Länder. Die Versammlung stimmte begeistert ein. Unter Absingen der Marseillaise strömte wieder alles ins Freie. Die auf der Sommerbühne gestellten lebenden Bilder, darstellend den alten Liebknecht als Lehrer und Redner und die „Huldigung der Göttin der Freiheit durch Arbeit und Wissenschaft", fanden vielen Beifall.

Vorwärts, 2. Mai 1901

Blick auf die Petrikirche von der Friedrichsgracht und Grünstraße

Welche Eindrücke eine solche Maifeier in den Familien der Arbeiter hinterläßt, widerspiegeln Otto Nagels Erinnerungen:

Man trank Weißbier mit 'nem Schuß aus typischen Altberliner Weißbiergläsern, flache Gefäße, und wie das schmeckte! Oder man fuhr Karussell und bekam eine Stocklaterne mit den Bildern von August Bebel, Wilhelm Liebknecht oder Paul Singer und mit der Aufschrift „Freiheit, Gleichheit, Brüderlichkeit" oder „Wenn dein starker Arm es will". Im Rose-Theater trat in den Vorstellungen der alte Bernhard Rose noch persönlich auf, in irgendeinem alten Volksstück, das sehr beliebt war und vom heutigen Standpunkt sehr brav irgendwelche Ungerechtigkeit, die einem alten Handwerker geschah, darstellte. Dann gab es Spezialitätentheater mit auf der Bühne sitzenden Soubretten, die auf den Auftritt warteten; diese Soubretten mit ihren Flitterkleidern machten mir besonderes Vergnügen, nicht so sehr wegen ihres Auftritts, sondern wegen ihrer farbigen Kostüme. Nachmittags turnten auf dem Freiplatz die Mitglieder vom Verein „Fichte" des Arbeiter-Turner-Bundes in ihrer schmucken weißen Turnertracht an Reck und Barren, oder die Mitglieder des „Arbeiter-Radfahrer-Bundes Solidarität" zeigten Kunstfahren auf ihren mit Girlanden geschmückten Fahrrädern. Der Höhepunkt des Abends waren dann die „Lebenden Bilder", die auf der Bühne von Sportlern dargestellt wurden. Da sah man, bengalisch beleuchtet, in der Mitte den lederbeschürzten Schmied vor dem Amboß stehen, den Hammer in der starken Hand, links und rechts flankiert von den Vertretern aller anderen Berufe. Wir wußten, daß die Arbeiter, die sich am 1. Mai an den Feiern beteiligten und deshalb der Arbeit fernblieben, am 2. Mai in den Betrieben, in denen sie tätig waren, mit Entlassung rechnen mußten. Dieses Wissen gab der ganzen Veranstaltung für mich etwas geradezu Aufregendes. Ich war stolz darauf, an solchen Maifeiern teilnehmen zu können.

Nagel, Autobiographische Zeugnisse

Am 3. Mai 1901 zählt der „Vorwärts" die von den Unternehmerorganisationen Gemaßregelten: „Der Holzarbeiterverband hatte 2922 Ausgesperrte von 175 Betrieben zu verzeichnen ... Von den Möbelpolierern sind in 35 Werkstätten 230 Mann ausgesperrt worden ... Dem Zentralverband der Maurer sind 1480 Maßregelungen gemeldet. Der Lokalorganisation* 657. Die Zahlen dürften sich noch erhöhen ..."

Dennoch sind es 1903 bereits 50000 Berliner Arbeiter und Arbeiterinnen, die am 1. Mai die Arbeit niederlegen. 1905 sind es 60000. Die Arbeitsruhe als Demonstration für die Ziele der internationalen Arbeiterbewegung setzt sich durch.

---

* Es handelt sich bei der „Lokalorganisation" nicht um die örtliche Organisation des Zentralverbandes der Maurer Deutschlands, sondern um den „lokalistischen" Verein der Berliner Maurer. Die „Lokalisten", die in Berlin zu dieser Zeit noch mehr als 10000 Mitglieder zählten, lehnten jede straffe Zentralisation der Gewerkschaftsarbeit ab.

„Wir sind die größte der Partei'n ..."

Um die Jahrhundertwende hat sich die Sozialdemokratie mit einem Zuschuß von 500 000 Mark, den die Berliner Wahlvereine aufbringen, in der Lindenstraße 69 ein eigenes Haus erbaut. Dieser Neubau ist die gelassene Antwort der Berliner Genossen auf die Worte Wilhelms II., der eben den Professoren der Technischen Hochschule erklärt hat: „Die Sozialdemokratie betrachte ich als eine vorübergehende Erscheinung."

In die Lindenstraße 69 zieht der Parteivorstand der Sozialdemokratischen Partei Deutschlands ein. Hier ist der Sitz der „Vorwärts"-Buchhandlung. Hier wird, auf modernsten Rotationsmaschinen, der „Vorwärts", das Zentralorgan der deutschen Sozialdemokratie, gedruckt. Seinen Lokalteil kontrolliert die Berliner „Preßkommission", da der „Vorwärts" zugleich „Berliner Volksblatt" ist.

In Groß-Berlin gibt es 1905 rund 46 000 Leser des „Vorwärts". Voll Neid schreibt das Blatt des Bundes der Landwirte, das es im ganzen Reich kaum auf 40 000 verkaufte Exemplare bringt:

Wenn ein Blatt, das sich doch im wesentlichen an die minderbemittelten Kreise des Volkes wendet, 92 000 zahlende Leser hat, wenn es einen außergewöhnlich hohen Reingewinn abwirft, so läßt sich die Bedeutung eines solchen Erfolges nicht bestreiten ... Wer das hauptstädtische Straßenleben und die Arbeiter im besonderen beachtet, der wundert sich über diesen Erfolg nicht. Wenn früh am Morgen die Arbeiterbataillone zu den Fabriken strömen, dann sieht man aus vielen Seitentaschen die neueste Nummer des „Vorwärts" hervorlugen. Sie wird nicht versteckt, sondern mit einem gewissen Stolze zur Schau getragen. Es sind aber nicht nur die besser besoldeten, die führenden Arbeiter, die das Blatt lesen und halten, sondern auch solche, denen man es auf den ersten Blick ansieht, daß sie zur niedersten Klasse gehören und mit der Not des Lebens schwer zu kämpfen haben. In den Abteilen der Vorortzüge, in den Straßenbahnwagen, in den Wartehallen und auf den Bahnhöfen kann man beobachten, wie der „klassenbewußte" Arbeiter jede Minute, jede Pause benutzt, um sich in das Studium „seines" Blattes zu vertiefen. Er pflegt mit solcher Hingebung zu lesen, daß er beinahe das Treiben ringsumher vergißt.

Die Arbeiter bringen damit ein großes Opfer in mehrfacher Beziehung. Der Bezugspreis des „Vorwärts" beträgt wöchentlich 28 Pfennig. Das ist immerhin ein nicht unerheblicher Bruchteil des Tagelohnes! Viele müssen eine Stunde, vielleicht auch länger arbeiten, ehe sie den Wochenpreis zusammengebracht haben. Den Eindruck, als ob sie das ungern oder „gepreßt" täten, machen sie nicht. Im Gegenteil, wir haben mehrfach erfahren, daß der Sohn und der Bruder sich nicht damit begnügen, daß der Vater oder der Bruder den „Vorwärts" hält und liest, sondern daß jeder seinen Stolz darein setzt, selbst sein Blatt zu haben und zu bezahlen. Zu den Opfern an Geld kommt das Opfer der Zeit. Die Ruhepausen und die Feierabendstunden sind dem Arbeiter knapp zugezählt. Von dieser knapp bemessenen freien Zeit widmet er einen verhältnismäßig großen Teil dem Lesen seines Blattes. Und der „Vorwärts" mutet seinen Lesern ziemlich viel zu. Er bietet nicht immer eine leichtverdauliche, schmackhafte Kost; der Leser wird vielmehr oft gezwungen, sich anzustrengen und sich durch ziemlich lang ausgesponnene Erörterungen hindurchzuarbeiten. Beobachtet man die „Vorwärts"-Leser, so wird man finden, daß sie die Mühen des Hindurcharbeitens nicht scheuen, sondern mit einer peinlichen Gewissenhaftigkeit ihr Blatt, womöglich vom Kopfe bis zum Druckereivermerke, sich geistig aneignen ... Zwanzigjährige Arbeiter, die das Zentralorgan der Arbeiter lesen, sind keine Seltenheit.

Deutsche Tageszeitung, 26. August 1905

In den Berliner Parteiorganisationen wird freilich immer wieder über die agitatorische und propagandistische Wirksamkeit des Zentralorgans diskutiert. Auf dem rechten Flügel der Partei wird räsoniert, daß der „Vorwärts" zu wissenschaftlich schreibe, zuviel Politik bringe, zu trocken sei. Die „Radikalen" in der Berliner „Preßkommission" fordern hingegen immer wieder, daß der weltanschauliche Gehalt der Artikel und Kommentare des „Vorwärts", ohne den Charakter eines „Volksblattes" aufzugeben, zu vergrößern sei.

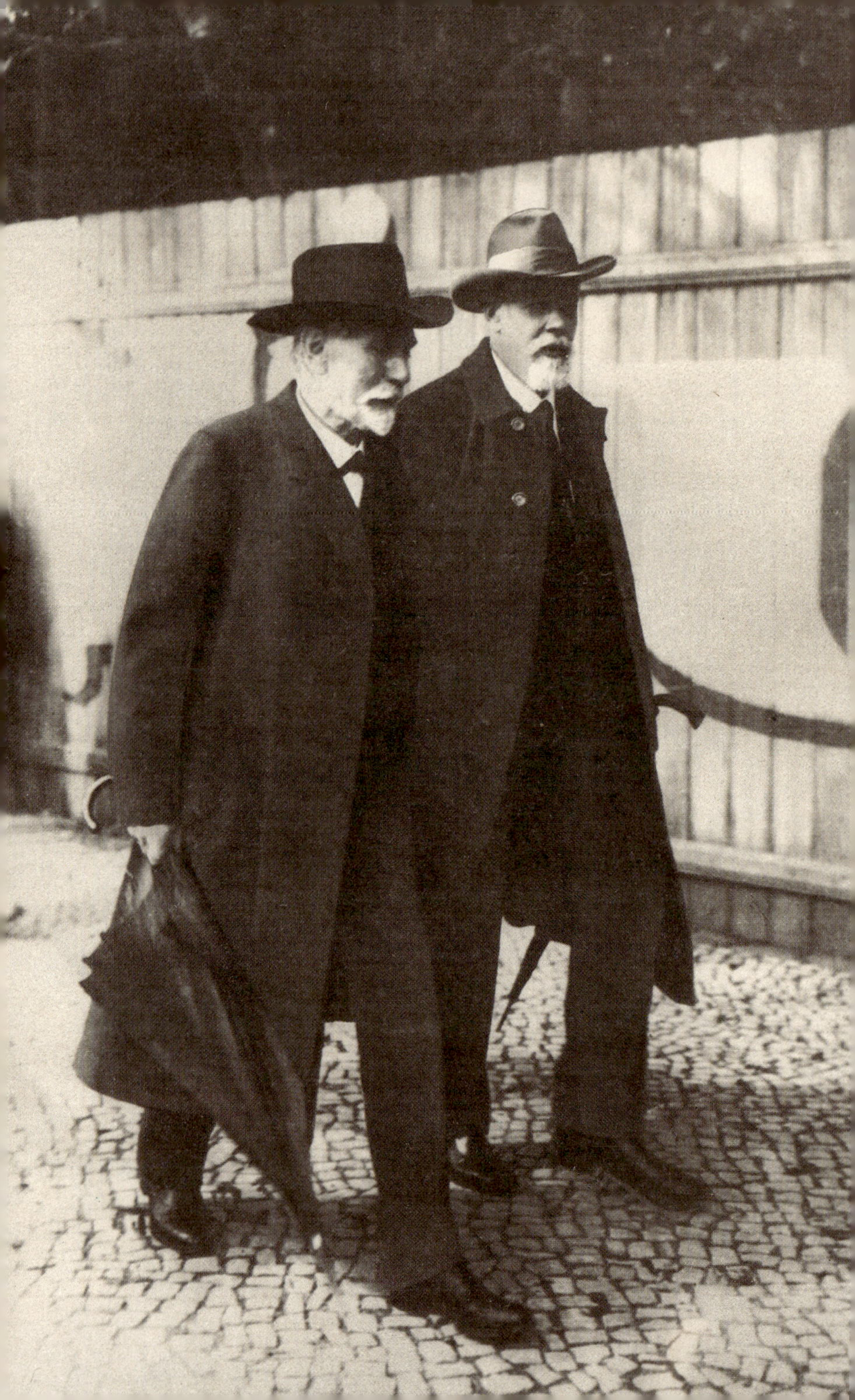

Um den Angriffen der Reaktion auf die Legalität der Sozialdemokratie zuvorzukommen, haben die Parteiorganisationen den Charakter von Reichstags-Wahlvereinen angenommen. Eine Gesamtberliner Parteiorganisation gibt es zunächst nicht. Erst 1905 konstituiert sich der „Verband sozialdemokratischer Wahlvereine Berlins und Umgegend". Erster Vorsitzender wird Eugen Ernst.

Die Groß-Berliner Parteiorganisation ist von ihrer Gründung an die größte in ganz Deutschland. 41 700 Mitglieder zählt sie 1906. Einem Flugblatt des IV. Wahlkreises entnehmen wir Angaben über die soziale Zusammensetzung der Mitgliedschaft: 89,9 Prozent Arbeiter, 9,0 Prozent kleine Geschäftsleute, Händler und Wirte, 0,8 Prozent kaufmännische und technische Angestellte, 0,3 Prozent Lehrer und Künstler.

Noch bilden in der Berliner Parteiorganisation die marxistischen Kräfte die überwältigende Mehrheit, eine relativ geschlossene Front.

In Schöneberg wohnt August Bebel, der Vorsitzende der Sozialdemokratischen Partei Deutschlands, einer der angesehensten Führer der II. Internationale, der auch unter den fortschrittlich eingestellten Angehörigen anderer Klassen und Schichten Achtung und Respekt genießt.

Zu Bebels 60. Geburtstag schreibt Heinrich Guttmann in der „Berliner Volkszeitung":

In dem sonst so stillen, kleinen aber behaglichen Heim in der Habsburger Straße wird es am Donnerstag lebhaft hergehen. Gratulanten werden kommen und gehen, und die Briefträger und Telegrafenboten werden ein ansehnlich Stück Arbeit zu bewältigen haben. Und nachmittags im Reichstag wird das Gratulieren von neuem anheben, und nicht nur die eigenen Parteigenossen, auch viele Mitglieder der übrigen Parteien werden sich an den Sympathiekundgebungen beteiligen ...
August Bebel ist vielleicht heute der populärste deutsche Volksmann. Ich sage das nicht vom Standpunkt des engen Parteifreundes. Auch in den Kreisen der bürgerlichen Demokratie, die mit dem wirtschaftlichen Endziel der Sozialdemokratie nichts gemein hat, hoffe ich mit dieser Behauptung nicht auf Widerspruch zu stoßen. Von Jahr zu Jahr ist er populärer gewor-

August Bebel und Karl Kautsky, 1910

Paul Singer

den. In dem Maße, wie der Einfluß der bürgerlichen Opposition abgenommen hat, ist die Bedeutung Bebels und seiner Partei im Parlamente gestiegen. An der wachsenden Schätzung dieser Führer-Persönlichkeit kann man die Größe der von der Sozialdemokratie vollzogenen moralischen Eroberungen recht eigentlich ermessen.

Berliner Volkszeitung, 20. Februar 1900

Mitglied der Berliner Parteiorganisation ist Paul Singer, zweiter Vorsitzender der Sozialdemokratischen Partei und ihr führender Kommunalpolitiker. Unter seiner Leitung kämpfen die sozialdemokratischen Abgeordneten im Roten Rathaus für das allgemeine, gleiche und geheime Wahlrecht in der Gemeinde, für die Beseitigung der privaten Verkehrs- und Energiemonopole, für den Bau von Wohnungen, „die allen Anforderungen der Volkswohlfahrt entsprechen", für eine verbesserte öffentliche Gesundheitspflege, für eine demokratische Reform des Bildungswesens und für die Hebung der sozialen Lage der städtischen Arbeiter und Angestellten.

Der Respekt, den Singers Persönlichkeit und politisches Wirken auch seinen Gegnern abverlangen, spricht aus den Erinnerungen Ludwig Hoffmanns, der 1898 Stadtbaurat von Berlin geworden ist:

Bei den Stadtverordneten behandelte man mich im allgemeinen gut, hier war es vor allem der Sozialistenführer Paul Singer, der mich stützte. Wallot hatte mir früher gesagt, beim Reichstagsbau hätten er und seine Arbeit unter einer Reichstagsbaukommission sehr gelitten, nur zwei ihrer Mitglieder, der bayrische Gesandte Graf Lerchenfeld und Paul Singer, wären stets sehr wirkungsvoll für ihn eingetreten. Singer war ein ruhiger und feinfühlender Herr, mit dem ich sehr gern mich unterhielt. Er hatte kein Verständnis für Kunst, begriff aber bei seinem großen Verstand sofort, was man ihm erklärte. Hatte er Vertrauen zu einem Menschen, so interessierte er sich auch für dessen Arbeiten und trat für sie ein. Und zu mir hatte er großes Ver-

Paul Singer

trauen ... Er beherrschte die Mitglieder seiner Fraktion vollständig und übte auch außerhalb des Rathauses auf die Massen großen Einfluß aus. Nach seinem Tode bat mich der Vorstand der Sozialdemokratischen Partei, ein einfaches Denkmal für ihn zu entwerfen, was ich sehr gern tat. Ein schlanker Obelisk zeigt den charaktervollen Kopf des intelligenten Stadtverordneten.*

Ludwig Hoffmann, Lebenserinnerungen eines Architekten

In der Saarstraße 14 in Friedenau wohnt Karl Kautsky. Er gibt die theoretische Zeitschrift „Neue Zeit" heraus, die in den ersten Jahren des Jahrhunderts den Standpunkt der revolutionären Sozialdemokratie vertritt.

Kautsky, der sich der persönlichen Bekanntschaft mit Marx und Engels rühmen kann, veröffentlicht 1902 seine Schrift „Die soziale Revolution" – nach den bissigen Worten Bernhard von Bülows „der Baedeker für den Zukunftsstaat".

Weniger erfolgreich ist Karl Kautsky in der propagandistischen Kleinarbeit, wie Rosa Luxemburgs heiter-ironischer Brief vom 13. Oktober 1905 an ihren Freund und Kampfgefährten Leo Jogiches beweist:

Teurer Dziodziuś! ... Stell Dir vor, Karl hatte auf die Bitte der Friedenauer Genossen einen Vortrag über ... „Marx' ökonomische Lehre" – und rate, wo? – in dieser obskuren Kneipe an der Ecke Menzel- und Beckerstraße, wo diese beiden entzückenden Hündchen sind, die wie Tiger aussehen, und die, wie es sich herausstellt, „eine Hochburg" der hiesigen Sozialdemokratie ist. Natürlich ging ich mit ihnen, und wir betraten ein verräuchertes, winziges Zimmerchen, darin saßen dichtgedrängt und höchst konzentriert – fünfundzwanzig Mann. Karolus räusperte sich und begann vorzutragen, was das ist, Wert und Tauschwert – NB, so unpopulär, daß ich mich direkt wunderte. So etwa ein Stündchen. Die Ärmsten kämpften krampfhaft gegen das Gäh-

---

* Der Obelisk, den Hoffmann für Paul Singer gestaltet hat, steht heute in der Neuen Gedenkstätte auf dem Friedhof der Sozialisten in Friedrichsfelde, efeüberwachsen die Ringmauer überragend, auf dem dritten Grab von links.

nen und den Schlaf an. Dann begann die Diskussion, ich mischte mich ein, und sofort wurde es sehr lebhaft; die Leute sagten immer wieder, daß ich oft kommen soll, es war sehr gemütlich, und wir unterhielten uns alles in allem sehr gut. Karolus gingen vor Bewunderung die Augen über: Woher du alle diese Tatsachen weißt (verschiedene Praktiken mit Tarifverträgen etc.), und woher verstehst du, so mit den Leuten umzugehen usw.

Rosa Luxemburg, Briefe/2

Rosa Luxemburg, Mitarbeiterin der „Leipziger Volkszeitung" und der „Neuen Zeit", wohnt ebenfalls in Friedenau, nur wenige Straßenecken von Kautskys entfernt.

In den Jahren dieser großen Freundschaft ist Rosa, wenn sie keine Rede halten muß, fast jeden Sonntag bei den Kautskys zu Gast. Sie kommt gegen ein Uhr und verbringt den übrigen Tag bei ihnen. Nach dem Mittagessen haben Kautsky und sie beinahe immer etwas zu besprechen; bei gutem Wetter wird dann oft ein gemeinsamer Spaziergang gemacht – mit der ganzen Familie oder auch mit andern Gästen. Mit der Vorortbahn ist man in einigen Minuten draußen, in den waldigen Hügeln des Grunewaldes, wo es auch entzückende Seen gibt. Trotz ihres Gebrechens ist Rosa gut zu Fuß. Und wie genießt sie die Natur! Die Erde, den Himmel, das Rauschen des Kiefernwaldes und seinen erquickenden Duft: alles nimmt sie in sich auf. Ihre Sinne sind immer wach und gespannt. Im Laufe der Jahre wird sie eine leidenschaftliche Botanikerin; aber die verstandesmäßige Kenntnis der Natur verringert ihre Empfänglichkeit für Eindrücke nicht, sondern stimmt im Gegenteil damit harmonisch überein. Fröhlich, hungrig, angenehm müde kommt man gegen Abend nach Haus...

Solche Stunden der Entspannung und Erholung sind für Rosas Leben voll ununterbrochener intensiver Arbeit unentbehrlich. Sie gönnt sich keine Ruhe und arbeitet oft zwölf Stunden hintereinander.

Sie stürzt sich in die Propaganda wie in eine Brandung, mit der sie bis zur Erschöpfung ringt. Sie lebte, schreibt ihre Freundin, in einem Tempo, das kein anderer Mensch ausgehalten hätte. Aber sie besitzt die kostbare Gabe, in den Augenblicken der Erholung wieder wie ein Kind zu werden, empfänglich und ausgelassen fröhlich.

Wenn der Abend vorüber ist, die Diskussionen verstummen und die Gäste nach Hause gehen – selten spät, denn alle wissen, daß der Hausherr kein Freund vom späten Zubettgehen ist –, dann fordert Luise Kautsky ihren Teil an der Freundschaft, vielleicht den besten Teil. „Komm, ich will dich nach Haus bringen." Ich weiß nicht, ob ihr Mann brummte, aber auch das hält sie nicht davon ab, hierin ihrem eigenen Willen zu folgen. Aber das „Nachhausebringen" dauert lange, manchmal stundenlang, obwohl es nur zehn Minuten von der Saarstraße nach der Cranachstraße sind. Hin und zurück schlendern die Freundinnen durch die stillen abendlichen Straßen, wer weiß wie oft, wenn die Nächte mild sind und die Herzen überquellen ...

Es gibt auch genug Spaß auf solchem nächtlichen Spaziergang. Oft hat Rosa ihren Hausschlüssel, den „Dricker", wie sie ihn auf gut berlinisch nennt, vergessen. Die große Haustür ist schon lang geschlossen: sie muß warten, bis der Nachtportier ihr aufschließt. Dann prustet sie vor Lachen, wenn er endlich erscheint. Manchmal erfaßt sie eine unbezähmbare Lust, eine Arie von Mozart oder ein revolutionäres Lied anzustimmen. Das eine wie das andere ist im kaiserlichen Deutschland verboten. Anständige Bürger singen nicht auf der Straße. Gerade darum aber tut es Rosa, sie muß ihren rebellischen Gefühlen Luft machen. Und erst wenn, wie aus dem Boden gewachsen, die martialische Gestalt eines Berliner Schutzmannes vor den beiden Frauen auftaucht und sie eine Standpauke kriegen, weil sie die nächtliche Ruhe stören, dann hat sie ihren Willen ...

In dieser Friedenauer Zeit ist Rosa Luxemburg noch nicht die Märtyrerin und Heilige. Sie ist die unverzagte Kämpferin, die kaltblütig Schläge austeilt und Schläge empfängt; die unermüdliche Vertreterin eines auf Aktion abzielenden Marxismus, die streitbare Amazone, für die der Kampf nicht Last, sondern Lust

ist, keine unangenehme Pflicht, sondern organisches Bedürfnis. Ihr eigenes kämpferisches Temperament vermißte sie, besonders als die Verhältnisse zu schärferem Kampf drängten, immer mehr bei Kautsky. Vergeblich versucht sie ihm von ihrer eigenen Art her begreiflich zu machen, wie der Kämpfer streiten muß, wenn die sittlichen Werte, die aus dem Streit erwachsen können, verwirklicht werden sollen. „Es ärgert mich", schrieb sie ihm im Jahre 1904 aus dem Gefängnis in Zwickau, wo sie eine Strafe wegen Majestätsbeleidigung absaß, „daß Du mich um meine Zelle beneidest! Daß Du Kurt (Eisner), Georg (Gradnauer) & Co. gründlich auf den sogenannten Kopf schlagen wirst, zweifle ich nicht. Aber Du mußt es mit Lust und Freude tun, nicht wie ein lästiges Intermezzo, denn das Publikum fühlt die Stimmung der Kämpfenden immer heraus, und die Freude am Gefecht gibt der Polemik einen hellen Klang und eine moralische Überlegenheit."
Henriette Roland-Holst, Rosa Luxemburg

Mitglied der Steglitzer Parteiorganisation ist der Publizist Franz Mehring, der 1897/98 die erste Geschichte der deutschen Sozialdemokratie herausgegeben hat. 1902 veröffentlicht er den literarischen Nachlaß von Karl Marx, Friedrich Engels und Ferdinand Lassalle. Er schreibt regelmäßig Aufsätze zum Zeitgeschehen und zu wichtigen Ereignissen im Berliner politischen Leben in der „Neuen Zeit".

Aus Rosa Luxemburgs Briefen erfahren wir, wie zwischen ihr und den Mehrings eine zunehmende persönliche und politische Sympathie entsteht. Im Februar 1902 projektieren Franz Mehring und Rosa Luxemburg gemeinsam mit Max Grunwald ein „Berliner Montagsblatt". Rosa Luxemburg an Leo Jogiches:

Stelle Dir vor, gestern war Mehring bei mir, um mich nach meiner Rückkehr zu begrüßen, genauso, wie er vergangenen Montag vor meiner Abreise hier war, um mich zu verabschieden ... Er kam, um mir gleichzeitig etwas Neues mitzuteilen. Also Grunwäldchen, der am 1. Juli von Erfurt weggeht und irgendeine Stelle und Verdienst sucht, hat den sehr klugen Einfall gehabt, ein Montags-Wochenblatt zu gründen. Sein Eigentum ist und bleibt in diesem ganzen Unternehmen wohl nur der Einfall, denn das Geld muß erst gefunden werden, und die Redaktion müßte natürlich Franz übernehmen. Die Idee ist deshalb gut, weil es am Montag keinen „Vorwärts" gibt und das Publikum das Blatt gerne kaufen wird, gleichzeitig wird so der Schein einer Konkurrenz zum „Vorwärts" wie zu der „Neuen Zeit" vermieden. Es müßte ein lebendiges, farbiges, politisches und polemisches Blättchen sein.

Franz nahm den Einfall sehr wohlwollend auf, wobei er sich lediglich *mein* Einverständnis und meine Mitarbeit ausbedingte, denn ohne mich will er nichts anfangen... Wie Franz und Grunwald planen, soll das Blatt von der Berliner Pressekommission als Parteiorgan anerkannt werden, insbesondere als Organ der extremen Berliner Linken... Wenn daraus etwas würde, wäre es sehr schön...

Rosa Luxemburg, Briefe/1

Leider zerschlägt sich das Projekt des revolutionären Montagsblattes. Beide aber, Rosa Luxemburg und Franz Mehring, bleiben streitbare, temperamentvolle Mitarbeiter der „Neuen Zeit".

Mitglied der Parteiorganisation des I. Wahlkreises ist Karl Liebknecht, der in der damaligen Kaiser-Wilhelm-Straße 19 eine Wohnung bezogen hat.

Am 6. November 1901 wird Karl Liebknecht zum Stadtverordneten gewählt. 1902 wird er Mitglied des Ausschusses zur Vorprüfung der Gültigkeit der Stadtverordnetenwahl und der Deputation für die Armendirektion. 1904 wechselt er in die Kommission über, die die Unterstützungsbeiträge für die Studenten der Berliner Universität verteilt.

Karl Liebknecht führt gemeinsam mit seinem Bruder Theodor ein Rechtsanwaltsbüro, das sich An der Spandauer Brücke befindet. (Später zieht es in die Chausseestraße 121/122 um.) Dank Karl Liebknechts energischem Eintreten für die Werktätigen aller Schichten, die sich in den Fußangeln des preußischen Landrechts oder des neuen Bürgerlichen Gesetzbuches verfangen, entwickelt sich das Anwaltsbüro rasch zu einer der größten juristischen Praxen in Berlin.

Liebknechts Sekretärin Martha Nothnagel:

Franz Mehring, um 1900

Die Zusammenarbeit mit Karl Liebknecht habe ich stets als angenehm empfunden. Er verlangte eine saubere, genaue Arbeit, dankte für jede Hilfe und lobte die gute Leistung. Trotz der Berge von Akten und Papieren, die er täglich zu bewältigen hatte, war er immer freundlich und strahlte Liebe und Wärme aus ...

Karl Liebknecht hatte eine große Strafpraxis, und auch diese Tätigkeit als Rechtsanwalt machte ihm Freude. Er wurde von vielen einfachen Menschen aufgesucht, die seine Hilfe brauchten. Karl Liebknecht übernahm die Verteidigung in kriminellen Verfahren, aber hauptsächlich in politischen Prozessen. Er wurde von den Richtern gefürchtet, denn seine Plädoyers waren außerordentlich überzeugend und hatten bei den Zuhörern einen durchschlagenden Erfolg, vielleicht auch manchmal bei den Richtern, die es aber nicht wagten, ihm beizupflichten. Er urteilte niemals nur nach den Buchstaben und strengen Paragraphen des Gesetzes, sondern beurteilte den ganzen Menschen, seine Entwicklung, seine Umwelt und sah alles im Zusammenhang mit den herrschenden politischen Verhältnissen. Für jeden Gestrauchelten hatte er ein gutes und belehrendes Wort. Die Höhe des Honorars für die Verteidigung war nicht das wichtigste, sondern die Sorge um die Menschen, die sich ihm anvertrauten.

Martha Nothnagel, Erinnerungen

Liebknecht hilft den von der zaristischen und der preußischen Geheimpolizei verfolgten russischen Sozialisten in Berlin. „Die russischen politischen Emigranten sehen", so berichtet Alexandra Kollontai, „Liebknecht dem Geiste nach als einen der Ihren an."

Der bekannteste Klient Liebknechts aus den Reihen der russischen Sozialdemokraten ist P. A. Krassikow, Mitvorsitzender des II. Parteitages der SDAPR, der 1903 in Berlin verhaftet wird.

Als ich vom Parteitag über Berlin zurückfuhr, wurde ich von der Berliner Polizei, die immer sehr enge Kontakte zur Petersburger Ochrana (Geheimpolizei) hatte, verhaftet. Dieser Zwischenfall war an sich nichts Außergewöhnliches, aber es lohnt sich, darüber zu erzählen, weil diese Begebenheit einige Charakterzüge

Karl Liebknechts und seine Haltung zu den revolutionären russischen Sozialdemokraten deutlich macht.

Ich wurde auf die rücksichtsloseste Weise in der Wohnung des in Berlin lebenden Genossen Schtsch. verhaftet. Am frühen Morgen drang ein Polizeiagent in Schtsch.s Zimmer ein, als noch alle im Schlaf lagen, offensichtlich auf eine Benachrichtigung hin, daß ein Russe neu angekommen war. Er verlangte Papiere, nahm Anstoß an dem bulgarischen Paß, mit dem ich reiste, und erklärte mich sowie den Inhaber der Wohnung für verhaftet und führte uns beide zum Polizeipräsidium am Alexanderplatz. Hier verheimlichte man gar nicht, daß die deutsche Polizei auf russische Revolutionäre Jagd macht und daß die Beschuldigung, der Paß sei falsch, nur ein Vorwand war. Ich wurde peinlichst allen Körpermessungen unterzogen und dann ins Gefängnis des Polizeipräsidiums gesteckt. Es war klar, daß mir die Auslieferung in die Hände der russischen Gendarmen drohte und daß eine Anfrage nach Petersburg abgegangen war.

Es mußte etwas unternommen werden. Ich entschloß mich, Karl Liebknecht zu verständigen. Der Brief, den ich aus dem Gefängnis an die Redaktion des „Vorwärts" schrieb, erreichte ihn glücklich. Nach zwei bis drei Tagen rief man mich in den Empfangsraum. Damals habe ich zum ersten Mal Karl Liebknecht kennengelernt. Er war in den besten Jahren und machte auf mich einen bezaubernden Eindruck durch seine in höchstem Maße herzliche, kameradschaftliche Art. Er zweifelte nicht daran, daß man mich ausliefern werde, und erklärte, daß dies um jeden Preis verhindert werden müsse. Sein Plan bestand darin, das Verfahren in die Länge zu ziehen und nach dem Urteil der ersten Instanz an die zweite zu appellieren und dabei den Zeitpunkt der Aktenübergabe auszunutzen ...

Liebknecht führte seinen Plan glänzend durch. Er legte Berufung ein und erschien in der Wohnung des Richters der zweiten Instanz in dem Moment, als diesem die offizielle Berufungsklage überreicht wurde, das heißt in dem Moment, wo der Richter das Geheimdossier noch nicht kennen konnte, aus dem er hätte erfahren können, daß es faktisch um die Auslieferung eines politischen Verbrechers an die russische Polizei ging.

Als Berliner Stadtverordneter und bekannter Berliner Advokat bat er den Richter, ihm seinen Klienten angesichts der geringfügigen Strafe (zwei Wochen) gegen eine Kaution zu übergeben, wobei er diplomatisch den politischen Charakter der Sache verschwieg. Der Richter war sofort bereit, ihm gegen eine Kaution von 1 000 Mark die Liebenswürdigkeit zu erweisen, und stellte die entsprechende Order aus ... Es war Sonntag, als Liebknecht in einer Kutsche vor dem Gefängnis vorfuhr. Der Gefängnisaufseher, der sich in den russischen Angelegenheiten auskannte, war nicht anwesend; sein Vertreter versuchte unter allen möglichen Vorwänden, meine Befreiung bis zum nächsten Tag hinauszuschieben. Liebknecht war unerbittlich und verlangte die sofortige Durchführung der Anweisung. Die Administration brachte einen neuen Vorwand aufs Tapet, wonach das Konto über meine in der Kasse befindlichen Gelder nicht ordnungsgemäß geführt und die Buchhaltung wegen des Sonntags nicht in der Lage wäre, ordnungsgemäß abzurechnen. Großmütig erklärte Karl, daß wir den ganzen Rest des Geldes für notleidende Häftlinge opfern. Neues Hindernis: meine Wäsche sei beim Waschen, und man könne sie nicht vor morgen bereitstellen. Liebknecht bestand darauf, daß man sie uns, sei es auch in nassem Zustand, ausliefere. Und bald darauf wurde ein Koffer mit fast nasser Wäsche gebracht.

Es gibt keine Hindernisse mehr. Wir gehen aus dem Tor und setzen uns in die Kutsche. „Halt, warten Sie, Herr Liebknecht", schreit uns der Gehilfe des Aufsehers nach, der ohne Hut herausgelaufen war, „der Aufseher ist gekommen und ruft Sie zurück." „Vorwärts!" ruft Karl dem Kutscher zu; wir fahren nach Charlottenburg und von dort zum Bahnhof. Mit einem Brief Karl Liebknechts an Clara Zetkin fahre ich in das damals liberalere Stuttgart und verbringe dort einige Tage, bis mich ein Extratelegramm von Iljitsch nach Genf ruft.

Inzwischen hat die zweite Instanz mein Urteil bestätigt, und die deutsche Regierung ist um 1 000 Mark revolutionärer Gelder reicher geworden, die von der Redaktion des „Vorwärts" eingezahlt worden sind.

Karl Liebknecht, der mich gerettet hatte, freute sich wie ein

Junge, rieb sich die Hände, lachte mit seinem schönen Lachen und stellte lebhaft die Physiognomie des Polizeipräsidenten dar, wenn er bei der morgigen Berichterstattung von der Befreiung des russischen „Verbrechers" hören würde.

Krassikow, Liebknecht – mein Befreier

Was der Polizeipräsident von Borries für ein Gesicht gemacht hat, als er von seiner Blamage erfuhr, ist natürlich nicht mehr festzustellen; festzustellen aber ist, was sein wütender Vorgesetzter an den Rand seines Berichts geschrieben hat:

| Der Polizeipräsident | Berlin C 25, Alexanderstr. 3/6, |
| No. VII A 5108 | den 26. November 1903 |

Geheim

Der Russe Krassikoff ist am 21. November cr. abends gegen 5 ¼ Uhr aus dem Stadtvogteigefängnis entlassen und von den Rechtsanwälten Liebknecht mittels einer Droschke abgeholt worden. Bei dem herrschenden Schnee- und Regenwetter, der Dunkelheit und dem starken Verkehr verschwand die im schnellsten Tempo fahrende Droschke den in einer Droschke I. Klasse folgenden observierenden Beamten in der Nähe der Waisenbrücke aus dem Gesichtskreis. Alle Versuche, Krassikoff zu ermitteln, sind bisher fehlgeschlagen. Es muß deshalb angenommen werden, daß derselbe, mit Parteimitteln unterstützt, inzwischen in das Ausland geflüchtet ist.

Deren Kutscher die observierenden Beamten nicht einmal vorher feststellen konnten?!

StA Potsdam, Akten des Polizeipräsidiums

Für die herrschenden Klassen ist die Sozialdemokratie nach wie vor der erklärte „innere Feind", eine „Pest, die unser Volk durchseucht" (Wilhelm II.).

Der Minister der öffentlichen Arbeiten Budde und der Oberbürgermeister von Berlin Kirschner erklären, „rote Agitatoren" würden sie ohne weiteres aus staatlichen oder städtischen Diensten „hinausschmeißen". Der sozialdemokratische Privatdozent Leo Arons – übrigens ein Revisionist reinsten Wassers – wird aufgrund einer Anordnung des preußischen Staatsministeriums (der „Lex Arons") von der Universität verwiesen. „Ein dunkles Blatt in der Geschichte des preußischen Hochschulwesens." (Vossische Zeitung, 23. Februar 1900)

Das Sozialistengesetz ist aufgehoben. Aber de facto wird nach wie vor nach seinen Grundsätzen verfahren. Die Sozialdemokraten sind Staatsbürger zweiter Klasse. Kein Sozialdemokrat wird im bescheidensten Staats- oder Gemeindeamt, als Nachtwächter oder Laternenanzünder, geduldet. Kein Sozialdemokrat wird als Mitglied einer Schulverwaltung bestätigt. Kein Sozialdemokrat kann es auch nur zum Turnlehrer bringen. Sozialdemokratische Staatsarbeiter werden fortgejagt. Die „Freiheit der Wissenschaft" an den Hochschulen macht halt vor der Sozialdemokratie. Ein Wirt, der seinen Saal den Sozialdemokraten öffnet, ein Barbier, der in einem sozialdemokratischen Blatt inseriert, wird von den Militärbehörden boykottiert. Ein Bürgermeister, der ein städtisches Gebäude allen Parteien für Versammlungen zur Verfügung stellt, wird diszipliniert. Ein Amtsvorsteher, der eine Wohnung einem Sozialdemokraten vermietet, wird aus dem Amte entfernt. Ein Lehrer, der sich bei der Stichwahl zwischen Sozialdemokraten und Antisemiten der Stimme enthält, wird in Geldstrafe genommen.

Gerlach, Siegreiche Besiegte

Alljährlich, wenn die Berliner Arbeiterklasse den Jahrestag der revolutionären Märzkämpfe von 1848 begeht, veranstaltet das Polizeipräsidium regelrechte „Felddienstübungen". Jeder Straßenübergang auf dem Weg zum Friedrichshain, zu den Gräbern der Märzgefallenen wird von

Ketten von Schutzleuten abgesperrt, die ostentativ die Waffen zur Schau tragen. Das Friedhofsgelände selbst wird in Belagerungszustand versetzt. Pedantisch werden die Kranzschleifen zensiert und jede mißliebige Widmung herausgeschnitten:

Soweit der polizeiliche Zensor heute Konfiskationen vornahm, sind sie nicht minder verwunderlich wie früher. Es ist schlechterdings nicht einzusehen, warum den Betonarbeitern der Baugenossenschaft „Ideal" diese Verse abgeschnitten wurden:

> Weh euch, wenn der Frühling stürmt und saust,
> Bis die berstenden Schollen brechen,
> Bis der Bach und der Fluß und der Strom erbraust,
> Die gefesselten Geister sich rächen.
> Und das Rote Meer, das vergossene Blut
> Den Pharao frißt samt seiner Brut.

Wenn schon das Schicksal des Pharaos, der bekanntlich nach Angabe der Bibel durch höchstpersönliches Eingreifen des Herrgotts im Roten Meere ersäuft worden ist samt seinem Heer, in Preußen nicht mehr öffentlich erwähnt werden darf, dann wird man es der Gesinnungstüchtigkeit des Zensors zugute halten müssen, wenn er der Redaktion des anarchistischen Blattes „Der freie Arbeiter" folgende Worte konfiszierte:

> O, achtzehnter März, in diesen Tagen,
> Wo unsere Herzen höher schlagen,
> Wo über den Gräbern der Sonnenschein spielt
> Und alles in heiligem Feuer glüht,
> Da wollen auch wir es heilig geloben:
> Nieder mit dem Tyrannen von oben.

Wenn es schon polizeiwidrig sein soll, zu geloben, daß man Tyrannen niederzwingen will, dann mag man sich denken, was in der Seele eines preußischen Polizeibeamten vorgeht, wenn er den Vers liest, der von einem Kranze der Arbeiter der Firma Schulz & Holdefleiß abgeschnitten wurde:

An euren Bajonetten klebt aller Zeiten Fluch.
Wir trügen keine Ketten, trügt ihr nicht blaues Tuch.
Durch euch sind wir verraten, durch euch verkauft allein,
Wann stellet ihr Soldaten die Arbeit endlich ein.

Die Naivität des Verfassers der vorstehenden Strophe scheint allerdings polizeiwidrig zu sein, aber daß diese Worte eine Gefahr heraufbeschwören könnten, ist nicht einzusehen. Doch die Gedankengänge des Zensors sind wunderbar. Hat er doch sogar von einem Kranze das Band abgeschnitten, welches die Worte trug „Gewidmet von der Reichssektion der Eisenbahner, Mitgliedschaft Groß-Berlin".

Vorwärts, 19. März 1912

Kontrolle der Kranzschleifentexte auf dem Friedhof der Märzgefallenen, 1912

Die Veranstaltungen der Sozialdemokraten stehen unter Polizeiaufsicht. Im Präsidium jeder Versammlung sitzt ein Polizeibeamter; setzt er seine Pickelhaube auf, gilt die Versammlung als aufgelöst. Versammlungen unter freiem Himmel werden fast stets verboten:

In der Nähe von Berlin sollte vor einigen Jahren eine Versammlung unter freiem Himmel stattfinden. Als Ort der Versammlung war ein Platz in Aussicht genommen, der mindestens 5000 Personen fassen konnte, obwohl in der ganzen Gegend wohl kaum mehr als 500 Personen für die Versammlung in Frage kamen. Die Polizei behauptete aber, daß der Platz nicht ausreichen werde, die Versammelten würden auf die Nachbarfelder übertreten, die gerade bestellt seien. Die Bauern würden sich das nicht gefallen lassen, es würde zu Prügeleien und zur Störung der öffentlichen Ordnung kommen – die Versammlung wurde verboten.

In einem anderen Falle sollte eine Versammlung gleichfalls auf dem guten alten märkischen Sandboden stattfinden. Auf dem Platze befand sich eine kleine Sandkute, die man jedenfalls vor Abhaltung der Versammlung zugeschüttet hätte. Die Polizei meinte aber, daß zweifellos irgendeiner der Teilnehmer in die Kute hineinstürzen und Hals und Beine brechen würde. Eine solche Verantwortung für das Leben eines Sozialdemokraten kann die Polizei natürlich nicht übernehmen. Die Versammlung wurde nicht genehmigt.

Ein anderer Fall: Der Platz, auf dem die Versammlung stattfinden sollte, lag am kühlen Strande der Havel. Natürlich mußte die Versammlung verhindert werden – aber guter Rat war teuer; auf den Gedanken, die Leute könnten ins Wasser fallen, kam man nicht. Schließlich kam man auf einen genialen Gedanken. Die Havelschiffer, die als gewalttätig bekannt seien, würden, so schrieb man, sobald sie die Versammlung sehen würden, in großen Massen an dem Platze landen und aussteigen. Es würde zu ungeheuren Prügeleien und Störungen kommen, und um das zu verhüten, wurde die Versammlung verboten. Dabei war damals die Havel gefroren!

Liebknecht, Zur Verwaltungsreform in Preußen

Unter diesen Umständen wird der Besitz eines Versammlungsraums, ein Zimmer im „Parteilokal", zur wichtigen Voraussetzung der politischen Arbeit.

In der Skalitzer Straße, zwischen der Britzer und der Admiralstraße, gab es ein solches Lokal, an das ich mich noch sehr gut erinnere. Die Parteilokale wurden meist von älteren Parteigenossen bewirtschaftet, die entweder wegen gewerkschaftlicher oder politischer Arbeit gemaßregelt worden waren oder wegen ihres Leidens keine andere Berufsarbeit ausüben konnten.

Ein solcher Genosse war viele Jahre lang der Besitzer des Lokals „Zum Teufel" in der Skalitzer Straße. Wie der Mann hieß, weiß ich nicht mehr, ich weiß aber, daß er ein tüchtiger und umsichtiger Gastwirt war, der so manchem armen Genossen lange Zeit mit Speisen und Getränken ausgeholfen hat, bis dieser wieder Arbeit und Verdienst hatte. Auch hat er manchem, der von der politischen Polizei gesucht wurde, vorübergehend zu einer sicheren Bleibe verholfen. Das wußten wir alle, und deshalb besuchten wir ihn öfter und verzehrten dort reichlich nach Maßgabe unseres Geldbeutels. Die in der Gegend wohnenden Genossen hielten dort auch regelmäßig ihre Zahlabende ab.

Der „Deibel", wie wir ihn nannten, hatte sein Lokal als Hölle ausstaffiert. Die Wände und Decken waren mit allen möglichen Raritäten und Teufelsmasken behangen, es sah aus wie in einer Schreckenskammer. Aber es ging dort sehr gemütlich zu, und viele Funktionäre aus Partei und Gewerkschaft trafen sich hier regelmäßig und tauschten ihre Erfahrungen aus. Für geheime Sitzungen stellte er uns nach Bedarf auch seine Privatwohnung zur Verfügung.

Ein Gaudium für die anwesenden Gäste war es, wenn während der abendlichen Geschäftsstunden uniformierte Polizei in das Lokal kam und sich nach irgend jemand erkundigen wollte. Dann setzte sich der „Deibel" seine Igelmütze auf und gab den Fragestellern in einer unnachahmlichen, ironischen Weise eine Auskunft, mit der sie bestimmt nichts Vernünftiges anfangen konnten. Die Polizei zog dann auch meistens bald unverrichteter Dinge wieder ab, nachdem sie sich suchend umgesehen hatte.

Der oder die Gesuchten waren inzwischen längst hinten hinaus verschwunden.

Die Igelmütze war für alle Eingeweihten ein Signal, denn der „Deibel" setzte sie auch auf, wenn ein Polizeispitzel anwesend war oder ein Fremder das Lokal betrat, der ihm nicht sicher erschien. Die Mütze bedeutete dann „Vorsicht", und einer sagte heimlich zum anderen: „Sei stille, der ‚Deibel' hat die Mütze uff."

Büchner, Ein Sozialist erzählt

Nach dem Umfang der erhaltenen „Acta personalia" und „Acta specialia" der Berliner Politischen Polizei zu urteilen, muß die Zahl der Spitzel in die Hunderte gegangen sein. Mit pedantischer Gründlichkeit registrieren sie buchstäblich jede Aktivität der Sozialdemokraten Berlins: Versammlungen und Veranstaltungen, Referate und Diskussionsredner, Auseinandersetzungen über Strategie und Taktik, Kaderfragen, ja, jeden Wohnungswechsel, jeden Theaterbesuch und jedes Sommerfest...

Politische Polizei
I. Abteilung III. Bezirk   Berlin, den 16. Oktober 1900

Das am 14. Oktober d. Js. von dem sozialdemokratischen Wahlverein des 4. Berliner Reichstags-Wahlkreises Osten veranstaltete Stiftungsfest begann um 5 Uhr nachmittags.

Das Fest, welches von ca. 3000 Personen incl. Frauen und Kindern besucht war, fand in dem Lokal von Keller, Koppenstraße 29, statt, und war der große Saal im sozialdemokratischen Sinn mit mehreren größeren und kleineren roten Fahnen dekoriert.

Ferner befand sich auf dem Vorsprung der Bühne zu beiden Seiten derselben je eine Büste von Lassalle und Friedrich Engels.

Die Feier bestand aus Konzert, welches von der 18 Mann starken Hauskapelle, Zivil-Berufsmusikern, ausgeführt wurde.

Ferner aus Gesangsaufführungen von den Gesangvereinen „Alpenglocke", „Karthaus-Kummerscher Männerchor", „Kornblume" und „Oberon" (Mitgliedern des Arbeiter-Sängerbundes).

Schloß Weißensee

Sonntag, den 15. Juli 1900

✻ Grosses Volks-Fest ✻

arrangirt von sozialdemokratischen Parteigenossen
des 4. Berliner Reichstags-Wahlkreises

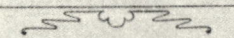

Im Interesse des guten Gelingens des Festes bitten wir, den Anordnungen des Fest-Comités Folge zu leisten.

Das Fest-Bureau befindet sich am Eingang des Etablissements.

Ferner machen wir darauf aufmerksam, daß während des ganzen Festes im rechten Zimmer neben dem Wintersaal die Arbeiter-Sanitäts-Colonne stationirt ist. Bei etwa eintretenden Unfällen steht hier ärztliche Hilfe unentgeltlich zur Verfügung.

Etwaige Beschwerden, sowie Mittheilungen über gefundene oder verlorene Sachen bitten wir im Fest-Bureau zu machen.

Anfang des Concerts 8 Uhr früh.

Außerdem aus turnerischen Aufführungen von Mitgliedern des Turnvereins „Fichte" und aus Vorträgen von der Gesellschaft Strzelewicz.

Das Vergnügen verlief programmäßig.

Von der Gesellschaft Strzelewicz wurden außer den hier eingereichten und genehmigten Couplets noch andere Vorträge gehalten.

Einer dieser Vorträge gipfelte darin, daß die Polizei jeder roten Nase nachgehe.

In einem anderen Vortrage wurde die Siegesallee als Puppenallee am Königsplatz bezeichnet.

Ferner in einem 3. Vortrage war der Schlußrefrain des einen Verses, „Um Minister zu werden, braucht man nur rückgratlos zu sein".

Außerdem besagte ein anderer Vers, daß, wenn irgend etwas los sei, die gepanzerte Faust mit der bekannten Hunnenroheit hineinfährt.

Im 4. Vortrage wurde gesagt, daß, wenn jemand eine gute Stellung einzunehmen wünscht, so schickt er seine Frau zum Minister in Privataudienz. Dieser untersucht den Fall bei ihr näher, und die Anstellung erfolgt in kurzer Zeit.

Das Konzert pp. dauerte bis gegen 10 ¾ Uhr, worauf Tanz im großen Saale stattfand, welcher bis kurz vor 2 Uhr nachts dauerte.

Es fand offene Kasse statt.

Soldaten wurden nicht wahrgenommen.

Ruhestörungen sind nicht vorgekommen.

Von den hier bekannten hervorragenden Sozialdemokraten wurden dort gesehen: Franke, Thielke, Schneider, Kunath, Blume und Lovik.

Die dort von der Gesellschaft Strzelewicz verkauften Lieder und ein Programm sind beigefügt.

Kassube   Watke
Kr.-Schutzmann   Kr.-Schutzmann
– 2229 –   – 1732 –

StA Potsdam, Akten des Polizeipräsidiums

Ausgeklügelte Methoden sorgen dafür, daß die Sozialisten von den Vertretungskörperschaften in Preußens Staat und seinen Gemeinden ferngehalten werden – oder weit weniger Mandate erhalten, als ihrem Masseneinfluß unter der Wählerschaft entspricht. Die wichtigste dieser Methoden ist das Dreiklassenwahlrecht. Paul Schwenk berichtet von den Gemeindewahlen in der damals selbständigen Gemeinde Lichtenberg:

Lichtenberg mit seinen fast 70000 Einwohnern war zu jener Zeit noch Landgemeinde und gehörte zum Kreis Niederbarnim. Erst im November 1907 erhielt es Stadtrecht. Am 16. Dezember 1907 waren die Stadtväter zu wählen.

Natürlich wollte auch ich wählen. Das Wahlalter hatte ich. Einen eigenen Hausstand führte ich auch. Als „Schlafbursche" oder auch „möblierter Herr" hätte ich nämlich nicht wählen dürfen. Meiner Steuerpflicht war ich, wenn auch blutenden Herzens, nachgekommen, wie das Gesetz es forderte. Armenunterstützung aus öffentlichen Mitteln hatte ich keine bezogen. Das war sehr wichtig, denn im Staate der Reichen wurde Armut ebenso mit dem Verluste des Wahlrechts geahndet wie ein mit Ehrverlust verbundenes kriminelles Verbrechen. Ein Konkursverfahren gegen mich schwebte auch nicht, trotz der ständigen Ebbe in meiner Kasse. Alle diese Erfordernisse, an die die Städteordnung für die sechs östlichen Provinzen der preußischen Monarchie vom 30. Mai 1853 die Ausübung des Gemeindewahlrechts knüpfte, waren somit von mir erfüllt. Dennoch suchte ich meinen Namen vergeblich in der Wählerliste.

Die um ihre Vorherrschaft besorgten Gesetzesmacher hatten noch zwei Hindernisse vor der Zulassung zur Wahlhandlung aufgerichtet. Man mußte erstens sozusagen eine Quarantänezeit von einem Jahr absolvieren, seit einem Jahr am Orte ansässig sein. Und zweitens ... doch das Gespräch mit dem Wahlleiter muß ich wörtlich wiedergeben.

„Sie sind aus Dresden zugezogen?"
„Ja, gewiß."
„Sind in Sachsen geboren?"
„Das bin ich."
„Ihr Vater war auch Sachse?"

„Das nehme ich an."

„Dann sind Sie kein Preuße. Folglich können Sie schon aus diesem Grunde hier nicht wählen."

„Ja, gilt denn Sachsen in Preußen als Ausland?"

„Das Gesetz schreibt die preußische Staatsangehörigkeit vor."

Er zeigte es mir sogar schwarz auf weiß. Es war also nichts zu machen. Ich durfte nicht. So war das nicht nur damals, sechsunddreißig Jahre nach der Gründung des Deutschen Reiches. Erst die Novemberrevolution räumte diesen Anachronismus beiseite ...

Das empörendste Unrecht aber bestand in der Klasseneinteilung der Wähler nach ihrem versteuerten Einkommen. Das gesamte Aufkommen der Wahlberechtigten an direkten Steuern wurde zu diesem Zwecke in drei gleiche Teile geteilt. Diejenigen, die das erste Drittel aufbrachten, die mit dem höchsten Einkommen – 1907 in Lichtenberg waren es 78 –, kamen in die erste Wählerklasse. (Man sagte schamhaft Wahlabteilung.) Auf das nächste Drittel, auf die zweite Klasse, entfielen 1123 Wähler, und auf das letzte Drittel, die dritte Klasse, 10034 Wähler. Von jeder Wählerklasse waren 16 Stadtverordnete zu wählen. Mithin ergibt sich, wenn wir von der Wählerzahl der ersten Klasse (78) ausgehen, daß 1045 Wähler der zweiten und 9956 Wähler der dritten Klasse um ihr Wahlrecht betrogen wurden. Oder: Die Stimme jedes erstklassigen Wählers hatte rund ein 128mal und die eines zweitklassigen ein 9mal so großes Gewicht als die eines Wählers dritter Klasse.

Schwenk, Gegen die Dreiklassenschmach

In der Stadt Berlin liegen die Dinge ganz ähnlich. 1909 vertreten 48 Abgeordnete 1800 Wähler der Ersten Klasse, die jährlich mindestens 4200 Mark Steuern zu zahlen haben; 48 Abgeordnete vertreten 32000 Wähler der Zweiten Klasse, die jährlich mindestens 178 Mark Steuern erlegen; weitere 48 Abgeordnete vertreten den Rest der stimmberechtigten Berliner – 336000 an der Zahl.

Frauen und Jugendliche unter 24 Jahren dürfen ohnehin nicht wählen. Nur „längere Zeit Ortsansässige" sind wahlberechtigt, denn „sonst könnten von Rixdorf oder von Weißensee her Tausende Schlafburschen nach Berlin hereingebracht werden, die dann über das Vermögen der Berliner Bürgerschaft zu entscheiden hätten". (Berichte der Stadtverordnetenversammlung, 1904)

Die Aufstellung unserer Kandidaten zu den Gemeindewahlen war für unsere Arbeiterpartei noch mit einer besonderen Erschwernis verknüpft. In den Wahlbestimmungen war nämlich zwingend vorgeschrieben, daß wenigstens die Hälfte der Kandidaten in jeder Wahlabteilung Hausbesitzer sein müßte. Solche gab es naturgemäß in unserer Partei nur ganz vereinzelt. Selbst in den großen Städten und sogar in Berlin, wo die Arbeiterorganisationen mit ihrer Presse und sonstigen Einrichtungen eine Anzahl Grundstücke besaßen, reichten sie nicht aus, die erforderliche Anzahl Genossen mit der Hausbesitzereigenschaft auszustatten. Sollten wir auf die Besetzung dieser Mandate verzichten? Sie dem Gegner überlassen? In einigen Fällen gelang es, Genossen als Miteigentümer oder Nutznießer an privaten Hausgrundstücken eintragen zu lassen. Im übrigen stellten wir Nichteigentümer als Zählkandidaten auf. Die auf sie abgegebene Stimme wurde natürlich für ungültig erklärt. Die Mandate fielen den Bürgerlichen zu.

Schwenk, Gegen die Dreiklassenschmach

Die Wahl ist öffentlich, nicht geheim. „Wer ‚rot', wer einen Sozialdemokraten wählen wollte, mußte dies öffentlich zu Protokoll geben. Das hieß für viele, ihre Existenz aufs Spiel zu setzen." (Paul Schwenk) Infolge der öffentlichen Stimmabgabe ist die Wahlbeteiligung niedrig. 42 Prozent Beteiligung bei den Stadtverordnetenwahlen von 1901 gelten schon als gutes Resultat.

In Berlin, mit seiner überwiegenden Arbeiterbevölkerung, ist es den Sozialdemokraten schon vor der Jahrhundertwende gelungen, mit einigen Vertretern ins Gemeindeparlament zu ziehen. Bei den Wahlen zum Preußischen Abgeordnetenhaus aber, an denen die Sozialisten 1903 zum erstenmal teilnehmen, bringen sie – obwohl sie in den zwölf Berliner Wahlbezirken drei Viertel aller Stimmen auf sich vereinigen – keinen einzigen Abgeordneten durch, so sehr begünstigen die undemokratischen Wahlbestimmungen die Großbourgeoisie und vor allem das Junkertum. Die Mitglieder der Ersten Kammer des Landtags, des Herrenhauses, werden ohnehin nicht gewählt, sondern vom Monarchen berufen.

Anders ist die Lage im Reichstag am Königsplatz. Für den Reichstag gilt das allgemeine, geheime und direkte Wahlrecht, von dem freilich Frauen und Jugendliche ausgeschlossen sind. Immerhin – die sozialdemokratische Fraktion unter Bebels Führung zählt um die Jahrhundertwende knapp sechzig Abgeordnete. Einer von ihnen ist Otto Antrick, der in der Steinmetzstraße einen Zigarrenladen betreibt. Er wird über Nacht bekannt, als er – um die Beschlußfassung über höchst unpopuläre neue Einfuhrzölle zu verzögern – im Dezember 1902 die längste Parlamentsrede in der Geschichte des Reichstags hält.

Die erste Stunde gilt dem Reiszoll, die zweite und dritte dem Leinöl, die vierte dem Holzzoll. Von den sachlichen Ausführungen des Redners ist auf der Tribüne nicht viel zu verstehen. Antrick schont seine Stimme, und die Abgeordneten der Mehrheit, so viele ihrer im Saale sind, führen laute Privatgespräche. Die Präsidenten lösen sich ab, aber Antrick steht unermüdlich auf seinem Posten.

Draußen in der Wandelhalle hat sich eine Zöllnerschar um den heiligen Paasche gesammelt, der sie auffordert, unter allen Umständen standzuhalten und heute noch durch neue Gewaltstreiche das Ende der dritten Lesung zu erzwingen. Aber Stunde um Stunde verrinnt, und die Verschworenen beginnen zu wanken. Um acht Uhr sprengt die Mehrheit das Gerücht aus, daß sie, wenn Antrick geendet, in die Vertagung bis Montag willigen wolle. Aber: trau, schau, wem! gilt jetzt als oberstes Gesetz. Antrick spricht ruhig weiter ...

9.45. Bülow erhebt sich und lächelt, die Hände in den Hosentaschen, der Erneuerung des Kohlenstifts in der benachbarten Bogenlampe zu. Antrick spricht über den Speckzoll. Schlumberger steigt auf die Rednertribüne und prüft das noch vorhandene Aktenmaterial Antricks. Schaudernd und mit hoffnungslosem Achselzucken steigt er wieder in den Saal. Antrick redet fort: Jetzt vom Schinken ...

10 Uhr. Antrick beginnt mit gesteigerter Frische über Schweinezölle zu reden. Fürst Radziwill, der Pole, hört andächtig zu. Graf Bülow schneidet versiegelte Briefe auf und schielt bisweilen furchtsam seitwärts auf den Redner. Bachem denkt sorgenvoll über die Begründung neuer Rechtsbrüche nach. Ballestrem präsidiert. Antrick spricht fort!

10.10 Uhr. Auch Posadowsky ist wieder da und läßt sich berichten, was er in der Zwischenzeit versäumt. Das seltsame Standhalten der Minister wird dadurch erklärt, daß sie sich mit dem Maximal- und Minimal-Ehrenwort verpflichtet haben, noch heute das Zollgesetz zur Unterschrift zu präsentieren. Aber Antrick spricht fort!

Vorwärts, 14. Dezember 1902

Bülow, der Reichskanzler, und Posadowsky, der Staatssekretär des Innern, sind Vertreter der „Politik der Sammlung", die auf ein Bündnis des preußischen Junkertums mit den führenden Gruppen der deutschen

Arbeiterradfahrer im Hof des Vorwärts-Gebäudes, Reichstagswahl 1903

Großbourgeoisie zielt. Daher haben sie in die Regierungsvorlagen nicht nur Zölle auf die Lebensmitteleinfuhren aufgenommen, sondern auch – unter der Losung „Schutz der nationalen Arbeit" – Einfuhrzölle auf Rohstoffe und Halbfabrikate, die der Montan- und Schwerindustrie jede fremde Konkurrenz vom Leibe halten sollen. In dem bevorstehenden Wahlkampf aber wollen die bürgerlichen Politiker diese volksfeindliche Gesetzgebung nicht verteidigen müssen; daher müssen sie die Zolltarife durchpeitschen, ehe der Reichstag in die Ferien geht.

11.35. Antrick fängt die siebente Runde an. Der Redner öffnet ein neues Kuvert. Paasche randaliert. Schlumberger geht wieder als Kundschafter auf die Tribüne. Nichts zu machen. Antrick redet über Eisenzölle. Kropatscheck schläft, im Traum erscheint ihm die fertige Zollvorlage... In den Restaurationsräumen feiert die Mehrheit Verzweiflungsorgien...

Um 12 Uhr füllt sich der Saal. Die hereinströmenden Abgeordneten der Rechten rufen dem Redner wiederholt zu: Lauter, lauter!; von der Linken antworten ihnen entrüstete Rufe: Ruhe dort drüben!...

Abg. Antrick (fortfahrend):
Ich will zum Schluß kommen. Die deutsche Industrie verdankt ihre große Stellung vornehmlich dem Fleiß und der Tüchtigkeit der deutschen Arbeiterklasse. Auch die Zukunft der deutschen Industrie wird von der Intelligenz und Tatkraft der deutschen Arbeiter vornehmlich abhängen. Die Arbeiter sind der Fels, auf dem die Kirche der Zukunft erbaut wird. (Bravo! bei den Sozialdemokraten)

Und weil wir der Überzeugung sind, kämpfen wir, nicht um Sie zu belehren, sondern um dem Volke klarzumachen, welches Unheil ihm von diesem Zolltarif droht. (Sehr gut! links) Indem ich dies tue, habe ich meine Pflicht getan, nichts als meine Pflicht als einfacher Soldat in der großen Armee, die da kämpft zur Befreiung des Proletariats aus den Fesseln des Kapitalismus. (Stürmischer Beifall und Händeklatschen bei den Sozialdemokraten)

Vorwärts, 14. Dezember 1902

Vor einem Berliner Wahllokal, Reichstagswahl 1903

In den Stunden, in denen Antrick gegen die Uhr spricht, ist das Bündnis zwischen Schlot und Halm, zwischen Nationalliberalen und Konservativen längst besiegelt. In den Hinterzimmern Berliner Luxushotels arrangieren Regierungsvertreter, Agrarier und Konzernherren ihren „großen Kompromiß". So nimmt – eine Stunde, nachdem Antrick geendet hat – eine Zweidrittelmehrheit die Zollgesetze an. Diese tragen zu der ständigen Teuerung bei, die das Realeinkommen der Werktätigen bis zum Ersten Weltkrieg kaum noch wachsen läßt.

Der Widerstand gegen die volksfeindlichen Zolltarife zahlt sich aus, als 1903 Reichstagswahlen stattfinden. Ihre konsequente Haltung führt der Sozialdemokratie in Berlin 63 000 neue Wählerstimmen zu. *Nur den Wahlkreis I (Berlin-Mitte) halten mit dem Bankier und Stadtältesten Johannes Kaempf die Bürgerlichen. Im Wahlkreis II (Äußere Stadt-Süd und -Südwest) wird Richard Fischer, der Geschäftsführer der „Vorwärts"-Druckerei gewählt, im Wahlkreis III (Innere Stadt-Süd) Wolfgang Heine, ein Rechtsanwalt, der, von den Konservativen kommend, sich der Sozialdemokratie angeschlossen hat. Im Wahlkreis IV (Äußere Stadt-Ost) siegt Paul Singer. Der Wahlkreis V (Innere Stadt-Nord) wird erstmals von den Sozialdemokraten erobert; der Arbeitersekretär Robert Schmidt soll ihn vertreten. Im Wahlkreis VI (Äußere Stadt-Nord und -Nordwest) siegt Georg Ledebour, der damit Nachfolger des verstorbenen Wilhelm Liebknecht wird.*

Auch in den Vororten ist der Einfluß der Partei gewachsen. Den Wahlkreis Niederbarnim (zu ihm gehören unter anderem die nördlichen und östlichen Vororte) vertritt Arthur Stadthagen, den Wahlkreis Teltow-Beeskow (zu ihm gehören unter anderem Charlottenburg und die südlichen und südwestlichen Vororte) Fritz Zubeil, beide sozialdemokratische Funktionäre.

Ludwig Thoma und Th. Th. Heine veröffentlichen illustrierte Knittelverse, in denen der Spott über die Niederlage der Politiker der besitzenden Klassen in die ironische Warnung vor dem Staatsstreich von oben übergeht:

> Ich muß jetzt mit Schmerz berichten
> Von den jüngsten Wahlgeschichten,
> Wo das ganze Resultat
> Jeden sehr verwundert hat ...
>
> Für Berlin, dem Kaiserorte,
> Fehlen überhaupts die Worte!!
> Aber dieser Wilden Hohn
> Kennt kein Ansehn der Person!!
>
> Und in hellem Zorn aufbrausend
> Las man: Dreiundsechzigtausend
> Sind es mehr schon vorderhand,
> G'selln ohne Vaterland!
>
> Müssen sich die Leut nicht schämen,
> Die sich undankbar benehmen,

Wo man soviel Geld ausgibt
Und ist trotzdem unbeliebt? ...

Wer verdenkt es der Regierung,
Wenn sie ernstlich der Aufrührung
An den schlechten Kragen geht,
Und kein Spaß nicht mehr versteht?

Will kein Mittel mehr verfangen,
Tut man zu dem Schwerte langen,
Das bei uns hängt allezeit,
An der Herrn Soldaten Seit! ...

Und es kommt, wie es verheißen:
Alle Menschenband zerreißen,
Und der tapfere Rekrut
Schießt sein Elternpaar kaputt.

Durch des Königs hohen Willen
Kriegen blaue Kugelpillen
Bruder, Schwester, Weib und Kind,
Weil sie unzufrieden sind ...

Ja, da werden viele schauen,
Die sich jetzt zu murren trauen,
Doch es ist gleich ausgemurrt,
Wenn die Todeskugel surrt!

Fensterscheiben werden klirren,
Säbel blitzen, Steine schwirren.
Durch vergossnes Menschenblut
Wird d' Gesinnung wieder gut.

Thoma/Heine, Das große Malöhr

Im Februar 1901 erlaubt Reichskanzler von Bülow dem Emigranten Eduard Bernstein, der während des Sozialistengesetzes ausgewiesen worden war, die Rückkehr nach Berlin. Das Interesse des Reichskanzlers für Bernstein ist nicht zufällig. Hat doch dieser eben erst der Sozialdemokratie empfohlen, die Marxsche Idee der „Diktatur des Proletariats" zu ver-

werfen. Die Arbeiterklasse sei nicht reif genug, die Bourgeoisie zu entmachten und den „Zukunftsstaat" aufzubauen. Überhaupt – wozu so viel über den kommenden Sozialismus grübeln? „Ich gestehe es offen, ich habe für das, was man gemeinhin unter ‚Endziel des Sozialismus' versteht, außerordentlich wenig Sinn und Interesse. Dieses Ziel, was immer es sei, ist mir gar nichts, die Bewegung alles." (Die Neue Zeit, 1897/98,1)

Eduard Bernstein, nun im Parteiarchiv mit der Vorbereitung einer Geschichte der Berliner Arbeiterbewegung beschäftigt, hält vor der Sozialwissenschaftlichen Studentenvereinigung einen Vortrag, in dem er rundheraus bestreitet, daß der Marxismus eine Wissenschaft ist.

Die Sozialwissenschaftliche Studentenvereinigung Berlins hatte diese Versammlung einberufen und Eduard Bernstein zum Redner gewählt. Ihre berühmtesten Lehrer saßen unter ihnen, dazwischen die politischen Führer jener Linken – die Barth, die Naumann, die Gerlach –, die, abgestoßen von allen anderen bürgerlichen Parteien, zwischen ihnen und der Sozialdemokratie die unfruchtbare Rolle des Puffers spielte. Sie alle hofften – bewußt oder unbewußt –, daß dieser Abend irgendeine Quelle erschließen würde, an der sie nicht nur ihren Durst stillen könnten, sondern deren Wasser sich zum Strome weiten und alle ihre irrenden Schiffe zu tragen vermöchten.

„Wie ist wissenschaftlicher Sozialismus möglich?" lautete die Frage, auf die Bernstein die Antwort geben wollte. Er trat an das Rednerpult. Hinter den Brillengläsern sahen seine kurzsichtigen Augen mit einem verlegen-erstaunten Blick auf die Menge der Zuhörer. Dann sprach er. Mit einer Stimme, die brüchig klang. In abgehackten Sätzen. Ein Mann, der an die Enge der Studierstube gewohnt war, nicht an die Volksversammlung. Schon zog der Schatten der Enttäuschung über den hoffnungsvollen Glanz auf den Gesichtern. Schüchtern tauchte hie und da die Frage auf: „Was hat er eigentlich? – Was will er?"

Daß der Sozialismus von spekulativem Idealismus erfüllt und darum nicht Wissenschaft sei, die im voraussetzungslosen Streben nach Erkenntnis bestehe; daß die Arbeiterbewegung vom Wollen eines bestimmten Zieles, vom Glauben eines bestimmten Zukunftsbildes getragen sei und nicht vom Wissen – es war kaum möglich, aus der langen Rede etwas anderes herauszuhören ...

Zuweilen schien es, als ob der Vortrag nichts wäre als das lautgewordene Grübeln eines Menschen über Dinge, die ihn selbst noch als Probleme quälen. Er war so mit sich beschäftigt, daß er nicht fühlte, wie jener elektrische Strom, der ihn zuerst mit den Zuhörern verband, sich mehr und mehr verflüchtigte ...

Ein feiner durchdringender Regen rieselte hier hernieder, als wir den Saal verließen. Mich fröstelte. Ich wäre am liebsten still nach Hause gegangen.

Lily Braun, Memoiren einer Sozialistin

Nach Bernsteins Auftritt geht eine Welle der Empörung durch die Reihen der klassenbewußten Berliner Genossen. Georg Ledebour und Adolph Hoffmann verurteilen in öffentlichen Parteiversammlungen das Verhalten des Revisionisten. Paul Singer erklärt, eine kleinere Partei wäre ihm lieber, „die aber aus Leuten bestände, die energisch das, dem sie sich einmal zugewandt haben, vertreten".

Zu welchem Ergebnis aber kommt der Parteitag der SPD im Herbst 1901?

Der harte Kampf hat zu glücklichem Frieden geführt. Indem Bernstein selbst erklärte, den Gefühlen der Parteigenossen die schuldige Achtung und Beachtung zu bezeigen, ist die Gewähr geschaffen, daß er in engster Verbindung Schulter an Schulter mit den Kameraden gegen den Feind den Kampf führen wird, ohne daß der innere Zwist Narben zurückläßt.

Der Ausgang der Bernstein-Debatte bedeutet den Ausgleich von Gegensätzen, die Zuversicht auf weiteres gemeinsames Wirken aller in der Partei; er bekundet die feste Absicht, den persönlichen Streit zu begraben. Nicht Sieger und Besiegte gibt es, sondern ehrlich Verbundene.

Auf dem Parteitag herrschte, wie uns aus Lübeck telegraphiert wird, allgemeine Freude über die Erklärung Bernsteins. Viele Genossen, die für die angenommene Resolution eingetreten waren, schüttelten ihm die Hand und gaben ihrer Freude über seine Erklärung unverhohlen Ausdruck, so Bebel, Adolph Hoffmann, Leutert, Stadthagen.

Vorwärts, 26. September 1901

Das Verfahren, die Auseinandersetzungen zwischen zwei Ideologien als „persönliche Streitigkeiten" abzutun, den Kampf zwischen zwei Klassenlinien als „Diskussion über berechtigte Schattierungen" zu behandeln, führt dazu, daß der Revisionismus auch in der Berliner Sozialdemokratie zu einer regelrechten Strömung wird.

Heinrich Braun ist Herausgeber der in Berlin erscheinenden revisionistischen „Sozialistischen Monatshefte". Er und mit ihm ein halbes Dutzend Gesinnungsgenossen werden regelmäßige Mitarbeiter an der großbürgerlichen Zeitschrift „Die Zukunft"; deren Herausgeber Maximilian Harden trifft sich allwöchentlich mit Heine, Südekum und anderen in der Bellevuestraße „bei einem Glase Wein". Leo Arons, der sich durch reichliche Spenden für Partei und Gewerkschaften einen gewissen Einfluß verschafft hat, lädt wöchentlich einmal rechtsstehende Funktionäre und bürgerliche Sozialreformer zu „Bierabenden" in seine Villa ein. Im Café des Westens tagt mit Bloch, Baake, den Brauns, David und anderen ein weiterer „Revisionistentisch". Das ist der Kreis, von dem August Bebel schreibt:

Wer über die Stimmung und Meinung meiner Gegner weitere Studien machen will, empfehle ich den fleißigen Besuch des Cafés im Westen in Charlottenburg. Dort versammelt sich der dem Parteivorstand und mir besonders feindlich gesinnte Klüngel, um in der Nachbarschaft von gespitzten Ohren von Gegnern und bürgerlichen Journalisten sein Herz auszuschütten.

Ich weiß auch nicht erst seit gestern, daß ich gewissen Personen in jenem Lager, das in der Partei das revisionistische heißt, ein Dorn im Auge bin, und mehr als einer, der in jenem Lager weilt, hegt den frommen Wunsch, es möge mir und noch diesem und jenem recht bald das Schicksal Liebknechts beschieden sein. „Sind erst die paar Alten gestorben, dann werfen wir die Rasselbande zur Partei hinaus."

Vorwärts, 7. November 1905

Inzwischen hat der Parteitag der Sozialdemokratie in Dresden (1903) getagt. Eine Resolution, von Bebel, Kautsky und Singer eingebracht, verurteilt alle Versuche, die „auf dem Klassenkampf beruhende Taktik zu ändern" und „anstelle der Eroberung der politischen Macht durch Überwindung unserer Gegner eine Politik des Entgegenkommens an die bestehende Ordnung der Dinge" treten zu lassen.

Diese Resolution wird mit überwältigender Mehrheit angenommen. Selbst Berliner Revisionisten wie Heinrich Braun, Paul Göhre, Wolfgang Heine, Carl Legien, Robert Schmidt und Albert Südekum stimmen für sie. Aber die Revisionisten unterwerfen sich nur formal den Dresdener Beschlüssen. Südekum an seinen Freund Vollmar: „Die Wogen haben sich geglättet, die bockigen Esel sind beruhigt, nachdem die Partei nun definitiv gerettet worden ist, geht es im alten Trott weiter."

Südekums Haus in Zehlendorf wird, wie Alfred Grotjahn erzählt, „zum Mittelpunkt für die auf dem rechten Flügel stehenden Abgeordneten und Führer, den Sozialdemokraten mit Glacéhandschuhen und Bügelfalte, wie man sie auf der Linken der Partei mißtrauisch zu bezeichnen pflegte". Auch die Verbindungen zu bürgerlichen Publizisten und Politikern werden noch intimer. „Schon vor dem Kriege gingen hier Professoren, Oberbürgermeister und sogar leitende preußische Ministerialbeamte aus und ein.

Die Fliegenfeste
finden nicht mehr statt ...

Berlin ist zu Beginn des 20. Jahrhunderts nicht nur die größte Arbeitermetropole – Berlin ist auch die wichtigste Handwerkeransiedlung Deutschlands. Die Zahl der selbständigen Handwerksmeister wächst noch immer, wenn auch langsamer als in den zurückliegenden Jahrzehnten. Mehr als 55 000 selbständige Handwerksmeister erfaßt die im April 1900 eingerichtete Handwerkskammer im Bezirk Berlin. Der Berliner Handwerkerverein errichtet in der Sophienstraße 17/18 ein neues Vereinshaus, das den Zusammenkünften der Innungen, aber auch Versammlungen der Arbeiterorganisationen dient. Es gibt einige Tausend wohlhabende Handwerker: im Baugewerbe, im Nahrungsmittelgewerbe, in der Herstellung von Luxusartikeln. Berliner Kunsthandwerker, Modeschneider und Spezialschuhmacher finden ihre Kundschaft im ganzen Reich. Aber die Gruppe der relativ gut verdienenden Handwerksmeister bildet nur eine kleine Oberschicht. Vor allem das Gebrauchsgüter produzierende Handwerk gerät, seit die Fabrikware nicht nur billiger, sondern auch besser geworden ist und die Warenhäuser ihre Massenangebote zu „Sonderpreisen" auf den Markt werfen, in Schwierigkeiten.

Es gibt heute kein Berliner Gewerbe mehr, in dem sich das alte Vollhandwerk erhalten hätte, ohne in seinem Produktionsgebiet, in seinen Absatzverhältnissen oder sonst irgendwie geschmälert zu sein.

Die alten Handwerke sind eingegangen, wie die Nadlerei, Nagelschmiederei, Gelbgießerei, oder von anderen Betrieben aufgesogen, wie die Gürtlerei und zum Teil die Schlosserei, oder zu Anbringungsgewerben geworden, wie die Bauklempnerei, die Bauschlosserei ...

Große wie kleine Zweige der Holzindustrie, die früher selbständige Gewerbe waren, sind in andere Großbetriebe eingegliedert worden: die Böttcherei in die Brauerei, die Lackiererei in den Wagenbau oder die Lampenindustrie, die Drechslerei in die Möbelfabriken usw., Kistenmacher werden in vielen Exportgeschäften verwendet. Vielfach hat auch das Holz dem Metall weichen müssen. Hölzerne Balken sind durch eiserne Träger ersetzt, hölzerne Treppen durch eiserne und so weiter.

Robert Kuczynski, Bevölkerung und Gewerbe Berlins

Auch das Gewerbe der Tuchmacher, Zeugmacher, Seidenwirker geht langsam ein.

Es ist keine zwanzig Jahre her, daß die lustigen Feste aufgehört haben, welche einmal in jedem Sommer von der Berliner Tuchmacherinnung und zwar regelmäßig in Lichtenberg gefeiert wurden und denen man vor Jahrhunderten schon den scherzhaften Namen „Mottenfeste" gegeben hatte ...

Es fehlte der „junge Nachwuchs", denn es gab schon seit längerer Zeit keine Lehrlingsprüfungen mehr, und seitdem ist das im Wandel der Zeiten natürlich auch nicht anders geworden. Die Jugend aber ist für Feste solcher Art ganz unerläßlich.

Der alte Leineweber und seine Frau

Heute zählt die Innung noch 72 Meister zu Mitgliedern, zumeist in lockeren Beziehungen zum ehemals geübten Handwerk, Herren in hohen Semestern, die auch etwa halbjährlich noch zusammenkommen, um unter Vorsitz des Obermeisters (gegenwärtig Herr Richard Schodee) ernste Beratungen über die Verwaltung des Innungsvermögens zu pflegen ...

Ganz ähnlich wie bei den Tuchmachern liegen die Verhältnisse bei den Zeug- und Raschmachern*... Die Innungsmitglieder versammeln sich alle Vierteljahre; aber die mit den Quartalen sonst verbundenen fröhlichen Feste, von den Raschmachern „Fliegenfeste" genannt, finden nicht mehr statt ...

Eine neben der Weber- und Wirkerinnung früher vorhanden gewesene selbständige Seidenweberinnung, die ihre frohen Quartalsfeste „Wurmfeste" nannte, ist längst eingegangen. Das gleiche Schicksal steht wohl in nicht ferner Zeit auch der Berliner Strumpfwirkerinnung (Obermeister Herr Otto Fleischer) bevor, denn ihre Mitgliederzahl ist zur Zeit bereits auf sechs bis sieben Meister eingeschränkt ...

Foerster, Innungs-Schicksale

Hunderte von Handwerkern versuchen, sich durch irgendeinen Nebenverdienst zu behaupten: der Schuster, der als Leichenbitter geht, der Möbeltischler, der allabendlich als Laternenanzünder antritt, der Maurermeister, der als „Entrepreneur", als „Bau-Unternehmer", irgendeinem Terrainschwindler seinen guten Ruf verkauft.

Wieder andere versuchen, durch rigorose Spezialisierung ihre Existenz zu sichern:

In Berlin gibt es beispielsweise Tischlereibetriebe, die nur Schränke, Tische, Stühle, Kommoden, Nähtische, Nachttische, Waschtische, Spiegeluntersätze, Vertikos, Büfetts, Bettstellen, Spiegelrahmen, Gardinenhalter, Sofas, Fauteuils, Herrenschreibtische, Damenschreibtische, Küchenschränke, Küchentische usw. anfertigen. Und auch bei dieser Teilung hat man noch

---

* Rasch – leichter Wollstoff

nicht haltgemacht. Bei den Stühlen besteht eine scharfe Trennung zwischen gewöhnlichen und feinen, bei den Schränken unterscheidet man Garderobenschränke, Bücherschränke, Glasschränke usw. und bei den Tischen außer bei den schon angeführten noch Kulissentische, Sofatische, Blumentische, Salontische usw., von denen fast jeder Gegenstand den Spezialartikel eines Handwerkers bildet. Nun ist es klar, daß diese Entwicklung wiederum zum Nachteil des Tischlermeisters ausschlagen mußte. Je spezialisierter seine Tätigkeit, desto abhängiger wird er von den Magazinen, für die er liefert; und je weniger Magazine er bedient, also je kleiner er ist, desto argwöhnischer muß er auf die Erhaltung seiner Kundschaft bedacht sein. Ein kleiner, armer Meister, der für drei oder vier Händler arbeitet, wird eher geneigt sein, nachteilige Bedingungen zu erfüllen, als ein großes Geschäft, das selbst kapitalkräftig ist und mit dreißig oder vierzig Magazinen in Verbindung steht ... Da fertigt dann der „Handwerksmeister" die Woche über Möbel einer bestimmten Gattung, für die er noch keinen Abnehmer weiß, und fährt mit ihnen am Sonnabend oder an irgendeinem anderen bekannten Wochentage von Magazin zu Magazin, seine Ware feilbietend. Absetzen muß er, sonst hat er kein Geld zu leben und weiter zu arbeiten. Er stellt deshalb von Anfang an die niedrigsten Preise und unterbietet sich selbst von Stunde zu Stunde, je mehr sich der Abend nähert, schließlich verkauft er zu Schrottpreisen, die vielleicht nicht einmal seine Auslagen decken.

Sombart, Die deutsche Volkswirtschaft

Der Zwang, durch niedrige Produktionskosten konkurrenzfähig zu bleiben, führt zu immer rabiaterer Ausbeutung der Lehrlinge und Gesellen.

Im Frühjahr 1904 fordert der inzwischen dreitausend Mitglieder starke Verband der Berliner Bäckergesellen nicht nur verbindliche Minimallöhne und einen von den Privatvermittlern unabhängigen Arbeitsnachweis, sondern auch die Beseitigung des mittelalterlichen Kost- und Logiszwanges. Der Obermeister Przenowsky antwortet: „Streikt nur feste, damit erst das Geld alle wird. Nach dem Streik werden wir Euch schon was erzählen, Ihr Hetzer." (Vorwärts, 12. Mai 1904) So kommt es zum großen Berliner Bäckerstreik. 95 Bäcker bewilligen die Forderungen der Gesellen und erhalten weiße Plakate mit rotem Rande, auf denen der Stempel des Bäckerverbandes prangt. Im Namen von 2100 Bäckern lehnt die Innung jede Forderung ab.

„Streikt nur", höhnten die Meister, wenn die Gesellen ihre Forderungen präsentierten. Man hielt es eben für gänzlich ausgeschlossen, daß die auf einer tiefen Stufe sozialen Elends stehenden Bäckergesellen einen ernsthaften Kampf um die Verbesserung ihrer traurigen Lage führen würden. Als aber am Dienstagabend, nachdem der Streik proklamiert war, die Backstuben verwaist waren und die Meister vergebens auf die sonst so fügsamen Gesellen warteten, da ging manchem verblendeten Bäckermeister ein Licht auf, und da erst kam ihm der Ernst der Situation zum Bewußtsein.

Währenddessen verweilten die Streikenden, in froher Kampfesstimmung der Dinge wartend, die da kommen würden, im großen Saale der „Neuen Welt" ...

Mit der Arbeitsniederlegung haben die Streikenden auch dem Hause des Meisters den Rücken gekehrt. Wer die Backstube nicht aufsuchte, blieb natürlich auch der – wenn man so sagen darf – Schlafstube im meisterlichen Haushalt fern. Die Streikleitung hatte dafür gesorgt, daß eine große Zahl privater Schlafstellen den Streikenden zur Verfügung standen. Truppweise zogen die Bäckergesellen von der „Neuen Welt" in die ihnen zugewiesenen Nachtquartiere. Ein großer Teil der Streikenden verzichtete aber auf die Nachtruhe. Von jeher an Nachtarbeit gewöhnt, zogen sie es vor, auch diese Nacht zu arbeiten, zwar nicht am Backtrog, sondern am Schreibtisch. In den Sälen des „Rosenthaler Hof", dem Hauptquartier der Streikleitung, verbrachten viele der Ausständigen die Nacht mit dem Ausschreiben von Streikkarten und sonstigen Arbeiten, welche für die geregelte Durchführung des Streiks unerläßlich sind ...

Die Forderung der Gesellen, daß sie nicht mehr im Haushalte des Meisters essen und wohnen wollen, wird mit der Begründung zurückgewiesen, die Gesellen würden sich einem sitten- und zügellosen Lebenswandel ergeben, wenn sie aus dem Haushalt des Meisters ausscheiden und dem moralischen Einfluß des natürlich in jedem Falle hochmoralischen Meisters entzogen werden. Wie es mit den guten Sitten und dem Anstand steht, der in Bäckermeisterkreisen herrscht, dafür bieten die mit unflätigen Bemerkungen versehenen ablehnenden Antworten, welche ein Teil der Bäckermeister der Verbandsleitung sandten, ein drastisches Beispiel. Die betreffenden Meister haben ihre Rüpeleien zwar anonym verübt, man hat aber ihre Namen doch festgestellt. Wir illustrieren den „feinen Ton" in Bäckermeisterkreisen an einigen Proben: ...

Aus der Bäckerei von Brossig, Pappelallee 14, erfolgte die Antwort: „Meine Gesellen werden ihn was schei... sie Ochse." Der Schreiber dieser Antwort hat gewiß eine hohe Auffassung über Ehe und Familie. Auf die Forderung, den Gesellen an den hohen Festen je eine Freinacht zu gewähren, bemerkte er: „Bei die Frau Meistern", und an die Stelle, wo der Name des Meisters unterzeichnet werden sollte, schreibt derselbe Herr: „A....lochshausen."

Herr Richert, Tieckstr. 1, weist die Forderungen mit den Worten zurück: „Leckt mich im A....., A.....lochsbande."

Herr Kindermann, Brückenstr. 5a, sendet der Verbandsleitung diesen Wunsch: „Reist nach Herzberge, Ihr blödsinnigen Aufwiegler." ...

Den Rekord in der Unflätigkeit aber erreichte ein Subjekt, das mit dem Herrn Bäckermeister Wieneke in Pankow, Kaiser-Friedrich-Str. 67, übersandten Fragebogen der Lohnkommission Unfug trieb. Dieser anonyme Schweinigel legte in dem ihm übersandten Schriftstück etwas „Menschliches" nieder, was man sonst durch das Kanalisationsnetz den Rieselfeldern zuzuführen pflegt. Und die so beschmutzten übelduftenden Bogen sandte der anständige Mann der Verbandsleitung zu ...

Das sind Antworten auf die bescheidenen Forderungen, welche die Gesellen in der anständigsten Form vortrugen, die sie in der sachlichsten Weise begründeten und über die sie eine friedliche Einigung mit den Meistern anstrebten. Mit Leuten, die solche Antworten erteilen, kann man allerdings nicht verhandeln.

Vorwärts, 12. Mai 1904

Stralauer Fischzug, 1903

Bis zum 26. Mai bewilligen 1875 Bäcker die Forderungen der Gesellen. Einige hundert Bäckermeister sagen sich von der Innung los und bilden eine „Freie Vereinigung der Bäckermeister", die einen Tarifvertrag mit den Gesellen abschließt. Einige hundert weiterer kleiner Meister geben, zwischen den Fronten der auftrumpfenden großen Bäcker und der aufbegehrenden Gesellen zerrieben, den Schlüssel zur Backstube für immer ab.

Auch auf den Flüssen und Kanälen in und um Berlin leben mehrere tausend kleine Gewerbetreibende. Wie eine Idylle liest sich die Erzählung von der Schifferfamilie mit ihrem „Äppelkahn":

Wenn die ersten Blätter fallen, trifft der Äppelkahn ein und legt an einer Stelle der Spree, meist in der Nähe einer stark belebten Brücke, an. Bald hämmert und sägt der Schiffseigner, und unter seinen geschickten Händen entsteht ein Verkaufsstand, an dem die Früchte in verlockender Frische sich auftürmen. Bis in den Spätherbst hinein findet man neben den Äpfeln noch andere Früchte: Birnen, Pflaumen, Mirabellen usw.

Ein reger Verkehr von der Straße auf den Kahn und wieder zurück entwickelt sich hier. Früh, vor acht, wenn endlose Scharen arbeitsamer Menschen den Kontoren, Warenhäusern, Fabriken zusteuern, haben die Zillenbesitzer vollauf zu tun, um alle Käufer rasch zu befriedigen. Weiblein und Männlein trippeln schnell noch die Stufen zum Kahn hinab, um für den langen Arbeitstag sich mit einem „Fund" Obst zu versehen. Der Kleinverkauf geht meist ziemlich flott vonstatten, trotz der vielen seßhaften Obsthandlungen und der „fliegenden" Obsthändler. Dasselbe gilt auch abends, wenn Frauen mit großen Markttaschen beim flackernden Schein der Lampe Obst einkaufen. Dann und wann schleicht auch ein armes Weiblein oder ein blasses Kind an den Stand, um bescheiden nach „angepufften" oder „mulmigen" Früchten zu fragen, von denen sie dann, wenn solche gerade vorhanden sind, für weniges Geld eine ganze Menge erhalten ...

Die Zillen werden in der Gegend von Tetschen hergestellt und kosten ungefähr 4000, manchmal auch bis 5000 Mark. Es ist noch gar nicht so lange her, da sahen die Zillen ihre Heimat kein zweites Mal wieder ... Kollegen aus anderen „Branchen" kauften sie auf und nutzten die „Äppelkähne" noch so lange aus, als sie eben hielten. Das geschieht auch heute noch, nur daß die Kähne noch einmal nach Böhmen zurückkehren, um eine zweite Ladung zu holen. Die Zeiten sind schlechter geworden und die Zillen teurer ... So überwintern die Kähne auf der Spree, bis der Frühling einzieht und der riesige Bauch des Fahrzeugs sich geleert hat. Dann wird der Verkaufsstand abgebrochen, der schwere Koloß erhebt sich aus seiner trägen Ruhe, und eines Tages ist die Stelle, an der er gelagert, leer.

Vorwärts, 13. Januar 1910

"Die Zeiten sind schlechter geworden und die Zillen teurer..." Eine Schrift des Vereins Deutscher Ingenieure teilt 1910 mit, daß der Besitzer eines hölzernen Finowkahns, der zwischen Königs Wusterhausen und Berlin verkehrt, nach Abzug aller Kosten und Gebühren jährlich 585 Mark zu verzehren hat – vorausgesetzt, sein Schiff ist in Ordnung, er und sein Bootsmann bleiben gesund, und er hat stets genügend Fracht. 585 Mark jährlich – da ist es kein Wunder, daß der Schiffer an allen Ecken und Enden spart. An Maschinenkraft zum Beispiel: Die meisten Kähne werden in der Stadt durch Schieben, Ziehen oder Staken fortbewegt. Noch 1904 zählt die Statistik 84024 durchgegangene, angekommene oder abgegangene Segelschiffe für Berlin!

Auch Kräne zu benutzen ist teuer. Auf primitiven Schiebekarren, auf schwankenden Bohlen bewegen der Schiffer und sein Bootsmann Hunderte von Tonnen Kohlen, Baustoffe oder andere Lasten zum oft hochgelegenen Ladeplatz.

Eine harte und schwere Arbeit ist's, die der Spreeschiffer zu verrichten hat...

Langsam kommt ein Schleppzug zu fünf, sechs tiefbeladenen Lastkähnen die Oberspree hinab. Der Schiffer steht ruhig und gleichmütig an dem ungefügen Steuerruder, die Pfeife im Munde. Seine Frau sitzt auf Deck, das weiße Kopftuch zum Schutze gegen die sengenden Sonnenstrahlen weit übers Gesicht gezogen, und macht eine weibliche Handarbeit, während der Schifferknecht oder Hilfsmann mit der Reparatur irgendwelcher Schiffsgerätschaften beschäftigt ist. Wer so den Schiffer bei schönem Wetter dahingondeln sieht, glaubt meistens, wunder wie gemütlich das Leben auf solchem Kahn ist. Doch bald ändert sich das idyllische Bild. Die Stadt mit ihren Türmen und Brücken kommt in Sicht. Der Schleppdampfer tutet und legt bei; die Trossen werden losgeworfen und eingeholt; der Schleppzug löst sich auf. Jeder Kahn ist sich nunmehr selbst überlassen, der eine muß die Spree hinunter, der andre in einem Kanal entlang, bis er seinen Löschplatz erreicht hat. Jetzt heißt es für den Schiffer und seinen Hilfsmann: anfassen, denn beide sind bei der Fortbewegung des schwer belasteten Fahrzeugs lediglich auf ihre eigne Körperkraft angewiesen. Die Frau stellt sich jetzt ans

Steinschiffer, 1905

Steuer, und die beiden Männer ergreifen die „Kludstaken", lange Stangen mit einer Krücke oder einem Knopf am oberen Ende, die dann zu beiden Längsseiten des Kahns bis auf den Grund des Wassers gestoßen werden. Mit ganzer Kraft legen sich nun die Männer vornübergebeugt auf die Stange, den Knopf derselben fest gegen die Schulter gestemmt. In dieser Stellung gehen sie unter äußerster Anstrengung an den Bordseiten entlang, so das Fahrzeug langsam vorwärts schiebend. Es ist dies eine außerordentlich schwere und anstrengende Arbeit, eine wahre Tretmühlenarbeit, die um so ermüdender wirkt, als sie bisweilen stundenlang ohne Unterbrechung fortgesetzt werden muß, um den vielleicht noch eine Anzahl Kilometer weit entfernten Löschplatz rechtzeitig zu erreichen. Wer diese Arbeit als angemusterter Hilfsmann nicht gewohnt ist, der drückt sich in den ersten Tagen die Schulter und obere Brustseite braun und blau; später bilden sich dort dann handgroße Schwielen ...

Liegt nun der Schiffer endlich am Löschplatz, so erwartet seiner neue schwere Arbeit. Laufplanken werden gelegt und der Kahn löschklar gemacht. Schiffer und Hilfsmann spannen sich in eine plumpe Schiebkarre, die mit ungefähr achtzig bis hundert Mauersteinen oder mit einer Last Kies etc. beladen ist. Auf der meistens ziemlich steil zum Ufer aufwärtsgehenden Laufplanke fällt es dem einzelnen Manne in der Regel zu schwer, die Karre allein vorwärts zu bringen. Da hilft denn die Frau des Schiffers, indem sie dem Manne die Hände in den Rücken stemmt und kräftig mit vorwärts schiebt. So geht es ununterbrochen, nur mit den notwendigsten Pausen, bis der Kahn geleert ist. Erst dann gönnt sich der Schiffer ein wenig Ruhe, um dann nach kurzer Erholung sein Fahrzeug wieder in das größere Fahrwasser zurückzustaken und wenn möglich neue Ladung einzunehmen. Glückt alles, das heißt, ist Ladung da und sind Wind und Wetter halbwegs günstig, so schlägt sich der Kahnschiffer mit den Seinen leidlich durchs Leben, obwohl er unter der Konkurrenz der modernen kapitalkräftigen Fluß- und Schleppschifffahrts-Gesellschaften von Jahr zu Jahr mehr zu leiden hat.

Vorwärts, 11. August 1904

Viele Waffen stehen den Großreedereien zu Gebote, um die schwach organisierten kleinen und mittleren Schiffseigner aus dem Rennen zu werfen. Da sind die Verbindungen zu den Großbanken, die es den Schifffahrtskonzernen erleichtern, Schlepper zu kaufen und sich der modernsten Antriebskräfte zu bedienen. Da ist der den Motorschiffen (und das sind die Schiffe der Großen) Vorfahrt einräumende „Schleusenrang". Und da ist schließlich die Möglichkeit, um ein Vielfaches rascher mit den Dutzenden von Anordnungen und Vorschriften fertigzuwerden, mit denen die preußische Bürokratie Handel und Wandel auf den Wasserstraßen

Kupfergraben mit Jungfernbrücke und Schleuse, 1909

einengt und behindert. Die Großen schicken ihren Kontorchef zu den Behörden – die Kleinen traben selbst.

Was die natürliche Entwicklung an Schwerfälligkeit und Zeitverlust nicht zustande gebracht hat, vervollständigt ein entsprechendes Meldewesen ...

Jeder nach Berlin kommende Kahn, der beispielsweise eine Ladung Steine von Zehdenick bringt, führt folgende Papiere mit sich:

1. Eichbescheinigung seines Fahrzeuges.
2. Ladeschein der Ziegelei ...

3. Einen Zollzettel für die benutzten Zollschleusen ...
4. Den Zollzettel von der vorletzten Fahrt, d. h. der Leerfahrt nach Zehdenick.
5. Sämtliche polizeilichen Anmeldepapiere für den Schiffsführer, seine Familie und den Bootsmann (Invaliditätskarte, Paß usw.). Auf zwei gleichartigen Formularen werden Schiffer und Bootsmann zusammen gemeldet, auf einem dritten der Bootsmann allein.

Bei seiner Ankunft in Berlin macht der Schiffer sein Fahrzeug vor der letzten Schleuse (Plötzensee) fest. Dann geht er zum Empfänger der Ladung und läßt sich eine Bescheinigung geben, daß die Ladung für ihn ist und die Ausladung an dieser oder jener Stelle geschehen soll. Hierbei wird der Schiffer vielfach an eine zweite und von da wohl noch an eine dritte Order weiter verwiesen und erhält überall einen entsprechenden Vermerk.

Mit dem Ladeschein, dem Eichschein, den Anmeldepapieren und der Bestätigung des Empfängers muß er zum Polizeischiffahrtsbüro (in Berlin Probststr. 8, in der Nähe des Rathauses) gehen, um sich auf Grund dieser Papiere einen Anlegeschein geben zu lassen und das Ufergeld zu bezahlen. Dies dauert je nach dem Andrang auf dem Polizeischiffahrtsbüro eine halbe bis zwei Stunden ...

Im Besitze des Anlegescheines kehrt der Schiffer zu seinem Fahrzeug zurück ...

An der Anlegestelle muß der zuständige Schutzmann die Meldung bestätigen.

Ist der Kahn leer, dann muß der Schiffer einen Abmeldeschein (grün) ausfertigen und mit dem vom Schutzmann unterschriebenen Anlegeschein sowie dem Duplikat des Anlegescheines zum Polizeischiffahrtsbüro gehen. Erst jetzt darf der Schiffer, nachdem der Abmeldeschein abgegeben und das Duplikat des Anmeldescheines nochmals abgestempelt ist, nach Zehdenick zurück ...

Daß dieses umständliche Verfahren nicht gerade geeignet ist, belebend auf die Tatkraft des Schiffers einzuwirken, liegt auf der Hand.

Claus, Der Umschlagverkehr auf den Berliner Wasserstraßen

Diese umständliche Bürokratie ist nicht nur Schikane; sie hat ihren tieferen Sinn. Der Staat, dem die Eisenbahnen gehören, tut alles, um den Güterstrom vom Wasser auf die Schienen zu leiten. Diesem Zweck dienen auch die ständig erhöhten Schiffahrtsabgaben. 1911 wird die Jahresabgabe für einen 440-Tonnen-Kahn auf fast 3000 Mark erhöht: „Kein Pappenstiel für den kleinen Mann." (Liebknecht)

Berlin ist eine der großen Handelsmetropolen des Reiches.
　　Das Handelsgewerbe besitzt freilich so viele soziale Abstufungen wie die Gesellschaft selbst. Seine unterste Stufe ist nicht der kleine Tante-Emma-Laden an der Ecke; seine unterste Stufe bildet auch nicht das von Zille so oft gezeichnete halbproletarische Kellergeschäft. Den Bodensatz des Berliner Handelsgewerbes bilden Tausende kleine Hausierer, deren Geschäft oft genug nur einen offenen Bettel tarnt. Unaufhörlich schellen die Wanderhändler an den Wohnungstüren... Und was alles haben sie anzubieten!

Kurzwaren, also kleine Waren aus Metall, Holz, Glas, Porzellan, Marmor, Alabaster, Perlmutt, Bernstein- und Meerschaumimitationen, Fischbein, Horn, Leder, Seide und Seidenimitationen, wie Rähmchen, Gläser, Gipsfiguren, Knöpfe, Zigarrenspitzen, Messer, Korkenzieher, Nadeln, kleine Taschen, Taschenkämme, Taschenbürsten, kleine Tücher, auch gehäkelt und gestrickt, auch Fächer, Lampenschirme, Notizbüchlein, Federhalter, Federn, Bleistifte und andere Schreibwaren, auch billigere und parfümierte Seifen...
　　Verwandt mit dem Galanteriewarenhausierhandel ist der Hausierhandel in Woll-, Trikotage- und Schnittwaren, das heißt der Handel mit Stoffen zu Leibwäsche, Taschentüchern, Schürzen, Kleidern, Blusen, Arbeitskitteln, Knaben- und Männeranzügen usw. ... Dazu kommen dann Wollwaren wie Strickgarne, Strümpfe, Unterröcke, gestrickte Westen, Teppiche, Decken..., ferner Kapotten, Mützen, Wachstuch, Hosenträger, Schlipse, Sonnen- und Regenschirme.

Fridrichowicz, Das Hausiergewerbe

Korbwarenhändlerin, 1906

Eine halbe Stufe höher auf der Stufenleiter des „Handelsstandes" rangieren die Straßenhändler. Mit der Hoffnung auf ein paar Pfennige Verdienst durchziehen Händler mit Sand, Holz und Kohle, mit Obst und Gemüse, mit Töpfen und Bürsten, mit Pantoffeln und Galanteriewaren, ihre Waren ausrufend oder ausschellend, die Straßen der großen Stadt. Zwanzigtausend Straßenhändler! Von den Feuilletonisten besungen, von den Ladenbesitzern befeindet, von der Polizei bis aufs Blut gereizt. Der folgende Text stammt aus dem Jahre 1909:

Der erfolgreiche Teil dieses Erwerbs ist noch der eigentliche Straßenhandel, der in einzelnen seiner Zweige, so im Obst- und Gemüsehandel, den augenblicklich in Berlin ungefähr 10 000 Männer und Frauen betreiben, wenigstens einem gewissen Bedürfnisse entspricht, da die ärmeren Volksschichten die teueren Waren in den Läden nicht bezahlen können und deshalb gern das billigere Angebot der fliegenden Händler annehmen ... So weit wäre also alles ganz gut, und diese Händler könnten noch so einigermaßen ihr Brot finden, wenn nicht die vielen von der Polizei ausgeschriebenen Strafen wären, die förmlich auf die Leute herabhageln, weil sie zu lange mit ihrem Wagen an einer Stelle gehalten haben oder weil sie Menschenansammlungen veranlaßt und die Straße beschmutzt haben. Oft müssen sie sieben, acht, ja sogar zehn Mark auf einmal bezahlen, so daß ihr ganzer Tagesverdienst und mehr daraufgeht. Ja, oft werden sie sogar mit Gefängnis bestraft, weil sie durch ihr Hin- und Herfahren die öffentliche Ordnung gestört haben ...

Trotzdem nun so wenig dauernder und wirklicher Nutzen aus dem Straßenhandel zu ziehen ist, vermehren sich die Händler doch immer noch, obgleich die Polizei das Gebiet, auf dem sie sich bewegen dürfen, erst vor kurzem stark eingeschränkt hat. Eine im Laufe des Winters vorgenommene Zählung hat ergeben, daß mindestens 20 000 Männer und Frauen in Berlin auf diese Weise ihren Unterhalt erwerben. Es ist eben das letzte Hilfsmittel der Arbeitslosen, die nicht mehr wissen, wo ein noch aus, und die dann in ihrer Verzweiflung zum „Brot der Straße" greifen ...

Wer nun mit dem Straßenhandel nichts werden kann, der geht zum „Lokalhandel" über, einem noch erheblich kümmerlicheren Zweig des „fliegenden Handels", in dem augenblicklich reichlich 6000 Händler beschäftigt sind. Dieser Lokalhandel sucht sein Absatzgebiet in Gastwirtschaften, Fabriken und Werkstätten. Wer über einige Mittel verfügt, „pachtet" ein oder zwei Gastwirtschaften für zwanzig bis dreißig Mark monatlich. Für diese Summe erhält er die Erlaubnis, jeden Abend drei bis vier Rundgänge zu Verkaufszwecken durch das Lokal machen zu dürfen und den übrigen Händlern den Eintritt zu untersagen. Er handelt dann mit Apfelsinen, Zuckermandeln, Schwefelhölzern und ähnlichen Dingen, die keiner braucht und die meistens nur aus Mitleid für den armen Händler gekauft werden.

Marie Heller, Wie es den Arbeitern ergeht

Berliner Leierkastenmann, um 1900

Zum stolzen Handelsstande gehören auch eine Reihe der von den Feuilletonisten sentimental verklärten Altberliner Originale. Noch stehen die Verkäufer kleiner Hunde auf der Friedrichstraße, noch steht der Wurstmaxe an der Weidendammer Brücke – mit Monokel und Chapeau claque. Aber die „Werderschen" haben sich verlaufen. Auch die Hofsänger sind verschwunden, und mit ihnen sterben Dutzende typischer Berliner Gewerbe aus.

Die weiten Wiesen von Linum und Kremmen bis Fehrbellin waren erfüllt von Torfstichen, die jetzt wüst und öde oder ausgenutzt daliegen, und mancher Millionentorfbauer ist nahezu an den Bettelstab gelangt. So sehr haben sich die Wege der Industrie gegen früher verschoben. Die robusten Torffrauen, Frau Gericke, Frau Neumann, Frau Beelitz, sind von der Jungfernbrücke und der Friedrichsgracht verschwunden; sie haben ihren Beruf aufgegeben. Es gibt keine einzige Torffrau mehr. Hier hat der Mann endlich einmal den Sieg davongetragen. Es gibt nur Kohlenmänner und Brikettfritzen. Es heißt in dem wunderschönen Volksliede „Mutter, der Mann mit dem Koks ist da!" ...

Der „Plundermatz" der guten alten Zeit trat sehr bescheiden auf und bezahlte die ihm gebotenen Schätze den Hausfrauen und Mägden sehr bescheiden, etwa mit „Nähnadel und Faden", einer Fitze Garn, 3 Bonbons oder einer Naute (Gebäck aus Sirup, mit Mohn bestreut).

„Der moderne Naturforscher" tritt dagegen eleganter auf, mit Hut und Lackstiefeln, mit Kragen und Manschetten, und angelt die Gegenstände nur mit zierlich gekrümmtem Draht aus dem von der „Wirtschafts-Genossenschaft Berliner Hausbesitzer" gelieferten Eisenblechkasten heraus.

Brendicke, Berliner Typen

Eine Stufe höher im sozialen Gefüge des Handelsstandes sind schon die Pächter eines Markthallenstandes angesiedelt. Walter Benjamin verdanken wir eine Schilderung des turbulenten Treibens in der Halle am Magdeburger Platz:

Hatte man den Vorraum mit den schweren, in kräftigen Spiralen schwingenden Türen hinter sich gelassen, heftete sich der erste Blick auf Fliesen, die von Fischwasser oder Spülwasser schlüpfrig waren und auf denen man leicht auf Karotten ausgleiten konnte oder auf Lattichblättern. Hinter Drahtverschlägen, jeder behaftet mit einer Nummer, thronten die schwerbeweglichen Weiber, Priesterinnen der käuflichen Ceres*, Marktweiber aller Feld- und Baumfrüchte, aller eßbaren Vögel, Fische und Säuger,

---

* römische Göttin des Ackerbaus

Kupplerinnen, unantastbare strickwollene Kolosse, welche von Stand zu Stand miteinander, sei es mit einem Blitzen der großen Knöpfe, sei es mit einem Klatschen auf ihre Schürze, sei es mit busenschwellendem Seufzen, verkehrten. Brodelte, quoll und schwoll es nicht unterm Saum ihrer Röcke, war nicht dies der wahrhaft fruchtbare Boden? Warf nicht in ihren Schoß ein Marktgott selber die Ware: Beeren, Schaltiere, Pilze, Klumpen von Fleisch und Kohl, unsichtbar beiwohnend ihnen, die sich ihm gaben, während sie träge, gegen Tonnen gelehnt oder die Waage mit schlaffen Ketten zwischen den Knien, schweigend die Reihen der Hausfrauen musterten, die mit Taschen und Netzen beladen mühsam die Brut vor sich durch die glatten, stinkenden Gassen zu steuern suchten. Wenn es dann aber dämmerte und man müde wurde, sank man tiefer als ein erschöpfter Schwimmer. Endlich trieb man im lauen Strom stummer Kunden dahin, die wie Fische auf die stachligen Riffe glotzten, wo die schwammigen Najaden sich's wohl sein ließen.
Benjamin, Berliner Kindheit

Aber das Schicksal der meisten städtischen Markthallen ist schon besiegelt.

Selbst die großen Hallen in der Friedrichstraße und am Marheineckeplatz haben die auf sie gestellten wirtschaftlichen Erwartungen schwer enttäuscht.

Die Gründe sind verschieden. Zunächst gibt es in allen bevölkerten Vierteln eine Unmenge von Lebensmittelgeschäften, wo die Waren in verhältnismäßig großer Auswahl und einwandfreier Güte zu haben sind. Auch in der Markthalle erhalten die Käufer die Ware in der Regel nicht mehr, wie es anno dazumal der Fall war und was als besonderer Vorzug der Markthallen geschätzt wurde, aus erster Hand, von der Bäuerin selbst. Auch hier hat sich überall der Zwischenhandel das Feld erobert. Ein gutes Grünwarengeschäft in der Nähe der Wohnung des Käufers, das diesem noch den weiteren Weg erspart, erfüllt den Zweck ebensogut. Nicht zu übersehen ist ferner, daß heutzutage

Die Markthalle in der Friedrichstraße, um 1900

454

Julius Schmidt
Obst. Südfrucht.

in Berlin die Warenhäuser einen beträchtlichen Teil des Lebensmittelhandels an sich gebracht haben. Und daß die Frauen allgemein den Aufenthalt im Warenhause dem in der Markthalle vorziehen, bedarf keiner Erörterung.
Berliner Neueste Nachrichten, 26. September 1912

Noch existiert der Berliner Weihnachtsmarkt. Aber aus dem Schloßviertel ist er vertrieben:

Man muß schon mit besonderer Ortskenntnis ausgerüstet sein, um die entlegenen Stadtgegenden aufzufinden, wo sich noch einige kümmerliche Reste der früheren Herrlichkeit erhalten haben. Im Osten Berlins beispielsweise nahmen in den letzten Jahren noch zwei Reihen armseliger Verkaufsbuden die Mittelpromenade der Großen Frankfurter Straße ein. Auch dieser Weihnachtsmarkt des Ostens hat das Feld räumen müssen, seit zwei Rasenstreifen die Stelle bedecken, wo sonst die Buden Platz fanden, und jetzt erinnern hier an den ehemaligen Weihnachtsmarkt nur noch eine lange Reihe von Straßenhändlern, die von der Andreasstraße bis zur Fruchtstraße ihre Handwagen in der Frankfurter Straße aufgestellt haben und Äpfel, Nüsse, billige Spielwaren, Baumschmuck und dergleichen feilbieten. So ist der Weihnachtsmarkt, einst eine beachtenswerte und beliebte Erscheinung im Berliner Leben, zu gänzlicher Bedeutungslosigkeit herabgesunken. Nicht die Verbannung aus der Nähe des Schlosses hat das Schicksal des Berliner Weihnachtsmarktes bestimmt; er führte auch an seiner historischen Stätte schon seit Jahren nur noch ein kümmerliches Dasein, denn seine ursprüngliche Bedeutung war längst geschwunden ... Die modernen Verkaufsgeschäfte, allen voran die großen Warenhäuser sind es, die heute auf die kauf- und schaulustige Menge eine ebenso große Anziehungskraft ausüben, wie es die Budenstadt auf dem Schloßplatz in früheren Zeiten tat. Zu Zehntausenden sieht man jetzt Tag für Tag, namentlich in den Abendstunden, jung und alt in die behaglich durchwärmten, von einer Flut elektrischen Lichtes erfüllten Kaufpaläste strömen ...

Der alte Weihnachtsmarkt mit seinem lärmenden Treiben und seinen Bekundungen derben Volkshumors ist das allerdings nicht. Dieses Bild kleinbürgerlichen Lebens ist völlig verwischt worden durch die großkapitalistische Entwicklung im Handelsgewerbe. Brutal wie der Kapitalismus ist, hat er auch hier auf seinem Wege eine Anzahl schwacher Existenzen vernichtet und manchem kleinen Manne die Aussicht auf ein gutes Weihnachtsgeschäft genommen, aber wer sich der Waren erinnert, die früher in den Buden feilgeboten wurden, und damit die Erzeugnisse der modernen Industrie vergleicht, die heut in den Warenhäusern zum Kauf ausgeboten werden, der muß zugeben, daß diese Entwicklung, trotz ihrer bedauerlichen Nebenerscheinungen, ein Fortschritt ist.
Vorwärts, 15. Dezember 1901

Die Lage der kleinen Ladenbesitzer, die ihren Handel in den Kellern der Mietskasernen, in den Eckläden der Vororte betreiben, ist wenig besser als die ihrer ambulanten Kollegen und Konkurrenten. „Es ist eine traurige Tatsache, daß in Berlin achtzig Prozent der Ladeninhaber mit finanziellen Schwierigkeiten zu kämpfen haben. Wer es nicht glauben will, frage den Gerichtsvollzieher." (Berliner Lokal-Anzeiger, 30. Juli 1911)

In den „Viktualienkellern" wurden Lebensmittel aller Art feilgeboten: Mehl und Kaffee, Gemüse und Brot, Salz und Zucker, Rosinen und Flaschenbier, dazu gewöhnlich auch Seife und andere Waschmittel. Vielfach gab es hier auch Petroleum, das aus einem Faß oder Kanister in Flaschen abgezapft wurde, die der Käufer mitbringen mußte. Die Petroleumlampe war damals noch das verbreitetste Beleuchtungsmittel. Jahrelang betrieben meine Eltern – oder besser gesagt: meine Mutter, denn mein Vater kümmerte sich nicht darum – ein solches kleines Kellergeschäft mit Viktualien. Mein Vater ging tagsüber seiner Arbeit in der Schwartzkopffschen Maschinenfabrik in der Chaussee-Ecke Invalidenstraße nach, und wenn er abends nach Hause kam, war ihm das Geschäft egal, so daß es ganz allein meiner

Mutter oblag. So mußten wir Kinder meiner Mutter dabei helfen. In aller Frühe schon, bevor wir uns auf den Schulweg machten, nahm ich einen Sack unter den Arm und ging in die nahegelegene Markthalle in der Reinickendorfer Straße, öfter begleitet von meiner um ein Jahr älteren Schwester. Dort kauften wir verschiedene Sorten Kohl und Mohrrüben ein und schleppten den Erwerb mühsam in dem gefüllten Sack nach Hause, damit er in unserem Kleinhandel mit ganz minimalem Gewinn weiterverkauft werden konnte, Kartoffeln bezogen wir vom Großhändler wispelweise, den Wispel zu 24 Zentner gerechnet. Sie wurden in einem noch tieferen Keller gelagert, von wo aus ich täglich den größeren Hebekorb, der seinen Platz im Laden hatte, gefüllt heraufbringen mußte. Daraus wurden sie fünf- oder zehnpfundweise an die Kunden abgegeben. In dem Geschäftsraum stand in einem Seitenverschlag auch eine Drehrolle. Oft mußte ich, wenn ich nach der Schule wieder zu Hause war, für Hausfrauen oder Dienstmädchen die Rolle drehen, wenn sie ihre Wäsche bei uns mangelten. Dafür bekam ich je nach Zeitdauer fünf oder zehn Pfennige als Vergütung – mehr habe ich niemals erhalten! Es war eine anstrengende Arbeit für einen zehnjährigen Jungen, zumal, wenn sie von drei oder vier Frauen nacheinander verlangt wurde.

An den Geschäftsraum schloß sich unsere Wohnung an, bestehend aus einem ziemlich großen Zimmer und der ebenfalls geräumigen Küche. Jeder Raum hatte nur ein Fenster, das zur Hälfte über den Erdboden herausragte und aus dem man gerade noch auf die gepflasterte Fläche des Hinterhofes blicken konnte. Die beiden Räume waren also ziemlich dunkel. Die Folge davon war, daß mein Augenlicht sehr schlecht wurde und ich seitdem mein Leben lang ständig eine Brille tragen muß. Wir Kinder schliefen in der Küche, die Eltern in dem einzigen Zimmer, in dem sich unser ganzes Leben abspielte.

Das Geschäft, für dessen Übernahme meine Eltern ihre wenigen Ersparnisse, wozu sie sich noch eine erhebliche Summe hatten borgen müssen, hineinsteckten, hielt nicht im entferntesten

Das Spezial-Kaffee-Geschäft, um 1910

ecial Kaffee Geschä...

Drogen · Colonial

Täglich frisch geröstete
Kaffee's
Thee,
Kakao, Schokolade
Vanille, Zucker

Anna Decker
und
Marie Böttcher

Special-Kaffee-Gesch...

das, was die alte Frau versprochen und vorrechnete, von der wir es erworben hatten: Es war eine einzige Pleite, da der Umsatz nur gering, die Verdienstspanne niedrig war und Betrügereien der Lieferanten, auf die fremde Leute und Hausbewohner meine unerfahrene Mutter aufmerksam machten, nicht gerade selten hinzukamen. Wir waren froh, als wir es schließlich nach einigen Jahren mit Verlust wieder loswurden.

Theek, Keller-Erinnerungen

Zu ernstzunehmenden Konkurrenten des kleinen Kramladens entwickeln sich die Spezialgeschäfte, die Qualitätsware einer begrenzten Anzahl von Artikeln in reicher Auswahl zum Verkauf stellen. Vor allem aber saugen mit Bankkrediten aufgebaute „Ladenketten" – Tack, Salamander, Kaiser's Kaffee, Loeser & Wolff – und die Warenhäuser wie Wertheim und Tietz die Kaufkraft auf.

Etwa ein halbes Jahr, bevor ich wieder nach Berlin zurückkam, hatte Vater einen Block fast zweihundert Jahre alter zwei- und dreistöckiger baufälliger Häuser erworben. Sie reichten mit einer nicht zu breiten Front an den Alexanderplatz heran und nahmen etwa ein Viertel der sie umgebenden Längsstraßen ein ... Durch den „Zug nach dem Westen", der sich in Berlin vollzog, war der Alexanderplatz verödet. Die an ihn grenzenden Straßen nach Westen hin, König-, Kloster- und Brüderstraße, waren zur Region der Großhandelsgeschäfte geworden; die nach Osten, Süden und Norden führenden Straßen aber beherbergten die übelsten Elendsviertel, die Berlin aufzuweisen hatte. Dazu lagen die Häuser etwas vom Platz zurückgerückt, durch das Standbild der Berolina verdeckt ...

Ganz Berlin zerbrach sich wegen Vater den Kopf und hielt es für eine Narrheit, an dieser Stelle, an einem so gottverlassenen Platz, ein Warenhaus zu errichten. Vater ließ sich nicht auf Gespräche ein; manchmal auch erwiderte er kurz und lachend: „Lage, die mache ich!"

Georg Tietz, Hermann Tietz

Alle Vorteile des Großeinkaufs ausschöpfend, alle Rationalisierungsmittel ausnutzend und mit immer neuen Attraktionen die Kauflust des Publikums stimulierend, werden die großen Warenhäuser zu den eigentlichen Beherrschern des Marktplatzes Berlin.

Einige der Studien im Ausland hatten sich jetzt zum besten ausgewirkt, nachdem sie den deutschen beziehungsweise den Berliner Bedürfnissen und der hier herrschenden Mentalität entsprechend umgestaltet worden waren, wie zum Beispiel die „Weiße Woche", die in jedem Februar, dem sonst geschäftslosesten Monat, stattfand und ihn so belebte, daß er für uns ein zweiter Weihnachtsmonat wurde. Das ganze Haus wurde zu einer Melodie in Weiß verwandelt; alle Fenster wurden mit weißen Waren dekoriert; in den Lichthöfen wurden herrliche Aufbauten aus Wäschestoffen, Taschentüchern und anderen Webereierzeugnissen gemacht. Einmal stellten sie indische Tempel, das andere Mal römische Triumphbögen oder Schiffe am Pier liegend oder Wasserfälle und Kaskaden dar. Die Fassaden der Häuser erhielten für diese Woche besondere Lichtreklamen, die ebenfalls in den verschiedensten figürlichen Emblemen aufleuchteten. Die Waren wurden bei den Fabrikanten ein Jahr im voraus bestellt; das gab ihnen die Möglichkeit, sie in der sogenannten „toten Saison" zu sehr niedrigen Preisen herzustellen und sich mit sehr geringen Preisen zu begnügen; bot es ja für die Hersteller schon einen großen Vorteil, daß sie so kontinuierlich ihre Maschinen und ihr Personal beschäftigen und damit Amortisations- und Verzinsungsspesen auf ein Minimum herabdrücken konnten. Was für die Hersteller zutraf, traf in noch vergrößertem Maße bei uns selbst zu. So konnten auch wir unseren Aufschlag für diese Veranstaltung heruntersetzen, und den Käufern wurde nicht nur eine Augenweide, sondern auch hervorragend gute Ware zu billigen Preisen geboten.

Die Hauptartikel dieses Verkaufs waren Wäschestoffe vom Meter, aber auch in Zwanzig- und Dreißigmeterstücken; weiße Kleider- und Seidenstoffe, Damen- und Herrenwäsche, weiße Kleider und Mäntel, Blusen, Taschentücher und Handschuhe, Tischtücher, Handtücher, kurzum: Leinenwaren; aber auch alle anderen Abteilungen brachten weiße Waren, ob es Porzellan, Emaille, Küchenartikel, Herren- und Damenschuhe, Putz, Galanterie- und Bijouteriewaren, Teppiche oder sogar Lebensmittel waren. Nach ein paar Jahren wurde die „Weiße Woche" von unseren Mitbewerbern kopiert. Sie wurde so Allgemeingut des deutschen Einzelhandels, daß, als das Gesetz gegen den Mißbrauch von forcierten Extraverkäufen erging, die „Weiße Woche" ausdrücklich ausgenommen wurde. Trotz aller Nachahmungen aber blieb die „Weiße Woche" eine spezielle Tietz-Angelegenheit, und die Kunden blieben nicht nur dieser Veranstaltung, sondern auch uns treu.

Georg Tietz, Hermann Tietz

In den Lebensberichten der führenden Handelskapitalisten wird der Anschein erweckt, als sei es ihre persönliche Tüchtigkeit, die Millionen zu Millionen fügt. Sicher, es gibt geschickte Kaufleute wie die Brüder Wertheim, wie Tietz und Hertzog und weniger geschickte wie den Bankrotteur Wolf Wertheim, der das Passagekaufhaus in die Pleite reißt. Die eigentliche Quelle der rasch anwachsenden Kapitalmacht der Warenhausbesitzer aber ist die Aneignung von Extraprofiten beim Großeinkauf von abhängigen Produzenten und die brutale Ausbeutung eines Heeres von Angestellten. Fast die Hälfte der Ladenverkäuferinnen in Berlin hat weniger als 60 Mark monatlich Gehalt.

Die Gehaltsverhältnisse der Wertheimschen Angestellten sind, wie viele Interna, so gut wie gar nicht bekannt. Es besteht für alle unter ihnen ausnahmslos das Verbot, über ihr Einkommen zu sprechen ... Der Verfasser dieser Schrift hat deshalb keinen Versuch gemacht, Angestellte zu seiner Übertretung zu verleiten. Dagegen hat die Deutsche Konfektion einige Zahlen veröffentlicht, die hier mitgeteilt seien. Danach erhalten Verkäuferinnen ein Mindestgehalt von monatlich 70 Mark, wenn sie bei Eltern, von 80 Mark, wenn sie allein wohnen. Das Mindestgehalt der Verkäufer beläuft sich auf 150 Mark ... Die Lagerdamen erhalten durchschnittlich 150 Mark im Monat ... Will sich ein Angestellter verheiraten, so hat er darüber Meldung an die

Chefs zu machen, die „die Erlaubnis dazu nur dann erteilen, wenn sie den Betreffenden eines Gehalts von 225 Mark für würdig erachten". In dieser Meldung muß unter anderem auch genau angegeben sein, ob die zukünftige Frau einen Beruf und welchen sie ausübt ... Überstunden werden nur an Hausdiener besonders bezahlt, die deren mitunter zahlreiche zu leisten haben. Das Verkaufspersonal hat ihrer angeblich nur wenige, nur während der Weihnachtssaison, wo die Tischzeit um $\frac{1}{4}-\frac{1}{2}$ Stunde verkürzt und die Arbeitszeit von 8 Uhr abends auf 9 Uhr verlängert wird.

In den üblichen ruhigeren Zeiten war bis vor kurzem die offizielle tägliche Arbeitszeit von 8 Uhr früh bis 8 Uhr abends. Seit 1. Januar 1907 ist ihr Beginn erst auf halb 9 Uhr morgens festgesetzt. Man hat gefunden, daß dies möglich ist, da der Besuch des Hauses durch Käufer um diese Zeit ein minimaler ist. Man verfolgt damit ausgesprochenermaßen ein doppeltes Ziel: den Angestellten die Arbeitszeit möglichst zu verkürzen und diese dadurch für die wirklich bestehende Zeit bis zur letzten Minute leistungsfähiger zu halten ...

Wer im Monat mehr als 25 Minuten zu spät zur Arbeit kommt, wird mit je 25 Pfennig Strafe belegt. Selbst Einkäufer werden an ihren Tantiemen gekürzt, wenn sie sich im Verkehr mit den Lieferanten bemerkenswerter Vernachlässigungen schuldig machen. Über alle werden, genau wie beim Militär, Führungslisten angelegt und weitergeführt; mit Tadel wird wenig, mit Lob dagegen sehr gespart. Von Zeit zu Zeit werden die Disziplinarvorschriften dem Personal während des Essens in den Pausen vorgelesen und im Gedächtnis aufgefrischt ... Die Fräuleins, die in der Beschwerdestelle einen freilich oft mühsamen und aufreibenden Dienst haben, erhalten für jeden Fehler von Angestellten, über den sich das Publikum bei ihnen mit Recht beschwert und den sie melden, eine Prämie von zehn Pfennig, die dem Gemeldeten abgezogen werden. Packmädchen, die beim Verpacken der Ware diese mit dem Inhaltsvermerk auf der beiliegenden Quittung zu vergleichen haben, erhalten die gleiche Prämie auf Kosten der schuldigen Verkäuferin, wenn sie Verrechnungen von ihr feststellen. Schaffner werden sogar mit

25 Pfennig belohnt, wenn sie zum Beispiel melden, daß Verkäuferinnen falsche Adressen den auszutragenden Warenpaketen beigefügt haben; und wieder natürlich haben diese Verkäuferinnen das Strafgeld aus ihrer Tasche zu tragen. Und ähnliche Parallelen sollen auch in bezug auf die Kontrollierung der Angestellten durch höhere Vorgesetzte bestehen. Die Folge, die ja wohl auch beabsichtigt ist, ist die, daß das ganze Personal sich gegenseitig fortwährend selbst kontrolliert, daß infolgedessen keines dem andern im ganzen Hause traut.

Göhre, Das Warenhaus

Berlin bietet, wenn wir Ludwig Thomas Briefen folgen wollen, seinen Besuchern eine ausreichende Zahl von Gaststätten, in denen man „gut und billig" trinken und speisen kann.

Berlin, 17. November 01

Ich bin sehr gesund und fühle mich täglich wohler hier. Die Stadt ist so schön, so interessant; alle Tage ein neues Bild und ein so bewegtes Leben, daß man nicht fertig wird mit Bewundern. Essen tue ich hier großartig. Wir haben hier alle Küchen Europas. Die österreichische bei feinen Wiener Restaurants, französische, russische, schlesische, hamburgische und Berliner Küche. Dabei billiger, viel billiger als in München. Nahe meiner Wohnung, im Vorstadtviertel, esse ich im schlesischen Restaurant um 1 Mark Suppe, Fisch, Braten und Mehlspeise. Alles so zubereitet, daß ich den Münchnern bloß wünschen könnte, sie hätten es so. Bei Krziwonek (Wiener) bekommt man ebenfalls Menu mit vier Gängen um 1 Mark 25 Pfennige. Die Mehlspeise so gut wie im besten Hotel Wiens, ganz so, wie Du sie daheim machst. Rahmstrudel, Scheiterhaufen, versoffene Kapuziner usw.

Diese leiblichen Genüsse sind ja nicht das Höchste, aber es tut einem Junggesellen wohl, für anständiges Geld gutes Essen zu kriegen; nicht den schmutzig servierten Schlangenfraß von München.

Thoma, Autobiographisches

Die Gastwirtschaften und Schanklokale nehmen fast 19 Seiten – jede zu 5 Spalten – im Berliner Adreßbuch von 1900 ein. Auf jedem zweiten Grundstück befindet sich eine Gaststätte. Den Rekord hält die Friedrichstraße, die mehr Kneipen als Häuser zählt.

Es war zunächst schwer einzusehen, wie alle diese Unternehmungen auf ihre Kosten kommen wollten, aber wenn man sich überlegt, daß damals schon an den verschiedenen Berliner Hochschulen mindestens zehntausend Studenten waren, daß die Stadt mit ihrer Umgebung eine Garnison von der Stärke fast eines Armeekorps beherbergte, daß eine Masse von unverheirateten Angestellten und Arbeitern dort ihr Brot erwarb und daß endlich jahraus, jahrein ungezählte Fremde aus dem Reich und dem Ausland die Reichshauptstadt besuchten, wird einem klar, daß dieses Geschäft eine ganz solide Grundlage besaß. Es war im wesentlichen auf dem Bierkonsum aufgebaut; es gab über hundert Sorten Bier, die dort ausgeschenkt wurden, und die Brauereien ganz Deutschlands waren daran interessiert, von denen jede namhafte in Berlin ihre Filialen hatte. Alles Beiwerk, von den billigen Brötchen Aschingers bis zum Tingeltangel der Bockbierfeste oder den Burlesken des „Groben Gottlieb" in seiner Bauernschenke und dem grotesken Stumpfsinn im „Strammen Hund", diente ganz nüchtern nur dem Zweck, auf dem Wege über den Bierverbrauch der Jugend aller Stände das Geld aus der Tasche zu ziehen. In Abwandlung eines bekannten Wortes konnte man sagen: beer is king ...

Siemens, Erziehendes Leben

Es ist allerdings ein Irrtum, daß das Geschäft der Tausende von kleinen und mittleren Wirten „eine ganz solide Grundlage" besäße. Die Mehrzahl von ihnen sind nichts anderes als Bierverzapfer, die von den Großbrauereien eingesetzt sind, „wobei die ganze Wirtschaftseinrichtung bis auf den letzten Nagel der Brauerei gehört" (Marchlewski).

Die Arbeitsbedingungen in allen diesen Gaststätten, ob groß oder klein, spotten jeglicher Beschreibung. Für die Kellner ist das Scherzwort, sie hätten zur Arbeit noch Geld mitzubringen, bittere Wirklichkeit:

In der Destille, 1904

Die Arbeitsverhältnisse der Kellner in den sogenannten erstklassigen Geschäften der Friedrichstadt kamen in einer vom Verband der Gastwirtsgehilfen einberufenen Versammlung zur Sprache ... Im Restaurant „Roland von Berlin" in der Potsdamer Straße erhalten die Kellner ein monatliches „Salair" von 10 Mark, davon müssen sie aber den Gläserbruch bezahlen sowie Strafgelder, welche die Prinzipalin einzieht, ohne daß jemand weiß, was aus dem Gelde wird. – Im Weinrestaurant Trarbach, Behrenstraße, gibt es einen Monatslohn von 15 Mark, jedoch muß jeder Kellner täglich 10 Pfennig für den Gläserspüler, 30 Pfennig für Benutzung der Livree und ½ Prozent der Einnahme für Bruch bezahlen. Die Arbeitszeit in diesem Restaurant beginnt vormittags um 9 Uhr und endet um 2, auch 2½ Uhr nachts ... Im „Kabarett Unter den Linden" sind 12 Kellner beschäftigt. Ein bestimmter Anzug ist vorgeschrieben, den sich jeder Kellner auf seine eigenen Kosten beschaffen muß. Lohn wird nicht ein Pfennig bezahlt, wohl aber muß jeder Kellner täglich eine Mark für Bruch entrichten, was also für den Geschäftsinhaber eine Tageseinnahme von 12 Mark ergibt, die aus den Trinkgeldereinkünften der Kellner fließt. Die Versicherungsbeiträge müssen die keinen Lohn erhaltenden Kellner auch noch aus der eigenen Tasche bezahlen. – Ganz besonders krasse Übelstände herrschen im „Lindenkasino". Auch hier bekommen die Kellner keinen Lohn, sie müssen aber dem Geschäftsinhaber täglich 1,80 Mark zahlen. Bruch muß noch außerdem durch die Kellner bezahlt werden. Als sich kürzlich ein größeres Manko an Gläsern herausstellte, verlangten die Geschäftsinhaber – Peters und Wegner – einfach, daß jeder Kellner täglich 4,80 Mark für Bruch zu entrichten hat, was dann auch geschehen ist. So haben also die Inhaber des „Lindenkasinos" eine tägliche Einnahme von 57,60 Mark, welche die 12 Kellner aufbringen müssen, ob sie nun eine so hohe Trinkgeldereinnahme haben oder nicht.

Vorwärts, 26. März 1905

Einerseits untergräbt die Konzentration der Produktion und des Kapitals die Existenzgrundlage eines nicht unerheblichen Teils der Mittelschichten. Andererseits bieten sich im Reperaturwesen, im Handel oder im Dienstleistungsbereich immer wieder neue Chancen für neue Kleinbetriebe. Schließlich entwickeln sich mit dem Ausbau des Staats- und Verwaltungsapparats, mit der stetigen Ausdehnung der wissenschaftlichen, kulturellen und pädagogischen Sphäre neue Mittelschichten außerhalb der Produktion. Die Zahl der mittleren und höheren Angestellten, der staatlichen und privaten Beamten wächst sprunghaft an.

Ein Beispiel für die Lage dieses „neuen Mittelstandes" (Schmoller) bietet die Gruppe der „technischen Beamten": der Bauleiter, Techniker, Werkmeister, Ingenieure. Alois Riedler, um die Jahrhundertwende Rektor der Technischen Hochschule in Charlottenburg, kann ihre Rolle für den industriellen Fortschritt gar nicht hoch genug einschätzen:

Alles Wesentliche wird Ingenieurarbeit: die vorbereitende Forschung, die Entdeckungen, die Neugestaltungen, die Patentverarbeitung, die allgemeinen Pläne, die Konstruktionen, welche den vielseitigen, immer wechselnden Bedürfnissen und technischen Möglichkeiten folgen müssen, die Einzelausbildung für die Fabrikation und für den Betrieb, die Ordnung und der Verlauf der gegliederten Werkstättenausführung, dann der Zusammenbau, die Erforschung, Beobachtung und Messung an den Maschinen und Einrichtungen bei den Versuchen im Laboratorium, auf den Prüffeldern der Fabriken und im praktischen Betriebe, die Aufstellung und Ingangsetzung der Maschinen am Betriebsort, die Aufstellung und der Betrieb der Ausrüstungen, Schaltungen, Hochspannungsanlagen, die Prüfung und Beobachtung im Betriebe, das Sammeln neuer Erfahrungen, die Auswertung dieser als Grundlage für neues Planen, für Neugestaltungen, und auf allen diesen Stufen die ständige Rücksichtnahme auf die Wirtschaftlichkeit der Betriebe und des Unternehmens, des eigenen wie der fremden. Dann die Werbetätigkeit für das Geschaffene und für das Kommende, die die Vorteile des Fortschritts verständlich darstellt, Geschäfte vorbereitet oder abschließt, auch die Tätigkeit nach außen hin, in Veröffentlichungen, um das Errungene bekanntzumachen, die

Hausdurchfahrt der Hochbahn an der Dennewitzstraße, 1908

zahlreichen Interessenten zu belehren, ohne den Wettbewerbern viel zu sagen.

Alle diese Arbeiten erfordern Scharen ganzer Männer.

Riedler, Rathenau

Aber das Überangebot ausgebildeter Techniker führt dazu, daß weder das soziale Prestige noch die soziale Lage der Techniker auch nur im entferntesten dem entsprechen, was Riedler über ihre Bedeutung schreibt. Bei langen Arbeitszeiten – zehn Stunden täglich und länger – verdienen ein Viertel der Berliner Bautechniker weniger als 125 Mark im Monat,

ein Drittel weniger als 200 Mark im Monat. Bei den Industrietechnikern sieht es nicht anders aus: Ein Fünftel bleibt unter 125 Mark, die Hälfte unter 200 Mark im Monat. Ein Viertel aller Berliner Techniker hat keinen Urlaub, ein weiteres Viertel erhält einen Urlaub bis zu sieben Tagen (oft „unter Anrechnung von Krankheiten"); aber einen Rechtsanspruch auf Urlaub gibt es nicht.
1908 veröffentlicht Reinhold Jaeckel eine Umfrage unter den technischen Privatbeamten von Groß-Berlin:

Auskunftsgebender ist ein Diplomingenieur, Reserveoffizier in einem hiesigen Eisenbahnregiment, Sohn eines höheren Beamten, zur Zeit in einem großindustriellen Unternehmen der Elektrotechnik beschäftigt. Der Bildungsgang war: Abiturientenexamen, fünfjähriges Studium auf zwei Technischen Hochschulen, Vorprüfung, erste Hauptprüfung für den höheren technischen Staatsdienst, dazu während zwei Semestern Studium der Staatswissenschaften. Das Jahreseinkommen dieses im 31. Lebensjahr Stehenden war 900 Mark, es war während einer Praxis von sechs Jahren und in der Stellung als Regierungsbauführer, Hochschulassistent und gegenwärtig Ingenieur zum Entwerfen von Eisenbahnen 1901: 600 Mark, 1902: 600 Mark, 1903: 600 Mark, 1904: 1500 Mark, 1905: 1000 Mark, 1906: 900 Mark. Die Arbeitszeit war eine achtstündige, der Urlaub betrug jährlich drei Tage. Die Ausgaben für die Wohnung betrugen 800 Mark, das sind 88,9 Prozent des Einkommens, für die wissenschaftliche Fortbildung 200 Mark im Jahre, das sind ca. 25 Prozent oder ein Viertel des Einkommens.

Jaeckel, Statistik über die Lage der Privatbeamten

Es zeigt sich, daß selbst ein qualifizierter Techniker ohne Zuschüsse der Eltern – oder ohne zusätzliche Nebenarbeiten – nicht existieren kann.
Von Einkünften aus dem rechtlichen Schutz seiner geistigen Leistung kann ein Ingenieur im Konzernbetrieb nur träumen.

Eigentlich gibt es überhaupt kein Erfinderrecht; denn in unserem ganzen Patentgesetz ist von dem Erfinder mit keinem Worte

Paul Paeschke: Hallesches Tor

die Rede. Unser Patentrecht kennt nur den Anmelder. Da die herrschende Vertragsfreiheit den Unternehmern auch hier zugute kommt und ihnen gestattet, sich sämtliche Erfindungen ihrer Angestellten vorher zu sichern, hat praktisch nicht derjenige den Anspruch auf eine Erfindung und ihre Ausnutzung, der den erfinderischen Gedanken hatte, sondern derjenige, der im Besitze der Produktionsmittel ist. Hier finden wir also die deutlichsten Anklänge an den alten römischen Grundsatz: Alles, was der Haussohn oder Sklave erwirbt, erwirbt er seinem Herrn!

Aufhäuser/Lüdemann, Angestellte und Demokratie

Die ständige Verschlechterung der Arbeitsverhältnisse des Gros der technischen Intelligenz wird dadurch gefördert, daß ihre Berufsverbände in ihrer Mehrzahl halbzünftlerische Standesorganisationen darstellen und, untereinander verfeindet, gewerkschaftlichen Kampfmitteln und gewerkschaftlicher Disziplin fremd gegenüberstehen. Erst im Herbst 1911 treten – zum ersten Mal in der Geschichte der Berliner sozialen Bewegungen – mit 218 Eisenkonstrukteuren Berliner organisierte Techniker gegen den „Industriefeudalismus" in den Streik.

Bevor sie ihre Stellungen aufkündigten, überreichten sie den Unternehmern den Entwurf eines Dienstvertrages, der zur Grundlage von Verhandlungen gemacht werden sollte. Seine wichtigsten Punkte sind: achtstündige und am Sonnabend sechsstündige Arbeitszeit. Verpflichtung zu Überstunden nur in dringenden Fällen. Bezahlung der Überstunden mit einem Zweihundertstel des Monatsgehalts zuzüglich eines Zuschlags von 30 Prozent. Jährlicher Urlaub von zehn Tagen (nach mindestens sechsmonatiger Tätigkeit) bis zu drei Wochen entsprechend den Bestimmungen des österreichischen Privatbeamtengesetzes, Weiterzahlung des Gehalts im Urlaub, in Krankheitsfällen und bei militärischen Übungen, Eigentumsrecht des Angestellten an seinen Erfindungen. Mitwirkung des Angestelltenausschusses bei Kündigungen.

Breitscheid, Technikerstreik

Die Arbeitgeber antworteten mit einem Gegenentwurf, der einfach einen Schlag ins Gesicht der Angestellten bedeutet. Denn er bringt statt einer Besserung eine Verschlechterung der jetzt bei den Firmen bestehenden Verhältnisse.

So war der Kampf unvermeidlich!

Die Angestellten haben ihn aufgenommen im Vertrauen auf die Solidarität ihrer Kollegen. Und zur Ehre der technischen Angestellten sei es gesagt, dieses Vertrauen hat sich in glänzender Weise gerechtfertigt. Den Arbeitgebern ist es nicht gelungen – von einem halben Dutzend Ausnahmen abgesehen –, Eisenkonstrukteure zum Umfall zu bringen. Auch ihre Hoffnung, von außen genügenden Ersatz heranzuschaffen, hat sich nicht erfüllt. Die Kollegen, die aus Unkenntnis der Verhältnisse eine Stellung angenommen hatten, wurden durch die vorzüglich organisierten Kontrollposten vor den Toren der Fabriken abgefangen, aufgeklärt und mit ganz geringen Ausnahmen davon überzeugt, daß sie die Arbeit nicht antreten dürften. Was heute trotzdem in den Büros noch arbeitet, ist mit Ausnahme derjenigen, die noch durch längeren Vertrag gebunden waren, die Bärme, die natürlich der Technikerstand wie jeder andere hat ...

Schon heute stellen wir fest, daß dieser Kampf der Angestellten in vielen Zügen denen der Arbeiter gleicht. Das kann schon deshalb nicht wundern, weil der Gegner in beiden Fällen der gleiche ist – der (man erinnere sich nur der Vorgeschichte des Kampfes und der schwarzen Listen, mit denen die Ausständigen geächtet wurden) rücksichtslose Unternehmer, dessen brutales Vorgehen den denkenden Angestellten in die gleiche Kampfstellung zwingt.

Das Freie Volk, 40/1911

Drei Monate dauert der Ausstand der Berliner Eisenkonstrukteure. Das Ergebnis: Dreizehn Konstrukteure erhalten eine Gehaltsverbesserung. Ein „Normaldienstvertrag" wird durchgesetzt.

„Die Führer des Unternehmungsgeistes der Nation"

Im Berliner Stadtparlament dominieren nicht, wie im preußischen Abgeordnetenhaus, die Konservativen, die das reaktionäre Junkertum vertreten. In Berlin regieren auch nicht die Nationalliberalen, denen das Bündnis zwischen großem Kapital und ostelbischem Großgrundbesitz über alles geht. In Berlin regiert der liberale „Freisinn", der die Auswüchse des reaktionären Regimes vorsichtig kritisiert und wirtschafts- und sozialpolitische Reformen wünscht, die den Geschäften zugute kommen – Reformen „im Rahmen der bestehenden Ordnung", wie sich versteht.

Zehn Fabrikbesitzer, zehn Rentiers, neun Kaufleute, sechs Rechtsanwälte, sechs Ingenieure, Techniker und Architekten, fünf Direktoren von Banken, Versicherungsanstalten und Terraingesellschaften, fünf Redakteure der bürgerlichen Presse, vier Ärzte und Apotheker und vier reiche Handwerksmeister, zwei Gymnasialdirektoren, fünf Professoren und schließlich der Direktor der Charité – das sind die Stadtverordneten des Kommunalfreisinns.

Die Freisinnigen bekommen ihr Pulver teils von den Banken, teils von der Börse und teils von gewissen Industrien, die sich durch das Wirtschaftssystem der Regierung ständig bedroht sehen und bei dem Freisinn einen berechtigten Schutz zu finden hoffen ...

Vor einigen Jahren wurde von der freisinnig-volksparteilichen Leitung die Kandidatur eines Fabrikanten forciert, dessen ganze Verdienste um die heilige Sache in reichlichen Libationen* für das chronisch notleidende Parteiblatt und in der Adoptierung eines Parteivorstandsmitgliedes für den Aufsichtsrat einer Aktiengesellschaft bestanden hatte. Der Coup glückte, denn der Geldgeber hatte die Macht ... Wenn nicht alle Anzeichen trügen, ist für die kommenden Landtagswahlen ein ähnlicher Kan-

---

* Spenden

didat, diesmal aus Grundstücksspekulantenkreisen, im Anmarsch. Der Mann will sich die Sache etwas kosten lassen. Übrigens hat die Munifizenz* der Kapitalkräftigen auch ihre Grenze. Als man vor Jahren einen Großkaufmann zur Spendung von 50 000 Mark verlocken wollte, da erwiderte er hohnlachend, für 50 000 Mark könne er sich allein einen Abgeordneten halten.

Berliner Morgenpost, 15. März 1908

Zahllose kommunalpolitische Affären zeigen den Berlinern, wes Geistes Kind dieser „linke" Liberalismus ist. Zwei Beispiele nur.

Im Februar 1904 veröffentlichen die sozialdemokratischen Abgeordneten Richard Augustin und Adolph Hoffmann im „Vorwärts" den Artikel „Ein Notschrei des Massenelends". In ihm prangern sie die Zustände im Städtischen Obdach in der Fröbelstraße an, der letzten Zuflucht für Hunderte Arbeiter, Angestellte, Handwerker und kleine Händler, die durch Arbeitslosigkeit, Wohnungsnot, Krankheit, hohes Alter oder andere Schicksalsschläge in soziale Not geraten sind.

Die scheußlichen Szenen menschlicher Verkommenheit, die uns Gorki in seinem „Nachtasyl" vor Augen führt, sind nichts gegen die Dinge, die sich seit Monaten jeden Abend in einer Städtischen Anstalt abspielen. Selbst die Feder eines Zola wäre kaum imstande, diese jeder Beschreibung spottenden Zustände zu schildern. Wiederholt wurden in letzter Zeit wieder Klagen wegen Überfüllung des nächtlichen Obdachs dem mitunterzeichneten Genossen Stadtverordneten Hoffmann zugeschickt. Am Freitag früh erschien bei ihm ein alter weißhaariger Mann, an Jahren und Gebrechlichkeit so reich, daß er seit einem Jahrzehnt verdiente, in ein Hospital aufgenommen zu werden. Dieser schilderte, indem ihm die hellen Tränen über den weißen Bart liefen, die Zustände dort draußen in einer Weise, daß selbst die Ehrwürdigkeit des Greises bei dem Genossen Hoffmann die Zweifel, „ob auch alles so wahr wäre", nicht unterdrücken konnte. Ein über das andre Mal erklärte Hoffmann: „Aber das ist ja

---

* Freigebigkeit

In Ehrfurcht erstorben. *Schutzmann: Was steh'n Sie denn hier noch 'rum! Prinz August Wilhelm und seine Braut sind ja längst vorbeigezogen!*

schier unglaublich!" – "Kommen Sie nur mal gegen ½ 10 Uhr heraus", antwortete der Alte. – Am Freitagabend nach 9 Uhr begaben sich nun die Unterzeichneten in das nächtliche Obdach, welches um diese Zeit nicht nur in allen seinen vierzig Sälen vollständig gefüllt war, sondern etwa zehn überfüllte Säle aufwies. Jeder Saal hat 68 bis 70 Holzpritschen, welche eng aneinandergeschoben sind; und nicht nur auf den Kanten zweier solcher Holzpritschen lag je ein Obdachloser zwischen dem andern, sondern auch auf den kalten Asphaltfußböden lagen sie zu Dutzenden, selbst unter den Waschbecken, wo der Fußboden von Nässe schwamm, hatten die Unglücklichen sich gelagert, ja sogar diese Waschbecken, deren vier nebeneinander sich befinden, werden als Lagerstätten benutzt ...

Hier liegen zwei in sauberen Anzügen gekleidete Obdachlose auf je einer Holzpritsche, Leute, denen man auf den ersten Blick ansieht, daß sie das erste Mal hier sind; dort wird ein Betrunkener zwischen sie gepackt, dem in begreiflicher Weise das Lager auf zwei Kanten trotz seiner Trunkenheit nicht paßt und der sich rücksichtslos Platz zu machen weiß. Scheu weichen die Neulinge zurück. Aber – auch von der anderen Seite haben bereits Nachzügler Besitz ergriffen, Nachzügler, die nicht gebadet haben, die mit Ungeziefer behaftet sind und die Nebenliegenden verunreinigen. Leute mit ekelhaften Krankheiten, Ausdünstungen werden weiter dazwischen gepfercht, und so geht es bis nach 11 Uhr ... Wo es gar nicht anders gehen will, kommt der Wärter mit dem Machtgebot: „Vorwärts, Platz gemacht, wem's nicht paßt, der mag sich rausscheren!" Auch er befindet sich in einer Notlage, denn immer neue Scharen Elender strömen herein, und er soll sie unterbringen. Hier hat ein Betrunkener zwischen zwei anständigen Arbeitslosen Platz genommen, er erbricht sich, und eine Flut von Unrat ergießt sich über den Nachbar, der im Entsetzen über seine verdorbene Garderobe und vor Ekel in einer sinnlosen Wut auf den Urheber losschlägt. Dort beschmutzt sich ein entnervter oder sonst Kranker auf andre Weise, bleibt aber apathisch im Unrat liegen. Die Nachbarn aber schlagen entsetzt auf ihn ein, um sich seiner fürchterlichen Nachbarschaft zu entledigen.

Vorwärts, 7. Februar 1904

Im März 1904 kommt es in der Stadtverordnetenversammlung zu einer erbitterten Auseinandersetzung. Die bürgerliche Mehrheit im Roten Rathaus verurteilt nicht die Zustände im Asyl, sondern die sozialistischen

Kritiker; der zuständige Stadtrat Otto Fischbeck von der Freisinnigen Volkspartei verbietet, indem er sich auf eine Kabinettsorder aus dem Vormärz beruft, den beiden gewählten Mitgliedern der Armendeputation kurzerhand jeden weiteren Zutritt zum Obdach. (Karl Liebknecht führt im Auftrag der sozialdemokratischen Fraktion Beschwerde, die vom Oberverwaltungsgericht zurückgewiesen wird.)

Ein zweites Beispiel: Seit 1897 liegen Stadtverordnete einerseits, Magistrat und Polizeipräsident andererseits im Streit, weil im Friedrichshain ein Mahnmal für die Gefallenen der bürgerlichen Revolution von 1848 errichtet werden soll – und wenn schon kein Mahnmal, so wenigstens ein Portal. Als die Bürgervertreter gegen den Magistrat klagen, entscheidet das Oberverwaltungsgericht, daß erstens „die Angelegenheit einen lokalen Charakter nicht habe, daß somit die Stadtverordneten sich nach der Städteordnung nicht damit zu befassen hätten" und daß es sich zweitens um eine „Verherrlichung der Revolution handele", somit das Portal „objektiv schädlich" sei.

Aus dem „Erkenntnis" des Oberverwaltungsgerichts:

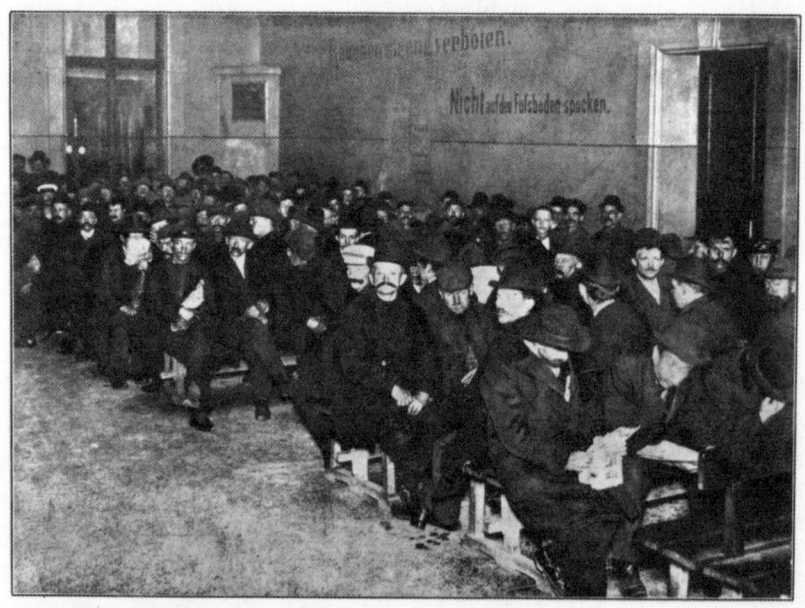

Im Asyl für Obdachlose: Der Warteraum

Es ist nicht die Aufgabe der Polizei, über die Märzereignisse des Revolutionsjahres an Stelle des Politikers oder Geschichtsschreibers zu Gericht zu sitzen ... Dagegen ist es ihre Pflicht und ihr Recht, unter allen Umständen jedem Versuche, die öffentliche Ruhe und Sicherheit durch die Pflege und Stärkung revolutionärer Gesinnung zu gefährden, soweit entgegenzutreten, als ihr die Gesetze die Mittel dazu in die Hand geben, und dabei darf sie jene Revolution unter keinem anderen Gesichtspunkte betrachten als dem eines positiv rechtswidrigen Angriffs gegen die bestehende Staats- und Rechtsordnung ... In diesem Zusammenhange kann der Portalbau sehr wohl als der Rest einer Ehrung aufgefaßt werden, die nach den Intentionen von Vereinen und der Stadtverordnetenversammlung jenen Gefallenen in einem förmlichen Denkmal und sodann, da dies scheiterte, in der Niederlegung eines Kranzes dargebracht werden sollte ... Nach alledem kann es aber keinem begründeten Zweifel unterliegen, daß der geplante Bau sehr wohl als eine Ehrung der Revolution und der in ihr Gefallenen aufgefaßt werden kann und so geeignet ist, durch die Belebung und Stärkung revolutionärer Gesinnung die öffentliche Ordnung, Ruhe und Sicherheit unmittelbar zu gefährden, und dies um so mehr, als bei dem Widerstreit der Meinungen und Leidenschaften, von denen das Publikum auf politischem Gebiete beherrscht wird, die Verwirklichung des Planes, insbesondere bei der Wiederkehr von Gedenktagen, sehr wohl zu Ruhestörungen Anlaß geben kann.

Vossische Zeitung, 11. Januar 1900

Das Ergebnis: die Freisinnigen kuschen. Ein Gedenkstein wird nicht errichtet, ein Portal wird nicht erbaut. Ganze 400 Mark werden dem „Extraordinarium" des Oberbürgermeisters entnommen, um wenigstens den Zaun um den Friedhof der Märzgefallenen zu reparieren, der nach den Worten des Stadtverordneten Rosenow das Aussehen einer „Schafhürde" angenommen hat.
Der demokratische Publizist Hellmut von Gerlach schreibt:

So manches Mal bin ich am 18. März zu dem stillen Friedhof im Friedrichshain gewandelt. Immer dasselbe Bild: Neben ungezählten Schutzleuten, die dort zum Ärger ihrer Mitmenschen ihre Zeit totschlugen, Hunderte und aber Hunderte von Arbeitern und Arbeiterfrauen, dazu hier und da ein idealistischer Student und ein eisgrauer Bürger, dem man den Sturmgesellen von 1848 ansah. Aber die bürgerlichen Elemente verschwanden fast völlig unter dem immer sich erneuernden Strom des Proletariats, das in ernstem Schweigen ehrfurchtsvoll an den Gräbern der Tapferen vorbeizog ...

Der schwarzrotgoldene Märztag ist zum roten Märztag geworden. Die Arbeiter haben das Erbe des Bürgertums angetreten. Sie feiern den Tag, der der Ehrentag der Bürger sein sollte. Die Bürger aber in ihrer übergroßen Masse fühlen sich peinlich berührt, wenn man sie nur an den 18. März erinnert. Revolution! Gräßliche Vorstellung. Die ganze Biergemütlichkeit geht schon bei dem bloßen Worte zum Teufel ...

Als der Gedanke in Arbeiterkreisen auftauchte, den diesmaligen 18. März als 60. Gedenktag besonders feierlich zu begehen, da erhob sich sofort in den Kreisen der organisierten Arbeitgeber entrüsteter Protest. Nicht einmal ein paar Stunden am Nachmittag will man den Arbeitern zugestehen, daß sie auf ihre Weise in Versammlungen die Erinnerung an 48 verbinden mit dem Rufe nach freiem Wahlrecht. Um nichts Sozialistisches handelt es sich, um nichts Materielles, nicht einmal um eine spezifische Arbeiterforderung. Eine ideale Forderung soll vertreten werden, die Arbeitern und Bürgern gemeinsam ist – oder doch gemeinsam sein sollte. Trotzdem erklärt ein Arbeitgeberverband nach dem andern: wer am Nachmittag des 18. März feiert, der fliegt auf die Straße. Die Peitsche für die Freiheitskämpfer! ...

Ein erbärmlich kleines Geschlecht ist heraufgekommen. Lieber kuscht man sich unter die Junker, als daß man mit den Arbeitern gegen die Junker zu Felde zieht.

Die Welt am Montag, 16. März 1908

Hans Baluschek: *Im Friedrichshain, März 1898*

Auf bestem Kunstdruckpapier veröffentlicht die Berliner Handelskammer 1910 den Prachtband „Berlin im Welthandel":

Die eherne Berolina* auf dem Alexanderplatz zeigt mit stolzer Gebärde auf den Verkehr zu ihren Füßen, als wollte sie zu dem fremden Besucher sagen: Schau her, was aus uns geworden ist! ... Die Gebärde des ehernen Sinnbildes der Stadt Berlin ist die Verkörperung berechtigten Selbstgefühls ihrer Bewohner. Der Fremde ... erkennt in dem Zusammenklang des Weltstadtgetriebes das Getöse eines ungeheuren Schlachtfeldes der Arbeit, auf dem die Industrie aus natürlichen Werten Kulturwerte schafft, die dann der Handel in die Kanäle des Konsums verteilt ... Ihn versetzt der Anblick einer Lokomotive in die weiten Hallen jener Riesenwerke, wo das Klatschen der Treibriemen, das Surren der Schwungräder, das bald dumpfe und langsame, bald helle und eilfertige Schlagen der Hämmer, das Fauchen der Dampfhähne, das Knirschen der Spindeln ineinanderfließt zum brausenden Lied vom Werden und Entstehen eines Wunderwerkes der Ingenieurkunst. Wer sich auf solche Art von Sachkenntnis und Fantasie von den Wirkungen zu den Ursachen zurückgeleiten läßt, dem wird ohne weiteres klar, daß die deutsche Reichshauptstadt ein Industrie- und Handelszentrum von immenser Bedeutung ist.
Berlin im Welthandel

Nach diesem poetischen Erguß wendet sich der Verfasser den Triebkräften des erstaunlichen Aufblühens der Berliner Wirtschaft zu. Er entdeckt sie in einer Handvoll großer Berliner Kapitalisten, „ihrer vorbildlichen Tatkraft, ihrem Achtung gebietenden Fleiß und ihrem durchdringenden praktischen Wissen".

Da ist der Bauunternehmer Robert Guthmann, ein Herr „von unermüdlichem Schaffenseifer":

---

* Berolina: eine von Emil Hundrieser geschaffene Kupferstatue, die Reichshauptstadt symbolisierend, stand 1895–1944 auf wechselnden Standorten auf dem Alexanderplatz.

Nur wenige Bevorzugte, welche in dem Bienenstocke des Berliner Erwerbsfleißes aus- und einschwärmen, dürfen sich rühmen, einer ganzen Industrie, welche mit dem Emporwachsen unserer Metropole buchstäblich aufs engste verbunden ist, das Signum einer kraftvollen Individualität so markant und unverlöschlich aufgeprägt zu haben, wie der Vorsitzende des Aufsichtsrates der Vereinigten Berliner Mörtelwerke und der Begründer der Kalksandstein-Industrie ... Mit seinem Namen sind die meisten der großen Berliner Bauten, welche in den siebziger Jahren entstanden: wie der „Kaiserhof", das „Central-Hotel" und das „Continental-Hotel" verknüpft; er war einer der kontraktlich verpflichteten Unternehmer beim Bau der Stadtbahn, schuf für unser so glänzend entwickeltes modernes Zementbauwesen gänzlich neue Normen ... kurz: schuf für die kolossale Ausdehnung des Häusermeeres eines Berlins der Zukunft alle notwendigen Vorbedingungen. Er wird in seinen Werken für Berlin weit über seine Erdentage hinaus leben.
Berlin im Welthandel

Da ist der Geheime Kommerzienrat Carl Bolle senior, der mit seinen dreihundert Milchwagen, mit Milchpavillons und Milchzelten in allen Stadtteilen halb Berlin mit Milch und Milchprodukten aller Art beliefert. Die Festschrift rühmt seine Ferienkolonien und seine Spenden für den unternehmenseigenen Gesangsverein „Harmonia". Nicht zuletzt rühmt sie die Kapelle für das allwöchentliche Pflichtgebet der Mitarbeiter, zu deren Einweihung der Kultusminister und der Chef des Generalstabes auf dem Milchhof erscheinen!

Seine Berliner Meierei ist ein vorbildliches Lebenswerk, in dessen Führung ihm sein tüchtiger Sohn Dr. C. Bolle mit großer Sachkenntnis und Umsicht zur Seite steht ... Höher noch sind die im echt menschlichen und wahrhaft religiösen Geiste durchgeführten humanitären Einrichtungen einzuschätzen, welche Geheimrat Bolle im Verein mit seinem Sohne und seinen vertrauenswerten Koadjutoren* zum Segen einer großen Anzahl

* Helfern

von Menschen in seinen Industriestätten heimisch gemacht hat ... Obgleich er seine Wirksamkeit unter den bescheidensten Verhältnissen mit nur drei Verkaufswagen beginnen konnte, erwarb er dennoch im Fluge die Sympathie der Berliner Bevölkerung, so daß es ihm schließlich gelang, diese großartige Schöpfung ins Leben zu rufen, welche seinen Namen bis auf die späteste Nachwelt in dankbarer Erinnerung der Hauptstadt des Deutschen Reiches erhalten wird.
Berlin im Welthandel

Das ist der gleiche Bolle, der über sein „Gesinde" ein patriarchalisches Regiment führt, das in der Großstadt seinesgleichen sucht:

Die Leiter des Bolleschen Betriebes haben es verstanden, das Licht der Aufklärung durch allerlei Maßregeln von „ihren" Arbeitern fernzuhalten. Solidarisches Zusammenhalten, Vertretung ihrer Interessen durch Anschluß an eine Gewerkschaft kennen die Bolleschen Arbeiter nicht und dürfen sie nicht kennen, wenn sie nicht sofort hinausfliegen wollen. Unter solchen Umständen ist es kein Wunder, daß die Bolleschen Milchkutscher unter Verhältnissen arbeiten, die sich kein organisierter Arbeiter gefallen lassen würde. Morgens um $3\frac{1}{2}$ Uhr beginnt die Arbeitszeit der Kutscher, und sie währt, ohne Unterbrechung durch festgesetzte Pausen, bis 3 Uhr nachmittags. Vom Beginn bis zum Schluß der Arbeitszeit schwebt der Kutscher ständig in der Gefahr, gegen das endlose Strafregister zu verstoßen, welches nicht weniger wie 132 Anordnungen enthält, deren Nichtbefolgung mit Strafen von 10 Pfennigen bis 4 Mark belegt ist ...

Die Strafgelder sind nicht etwa der einzige Verlust, den der Kutscher an seinem Lohn erleidet. Nicht selten kommt es vor, daß Kunden, denen die Milch ins Haus geliefert wird, die Wochenrechnung nicht gleich bezahlen. Bringt der Kutscher öfter unbezahlte Rechnungen zurück, so wird ihm das als ein Mangel an Berufstüchtigkeit angerechnet, und er gehört zu denen, die bei Gelegenheit entlassen werden. Was bleibt dem Kutscher, der sich seine Stellung erhalten will, übrig, als das Geld für die unbezahlten Rechnungen aus der eignen Tasche auszulegen und schließlich, wenn der Kunde nicht zahlt, den Verlust selber zu tragen ...

Auch für genügenden Absatz müssen die Kutscher sorgen. Ein Kutscher, der zu viel Milch von der Tour zurückbringt, kann mit Sicherheit darauf rechnen, daß er nicht mehr lange im Boll'schen Geschäft bleibt. Ebenso geht es den Kutschern, welche die sonstigen Handelsprodukte der Boll'schen Meierei, als: Obst, Fruchtsaft, Konserven, Spargel usw. nicht an den Mann zu bringen wissen. Besonders die Zeit des jungen Spargels ist eine wahre Schreckensperiode für die Boll'schen Kutscher. Formell ist wohl niemand gezwungen, Spargel zum Verkauf mitzunehmen. Aber wer es nicht tut, der macht sich dadurch unbeliebt und wird bei passender Gelegenheit „ausgemerzt" ...

Wie auf den Kutschern, so lastet der Druck des Strafsystems auch auf allen übrigen Angestellten, den Burschen, Handwerkern, Stalleuten, Meiereiarbeitern usw. Es ist gar nichts Seltenes, daß Wochenlöhne von 18 bis 21 Mark durch Abzug von Strafgeldern auf 12 bis 15 Mark herabsinken. Zur Befriedigung des Lebensunterhalts bleibt demnach den im Boll'schen Betriebe Beschäftigten nur wenig übrig. Dafür werden sie aber entschädigt durch eine wahrhaft väterliche Fürsorge für ihr Seelenheil. Jeden Sonnabendnachmittag muß jeder, der im Dienste Klingel-Bolles frondet, dem Gottesdienst in der Boll'schen Hauskapelle beiwohnen. Wer sich trotz der aufgestellten Posten der frommen Andacht zu entziehen wagt, hat eine Mark Strafe zu zahlen.

Vorwärts, 28. Februar 1904

Da ist der Elektroindustrielle Sigmund Bergmann, einer der „bevorzugten modernen Schaffensmenschen". Sein ganzes Wesen, „dem natürlich viel von der schnellen Entschlossenheit und kraftvollen Initiative des Amerikaners anhaftet, prädestiniert ihn für die Funktionen eines Generalissimus der Großindustrie, welche ihn mit Stolz zu einem der ihrigen zählen darf".

Da ist Arnold Marggraff, der Aufsichtsratsvorsitzende der Chemischen Fabrik auf Aktien (vormals Schering), der „durch seine sozial-fortschritt-

lichen Ideen bahnbrechend für Berlin gewirkt, wozu ihm seine Jahr für Jahr mittels Volksakklamation im Stadtrat von Berlin behauptete Tätigkeit reiche Gelegenheit bot". „Volksakklamation!" Ein hübscher Ausdruck für die öffentliche, nicht geheime Dreiklassenwahl.

Da ist Isidor Loewe, dessen Bruder und Geschäftspartner als Lizenznehmer amerikanischer Nähmaschinenpatente begonnen hat:

Er trat bereits 1875, allerdings mit gediegenen Vorkenntnissen und praktischen Erfahrungen im Fabrikationsgeschäft ausgerüstet, in die fünf Jahre vorher begründete Gesellschaft Ludwig Loewe & Co. ein.

In die Direktion dieser Gesellschaft berufen, um sich mit seinem Bruder in die Leitung der Geschäfte zu teilen, begann für sie eine neue Epoche der Entwicklung durch die Einrichtung einer mit allen modernen Hilfsmitteln auf das vollkommenste ausgestatteten Gewehrfabrik ...

In rascher glücklicher Entwickelung gelang es der vereinigten Arbeit dieser Institute, die Kriegswaffen- und Munitionsindustrie, für welche Deutschland bis dahin ohne alle Bedeutung gewesen war, zu ungeahnter Blüte zu bringen, so daß dieselben neben belangreichen Ausrüstungen der heimischen Kriegsverwaltungen für den Heeresbedarf an Gewehren und Munition den weitaus größeren Teil der ausländischen Heeresverwaltungen, sowohl der europäischen als auch der überseeischen, übertragen erhielten und noch erhalten.

Seit 1891 verbreitete sich die Tätigkeit Isidor Loewes auch auf das elektrische Gebiet ...

Loewes große Erfahrung, sein weiter Blick in industriellen Unternehmungen, zum großen Teil aber auch das ihm eigene Finanzfachwissen, lenkten die Aufmerksamkeit der Handels- und Finanzwelt auf ihn als wertvollen Mitarbeiter. Und damit beginnt ein neuer Zeitabschnitt für Loewes Wirksamkeit: eine führende Rolle zu übernehmen in der engen Liierung großer Finanzinstitute mit industriellen Unternehmungen, wodurch allein es Deutschland ermöglicht worden ist, in wenigen Jahren Frankreich und England in der Großindustrie weit zu überflügeln und eine gefürchtete Rivalin Amerikas zu werden. Als sich Loewe in

dieser neuen Sphäre seiner Tätigkeit aufs glänzendste bewährt hatte, wählte die Diskonto-Gesellschaft ihn in richtiger Erkenntnis seines beherrschenden Könnens in ihren Aufsichtsrat; das gleiche tat der Norddeutsche Lloyd, und nach den offiziellen Verzeichnissen ist er außerdem Vorsitzender, stellvertretender Vorsitzender oder Mitglied des Aufsichtsrates in fünfundzwanzig deutschen Aktiengesellschaften.
Berlin im Welthandel

Die Jubelschrift der Handelskammer hebt nicht mehr den Kapitalisten schlechthin hervor. Ihre Heroen sind ein neuer Typ Berliner Unternehmer: Großindustrielle, die einen ganzen Wirtschaftszweig beherrschen, Konzernherren, deren Interessensphären bis in ferne Kontinente reichen.

Der Kapitalismus der freien Konkurrenz geht in den Kapitalismus der Monopole über. Er beginnt mit der Bildung absatzregulierender, preistreibender Kartelle, deren Mitglieder noch selbständige Unternehmen sind. Solche Kartelle und Ringe gibt es bald zu Hunderten. Die mächtigsten und rabiatesten sind die der Grundstoffindustrie. So ächzen Industrie, Bauwesen und Verkehrswesen unter den Kartellpreisen für Stahl und Kohle: „Der Kohlenmarkt hat den Sklavenmarkt abgelöst." (Riedler, Rathenau)

Seit das Niederlausitzer Brikettsyndikat vor reichlich einem Jahrfünft gegründet worden ist, haben die Berliner Briketthändler, ein sehr zahlreicher Berliner Gewerbszweig, ihre Selbständigkeit nach und nach eingebüßt. An die Stelle der freien Kohlenhändler – in Berlin sind für die Kleinfirmen Kohlenhandel und Briketthandel gleichbedeutend – sind privat konzessionierte Verkaufsstellen getreten, deren Inhaber von den Werksvertretern und den Großhändlern regiert werden. Bis in die kleinsten Einzelheiten sind ihnen die Verkaufspreise und ihr sonstiges Verhalten vorgeschrieben worden. Zu diesen Bedingungen muß sich jeder Kohlenhändler schriftlich verpflichten. Wenn er nur in einem kleinen Punkt verstößt, etwa einem guten

Umseitig: Geschäftshof der Meierei Bolle

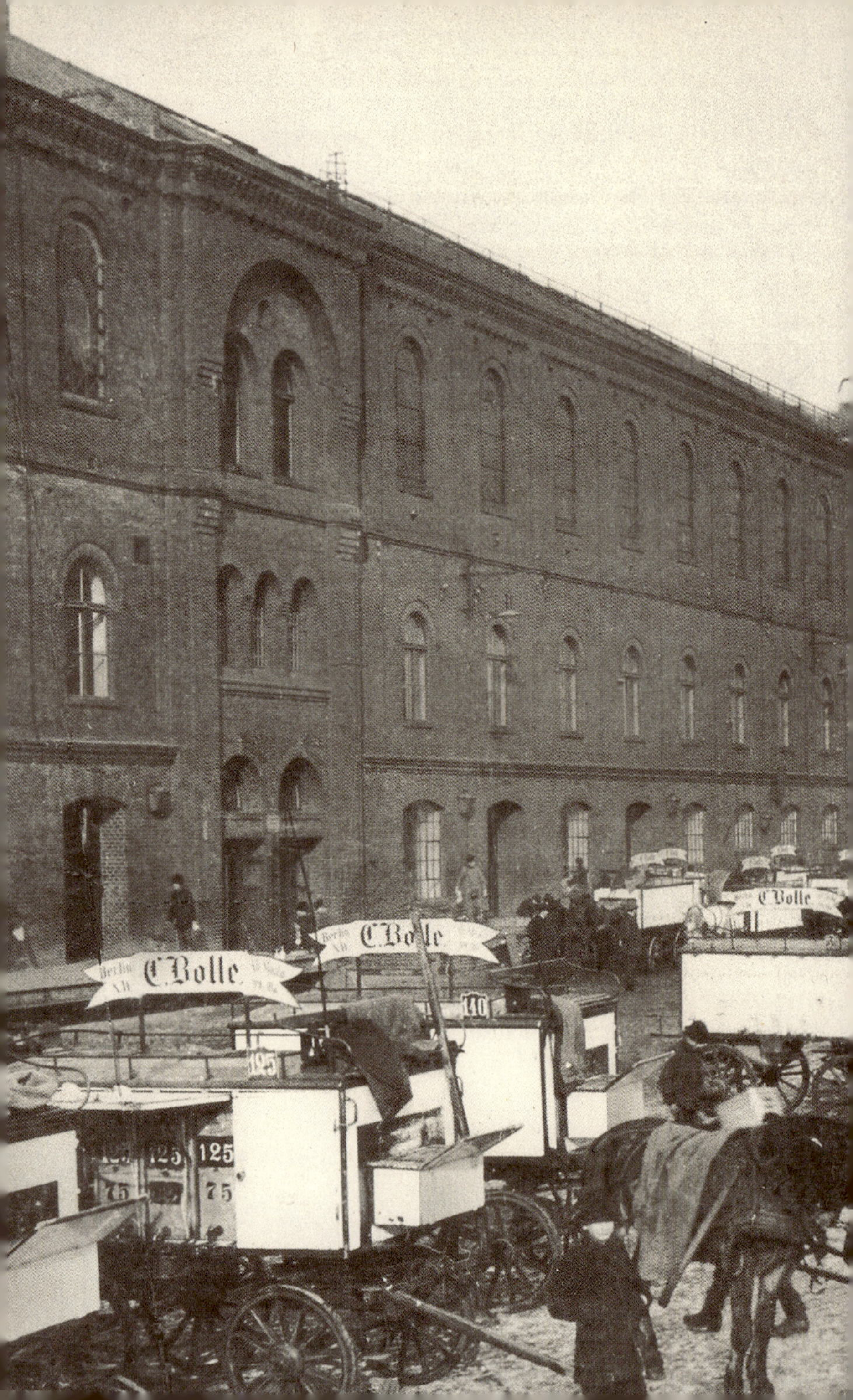
C. Bolle
C. Bolle
C. Bolle
140
125
125
125
75
75

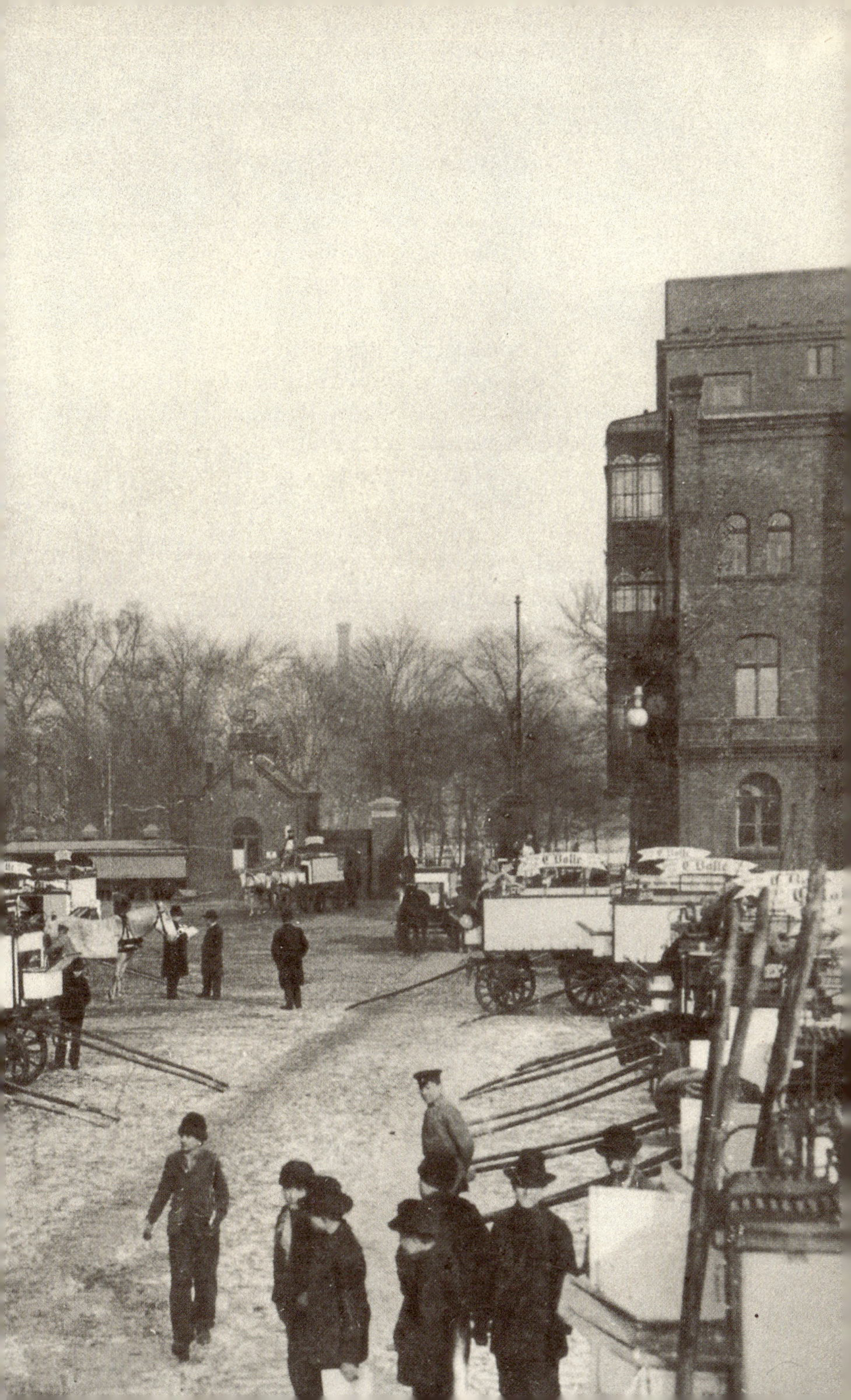

Freunde die Briketts um fünf Pfennig billiger gibt, eine Weihnachtszugabe macht oder einem armen Teufel anzeigt, daß es auch billigere Bruchbriketts gibt, bei Submissionen die Vorschriften des Ringes nicht ganz genau beachtet, sofort wird er vor ein privates Gericht gestellt und zu Geldstrafen verurteilt, die bis zu tausend Mark steigen können.

Gegen diesen Terrorismus gibt es kein Zucken.

Wer von den Kleinhändlern sich nicht den von den Großhändlern diktierten Bedingungen fügt, bekommt keine Briketts und kann seinen Laden zumachen. Wer die hohe Willkürstrafe, die ein Schiedsgericht mit der Prätension einer öffentlichen Einrichtung auferlegt, nicht zahlen will, meist nicht zahlen kann, wird nicht etwa vor das ordentliche Gericht gefordert. Nein, ihr Weg ist einfacher und sicherer. Sie sperren einfach dem Kleinhändler, der die Strafe nicht zahlt, die weitere Lieferung von Briketts, und der kann nun seinen Laden zumachen oder mit Holzkohlen handeln. Briketts bekommt er nicht.

Sozialdemokratische Partei-Correspondenz, 15. November 1913

Wo immer in Berlin gebaut wird, kassiert ein Ring, ein Kartell, ein Syndikat Extraprofite. Kartelliert sind Kalk, Mörtel und Ziegel. Das Zementkartell bietet dem Großindustriellen August Thyssen sieben Millionen Mark dafür, daß er darauf verzichtet, in Rüdersdorf ein neues Zementwerk zu errichten, das der künstlichen Verknappung des Zements in Berlin entgegenwirken würde. Kartelliert sind Eisenträger, Rohre, Dachrinnen, Nägel und Schrauben. Kartelliert ist Glas. Kartelliert sind die Tapeten. Ja, kartelliert sind selbst die Kachelöfen. Die Monopole auf dem Baumarkt haben, nach den Angaben sachkundiger Zeitgenossen, in wenigen Jahren die Baukosten in Berlin bis zu dreißig Prozent erhöht.

Wie ein solches Kartell praktisch funktioniert, zeigt das Vorgehen des Rings der Steinsetzmeister.

Der Ring der Steinsetzmeister von Berlin und Umgegend hat sein erstes Geschäftsjahr beendet. Die Beteiligten sind mit dem Abschluß zufrieden; und sie haben Grund dazu! Der Zweck des

Hans Gabriel Jentzsch: Zur Kohlennot, 1900
„Der Kohlenring richtet mit Unterstützung der Regierung überall Apotheken ein, um der Kohlennot abzuhelfen"

Ringes: die Preise um etwa 50 Prozent in die Höhe zu treiben, durch Ausschluß der gegenseitigen Konkurrenz und sonstige Abmachungen, ist erreicht. Die Ringunternehmer arbeiten nach folgendem Plan: Vor jeder Submission auf Pflasterarbeiten werden die Ringmitglieder zu einer – natürlich streng vertraulichen – Versammlung zusammenberufen. Hier wird zunächst „ausgeknobelt", wer die betreffende Arbeit ausführen soll. Nach den Satzungen des Ringes hat dabei jedes Mitglied Anspruch auf Berücksichtigung ...

Der Unternehmer, dem eine Arbeit zugesprochen ist, gibt die Preise bekannt, die er seiner Offerte zugrunde gelegt hat, und alle anderen Ringgenossen, die sich an der Submission beteiligen, müssen vertraglich höhere Preise einsetzen. Zur Sicherheit dafür, daß das auch geschieht, haben die Ringmitglieder Sicherheitswechsel hinterlegt. Derjenige Unternehmer, der zur Ausführung der Arbeiten bestimmt wird und diese auf Grund der abgegebenen Offerte auch erhält, zahlt an die Ringkasse 10 Prozent des Bruttoertrages.

Vorwärts, 3. April 1908

Carl Duisberg – der spätere Chef der IG Farben – schlägt 1904 den wichtigsten deutschen Chemieindustriellen vor, auf den „ruinösen Wettbewerb" untereinander zu verzichten und eine „Interessengemeinschaft" zu bilden: „Jeder muß Opfer in seiner persönlichen Freiheit, in der gewohnten Entfaltung seiner Kräfte bringen ... Dann ist uns nicht nur der Sieg gesichert, sondern auch die Weltherrschaft." Zustande kommt zunächst eine Interessengemeinschaft von drei großen Werken, der „Dreibund", an dem die AG für Anilinfarbenfabrikation Treptow (die Agfa) beteiligt ist. Ihre Dividenden wachsen von 1900: 15 Prozent auf 1910: 20 Prozent, obwohl das Aktienkapital mehr als verdoppelt wird ...

In der Berliner Elektroindustrie wird die Etappe des Zusammenschlusses selbständiger Unternehmer zu Kartellen praktisch übersprungen. Hier nehmen die Monopole von Anfang an die Form straff zentralisierter Konzerne an, die über ein System von abhängigen Tochtergesellschaften alle Anwendungsgebiete der Elektrizität ausbeuten. Die Brutalität, mit der das Aufsaugen der schwächeren Unternehmen vor sich geht, ver-

Gehäusewickelei in der AEG-Großmaschinenfabrik Brunnenstraße, 1908

wandelt der Technikjournalist Artur Fürst in seiner Rathenau-Biographie in barmherziges Samaritertum:

Er war immer stark, besonders stark aber dann, wenn die andren ein heftiges Gefühl der Schwäche anwandelte, so daß sie mehr als einmal noch dankbar waren, wenn sie das müde Haupt an die breite Brust der Rathenauschen Unternehmungen anlehnen konnten. So wohl gebettet, kamen sie dann rasch wieder zu Kräften und blühten in verständiger Pflege stolz und neu empor ...
Die Gesellschaft ward der feste Pfahl im aufgeregten Wasser, an dem schließlich eins der wild umhergeworfenen Schifflein nach dem anderen sich verholen ließ. Es begann die große Konzentrationsperiode in der Elektroindustrie, die allmählich wieder zur Beruhigung und endlich zur Genesung führte.
Zunächst zeigte die Union Elektrizitätsgesellschaft Neigung

ALLGEMEINE ELEKTRICITÄTS- GESELLSCHAFT

Kapital einschl. Reserven 272 000 000 Mk.

Zentralverwaltung: BERLIN NW 40, Friedrich Karl-Ufer 2-4

Maschinenfabrik   Kabelwerk
Apparatefabrik   AEG   Automobilfabrik
Lampenfabrik   Gummiwerk

Turbinenfabrik

FILIALEN UND VERTRETUNGEN IM AUSLANDE:

Adelaide • Agram • Alexandrien • Amsterdam • Ancona • Antofagasta • Antwerpen
Athen • Baku • Bangkok • Barcelona • Basel • Batavia • Bergen • Bilbao • Birmingham
Bologna • Bombay • Budapest • Buenos Aires • Bukarest • Brünn • Brüssel • Cajabamba
Cairo • Calcutta • Canton • Cape Town • Cardiff • Catania • Changsha • Charkow
Charleroi • Christiania • Chungking • Constantinopel • Dairen • Dalny • Eger • Florenz
Fremantle • Gefle • Gent • Genua • Gijón • Glasgow • Gothenburg • Graz • Guatemala
Habana • Hankow • Helsingfors • Hongkong • Innsbruck • Irkutsk • Jekaterinburg
Jekaterinoslaw • Johannesburg • Karlsbad • Karlstad • Kiew • Klagenfurt • Kobe • Kopenhagen • Krakau • Kure • Laibach • Lausanne • Leeds • Lemberg • Lille • Lima • Linz
Lissabon • Lodz • London • Luxemburg • Lüttich • Lyon • Madrid • Mailand • Malmö
Manchester • Marseille • Mährisch-Ostrau • Melbourne • Mexico • Moji • Montevideo
Moskau • Mukden • Nancy • Nanking • Neapel • Newcastle-on-Tyne • Newchwang
New-York • Norrköping • Odessa • Olmütz • Omsk • Osaka • Paris • Peking • Penang
Perth • St. Petersburg • Porto • Porto-Alegre • Prag • Reichenberg • Riga • Rio de Janeiro
Rom • Rostow a. D. • Rotterdam • Rovereto • Saloniki • Samara • San José de Costarica
Santiago de Chile • Sao Paulo • Sevilla • Shanghai • Singapore • Smyrna • Soerabaya
Sofia • Sosnovice • Söul • Stavanger • Stockholm • Sundsvall • Sydney • Taipei
Taschkent • Temesvar • Teplitz • Teschen • Tientsin • Tokio • Toronto • Trautenau
Triest • Trondhjem • Troppau • Tsinanfu • Tsingtau • Turin • Valencia • Venedig • Warnsdorf • Warschau • Wien • Wladiwostok • Yokohama • Yokosuku • Zaragoza • Zürich

Bureaus in Deutschland an allen großen Plätzen

zur Herstellung einer Interessengemeinschaft mit der AEG. Das Unternehmen war im Jahre 1892 von dem Konzern Ludwig Loewe und der Thomson-Houston International Electric Company in Boston begründet worden und unterhielt enge Beziehungen auch zu der bedeutendsten Elektrizitätsfirma in Amerika, der General Electric Company. Dadurch war die Gesellschaft im Besitz zahlreicher wichtiger Erfahrungen der amerikanischen Firma, die sie der AEG mit ins Haus bringen konnte.

Die Union besaß außerdem eine bedeutende Fabrik von Elektrizitätszählern und hatte mit gutem Erfolg auf dem Gebiet der elektrischen Straßenbahnen gearbeitet. Besonders wichtig war ihre Verbindung mit der bei weitem größten Straßenbahngesellschaft Deutschlands, der Großen Berliner Straßenbahn, die von der Union ausgerüstet wurde. Aber das Verhältnis zur General Electric Company erschwerte auch wieder das Bündnis mit der AEG. Denn es war der Union eine Beschränkung ihres Arbeitsgebiets auf einen Teil der europäischen Staaten auferlegt.

Rathenau, der noch in gutem Andenken hatte, wie fatal oft eine solche Einschränkung werden kann, ... reiste nach Amerika, um die grundlegenden Verhandlungen selbst zu führen.

Und nun sehen wir ein großartiges Schauspiel sich vollziehen. Die beiden größten elektrotechnischen Unternehmungen auf der Erde gehen daran, die ganze Welt unter sich zu verteilen. Man kam überein, daß der General Electric Company Nordamerika und Kanada als alleiniges Wirkungsfeld überlassen würden; die AEG sollte nach Aufnahme der Union in Deutschland, in Österreich-Ungarn, Rußland, Holland, Belgien, Schweden, Norwegen, Dänemark, in der Schweiz, der Türkei und den Balkanstaaten frei sich betätigen können. Der Rest der bewohnten Erde, insbesondere Südamerika, sollte ein gemeinsam zu bearbeitender Bereich sein.

Doch damit waren durchaus noch nicht alle Schwierigkeiten aus dem Weg geräumt. Insgesamt mußten vierzig verschiedene Einzelverträge in einer ganzen Reihe von Ländern geschlossen, eine sehr große Summe von Scharfsinn, Ausdauer und Tatkraft aufgewendet werden, bis die Aktion vollendet war.

Fürst, Emil Rathenau

Siemens antwortet auf den Vormarsch der AEG mit der Einverleibung der Schuckert-Gesellschaft, der die mit Siemens verbündete Deutsche Bank einen kräftigen Stoß versetzt. „Unter der Führung von Siemens & Halske hatte sich damit eine Gruppe gebildet, die der mächtigen AEG-Gruppe durchaus ebenbürtig war." (Siemens, Der Weg der Elektrotechnik)

Eine spezielle Seite des Übergangs zu einem neuen Stadium des Kapitalismus ist das Entstehen lokaler Monopole, die aus der Beherrschung der Versorgung, des Verkehrs und des Grund und Bodens der Großstadt wachsende Extraprofite ziehen.
Da existiert die „Große Berliner Straßenbahn", die eben, bei Gelegenheit der kostenintensiven Elektrifizierung, nicht nur die ehemalige Pferdebahngesellschaft, sondern auch die wichtigsten Vorortbahnen an sich bringt. Gestützt vom Wohlwollen der Regierung, eng verbunden mit der Dresdner Bank, der Berliner Handelsgesellschaft, der AEG und Ludwig Loewe & Co., strebt der Konzern nach dem alleinigen „Wegerecht" auf Groß-Berlins Straßen für das nächste halbe Jahrhundert – und damit nach einem Monopol, das der Stadt „wie ein Vampir" am Halse hängt (Liebknecht).

Die Große Straßenbahn-Gesellschaft hat es auch von Beginn an verstanden, Männer ihres Vertrauens, Aufsichtsratsmitglieder und dergleichen, als Stadtverordnete in die Versammlung, als Stadträte in den Magistrat zu entsenden, so daß, ganz abgesehen von der Öffentlichkeit der städtischen Verhandlungen, selbst im engsten Zirkel der Verwaltung nichts gegen diese Gesellschaften gesprochen oder geplant werden konnte, von dem sie nicht sofort unmittelbare Kunde erhielten, wohingegen die Gemeinden natürlich von den in den Direktorialbüros dieser Gesellschaften ausgeheckten Plänen niemals etwas erfuhren. Als nun, nach Einführung der elektrischen Kraft, die Straßenbahn-Gesellschaft bis in die entlegensten Vororte hineinfuhr und ihr Geschäftskreis immer größer wurde, da konnte es ihr nicht mehr genügen, in einigen Gemeinden ein paar Stadträte oder Stadtverordnete als Vertrauensleute zu haben. Da verfiel diese Gesellschaft auf ein geradezu geniales Mittel, ihren Einfluß ins Ungemessene zu steigern. Sie kaufte nämlich den Mann, der als Ministerialdirektor und rechte Hand des Ministers die Oberaufsicht über das gesamte Kleinbahnwesen Preußens zu führen hatte, aus dem Staatsdienste aus und machte ihn zum Direktor ihres Betriebes ... Dieses von der Straßenbahn-Gesellschaft zuerst erprobte Mittel arbeitete so vorzüglich, daß in der Folge sehr viele unserer großen Verkehrs- und Industriegesellschaften dem gegebenen Beispiele folgten. Es vergeht jetzt kaum eine Woche, in der man nicht hört, dieser oder jener Ministerialdirektor oder Geheimrat sei in die Direktion dieser oder jener Aktiengesellschaft eingetreten.

Heimann, Die Verkehrspolitik Groß-Berlins

Der frischgekaufte Straßenbahndirektor braucht nicht lange, um zu erkennen, was von seinen Konnexionen erwartet wird.

Wie der Blitz aus heiterem Himmel kam die Nachricht, daß die staatliche Konzession der Großen Berliner auf dreißig Jahre, also bis 1949, von dem Minister verlängert sei. Diese ministerielle Zuwendung an die Aktiengesellschaft erfolgte, ohne daß man es der Mühe für wert gehalten hat, die städtische Verwaltung zu hören oder gar zu fragen.

Der neue Direktor der Großen Berliner, der frühere Ministerialdirektor Herr Micke, brachte dieses wertvolle Dokument seiner Gesellschaft als Morgengabe dar. Wahrlich, der Aufsichtsrat der Gesellschaft wußte, was er tat, als er sich die wertvolle Kraft des Herrn Micke sicherte. Die Entlohnung des Herrn – man spricht von 60000 Mark Gehalt, verbunden mit der statutenmäßigen Tantieme, sowie von 300000 Mark Entschädigung für die aufgegebenen Pensionsansprüche an den Staat – ist gewiß nicht zu hoch für die Instandhaltung des aus dem Direktorialbüro in das Ministerhotel führenden Drahtes ...

Der zur Verfügung stehende Raum reicht nicht hin, um alle Vorkommnisse zu schildern, aus denen hervorgeht, wie schwer es der Stadt wird, ihre Position gegen die von der Sonne behörd-

Treptow-Stralau bei Berlin.

Über der Spree.

Tunnelbahn
15 m tief unter
der Spree.
450 m lang.

Fahrzeit
2 Minuten.

Unter der Spree.

lichen Wohlwollens beleuchtete Aktiengesellschaft zu wahren. Zusammenfassend dürfen wir sagen, daß, wenn die Stadt nur einen Bruchteil des Entgegenkommens gefunden hätte, wie es den Aktiengesellschaften zuteil geworden – einige städtische Straßenbahnlinien wären bereits in Betrieb.
Vorwärts, 8. Oktober 1902

1900 beginnt der „Berliner Milchkrieg". Im Großen Saal der Brauerei Friedrichshain erklärt der Ökonomierat Ernst Ring aus Düppel („Man sagte uns, daß wir Bauern keine Ideale besitzen. Nun, wir besitzen solche in Gestalt von Königstreue, Christentum und Liebe zur Familie"), daß die bis dahin für acht bis zehn Pfennig ab Stall verkaufte Milch für Christen und Heiden teurer wird.

Im Jahre 1900 wurde ... die „Zentrale für Milchverwertung (Milchzentrale) eGmbH" gegründet, der die monopolistische Beherrschung und Kontrolle des Berliner Milchmarktes zur Lebensaufgabe gesetzt wurde. Wir haben es hier mit einem ausgesprochenen Kartell und zwar einem Kartell mit Minimalpreisvereinbarung und gemeinsamer Verkaufsstelle zu tun, wie aus dem Statut und der Geschäftsordnung erhellt. Paragraph 2 des Statuts lautet: „Alljährlich setzt die Generalversammlung den Preis fest, unter welchem kein Genossenschafter seine Milch franko Berlin verkaufen oder verpachten darf. An diesen Preis sind alle Genossenschafter mit derjenigen Menge gebunden, welche sie nach Berlin oder in den Zweimeilenkreis um Berlin liefern ... Jeder Genossenschafter, dem nachgewiesen wird, daß er seine Milch, sei es durch Preisnachlaß oder anderweitig dem Pächter zugute kommenden Vorteile irgendwelcher Art billiger verpachtet hat, hat auf Verlangen des Vorstandes eine Konventionalstrafe für jeden Monat bis 10 Mark für je 10 Liter des täglich gelieferten Durchschnittsquantums zu zahlen." ... Mitte 1901 zählte die Zentrale bereits so viel Mitglieder (465 Großgrundbesitzer und 203 Genossenschaften bäuerlicher Produzen-

Der Straßenbahntunnel zwischen Stralau und Treptow

ten), daß sie 415250 Liter, also zwei Drittel des Angebots, in ihrer Hand vereinigte; damit fühlte sie sich stark genug, ihre Pläne zu verwirklichen. Durch Beschluß der Generalversammlung vom 10. Juni 1901 wurde der Milchpreis auf 13½ Pfennig franko Berlin festgesetzt.

Um die unverpachtete Milch vom Markte fernzuhalten, erbaute die Zentrale innerhalb zehn Wochen in Berlin eine Molkerei, die imstande war, täglich bis zu 240000 Liter zu entrahmen und zu Butter, Quark, Futtermelasse und anderem zu verarbeiten. Auf die Dauer mußte aber dieses Verfahren, den Markt zu entlasten, die finanzielle Kraft der Genossenschaft erschöpfen, hatte sie doch gleich im ersten Jahre 38 Millionen Liter Magermilch unterzubringen. Die Zentrale ging daher später ... dazu über, eigene Läden für den Verkauf der frischen Milch in Berlin zu errichten und Milchwagen in den Straßen laufen zu lassen, um den Überschuß durch direkten Absatz rentabler zu verwerten. Auf diese Weise gelang es den Landwirten in der Tat, den Milchpreis auf die gewünschte Höhe zu treiben. Die Milchhändler sahen sich von ihren alten Bezugsquellen abgeschnitten und mußten, wollten sie ihre Kundschaft nicht an die Zentrale verlieren, mit allen Mitteln Ersatz schaffen. Einem Teil gelang das durch Verbindung mit Außenseitern; andere aber sahen sich gezwungen, entweder von der Zentrale zu beziehen oder ihren Betrieb einzustellen.

Mülhaupt, Der Milchring

Bolle – "ein Turm in der Schlacht" (Vossische Zeitung) – läßt Milch zu Schiff aus Böhmen kommen. 1905 kauft er Milch in Dänemark. Im September 1905 läuft der erste Tankwagen aus Laaland auf dem Stettiner Bahnhof ein, wird von den Händlern mit Kränzen umwunden und feierlichst in Empfang genommen. Dann schließt Bolle einen geheimen Waffenstillstand; er – und nur er allein – erhält die unverkäufliche Milch der Zentrale: für zwölf Pfennig den Liter, anderthalb Pfennig unter dem Preis des Syndikats.

So endet, mit glücklich eingebrachter, freilich neu verteilter Beute, der „Berliner Milchkrieg". Wem zwei Pfennig Preiserhöhung gering erschei-

nen, möge bedenken, daß die Bevölkerung Berlins täglich 250 Hektoliter Milch verbraucht, was die Pfennige zu einem jährlichen Tribut von 1,8 Millionen Mark summiert.

Auf das Drängen der nichtmonopolisierten Industriellen hin, die eine „staatliche Aufsicht über die Syndikate und Kartelle" verlangen, beruft das Reichsamt des Innern 1902 die sogenannten „Kontradiktorischen Verhandlungen" ein. Der Direktor der Ostdeutschen Spiritusfabrik in Berlin, Kantorowicz, wirft den Kartellen eine „unersättliche Gier" vor, die „maßlose Verbitterung" in den Branchen säe. Er vergleicht sie mit einer Bande von Räubern und Wegelagerern:

Der verehrte Herr Vorsitzende hat in seinen Begrüßungsworten darauf hingewiesen, daß wir hier unser Material deponieren sollen. Die Regierung wünsche sich eben darüber zu orientieren, welcher Art die Wirksamkeit der Zentrale und der Kartelle im allgemeinen ist, um danach ihre Maßnahmen zu treffen, und wenn eben diese Wirksamkeit eines Kartells eine derartige ist, daß sie den berechtigten Unwillen herausfordert, daß sie die Prinzipien der Gerechtigkeit verläßt (so habe ich den geehrten Herrn Vorsitzenden verstanden), dann wird eben Abhilfe geschehen ...

Meine Herren, ein russischer Schriftsteller, den Sie wahrscheinlich fast alle kennen, Dostojewski, hat in seinem Roman „Raskolnikow" geschildert, wie ein nihilistischer oder anarchistischer Student ein altes Weib totschlägt. Warum? Das alte Weib hat viel Geld, es kann es nicht mehr in zweckmäßiger Weise verwenden. Er aber hat kein Geld, ist eine junge, aufstrebende Kraft, und so hält er sich berechtigt, das alte Weib totzuschlagen. Der Untersuchungsrichter stellte sich nicht ganz auf diesen Standpunkt. Er ließ sich nicht darauf ein, zu untersuchen, ob Raskolnikow das Geld besser angewandt hat als die alte Frau, sondern er fragte: Hast Du die alte Frau totgeschlagen? Und als dies festgestellt war, wurde der Mörder ohne Rücksicht darauf, wie das Geld verwandt war, der gerechten Bestrafung überantwortet. (Große Heiterkeit)

Meine Herren, ich muß sagen, höher als die Wirksamkeit

eines Kartells steht für mich die Frage: war die Gründung berechtigt oder nicht, verträgt es sich mit den Sitten eines Kulturstaates, daß Leute, die seit Jahren, seit Jahrzehnten im Besitze eines legitimen Erwerbes sind, bei Nacht und Nebel aus diesem vertrieben werden, daß sich eine Koalition von Leuten bildet, die jene, die in durchaus rechtschaffener Weise ihren Weg gehen, überfallen, ihres Vermögens oder ihres Erwerbes berauben und sie ins Unglück stürzen. Meine Herren, wenn derartige Zustände weiter anhalten sollen, dann muß jeder Erwerbssinn aufhören. Wenn man Gefahr laufen muß, sein Unternehmen durch irgendeine Koalition von Leuten, die durch die Gesetzgebung geschützt, ja geradezu dazu provoziert sind (hört! hört!), ruiniert zu sehen, wer soll da noch den Mut haben, Kapitalien zu gewerblichen Zwecken zu investieren. Daß Leute die Gesetze, die zum Schutz der nationalen Arbeit erlassen sind, zum zweiten Male fruktifizieren*, um sich zu koalieren und an ihren Mitbürgern zu bereichern, meine Herren, diese Frage scheint mir von viel größerer Bedeutung als die Untersuchung der Wirksamkeit der einzelnen Kartelle.

Kontradiktorische Verhandlungen/5

Bei den Beratungen im Reichstagsgebäude werden die üblen Praktiken der Kartelle aufgedeckt: erpresserische Verträge, Liefersperren, Verrufserklärungen, Kundenraub, Industriespionage, Aushungerung der Außenseiter, Dumping im Ausland, sozialer Boykott im Inland ...

Merkwürdig schweigsam verhalten sich, von Kantorowicz abgesehen, die Berliner Unternehmer. Sie sind entweder überhaupt nicht erschienen, oder sie verzichten auf jede ernsthafte Auseinandersetzung, um sich anschließend im stillen Kämmerlein mit den Managern der Kartelle zu arrangieren.

In den Erinnerungen des bürgerlichen Volkswirtschaftslehrers Lujo von Brentano spiegelt sich die Atmosphäre wider, in der über eine eventuelle gesetzliche Begrenzung des Treibens der Kartelle entschieden werden soll:

---

* ausnutzen

Auf Grund meiner diesbezüglichen Schriften war ich, als 1902 eine Untersuchung der Kartelle nach Berlin einberufen wurde, zum Mitglied der damit betrauten Kommission ernannt worden ...

Ich habe der ersten Untersuchung, der über die Kohle, nicht anwohnen können, wohl aber der zweiten über den Koks. Den Vorsitz führte der Direktor des Reichsstatistischen Büros, Dr. van der Borght, von dem man munkelte, er wünsche, wenn es zu dem Kartell der Kartelle, dem Ideal des Geheimrats Kirdorf-Gelsenkirchen, käme, der Sekretär dieses Kartells zu werden. Als es nun zu der Frage der Rückwirkung der horizontalen auf die vertikale Konzentration der Betriebe kam, suchte van der Borght sie zu übergehen, wie sie bei der ersten Untersuchung über die Kohle unterschlagen worden war. Ich protestierte. Ich war sehr gut vorbereitet und stellte in eingehenden Ausführungen die Fragen, die zu stellen waren. Darauf der Vorsitzende: Ich weiß nicht, ob jemand hierzu etwas zu sagen hat; ich habe nichts zu sagen, bemerke aber, daß jeder sich kurz fassen möge; die Herren aus dem Rheinland wollen mit dem 2-Uhr-Zug abfahren und zuvor noch zu Mittag essen!! Darauf hatte ich Gelegenheit, eine Beobachtung zu machen, die nicht ohne allgemeine Bedeutung war. Die großen Gruben- und Hüttenbesitzer waren vornehme Herren mit guten Manieren; dagegen kamen mit ihnen Verbandssekretäre, die, nachdem ihre Herren geredet hatten, deren Gegnern wie Kettenhunde zwischen die Beine fuhren. So erhob sich nach mir Herr Kirdorf. Er antwortete sachlich und höflich, während nach ihm Herr Beumer in wütendem Zorn über mich herfiel. Dann nahmen noch Dr. Gothein und andere das Wort. Aber die Herren aus Rheinland und Westfalen haben ihren Zug noch erreicht.

Der Eindruck von dem, was ich zu hören bekommen hatte, war der einer außerordentlichen Macht, welche die kartellierten Kohlengrubenbesitzer über die gesamten vom Kohlenbezug abhängigen Betriebe erhalten hatten. Es war höchst interessant zu verfolgen, in welcher Weise sich das Maß der Abhängigkeit der verschiedenen Produktionsstadien der gebrauchsfertigen Ware in den Äußerungen ihrer Vertreter spiegelte. Die

Panorama von Berlin, 1904

Roheisenindustrie hatte nur Lob für das Kohlensyndikat ... Bei den Kleineisenindustriellen wurde das Klagen schon lauter; auch sie haben die Kartelle der Rohstoffproduzenten gelobt; aber ihre Lobeserhebungen machten den Eindruck der Versicherungen des geprügelten Knaben, wie sehr er seinen Lehrer liebte, wenn er nur aufhören wolle zu hauen. Und so ging es weiter; und auch wo die Fertigfabrikanten den Fabrikanten ihres Rohstoffs heftig gegenübertraten, wie in den Verhandlungen über den Verband deutscher Druckpapierfabrikanten die Drucker, endete die Aussprache mit einer fast demütigen Bitte der Käufer, die ausgeteilten Nadelstiche vergessen zu wollen.

Ich bin nie mehr zur persönlichen Teilnahme an der Kartellenquete nach Berlin gefahren.

Brentano, Mein Leben

Die Kontradiktorischen Verhandlungen enden wie das Hornberger Schießen. „Es ist wie in der alten Tragödie, wo am Anfange eine Menge kraftstrotzender Menschen vorhanden ist und am Schluß nur ein Held oder ein Intrigant und ein Chor der Leidtragenden übrigbleibt, der sich in philosophischen Betrachtungen über die Hinfälligkeit und Veränderlichkeit alles Irdischen ergeht." (Prager, Die Mittelstandsfrage) Die bürgerlichen Nationalökonomen begeben sich „auf den Boden der Tatsachen". Der Staat gibt den letzten Schein auf, als stehe er über den Klassen, indem er sich an den lukrativsten Monopolen zu beteiligen beginnt.

Hand in Hand mit der stürmischen Kapitalkonzentration im Bereich der Industrie geht die Konzentration im Bereich der Banken. Acht Berliner Großbanken verfügen 1913 über mehr als vier Fünftel des Kapitals al-

ler deutschen Geldanstalten. Die Deutsche Bank, die Diskonto-Gesellschaft, die Dresdner Bank, die Darmstädter Bank (Bank für Handel und Industrie), der Schaaffhausensche Bankverein, die Berliner Handelsgesellschaft, die Kommerz- und Diskontobank und die Nationalbank für Deutschland: sie bilden die größte Kapitalzusammenfassung des Kontinents.

Handwerk, Detailverkauf: Täglich wogt der politische Streit um ihr Leben. Laut stürmen die Daseinsdebatten durch die Presse. Im stilleren Winkel jedoch – wo das Werden des Finanzkapitals geschildert wird –, in den Handelsteilen der Zeitungen, rollen sich weit gewaltigere Wirtschaftstragödien ab. Hier haust der Moloch ungestillt. Die Formalmacht des Sklavenaktionärs, sterbende Werke, einst selbstsichere Unternehmungen, alles frißt er. Auch die Zwischenhandelstationen des Kapitals, die Banken, schont er nicht. Auch sie werden von der Gewalt des Konzentrationsmagneten angezogen, werden aufgeschluckt, enden in dem allgemeinen Sammelbecken, den ungeheuren Kreditinstituten, die ganz Deutschland zu knechten drohen. Man gibt dem Vorgang die schönsten Namen: Angliederung, Interessengemeinschaft, Fusion. Ursache und Wirkung sind jedoch immer die gleichen. Die Finanzübermacht der Großbanken duldet kein kollegiales Eigenleben kleinerer, wartet gierig jede Gelegenheit zur Pression ab und nimmt schonungslos, was sich nicht halten kann.

Die Tendenz geht nach Berlin. Die Millionenzahl der Hauptstadtbewohner, das Blockige der Metropole wird symbolisch für Kapitalziffer und Wirtschaftsgewalt der Kreditriesen ...

Neuerdings beginnt diese Entwicklung sich in großzügiger Weise zu vollziehen. Man schluckt nicht mehr eine Bank, sondern gleich mehrere. Das geht schneller. Ob aber darunter die Verdauung nicht leidet, ist eine andere Frage. Unter der „Ägide" der Deutschen Bank, wie man die Knechtungsmethode euphemistisch zu nennen pflegt, haben sich die Rheinische Kreditbank, die Pfälzische Bank und die Süddeutsche Bank zusammengetan. Ein kleiner Trust, bequem bukettiert, hübsch zubereitet für eine handliche Aufnahme. Die Deutsche Bank erweitert

Paul Mankiewitz, Direktor der Deutschen Bank, um 1910

durch ihn recht beträchtlich ihre Machtsphäre, schafft sich Saugkanäle in Süddeutschland und kann dann noch die Retterin spielen. Denn die Pfälzische Bank muß saniert werden, und der Berliner Moloch kann sich den Aktionären der Pfälzerin als Reiniger präsentieren. Süddeutschland haben die Berliner Banktitanen bisher noch einigermaßen unausgenützt gelassen. Aber sie scheinen jetzt Vorposten stellen zu wollen, um rechtzeitig am Platze zu sein, wenn es sich um große Finanzierungen handelt. Die wird besonders die elektrische Umwälzung im Gefolge haben. So ziehen von der Reichszentrale aus die Großbanken ihre Kreise immer weiter, bis sie ganz Deutschland beherrschen, ganz Deutschland, das dann furchtsamer denn je vor einer Krisengefahr zittern muß.

Alfons Goldschmidt, Bankenmoloch

Über Aktienemissionen und langfristige, an knebelnde Bedingungen geknüpfte Kredite dringen die Banken immer tiefer in die Herrschaftssphäre der industriellen Unternehmer ein. Nach der Krise von 1901 halten die Direktoren der Berliner Großbanken fast siebenhundert Sitze in den Aufsichtsräten der großen Industrie- und Handelsgesellschaften. „Galt es in der früheren Periode industrieller Banktätigkeit, die Industrie anzuregen, so handelt es sich heute darum, sich derselben zu bemächtigen." (Jeidels, Großbanken)

Wie unverhohlen die Gewährung von Krediten an eine den Großbanken genehme Unternehmenspolitik gekoppelt wird, zeigt ein Brief der Dresdner Bank in Berlin an das Nordwestdeutsche Zementsyndikat von 1901:

Nach der im Reichsanzeiger vom 18. cr.* veröffentlichten Bekanntmachung Ihrer Gesellschaft müssen wir mit der Möglichkeit rechnen, daß in der am 30. dieses Monats stattfindenden Generalversammlung Beschlüsse gefaßt werden, die geeignet sein können, Veränderungen uns nicht genehmer Art in Ihrem Geschäftsbetrieb herbeizuführen. Aus diesem Grunde müssen wir

* laufenden Monats

zu unserem lebhaften Bedauern den Ihnen eingeräumten Kredit hiermit zurückziehen, bitten demgemäß, Dispositionen auf uns zu unterlassen und ersuchen Sie gleichzeitig höflichst, unser Guthaben spätestens bis Ende dieses Monats zurückzuzahlen. Wenn indes in der angegebenen Generalversammlung nichts beschlossen wird, was uns nicht genehm ist, und wir in dieser Beziehung durch uns konvenierende Garantien auch für die Zukunft geschützt sind, so erklären wir uns gern bereit, wegen Gewährung eines neuen Kredits mit Ihnen in Verhandlung zu treten.

Stillich, Geld- und Bankwesen

In klassischer Weise zeigt sich die Verschmelzung von Industrie- und Bankkapital zum Finanzkapital im Umkreis der Deutschen Bank. Sie ist durch ihre Vorstandsmitglieder und Direktoren in allen führenden Zweigen der Volkswirtschaft, des Handels und des Verkehrswesens vertreten. „Die Deutsche Bank sitzt in ca. 100 Aktiengesellschaften und übt dort den bestimmenden Einfluß aus." (Handel und Wandel, 1900)

Der Sohn des Warenhauskapitalisten Tietz erzählt, wie er sich – während einer Geschäftsreise des Firmengründers – mit knapper Not der tödlichen Umarmung durch die Deutsche Bank erwehrt:

Vater hatte seine Bankkredite entweder langfristig oder zum mindesten auf drei Jahre abgeschlossen. Mit der Deutschen Bank hatte er einen solchen Vertrag noch ein paar Tage vor seiner Reise unterzeichnet. Ich wurde zur Deutschen Bank bestellt, und zwar zu einem ihrer Vorstandsmitglieder, dem Kommerzienrat Klönne. Dieser stellte nun auch an mich das Ansinnen, ich solle die Firma in eine Aktiengesellschaft umwandeln und die Hälfte des Aktienkapitals zu einem noch zu vereinbarenden Preis der Deutschen Bank zur Emission überlassen. Als ich ihn bat zu bedenken, daß eine solche Transaktion weit über den Rahmen meiner Befugnisse hinausging und darüber nur mein Vater als Inhaber Entscheidungen treffen könne, markierte er „ärgerlich" und schrie mich an: „Entweder parieren Sie, Sie junger Dachs, oder Sie zahlen mir den Kredit innerhalb von acht Tagen zurück; ich lasse dann Ihre Schecks nicht mehr einlösen.

Ihre dummen Phrasen von ‚nicht befugt' ziehen bei mir nicht. Sie haben Generalvollmacht und Einzelprokura. Ich erwarte Ihre Antwort in drei bis vier Tagen." Ich wandte ein, daß er keine Kreditzurückzahlung verlangen könne, da unsere Firma einen dreijährigen Vertrag mit der Bank geschlossen habe, der erst eben zu laufen beginne. Worauf er mich anfuhr: „Dann können Sie ja klagen. Bis Sie aber ein Urteil erstreiten, haben Sie Ihren Vater schon längst ruiniert ..."

Ins Geschäft zurückgekommen, bat ich sofort meinen Freund, unseren Syndikus Isidor Dzialoszinski, zu mir ...

Dzialoszinski, Pohl und ich fuhren zur Diskonto-Gesellschaft. Ich stellte Direktor Waller ebenfalls den ganzen Vorgang dar und fürchtete, daß er mir nicht glauben würde. Ich mußte mir Bilanzen zur Diskonto-Gesellschaft kommen lassen, und nach einer etwa einstündigen Unterhaltung sagte er mir, vorbehaltlich der Genehmigung seiner Komplementäre, den Kredit von drei Millionen Mark zu, also in gleicher Höhe und zu den gleichen Bedingungen, wie wir ihn bei der Deutschen Bank hatten ... Mir war viel leichter zumute. Am vierten Tag ging ich, wie verabredet, zu Kommerzienrat Klönne, aber diesmal in Begleitung von Dzialoszinski. Sogleich fragte Herr Klönne, welche Antwort ich mir auf seinen Vorschlag überlegt hätte. Um nicht gleich abzubrechen, erwiderte ich, ich hätte nach Aden, dem nächsten Hafen, den Vater anlaufen werde, telegrafiert und warte dessen Antwort ab. Ich, von mir aus, müsse ablehnen. Er entgegnete: „Sie zahlen bis morgen mittag um zwölf Uhr die drei Millionen zurück, oder Sie nehmen meinen Vorschlag an." Dann wandte er sich an Dzialoszinski: „Herr Justizrat, unsere Bankjuristen werden schon einen Formfehler im Kreditvertrag finden." Ich fragte ihn: „Also die Deutsche Bank kündigt meiner Firma fristlos den Kredit?" Er bejahte es. Um ganz sicher zu sein, fragte Dzialoszinski nochmals, und Herr Klönne erwiderte: „Das ist die fristlose Kündigung." Dzialoszinski erwiderte: „Wir nehmen an." Klönne sagte, er erwarte uns morgen vor zwölf Uhr mittags. Die Unterredung war beendet.

Am nächsten Morgen fuhr ich zur Diskonto-Gesellschaft, machte den Kredit mit Waller fest und ließ mir einen Bankscheck über drei Millionen Mark geben. Mit unserem Finanzchef Löwenberger ging ich darauf wie verabredet zur Deutschen Bank. Man empfing mich mit den Worten: „Wen haben Sie sich denn da wieder mitgebracht? Was ist Ihre Antwort?" Ich bat meinen Begleiter, den Scheck zur Rückzahlung des Kredits zu überreichen. Bis dahin hatte Herr Klönne nur den wilden Mann markiert, jetzt wurde er aber wirklich zornig: „Das können Sie nicht, Ihre Firma hat einen Kreditvertrag mit uns." Ich entgegnete ihm eiskalt und ruhig: „Das muß wohl ein Irrtum sein. Sie selbst haben ihn gestern in Gegenwart von Justizrat Dzialoszinski fristlos aufgekündigt, und ich habe Ihre Kündigung durch meinen Syndikus angenommen." – „Was stellen Sie sich eigentlich vor, Sie brechen mit der Deutschen Bank? Na, warten Sie mal, wenn Ihr Vater kommt. Machen Sie das sofort rückgängig. Es ist eine Frechheit, meine Worte auf die Goldwaage zu legen und mich als Kassierer zu betrachten! Wenn Sie Geld zum Einzahlen haben, tun Sie es gefälligst am Schalter!" Ich betonte nochmals, daß die Verbindung der Deutschen Bank mit unserer Firma beendet sei und daß mir auch seine Drohungen mit meinem Vater gleichgültig wären. Seinem Wunsch, die Einzahlung am Schalter vorzunehmen, kämen wir gern entgegen.

Georg Tietz, Hermann Tietz

Nach dem Ersten Weltkrieg, in der großen Weltwirtschaftskrise, schluckt die Deutsche Bank die Diskonto-Gesellschaft; Herr Tietz langt wieder bei Herrn Klönne an.

Mächtige Bankpaläste, deren Pracht an die Bauten selbstbewußter Renaissancefürsten erinnert, geben der Friedrichstadt ihr Gepräge. In Sandstein und Marmor wird hier der Anspruch der Bankherren manifestiert, „die eigentlichen Führer des Unternehmungsgeistes der Nation" zu sein (Siemens).

Die Berliner Handelsgesellschaft läßt sich in der Französischen Straße von Messel einen gewaltigen Bau errichten. Gegenüber erhebt sich seit 1901 der Neubau der Diskonto-Gesellschaft. Die Deutsche Bank aber nimmt ein ganzes Straßenviertel für sich in Anspruch, ja es wird in den Jahren nach 1905 noch ein zweites hinzugefügt.

Dem Wanderer, der durch die Straßen der Friedrichstadt in Berlin aufmerksamen Blicks seine Schritte lenkt, wird eine Reihe mächtiger, ganze Viertel einnehmender Gebäude auffallen, die dort zumal in den letzten Jahrzehnten großen Festungen gleich aufgewachsen sind. Auf riesigen Quadern ruht der gewaltige Bau, zu dem breite Sandsteintreppen hinaufführen. Die Hallen glänzen in buntem Marmor und goldenen Verzierungen. Ganze Fluchten von Kontors füllen die Stockwerke, in deren Mitten elegante Sitzungssäle und vornehm ausgestattete Empfangsräume die Auserwählten aufnehmen. Auf den Korridoren begegnen sich die höchsten Würdenträger des Staates; aber sie haben in diesen Räumen nichts zu befehlen, in denen Könige antichambrieren, um sich den Entscheid über Leben oder Sterben zu holen. Das sind die neuen Mittelpunkte der Welt, Neu-Sanssouci, Neu-Versailles: die modernen Großbanken, die Zwingburgen des Kapitalismus, der in ihnen nicht als altersschwacher Greis, sondern als machtstrotzender Jüngling für Generationen und aber Generationen die Herrschaft über uns alle angetreten hat ...

Sombart, Die deutsche Volkswirtschaft

Von diesen Palästen, von diesen Herrschaftssitzen aus leitet das Finanzkapital auch den Kampf um die Außenmärkte, um die Sphären profitabler Kapitalanlagen, um politischen Einfluß in der Welt. Während die Diskonto-Gesellschaft 1902 Venezuelas Küstenforts beschießen läßt, weil der südamerikanische Staat sich weigert, die Zinsen für einen Kredit zu zahlen, bei dem das Berliner Bankenviertel zwei Drittel der Summe als „Emissionsgewinn" und „Zinsgarantie" einbehalten hat, während die Dresdner Bank ihre Hand auf Kohlegruben in Lothringen, auf Maschinenfabriken in Rußland und auf Licht- und Kraftzentralen in Mexiko legt, wirft sich die Deutsche Bank auf Ostasien, auf Lateinamerika, auf das rumänische Öl und, vor allem, auf den Nahen Osten. Mit dem Krupp-Konzern, mit den Großreedereien und den Lieferanten von Lokomotiven und Bahnzubehör zusammengehend, entwirft sie das Projekt der „Bagdadbahn", die nicht nur Berlin mit dem Persischen Golf verbinden und den Landweg nach Indien beherrschen, sondern auch die Türkei der „Erschließung" durch das deutsche Finanzkapital öffnen soll.

Nur die Türkei kann das Indien Deutschlands werden ... Der Sultan muß unser Freund bleiben, natürlich mit dem Hintergedanken, daß wir ihn „zum Fressen gern" haben. Zunächst freilich kann unsere Freundschaft völlig selbstlos sein. Wir helfen den Türken, Eisenbahnen zu bauen und Häfen anzulegen. Wir suchen, eine Industrie bei ihnen zu erwecken. Wir stützen sie mit unserem Kredit. Wir liefern ihnen Schiffe und Kanonen samt den Offizieren, die ihnen das Manövrieren dieser Schiffe und das Richten dieser Geschütze beibringen. Wir leihen ihnen deutsche Beamte und deutsche Militärs, die die höchsten Stellen in der Zivil- und Militärverwaltung besetzen, zunächst natürlich zum Nutzen des türkischen Reichs. Der „kranke Mann" wird gesund gemacht, so gründlich kuriert, daß er, wenn er aus dem Genesungsschlaf aufwacht, nicht mehr zum Wiedererkennen ist. Man möchte meinen, er sehe ordentlich blond, blauäugig, germanisch aus. Durch unsere liebende Umarmung haben wir ihm soviel deutsche Säfte einfiltriert, daß er kaum noch von einem Deutschen zu unterscheiden ist. So können und wollen wir die Erben der Türkei werden, von ihr selbst dazu eingesetzt ...

Ein reiches Erbe steht uns bevor. Die Türkei bietet unendliche Absatzgebiete für deutsches Kapital und deutsche Industrie, aber auch Unterkunft für deutsche landwirtschaftliche Ansiedler. Das osmanische Volk stellt die besten Untertanen, die ein Staat sich wünschen kann ... Der beste Teil der Bevölkerung, der türkische, von Deutschen regiert – das hat die Zukunft.

Die Welt am Montag, 21. November 1898

Der Bau der Bagdadbahn führt zu erbitterten Auseinandersetzungen mit Großbritannien, Frankreich und Rußland, deren koloniale Interessen der Zug an den Persischen Golf tangiert. Dem Berliner Publikum wird jedoch die Bahn als technisches Wunderwerk gepriesen, als ein Kulturwerk, das Wüsten in Gärten verwandeln wird, aus denen Milch und Honig fließt. Der Revisionist Max Schippel schwatzt von einer „Kultur-

tat ersten Ranges", „wenn das eiserne Band der Schienenwege Europa und Vorderasien untrennbar verknüpfen kann, wenn der friedliche Pfiff der Lokomotive die schweifenden und brandschatzenden Beduinen wie finstere Nachtgespenster verscheuchen und Ackerbau und Gewerbe zu neuem Leben erwecken würde". (Schippel, Die Bagdadbahn)

Übrigens: Da das ottomanische Reich gezwungen wird, Baukosten und „Kilometergarantien" unabhängig von den realen Einnahmen der Bahn zu zahlen, fließen die Profite nach Berlin, gleichsam der Schienenstrang sein Ziel erreicht.

Unter dem Wilhelminischen Regiment

Deutschland ist nicht das einzige Land, in dem der Kapitalismus der freien Konkurrenz in den Kapitalismus der Monopole übergeht. Jedoch erhält das höchste Stadium des Kapitalismus im Deutschen Reich und seiner Hauptstadt spezifische Züge. Einer von ihnen ist die Durchdringung des gesamten politischen und sozialen Lebens mit den reaktionärsten preußischen Herrschaftsformen und Traditionen. Berlin, nicht nur Hauptstadt des Reiches, sondern zugleich Hauptstadt Preußens, des mächtigsten deutschen Bundesstaats, ist Zentrum eines bürokratischen Staats- und Verwaltungsapparates, der nach Karl Liebknechts Urteil „rückständig auf allen Gebieten, unzweckmäßig eingerichtet und so teuer wie möglich" ist.

Die Zahl der in Berlin ansässigen Reichs-, Hof-, Staats-, Provinzial- und Gemeindebeamten ist nicht mehr exakt zu ermitteln; aber sie ist mit 40 000 eher zu niedrig als zu hoch geschätzt. „Bekanntlich zerfallen die Beamten in Preußen in drei Kategorien, die voneinander so streng geschieden sind wie die Kasten in Indien: höhere, mittlere und untere." (Gerlach, Meine Erlebnisse in der preußischen Verwaltung) Die Lage der kleinen Beamten unterscheidet sich nicht wesentlich von der der anderen Angestellten. Sie haben einen gewissen Kündigungsschutz, ihre Besoldung steigt mit den Dienstjahren, sie erdienen sich eine Pension. Andererseits unterliegen vor allem die „subalternen Beamten" den Geboten widerspruchslosen Gehorsams und eiserner Disziplin. Der bürgerliche Demokrat Franz Ziegler, aus eigener Erfahrung: „Es gibt nichts Raffinierteres als die Methode, womit der preußische Staat seine Beamten heranbildet, ihnen, bevor sie reif sind, in einer bewunderungswürdigen Dressur alle geistigen und moralischen Rippen bricht."

Natürlich geht's da oft zu wie in der Schule bei schlechten Lehrern: Man ist nur so lange still und gehorsam, als der Bakel des Lehrers droht. Die Folge dieses Systems ist, daß in den Beamten die Menschenwürde, die Würde des freien Bürgers, das lebendige Selbstbewußtsein abgetötet werden, daß sie zu Maschinen degradiert werden. Und für die Preisgabe der Menschenwürde, für die geraubte Freiheit der Gesinnung und des Handelns gibt man dem großen Heere der Beamten neben kärglichem Proletarierlohn Titel, Uniformen, Orden und ähnliche Kinkerlitzchen ...

Maßregelungen sind bei der geringsten Regung eines selbständigen Geistes an der Tagesordnung. Wie niemand darauf rechnen kann, Offizier oder Zivilverwaltungsbeamter oder auch nur Richter zu werden, dessen Gesinnung – sei sie echt, sei sie erheuchelt – nicht in vollstem Umfang den politischen Bedürfnissen der Regierung entspricht, so hat jeder, der als Beamter eine der Regierung nicht genehme Gesinnung erkennen läßt, unweigerlich ein Disziplinarverfahren auf dem Halse ...

Außer dem formellen Disziplinarverfahren gibt es noch ein nichtamtliches Disziplinarverfahren, das heißt eine ganze Reihe inoffizieller Mittel zur Ausmerzung mißliebiger Beamter ... Dem unbequemen Eindringling wird durch zahlreiche Schikanen das Leben so sauer gemacht, daß er schließlich von selbst die Flucht ergreift, die Flucht aus dem Amt, oft auch aus dem Leben.

Liebknecht, Zur Verwaltungsreform in Preußen

In das Räderwerk eines Apparats eingespannt, der keinen eigenen Gedanken zuläßt, der keine eigene Initiative wünscht, revanchieren sich viele der kleinen Beamten für die Schikanen borniert Vorgesetzter durch eine kleinliche, bürokratische Behandlung des Publikums.

Ich hatte 1903 in Berlin von Reichstagswahlen gehört und mir eine Zeitung gekauft, um etwas zu verstehen. Da ich um diese Zeit oft im Alten Museum steckte, war es natürlich, daß ich auf einer der schwarzen Lederbänke diese Nummer des „Vorwärts" aus der Manteltasche zog, um sie zu lesen. Da trat ein alter, verkniffener Diener an mich heran und schnauzte in jenem Tone, der uns das Wohlwollen der Welt erworben hat:

„Das Lesen von Zeitungen ist im Museum verboten." Kleine Pause. Feindlicher Blick über die Schulter. „Namentlich von solchen!"

Ich steckte viel zu tief in anerzogenem Gehorsam gegen die

Staatsgewalt, fürchtete mich viel zu sehr, als daß ich ihn ironisiert hätte; aber ich habe die Schande dieses Augenblickes nie vergessen, als ich die Zeitung einstecken mußte, und glaube, daß mein Groll gegen ein System, dessen politische Folgen ich gar nicht zu erfassen vermochte, von dieser preußischen Type begründet wurde.

Emil Ludwig, Geschenke des Lebens

Ein Typus von Grobheit ist mir in steter Erinnerung geblieben und der keine Ausnahme etwa in seinem Lande bildet, das ist der Chef vom Bahnhof Zoologischer Garten, ein dicker Kerl mit Glotzaugen, in langem, kornblumenblauem Uniformrock mit Goldknöpfen und goldenen Achselstücken, auf dem Kopf eine rote, betreßte Mütze. Ist es die Suggestion ihres militärischen Anzuges, die bei diesen Subalternbeamten eine derartige ostentative Überhebung und Barschheit erzeugt? Wenn man bedenkt, daß dieser hier in seinem faschingsmäßigen Aufzug zu nichts weiter da ist, als dem Aus- und Einfahren der Züge zuzusehen, wirkt sein Dünkel, sein Gebaren als überbürdeter, gewichtiger Machthaber lächerlich. Ich habe ihn, des Amüsements halber, beobachtet. Es ist nicht möglich, einem aufgeblaseneren Menschen zu begegnen. Stellt man eine Frage an ihn, würdigt er einen kaum der Antwort und wendet den Kopf nach der andern Seite mit einer Geringschätzung, die einem das Leben verleiden könnte, dächte man nicht daran, daß es noch höfliche, südliche Rassen, gesittet und liebenswürdig, gibt.

Niemand hier fällt es ein, an diesen Manieren Anstoß zu nehmen oder nur darauf zu achten, so allgemein ist dieser ungeschliffene Ton.

Huret, Berlin

Was die mittleren Beamten betrifft, so werden ihre Tugenden laut gefeiert: „Tüchtigkeit, eiserne Pflichterfüllung, untadeliges Ehrgefühl und vorbehaltlose Hingabe an den Dienst des Vaterlandes". (Westarp, Konservative Politik). Auch von ihnen wird jedoch der Verzicht auf jedes selbständige Denken und Handeln verlangt. „Zweieinhalb Jahre Verwaltungstätigkeit haben mir bewiesen," schreibt Hellmut von Gerlach, *„daß ein Mensch mit selbständigen Ansichten in der damaligen preußischen Verwaltung ein Ding der Unmöglichkeit war."*

Die materiellen Aufwendungen für eine „standesgemäße" Lebenshaltung sind beträchtlich, aber das Salär ist mäßig. Häufig muß die „Titelwährung" ersetzen, was an Bezügen fehlt.

In Deutschland geht nicht nur ein wahrer Regen von Titeln auf die Bevölkerung nieder, sondern es wird auch amtlich und ganz deutlich festgestellt, mit welchem Titel der Titelinhaber angeredet werden soll ...

Und die Frauen führen die Titel ihrer Gatten und nennen sich „Frau Oberpostassistent", „Frau Regierungsassessor", bis hinauf zu der Frau des Reichskanzlers, deren Titel und Würden man ihr übrigens am Gesicht und der Haltung ansieht. Vor einiger Zeit las ich in der Zeitung die Todesanzeige einer achtzigjährigen Frau, die von den Hinterbliebenen ernsthaft mit dem Titel einer Tierarztwitwe beehrt wurde ...

Einer neuen Verordnung gemäß dürfen die Post- und Telegrafenbeamten, wenn sie gewisse Prüfungen bestanden haben, den Titel „Oberpostschaffner" und „Oberleitungsaufseher" führen, und nach dreißigjähriger Dienstzeit wird ein Postbote mit dem Titel „Oberbriefträger" beehrt ...

Alle Berufs- und Handelsfächer verfügen über ein wahres Laboratorium von Titel und Anhängseln, und man kann lange suchen, bis man eine deutsche Frau findet, die nicht Frau Soundso Schmidt oder Fischer oder Müller ist. Tag für Tag hört man, wie Frauen einander als „Frau Oberforstmeister", „Frau Superintendent", „Frau Medizinalrat", „Frau Oberbergrat", „Frau Apotheker", „Frau Rechtsanwalt", „Frau Geschäftsführer" anreden. All diese Titel werden auch in Hotelfremdenlisten und sämtlichen Zeitungsannoncen angeführt. Selbst wenn jemand stirbt, begleitet sein Titel ihn ins Grab und in den Reden der Hinterbliebenen sogar immer darüber hinaus.

Diese Uniformen, Titel und Formalitäten tragen, wie ich gern zugeben will, zur Ordnung, Straffheit und vielleicht zur Zufriedenheit bei, da jeder das Gefühl hat, daß er zwar unter einem andern, aber dafür doch über jemand anderem auf der Leiter steht und seine Eitelkeit sich beständig geschmeichelt fühlt, wenn er seine, sei es auch noch so geringe Wichtigkeit durch die Nennung seines Titels verkünden hört.

Collier, Deutschland

Nicht minder gut organisiert war die andere staatliche Hilfswährung, die Ordenswährung. Hier gab es sogar in jedem Jahr einen besonderen Zahltag, das Ordensfest vom 18. Januar, bei dem der Staat en gros die fälligen Verpflichtungen einlöste. Der Ordenskonsum war sehr beträchtlich ...

Orden und Titel, denen früher ein gewisser Seltenheitswert zukam, waren durch die Orden- und Titelinflation, die unter Wilhelm II. einsetzte, im Werte stark gesunken. So waren die Justizrat- und der Sanitätsrattitel, die jedem Rechtsanwalt und jedem Arzt nach zwanzigjähriger Praxis verliehen wurden, schließlich nur noch ein Ausweis dafür, daß der Dekorierte weder vorbestraft noch Sozialdemokrat war, sich also im Vollbesitz der bürgerlichen Ehrenrechte befand.

Lewinsohn, Das Geld in der Politik

Die oberen Ränge der preußischen Zivilverwaltung sind in erster Linie den Söhnen des Junkertums und des Hofadels vorbehalten.

Im Jahre 1904 sind von den elf Mitgliedern des Staatsministeriums neun adlig und dazu noch der Unterstaatssekretär. Von 65 Wirklichen Geheimräten sind 38 adlig. In dem wichtigsten preußischen Ministerium, dem Ministerium des Innern, sind der Minister, der Unterstaatssekretär, der Ministerialdirektor und von den Vortragenden Räten fünf adlig ... Je höher hinauf die Stufenleiter der Verwaltung führt, um so mehr Plätze sind dem Adel vorbehalten. Allerdings befinden sich an den höchsten Amtsstellen, so unter den Oberpräsidenten, gewöhnlich einige Männer, die erst als Beamte das Adelsprädikat bekommen haben. Auch sonst ist es nicht ausschließlich der alte Feudaladel, der die einflußreichsten Stellen im Staate besetzt hält. Innerhalb des Adels rücken die Geldmächte vor, wenn auch der Landadel die Grundlage der herrschenden Schicht bleibt.

Den aufsteigenden Geldadel läßt man nicht ungern an die Stellen im Staat, die einen großen Aufwand erfordern, insbesondere in den auswärtigen Dienst des Reiches, der fast ganz dem Adel reserviert ist. Zehn Jahre vor dem Weltkrieg sind noch alle Botschafter, alle Gesandten, alle Geschäftsträger des Deutschen Reiches adlig, mit Ausnahme der Vertreter in Peru, Siam und Venezuela. Für den verarmten Adel ist freilich in der Diplomatie kein Platz, denn schon beim Eintritt in das Auswärtige Amt fragt man, ob der Anwärter auf einen Gesandten- und Botschafterposten 24000 Mark Jahresrevenuen aus eigenem Vermögen mitbringt. Dafür wandern Angehörige jung nobilitierter Industriefamilien, die diese Bedingung spielend leicht erfüllen, gern in die diplomatische Karriere ab. Da finden sich denn die Namen: von Hoesch, von Haniel, von Stumm wieder. Daneben rükken durch Diplomatenheirat Adel und Großindustrie näher zusammen.

Lewinsohn, Das Geld in der Politik

Immer häufiger entsenden die großen Finanziers, entsenden die Konzernherren ihre verläßlichsten Leute in die Spitzenpositionen des Staates. Isidor Loewe schickt den Direktor der Deutschen Waffen- und Munitionsfabriken, Herrn von Budde, in das Ministerium der öffentlichen Arbeiten, die Darmstädter Bank schickt ihren Direktor Dernburg 1906 in das neugebildete Staatssekretariat für die Kolonien. Umgekehrt holen sich die Großindustriellen und Finanziers immer häufiger führende Beamte in ihre Vorstandsetagen. Der Kruppdirektor Dreger kommt aus dem preußischen Kriegsministerium. Aus dem Finanzministerium stammt Krupps Generaldirektor Hugenberg. Emil Rathenau holt sich den ehemaligen Staatssekretär des Reichsmarineamts Friedrich von Hollmann, der dem Freundeskreis des Kaisers angehört, in den Aufsichtsrat.

Herr Voelcker, Hauptreferent der Regierung bei den Kontradiktori-

schen Verhandlungen, wird Direktor des Stahlwerksverbandes, eines der rabiatesten Kartelle ...

Die Zahl der Regierungsbeamten, die den ehrenvollen, aber dornenreichen Staatsdienst quittieren, um sich der einträglicheren Tätigkeit eines Bankdirektors zu widmen, vermehrt sich langsam. Langsam, weil es nicht annähernd so viel leere Direktorensessel wie Anwärter gibt ...
    Zur Zeit sind keine weiteren Direktionssessel frei, und die in Aussicht stehenden Vakanzen sind für den Nachwuchs reserviert. Ein Glück für die Regierung, der auf diese Weise eine ganze Anzahl tüchtiger Kräfte auf absehbare Zeit erhalten bleiben. Aber dadurch verliert die Los-vom-Staat-Bewegung doch nichts von ihrer Bedeutsamkeit ...
    Politische Ursachen – wirtschaftliche Wirkungen. Die Rolle, die Haute-Finance und Großindustrie heute im Staate spielen, erheischt es, daß ihnen ein unabhängiger Beamtenkörper unbefangen gegenübertritt. Wie steht es aber um die Unbefangenheit eines Staatsbeamten, dessen stilles Sehnen ein warmes Plätzchen in der Behrenstraße ist?
Die Bank, 1909/I

Einen von Grund auf rückschrittlichen Charakter besitzt die preußische Justiz, der die Sicherung der bestehenden Besitz- und Machtverhältnisse obliegt. Einzelne Sensationsprozesse gegen Angehörige der Oberschichten, wie das Verfahren gegen betrügerische Hypothekenbankdirektoren oder das Meineidsverfahren gegen den homosexuellen Freund des Kaisers Philipp von Eulenburg, mögen den Anschein erwecken, als seien alle Preußen vor dem Gesetz gleich. Im Alltag der preußischen Rechtspflege trifft es jedoch vor allem die einfachen Leute:

Etwas beklommen treten wir in das mächtige Gerichtsgebäude ein ...
    Die paar Bänke sind fast ganz besetzt. Ein Fleckchen findet sich noch für uns. Neben uns sitzen Neugierige, die sich aus Langeweile am menschlichen Elend weiden. Andere, Arbeitslose

in sauberer Kleidung, wollen sich ein paar Stunden aufwärmen. Sie ahnten nicht, was sich vor ihren Augen abspielen sollte. Und so mancher ist anders fortgegangen wie er gekommen: Er lernte sehen.

Jenseits der Barriere sitzen auf erhöhten Plätzen der Staatsanwalt: Mitte Vierziger, jovialer Gesichtsausdruck; der Gerichtsvorsitzende: schneidiger Bürokrat, Reserveleutnantston, Streber; zur Seite ihm zwei Schöffen: ohne individuellen Ausdruck.

Soeben ist eine Sache beendet. Zur nächsten treten zwei elegant gekleidete Frauen herein, Mutter und Tochter, begleitet von ihrem Verteidiger. Erst nach längerem Zureden des letzteren bequemen sie sich, auf oder richtiger in der Anklagebank Platz zu nehmen. Ein mokanter Zug macht den ohnehin schon sehr unsympathischen, raffinierten Gesichtsausdruck der Mutter nicht gerade angenehmer. Die Tochter sieht sich dreist, mit kokettem Lächeln im Raume um. Schnell sind die Personalien erledigt, und die Anklage wird verlesen: Warenhausdiebstahl. Beide „arbeiteten" nach einem raffinierten System. Als sie von der Verkäuferin auf frischer Tat ertappt wurden, hatte man geleugnet und die Angestellte noch beschimpft. Der Rechtsanwalt ist der Ansicht, daß hier ein Fall von Kleptomanie vorläge, da doch der Vater bzw. der Gatte ein tüchtiger, gut besoldeter Beamter wäre, und die Frauen hätten doch nicht Eßware oder dergleichen, sondern nur Spitzen und ähnliches gestohlen. Die Angeklagten leugnen, trotz Zeugen, alles ab. Der Staatsanwalt plädiert auf „schuldig", verwirft den Einwurf der Kleptomanie und beantragt eine Geldstrafe für beide. Der Verteidiger tritt für Freisprechung, eventuell für eine geringe Geldstrafe ein.

Das Gericht zieht sich zur Beratung ins Nebenzimmer zurück. Währenddem unterhalten sich Staatsanwalt und der Verteidiger über einen gesellschaftlichen Skandal. Nach etwa zwei Minuten betritt das Gericht wieder den Saal. Der Vorsitzende nimmt sein Barett ab und verkündet im Namen des Königs als Recht: In Anbetracht der verführerischen Auslagen und der Gelegenheit in den Warenhäusern zum Stehlen usw. wird die Mutter mit 50 Mark Geldstrafe und die Tochter mit einem Verweise bestraft.

Kaum daß der Verteidiger seine Akten zusammengerafft hat, da beginnt schon eine andere Sache. Man führt, während der Vorsitzende flüchtig in den ihm zugereichten Akten blättert, ein armselig gekleidetes, blasses Weib herein. Mangel und Sorge haben tiefe Runen in das müde Gesicht gegraben. Ihr erster Blick fliegt nach dem Zuhörerraum hin, als wenn sie dort jemand suche, dann huscht sie scheu in die Anklagebank hinein. Die harte Stimme des Vorsitzenden wird um einige Nuancen schroffer, als er die Angeklagte nach ihren Personalien fragt. Sie ist 31 Jahre – der abgerackerte Körper scheint einer Fünfzigjährigen anzugehören –, seit vier Jahren Witwe und wegen Diebstahl vorbestraft. Weshalb? Sie hatte im vorigen Jahre, als sie nach Saisonschluß keine Näharbeit bekam und die paar Mark Armenunterstützung nicht ausreichten, auf einem Güterbahnhof zwischen den Gleisen einige Pfund Kartoffeln aufgesucht, um den Hunger ihrer drei kleinen Kinderchen zu stillen. Acht Tage Gefängnis.

Diesmal wird ihr zur Last gelegt, sie soll auf der Straße ein Stück Bohle, das einem Hauseigentümer gehörte, aufgenommen haben. Diese war zwar zerfahren, diente aber noch zur Erleichterung der Auffahrt über die Bordschwelle einer Hauseinfahrt. Der Wert wird vom Besitzer auf 40 Pfennig geschätzt. Die Angeklagte gibt den Diebstahl zu; da sie jetzt lungenkrank sei, könne sie nicht mehr genügend verdienen; mit dem Nähen wolle es nicht mehr recht gehen, und in ihrer Dachstube wäre es so furchtbar kalt gewesen. Die Kinder hätten vor Frost und Hunger fortwährend geweint, das habe sie nicht mehr mit ansehen können, sie wäre davongelaufen, um auf irgendeine Art etwas heranzuschaffen, „und wenn ich hätte einbrechen müssen; mir war alles gleich".

Der Staatsanwalt blickt lächelnd nach der verhutzelten Gestalt hinüber. – Die und einbrechen.

„Na hören Sie mal, Angeklagte! Mit solchen Mätzchen bleiben Sie uns aber gefälligst vom Leibe! Sie bekommen doch eine Armenunterstützung? Und dann gibt es so viel wohltätige Stiftungen usw., die helfen, wenn wirklich Not vorhanden ist."

Eingeschüchtert durch den barschen Ton des Richters, flü-

Land- und Amtsgericht I, Neue Friedrichstraße, um 1901

stert die Angeklagte, daß sie ja nur für zwei Kinder Unterstützung bekäme; auf jedes Kind sechs Mark, was doch nicht im entferntesten ausreiche. Ihre Gesuche an Stiftungen wurden regelmäßig abgelehnt, weil sie schon eine Armenunterstützung erhalte.

Hilflos sah sich die Angeklagte um. Hier sprachen weder Verteidiger, noch Staatsanwalt, noch Richter von Kleptomanie, von einer Handlung unter einem unwiderstehlichen Zwange! – Der Staatsanwalt steht auf. Ein gemütlicher Ton durchklingt sein Plädoyer; kaum einige Sätze. Er beantragt, da Diebstahl im Rückfalle, acht Wochen Gefängnis. Von den zehn Wochen Untersuchungshaft beantrage er zwei Wochen als verbüßt anzurechnen.

Der Vorsitzende fragt die Angeklagte, ob sie noch etwas zu sagen hätte. „Ja, Herr Präsident, bitte sagen Sie mir, wo sind meine Kinderchen?" Unwirsch über die unnötige Aufhaltung blättert er ärgerlich in den Akten. „Ihre Kinder sind im Waisenhause; übrigens wird der Antrag gestellt werden, sie einer Zwangserziehungsanstalt zu überweisen, da Sie nicht zur Erziehung geeignet erscheinen." Lautlos sinkt die Angeklagte in der Anklagebank zusammen.

Das Gericht zieht sich zur Beratung zurück. Der Staatsanwalt trommelt nervös auf einen Aktendeckel. Eine bange Stille lagert über dem Raum. Von draußen schallt der Lärm der Straße herein. Die Minuten werden einem zu Stunden. Der Gerichtsdiener flüstert einem Bekannten zu, daß der Richter erst noch frühstückt; es wird wohl noch eine Weile dauern. Endlich geht die Tür auf. Und wieder nimmt der Vorsitzende sein Barett ab, und wieder verkündet er im Namen des Königs als Recht: „… in Rücksicht, daß die Angeklagte über ihre Tat keine wahre Reue zeigt, erkennt das Gericht auf drei Monate Gefängnis. Im Hinblick auf ihre Verstocktheit hat das Gericht von einer Anrechnung der Untersuchungshaft abgesehen. Da weiter die Angeklagte inzwischen von ihrem Hauswirt exmittiert ist, ihre Sachen von der Armenverwaltung in Verwahrung genommen sind, sie also ohne festen Wohnsitz ist, so hat das Gericht auf sofortige Verhaftung erkannt."

Ein furchtbares Schweigen lagert über dem Zuhörerraum; man wagt kaum zu atmen. Aller Augen sind auf die unglückliche Mutter gerichtet. Da – endlich bricht diese in ein leises, krampfhaftes Schluchzen aus. Wie Wahnsinn leuchtet's aus ihren Augen: „Meine armen, armen Kinder!"

Aber schon ruft man die nächste Sache auf.

Vorwärts, 5. Dezember 1909

Th. Th. Heine: Blick ins Land

Zweierlei Recht trifft nicht nur die Angeschuldigten in den Alltagsdelikten. Zweierlei Recht gilt vor allem dann, wenn vor den Schranken der Gerichte der Grundwiderspruch zwischen Kapital und Arbeit, zwischen Reaktion und Fortschritt ausgefochten wird.

Ein Sozialdemokrat wird bestraft, weil er sonntags vormittags Flugblätter sichtbar unterm Arm trägt (Entheiligung des Sonntags) oder weil er am Grabe eines Genossen die Worte spricht: „Im Namen unseres Wahlvereins lege ich den Kranz nieder; ruhe sanft, teurer Freund und

Genosse" (Ansprache in der Öffentlichkeit ohne polizeiliche Genehmigung). Ein Gewerkschafter wird bestraft, weil er einen Streikbrecher anspricht (Vergehen gegen § 153 der Gewerbeordnung) oder weil ihm, als Streikposten, „das Stehen auf den Granitplatten verboten ist" (Vergehen gegen die Straßenpolizeiordnung).

Interessant ist der § 153 der Gewerbeordnung*. Er ist an sich sehr hart, denn er kennt überhaupt nur Gefängnisstrafe. Wegen des kleinsten und harmlosesten Wortes kann nicht auf Geldstrafe erkannt werden! Diese Härte hat natürlich ihren zureichenden Grund darin, daß sich der § 153 der Gewerbeordnung rein auf den Schutz des Unternehmertums und der Arbeitswilligen bezieht, also sozusagen ein destilliertes Klassengesetz ist. Bei den größten Raufereien und Roheiten, sogar bei sittlichen Exzessen ist es möglich und häufig genug, daß auf Geldstrafe erkannt wird. Aber nach § 153 muß der Übeltäter ins Loch wandern. Sagt ein Streikposten zu einem Arbeitswilligen: „Bester Freund, du gehörst unserem Verbande an, wie kannst du hier arbeiten?", und der Arbeitswillige erwidert grob: „Was geht es dich an?" und der Streikposten bemerkt nun in einer Aufwallung des Ärgers: „Schämst du dich denn nicht?" Wissen Sie, was dann dem Streikposten blüht? Vierzehn Tage Gefängnis, Parteigenossen! ...

Zu den Vergehen wegen angeblicher Nötigung und Beleidigung von Arbeitswilligen kommt noch der berühmte Erpressungsparagraf ...

Ein Erpresser ist in der Tat ein gemeiner Mensch! Auf ihm lastet der schwere Vorwurf, er habe die Notlage und die Zwangslage eines anderen ausgenützt, um sich materielle Vorteile zu verschaffen. Nehmen Sie nun den Fall an, die Arbeiter eines Unternehmers sind mit dem Lohn nicht zufrieden, oder der Unternehmer will ihnen weniger Lohn geben als seither. Die Arbeiter aber stellen ihre Lohnforderungen und sagen: „Wenn du uns

---

* § 153 der Gewerbeordnung bedrohte mit Gefängnis jeden, der einen anderen „durch körperlichen Zwang, Drohungen, Ehrverletzungen oder Verrufserklärungen" zu bewegen suchte, an einer „Verabredung oder Vereinigung zum Behufe der Erlangung günstiger Lohn- und Arbeitsbedingungen" teilzunehmen.

den Lohn nicht gibst, dann können wir nicht weiterarbeiten, dann legen wir die Arbeit nieder." Parteigenossen! Das ist Erpressung nach der ständigen Rechtsprechung der letzten Jahre ...

Wie läuft nun aber die Sache in umgekehrtem Falle? Wie steht es, wenn der Arbeitgeber sagt: „Von jetzt ab erhaltet ihr pro Stunde fünf Pfennig Lohn weniger, und wenn ihr damit nicht zufrieden seid, dann muß ich euch entlassen!" Geschieht das, werden die Arbeiter aufs Pflaster geworfen, so stehen sie nackt und bloß da und sind damit unendlich ernster geschädigt, als wenn dem Unternehmer ein paar Wochen die Maschinen stille stehen. Aber, Parteigenossen, das ist keine Erpressung!

Liebknecht, Rechtsstaat und Klassenjustiz

Da die Hohenzollern wenig Vertrauen in die Loyalität der Berliner setzen, haben sie neben der Gemeindevertretung und neben dem Magistrat ein dem preußischen Innenminister und damit dem preußischen König unmittelbar unterstelltes „Königliches Polizeipräsidium" installiert. Es regiert, in seiner Machtfülle fast unbegrenzt, in buchstäblich alle Angelegenheiten der Metropole und ihrer Nachbarstädte hinein. Als der Oberbürgermeister 1904 aufgefordert wird, doch wenigstens die Bau-, Verkehrs- und Gesundheitspolizei in städtische Regie zu übernehmen, antwortet er nur achselzuckend: „Bringen Sie mich doch nicht in Verlegenheit."

Die Zahl der Polizeiverordnungen – und damit die Zahl der möglichen Übertretungen – ist Legion:

Als jetzt in Berlin die Kriminalisten tagten, ward darüber gesprochen, daß die Zahl der jährlichen Polizeistrafen in Deutschland kaum noch abzuschätzen sei ... Zehn Millionen Polizeistrafen in einem Jahr! Und wofür? Der Oberlandesgerichtsrat Rosenberg stellte die „Übertretungen" ein bißchen zusammen. Wegen Bettelns, auch wegen Bettelns aus Not, wenn der besondre Notfall nicht unmittelbar nachzuweisen sei. Wegen der kleinsten „Verstöße" gegen die Straßenpolizeiordnung. Wegen verzögerter An- oder Abmeldung eines Dienstmädchens. Straf-

mandate werden erlassen gegen Fremde, die von den hochwohlweislichen Vorschriften, die jeden Ortes andre sein können, keine Ahnung haben. Kommt ein Radfahrer an einem Tag durch zehn Orte, riskiert er unter Umständen zehnmal Strafe. Beispielsweis: wenn er einen Weg befährt, den man nur zu dieser Zeit nicht befahren darf, denn Unkenntnis polizeilicher Vorschriften schützt bekanntlich nicht. Der Droschkenkutscher kann belangt werden, wenn er zwar seine Legitimation bei sich hat, aber nicht die seines Rosses. Oder wenn er mal einschläft, oder wenn er mal weggeht – auch wenn er's muß. Dann das Rasenbetreten. Dann die Bauverordnungen. Dann die Hausierverordnungen. Dann die Ladenverordnungen. Und die Wirtshausverordnungen. Und die Beleuchtungsvorschriften. Usw. usw. Zehn Millionen Polizeistrafen, das bedeutet: durchschnittlich bekommt der Deutsche jedes dritte Jahr eine. Wenn man nämlich Verreiste, Kranke, Gefangene, Kinder einschließlich der Säuglinge beim Wettbewerb um diese Auszeichnungen mittun läßt. Sieht man von ihnen ab, sieht man sogar auch von den Wohlhabenden ab, die wenigstens ihr Beruf nicht „gefährdet", beschränkt man sich auf die „kleinen Leute", deren Arbeit sie auf die Straße anweist – wie stellt sich's dann?
Avenarius, Vom Subalternen

1911 regelt der Polizeipräsident, wie die Taxis angestrichen werden müssen („Kraftdroschken mit Benzinantrieb marstallbraun mit schmalen hellroten Streifen abgesetzt, Kraftdroschken mit elektrischem Antrieb elfenbein mit schmalen schwarzen Streifen abgesetzt, Räder dieselbe Farbe wie der Wagen"; Vorwärts, 29. Oktober 1911).

In der Straßenverkehrsordnung wird nicht nur in acht Paragraphen das Anbringen von Ladenschildern bis ins kleinste vorgeschrieben; hier heißt es auch: „Die Erlaubnis zum Befahren der Bürgersteige mit Kinderwagen wird auf mündlichen oder schriftlichen Antrag von den Vorständen der hiesigen zuständigen Polizeireviere erteilt."

Die ganze Borniertheit des preußischen Polizeigeistes kommt in der Verordnung zum Ausdruck, die den Blumenfrauen auf dem Potsdamer Platz verbietet, „Behältnisse zu benutzen, die die betreffenden Personen

Heinrich Zille: Blumenverkäuferin

nicht allein bequem handhaben können": Während der Verkaufszeit darf auf dem Pflaster des Platzes kein Blumenkorb, kein Eimer stehen.

Und natürlich ist auch das Lagern auf Parkwiesen ein Polizeivergehen:

Wie ich einmal mit dem englischen Fräulein durch den Charlottenburger Schloßgarten ging. Wir hatten ein englisches Kinderbuch mitgenommen, aus dem ich vorlesen sollte und auch vorlas, zu meiner Verwunderung hatten wir uns dazu aufs Gras gelegt, unter schöne schattige Bäume und in einiger Entfernung vom Weg. Die Engländerin, die wir Cacol nannten und die wir sehr liebten, sah den Polizisten schon von weitem, dachte aber nicht daran, sich aus ihrer bequemen Lage zu erheben, und unterbrach mein Vorlesen nicht. Ich sah erst auf, als mir der Pikkelhaubenschatten aufs Buch fiel, und erschrak, denn Schilder, die das Betreten der Rasenflächen verboten, standen überall. Der Polizist zog sein Notizbuch; jetzt, dachte ich, kommen wir ins Gefängnis, zu Wasser und Brot. Name und Adresse, sagte der Polizist streng, und Cacol nannte lächelnd eine ganz fremde Straße und einen fremden Namen, auch ich wurde von ihr umgetauft, ich war ihre Tochter und wohnte bei ihr. Wir gingen alle drei über den Rasen, und der Polizist verließ uns unfreundlich, wir würden von ihm hören, das leichtsinnige Lachen der Engländerin hatte ihn in seiner Beamtenehre gekränkt. Kaum, daß er um die Ecke war, fing ich an zu tanzen und zu springen, „Gott sei Dank, daß niemand weiß, daß ich Rumpelstilzchen heiß". Ich empfand, was geschehen war, als Befreiung und malte mir aus, wie der Polizist uns in der fremden Straße suchen und nicht finden würde. Das englische Fräulein war in meinen Augen eine Heldin, und wie gern hätte ich wirklich in der unbekannten Straße und allein mit ihr gewohnt. Stolz erzählte ich zu Hause, was sie mir zu erzählen nicht verboten hatte. Daß daraufhin die Tage der lustigen Cacol, ihre Tage im Hause eines deutschen Offiziers, gezählt waren, konnte ich nicht begreifen.

Marie Luise Kaschnitz, Orte

Das Exekutivorgan der Polizeiverwaltung ist die „Königliche Schutzmannschaft": höflich in den westlichen Stadtteilen und immer bereit, dem wohlhabenden Bürger eine Droschke herbeizurufen – grob und brutal gegenüber dem gewöhnlichen Sterblichen, mit dem Auftrag, bei jedem Auflauf „von der Waffe sofort wirksam Gebrauch zu machen". Während der Demonstrationen der Arbeitslosen im Krisenjahr 1908 haut die Schutzmannschaft selbst auf Unbeteiligte wie besessen ein:

Im Verbandshause der Metallarbeiter, in der Charitéstraße 3, haben sich gestern Ereignisse abgespielt, die man im friedlichen Berlin für unmöglich halten sollte. Polizeibeamte oder wenigstens Personen, die man ihren Uniformen nach dafür halten mußte, sind in das Haus eingedrungen und haben Menschen, die dort auf Eröffnung des Büros warteten oder sonst zu tun hatten, attackiert und mißhandelt. Vom Karlsplatz her kam der Trupp Uniformierter mit blanker Waffe angestürmt. Ein Berittener kam mit seinem Pferde durchs Tor auf den Hof und hielt dort Wacht. Die anderen sechs oder acht Mann stürmten mit einem Leutnant voran die Treppe hinauf, immer mit gezogenem Säbel. Der erste, den sie niederschlugen, war ein junger, aber erst zugereister Metallarbeiter aus Posen, der gekommen war, um sich beim Verbande anzumelden. Der Verbandsbeamte Genosse Blumenthal machte dem Leutnant Vorhaltungen. „Wie können Sie den Mann so schlagen! Er hat ja nicht das geringste verbrochen!"

„Wenn Sie nicht ruhig sind, kriegen Sie auch noch Ihre Senge", war die Antwort. Blumenthal gab jedoch den Versuch nicht auf, dem Polizeileutnant die Situation klarzumachen. Da wurde er plötzlich an der Gurgel gepackt, hingeworfen, geschlagen und schließlich zur Wache gebracht ...

Als wir später am Schiffbauerdamm entlanggingen, hörten wir heftiges, entrüstetes Schelten in einem Grünkramkeller. Es war der Besitzer des Geschäfts. Am Nachmittag, so erzählte er uns, habe seine Tochter ihm gesagt, es kämen so viele Menschen daher. Der Mann ging hinaus, um seine Äpfelkiepe hineinzuholen, damit sie nicht etwa von der Menge umgestoßen werde. Kaum hat er draußen den Korb angefaßt, stürzten Schutzleute mit blankem Säbel auf ihn, schlugen ihn in den Nacken, daß er die Treppe hinunterfiel. 70 ist es nicht so zugegangen, meinte der Mann. Er hatte den Krieg mitgemacht, aber bei allen Grausamkeiten des Krieges nicht gesehen, daß man wehrlose Menschen niederschlug!

Vorwärts, 22. Januar 1908

Als 1909 der Polizeipräsident von Stubenrauch stirbt, wird sein Amt dem schneidigen Junker Traugott von Jagow übertragen, der sich der persönlichen Gunst des Kronprinzen erfreut. Er verschärft noch die berüchtigten Vorschriften über den Gebrauch von Säbel und Revolver. Welcher Geist die Jagowsche Schutzmannschaft erfüllt, zeigt sich während eines Streiks der Arbeiter einer Kohlenhandlung in Moabit.

Am 19. September 1910 begann der Streik von 141 Kohlenarbeitern bei Kupfer & Co. im Berliner Stadtteil Moabit. Die Arbeiter forderten in Anbetracht der Teuerung eine Lohnerhöhung von sieben Pfennig für die Stunde. Sie gehörten zum größten Teil dem Deutschen Transportarbeiterverbande an. In Berlin sind viel größere Streiks ohne jede Störung der Ruhe verlaufen. Daß es bei diesem an sich geringfügigen Anlaß zu öffentlichen Zusammenstößen kam, hatte seinen Grund in einer Reihe von Umständen ...

Am 26. September mittags, als bei dem schönsten Wetter einige hundert Arbeiter und Arbeiterinnen vor der Fabrik der Allgemeinen Elektrizitätsgesellschaft auf der Straße ihr Mittagsbrot verzehrten, kam ein von Streikbrechern geführter und von Polizei geleiteter Wagen zurück. Die Streikbrecher wurden verhöhnt, sollen auch beworfen worden sein, worauf ein Streikbrecher mit einem Revolver unter das Publikum schoß. Dieses verlangte stürmisch die Sistierung* des Schützen, was die Polizei mit einem Angriff auf die Menge beantwortete. Wieder ritten die berittenen Schutzleute zwischen die Frauen und Kinder hinein. Die Empörung hierüber führte zu Steinwürfen aus der Menge,

* Festnahme

worauf die Polizei die Leute in den Fabrikhof hineintrieb. Dort kam es wieder zu Steinwürfen und Menschenjagden; als die Fabrikglocke ertönte, nahmen alle Arbeiter ihre Plätze ein, und der Krawall war zu Ende.

Jetzt aber sperrte die Polizei die umliegenden Straßen ab und ließ niemand sich dort aufhalten. Gegen Abend, als große Massen von Arbeitern diese Straßen passieren mußten, führten diese auffälligen Maßnahmen wiederum zu Ansammlungen und zu Zusammenstößen. Knaben reizten die Polizei durch Pfiffe und rannten dann davon; die Polizei verfolgte sie, konnte sie natürlich nicht einholen und schlug dann auf ganz andere unschuldige Leute los. Sie drang rücksichtslos in Schanklokale ein, in denen sie flüchtige Verfolgte vermutete und schlug auch dort auf ruhig dasitzende Leute, ganz friedliche Menschen ein...

Am Mittwoch, dem 28. September, dehnte die Polizei ihre Attacken immer weiter aus, und es kam zu dem berühmt gewordenen Vorfall, wo die englischen Journalisten, die mit polizeilicher Erlaubnis gekommen waren und an einer Stelle, wo kein Exzeß der Menge wahrnehmbar war, harmlos in ihrem Automobil saßen, ohne jeden Anlaß von einigen Schutzleuten mit scharfen Säbelhieben mißhandelt wurden. Am folgenden Tage hielten sich dann die Schutzleute mehr zurück, während hauptsächlich Kriminalbeamte mit Knüppeln bewaffnet das Publikum verfolgten...

Viele Personen sind sehr schwer verletzt worden. Am schrecklichsten ist die Ermordung des Arbeiters Herrmann. Dieser bemerkte am Abend des 27. September, daß sein Knabe auf die Straße gegangen war, und ging, um den Jungen zu holen, hinunter. Die Straße war völlig menschenleer, irgendwelche Ansammlungen waren nicht in der Nähe zu sehen. Als Herrmann einige Schritte auf der Straße getan hatte, kamen zwei Schutzleute von der anderen Seite auf ihn zu und schlugen den einzelnen Mann mit Säbeln nieder. Herrmann bekam so heftige Säbelhiebe über den Schädel, daß er daran im Krankenhause gestorben ist. Obgleich die Polizei, wenn bürgerliche Zeugen etwas gegen sie ausgesagt hatten, auf der Stelle eine Reihe Schutzleute namhaft zu machen wußte, die angeblich zur betreffenden Zeit an derselben

Traugott von Jagow, Polizeipräsident von Berlin, 1913

Stelle Dienst getan hatten und die dann im regelmäßigen Falle aussagten, daß sie von allen Beobachtungen der bürgerlichen Zeugen nichts bemerkt hätten, hat die Polizei bis jetzt noch nicht ermitteln können, welche Schutzleute den Herrmann niedergeschlagen haben. Dagegen wurde in einem Teil der reaktionären Presse die Behauptung verbreitet, die Untersuchung hätte ergeben, daß die beiden Schutzleute in Notwehr (!) gewesen wären, als sie den friedlichen unbewaffneten Mann töteten.

In Notwehr soll auch angeblich der Schutzmann gewesen sein, der einem bereits arretierten Arbeiter Cieslick von hinten einen Säbelstich beigebracht hat, der vom Gesäß aus bis in die Bauchhöhle drang und den Darm sowie das Bauchfell verletzte. Wer den Stich geführt hat, ist auch hier nicht ermittelt worden, obgleich noch eine Anzahl anderer Polizeibeamter zur Stelle war, die den Stecher wohl hätten kennen können.

Handbuch für sozialdemokratische Wähler

Ende Oktober 1910 kommt es, ausgehend von einem Streik in der Fleischfabrik Morgenstern, auch im Wedding zu blutigen Zusammenstößen zwischen Arbeitern und uniformierter Staatsgewalt. In zwei großen Prozessen wird – nicht etwa gegen die sinnlos dreinschlagenden Polizisten, sondern gegen willkürlich herausgegriffene Arbeiter und Bewohner des Viertels verhandelt. Wilhelm Herzog schildert die Atmosphäre im Amtsgericht in Moabit:

Seht euch das Moabiter Schauspiel an. Da sitzen in einem schmalen Raum fünfunddreißig Angeklagte vor ihren Richtern. Sie sitzen hinter einem verschlossenen Gitter, davor warten im Gerichtssaal fünf oder sechs Polizisten mit um den Leib geschnallten Revolvern. Eine schöne, ausdrucksvolle Szene. Die Herren Richter lassen auf sich warten. Als sie langsam und gemessen endlich erscheinen, erheben sich die ihrer Aburteilung entgegensehenden fünfunddreißig Angeklagten, mit ihnen ihre Herren Verteidiger ...

Fünfunddreißig Angeklagte. Meist arme, unbestrafte Leute. Aber nach der Anklage: Rädelsführer der Moabiter Revolution vom September 1910. Eine Frau, die als das gefährlichste Petroleumweib oder die Bestie der Revolution geschildert wurde, sitzt bleich und gebrochen außerhalb der Anklagebank auf einem Stühlchen, vor ihr ein Tisch mit einem Glas Wasser. Vor zwei Tagen wurde sie bei Beginn der Sitzung ohnmächtig, verfiel in Weinkrämpfe und stürzte zu Boden. Irgendein Gerichtsbeamter ruft, man solle sie auf die Erde legen. Und man sieht sich verwundert an, als ihr Verteidiger dagegen protestiert. Wir sind in Preußen: Eulenburg bleibt in Liebenberg, und Frau von Schönebeck flüchtet an der Seite ihres charmanten Gemahls ins Sanatorium. Das herzkranke Petroleumweib wird auf die Erde gelegt.

Am dritten Verhandlungstage hat selbst der Erste Herr Staatsanwalt ein Erbarmen; er beantragt, die Sache der Frau von den übrigen Anklagen abzutrennen. Sie hat durch diese späte staatsanwaltliche Einsicht sechs Wochen in Untersuchungshaft zugebracht, aber jetzt ist sie – mit einem Worte – frei, und der hohe Gerichtshof braucht sich nicht einmal zur Beratung zurückzuziehen, um die Freilassung zu beschließen. So ver-, so enthaftet man.

Der Präsident dieses Gerichts, der Landgerichtsdirektor Lieber, gilt als ein strenger, unnachsichtlicher Herr, dem man im besondern nachsagt, daß er bei politischen Anklagen am zuverlässigsten verurteile ...

Ein Junge hat eine Straßenlaterne zertrümmert, er kommt hier neben einem Zuchthäusler zu sitzen und muß sechs Wochen warten, bis man ihm Recht gesprochen hat. Der sechzehn Jahre alte Stalljunge Romanowsky sitzt seit dem 5. Oktober in Untersuchungshaft wegen einfacher Beleidigung. Haftentlassung abgelehnt. Die unbestrafte Fabrikarbeiterin Sattler soll vom vierten Stock ihrer Wohnung den dreinschlagenden Schutzleuten das Wort „Bluthunde" zugerufen haben. Dafür saß sie neunzehn Tage in Untersuchungshaft. Der Kutscher Otto Weiss befindet sich seit dem 30. September in Untersuchungshaft wegen Auflaufs. Höchststrafe: drei Monate. Er hat also jetzt bereits sechs Wochen, bei Ende des Prozesses zehn Wochen, verbüßt von den zwölf Wochen, die ihn im schlimmsten Falle treffen können.

Moabit, 1910

Es liegt mir fern, in ein schwebendes Verfahren einzugreifen. Einige Ziffern wollte ich geben, um eine schlechte Methode zu belichten. Man fragt sich: ... weshalb ähnelt heute ein Gerichtssaal einer Folterkammer, und weshalb fürchten wir uns fast alle, wenn wir einmal vor Gericht zu erscheinen haben? Schon der Formelkram erstickt uns. Es soll dort Recht gesprochen werden. Aber der Sinn des Rechts – die Gerechtigkeit – hat sich in sein Gegenteil, die Justiz, verkehrt.
Herzog, Moabit

Wegen „öffentlicher Zusammenrottung" erhalten vierzehn Angeklagte 67½ Jahre Gefängnis. Die Mörder des Arbeiters Herrmann werden trotz angeblich jahrelanger, intensiver Ermittlungen nicht gefunden. Die Klage der Witwe des Ermordeten auf Schadenersatz wird nach allen Regeln der Kunst verschleppt.

So bestätigt sich Liebknechts Einschätzung auf dem Parteitag der Sozialdemokratie Preußens im Jahre 1910: „Die Gesetzlichkeit ist in Preußen nur eine dünne Moosdecke, die über dem tiefen Polizeisumpf ausgebreitet ist."

Eine der wichtigsten Stützen des wilhelminischen Herrschaftssystems ist die Kirche.

Insbesondere die evangelische Geistlichkeit widmet sich mit Hingabe der Absegnung des Gottesgnadentums des Monarchen, ist doch der König Oberster Bischof aller preußischen Protestanten: „Die evangelische Kirche und den preußischen Staat krönt dieselbe Spitze", erläutert im Abgeordnetenhaus der Kultusminister von Trott zu Solz.

Wer in Berlin freireligiösen Auffassungen huldigt oder sich gar als Atheist bekennt, braucht auf eine Karriere kaum zu hoffen.

Die uralte Seuche, die religiöse Heuchelei, gelangte zu Ausmaßen, wie sie unter Wilhelm I. nicht erlebt worden waren. Der Hof war der Mittelpunkt, und von dort verzweigte sich diese Seuche überall dahin, wo jemand durch Gunst oder Ungunst des Kaisers etwas erreichen oder verlieren konnte. Es hing in der

Tat vielfach, zum Beispiel für einen Assessor, die Laufbahn davon ab, ob er seine Gleichgültigkeit oder Ablehnung der Kirche gegenüber offen sehen ließ oder durch fleißigen Kirchenbesuch verbarg. Im militärischen Leben machte sich dieselbe Krankheit bemerklich. Hier wie dort konnte ein unvorsichtiges Wort böse Folgen für den Betreffenden haben, während es sich in hohem Maße lohnte, Kirchenbesuch, kirchliche Frömmigkeit und fromme Gläubigkeit bei guten Gelegenheiten zur Schau treten zu lassen. Natürlich blühte auch das Denunziantenwesen, wenn es sich darum handelte, jemandem in seiner Laufbahn zu schaden.

Reventlow, Von Potsdam nach Doorn

Adolph Hoffmann, sozialdemokratischer Verleger und Stadtverordneter, ist als geistreicher, witziger Kämpfer gegen die religiöse Heuchelei stadtbekannt. In seiner Schrift „Die zehn Gebote und die herrschende Klasse" bringt er zahlreiche Beispiele dafür, wie der Glaube an Gott für alle nur möglichen Geschäfte ausgebeutet wird.

Hier nur eine einzige der unzähligen Schamlosigkeiten der Profitwut:

Eine Schuhfabrik von Fr. & Co. in Berlin ließ bei Gelegenheit der Stadtverordnetenwahlen einen Zettel mit der Überschrift „Flugblatt" verteilen, auf welchem der Ausspruch Bismarcks: „Wir Deutsche fürchten Gott, sonst nichts auf der Welt" in folgender Weise ausgebeutet war:

Wir

bitten die Leser dieser Zeilen auf unsere Hausnummer zu achten, nur dort werden
Deutsche

Schuhe und Stiefeln, eigenes Fabrikat und nur Handarbeit geführt. Mit Recht
fürchten

Sie, in Bazaren zu kaufen, wo nur Maschinenkram und teurer verkauft wird, als unsere gute, reelle Handarbeitsschuhware. Es gibt Leute, die sich weder an

Gott

noch an Menschen kehren und nur darauf bedacht sind, den armen Käufern einmal zu kolossalen Preisen schlechte Ware anzuschmieren, uns jedoch liegt an dauernder Kundschaft,

sonst

verlieren wir leicht unser Renommee. Der Arbeiter sowie Handwerker, dessen Verdienst jetzt so spärlich ist, würde weder für sich, noch für seine zahlreiche Familie, ja für

niemand

bei uns kaufen. Wir betonen daher ausdrücklich, daß wir entschieden nur

auf

beste, solideste und reellste Handarbeitsschuhware halten, wobei zu berücksichtigen ist, daß

der

Preis dafür bei uns billiger ist als Maschinenwaren, die nichts halten. Nichts in aller

Welt

wird uns von dem Prinzip der Reellität abbringen, und bitten wir, nach Ansicht unserer kolossalen Läger einen Versuch bei uns zu machen.

Es ist wahrlich ein erhabenes Schauspiel, als Gottesgläubiger den lieben Herrgott und als Bismarckverehrer den Nationalgötzen a. D. zu Reklamezwecken in solcher Weise zu verwenden ...

Mit einem „Gott schütze Dich" versehen betrügerische Goldwarenfabrikanten ihre auf Täuschung des Publikums berechneten „goldenen" Armbänder. „In Gottes Hand" wird beim sogenannten „Richten" jeder noch so sehr auf Betrug und durch Betrug berechnete und errichtete Schwindelbau gestellt, bei welchem vielleicht vor der Fertigstellung schon soundso viel Arbeiter und Handwerker Hab und Gut eingebüßt, um ihre Existenz betrogen wurden. „Gottes Segen" wird auf jedes Volksausplünderungs-Unternehmen herabgefleht. „Gott zum Geleit" heißt es, wenn

auf irgendeiner neuerbauten Eisenbahnstrecke der erste Zug abgelassen wird, welcher womöglich über mit gefälschten Stempeln versehene geflickte Schienen dahinsaust oder über eine durch Profitwut und Konkurrenzjagd zu leicht gebaute Brücke. Ein Krach, ein Schreckensschrei, und „Gottes unerforschlicher Ratschluß", sagen gewisse satansfromme Augenverdreher, „hat es so gefügt" ... Wahrlich, eine schöne Moral, herrliche Religiosität.
Adolph Hoffmann, Die zehn Gebote

Bigotte Kleriker, Politiker und Publizisten veranstalten immer neue, von Polizei und Justiz eifrig unterstützte Kampagnen „zur Rettung der Sittlichkeit". Anfang 1900 kommt es, nach einem Prozeß gegen einen Zuhälter namens Heinze, um Haaresbreite zu einem gesetzlichen Verbot jeder freimütigen Darstellung des Natürlichen, des Erotischen in Kunst und Literatur. Ein Ausschnitt aus der Rede, die Hermann Sudermann auf einer Protestversammlung Berliner Kulturschaffender im Handwerkervereinshaus gegen die drohende „lex Heinze" hält:

Über alle Zweige der deutschen Kunst wird jetzt die moralische Zuchtrute geschwungen, aber der eigentliche Übeltäter scheint doch der Dramatiker zu sein, und im Namen dieser übelbeleumdeten Menschenklasse will ich reden. (Große Heiterkeit) ... Die Dichtung und das Gegenwartsdrama haben ein feines Ohr für den Wellenschlag der Zeit, aber jene Herren haben nun einmal dekretiert: Die Sitte verändert sich nicht, sie ist normiert durch Bibel und Katechismus, hat in diesem Stillstand zu verharren in alle Ewigkeit, und ein Dichter, der von dem Wandel der Sitte Notiz nimmt, ist Mitschuldiger der Unsittlichkeit und wird mit Gefängnis bis zu einem Jahre bestraft! (Lebhafter Beifall) Von den erfolgreichsten modernen Dramen des letzten Jahrzehnts würde kaum ein einziges die Fallgrube des § 184b umgehen können ... Hauptmanns „Weber", Halbes „Jugend", Wildenbruchs „Haubenlerche" und auch Fuldas „Talisman" würden fortan auf der Bühne nicht mehr möglich sein. Man denke doch: ein König in Unterhosen! (Große Heiterkeit) ... Die dramatische Kunst nach den Herzen der Herren Roeren und Genossen, diese desinfizierte Kunst, wie würde sie aussehen? Rasselnde Kettenpanzer oder blumenpflückende lächelnde Mädchen würden dem verehrten Publiko geboten werden, eine große dramatische Ahnengalerie würde auf der Bildfläche erscheinen, und die Heldentaten aller deutschen Fürstenhäuser würden dramatisch gefeiert werden. Welch künstlerisches Elend! Und nun noch das soziale moderne Drama! Wie oft würden die bösen Reichsfeinde durch schöne Reden einfach an die Wand geschmettert, wie oft die Ausstandsbrecher durch die zarten Mahnungen des freundlichen Ortsgeistlichen zu ihrer Pflicht zurückgeführt werden, und wie oft würde auch Minchen, das süße blonde Minchen, ihren Referendar bekommen, den tüchtigen Referendar, der es noch einmal bis zum Landrat bringen würde. (Stürmische Heiterkeit) Das würde man dann wieder „Idealismus" nennen!

Vossische Zeitung, 5. März 1900

Die Sozialdemokratie sorgt zusammen mit den linken Liberalen bei der Beratung der „lex Heinze" im Reichstag (13. und 17. März 1900) für so stürmische Auseinandersetzungen, daß die Theater- und Kunstparagraphen des Gesetzes schließlich zu Fall kommen.

Die Kapriolen der Sittenwächter gehen jedoch lustig weiter. Wegen „allzu offener Darstellung des Lasters" wird 1900 in Berlin Leo Tolstois „Macht der Finsternis" verboten. 1902 verbietet der Berliner Polizeipräsident Heyses Schauspiel „Maria von Magdala", weil die Darstellung biblischer Szenen auf der Bühne nicht zugelassen ist. Wegen „Verletzung des Sittlichkeitsgefühls" entfernt die Polizei Reproduktionen von Rubens' „Susanna im Bade" und Botticellis „Venus" aus den Auslagen der Kunsthandlung von Keller & Reiner.

Adolph Hoffmann im Preußischen Landtag:

Die Jagd auf das Unsittliche ist eine Art Sport geworden ... Es gibt Jäger, die kennen keine Rücksichten; meist werden sie dabei zu Wilderern auf dem Gebiete der Kunst; sie geraten aus dem Jagdrevier des Unsittlichen hinaus, brechen in das Gebiet der Kunst ein und suchen wie der Stier im Porzellanladen mit allem aufzuräumen, was sie da vorfinden ...

Was ist nicht alles als gegen die Sittlichkeit verstoßend beschlagnahmt worden. Ich will Ihnen nur ein paar Proben über „unzüchtige Postkarten" geben. Die Plastiken „Diana" und „Mutter" von R. Felderhoff. Die „Diana" erhielt im Berliner Kunsthaus 1910 die Künstlermedaille und den Ehrenpreis der Stadt Berlin; sie wurde vom Staate angekauft. Für die „Mutter" erhielt Felderhoff im Jahre 1911 die goldene Medaille. Also Reproduktionen von Dingen, die in der Galerie vorhanden sind, werden beschlagnahmt. Und die Königlichen Galerien verkaufen auch Postkarten von den dort ausgestellten Kunstwerken; da müßte dann die Polizei schleunigst hin und eingreifen ...

Ich will nicht näher auf die Beschlagnahme der „Ruhenden Nymphe" eingehen. In dem Laden der Neuen Freien Volksbühne in der Köpenicker Straße hat irgendein unbekannter Sittlichkeitsfatzke im Schaufenster diese prächtige Reproduktion gesehen – eine unbekleidete weibliche Figur! Natürlich, die muß entfernt werden, und so kam denn der Schutzmann Libenow in den Laden, um das Bild käuflich zu erwerben. Es ist eine in der Münchener „Jugend" erschienene Reproduktion des Gemäldes „Ruhende Nymphe" von Anselm Feuerbach. Anselm Feuerbach, ein unzüchtiger Maler! Ich meine, das zeigt doch am weitgehendsten, wo wir mit dieser Art von Beschlagnahmung und Prozessen hingeraten sind.

Stenografische Berichte des Preußischen Abgeordnetenhauses, 10. Februar 1914

Auf allen Gebieten des geistigen und kulturellen Lebens, in allen Fragen der Lebensweise der Bevölkerung beansprucht die Kirche ein Aufsichtsrecht. Und die Justiz schützt diesen Anspruch. „Wiederholt sind Laubenkolonisten bestraft worden, weil sie ohne behördliche Erlaubnis während der Hauptkirchstunden Erd- und andere Arbeiten auf ihren Pachtgrundstücken vornahmen." (Vorwärts, 12. Juni 1913) Ja, in Berlin müssen sogar die Schaufenster verhängt werden, solange die Predigt währt!

Um das Recht auf Feuerbestattung entbrennt eine Auseinandersetzung von grotesker Zähigkeit.

Das Wort „Auferstehung" umhüllt vielleicht manchem von uns eine geheimnisvolle Hoffnung; indessen wir haben darauf verzichtet, uns in Walhall mit Met die Nase zu begießen, und auch die „jüdische Halluzination" hält uns nicht mehr im Bann. Für solche Wandlungen des Gefühles ist immer das Theater ein guter Gradmesser, und wer würde heute noch die Gräberszene in „Robert der Teufel" ernst nehmen?
Der Minister des Innern denkt vermutlich anders. Er ist davon überzeugt, daß wir uns einst alle im Vollbesitz unseres schlotternden Gebeines aus den Gräbern erheben werden, und glaubt wohl auch, daß diese Überzeugung dem Gemeindemitglied nicht entrissen werden dürfe. Dem Volke soll die Religion – en bloc – erhalten werden ... Wenn wir zu Asche verbrannt werden, so ist es klar, daß sich bei der großen Scheidung in Böcke und Schafe der diensttuende Engel nicht recht auskennen kann, und unzählige Mißgriffe und Reklamationen werden die Folge sein. Die Vorstellung einer derartigen Unordnung ist für einen gutgeschulten Beamten völlig unerträglich. Die Bibel sagt zwar, wir seien von Staub und sollten zu Staub werden, aber Staub läßt sich nicht registrieren, und es leuchtet ein, daß in einem militärisch-bürokratischen Staate der Gedanke einer allgemeinen fleischlichen Auferstehung den herrschenden Klassen weit sympathischer sein muß.
Goldbeck, Das Recht auf Verwesung

Als die Einäscherung schließlich 1911 erlaubt wird, wird sie durch Dutzende schikanöser Bestimmungen erschwert, darunter durch diese: Eine weibliche Leiche, die feuerbestattet werden soll, muß zuvor amtlich daraufhin untersucht werden, ob sie noch jungfräulich ist oder nicht ...

Nun könnte man über die Auseinandersetzungen um verhängte Ladenfenster oder verhinderte Leichenverbrennungen mit einem Achselzukken hinweggehen; sie sind schließlich nicht die einzigen Absonderlichkeiten der „guten alten Zeit".

Gefährlich aber und von großer Tragweite ist die propagandistische Einflußnahme der Kirche im Sinne der expansionistischen Politik der herrschenden Klassen. *Ohne Zögern hat sich die Mehrzahl der „Seelenhirten" in den Chor der „Weltpolitiker", in den Chor der alldeutschen Chauvinisten eingereiht. „Im Deutschen Reich sind die Predigten schon so gut wie fertig, die im Fall der Mobilmachung von allen Kanzeln werden gehalten werden. Man ist prinzipiell religiös gerüstet auf den Krieg." (Die Christliche Welt, 12. Dezember 1912)*

Ein evangelischer Pfarrer schrieb während des Chinafeldzuges an den Herausgeber der „Christlichen Welt": „Wissen Sie, ganz aufrichtig, in Ihrer ‚Christlichen Welt' finde ich in dieser großen herrlichen Zeit des China-Krieges zu wenig den großen Schwung der Freude und Begeisterung ob dieses Krieges. Es ist doch eine Lust, jetzt zu leben! Und anstatt nur deutsch-nationale Begeisterung zu bringen, öden und langweilen Sie uns mit Artikeln, die von etwas anderm handeln als von Deutschlands Macht und Größe! Ihr Blatt bringt viel zuviel spezifisch ‚Christliches' und viel zu wenig Deutsch-Kaiserliches... Was geht uns Deutsche jetzt chinesische Mission an und nun gar Mission von Engländern und Amerikanern betrieben? Mich geht jetzt nur die Niederstreckung der Chinesen an"...

Ein anderer evangelischer Pfarrer äußerte in einer Festrede: „Das neue Jahrhundert, das Jahrhundert der Weltpolitik, stellt gleich im ersten Jahr unser deutsches Volk auf eine harte Probe, hart um so mehr, weil eben doch die rechte Begeisterung für Weltpolitik und für einen Krieg im Dienst derselben fehlt. Ich fürchte (!), wir sind zu gemütvoll, wir erachten die Menschenopfer für zu wertvoll, uns fehlt die kalte Berechnung und nackte Selbstsucht dazu."

Da möchte man doch bescheidentlich fragen, warum denn diese Herren, statt des geistlichen Gewandes, nicht den Soldatenrock gewählt haben?... Im Dreißigjährigen Kriege wären sie vielleicht ganz brauchbare Landsknechte geworden. Aber auch beim Chinakriege hätten sie's doch immerhin versuchen und sich als Freiwillige melden können. Warum also nicht?

Grotthuß, Aus deutscher Dämmerung

Das enge Zusammenwirken von „Stiefvater Staat und Stiefmutter Kirche" (Liebknecht) gibt der von bürgerlichen Freidenkern begründeten Bewegung zum Massenaustritt aus der Staatskirche wachsende Resonanz. Ihre Losung „Konfessionslos!" wendet sich nicht gegen echtes Religionsbedürfnis, sondern gegen den Zwang, sich als Christ auszugeben, auch wenn man mit religiösen Anschauungen nichts im Sinne hat; sie ist zugleich eine demokratische Losung, die der herrschenden Ideologie einen Teil ihrer Massenbasis streitig macht.

Eine öffentliche Disputation über die Kirchenaustrittsbewegung fand am Montagabend im großen Saal der Habelschen Brauerei, Bergmannstraße, auf Einladung des liberalen Parochialvereins der Heilig-Kreuz- und Passionsgemeinde zwischen Pastor Francke und Schriftsteller Hans Leuß als Vertreter des Komitees „Konfessionslos" statt. Weit vor dem angesetzten Beginn war der Saal gedrängt voll. Hunderte von Personen fanden keinen Einlaß, warteten aber noch bis gegen elf Uhr auf der Straße, um Einlaß zu finden, da die Polizei abgesperrt hatte. Mehrere Frauen wurden bei der Hitze im Saal ohnmächtig. Die Auseinandersetzungen zwischen den Rednern des Abends erinnerten an die öffentlichen Disputationen zur Zeit der Reformation. Pastor Francke sprach über „Das Unrecht der Kirchenaustrittsbewegung". Er meinte, daß zwar jeder, der vom Christentum und Religion nichts mehr wissen wolle, allerdings aus der Kirche austreten solle, aber oft seien die, die den Kirchenaustritt vollzögen, ihrem inneren Menschen nach unbewußt Christen, hingegen gehörten eigentlich die in die Kirche nicht mehr hinein, die sich als Nietzsche Herrenmenschen fühlen, die vom Blut und Schweiß anderer ihr Herrendasein führen und dafür diese noch verachtungsvoll behandeln; denen müsse man zurufen: Heraus aus der Kirche! (Großer allseitiger Beifall) Alle anderen aber sollten das Reformationswerk fortsetzen und vollenden ...

Schriftsteller Hans Leuß als Opponent erwiderte, daß die Kirche Preußens sich in den letzten Jahrzehnten immer mehr rückwärts „reformiert" habe ..., daß die Herrenmenschen, die Pfarrer Francke aus der Kirche hinaus haben will, die Kirchenpatrone besonders auf dem Lande sind und daß die Pfarrer sonntags für diese Herrenmenschen beten müssen ... Es handelte sich für das Komitee „Konfessionslos" gar nicht um einen Kampf gegen die Religion, sondern allein um einen Kampf gegen die Staatskirche, die nichts anderes sei als eine der mächtigsten Stützen der Reaktion ...

Beim Verlassen des Saales wurde von den anwesenden Konfessionslosen, die die Versammlung mindestens zur Hälfte füllten, ein donnerndes dreimaliges Hoch auf die Kirchenaustrittsbewegung ausgebracht.

Berliner Volkszeitung, 11. Februar 1914

Teil des preußischen Machtapparates ist auch die Schule, die säuberlich in Unterrichtsanstalten für die Kinder der Arbeiter und Handwerker, für die Kinder der Mittelschichten und für die Kinder der herrschenden Oberschichten gegliedert ist.

„Die Schule, die ich besuchte", schreibt Otto Nagel in seinen Lebenserinnerungen, und es ist die Volksschule, die Berliner Gemeindeschule, die er meint – „die Schule gab mir nichts."

Vor den Lehrern hatte ich keinen Respekt. Das war kein Wunder, wenn man weiß, daß unter ihnen der berüchtigte Straube war, der später im Struweshofprozeß – Struweshof war eine Erziehungsanstalt – als Sadist entlarvt wurde. Dieser Straube hatte sich schon früher uns gegenüber als ein übler Patron benommen. Wenn er frühmorgens ins Klassenzimmer kam, dann zitterten alle. Er ließ sich sofort seinen wohlgepflegten, immer mit Fett eingeriebenen langen Rohrstock geben, schwang ihn in die Höhe, wobei sein Röllchen gegen die Decke flog, und dann wurden einige Schüler ohne Grund nacheinander nach vorn geholt und durchgeprügelt. Er verstand es auf eine ganz raffinierte Art, die Hosen strammzuziehen, damit die Schläge ihre Wirkung erzielten und der Schmerz heftig war. Ein anderer Lehrer, der Sohn eines Schuldirektors, war fast immer betrunken. Er lieh sich von uns die neuesten Schmöker, rauchte seine Zigarette, wobei er den Rauch in den Tischkasten blies. Wir selbst durften

Magnus Zeller: Die Schulstunde, 1910

unsere Nick Carter und Buffalo Bill herausholen und lesen. Ein Schüler wurde vor die Tür postiert, um das Kommen des Schulrektors zu signalisieren. Dabei muß es bei uns noch ganz ordentlich zugegangen sein.

Mein ältester Bruder hatte ganz andere Erlebnisse in der berüchtigten „Klamotte", der ältesten Schule am Wedding. Rektor war ein gewisser Trettin. Nun war es damals üblich, daß alle Jungen nebenbei etwas verdienen mußten. Gewöhnlich arbeiteten sie als Laufburschen in den Geschäften. Dafür bekamen sie in der Woche drei Mark, aber die Läden hatten bis neun Uhr abends auf. Wann sollten also die Schularbeiten gemacht werden? Kam man am anderen Tag ohne Hausarbeiten in die Schule, wurde man über den Bock geschnallt und durchgeprügelt. Es ist verständlich, daß manche Jungen, die keine Schularbeiten gemacht hatten, alles taten, um der Strafe zu entgehen. Sie ließen sich von halberwachsenen Freunden „Entschuldigungszettel" schreiben, die angeblich vom Vater stammten. Wurden sie bei ihrem Schwindel erwischt, dann ging es grausam zu.

Meinem Bruder ist es einmal mit einem Schulfreund, einem gewissen Franz Kirsch, Sohn eines Bauarbeiters, so ergangen. Da sie keine Schularbeiten gemacht hatten, gingen sie gar nicht erst zur Schule, sondern versteckten ihre Mappen irgendwo auf dem Boden und zogen mit ihren Klotzpantinen an den Füßen durch die Gegend. Es war ein bitterkalter Wintertag. Am Bahnhof Wedding befand sich ein großes Mützengeschäft. Vor dem Laden hingen, ganz oben, für die Jungen unerreichbar, herrliche Krimmermützen, solche, die man über die Ohren ziehen konnte. Kirsch wußte, wie man an sie herankommt. Sie marschierten bis zu den vornehmen Häusern der Invalidenstraße, wo bis zur dritten Etage Treppenläufer lagen. Dort holte man sich Messingstangen, mit denen die Läufer befestigt waren; mit diesen Stangen bewaffnet, konnte man sich eine Mütze herunterangeln. Die Jungen verspürten um die Ohren nun wohlige Wärme. Inzwischen waren die Väter von der Schule alarmiert. Sie begaben sich auf die Suche und erwischten die Jungen. Am anderen Tag wurden sie von einem Gendarmen – damals gab es in Berlin noch die Gendarmerie – in die Schule gebracht und dort über den Bock geschnallt. Der Gendarm stand daneben, als Rektor Trettin die Jungen nun persönlich durchprügelte.

Mein Bruder, der noch nicht viele solcher Geschichten hinter sich hatte, kam mit einem blauen Auge davon, während man Kirsch in die Erziehungsanstalt steckte. Dort wurde er erst zu einem Verbrecher gemacht. Der Junge, der, wie es sich noch erweisen sollte, hochintelligent war, wurde einer der berüchtigtsten Verbrecher. Er hat bis zu seinem 52. Lebensjahr nur noch drei Jahre in Freiheit verbracht. Kirsch wurde zum Erfinder des Sauerstoffgebläses, das er ja brauchte, um Geldschränke aufschweißen zu können. Was wäre aus diesem Proletarierjungen geworden, wenn er die richtige Erziehung und Anleitung gefunden hätte?

Nagel, Autobiographische Zeugnisse

Die Ausstattung der Berliner Gemeindeschulen ist etwas besser als im Durchschnitt der preußischen Provinzen, auch wenn der liberale Lehrerverein mehrfach die niedrigen städtischen Zuschüsse (jährlich 94 Mark je Gemeindeschüler) kritisiert. Da die Berliner Industrie Arbeiter braucht, die um einige Grade gebildeter sind als die Tagelöhner auf den Junkergütern, absolviert ein Drittel der Gemeindeschüler nicht mehr nur sieben, sondern acht Klassen – obwohl das ein Teil der Stadtväter schon wieder fast für Luxus hält.

Nach den „Allgemeinen Bestimmungen" von 1872 sollen an Lehrmitteln in jeder Volksschule vorhanden sein:

„1. Ein Exemplar des in der Schule eingeführten Lehr- und Lernbuches. 2. Eine Wandkarte der Provinz. 3. Dito von Preußen. 4. Dito von Deutschland. 5. Dito von Europa. 6. Dito von Palästina. 7. Ein Globus. 8. Ein Alphabet weithin erkennbarer, auf Holz oder Papptäfelchen geklebter Buchstaben. 9. Eine Geige. 10. Ein Lineal und Zirkel. 11. Eine Rechenmaschine. In evangelischen Schulen kommen außerdem noch hinzu: 12. Eine Bibel. 13. Ein Gesangbuch." (Schulz, Sozialdemokratie und Schule)

Bibel und Gesangbuch! Einem preußischen Volksschüler werden, so

Umseitig: Tauentzienstraße, Blick auf die Kaiser-Wilhelm-Gedächtniskirche

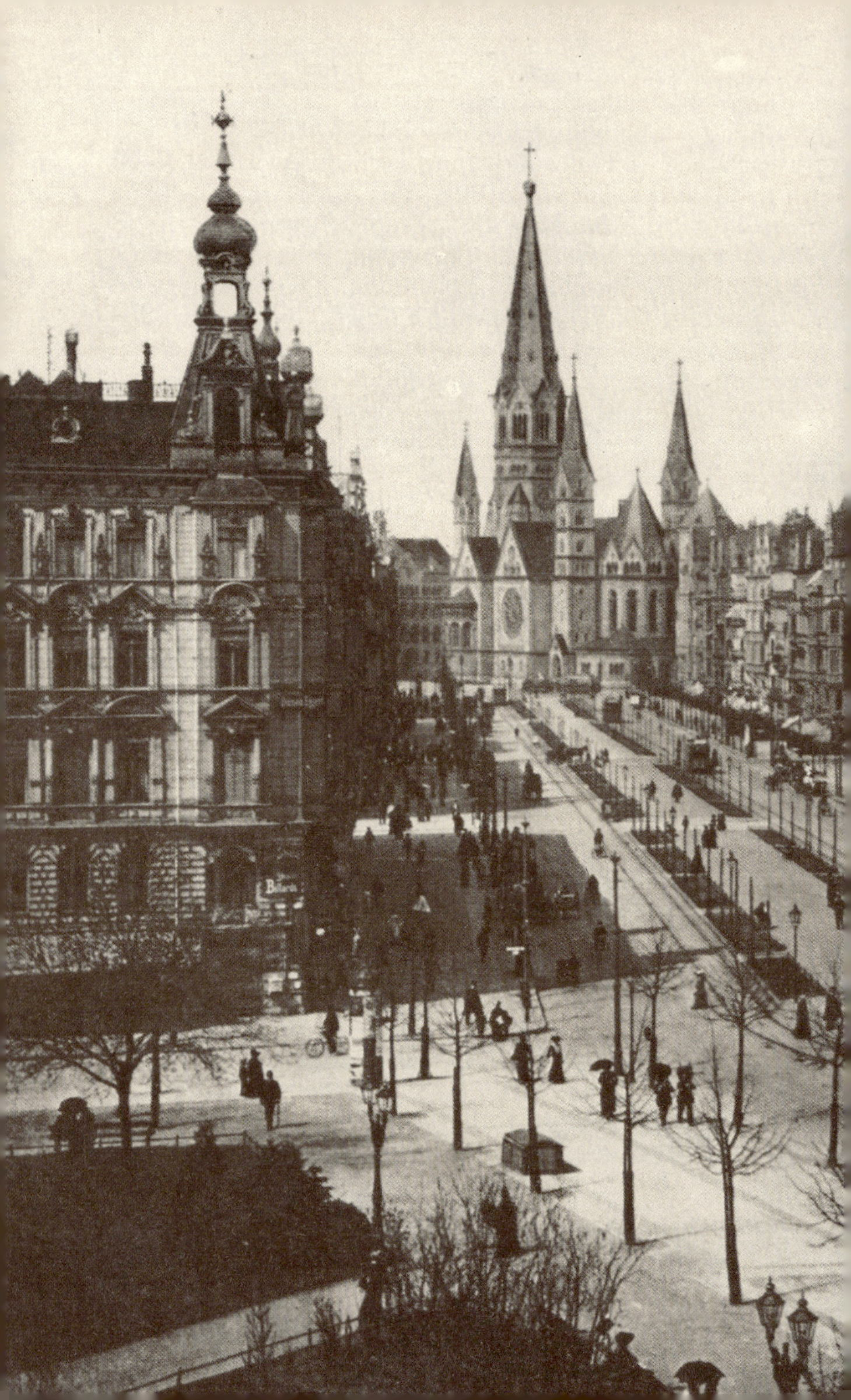

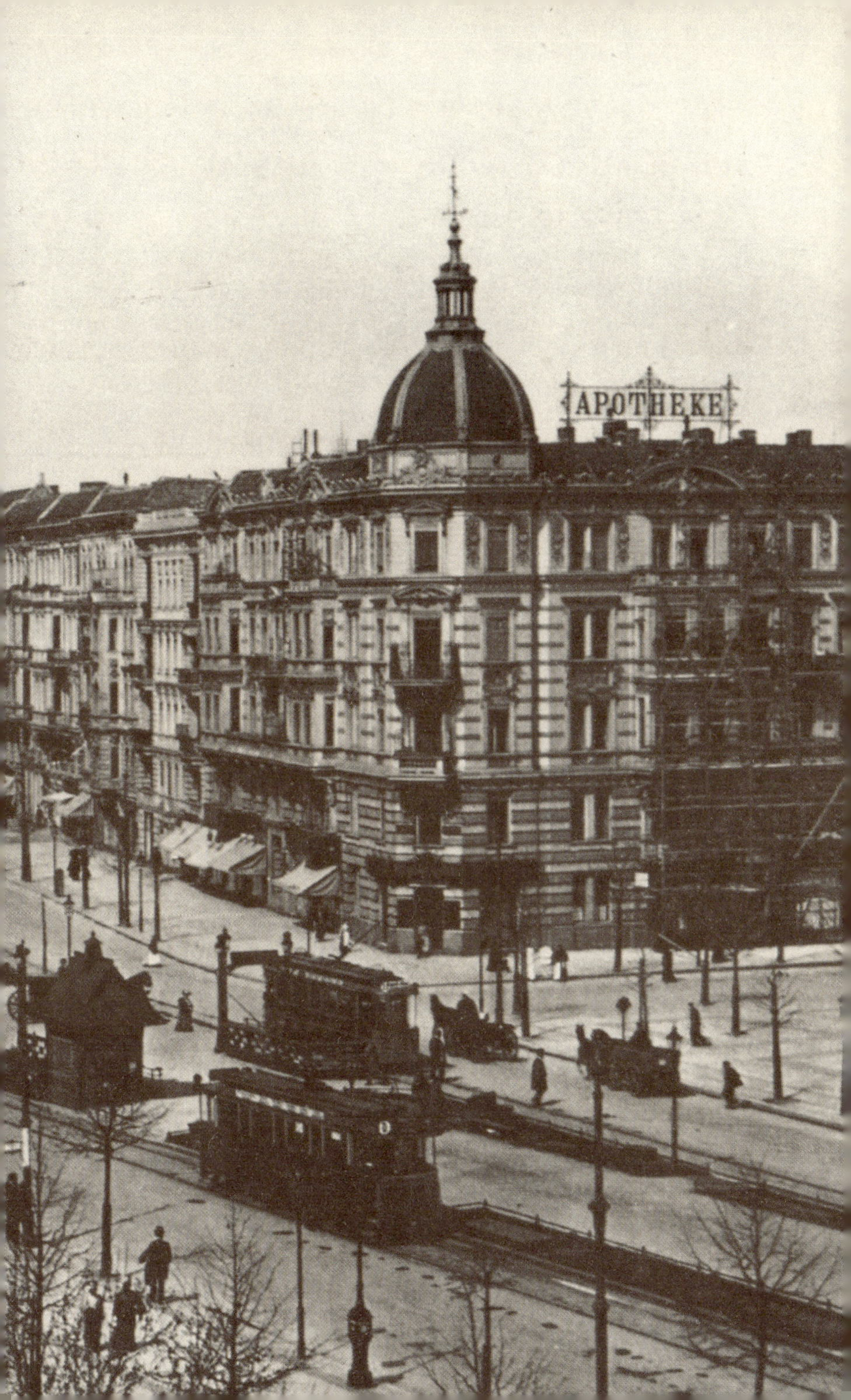
APOTHEKE

hat Adolph Hoffmann ausgerechnet, während seiner Schulzeit 1300 bis 1700 Religionsstunden erteilt, denen ganze 650 Stunden Naturerkenntnis gegenüberstehen. „Statt Darwin führt Moses die Jugend in die Weltanschauung ein." (Schulz, Sozialdemokratie und Schule)

Im Jahre 1902 erließ der preußische evangelische Oberkirchenrat eine Verordnung, die eine einheitliche Regelung des Lernstoffes für den evangelischen Schul- und Konfirmandenunterricht durch die Provinzialkonsistorien ... anordnete ... 20 bis 40 Sprüche aus dem Alten und 100 bis 110 Sprüche aus dem Neuen Testament, 6 Psalmen, 20 Kirchenlieder und der Wortlaut der 5 Hauptstücke des lutherischen Kleinen Katechismus. Das bedeutet, es sind insgesamt, die Psalmen mitgezählt, mindestens 180 Bibelverse und 180 Kirchenliederstrophen den Kindern wörtlich einzuprägen ...

Und was für Liederstrophen sind an vielen Stellen zu lernen! Man schlage einmal in den Gesangbüchern nach und erbaue sich an den schwülstigen, mystischen, im mittelalterlichen Deutsch geschriebenen Ergüssen der Liederdichter jener Zeit! Kein Lehrer ist imstande (und erst recht kein Geistlicher), Kindern zum Beispiel den überall gelernten Vers zum Verständnis zu bringen:

„Denk nicht in deiner Drangsalshitze,
 daß Du von Gott verlassen seist
 und daß Gott dem im Schoße sitze,
 der sich mit stetem Glücke speist.
 Die Folgezeit verändert viel
 und setzet jeglichem sein Ziel!" ...

Man weiß nicht, wen man mehr bedauern soll: die gequälten Kinder, die sich quälenden Lehrer, die die kostbare und in einfachen Verhältnissen so knappe Zeit gern fruchtbringender verwenden möchten, oder die Religion, die man solchermaßen in den werdenden Menschen zu Tode kuriert. Aber man täuscht sich, wenn man glaubt, mit diesem Ballast würden nur die Kinder der Landschulen beschwert. Ein Blick auf den Lehrplan der Berliner Gemeindeschulen zeigt, daß auch hier die „Memorierseuche" grassiert. Er fordert als auswendig zu lernende religiöse

Stücke: 121 Kirchenliederverse, 110 Bibelsprüche, den Wortlaut der ersten drei Hauptstücke des lutherischen Katechismus, außerdem müssen 12 Psalmen gelesen und 5 davon mit zusammen 45 Versen auswendig gelernt werden (und zwar in der vierten Klasse, also von zehn- bis elfjährigen Kindern!) ...

In unseren Gemeindeschulen empfangen die Mädchen der beiden letzten Schuljahre wöchentlich vier Religionsstunden, aber nur zwei Rechenstunden ... Man wird das Verhältnis der Stundenzahl dieser beiden Fächer erst dann recht zu würdigen wissen, wenn man bedenkt, wie viele Mädchen heute gezwungen sind, nach ihrer Schulentlassung ihr Brot selbst zu verdienen durch Eintritt in einen kaufmännischen Beruf. Was mag ihnen dort wohl nützlicher sein, flottes sicheres Rechnen oder eine möglichst umfangreiche Kenntnis von Bibelsprüchen und salbungsvollen Liederversen?

Die Welt am Montag, 29. April 1907

Nahtlos fügt sich in diese Schule die Erziehung zum hohenzollerntreuen Untertanen ein.

„Zwischen preußisch-deutschen Scheuklappen wandern die Kinder durch die Geschichte", sagt im Reichstag der sozialdemokratische Redner Georg Ledebour (19. März 1907). Ein Ausschnitt aus einem Buch von Carl Bolle zeigt, wie damals das Einpauken dynastischer Geschichtsdaten vor sich gegangen ist:

Frage und Antwort erleichtern jedes Studium. An nachstehenden von Antworten begleiteten Fragen wolle man lernen, wie man Fragen stellen und Antwort darauf geben soll ...
  Frage. Wann kam Kaiser Wilhelm II. zur Regierung?
  Antwort. Wilhelm der Große starb am 9. März (9. III – $3 \times 3 = 9$) 1888. Kaiser Friedrich regierte 98 (9,8) Tage, starb also am 15. Juni 1888. Kaiser Wilhelm II. kam demgemäß am 15. Juni 1888 zur Regierung. – Ausrechnen der 98 Tage: März 22, April 30, Mai 31, Juni 15 = 98 Tage.
  Frage. Wann war der Geburtstag und wann der Tag der Vermählung Kaiser Wilhelms II.?

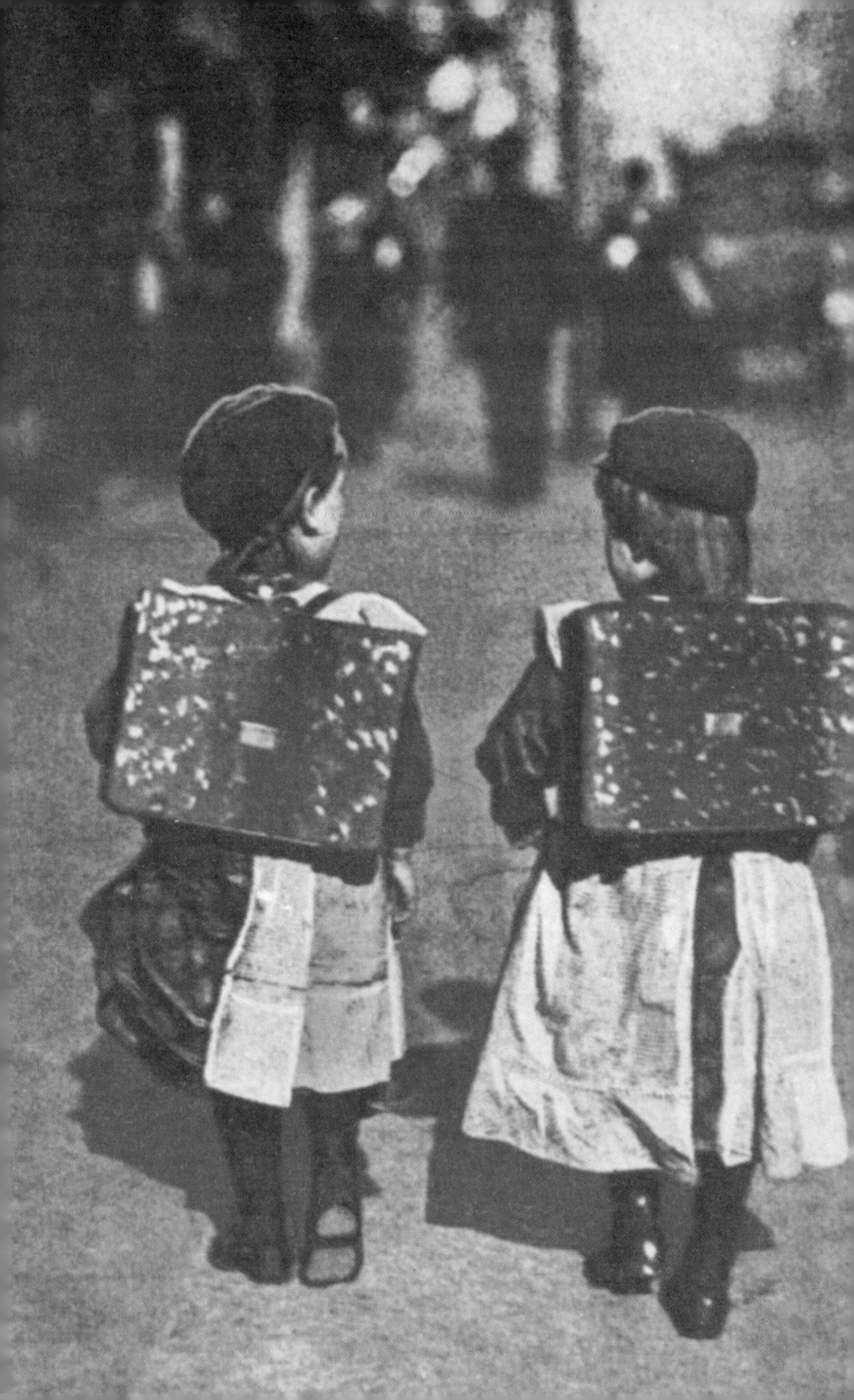

Antwort. Die Zahl 7 spielt hier eine gewisse Rolle. Kaiser Wilhelm II. wurde am 27. Januar geboren und vermählte sich am 27. Februar. 1859 ist das Geburtsjahr des Kaisers: 5 und 9 = 14 oder 2 mal 7. Kaiser Wilhelm II. vermählte sich 1881, also 7 Jahre vor seinem Regierungsantritt.

Frage. Wann ist Kaiserin Auguste Viktoria geboren?

Antwort. Die Geburtstage der Kaiserlichen Majestäten liegen nur 97 Tage auseinander. – Schnell rechnen: Januar 27, Dezember, November 61 = 88 Tage. Es fehlen vom Monat Oktober 9 Tage. – Kaiserin Auguste Viktoria ist also am 22. Oktober, und zwar 1858 geboren.

Frage. Wie heißen die Kinder unseres Kaiserpaares, und wann sind sie geboren?

Antwort. Kronprinz Wilhelm 1882, Prinz Eitel Friedrich 1883, Prinz Adalbert 1884.

Sodann Prinz August Wilhelm 1887, Prinz Oskar 1888, Prinz Joachim 1890, Prinzessin Viktoria Luise 1892.

Von den drei ältesten Prinzen ist Eitel ein Jahr jünger als der Kronprinz und Adalbert der Seefahrer ein Jahr jünger als Eitel.

Nach Geburt des dritten Prinzen vergingen drei Jahre, bis August Wilhelm geboren wurde. Dann folgte ein Jahr später Oskar, und schließlich war zwischen Joachim und Oskar und zwischen Joachim und Prinzessin Viktoria Luise eine Zwischenzeit von je zwei Jahren. Wir haben also an Jahresunterschieden: $\frac{1, 1, 1;}{3}$ $\frac{3, 1;}{2}$ 2, 2. Das soll heißen: Nachdem drei Prinzen geboren waren, folgte, der Zahl 3 entsprechend, eine Pause von drei Jahren. Nachdem noch zwei Prinzen geboren waren, folgten zwei Pausen von je zwei Jahren.

Was die Namen der Prinzen betrifft, so geben wir auf die Frage: „Heißt der viertälteste Prinz auch Wilhelm?" die Antwort: „O ja".

Auch = August. O = Oskar. Ja = Joachim.

Bolle, Geschichte des preußischen Staats

Auf dem Schulweg, 1906

Sechsmal mehr als für die Ausbildung eines Volksschülers hält der preußische Staat an Mitteln für die Ausbildung eines höheren Schülers bereit. Akademisch gebildete Lehrer sind die Regel. Die Schulgebäude sind angemessen ausgestattet. Um den Kindern der Wohlhabenden die Begegnung mit der proletarischen Jugend zu ersparen, richten die reichen Gemeinden sogenannte „Vorschulen" ein, die sich von den Volksschulen nur dadurch unterscheiden, daß ein Schulgeld von 120 Mark erhoben wird. Auch die höheren Schulen sichern sich durch ein Schulgeld, das zwischen 110 und 200 Mark beträgt, vor dem Zustrom der begabten Kinder „niederer Stände". „Nicht Anlagen und Fähigkeiten, Talente und Tugenden entscheiden über den Besuch ..., nein, die Tore der hohen und höchsten Schulen erschließen sich nur dem, der die goldenen und silbernen Schlüssel dazu in der Tasche trägt." (Vorwärts, 28. Mai 1908)

Auch der Unterricht in den höheren Schulen ist von Nationalismus und Hohenzollernkult durchsetzt. Hermann Tietz berichtet vom Besuch des Wilhelm-Gymnasiums, das der Volksmund das „Lackstiefelgymnasium" nennt.

Hatte ich das Münchner Gymnasium als nationalistisch empfunden, so sollte ich hier erst lernen, was dynastisch-nationalistischer Imperialismus wirklich ist. In der Lateinstunde wurde einem eingebleut: „Dulce et decorum est pro patria mori", was bedeuten sollte: „Nichts ist schöner, als für Preußen-Deutschland zu sterben", oder: „Carthaginem esse delendam", „daß Karthago zu zerstören sei", mit anderen Worten, daß man die Welt zu Deutschlands Größe vernichten müsse. In der Gesangsstunde erscholl das Lied von der „Wacht am Rhein" und „Siegreich woll'n wir Frankreich schlagen". Der Geschichtsunterricht war erfüllt vom Imperium Romanum und seiner Nachfolge, „dem Heiligen Römischen Reich Deutscher Nation", von Herrschertugend und Mannentreue und von Hohenzollern und nochmals Hohenzollern. Bauernkriege, Persönlichkeiten wie Stein und Hardenberg wurden ängstlich vermieden, dafür aber dem Großen Kurfürsten und seinen Schlachten, dem Soldatenkönig Friedrich Wilhelm und dem Fridericus Rex eine um so größere Teilnahme gewidmet. Der Leiter der Anstalt, Professor Kübler, versäumte es in keiner seiner Ansprachen, unter Tränen auf den

Platz in der Aula hinzuzeigen, wo „unser allergnädigster Landesherr, Kaiser und König Wilhelm der Große" gesessen hatte, als er zufällig einmal das Gymnasium besuchte.

Georg Tietz, Hermann Tietz

1900 erreichen die Industriellen, daß das Abschlußzeugnis der „Realgymnasien" und „Oberrealschulen" wenigstens für das Studium naturwissenschaftlicher und technischer Disziplinen anerkannt wird. An den Gymnasien soll den „Realien" breiterer Raum gewährt werden. Differentialrechnung gehöre doch wohl zum Abiturientenexamen; zwei Wochenstunden Chemie, drei Wochenstunden Physik seien das Minimum; „ein wenig Biologie müsse ein junger Mensch gehört haben, wenn er die Universität bezieht." (Zeitschrift des Vereins deutscher Ingenieure, 21/1906)

Daß breiterer Raum für die „Realien" in keiner Weise den Bruch mit der konservativen Pädagogik bedeutet, zeigen die Erfahrungen des liberalen Schulreformers Ludwig Gurlitt, der die Gründung eines „Reformgymnasiums" für die Dahlemer Villenkolonie beschreibt:

Bekanntlich wurde, um das lästige Genörgle der Schulreformer zum Schweigen zu bringen, vor den Toren Berlins am Rande des Grunewaldes, auf Feldern, die vordem dem nützlichen Rübenbau dienten, ein Gymnasium neuen Geistes errichtet – das Arndt-Gymnasium. Das ist nun zwar ein Widerspruch in sich, denn der kerndeutsche Arndt konnte die humanistischen Lateinschulen nicht leiden. Ein Arndt-Gymnasium ist deshalb ebenso vernünftig wie etwa ein Loyola-Freidenkerbund, eine Bertha-von-Suttner-Kadettenschule oder ein Bebel-Kürassierregiment. Immerhin, der wunderliche Name verriet die Absicht. Man wollte in dieser altklassischen Humanistenschule eine gutdeutsche Jugend erziehen. Man wollte den Vorwurf zunichte machen, daß die Gymnasiasten es mehr auf griechische und römische als auf deutsche Bildung abgesehen hätten. Dann kam ein Aufruf, der in miserablem Deutsch, aber in hohen Tönen einen neuen Geist verkündete. Zwar verwahrte man sich ernstlich dagegen, daß man sich durch das utopische Gerede „moderner" Schulreformer habe betören lassen, aber was an neuen pädagogischen Gedanken reif wäre, das habe man mit besonnenem Urteile ausgelesen. Uns wäre jeder Fortschritt willkommen gewesen, selbst dann, wenn man, wie in diesem Falle, uns Reformern die Gedanken entlehnt und zum Danke dafür Grobheiten sagt. Wir nehmen das Gute, wo wir es finden. Ob es aber in diesem Falle überhaupt zu finden sei, war uns von vornherein zweifelhaft. Denn wir kannten die Entstehungsgeschichte dieses Gymnasiums, das viel weniger ein reformatorischer Eifer als die Spekulationssucht ins Leben rief: Das große Dahlemer Gelände sollte Villenkolonie werden, und um Familien nachzuziehen, schuf man die Schule.

Von einem neuen Geiste ist denn auch in dieser Schule nichts zu merken. Es ist das ein altes Gymnasium wie andere auch. Es hat ringsum bessere Luft und grünere Flächen als die Berliner Gymnasien, nicht aber bessere als Ilfeld, Schulpforta und verwandte.

Unsere dunkelsten Befürchtungen übertraf aber die Einweihungsfeier vom 16. Oktober dieses Jahres, deren Festordnung sich ausnimmt, als handele es sich um die Einweihung einer protestantischen Kirche.

1. Chorgesang: Preis und Anbetung sei unserm Gott.
2. Ein Wort aus dem Propheten Jesaia.
3. Chorgesang: Domine, salvum fac regem!
   Benedicamus domino!
   Nach einer älteren Melodie von L. Erk.
4. Ein Hoch dem Kaiser. – Allgemeiner Gesang: Heil Dir im Siegerkranz.
5. Ansprachen.
6. Chorgesang: Wir treten heut in ein neues Haus.
7. Rede des Direktors.
8. Begrüßung.
   Besichtigung des Lehrgebäudes und der Schülerheim-Kolonie.
   In den Werkstätten sind Schüler-Arbeiten ausgestellt.

Dieses Festprogramm konnte preußischer und kirchengläubiger überhaupt nicht ausfallen. Erst der Chorgesang, dessen Text wir doch auch noch wörtlich hersetzen wollen:

„Preis und Anbetung sei unserm Gott, denn er ist sehr freundlich! Preis und Anbetung sei unserm Gott! Weit über Erd' und Himmel gehet seine Gnad' und Güte! Preis und Anbetung sei unserm Gott! Laßt uns mit Danken vor sein Antlitz kommen und unserm Gott mit Psalmen jauchzen. Preis und Anbetung sei unserm Gott!" – Komposition nach Rinck.

Mir sagte einer, der verurteilt war, diese Trauerfeier mitzumachen, er habe auf so engem Raume noch nie so viel unechte Kirchengläubigkeit und so forcierte Untertanenbegeisterung erlebt. Also, wie wir voraussahen: das echte, alte königlich-preußische, glaubensstrenge und auf Kommando königstreue Gymnasium. „Ich finde nicht die Spur von einem neuen Geist, und alles ist Dressur."

Gurlitt, Das Arndt-Gymnasium

Zum Herrschaftssystem des Imperialismus Wilhelminischer Prägung gehört eine Reihe von „vaterländischen Organisationen", die den expansionistischen Zielstellungen eine Massenbasis verschaffen sollen und deren Einfluß nicht nur auf die besitzenden Klassen, sondern auch auf breitere werktätige Schichten tatsächlich in ständigem Wachstum begriffen ist. Da ist der Alldeutsche Verband, an dessen Gründung der spätere Krupp-Generaldirektor Hugenberg führend beteiligt ist. Seine Wortführer ziehen rabiate Konsequenzen aus den sozial-darwinistischen und rassistischen Irrlehren ihrer Zeit.

In Zeitungen und Zeitschriften, in Lesezirkeln und auf Kegelabenden, zu Kaisers Geburtstag und zum Sedantag predigen sie unablässig eine „gesunde nationale Selbstsucht", den Kampf um größeren „Lebensraum".

Wir brauchen mehr Ellbogenraum, eine größere Werkstatt für unsre gewaltige, stetig wachsende Volkskraft. Nun wäre es Wahnsinn und Verbrechen, in Ländern höchster alter Kultur, in Italien, Frankreich oder gar in dem übervölkerten England Eroberungen machen zu wollen ...

Umseitig: Singstunde in einer Berliner höheren Töchterschule, 1902

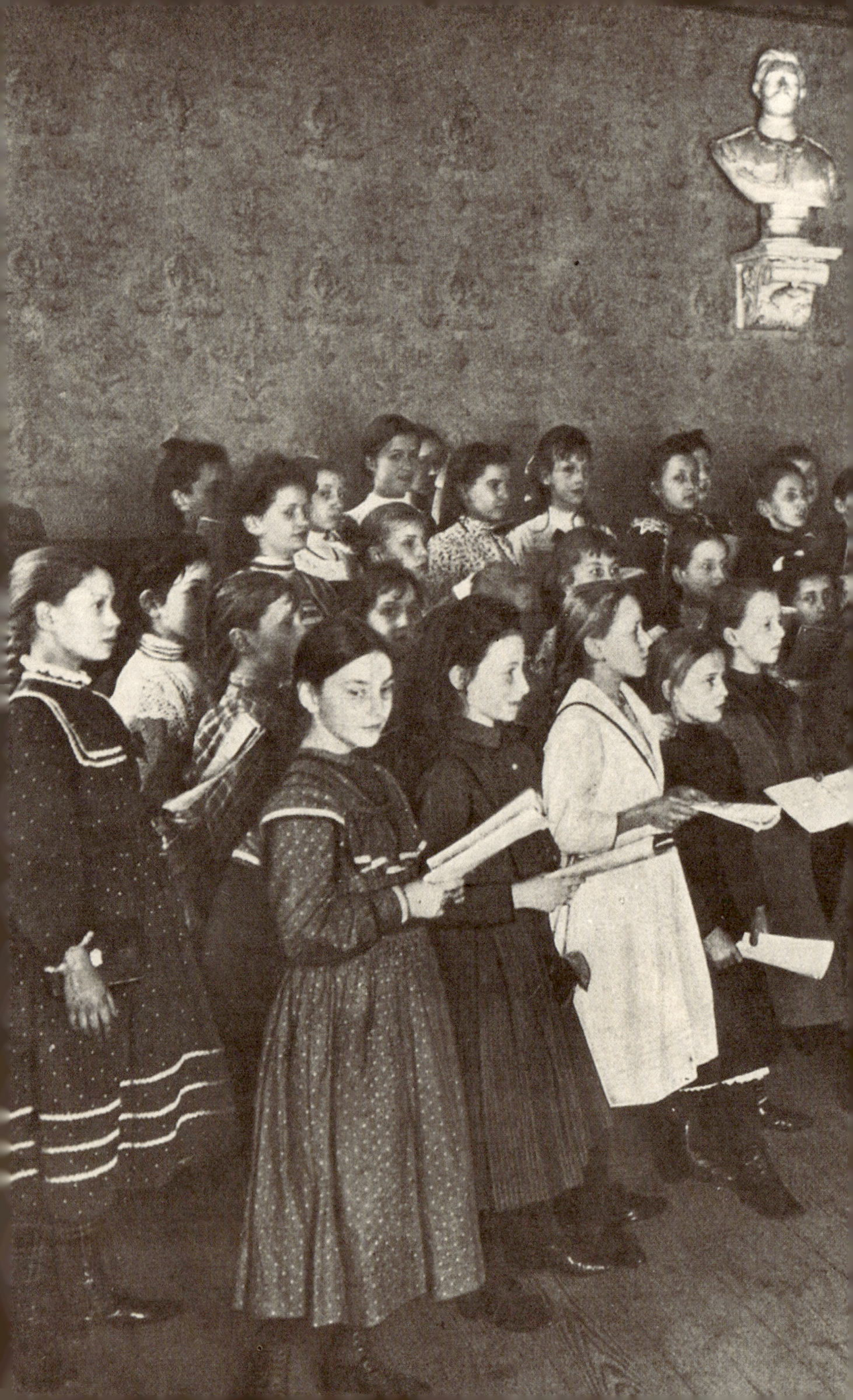

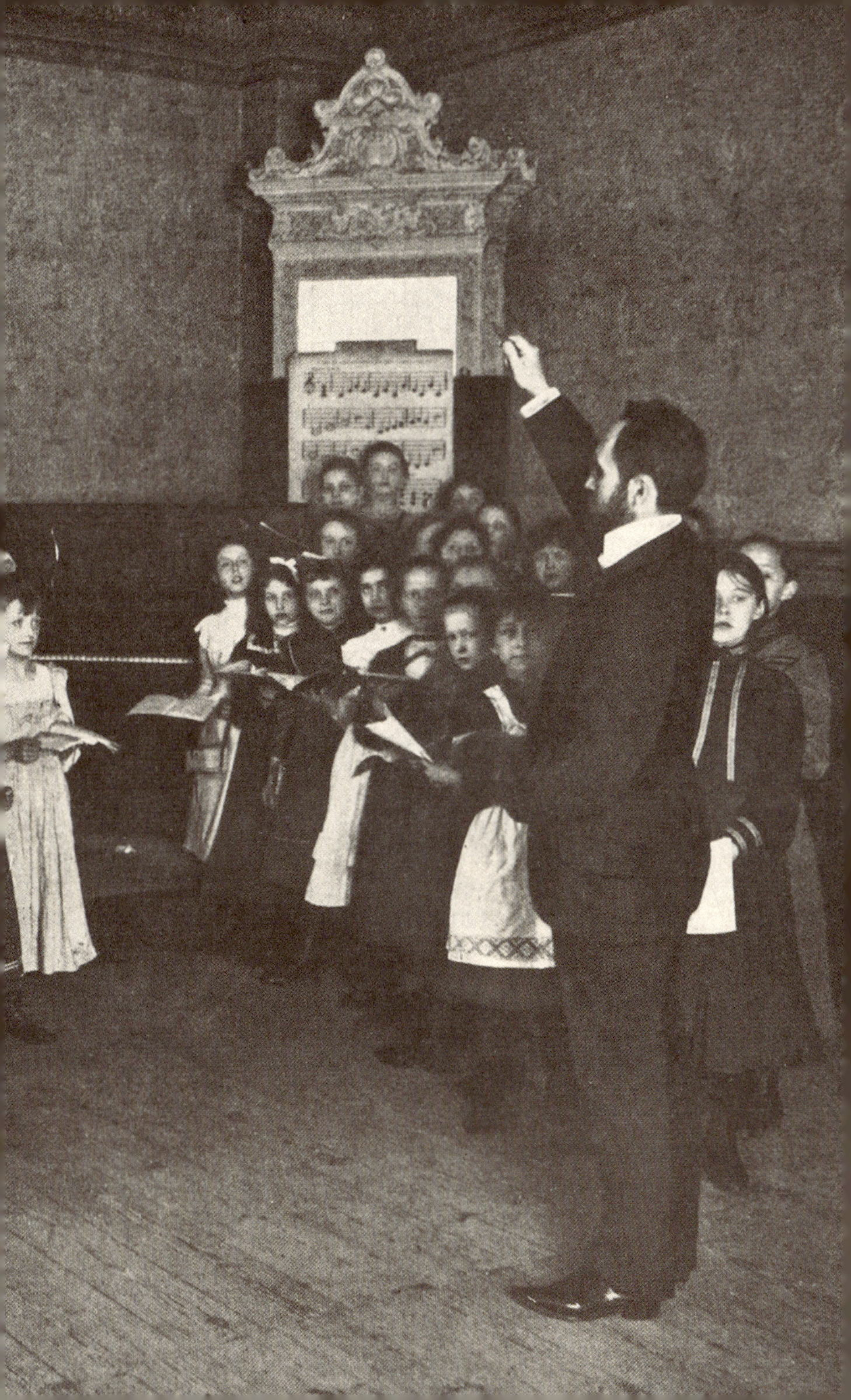

Unser Expansionsgebiet kann nur in Barbarenländern gesucht werden, und die für uns in Betracht kommenden liegen jenseits der Weichsel und der Leitha. Und zwar wird deren Okkupation (die jedoch nicht in der Form der Unterjochung erfolgen kann und darf), ihre Kolonisation und Zivilisation durch Deutsche (die ja längst begonnen hat und nur in verstärktem Maße und etwas andrer Form fortgeführt zu werden braucht) von dem Bedürfnis ihrer Bewohner nicht weniger zwingend gefordert wie von dem unsern. Denn diese Bewohner: Slawen, Tataren und Türken, sind unfähig, aus sich selbst Kultur zu erzeugen, ihre eignen Bedürfnisse zu befriedigen; sie bedürfen unsrer Hilfe, unsrer Leitung, der Erziehung durch uns ...

Grundfalsch wäre es jedoch, wenn wir uns die Aufgabe stellen wollten, die Slawen und Tataren zu germanisieren. Im Gegenteil: je slawischere Slawen sie bleiben, desto besser ist es für uns. Unsre Großgutwirtschaft, unsre Großindustrie braucht – daheim und in unsern zukünftigen Kolonien – willige Arbeiter, die schmutzige und widerwärtige Verrichtungen nicht scheuen und nur ein bescheidnes Maß höherer geistiger Bedürfnisse haben. Will man ohne slawische Lohnarbeiter auskommen, dann muß man entweder die Deutschen auf das geistige und Charakterniveau der Slawen hinabdrücken, also durch geistige Verkrüppelung eines großen Volksteils unser Volk verstümmeln und schwächen, oder sich darauf gefaßt machen, daß die Arbeiterschaft zu Ansprüchen fortschreitet, die keine noch so blühende Industrie zu befriedigen vermag ...

Was ein erleuchtetes deutsches Nationalbewußtsein heute fordert, das ist also die Auflösung des Russenstaates und eine – nicht im vollen Sinne des Wortes politische – aber wahrhaft kolonisatorische Eroberung Ost- und Südosteuropas und Westasiens, eine kolonisatorische Eroberung, wie die von Ostelbien und Zisleithanien* gewesen ist ...

Jentsch, Volkspolitik

---

* Von 1867–1918 die nicht-ungarische Hälfte der österreichisch-ungarischen Monarchie, die im wesentlichen aus den österreichischen Kronländern, Böhmen und Mähren, Galizien und der Bukowina sowie Dalmatien bestand.

Der Berliner Lehrer Wilhelm Schwaner, Gründer eines „Volkserzieherbundes", veröffentlicht 1904 eine „Germanenbibel", die die Wiedereinführung „nordisch-arischer" Sitten und Gebräuche „unterm Hakenkreuz" empfiehlt. Der Berliner Publizist Heinrich Pudor ist aggressiver Vertreter eines weitverbreiteten Antisemitismus. Es ist schon Mordhetze, wenn er schreibt:

Der Deutsche berauscht sich gern in Hurra-Patriotismus. Feste feiern ist zwar etwas Germanisches. Aber wir müssen doch zum mindesten die Frage stellen, ob wir gerade heute Anlaß haben, Vaterlandsfeste zu feiern – heute, da unser Vaterland beinahe schon in den Händen der Juden ist! ...

Es ist die höchste Zeit, daß der Rassenstolz wieder in uns erwacht. *Wir* sind die Herren, *wir* sind auf der Burg, unser ist das Land, *wir* sind das Wirtsvolk, *wir* haben das Recht zu sagen: Wir haben nur allzuviel und allzulange Gastfreundschaft gewährt, ihr habt das Gastrecht gemißbraucht. Nun ist's genug: Wir kündigen euch die Gastfreundschaft. Hinaus mit Euch ...

Wir müssen die Warenhäuser boykottieren, wir müssen endlich einmal Ernst damit machen, unter keinen Umständen beim Juden zu kaufen, ja wir müssen sogar so viel nationale Kraft besitzen, daß wir denjenigen, den wir dabei erwischen, daß er beim Juden gekauft hat, lynchen. Eine Aufgabe für die Deutschbünde und Germanenorden ... Wir dürfen unter keinen Umständen Kunden des Judenhändlers werden, weder des jüdischen Warenhauses, noch des jüdischen Arztes oder Rechtsanwaltes, noch der – jüdischen Zeitung. Es ist eine Schande, daß so viele, die sich gute Deutsche nennen, jüdische und judophile Zeitungen lesen, halten und mit Inseraten versorgen! Die deutsch-völkischen Organisationen müssen daher strenge Strafen darauf setzen, wenn ein Mitglied den Boykott gegen die Juden bricht. Die alten Femgerichte wären hier wieder am Platze, handelt es sich doch hier um nichts weniger als die zukünftige Existenz unseres Volkes. Das bekannte Wort „Wer vom Juden ißt, stirbt daran" sollte als Leitwort dienen. Und der Hausbesitzer, welcher einen Laden an den Juden vermietet, sollte gleichfalls gelyncht werden ... Hasse den Juden, bedränge den Juden, ruhe nicht eher, bis der Jude aus dem Lande ist.

Pudor, Wie kriegen wir sie hinaus?

Auch der Kaiser reihte sich in den Chor der Prediger des „Germanentums in seiner Herrlichkeit" ein. Er beginnt eine Brieffreundschaft mit dem englischen Schriftsteller H. S. Chamberlain, der 1901 in der „Täglichen Rundschau" die preußische Rasse gefeiert hat. Chamberlain: Die Engländer hätten ihr „germanisches Erbe" verwirkt; die Slawen seien nur eine „stumpfsinnige Masse"; „auf den Deutschen allein baut heute Gott".

Wilhelm II. antwortet:

Lassen Sie mich Ihnen von tiefster Seele danken für dieses kostbare Juwel, welches Sie mir in Briefform übersandten! ... Und nun mußte all das Urarische-Germanische, was in mir mächtig geschichtet schlief, sich allmählich in schwerem Kampf hervorarbeiten ... Da kommen Sie, mit einem Zauberschlage bringen Sie Ordnung in den Wirrwarr, Licht in die Dunkelheit; Ziele, wonach gestrebt werden muß; Erklärung für dunkel Geahntes, Wege, die verfolgt werden sollen zum Heil der Deutschen und damit zum Heil der Menschheit! ...

Und nun Gottes Segen und unseres Heilands Stärkung zum neuen Jahr 1902.

Chamberlain, Briefe/2

Dann teilt Wilhelm II. seinem Freunde mit, daß er „die nötigen Mengen Broschüren" Chamberlains für das Hoflager bestellt habe; jetzt studiere sie „fast jeder junge Offizier des Gardekorps".

Im Afrikahaus, Am Karlsbad 10, residiert der „Deutsche Kolonialverein", der im Zusammenwirken mit der „Deutschen Kolonialgesellschaft" eine umfassende Propaganda entfaltet. Hinter ihm stehen wichtige Gruppen des Berliner Großkapitals. Die Deutsche Bank, die in „Deutsch-Südwest-Afrika" nach Kupfer schürfen läßt, begründet durch ihren Hauspropagandisten Paul Rohrbach, daß die Ausrottung der Eingeborenen für die Zukunft der Menschheit nötig sei:

Zum erstenmal seit Anbeginn der Welt zieht produktive Kulturarbeit in jene Länder, in denen ungezählte Jahrtausende hindurch nur Barbaren und Primitive ihr Naturdasein gelebt haben. Das Feld, die Steppe Südafrikas, sie liegen da, wie die Natur sie geschaffen hat. Auf dem Grund und Boden, den der deutsche Farmer kaufte, haben durch endlose Zeiträume vorher Eingeborenenstämme ihr für Volks- und Weltwirtschaft, für Zivilisation und Kultur gleich wertloses Dasein geführt. Die Hereros haben ihre Ochsen gezüchtet, ihre saure Milch getrunken, ihre Wurzeln gegraben, ein Geschlecht nach dem andern; oder Buschleute haben sich umhergetrieben, mit ihren vergifteten Pfeilen gejagt, auf den Wildwechseln Fallen gestellt. Wo der Bantu oder der eingeborene Pygmäe sein Vieh weidet, seine Schlingen legt, da kann kein weißer Ansiedler seine Wirtschaft gründen. Weder unter den Völkern noch unter den Einzelwesen gilt als Recht, daß Existenzen, die keine Werte schaffen, einen Anspruch aufs Dasein haben. Keine falsche Philanthropie oder Rassentheorie ist imstande, für vernünftige Männer zu beweisen, daß die Erhaltung irgendwelcher viehzüchtender südafrikanischer Kaffern oder ihrer Hackbau treibenden Vettern am Kiwu- und Viktoriasee bei irgendeinem Maß von Selbständigkeit, Eigenwirtschaft und Unkultur für die Zukunft der Menschheit wichtiger sei als die Ausbreitung der großen europäischen Nationen und der weißen Rasse überhaupt.
Rohrbach, Der deutsche Gedanke in der Welt

Zum „Flottenverein", dessen Berliner Abteilung am Schöneberger Ufer 30 residiert, gehören die höchsten Beamten Preußens und des Reiches; zu ihm gehören die Manager der großen Unternehmerverbände wie Axel Bueck und Gustav Stresemann; zu ihm gehören die Chefredakteure der von der Schwerindustrie ausgehaltenen Zeitungen; zu ihm gehören die Bankiers Arthur von Gwinner, Ludwig Delbrück (Schatzmeister des Flottenvereins für Preußen) und Robert Mendelssohn; zu ihm gehören der Berliner Eisengroßhändler Louis Ravené (Schatzmeister des gesamten Flottenvereins), der Berliner Stahlindustrielle Ernst von Borsig (Vorsitzender des Flottenvereins in Berlin) und der Admiral a. D. Friedrich von Hollmann, der uns schon als Aufsichtsratsvorsitzender der AEG begegnet ist.

Als der Verein entstand, war das Bewußtsein, daß wir auch eine starke See- und Überseewehr nötig haben, noch nicht Gemeingut der vaterländisch gesinnten Deutschen. Der Flottengedanke war zu neu, und er erweckte mehr den Eindruck, daß es sich um einen Sport handle, als um eine ernste vaterländische Notwendigkeit ... Der Flottenverein aber ließ sich nicht beirren; er warb für seine Ziele mit allen Mitteln, die sich ihm boten. Seine hübsche Monatsschrift „Die Flotte" ging in immer größerer Stückzahl ins Volk und brachte volkstümliche Aufsätze bedeutender Fachmänner zur Aufklärung und Belehrung über alle Gebiete des See- und Überseewesens; auch Romane, Erzählungen vom Auslande und dem Leben zur See, geschichtliche Darstellungen, Abbildungen von Schiffen und Beschreibungen, Erläuterungen über den Werdegang des Kriegsschiffbaues usw. ...

Die Festlichkeiten in den Flottenvereinen erfreuten sich bald der Gunst der Bevölkerung; allenthalben begegnete man den schmucken Vereinsabzeichen; der Jahreskalender wurde mehr und mehr ein wertvolles Handbuch für alle mit unserer nationalen Seewehr zusammenhängenden Angelegenheiten; der Verein verlieh Lichtbilderapparate und Lichtbilderreihen; er vermittelte geeignete Redner, gab Vereinspostkarten aus, verlieh Kostüme und Flaggen zu Liebhaberaufführungen in den Ortsgruppen, und er richtete eine starke Bücherei ein, die allen Mitgliedern zu unentgeltlicher Benutzung offensteht.

Wurde der Verein sehr rasch jenen Willenslagern unbequem, denen nationaler Sinn überhaupt ein Greuel ist, so war das ja nur ein Beweis seiner Tüchtigkeit.

Stauff, Das deutsche Wehrbuch

Neben dem Flottenverein bildet sich die „Freie Vereinigung für Flottenvorträge". Ihre Kernmannschaft sind die Professoren der Universität Berlin: der Theologe Harnack, die Historiker Delbrück und Schiemann, der Altphilologe Wilamowitz-Moellendorff, der Philosoph Lasson, der Mathematiker Schwarz, der Elektrotechniker Slaby, die Nationalökonomen Sering, Schmoller und Wagner, die Mediziner Waldeyer-Hartz, von Bergmann, Rubner und Heubner. Die einen wollen England zwingen, Deutschland als Partner zu akzeptieren, damit, „wenn England aus einer fremden Schüssel eines Schwachen speisen will, es uns mitspeisen läßt". (Staatssekretär von Richthofen an von Bülow, 1901) Die anderen sprechen offen vom künftigen Krieg mit Großbritannien. Die einen wie die anderen träumen von deutschem Einfluß, deutscher Macht und deutschem Besitz in Vorderasien, Ostasien, Afrika und Südamerika.

Als die „Flottenprofessoren" an August Bebel die Aufforderung richten, öffentlich die Frage zu erörtern: „Haben die breiten Massen des Volkes, die deutschen Arbeiter und Kleinbürger, ein Interesse an einer starken Kriegsflotte?", da laden die Berliner Parteiorganisationen sie für den 7. Februar 1900 zu neunzehn öffentlichen Versammlungen ein:

Die Versammlungen waren sämtlich gut besucht, einige Lokale waren überfüllt: Das Proletariat war in Massen herbeigeströmt, um Protest einzulegen gegen die jetzt so beliebte uferlose Weltpolitik. Ist es doch das arbeitende Volk, das in allererster Linie die Kosten jener abenteuerlichen Flottenpläne aufzubringen hat ...

In Kellers Saal referierte Genosse Bebel vor einer aus etwa 4000 Personen bestehenden Volksmenge. Da das Lokal polizeilich gesperrt war, fanden viele keinen Einlaß mehr. In $2\frac{1}{4}$ stündigem Vortrage begründete der Referent, gestützt auf ein reichhaltiges Tatsachenmaterial, unsren flottengegnerischen Standpunkt. Durch lebhaften Beifall gab die Versammlung ihr Einverständnis mit den Ausführungen Bebels. Hierauf übernahm es Professor Adolf Wagner, die Flottenpolitik mit den bekannten Argumenten zu verteidigen. Insbesondere bemühte er sich, den Arbeitern in echt professoraler Weise einzureden, daß die uferlosen Flottenpläne für die deutschen Arbeiter ein ebenso nützliches wie billiges Unternehmen seien und daß die Arbeiter, die ja so viel für Vergnügungen aller Art ausgeben, gar keine Ursache hätten, über Steuerdruck zu schreien. Die Beweisführung des flottenschwärmerischen Professors fand bei den Versammelten natürlich allgemeinen Widerspruch. Stück für Stück zerpflückte darauf Genosse Bebel die Argumente des Vorredners, so daß das luftige Gebäude der professoralen Beweisführung unter der Wucht der von Bebel vorgeführten Gründe kläglich zusammenstürzte.

Vorwärts, 8. Februar 1900

Der Versuch der Flottenpolitiker, die Berliner Arbeiterbewegung vor ihren Karren zu spannen, scheitert. Die besitzenden Klassen aber bis tief hinein ins Kleinbürgertum werden weitgehend von ihren Ideen infiziert. Die Ausgaben für die Seerüstung steigen von 1901: 208 Millionen Mark auf 1913: 480 Millionen Mark. Die forcierte Flottenrüstung macht jeden Versuch einer internationalen Entspannung illusorisch. Sie läßt den Gegensatz zwischen der imperialistischen Seemacht Großbritannien und dem imperialistischen Deutschen Reich zum europäischen Hauptkonflikt werden, der schließlich in den Ersten Weltkrieg führt.

Nach der Jahrhundertwende wird die alljährlich am 31. März und am 1. September stattfindende Parade der Berliner Garnison – mit Kesselpauken und schmetternden Fanfaren, der Kaiser hoch zu Roß im silbernen Küraß – auf das Tempelhofer Feld verlegt.

Um uns Kindern Kaiser und Reich besonders ans Herz zu legen, versäumte es Vater niemals, uns zu den kaiserlichen Paraden mitzunehmen, die im alten Deutschland, zweimal im Jahr, große Ereignisse darstellten, Ereignisse, die die Macht und die Herrlichkeit des Reiches allen offenbarten. An solchen Tagen ruhte das Geschäft; Kontrakte und Offerten hatten zu warten. Mein Vater zog seinen besten dunklen Anzug an, und wir trugen unsere Matrosenanzüge. „Der Kaiser hat es gern, euch Jungs in solcher Kleidung zu sehen", pflegte Vater zu sagen. Und wenn wir fragten, ob der Kaiser wirklich in der Lage wäre, uns in einer so großen Menschenmenge zu sehen, antwortete er: „Der Kaiser sieht und weiß alles."

Solche Ereignisse waren wirklich Festtage. Ganz Berlin ließ die Arbeit liegen. Jedermann eilte ins Stadtzentrum und besonders zur Friedrichstraße, der meilenlangen Straße, die die kaiserliche Prozession passierte. Wir dachten immer wieder daran, was für eine Bequemlichkeit es für uns bedeutete, daß Papa ein Stammkunde im Café Kaiserhof* in der Mitte der Friedrichstraße war. Da fand sich immer ein Platz für uns: einer der Kellner war so freundlich, die Sitze freizuhalten, bis wir erschienen.

Was für ein Vergnügen war es, eingeschlossen in diese aufgeregte Menge zu warten und zu warten! Wenn die Zeit für die Prozession näher kam, begannen die Leute eifrig zu diskutieren, ob Prinz Heinrich, der Bruder des Kaisers, seine Admiralsuniform tragen würde oder die des Regiments, dessen Kommandeur er war. Und würde der Kronprinz an der Seite des Kaisers reiten oder hinter ihm? Denn das wäre ein sicheres Zeichen für die Richtigkeit des Gerüchts gewesen, daß Kronprinz Wilhelm in Ungnade gefallen sei. Dann gab es manchmal hitzige, politische Diskussionen, und mein Vater beteiligte sich an ihnen mit großem Eifer. Oder man versuchte, einige der intimen Geheimnisse aus dem Leben der kaiserlichen Familie zu enthüllen. Ihre Kenntnis basierte auf „erstklassigen Beziehungen" zu den Hohenzollern – da kannte einer den Neffen eines Kammerherrn oder den Schwager des dritten Kochs, der die Ehre hatte, das Gemüse für den Kaiserlichen Tisch zuzubereiten.

Meistens geruhte Seine Majestät, seine bewundernden Untertanen stundenlang warten zu lassen. Und die Leute mit belegten Brötchen und die Mädchen, die der müden, hungrigen, aufgeregten Menge Trinkmilch verkauften, machten ein gutes Ge-

---

* Der „Kaiserhof" lag nicht an der Friedrichstraße, sondern am heutigen Thälmannplatz. Zarek meint sicher das Café des „Kaiser-Hotels", das sich an der Westseite der Friedrichstraße, zwischen der heutigen Otto-Nuschke-Straße und der Johannes-Dieckmann-Straße befand.

schäft. Papa trank natürlich seinen nußbraunen Kaffee im „Kaiserhof", und wir erhielten Eiskrem, denn es war ja Feiertag.

Ein plötzliches Trompetensignal kündete die Annäherung der „Parade" an. Wir reckten die Hälse, und freundliche Polizisten ließen uns in der ersten Reihe stehen, so daß wir eine ausgezeichnete Sicht hatten. Vater stand hinter uns und erklärte uns die Bedeutung von allem, was wir zu sehen bekommen würden.

„Ich mache mir nicht viel aus dem Regiment, das an der Spitze des Zuges marschiert", pflegte er zu sagen. „Bloß gewöhnliche Infanterie, ohne irgendeine Tradition – wahrscheinlich eins, das gerade von irgendwo in Ostpreußen gekommen ist und zum ersten Mal in Berlin Dienst tut. Das Schauspiel wird erst richtig beginnen, wenn ihr den dicken Trommler in der Uniform des Garde du corps seht ... Da kommt er! Nun paßt auf, wenn die Kapelle vorbei ist, wird der Kaiser kommen."

Da kam er, tatsächlich. Er kam auf seinem weißen Roß, sicher dem weißesten Roß in der ganzen Welt. Seine Uniform strahlte einen solchen Glanz und Glitzer aus, daß es schwierig war, ihn anzusehen, ohne geblendet zu sein. Papa aber hatte offenbar keine Schwierigkeiten, auf die kaiserliche Erscheinung zu blikken, denn er sagte später: „Also ich meine, der Kaiser hat heute sehr gedankenvoll ausgesehen, fast unglücklich, wirklich. Ob das das Betragen des Kronprinzen gewesen ist?" ...

Was für ein Prunk der Uniformen, Flitter und Farben und wechselnd in rascher Folge! Während wir noch im schimmernden Gold und Weiß der Kürassiere schwelgten, richteten wir unsere Augen auf die blaugekleideten Ulanen, die ihre leichten Lanzen hielten, und auf die großen Garde-Grenadiere, die noch immer die Mützen trugen, die an des Alten Fritzen Zeit erinnerten. („Ah, da marschieren die richtigen Preußen", rief Papa.) Unser Enthusiasmus verminderte sich nur, wenn so dumme und farblose Dinge wie die Artillerie vorüberzogen.

Mein Vater hatte stets großes Interesse daran, die Minister zu sehen, die in ihren Staatskarossen saßen (obgleich sie uns Jungens weit niedriger erschienen als die Soldaten, weil sie nicht auf eigenen Pferden ritten), und war bemüht, sie alle zu identifizieren. „Schaut, Jungens", rief er. „Da ist der Kanzler, Fürst von

Bülow, wie müde sieht er aus. Es überrascht mich nicht – es war auch eine heikle Arbeit, Frankreichs Versuch zu stoppen, Deutschland einzukreisen."

Ich für mein Teil vermochte gerade, einen Blick auf des Kanzlers Gehrock zu werfen, aber ich war zufriedengestellt.

Wenn wir, müde geworden, unseren Platz beim Café Kaiserhof verließen, zog immer noch Regiment an Regiment vorüber. Es war ein Festtag, und wir alle wußten, daß Vater sich etwas Besonderes leisten würde. Sicher schlug er den Weg zu „Kempinski" ein, zu dem berühmten Restaurant, das der Kaiser einmal besucht hatte, nachdem er den Herren Kempinski einige glasierte Fliesen verkauft hatte, aus der Fabrik in Kadinen, deren Eigentümer er war. Dort trafen wir unsere Mutter. Indem wir unser Eis Melba löffelten, genossen wir dies Leben in Frieden und relativer Freiheit unter des Kaisers mächtigem Schutz und Schatten.

Zarek, German Odyssey

Zareks Schilderung läßt spüren, wie tief zu jener Zeit der Militärkult breite Schichten des Berliner Bürgertums erfaßt hat, die nicht danach fragen, unter welchem Zeichen diese preußische Kriegsmacht angetreten ist.

Ist es nicht grotesk, wenn hohe Staatsbeamte, Männer, die in ihren bürgerlichen Berufen uns etwas bedeuten, der Glorie nicht entraten zu können vermeinen, die gerade das zweierlei Tuch über seinen Träger breitet? Ist es nicht lächerlich, wenn ein Gelehrter, Industrieller, ein hoher Richter, ein Abgeordneter sich auf den „Sommerleutnant" mehr einbildet als auf alles, was er sonst im Leben erreicht hat? Willig alle Charakteristika seines Standes dem bunten Kleide nachordnet?

Es scheint unbegreiflich und hat doch seinen guten Grund. Wilhelm II. ist tatsächlich geneigt, im Offizier ein höher geartetes Wesen, als der „gemeine Zivilist" es ist, zu erblicken. Wie weit die Überschätzung des Offiziers an der allerhöchsten Stelle geht, davon macht man sich im Volke gar keinen Begriff. Von

Auf dem Kasernenhof

allen Ambitionen, die sich in tausendfältiger Gestalt an den Hof herandrängen, gelten nur die „militärischen" für so gut wie unerfüllbar. Herr Friedländer zum Beispiel konnte Geheimer Kommerzienrat, konnte geadelt werden; er kann schließlich noch den Roten Adler zweiter Güte mit Brillanten erhalten, aber nimmer würde man ihn – zum Reserveleutnant machen. Herr Dernburg ist ohne Besinnen zum Wirklichen Geheimen Rat mit dem Prädikat Exzellenz ernannt worden, als er sich zwecks Ausräumung des Kolonialsumpfes zur Verfügung stellte. Aber er wird in der neuen Stellung sehr Großes zu leisten haben, ehe er vom Vizefeldwebel zum Leutnant der Reserve aufrücken darf.

Der Reserveleutnant wird höher eingeschätzt als der Adel, als selbst der Exzellenzentitel, als der höchste Orden. Mehr als Reserveoffizier kann man bei uns eigentlich überhaupt nicht sein ...
Wilhelm II. und die Schwarzseher

Der anonyme „Schwarzseher" übertreibt natürlich. Was ist schon ein bürgerlicher „Sommerleutnant" gegen einen adligen preußischen Berufsoffizier?

Ständige Zielscheibe demokratischer Karikaturisten ist die Figur des Berliner Gardeleutnants, der mit „blaugrünen, kugelrunden Augen, weißblonden Haaren, Brauen und Wimpern, mit funkelnagelneuer Uniform von leuchtendem Blau und Rot, rasselndem Säbel, tadellosen Lackstiefeln, geschnürter Taille, steif wie ein Ladestock" (Huret) zwischen den Moderestaurants Unter den Linden und dem Zoologischen Garten einherstolziert. „Diese Offiziere sind die Geißel von Berlin." (Anatole France)

Aus den Erinnerungen des Frauenarztes Walter Stoeckel:

Es war ein ungemütlicher Herbsttag, als ich 1904 in Berlin ankam. Auf der Friedrichstraße, vor dem Bahnhof, strömten die Menschen rechts und links an mir vorbei.

Ein Mann, der mich anrempelte, weil er im Gehen Zeitung las, sagte „Hoppla" und ging weiter. Einfach „Hoppla". Kein Wort der Entschuldigung. Kein höfliches Hutlüften.

Das also war Berlin! ...

Unter den Linden – was für ein Betrieb! ...

Offiziere ritten wie Puppen die Mittelpromenade entlang. Hochmütig blitzten ihre Eingläser. Mindestens jeder fünfte Mann zwischen Schloß und Brandenburger Tor schien Uniform zu tragen. Die Uniformen waren noch farbenprächtiger. Die Offiziere grüßten einander mit zackigen Bewegungen. Geriet ein

Unteroffizier oder gar ein einfacher Soldat, vielleicht mit dienstlichem Auftrag, in dieses geheiligte Zentrum der obersten Gesellschaft, dann hatte er ein gar beschwerliches Fortkommen. Die Linden wurden für ihn zum Exerzierplatz; seine linke Hand zuckte an die Hosennaht, die rechte salutierend an die Mütze, sobald ein Vorgesetzter sichtbar wurde. Nahte aber ein „hohes Tier", mußte der ranglose Uniformist zur Seite springen, Frontstellung einnehmen und im „Stillgestanden" mit beiden Händen an den Hosennähten seinen Kopf dem „Lametta"-Träger so lange nachdrehen, bis dieser weit genug entfernt war. Augen geradeaus! Zack-Zack mit den Füßen, und der Bedauernswerte durfte endlich seinen Weg fortsetzen. Kein Wunder, daß sich schlichte Dienstgrade nur widerwillig in die Friedrichstadt begaben.

Stoeckel, Erinnerungen

Schier endlos ist die Liste der militärischen Formationen, die die Berliner Garnison bilden: Gardegrenadiere, Gardefüsiliere, Gardekürassiere, Gardedragoner, Gardeulanen, Gardefußartilleristen, Gardepioniere, Eisenbahner, Kraftfahrer, Luftschiffer, Telegrafisten ... Schier endlos ist die Liste der militärischen Kommandostellen, mit denen Berlin übersät ist. Oberkommando in den Marken, Gouvernement, Generalkommandos, Generalinspektionen, Inspektionen, Kommissionen und Kommandanturen sonder Zahl, Kriegsschulen, Intendanturen, Verwaltungen und Kassen – nicht zu vergessen die Inspektion der Armeemusik und die Feldpropsteien zweier Konfessionen ... „Eine Kaserne", so charakterisiert Anatole France kurz und knapp das Wilhelminische Berlin.

Die Garderegimenter, „allerpersönlichste eigenste Schöpfung der Hohenzollern", bilden den Kern der Berliner Garnison, die – wie der Kaiser bei der Einweihung der neuen Alexander-Kaserne erklärt – mit der Niederhaltung der „frechen Berliner" beauftragt ist.

Die Alexander-Grenadiere bezogen heute ihre neue Kaserne: In nächster Nähe des Schlosses war sie errichtet worden, eine Zwingburg mit Mauern und Schießscharten; und vom Lustgarten aus führte der Kaiser selbst seine Garde dem neuen Heime zu, während die Polizei in weitem Bogen das gaffende Volk beiseitedrängte, damit der Herrscher allein blieb mit seinen Truppen. „Ihr seid die Leibwache eures Königs", sagte er, „und wenn diese Stadt noch einmal wie Anno 48 sich wider ihn erheben wird, so seid ihr berufen, die Frechen und Unbotmäßigen mit der Spitze eurer Bajonette zu Paaren zu treiben."

Fürwahr, wenn ich mich bis jetzt wie in einem Traum befunden hatte, nun wußte ich: wir waren in Berlin.

Lily Braun, Memoiren einer Sozialistin

Berlin ist der Sitz des Kriegsministeriums, Leipziger Straße 5, das für die Rüstung zu Lande und für die Niederhaltung aller antimilitaristischen Bewegungen zu sorgen hat. Berlin ist der Sitz des Reichsmarineamts, in dem Admiral Tirpitz die Rüstungen zur See plant und leitet. Berlin ist der Sitz der Kriegsakademie, in der dem Offiziersnachwuchs die Lehre von der Unüberwindlichkeit der preußisch-deutschen Kriegsmacht eingetrichtert wird. Berlin ist schließlich Sitz des Großen Generalstabes. Hier, Am Königsplatz 6, gegenüber dem Reichstag, entwirft Graf Schlieffen seinen berüchtigten Kriegsplan, der, alles auf eine Karte setzend, der beabsichtigten „Abrechnung" mit den imperialistischen Konkurrenten zugrunde liegt.

Schlieffens Plan ist heute weltbekannt. Weniger bekannt sind die Studien seiner Generalstäbler über den „Kampf in insurgierten* Städten", deren Berliner Nutzanwendung uns in den Januartagen des Jahres 1906 begegnen wird.

Nicht zuletzt ist es das mehr als tausendköpfige „Hoflager" Ihrer Majestäten (und ihrer zahlreichen Kinder, Kindeskinder und sonstigen Anverwandten), das das Gesicht der Hauptstadt prägt. Seine Hauptaufgabe ist es, während der „Residenzzeit" die von mittelalterlichem Prunk strotzenden Zeremonien in Gang zu setzen, in denen der Machtanspruch der Hohenzollern zum Ausdruck kommt.

Aus den Erinnerungen des liberalen Politikers Eugen Schiffer:

* aufständischen

Erhobenen Hauptes, aber klopfenden Herzens durchschritt ich am Vormittag des 16. Januar 1904 das Eosanderportal des Königlichen Schlosses in Berlin ... Ich war auf dem Wege zum Weißen Saal, wo der Landtag durch den König feierlich eröffnet werden sollte ...

Auf den Treppenabsätzen des mächtigen Schlüterbaues standen Kürassiere mit gezogenem Säbel, unbeweglich, wie aus Erz gegossen. Der Weiße Saal bot einen glänzenden, wahrhaft königlichen Rahmen für das bedeutsame Ereignis. Seine imponierenden Maße, die schöne und klare Aufteilung und seine strahlenden Farben – Weiß und Silber – überwältigten mich. Er stimmte mich feierlich, und als er sich mit den Mitgliedern des Abgeordneten- und des Herrenhauses füllte, war mir dies doch wie der Eintritt in eine festliche Stunde ...

Mit dröhnendem Schritt marschierte jetzt ein Zug der Schloßgarde ein, mit Gamaschen an den Beinen, die hohe friderizianische Blechmütze auf dem Kopf, und baute sich an einer Breitseite des Saales auf. In der Loge zeigte sich die Kaiserin mit Gefolge und grüßte die Versammlung freundlich. In feierlichem Zuge erschienen die Staatsminister in reich bestickter Ziviluniform, geführt vom Ministerpräsidenten; und ebenso feierlich schritten paarweise die Ritter des Schwarzen Adlerordens in ihren roten Mänteln in den Saal.

Drei Stabschläge des Oberhofmarschalls kündigten die Nähe des Kaisers an. Unter Vorantritt zahlreicher Pagen und Kammerherren zog er gemessenen Schrittes ein. Der Präsident des Abgeordnetenhauses brachte ein Hoch auf ihn aus. Ein Kommandoruf ertönte, und die Garde präsentierte nach alter Art mit seitwärts gestrecktem Gewehr, der Kapitän mit dem Sponton.* Der Monarch, der Uniform mit Generalsemblemen trug, nahm vor dem verhüllten Thronsessel Aufstellung und grüßte die Versammelten, die sich tief verbeugten, mit einem kurzen, halb hochmütigen, halb gnädigen Kopfnicken. Er bedeckte das Haupt mit dem Adlerhelm der Garde du Corps, nahm aus der Hand des Ministerpräsidenten die Thronrede entgegen und verlas sie, von

* Der im 18. Jahrhundert von den Infanterieoffizieren als Waffe getragene Halbspieß.

Zeit zu Zeit durch diskreten Beifall der Zuhörer unterbrochen. Sie begann mit der Anrede: „Erlauchte, edle und geehrte Herren von beiden Häusern des Landtages." Ich durfte mich zu den „Geehrten" zählen. Nach der Verlesung gab der Kaiser dem Ministerpräsidenten die Urkunde zurück und verließ den Saal mit seinem Gefolge in derselben Ordnung, wie er gekommen war, nun von einem Hoch geleitet, das der Präsident des Herrenhauses ausbrachte. Die Ritter vom Schwarzen Adler und die Minister folgten dem Kaiser. Die Schloßgarde stapfte hinaus; die Kaiserin zog sich mit ihren Damen zurück, und die Landtagsmitglieder entfernten sich in kleinen Gruppen, lebhaft die Thronrede diskutierend.

Ich hatte einen starken Eindruck empfangen, aber war doch ernüchtert und enttäuscht ..., es war eben nur ein Schauspiel, und sein Hauptdarsteller, der Kaiser, hatte mich nicht überzeugt.

Schiffer, Ein Leben

Der Historiker und spätere Präsident der Deutschen Friedensgesellschaft Ludwig Quidde vergleicht um die Jahrhundertwende Wilhelm II. mit dem verrückten römischen Kaiser Caligula:

Wilhelm II. teilte mit Caligula das Spielerische, die Neigung zu posieren, zu glänzen, die nervöse Hast, die sprunghaft und widerspruchsvoll von einem Gegenstand zum andern eilt, den Glauben, alles selbst zu wissen und zu können, die Sucht, alles selbst auszuführen, die Mißachtung fast jeder selbständigen Kraft, die dilettantische Besserwisserei und die Geringschätzung ernster Sachlichkeit und Sachkunde, die Prunk- und Verschwendungssucht, die sich besonders auf Bauten wirft, das Gefallen an kriegerischem Schaugepränge, an spielerischen Manövern, die auf theatralischen Schein hinauslaufen, die Neigung, rednerisch zu glänzen und mit Kraftworten den Menschen imponieren zu wollen („oderint dum metuant"*), die Vorliebe für Äußerungen,

---

* Mögen sie mich hassen – Hauptsache, sie fürchten mich.

die einem Bramarbas besser anstehen als einem seiner Stellung bewußten Herrscher, die komödiantische, in Äußerlichkeiten sich gefallende Art, die sich auch in fortwährendem Wechsel der Kleidung bestätigt, die Berufung endlich auf göttliche Sendung in Wendungen, denen nicht viel am Anspruch auf Gottähnlichkeit fehlt ...

Um recht zu würdigen, wie bedenklich die doch nicht nur auf Äußerlichkeiten beschränkte Ähnlichkeit Caligula-Wilhelm II. war, muß man sich an die Dinge erinnern, mit denen damals und später Wilhelm II. die Welt in Erstaunen setzte. Es waren oft nur kindische, oft aber auch sehr gefährliche Extravaganzen. Die heute Lebenden wissen zum Teil nichts mehr davon, wie er in der Nacht die Garnisonen alarmierte, wie er in militärische Dinge mit immer neuen Verordnungen, oft der kleinlichsten Art, eingriff, wie er bei Manövern sich nicht als Oberster Kriegsherr zurückhielt, sondern als Führer einer Partei auftrat und glänzende Manöversiege erfocht (nach den neueren Veröffentlichungen auch in den Kriegsspielen, die zu sehr ernstem Zweck in der Armee gepflegt wurden), wie er sich nicht genug tun konnte in Prunk und Repräsentation, wie er es für nötig hielt, zu jedem Anlaß in der dazu passenden Uniform zu erscheinen (man behauptete, daß er zu einer Dampferfahrt auf dem Wannsee Marineuniform angezogen habe und daß es nichts Seltenes sei, wenn er am Tag mehrmals die Kleidung wechsle), wie er es schicklich fand, den Minister Scholz, der es nur zum Einjährigen oder Unteroffizier gebracht hatte, zum Leutnant zu ernennen, wie er (ein Beweis seiner inneren Unsicherheit) bald Menschen, besonders auch ausländischen Herrschern, schmeichelte, bald sie durch Taktlosigkeiten vor den Kopf stieß, wie er seine Energie sich in großen Worten austoben ließ, um dann oft genug, wenn er auf ernste Hindernisse stieß, einen Rückzug anzutreten, wie er es liebte, als Mann in den Dreißigern den überlegenen, fürsorglichen Landesvater zu spielen, und wie er sich dann wieder wie ein grimmer Tyrann gebärdete, wie er den Solda-

Der Kaiser als Großer Kurfürst, als britischer Admiral (oben), als Johanniterritter und in Paradeuniform

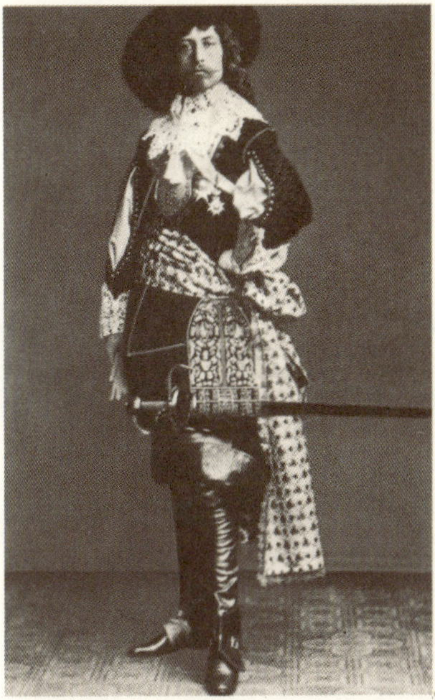

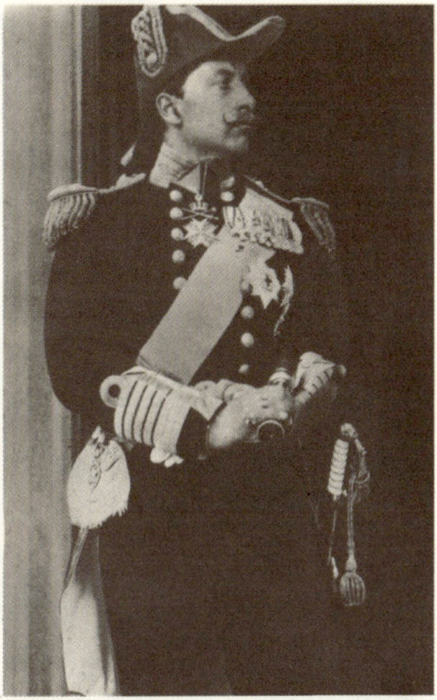

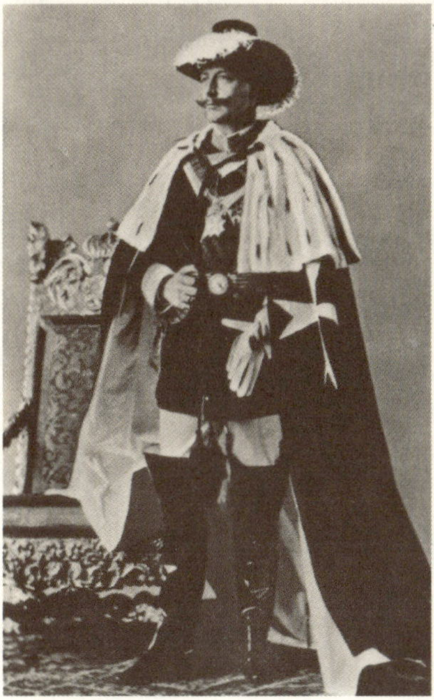

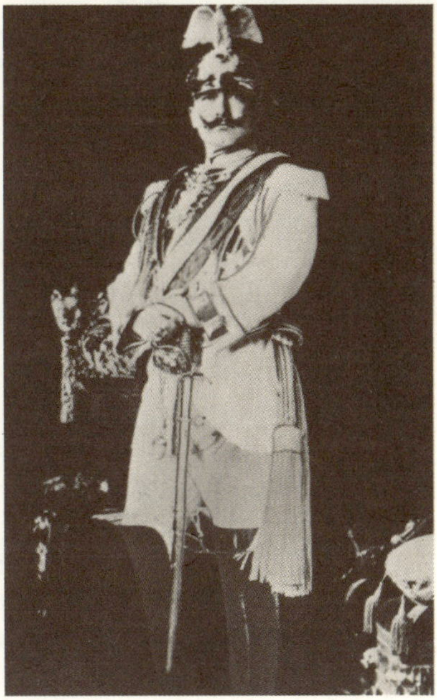

ten sagte, sie müßten auf seinen Befehl auf Vater und Mutter schießen, wie er von dem Bewußtsein seiner gleichsam göttlichen Mission sprach und dem Volk erzählte, er führe es herrlichen Zeiten entgegen, wie er die Nörgler, die an seine göttliche Sendung nicht glauben wollten, aufforderte, auszuwandern und den Staub von den Pantoffeln zu schütteln, wie er die ganze Sozialdemokratie als Reichsfeinde behandelte, wie er auf der anderen Seite aber auch alle jene vor den Kopf stieß, die in der Neugründung des Reiches das Werk Bismarcks und daneben auch Moltkes verehrten, indem er alles Verdienst seinem Großvater zuschrieb, neben dem alle anderen nur des großen Kaisers Handlanger gewesen seien ...

Es ist ja gar nicht zu ermessen, welchen Schaden der Kaiser mit seinen Reden im Innern und nach außen angerichtet hat. Und dabei kam nur ein Teil dessen, was er für die Öffentlichkeit bestimmt hatte, in die Öffentlichkeit. Seine Umgebung, insbesondere die verantwortlichen Männer, waren oft genug in Angst, was er wohl sagen würde, und darauf vorbereitet, das Bedenklichste zu unterdrücken. Vom Fürsten Bülow erzählten Journalisten, daß er bei einem bestimmten Anlaß gesagt habe, zum Glück habe die Welt ja nicht alles erfahren; aber es dringe noch immer viel zuviel durch; mehr als zweimal am Tag könne er ihn unmöglich trockenlegen.

Quidde, Im Kampf gegen Cäsarismus und Byzantinismus

Andere kritische bürgerliche Chronisten – es sind freilich nicht allzu viele – beschreiben Wilhelm II. als einen „politischen Dilettanten", als einen Psychopathen, „der Karl den Großen spielen will". „Was hätte der Mann der Welt schenken können, wenn er nicht Kaiser, sondern Kinomann gewesen wäre!" (Gerlach, Erinnerungen)

Über alles erlaubt er sich ein Urteil. Mochte es sich um Mosaikkunst, um das Metazentrum des Schiffes, um ägyptische Mumien, um Kadiner Kacheln, um Architektur oder sonst etwas handeln, er weiß es besser. Von Gelehrten, Künstlern, mit denen er zusammenkam, war es ihm angeflogen, und sein gutes Gedächtnis hielt es fest. Doch immer blieb er an der Oberfläche, nie grub er tiefer. Denn zu eigentlicher Arbeit kam er bei den unaufhörlichen Reisen, Truppenschauen, Regatten nicht. Ministervorträge – ein Greuel ...

Vor allem verdarb ihn die Umgebung. Überall, wo der Kaiser sich zeigte, sah er gebeugte Rücken. Die Adjutanten, die Hofprediger, die Weibmänner der Tafelrunde, die Geburtstagsredner, die Minister erstarben in Ehrfurcht. Alle, alle hüllten ihn in Weihrauchwolken. Fürst Bülow nannte ihn den arbiter mundi*, Geschichtsschreiber verglichen ihn mit Friedrich dem Großen.

Auch auf seine erste Gattin dehnte sich die Verhimmelung aus. Der Verfasser des Buches über Hofprediger Stoecker weiß zu berichten, daß Herr von Levetzow im Evangelisch-kirchlichen Hilfsverein 1902 zur Kaiserin sagte: „Alles, was wir tun, kommt von Eurer Majestät. Ohne Eure Majestät sind wir nichts." – Es ist offenbar schwer, in der Nähe der vermeintlich Großen groß zu sein. Das Volk half nach; sogar den Schnurrbart ließ sich der Deutsche nach Art des Kaisers wachsen. Mußte da nicht Hybris den Herrscher erfassen, die dann allerdings, ganz wie im griechischen Drama, zur Katastrophe führte? Es gäbe keine Tyrannen, wenn es keine Sklaven gäbe, sagt schon Tacitus.

Pachnicke, Führende Männer

Als Kronprinz Wilhelm, der sich durch besonders arrogante Kasinomanieren und besonders rasende Autofahrten auszeichnet, 1905 eine mecklenburgische Prinzessin heiratet, überschlägt sich in Berlin der Hohenzollernkult:

Schon Wochen vorher konnte man kein Blatt aufschlagen, ohne auf meterlange Berichte über die kronprinzeßliche Leibwäsche, den kronprinzlichen Galawagen, die mutmaßliche Kleidung der Ehrenjungfrauen oder – der Schlächterinnung beim Festzuge zu

---

* Welt-Schiedsrichter

Umseitig: Parade der Gardetruppen im Lustgarten, 1909

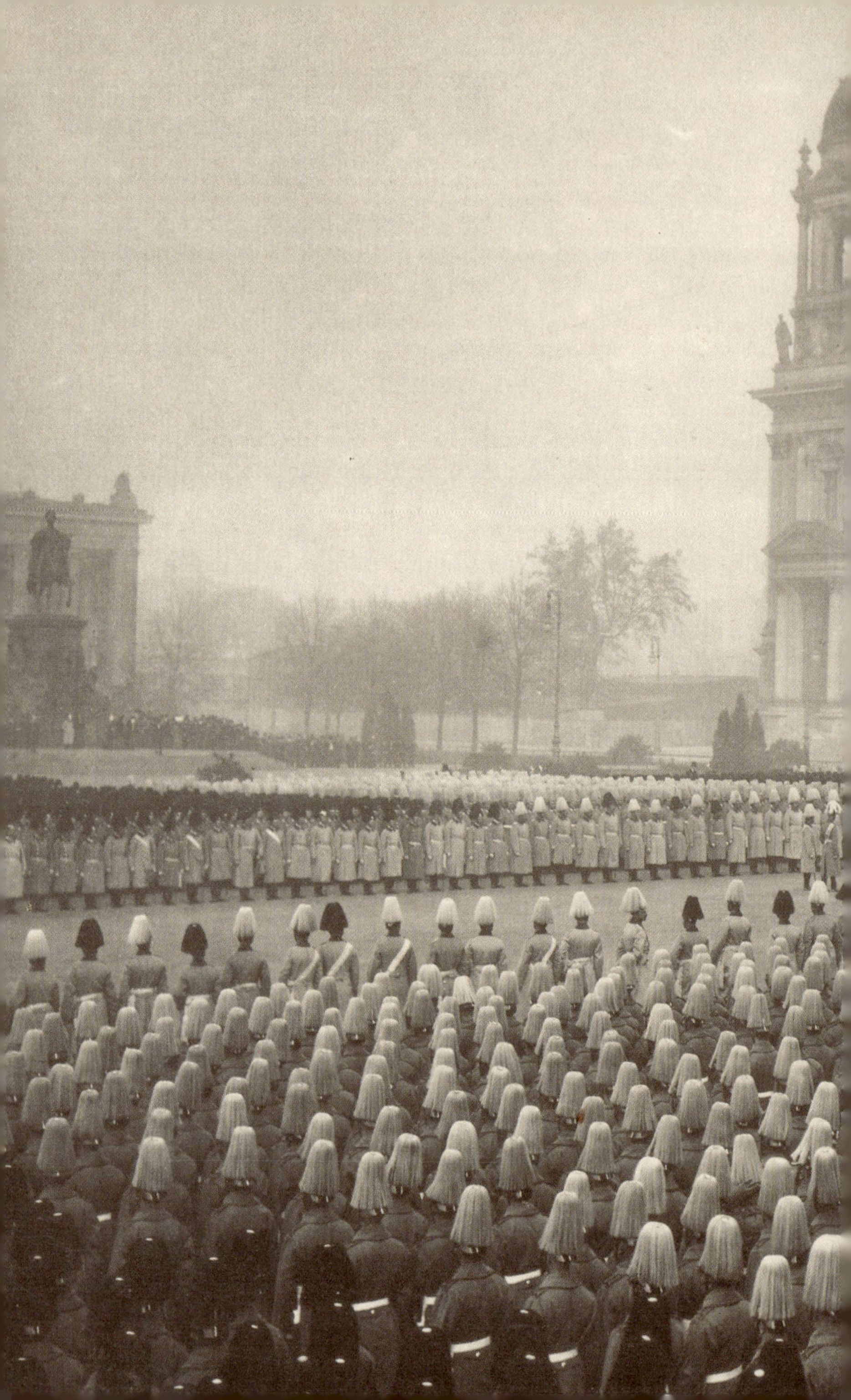

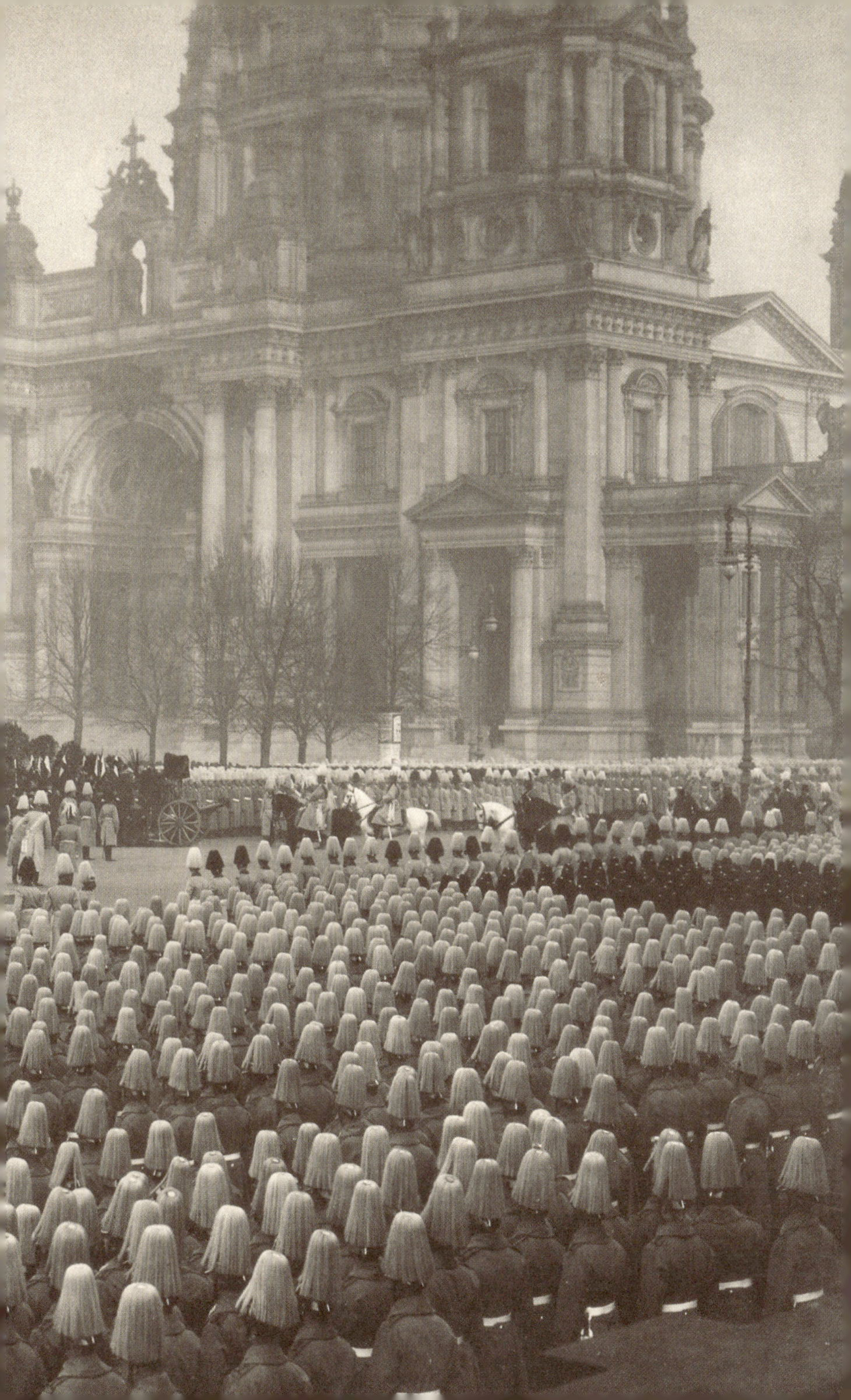

stoßen. In gesperrtem Druck ward uns geoffenbaret, wann und wo die mecklenburgischen hohen Damen den preußischen Sonderzug besteigen würden. Befreit atmeten Tausende patriotischer Mütter auf, als Wissende endlich verraten durften, wie sich ihre Töchterlein kleiden sollten, um in einer Tracht zu erscheinen, die doch wenigstens einigermaßen der der Kronprinzessin angepaßt war. Und mit überströmenden Gefühlen wurde die Nachricht begrüßt, daß – nach verschiedenen Änderungen – das Kostüm der Ehrenjungfrauen festgestellt sei: das Kleid aus weißem Voile, die Ärmel halblang eingezogen, mit Chiffons versehen usw. Daß die Taille hinten und vorn nur „etwas" ausgeschnitten werden solle, erlöste manches treue Mutterherz von banger Sorge ...

Oh, es gibt noch zündende Begeisterung in deutschen Landen, opfermutige Standhaftigkeit im Ertragen grausamer Unbilden, wo es sich um Betätigung wahren und echten Patriotismus handelt. Aber der Gegenstand muß auch danach sein. Und was konnte die Herzen höher schlagen lassen, die Gemüter heißer entflammen als – die Courschleppe einer künftigen Kronprinzessin? 55000 Personen haben vor ihr im Kunstgewerbemuseum zu Berlin ihre Andacht verrichtet, an einem Tage nicht weniger als 20000. Das Museum wurde förmlich belagert, Polizeibeamte mußten die immer von neuem Andrängenden – o bitteres Los! – zurückweisen. An einem Abend war das Gedränge so stark, daß mehrere ältere Damen ohnmächtig wurden.

Aber auch damit war der beseligende Anblick nicht zu teuer erkauft. War doch die Schleppe – wie patriotische Blätter begeistert zu melden wußten – vier Meter lang und zwei Meter breit! Stammte doch der Entwurf von Professor Döpler d. J., war doch der Samt vom Seidenhause Michels & Co. geliefert, die Schleppe im Atelier der Frau von Wedel hergestellt, wo zwanzig Damen fast ein Vierteljahr daran gearbeitet hatten! Eine Borte im Stil Ludwigs XIV. umsäumte die Schleppe! In der Borte schalteten sich zwischen kettenartige Glieder Silber-Rosetten ein. Von diesen stiegen Blütenzweige auf! Vom unteren Rande reichte bis zu einem Drittel der Höhe Blüten- und Blumengeranke! Von oben fielen Silberblumen und Blätter herab! Und endlich: die Schleppe wurde zu einem weißen, silbergestickten Tüllkleid über rosa Atlas getragen! Deutsches Herz, was willst du noch mehr?

Grotthuß, Aus deutscher Dämmerung

Besonders krasse Formen nimmt der Byzantinismus im „Jubeljahr" 1913 an. Es ist nicht der Geist der Volkserhebung von 1813, sondern der Kult der reaktionärsten Hohenzollerntradition, der aus den vaterländischen Schauspielen, aus den Prominentenserien der Illustrierten, aus den Elogen von Schriftstellern und Publizisten spricht.

Bis jetzt – das heißt in den letzten sechs Wochen – sind etwa dreißig Bücher zur Huldigung an Seine Majestät erschienen. Aus meiner Sammlung greife ich nur die wertvollsten heraus:

1. „Wilhelm II. und die Marine." Herausgegeben von Professor Willi Stöwer, Text von Admiralitätsrat Wislicenus. Verlag August Scherl, GmbH, Berlin, Folioformat, 258 Seiten mit 10 doppelseitigen farbigen Bildern und 120 Textillustrationen. Preis: fünf Mark, Vorzugsausgabe zehn Mark. Bezug durch alle Buchhandlungen.

Und schon ist eine Kritik darüber erschienen: im „Tag" des Herrn Scherl, wo einträchtiglich nebeneinander die scharfmacherischen Generalleutnants und die sirup-sanften Lyriker zu finden sind. Dort stimmt ein Freiherr von Dincklage seinen Tenor zu Wilhelms Ruhm und Größe: „Das Volk in Waffen" wollen und müssen wir bleiben ...

2. „Wilhelm II. 25 Jahre Kaiser und König" von Paul Meinhold. Mit zahlreichen Abbildungen, Ernst Hofmann & Co., Berlin W ...

Das Buch, das von einem anständigen Oberlehrer geschrieben scheint, der in Obersekunda deutschen Literaturunterricht erteilt, zerfällt in genau zwanzig Kapitel, wovon wiederum sieben so lauten:

Der Kaiser und das Deutschtum.
Der Kaiser und die Wissenschaft.
Der Kaiser und die Religion.

Der Kaiser und die Erziehung.
Der Kaiser und die Kunst.
Der Kaiser und das Heer.
Der Kaiser und der Sport.

Fein säuberlich. Im Kapitel „Der Kaiser und die Kunst" stehen die goldenen Worte: „Der Mensch braucht die Kunst, sie ist kein Luxus." S. 186: „Es sind schwere Anklagen, die er als Landesherr mit sorgendem, bekümmertem Herzen gegen die moderne Kunst und ihre Vertreter erhebt. Sie soll das Herz des Volkes veredeln, erheben, nicht vergiften. Er selbst stellt ihr die Aufgabe, weist ihr das Ziel. Das Theater, ein Werkzeug in der Hand des Monarchen, gleich der Schule und der Universität." ...

3. „Der Kaiser und die Monarchisten" von Graf E. Reventlow. Verlag von Reimar Hobbing in Berlin, 1913.

Das ist der Kraftanbeter unter den Biographen. Das ist der Mann mit der starken Faust. Das ist einer, der auch vor „ehrlicher Kritik" nicht zurückscheut; kurz: ein alldeutscher Herrenmensch, der für das Gottesgnadentum plädiert, Nietzsches „blonde Bestie" sein möchte und Wilhelm II. Mangel an Kraft vorwirft...

„Nichts ist verderblicher, als wenn Monarchen dem Demos* zu gefallen suchen; auch mit einem Polypen oder einer Boa constrictor kokettiert man nicht." Äußert der Herr Graf, dem vielleicht einmal ein Polyp oder eine Boa constrictor nicht ungefährlich werden kann.

Herzog, Das allerhöchste Jubiläum

Kriegervereine und Schulklassen drängen sich vor dem Hohenzollernmuseum, das im Schloß Monbijou eingerichtet ist:

Man findet dort: Vertrocknete Blätter, gepflückt von einem Baume, unter dem ein Prinzenpaar gesessen; ein Halsband von einem Hunde Friedrichs des Großen; zerbrochene Tassen, aus

* Volk

Erinnerungspostkarte zum Regierungsjubiläum Wilhelms II., 1913

denen Hohenzollernsche Fürsten getrunken; Bleistift, Federn, Schere, die Kaiser Friedrich benutzte, Zigarrentaschen, Petschaften, alte Uhrketten mit Uhrschlüssel, Lorgnetten, Operngucker. Im Zimmer der Königin Luise prangt ein Papierkalender an der Wand, den wohl irgendein Hoflieferant mal als Gratisbeigabe gegeben hat. Ferner Handschuhe, Taschentücher, Nachthaube der Königin. Ausgekämmte Haare werden aufbewahrt von Wilhelm dem Ersten, Königin Luise und Elisabeth Christine; vertrocknete Lorbeerblätter von 1840; zwei Lorbeerblätter, die Königin Luise gesammelt haben soll, sind bloß noch als Rippen vorhanden; ein Taschentuch, „welches die im Sterben erkaltende Stirn des alten Fritzen berührt hat"; alte Stiefel, die Friedrich getragen hat; ein Kreuz Friedrich Wilhelms des Dritten, worin, wie eine Aufschrift besagt, ein echtes Stück vom Kreuze Christi eingekapselt ist! Der Huf eines Pferdes, auf dem Kronprinz Friedrich in den Jahren 1864 bis 1866 zu reiten pflegte. Schließlich eine Schnalle, die Friedrich Wilhelm der Erste im fünften Jahre verschluckt hatte und die – auf welchem Wege? – wieder ans Tageslicht gekommen ist.

Grotthuß, Aus deutscher Dämmerung

Der Hohenzollernkult ist nicht nur eine Marotte knechtsseliger Untertanen. Er hat eine wichtige Funktion im politischen System der Wilhelminischen Ära. Er dient vor allem der Absicherung der fast unbegrenzten Machtfülle des Kaisers, seines völlig unkontrollierten Einflusses auf das Planen und Handeln von Verwaltung und Diplomatie, von Kirche und Schule, von Polizei und Militär.

Die verfassungsmäßige Macht, die ihm zukommt, ist ungeheuer und fast unausdenkbar. Er ist Oberbefehlshaber über Landheer und Seemacht, Landesbischof der evangelischen Kirche, er setzt den Reichskanzler ein und ab und beruft und entläßt die Minister. Kein Gesetz erscheint ohne seine Unterschrift, und sein Wink gilt in Praxis oft mehr als ein Parlamentsbeschluß. Diese überragende Stellung eines einzelnen Mannes in Mitte eines Volkes von über 60 Millionen Menschen kann nur geschichtlich

begriffen werden und bleibt trotz aller geschichtlichen Studien ein Gegenstand des Verwunderns.
Naumann, Das politische Berlin

Der Kaiser kann Vortrag hören, aber er muß es nicht; er darf sich informieren, aber niemand kann ihn dazu zwingen, sobald er nicht will. Er ist an die Reichsverfassung überhaupt nicht gebunden, außer durch Klugheit und Vorsicht, die beide ihm gründlich abhanden kommen können. Dazu darf er durch seine drei Untergebenen, die Chefs des Zivil-, Militär- und Marinekabinetts, die nachgerade sehr auffällig an die berüchtigten Kabinettsräte Lombard und Beyme erinnern, die Zirkel jeder ministeriellen Politik stören, wie und wo er will, allein durch Personenwechsel. Noch auch ist er absetzbar; man muß ihn im Reich behalten, solange er König von Preußen bleibt.
Talbot, Der leichtsinnige Bismarck

Und das deutsche Volk? ... Hatte es Ursache, so vertrauensvoll zu sein? Ungefähr soviel wie ein kleiner Rentner, der sein ganzes Vermögen einem ihm unbekannten Bankier übergibt und mit seinem letzten Pfennig in Spekulationen verstrickt wird, von denen er nichts weiß. Seine Geschäfte wurden von dem Kaiser und einigen Personen, die dem Monarchen aus irgendeinem Grunde genehm waren, ohne jede Kontrolle geführt, und die Kundschaft, deren Besitz und deren Leben dort auf dem Spiele standen – das ganze Volk, fünfundsechzig Millionen Menschen –, hatte keine Möglichkeit, in die Bücher hineinzusehen. Es gab einen Reichstag, aber er war nichts als ein Automat der Steuerbewilligung, ein Chor, der von fernher die Handlung mit Reden, mit langen und tapferen Reden sogar, begleiten durfte und an der Handlung nicht teilnahm, niemals wußte, was vorging, und einen Schlag auf die Nase erhielt, wenn er versehentlich einmal die ihm gezogene Grenze überschritt. Wilhelm II. behandelte dieses ohnmächtige Scheinparlament mit der ganzen Verachtung, die ein von seiner Allwissenheit überzeugter, mit einigen

Erziehungsmängeln behafteter Autokrat gegenüber solchen unsympathischen Einrichtungen empfinden muß. Er titulierte die Volksvertreter in seinen Marginalien „Ochsen von Reichstagsabgeordneten", erklärte in markiger Schrift, daß Angelegenheiten der auswärtigen Politik, wie zum Beispiel ostasiatische Erwerbungen, „die Affenbande" gar nichts angingen. ... Es war ganz selbstverständlich, und übrigens in der rein dekorativen, das Volk gänzlich schutzlos lassenden Verfassung klar ausgedrückt, daß der Kaiser allein, ohne das Parlament irgendwie zu unterrichten oder zu fragen, Krieg erklären konnte und durfte und daß den Vertretern der fünfundsechzig Millionen dann nur, wenn die Kriegsmaschine schon rollte, das Recht, die Kriegskredite zu votieren, vorbehalten blieb.

Wolff, Der Krieg des Pontius Pilatus

Der Chefredakteur des „Berliner Tageblatts", Theodor Wolff, läßt die Hauptursache der Ohnmacht des Reichstages im dunkeln: die Furcht der deutschen Bourgeoisie vor der Arbeiterklasse, die sie zur „Sammlungspolitik" mit den preußischen Junkern führt und die halbabsolutistischen Verfassungszustände konservieren läßt. Kein bürgerlicher Parlamentarier erhebt sich von seinem Sitz, als der Junker Oldenburg-Januschau einen Staatsstreich für den Fall ankündigt, daß eine Einschränkung der absoluten Kommandogewalt des Kaisers im Reichstag auch nur erörtert würde:

Mit ihr war der Kaiser, der die Verfassung ja nicht beschworen hatte, jederzeit imstande, natürlich nur im Notfall, durch einfachen Befehl an die Armee die Staatsordnung wiederherzustellen, während die zivilen demokratischen Einrichtungen an ihre Arbeitsform der Beschlußfassung gebunden waren. Diese Dinge kannten die Linke und im Zentrum die Leute um Erzberger sehr genau. Sie wußten, was sie taten, wenn sie mit ihren Angriffen auf die Abschaffung der kaiserlichen Kommandogewalt abzielten. Um so mehr hielt ich es für meine Aufgabe, für ihre Erhaltung mit aller Entschiedenheit einzutreten.

Die Gelegenheit dazu bot sich anläßlich einer großen, gegen

die kaiserliche Kommandogewalt gerichteten Rede, die der freisinnige Abgeordnete Müller-Meiningen hielt. Diesem Angriff der Linken verdankt das im Zusammenhang mit meinem Namen so oft erwähnte Wort vom Leutnant und den zehn Mann seine Entstehung. Der Abgeordnete Müller-Meiningen war geschickt genug, um seinen Angriff gegen die kaiserliche Kommandogewalt in einen Angriff gegen das Offizierkorps überhaupt einzuhüllen. Zur Verteidigung dieses Offizierkorps sagte ich damals in der vollen Öffentlichkeit einer Reichstagssitzung:

„Wie ist es jetzt? Wenn ein Leutnant an einer Ecke laut hustet, hat er die Besorgnis, daß es im Reichstag zur Sprache kommt. Das ginge ja noch. Aber wir wollen doch dafür sorgen, daß er nicht die Besorgnis haben muß, daß nun auf das Urteil des Reichstags ein Gewicht gelegt wird, was früher nicht der Fall war.

Meine Herren, darunter leidet der Offiziersstand. Er muß darunter leiden, ein Stand, der persönlich mit dem allerhöchsten Kriegsherrn zusammenhält und den im übrigen die Öffentlichkeit nichts angeht! (Lärm auf der Linken)

Ja, meine Herren, das ist auch eine alte preußische Tradition, und daß Ihnen diese Tradition nicht paßt, das glaube ich sehr gern. Der König von Preußen und der deutsche Kaiser muß jeden Moment imstande sein, zu einem Leutnant zu sagen: Nehmen Sie zehn Mann und schließen Sie den Reichstag!"...

Das Wort vom Leutnant und den zehn Mann erregte großes Aufsehen ... Als wenige Tage später eine neue Reichstagssitzung stattfand, war der Platz vor dem Wallotbau schwarz vor Menschen. Es gelang mir aber, ohne erkannt zu werden, in den Reichstag hineinzukommen. Drinnen hörte ich dann von den Fraktionsgenossen, man habe irgendeinen Unbekannten für mich gehalten und verdroschen. Das war für mich Grund genug, um am Abend des gleichen Tages einen Rundgang durch Berlin zu tun. So nahm ich mir eine Droschke, die mich nach einer von den Sozialdemokraten einberufenen Versammlung im Friedrichshain führen sollte. Als ich ankam, sah ich, daß die dort zusammengetrommelten Menschenmassen in einen ungeheuren Wuttaumel versetzt waren. Es war nicht zweifelhaft, daß man mich – hätte ich meine Droschke verlassen – erkannt und verprügelt hätte. Dem wollte ich mich nicht ohne Not aussetzen und zog es darum vor, ungesehen in meiner Droschke wieder zu verschwinden.

Nach einigen Tagen wagte ich mich in eine Revue ins Metropoltheater. Der damals sehr bekannte Schauspieler Thielscher hatte es sich nicht nehmen lassen, das Wort vom Leutnant und den zehn Mann zu einer besonderen Zugkraft für das Theater zu machen. Er trat in meiner Maske, gefolgt von elf anderen uniformierten Schauspielern, einem Leutnant und zehn Mann, auf der Bühne auf und bekam einen Beifallssturm nach dem anderen. Das Unglück wollte es, daß die Besucher mich beim Verlassen des Theaters erkannten. Gott sei Dank war ich schon in der Nähe der Türe und erklärte, ich sei nur inkognito da und bäte, mich ungehindert meines Weges ziehen zu lassen. Diese Bitte hatte den gewünschten Erfolg, über den ich nicht wenig glücklich war ...

Oldenburg-Januschau, Erinnerungen

Aber auch außenpolitische und außenwirtschaftliche Interessen bestimmen die Oberschicht der Kapitalistenklasse, das „persönliche Regiment" eines Mannes zu tolerieren, der öffentlich davon träumt, das Deutsche Reich in eine Weltmacht zu verwandeln, „so maßgebend wie es einst das römische Weltreich war". Sie pocht wie er darauf, daß sich Deutschland wirtschaftlich schneller entwickelt hat als seine imperialistischen Konkurrenten. Sie will es ebensowenig wie er ertragen, daß die Schätze der Welt unter diesen Konkurrenten nahezu völlig aufgeteilt sind. Und je weniger demokratischer Kontrolle das Tun und Lassen des Monarchen und seiner Umgebung unterliegt, um so leichter wird es für Großbankiers wie Georg von Siemens, Arthur von Gwinner und Ludwig Goldberger, für Großindustrielle wie Isidor Loewe und die Rathenaus, für Handelskapitalisten wie Fritz Friedländer-Fuld, das Regime dahin zu bringen, daß seine Politik mit ihren Ambitionen korrespondiert.

Den leichtesten Zugang zum Ohr des Kaisers haben nun die leitenden Persönlichkeiten der Hochfinanz und der Großindustrie ...

Vorträge in geschlossenem Kreise sind das beliebteste, weil unauffälligste und wirksamste Mittel, um die kaiserlichen Anschauungen in eine gewünschte Richtung zu drängen. Die Leiter einiger Elektrizitätsgesellschaften sind geradezu Meister im Arrangement derartiger Zweck-Vorlesungen. Auch Einweihungsfeierlichkeiten und Nachtischreden in gewissen „kaiserlichen" Klubs sind als Suggestivmittel sehr geschätzt. Denn es genügt vollkommen, durch wenig hingeworfene Worte auf eine neue Gelegenheit zur Stärkung der wirtschaftlichen Stellung unseres Vaterlandes anzuspielen: das Weitere darf man ruhig der Wißbegier, Auffassungsgabe und Initiative des Kaisers überlassen.

Wie schnell hat sich nicht die Dampfturbine Eingang in die deutsche Kriegsmarine verschafft! Allerdings haben auch andere Staaten die Turbine für besonders manövrierfähige Schiffstypen adoptiert, aber erst nachdem die Regierungen sich geeignete Patente gesichert hatten. In Deutschland werden die Patente angewendet, die im privaten Besitz einflußreicher Industriegesellschaften sind. Und wie mit der Turbine, so verhält es sich mit zahlreichen anderen Errungenschaften der Technik: Mit Windesschnelle setzt sich das platonische Interesse in eine landesväterliche Anregung und diese in Staatsbestellungen um ...

So schreitet Deutschland scheinbar von Fortschritt zu Fortschritt. Die den unmittelbaren Vorteil daraus ziehen, sind immer dieselben Gruppen von Industriellen. Das „System Krupp", die einseitige Bevorzugung bestimmter Personen und Gesellschaften, bricht sich immer mehr Bahn ...

Und wenn das alles nur mit gelegentlichen kleinen Gegendiensten bezahlt wäre! Schließlich braucht die Bestellung einiger Turbinen, die Förderung elektrischer Projekte, die Inschutznahme privater Erwerbsinteressen gegen kommunale Konkurrenz und dergleichen noch keinen erheblichen wirtschaftlichen Schaden zu stiften. Aber die Gegenleistungen sind zuweilen von ganz außerordentlicher Tragweite, sie streifen nicht selten sogar das Gebiet der hohen Politik und sind dann um so gefährlicher, als man oft Leistung und Gegenleistung kaum unterscheiden kann, kaum noch erkennt, wo das Nationalinteresse endet und der geschäftliche Vorteil beginnt. So geschickt sind zuweilen die Wünsche der Krone in die Richtung privater Interessen gelenkt. Man denke an die marokkanische Kaiserreise, die man herbeizuführen verstanden hat, indem man die liliputanischen deutschen Handelsinteressen in Nordafrika aufbauschte und nationaler Opfer wert erklärte. Man denke an die Palästinareise und ihre unmittelbare Folge, die Bagdadbahn, dieses verhängnisvolle „Standardwerk deutschen Unternehmungsgeistes", das an der „Einkreisung" mehr schuld ist als alle unsere politischen Fehler zusammengenommen. Man denke an alle die Möglichkeiten, die sich daraus ergeben können, daß das Reich sich mit dem ganzen Nachdruck der deutschen Bajonette für private Vorteile einsetzt.

Lansburgh, Die wirtschaftliche Bedeutung des Byzantinismus

Als Beispiel für den „Einsatz deutscher Bajonette für private Vorteile" hätte Lansburgh auch den Chinafeldzug nennen können, der die Berliner schon wenige Monate nach Beginn des neuen Jahrhunderts überraschte.

Im Juni 1900 trifft die Nachricht ein, die „Große Faust", eine Volksbewegung zur Befreiung Chinas von ausländischer Herrschaft, belagere die Botschaften der imperialistischen Mächte in Peking und habe den deutschen Gesandten Ketteler getötet. Wilhelm II. erklärt erregt, seine Kriegsmacht werde in China „Rache nehmen, wie sie die Welt noch nicht gesehen hat". Die Marineinfanterie muß hinaus!

Peking muß regelrecht angegriffen und dem Erdboden gleichgemacht werden. Dazu muß Heer mit Schnellfeuer- und Belagerungsartillerie ausgerüstet werden. Organisation des Verpflegungsnachschubs sehr wichtig, da zwischen Peking und Taku nichts mehr zu haben ist. Ich werde eventuell den Obergeneral gern stellen. Denn es muß die ganze Aktion in eine feste Hand gelegt werden, und zwar europäische. Wir dürfen uns nie dem aussetzen, daß Rußland und Japan die Sache allein machen und Europa heraushauen. Der deutsche Gesandte wird durch meine Truppen gerächt. Peking muß rasiert werden. England kann ja bei Aktion zur See Leitung übernehmen. Marineinfanterie muß gleich hinaus. Es ist der Kampf Asiens gegen das ganze Europa!

Wilhelm I. R.*

Die Chinawirren 1900 bis 1902

In Wirklichkeit handelt es sich natürlich nicht um den Kampf Asiens gegen Europa, sondern um den Widerstand des chinesischen Volkes gegen die Ausbeutung durch europäische Großbanken und Syndikate. Helmuth von Moltke, der sich vergebens um ein Kommando in der Chinaexpedition bemüht, notiert in seinem Tagebuch: „Wenn wir ganz ehrlich sein wollen, so ist es Geldgier, die uns bewogen hat, den großen chinesischen Kuchen anzuschneiden. Wir wollten Geld verdienen, Eisenbahnen bauen, Bergwerke in Betrieb setzen, europäische Kultur bringen, das heißt in einem Wort ausgedrückt, Geld verdienen. Darin sind wir keinen Deut besser als die Engländer in Transvaal!" (Moltke, Erinnerungen)

Das Zeitungsviertel beginnt, vom „Syndikat für asiatische Geschäfte" angestachelt, eine beispiellose antichinesische Greuelpropaganda. „Wie wilde Bestien", so wird den Berlinern im ersten großen Lügenfeldzug des zwanzigsten Jahrhunderts eingehämmert, „fallen die Gelben über die Fremden und ihre Frauen her."

Die Fremden wurden niedergemacht wie Gras, die Boxer** stürzten sich auf die Gefallenen und zerhackten Lebendige wie Leichen. Viele Ausländer liefen, als die Kanonen abgefeuert wurden, ins Gebäude zurück, in der Hoffnung, dem Gemetzel zu entgehen, die Boxer verfolgten sie. Die Fremden waren nahe dem Gebäude, als die Kanonen näher gebracht und dieses zerstört und in Brand geschossen wurde. Verfolgte wie Verfolger verbrannten in der Legation. Die Boxer, sagt der Läufer, waren wie Dämone. Als es keine Ausländer mehr zu töten gab, verstümmelten sie die umherliegenden Leichen, dann griffen sie die Quartiere der eingeborenen Christen an und metzelten alle nieder, die sich ihnen nicht anschließen wollten. Sie vergewaltigten die Frauen und töteten kleine Kinder mit dem

---

* Wilhelm I. R. – Imperator rex: Kaiser und König
** Verächtliche Bezeichnung für die Bewegung der „Großen Faust".

Gewehrkolben. In den Straßen der Tatarenstadt floß das Blut in Strömen.

Vossische Zeitung, 16. Juli 1900

Zur gleichen Zeit hält die gleiche Presse ein ganz anderes Argument bereit: Chinas Reichtümer gehören nicht etwa den Chinesen, sondern dem, der sie besser gebrauchen kann.

Es gibt auch bei uns vereinzelt wunderliche Menschen, die behaupten, die Chinesen hätten recht. Den Chinesen gehört der chinesische Boden, den sie benutzen oder unbenutzt lassen können, wie sie wollen. Europa möge sich mit dem Boden begnügen, den die Natur ihm zugewiesen hat. Das ist falsch ...

Europa hat die Pflicht, in China einzudringen, das das dunkelste Land der Erde geworden ist, seitdem die Erforschung Afrikas große Fortschritte gemacht hat. Wir müssen mit China Handelsbeziehungen anknüpfen, müssen Eisenbahnen bauen, müssen seine Kohlenschätze, die anscheinend größer sind als die der ganzen übrigen Welt, der Wohlfahrt des Menschengeschlechts nutzbar machen. Am liebsten hätten wir das alles in friedlicher Weise getan. Jetzt hat China durch Taten, deren frevelhafter Charakter seinen Gewalthabern selbst nicht verborgen bleiben kann, die Entscheidung der Gewalt herausgefordert. Europa kann nicht zurück; es hat die Aufgaben zu erfüllen, die ihm seine Begriffe von Kultur vorschreiben. Und der Kampf muß durchgeführt werden, bis es den Chinesen klar geworden ist, daß sie mit Menschenarm in die Speichen des Rades der Weltgeschichte fallen wollen. Sobald die Chinesen sich bereit zeigen, Lehren anzunehmen, werden die Gefühle der Rache bei uns verstummen.

Vossische Zeitung, 29. Juli 1900

In Meßters Kino sehen die Berliner die Verabschiedung des ostasiatischen Expeditionskorps. In Castans Panoptikum wird eine Gruppe aufgestellt, die den Sieg deutscher Seesoldaten im Handgemenge mit chinesischen

Untermenschen vorführt. Die Militärbehörden ordern Khakistoff, Proviant und Schanzzeug. Ende Juli 1900 kleidet man in Berlin die Freiwilligen ein, die nach China gehen:

Der Ausmarsch der Feldbäckerabteilung nach China fand gestern abend unter außerordentlich großer Teilnahme der Einwohnerschaft von Tempelhof statt. Der Befehlshaber der Abteilung, Rittmeister Haegele, hielt eine Abschiedsrede, die mit einem begeistert aufgenommenen dreimaligen Hurra auf den Kaiser schloß. Um 9¾ Uhr marschierte die Abteilung aus dem Tor an der Ringbahnstraße heraus nach dem Tempelhofer Güterbahnhof. Unter den Klängen des „Muß i denn, muß i denn zum Städtele hinaus" ging es an der Kaserne, die mit ihrer ganzen Umgebung in rotem bengalischem Licht erstrahlte, während die Wache salutierte, vorbei durch die Berliner Straße. Auch auf dem Bahnhofe wurde bengalisches Feuer abgebrannt.

Vossische Zeitung, 31. Juli 1900

Zur gleichen Zeit lesen die Berliner des Kaisers „Hunnenrede" – erst in einer gereinigten Fassung des „Reichsanzeigers", immerhin mit den berüchtigten Sätzen „Pardon wird nicht gegeben! Gefangene werden nicht gemacht!" und dann im Wortlaut, den ein Berliner Reporter mitgeschrieben hat:

„Wer Euch in die Hände fällt, sei Euch verfallen! Wie vor 1000 Jahren die Hunnen unter ihrem König Etzel sich einen Namen gemacht, der sie noch jetzt in Überlieferung und Märchen gewaltig erscheinen läßt, so möge der Name Deutscher in China auf 1000 Jahre durch Euch in einer Weise betätigt werden, daß niemals wieder ein Chinese es wagt, einen Deutschen auch nur scheel anzusehen!"

Im Dezember 1900 treffen die ersten, vom „Rachefeldzug" heimkehrenden Marinetruppen auf dem Lehrter Bahnhof ein:

Trotz des unfreundlichen Wetters fanden sich viele Tausende ein, um neben den offiziellen Begrüßungen gleichfalls die Heimkehrenden zu bewillkommnen; die staatlichen und städtischen Gebäude hatten sämtlich Flaggenschmuck angelegt.

Auf dem Lehrter Bahnhof, wo der Zug mit den Marinetruppen um ½1 Uhr einlief, hatte sich der Stadtkommandant von Berlin, Generalmajor von Ende, mit mehreren Offizieren zur Begrüßung eingefunden...

Hinter der Kapelle schritten zwei Fahnenträger mit der „Boxerfahne", der grellen gelb-weiß-rot-blauen chinesischen Fahne, die bei der Eroberung der Takuforts genommen wurde, und der beim Sturm auf die Forts geführten Reichskriegsflagge. Hinter dem Zuge der Matrosen und Seesoldaten wurden die erbeuteten chinesischen Geschütze gefahren, die vom zweiten Garde-Feldartillerie-Regiment bespannt wurden. Der Weg führte über die Moltkebrücke, den Königsplatz und die Siegesallee nach dem Brandenburger Tor, und überall begrüßten brausende Hurrarufe und Tücherschwenken die Chinakrieger auf Berliner Boden...

Um 3 Uhr erfolgte der Vorbeimarsch der Marinetruppen vor dem Kaiser. Nachdem sie darauf, die eroberten Geschütze auf

Der Magistrat empfängt die aus China zurückgekehrten Truppen, 1901

dem linken Flügel, Aufstellung genommen hatten, befahl der Kaiser den Anmarsch der beiden Fahnen vor seine Person. Dann schritt er die Fronten der Kompanien entlang und ließ die Kompanien der Marine bei sich vorbei in den Lichthof einrükken, wo dieselben im Viereck aufmarschierten, die beiden Fahnen vor die Figur der Borussia ...

Hierauf hielt der Kaiser eine Ansprache an die Truppe, in der er nach dem „Berliner Tageblatt" etwa folgendes sagte: „... Niemand unter Euch kann wissen, mit welch hoher Freude die Nachrichten von Euren Siegen aufgenommen wurden, an denen Armee und Marine gemeinsam beteiligt gewesen ... Die Augen des großen Kaisers und Königs, an dessen Denkmal Ihr heute vorbeimarschiert seid, werden heute auf Euch herabsehen. Und Gottes Hilfe, die bisher mit uns gewesen, wird uns auch ferner beistehen." Wie noch gemeldet wird, schloß der Kaiser seine Ansprache mit den Worten: „Wo ich meine blauen Jungen hinsetze, da soll sich kein anderer weiter hinsetzen."

Bis nach 4 Uhr verweilte der Kaiser mit den Truppen im Zeughaus. Dann fand draußen ein Paradenmarsch der Chinakrieger statt.

Freisinnige Zeitung, 18. Dezember 1900

Der Reichskanzler Hohenlohe, der von des Kaisers „Weltpolitik" aus der Tageszeitung erfahren hat, resigniert. „Die ganze chinesische Angelegenheit ist ohne meine Mitwirkung in Szene gesetzt worden; ich habe weder von den Rüstungen, noch von den Truppensendungen, noch von der Ernennung Waldersees zum Oberfeldherrn vorher Kenntnis erhalten." (Hohenlohe, Denkwürdigkeiten/3) Sein Nachfolger wird jener Bernhard von Bülow, der die Forderung nach Neuaufteilung der Welt in die Formel vom „besseren Platz an der Sonne" gekleidet hat.

Stehen wir wieder vor einer neuen Teilung der Erde, wie sie vor gerade hundert Jahren dem Dichter vorschwebte?* Ich glaube das nicht, ich möchte es namentlich noch nicht glauben. Aber

---

* Anspielung auf Friedrich Schillers Gedicht „Die Teilung der Erde", das 1795 in der Zeitschrift „Die Horen" erschien.

jedenfalls können wir nicht dulden, daß irgendeine fremde Macht, daß irgendein fremder Jupiter zu uns sagt: Was tun? die Welt ist weggegeben. Wir wollen keiner fremden Macht zu nahe treten, wir wollen uns aber auch von keiner fremden Macht auf die Füße treten lassen (Bravo), und wir wollen uns von keiner fremden Macht beiseite schieben lassen, weder in politischer, noch in wirtschaftlicher Beziehung. (Lebhafter Beifall) ...

Untätig beiseite stehen, wie wir das früher oft getan haben, entweder aus angeborener Bescheidenheit (Heiterkeit), oder weil wir ganz absorbiert waren durch unsere inneren Zwistigkeiten, oder aus Doktrinarismus – träumend beiseite stehen, während andere Leute sich in den Kuchen teilen, das können wir nicht und wollen wir nicht. (Beifall) ...

Diese Zeiten politischer Ohnmacht und wirtschaftlicher und politischer Demut sollen nicht wiederkehren.

Verhandlungen des Reichstags, 11. Dezember 1899

Berlin – Zentrum der Wissenschaften

Glanzvolle Namen repräsentieren die Berliner Naturwissenschaften in jener Zeit.
Das Universitätsinstitut für Theoretische Physik leitet Max Planck, der 1889 nach Berlin berufen worden ist.
Aus den Erinnerungen des englischen Chemikers James Partington:

Planck wohnte in einiger Entfernung im Grunewald und fuhr mit der Stadtbahn nach Berlin. Sein Zug fuhr oft parallel mit meinem, der von Charlottenburg kam, und ich konnte dann Planck sehen, wie er in einem Abteil, das mit Angestellten und Ladenmädchen gefüllt war, in seinen Notizen zur Vorbereitung der Vorlesung studierte. In der Vorlesung selbst gebrauchte er kein Kollegheft. Er fing damit an, eine einfache Gleichung anzuschreiben, war aber bald mitten in einer Fourier-Entwicklung oder, wie bei der Theorie der Elastizität, einer komplizierten Gleichung, die sich von selbst zu entwickeln schien. Er machte niemals einen Fehler und stockte nie. Sehr selten nahm er seine Notizen heraus, sagte nach einem Blick auf die Tafel „Ja" und steckte sie wieder weg. Er sprach mit ruhiger, verständlicher und angenehmer Stimme; er war der beste Vortragende, den ich jemals gehört habe. Er hatte keine Angewohnheiten, eine einzige ausgenommen: Er legte zwei Kreidestücke in paralleler Anordnung vor sich hin, die er von Zeit zu Zeit umlegte, wenn er nicht schrieb; er hatte ein kleines Pult und ging nicht umher. Die Mathematik an der Tafel war säuberlich und leserlich, selbst wenn deutsche Vektorsymbole verwendet wurden, und in systematischer Ordnung angelegt.

Physikalische Blätter, 4/1948

Max Planck, 1858 geboren, war damals Anfang der Vierzig, er war ein mittelgroßer, blonder Mann mit einem schmalen, im Vortrag kaum bewegten Gesicht: eine randlose goldene Brille vor hellen, zugleich sachlichen und zurückhaltend stillen Augen, ein blonder Schnurrbart, eine ruhige, gedämpfte Stimme... Man hatte im Zuhören das Gefühl, vor einem Manne zu sitzen, der Herr einer geheimnisvollen Welt von Integralen und Differentialgleichungen war, die ihm vertrauter war als uns die unsrige, weil er sie in der Notwendigkeit aller Zusammenhänge als zeitlos Ganzes überblicken konnte, während wir nur jeweils isolierte Bruchstücke vom jeweils eigenen Sein erfassen konnten.

Das war in den Jahren 1901 und 1902. Die Quantenfeststellung lag schon hinter Planck, obwohl die Welt außerhalb des Kreises der nächsten Fachgenossen noch nichts vom Sinn dieser archimedischen Tat ahnte. Auch in den nächsten Jahren blieb sein Name im Hintergrund; die Relativitätstheorie Albert Einsteins interessierte die Gemüter viel mehr als das Plancksche Wirkungsquantum, obwohl von ihr ebensowenig zu erfassen war. Dann und wann tauchte der Name in Erörterungen über die werdende Physik des unendlich Kleinen auf; sein Träger aber blieb, wie es seinem Wesen entsprach, im Hintergrund.

Fechter, Menschen und Zeiten

Im Sommer 1900 versucht Max Planck die Widersprüche aufzulösen, die sich zwischen der Theorie der elektromagnetischen Felder und der Lehre von der Thermodynamik bei den Experimenten Berliner Physiker ergeben haben. Im Oktober 1900 trägt Planck vor der Physikalischen Gesellschaft eine Formel vor, die die Widersprüche nicht beseitigt, aber doch wenigstens auf eine rechnerische Formel bringt. Am 14. Dezember 1900 hält Planck einen zweiten Vortrag vor dem gleichen Kreis, in dem er seiner Formel einen physikalischen Sinn unterlegt: Die Natur macht Sprünge. Die Wirkung physikalischer Kräfte ist im atomaren Bereich nicht stetig, sondern diskret: Energie wird „von gewissen Körpern in meßbaren und zählbaren, allerdings unvorstellbar kleinen Beträgen aufgeschluckt". Das ist der Kernsatz der „Quantentheorie".

Plancks Einsichten bedeuten einen Bruch mit dem Weltbild der klassischen Physik. Sogleich erklären bürgerliche Philosophen, die „Krise der Physik" führe den Materialismus und seine Erkenntnistheorie ad absurdum. Planck aber verteidigt entschieden die materialistischen Positionen, von denen er ausgegangen ist. „Die Sterne würden auch wandeln und die

Max Planck in seinem Arbeitszimmer, 1913

Sonne auch scheinen, wenn es kein menschliches Bewußtsein gäbe." Vom Positivismus vieler seiner Kollegen, vom Verzicht auf die Erarbeitung einer Weltanschauung hält er nichts.

Aus seiner Rede, gehalten beim Antritt des Rektorats der Berliner Universität im Oktober 1913:

Man wähne nicht, daß es möglich sei, selbst in der exaktesten aller Naturwissenschaften, ganz ohne Weltanschauung, das will sagen, ganz ohne unbeweisbare Hypothesen, vorwärtszukommen. Auch für die Physik gilt der Satz, daß man nicht selig wird ohne Glauben, zum mindesten den Glauben an eine gewisse Realität außer uns. Dieser zuversichtliche Glaube ist es, der dem vorwärtsdrängenden Schaffenstrieb die Richtung weist, er allein gewährt der herumtastenden Phantasie die nötigen Anhaltspunkte, nur er vermag es, den durch Mißerfolge ermüdeten Geist immer wieder aufzurichten und zu erneutem Vorstoß anzufeuern ...

Freilich: der Glaube allein tut's nicht, er kann, wie die Geschichte einer jeden Wissenschaft lehrt, leicht auch einmal in die Irre führen und in Beschränktheit und Fanatismus ausarten. Um ein zuverlässiger Führer zu bleiben, muß er beständig an der Hand der Denkgesetze und der Erfahrung nachgeprüft werden, und dazu verhilft in letzter Linie nur gewissenhafte, oft mühsame und entsagungsvolle Einzelarbeit. Kein König der Wissenschaft, der nicht, wenn es darauf ankommt, auch einmal Kärrnerdienste zu leisten fähig und willens ist, sei es im Laboratorium oder im Archiv, in der freien Natur oder am Schreibtisch. Gerade in solchem harten Ringen reift und läutert sich die Weltanschauung.

Planck, Physikalische Abhandlungen

Leiter des Physikalischen Instituts der Universität wird 1906 Heinrich Rubens, dessen Lebenswerk die Erforschung der Strahlungserscheinungen ist. Rubens' Assistenten sind unter anderen James Franck und Gustav Hertz, denen 1913 – in den sogenannten Elektronenstoßversuchen – ein experimenteller Nachweis für die Richtigkeit der Quantentheorie gelingt.

Gustav Hertz berichtet:

Verglichen mit heutigen Verhältnissen waren die finanziellen und sachlichen Mittel des Instituts äußerst bescheiden. In der Institutswerkstatt arbeiteten zwei Mechaniker und zwei Lehrlinge, außerdem gab es noch einen Institutsdiener, der aber hauptsächlich für die Experimentalvorlesung beschäftigt war. Unter solchen Umständen war es selbstverständlich, daß die Physiker ihre Versuchsapparate zum größten Teil mit eigener Hand herstellten und nur für schwierigere Teile die Hilfe der Werkstatt in Anspruch nahmen. Handgeschicklichkeit war damals eine Voraussetzung für erfolgreiche experimentelle Arbeit. Auch einfache Glasbläserarbeiten, wie sie beim Aufbau unserer Vakuumapparatur notwendig waren, haben wir stets selbst gemacht. Zur Erzeugung der Druckluft für die Gebläseflamme diente dabei ein mit dem Fuß betätigter Blasebalg. Nur die größeren oder komplizierteren Versuchsröhren wurden für uns von einem gewerblichen Glasbläser hergestellt ...

Im Institut herrschte in wissenschaftlicher wie in menschlicher Beziehung ein erfreuliches Leben. Alle Mitglieder waren durch das Interesse an der Physik miteinander verbunden, und jeder nahm Anteil an der wissenschaftlichen Arbeit des anderen. Einmal in der Woche fand in der Bibliothek des Instituts ein Kolloquium statt, in welchem über neu erschienene Arbeiten berichtet und diskutiert wurde. Dieses Kolloquium, an welchem auch alle namhaften Physiker aus der Physikalisch-Technischen Reichsanstalt und aus anderen Instituten teilnahmen, bildete damals den Mittelpunkt des physikalischen Lebens in Berlin. Alles in allem kann ich sagen, daß wir das Glück hatten, unter sehr günstigen Bedingungen arbeiten zu können.

Hertz, Fruchtbare Jahre für die Physik

In der Physikalischen Gesellschaft, unter Rubens Vorsitz, berichtet Max von Laue 1912 über seine Versuche, Röntgenstrahlen an Kristallgittern zu brechen. In dem gleichen Raum, in dem Planck seinerzeit die Quantenhypothese vorgetragen hatte, zeigt er seine röntgenfotografischen Aufnahmen, durch die der letzte Zweifel an der realen Existenz der Atome beseitigt wird.

Es war am 14. Juni 1912, hier in diesem Saal, an dieser Stelle, Herr Rubens führte den Vorsitz. Wir waren alle in großer Spannung. Ich erinnere mich noch deutlich der Einzelheiten des Herganges. Als Herr von Laue nach der theoretischen Einleitung die ersten Aufnahmen zeigte, die den Durchgang eines Strahlenbündels durch ein ziemlich willkürlich orientiertes Stück von triklinem Kupfervitriol darstellten – man sah auf der fotografischen Platte neben der zentralen Durchstoßungsstelle der Primärstrah-

Emil Fischer im Labor, 1906

len ein paar kleine sonderbare Fleckchen –, da schauten die Zuhörer gespannt und erwartungsvoll, aber doch wohl noch nicht ganz so überzeugt auf das Lichtbild an der Tafel. Aber als nun jene Figur 5 sichtbar wurde, das erste typische Laue-Diagramm, welches die Strahlung durch einen genau zur Richtung der Primärstrahlung orientierten Kristall regulärer Zinkblende wiedergab, mit ihren regelmäßig und sauber in verschiedenen Abständen vom Zentrum angeordneten Interferenzpunkten, da ging ein allgemeines, nur schwach unterdrücktes Ah! durch die Versammlung. Ein jeder von uns fühlte, daß hier eine große Tat vollbracht war, daß hier durch eine bisher undurchdringliche Wand zum ersten Male ein Loch geschlagen war, welches aus dem bisherigen Dunkel verborgener und quälender Geheimnisse hinaus in die Helle einer neuen Erkenntnis führte und den Blick eröffnete in weite verheißungsvolle Fernen.

Planck, Physikalische Abhandlungen

Emil Fischer, der Pionier der organischen Synthese, richtet in der Hessischen Straße das neue Chemische Institut ein, einen schmucklosen Zweckbau, jedoch an Reichhaltigkeit der Arbeitsmittel von keinem ähnlichen Institut übertroffen.

Als Fischer später bei Errichtung des Kaiser-Wilhelm-Instituts für Chemie noch einmal als Bauberater auftrat, faßte er in der Einweihungsrede seine Ansichten über die beste Ausstattung chemischer Forschungsstätten in folgende programmatische Worte zusammen: „Einfachheit ist der Grundsatz aller Experimentalwissenschaft. Nur wer einfachen und bescheidenen Sinnes sich den großen Wundern der Natur nähert, darf hoffen, in tiefgründiger und ausdauernder Arbeit ihre Rätsel zu lösen. Darum sollen auch die Stätten der Experimentalforschung frei von jedem Prunk, aber ausgerüstet mit allen Hilfsmitteln der fortgeschrittenen Technik ganz auf die ernste, nüchterne Beobachtung eingestellt sein."

Hielt er es selbst doch den ganzen Winter in seiner bescheidenen Dienstwohnung aus, zu der am Tage das Leichenschauhaus hinübergrüßte und an welcher nächtens lichtscheues Gesindel das Elend und die Gemeinheit der Großstadt vorübertrug ...

In dem großen Neubau der Hessischen Straße herrschen als Dominanten Licht und Luft. Wie diesen beiden Erfordernissen: der Beleuchtung auch des abgeschiedensten Winkels und der zuverlässigen Entlüftung jedes Arbeitsraumes bei sparsamster Platzbeanspruchung und zweckmäßigster Disponierung Rechnung getragen wurde, wird sicherlich noch lange für den Bau chemischer Laboratorien vorbildlich bleiben ...

> Am 14. Juli 1900 wurde das neue, hoffnungsumrankte Gebäude eingeweiht.
>
> Hoesch, Emil Fischer

Das Physikalisch-Chemische Institut (das „Zweite Chemische") übernimmt 1910 Walther Nernst. Ihm gelingt hier, im Institut in der Bunsenstraße, die Aufstellung des Dritten Hauptsatzes der Thermodynamik, der für das Auffinden rationeller Technologien in der Chemieindustrie von großer Bedeutung ist.

Nernst ist ein ungewöhnlich produktiver und vielseitiger Wissenschaftler. Für die AEG entwickelt er eine elektrische Lampe, in der ein glühender Körper aus Metalloxid ein gleißendes Licht aussendet. Sie veranlaßt einen Berliner Witzbold zu dem Schüttelreim: „Ob Du auch sitzt beim Schein des Nernst-Lichts, es hilft Dir nichts, mein Sohn, Du lernst nichts."

Zahlreiche Patente und Erfindungen zeigen Nernsts ungewöhnliche physikalische, chemische und technische Phantasie:

Unter den unzähligen physikalischen Apparaten, die seine gewaltige Schülerzahl bei ihren Arbeiten gebraucht hat, fanden sich nur einige wenige Gruppen von solchen, die fertig von den Herstellerfirmen bezogen waren, wie die Meßinstrumente für Strom und Spannung und ähnliche. Fast alles übrige war nach den gerade auftretenden Bedürfnissen in der Werkstatt des Instituts angefertigt, und zwar nicht in schöner polierter Ausführung, sondern nur soweit korrekt, wie es dem Verwendungszweck entsprach. Ich habe als Nernsts Nachfolger im Berliner Institut einen Transformator vorgefunden zur Wandlung von Strom normaler Spannung in solchen von niederer Spannung und großer Stärke. Der Eisenkern war ein Ring von vielen Blumendrähten, durch den dann die Wicklungen der Kupferdrähte mit großer Mühe hindurchgezogen worden sein müssen, das Ganze zwischen zwei Holzleisten montiert – ein ganz mißgestaltetes Gebilde, aber tadellos arbeitend.

Bodenstein, Walther Nernst

Walther Nernst, 1910

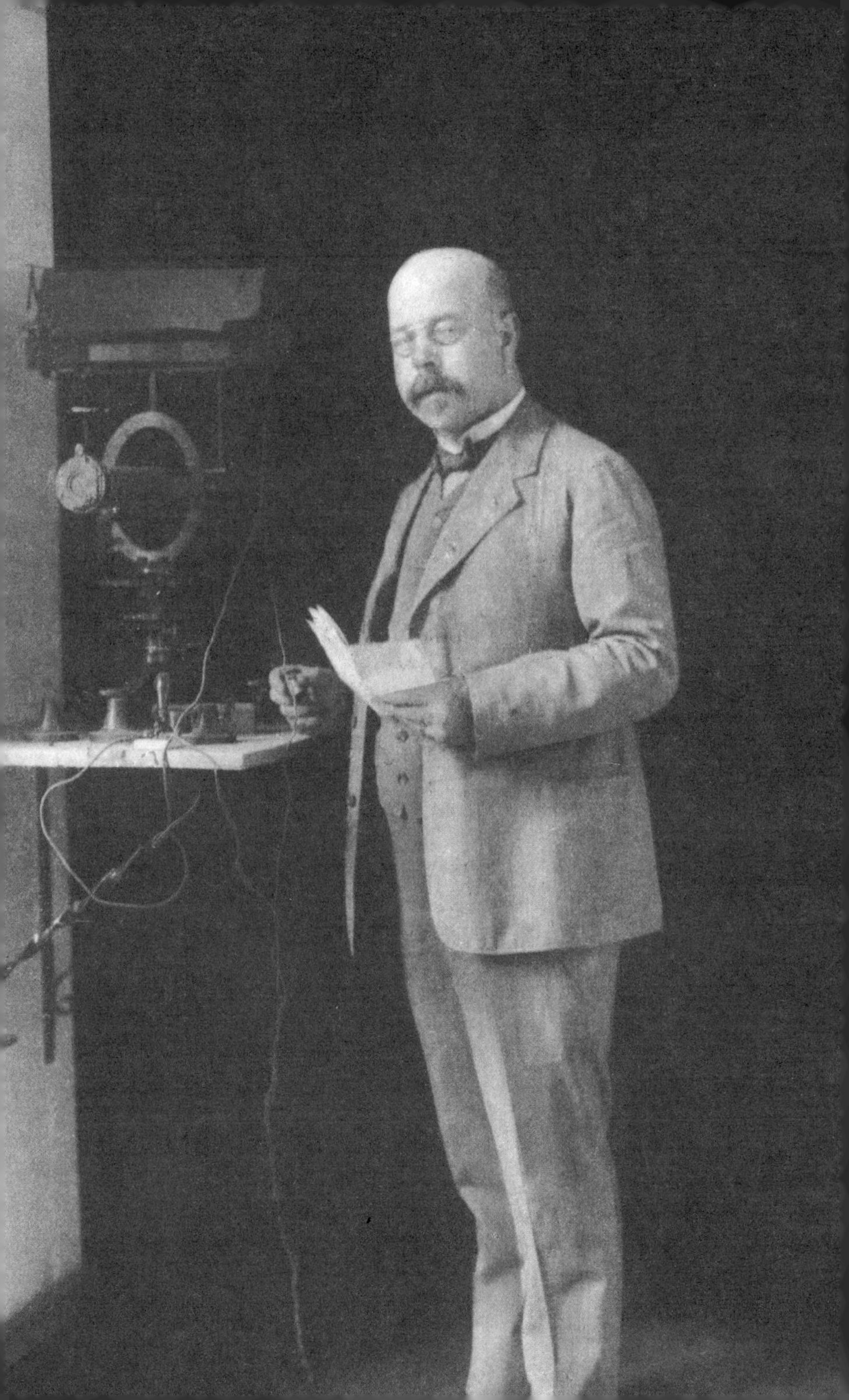

Zusammen mit der berühmten Firma Bechstein hatte er ein Klavier konstruiert, bei dem die Töne der Stahlsaiten nicht durch den hölzernen Schalldeckel, sondern mit elektronischen Verstärkern verstärkt wurden. Hier konnte man außer der Reinheit der Töne deren Intensität im ganzen Bereich von den niedrigsten bis zu den höchsten Noten steuern. Ich kann nicht sagen, daß Nernsts Spiel auf diesem Instrument mir ein ästhetisches Vergnügen bereitet hätte ...

Wie ich bemerken konnte, fand die Berufung des Chemikers Nernst auf den physikalischen Lehrstuhl von Helmholtz nicht das Wohlwollen der anderen Universitätsphysiker, die sich von ihm fernhielten. Selten erschien er im Kolloquium, das der Sammelpunkt der Berliner Physiker war ...

Ohne Nernsts große wissenschaftliche Verdienste in Abrede zu stellen, verzieh man ihm nicht sein offensichtliches Streben nach Karriere, seinen Titel „Exzellenz", den weder Planck noch Einstein und Haber besaßen, und nicht die Million, die er für die „Nernstlampe" einnehmen konnte. Die Nernstlampe war eine Lampe mit einem aus einem Gemisch von Oxiden bestehenden Stift, die sich kommerziell gar nicht bewährte. Auch das Nernst-Bechstein-Klavier erregte Mißfallen. Kurzum, man glaubte, daß Nernst seine wissenschaftlichen Verdienste zu seiner Bereicherung ausnutzte.

Joffe, Begegnungen

Auch andere naturwissenschaftliche Disziplinen weisen bekannte Namen auf: Eduard Buchner, Direktor des Chemischen Instituts an der Landwirtschaftlichen Hochschule, der 1907 mit dem Nobelpreis ausgezeichnet wird; Adolf Engler, Direktor des Botanischen Gartens; Wilhelm Foerster, Direktor der Berliner Sternwarte und Vorsitzender des Internationalen Komitees für Maß und Gewicht; die Geografen Ferdinand von Richthofen und Albrecht Penck und andere mehr.

Die Mathematik vertreten H. A. Schwarz, G. F. Frobenius und F. H. Schottky. Sie genießen nationalen Ruf; dennoch ist die Glanzzeit der Berliner Mathematik bereits vorbei:

Anfang November 1912 fuhr ich fürs Wintersemester ins „preußische Exil" nach Berlin ...

Der wissenschaftliche Ertrag meines Berliner Semesters entsprach nicht ganz den Erwartungen ... Schwarz, Schwiegersohn des berühmten Berliner Mathematikers E. E. Kummer, hatte seine klassischen Resultate in jungen Jahren gefunden und danach so gut wie nichts mehr veröffentlicht; Schottky war ein einseitiger Funktionentheoretiker alten Schlages und ein langweiliger Lehrer; in beider Vorlesungen fand ich nichts Anziehendes. Bei Frobenius, einem der führenden Algebraiker seiner Zeit, der bis ins hohe Alter produktiv blieb, hörte ich die „große" Vorlesung über Algebra. So formvollendet er sie vortrug, litt sie an einem entscheidenden didaktischen Mangel: Sie war so abgerundet und scheinbar allumfassend, daß der Student den Eindruck bekommen mußte, er stehe vor einer Disziplin, die historisch abgeschlossen sei und keine offenen Probleme mehr aufweise, was natürlich dem Tatbestand diametral entgegengesetzt war und ist ...

Seltsam verlief das zweistündige mathematische Seminar, das von den drei Ordinarien gemeinsam gegeben wurde, so daß jeder alle drei Wochen „an die Reihe kam". Frobenius hatte in seinem Alter nicht mehr viel Neigung zu persönlichem Kontakt mit den Studenten, wie ihn ein Seminar eigentlich erforderte. Er stellte daher, um seiner Pflicht zu genügen, in der ersten Stunde eine Reihe so schwerer Probleme, daß er mit Recht erwarten konnte, keiner der Studenten werde ihre Lösung auch nur versuchen; dann gab er statt des „Seminars" eine tiefgehende Vorlesung über einfachere Fälle des Letzten Fermatschen Theorems. Schottky hielt uns einen wenig interessanten Monolog über eigene Arbeiten im Verhältnis zu unpublizierten parallelen Arbeiten von Gauß. Am bequemsten machte es sich Schwarz. Er ließ den Studenten, die dazu Lust hatten, völlige Freiheit, in den Seminarstunden über beliebige Themen vorzutragen. Ich wählte mir, künftige Entwicklungen unbewußt antizipierend, als Thema die Elemente der in Berlin fast unbekannten Mengenlehre und erregte mit meinem zweistündigen Vortrag bei den Studenten lebhaftes Interesse. Der Professor verkündete indes in seinem

Nachwort: Auch er habe von diesen bedenklichen Theorien Georg Cantors gehört, müsse aber die studierende Jugend ernstlich vor ihnen warnen. Damit trat er in die Fußstapfen Kroneckers und nicht in die seines hauptsächlichen Lehrers Weierstraß. Er ahnte nicht, daß wenige Jahrzehnte später die Mengenlehre von der Majorität seiner Fachgenossen als das Fundament betrachtet werden sollte, auf dem die Mathematik in ihrem ganzen Umfang sich aufbaut.

Was die übrigen von mir gehörten Mathematiker der Berliner Universität betrifft, so will ich nur die Vorlesung Issai Schurs über Integralgleichungen hervorheben, vielleicht die beste und tiefstgehende mathematische Vorlesung, die ich je gehört habe. Der Gegenstand war damals kaum ein Jahrzehnt alt und ist eigentlich analytischer Natur, während Schurs Denkweise vornehmlich arithmetisch-algebraisch war. Er wußte aber das Thema von allen Seiten her, zum Teil mit von ihm neu konzipierten Methoden, so tief und umfassend zu behandeln, daß die wenigen Hörer nicht nur ein Kunstwerk genossen, sondern eine vielseitige mathematische Ausbildung davontrugen.

Fraenkel, Lebenskreise

Internationales Ansehen genießen die Vertreter der medizinischen Wissenschaft. Nicht zufällig sind mit Rudolf Virchow und Robert Koch zwei Ärzte Ehrenbürger der Stadt Berlin.

Robert Koch weilt freilich nur noch selten in der deutschen Hauptstadt. Er hat 1904 die Leitung des Instituts für Infektionskrankheiten seinem Mitarbeiter Georg Gaffky übergeben, um in fernen Ländern den Ursachen tropischer Seuchen nachzugehen. Am 27. Mai 1910 stirbt der große Forscher. Seine Asche ruht im Mausoleum des Instituts.

Die für die Bekämpfung der großen Volksseuchen wichtigste Entdeckung jener Jahre wird außerhalb des Kochschen Instituts gemacht. Sie beginnt mit einem Irrtum: John Siegel, Assistent am Zoologischen Institut, hatte im Blut von Syphilis-Kranken bestimmte Protozoen entdeckt und diese als Erreger der furchtbaren Krankheit bezeichnet. Siegels irrtümliche Annahme, in den Veröffentlichungen der Akademie der Wissenschaften abgedruckt, ruft einen öffentlichen Begeisterungssturm hervor.

Köhler, der Präsident des Reichsgesundheitsamts, beauftragt seinen Mitarbeiter Fritz Schaudinn, Siegels Entdeckung zu überprüfen. Dabei findet der junge Parasitologe fast auf Anhieb den wirklichen Erreger der Syphilis.
In der Medizinischen Gesellschaft führt er 1905 seine Entdeckung vor:

Die Mittwochabend-Sitzungen in der Medizinischen Gesellschaft waren meistens gut besucht. Erstens weil man dort wirklich den Fortschritt der medizinischen Wissenschaft erfahren konnte, zweitens weil jeder Arzt diese Sitzungen als Alibi benutzt hat, um von seiner häuslichen Umgebung wenigstens einmal wöchentlich unkontrolliert loszukommen. Der Mittwochabend war der Mediziner-Abend für alle Tanz- und Trinklokale, Varietés und obskuren Etablissements. War das Programm der Gesellschaft nicht sehr anziehend, so hatte sich der Saal sehr bald geleert. Die angekündigte Demonstration über einen neuen Syphiliserreger hatte kein besonderes Interesse erweckt, die Sitzung ist nicht zu einem „Großtag" geworden. Schaudinn demonstrierte in seiner gelassenen, einfachen Weise sein kleines Tierchen, die Quelle so vieler menschlicher Tragödien. In dem großen Amphitheater der Gesellschaft waren auf dem Demonstrationstisch unter vielen Mikroskopen die kleinen, schraubenzieherähnlichen Erreger eingestellt, und jeder der Anwesenden hatte somit die Gelegenheit, sich von der Schaudinnschen Entdeckung zu überzeugen. Doch die Skepsis nach so vielen Enttäuschungen war allzu groß, und das letzte Interesse schwand, als der einzige Diskussionsredner, ein Biologe namens Curt Thesing, behauptete, daß die demonstrierten Gebilde keine speziellen Lebewesen seien, sondern Kunstprodukte, die beim Färben der Präparate als Niederschläge entstünden. Nun war die Sensationslust der ewigen Zweifler und Mißgünstigen erst recht befriedigt. Das Auditorium brach in ein Hohngelächter aus und jubelte dem Vorsitzenden Ernst von Bergmann zu, als er die Diskussion mit den Worten: „Ich schließe die Sitzung bis zur Entdeckung des hundertsten Syphiliserregers" schloß. Thesing wurde gefeiert, während Schaudinn gelassen und mit kühler

Neubauten der Medizinischen Kliniken der Charité, um 1908

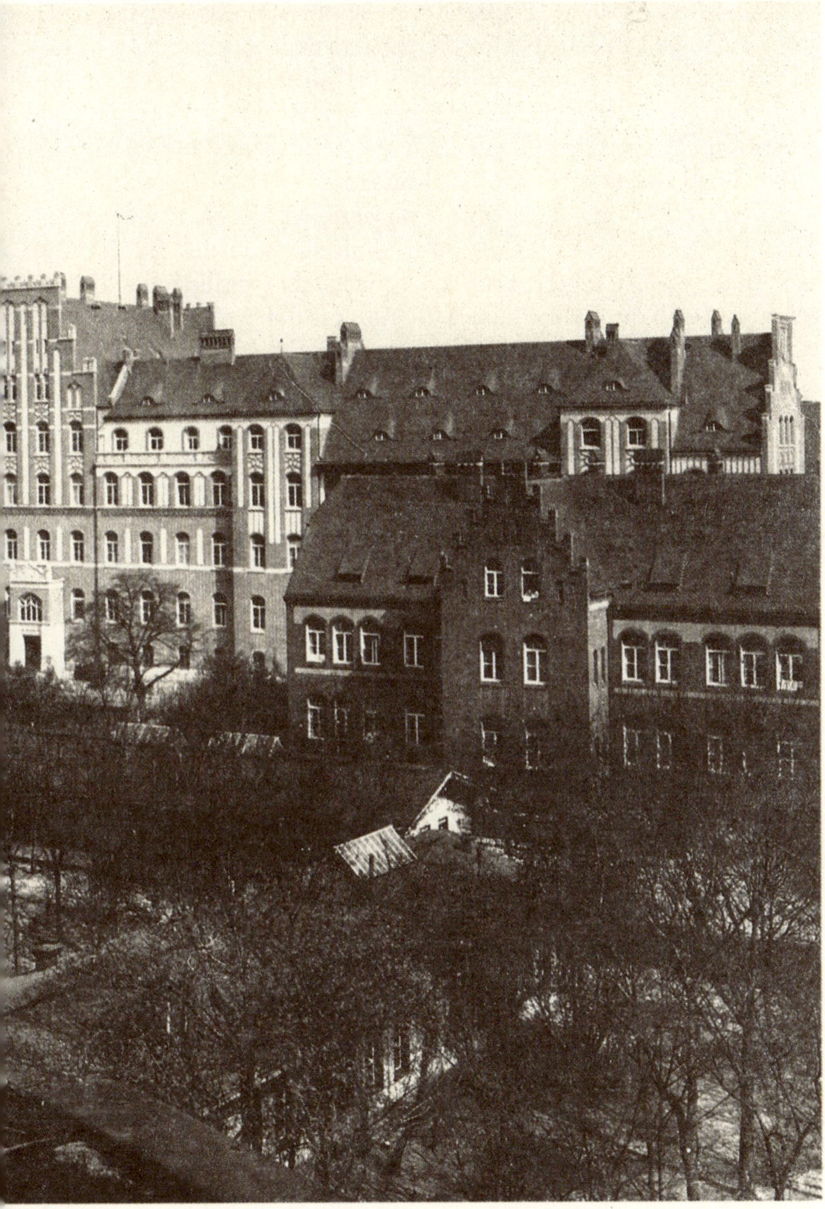

Gleichgültigkeit seine Präparate einsammelte. Als ich ihn über das Mißlingen seines Vortrages trösten wollte, saß ein mitleidiges Schmunzeln um seinen Mund: er fühlte Mitleid für die anderen in dem sicheren Bewußtsein der Richtigkeit seiner Behauptung. Dann sagte er mir: „Sie werden sehen, bald werden es auch die Dummköpfe glauben müssen."

Er behielt recht, denn schon in wenigen Wochen wurde das Kaiserliche Gesundheitsamt zum Wallfahrtsort der Bakteriologen und Syphiliologen, und die Spirochaeta pallida hat in der Welttaufe den wohlverdienten Beinamen Schaudinn erhalten.

Plesch, Janos erzählt

Ein Jahr darauf, im Mai 1906, stellt August von Wassermann, Mitarbeiter am Institut für Infektionskrankheiten, ein Verfahren zur schnelleren Entdeckung der Syphilis vor:

Wassermann war ein glänzender Redner. Er redete frei, während er auf dem Rednerpodium behäbig auf und ab ging, seine Daumen in die Westenärmel eingehakt. Er sprach langsam, jedes Wort betonend, so daß er den Eindruck machte, als ob er seine Gedankenblitze im Moment improvisiert hätte und als ob es den Zuhörern nur zufällig gegönnt wäre, die Stunde seiner Inspiration mitzuerleben.

So war auch der Vortrag, den er in dem Verein für Innere Medizin über die Komplement-Bindungsreaktion hielt, in dem er die Reaktion hauptsächlich zur frühzeitigen Diagnose der Tuberkulose empfahl, ein rednerischer Erfolg. Doch einen Monat später, als die Diskussion über diese Frage angesetzt wurde, ist jede seiner Behauptungen widerlegt worden, und es blieb nichts, aber auch gar nichts von alledem, was er gesagt hat, übrig.

Doch je mehr er bekämpft, ja sogar beschimpft wurde, um so vergnügter wurde sein Gesicht und um so breiter sein Schmunzeln. In seiner summarischen Antwort gegen seine Kritiker war er äußerst nachgiebig, gab jedem einzelnen recht und dankte den Nachprüfern, daß sie sich die Mühe genommen hatten, seine Angaben zu kontrollieren, und klargestellt hätten, daß die von ihm empfohlene Reaktion völlig untauglich sei, Tuberkulose zu diagnostizieren. Auch er habe in der Zwischenzeit die Untauglichkeit der Reaktion festgestellt, aber – und hier holte er mit einem doppelten Spaziergang auf dem Podium aus – dieselbe Komplement-Bindungsreaktion sei von einem unzweifelhaften diagnostischen Wert für Syphilis und zeige diese mit 100 Prozent Sicherheit auch in den ältesten Fällen an.

Das Auditorium war jetzt aber vorsichtiger geworden und quittierte die Ausführungen nur mit einem äußerst reservierten Applaus. Es war nur natürlich, daß sich nun jeder, der mit der Syphilisfrage in Beziehung stand, auf die neue Reaktion stürzte. Nachdem mein Freund Julius Citron sie in großem Stil angewendet und kontrolliert und dabei die Brauchbarkeit bis zur Evidenz erwiesen hatte, setzte die Pilgerfahrt zum Robert-Koch-Institut von allen Ecken der Erde ein. Die W. R. (Wassermann-Reaktion) ist heute ein Haushaltsartikel jeder Klinik in der Welt, ohne den ein klinischer Betrieb undenkbar ist.

Plesch, Janos erzählt

Auch Carl Ludwig Schleich hat es schwer gehabt, die Berliner Autoritäten von seinen Neuerungen zu überzeugen. Der Arzt und Sozialreformer Franz Oppenheimer erzählt, wie Schleich die Lokalanästhesie entwickelt und vorführt. Die Resonanz: „Vernichtendes Schweigen".

Das Verfahren bestand darin, daß man im Unterhautgewebe durch Einspritzen eine Quaddel bildete, die sofort unempfindlich war. Er nahm zuerst schwache Kokainlösungen, aber wir überzeugten uns bald, daß destilliertes Wasser das gleiche leistete: Es war nur der Druck der Flüssigkeit, der die Nervenendigungen leitungsunfähig machte. Seinen ersten Versuch hat er an meinem rechten Unterarm angestellt. Als er, nachdem eine Reihe erst kleiner, dann ganz großer Operationen vollkommen geglückt war, in der Medizinischen Gesellschaft über sein Verfahren berichtet hatte, herrschte vernichtendes Schweigen; niemand glaubte ihm, man meinte, einen Marktschreier vor sich zu haben. Als Virchow, der Vorsitzende, fragte, ob jemand das

Wort wünsche, meldete sich niemand. Es wäre eine schwere Niederlage geworden, wenn es mir nicht, um mit Dehmels Worten aus der „Lebensmesse" zu sprechen, so gegangen wäre wie seinem Helden: „Da riß mich mein Herz vom Platze." Unter eisigem Schweigen der Versammlung betrat ich, ein wenig verlegen, aber in heiliger Empörung über die sich vor meinen Augen vollziehende schwere Unbill und Ungerechtigkeit, das Podium: „Ich habe dem Kollegen Schleich bei den sämtlichen Operationen assistiert und kann seine Angaben nur Wort für Wort bestätigen." Dann schilderte ich unsere Erfahrungen: wie ein Patient bei einer schweren Bauchoperation seelenruhig seine Zigarre geraucht hatte und so weiter. Besonders eindrucksvoll aber war die Schilderung eines charakteristischen Falles. Ein sehr ängstliches Kind wehrte sich verzweifelt gegen die Operation, so daß wir ihm die Chloroformmaske auflegten. Da aber bat es jämmerlich: „Ich will ganz artig sein, Onkel Doktor, nimm nur die schreckliche Maske weg", und es lag völlig ruhig, während wir eine Drüsenausräumung vornahmen, die uns zwischen den großen Halsgefäßen bis auf die Wirbelsäule führte. Plötzlich aber schrie es erbärmlich: „Meine Brust, meine Brust." Erschrocken sah ich nach: eine der gekrümmten Nadeln lag mit der Spitze auf der Haut, ohne sie verletzt zu haben. Man kann aus der übergroßen Empfindlichkeit für diese zarte Berührung ermessen, wie vollkommen schmerzlos die eigentliche Operation verlief.

Franz Oppenheimer, Erlebtes, Erstrebtes, Erreichtes

Die medizinische Fakultät vereinigt eine Schar hervorragender Ärzte.

Unter den Anatomen treten Oskar Hertwig und Wilhelm von Waldeyer hervor. Zu den bekanntesten Chirurgen gehören August Bier und Ernst von Bergmann, Direktor der Chirurgischen Universitätsklinik und, nach Virchows Tod, Vorsitzender der Medizinischen Gesellschaft. Bergmann, der die Asepsis durchsetzt und damit Tausenden Leben und Gesundheit rettet, ist ein begabter Lehrer, zu dessen Vorlesungen sich die studierende Jugend drängt.

Zu den angesehensten Internisten zählen Ernst von Leyden, der Schöpfer und Präsident des Komitees für Krebsforschungen, das 1900 in

Berlin gebildet wird, Friedrich Kraus, Georg Klemperer und Wilhelm His.

Von Ernst von Leyden wird die Anekdote überliefert, wie er einen Kandidaten der Medizin beiläufig fragt: "Wo befinden Sie sich?" Der Kandidat antwortet: "In der I. Medizinischen Klinik." Leyden erwidert: "Beinahe richtig. Aber Sie haben etwas vergessen ... Sie befinden sich an der Ersten Medizinischen Klinik der Welt!"

1903 wird die Kinderklinik unter Johann Otto Leonhard Heubner eröffnet, der zum ersten Inhaber eines Lehrstuhls für Kinderheilkunde in Deutschland wird. (1910 folgt ihm Adalbert Czerny.)

Die Frauenheilkunde vertreten Adolf Ludwig Gusserow, Paul Ferdinand Straßmann und Ernst Bumm. Erstaunlich immerhin, was der Arzt Walter Stoeckel über seine ersten Eindrücke von den Arbeitsbedingungen Berliner Gynäkologen schreibt:

Mich hatte Berlin angesteckt – vom ersten Tag an, als ich an dem Herbstmorgen im Jahr 1904 am Bahnhof Friedrichstraße ausgestiegen war. Die ersten Eindrücke waren umwerfend. Ich fühlte mich im siebenten Himmel – und fiel aus allen Wolken, als ich die gynäkologische Poliklinik der Charité betrat.

Der größte Schweinestall, dem ich jemals unter dem Titel eines ärztlichen Instituts begegnet bin, hier war er – in einer Privatwohnung im ersten Stockwerk des verwitterten Hauses Luisenstraße Nr. 51. Fünf Zimmer in einem unglaublichen Zustand, mit einer Ausstattung, die jeder Beschreibung spottete. Die Tapeten hingen in breiten, schmutzigen Fetzen von den Wänden herab. Als Klosett diente ein gewöhnlicher, offener Eimer, der im Wartezimmer hinter einem niemals gereinigten, durch Dreck steif gewordenen Vorhang stand. Eine Wasserleitung gab es nicht, das Wasser zum Waschen und Spülen wurde auf einem kleinen Gaskocher gekocht. Nirgendwo Linoleum auf den halb vermoderten Dielen. Kein Zimmer für Ärzte ...

Zum Glück zog die gynäkologische Poliklinik, deren Leitung ich übernahm, zum Alexanderufer um, in ein gerade fertiggestelltes Gebäude, dessen Inneneinrichtung ich nach eigenem Ermessen vornehmen konnte. Auch die Renovierung der

Frauenklinik hatte auf Bumms Betreiben begonnen. Die gynäkologische Station und der Hörsaal entstanden in frischem Glanz. Man durfte aufatmen. Frau Zimpel allerdings, die ich aus dem Schweinestall in der Luisenstraße mit ans Alexanderufer als Hilfskraft übernahm, bedauerte lebhaft den Abschied von der alten Stinkbude. Moderner Komfort lag ihr nicht, „dort drüben" war doch alles „viel gemütlicher". Sie hat sich bei mir dann schleunigst umstellen müssen.

Der ersten kalten Dusche in Berlin folgte sogleich die zweite: meine Amtseinführung. Den Vorschriften entsprechend hatte ich bei meiner „Um-Habilitation" eine offizielle Probevorlesung zu halten. Ich war darauf gefaßt, sie wie in Erlangen in einem feierlichen Rahmen zu absolvieren, und als mich im Senatszimmer der Friedrich-Wilhelm-Universität zwei in großem Ornat steckende Pedelle abholten, um mich in die Aula zu geleiten, fühlte ich Ergriffenheit und freudige Erwartung in mir. Trüb dämmerte der Novembertag, drückende Finsternis verhüllte die Aula, in der ich keinen Menschen erkennen konnte; nur auf dem Katheder flackerten in zwei hohen Kandelabern Kerzen. In deren traulichem Schimmer bemerkte ich eine Gestalt im Professorentalar, die auf der vordersten Bank mehr lag als saß. Es war der Dekan der medizinischen Fakultät, der pathologische Anatom Orth, Nachfolger von Rudolf Virchow. Außer Orth gewahrte ich niemand mehr, und als ich mich an die Dunkelheit gewöhnt hatte, sah ich, daß die große Aula völlig leer war.

Berlin – du Ziel meiner Träume ...

Stoeckel, Erinnerungen

Patienten aus aller Herren Länder konsultieren die Berliner dermatologischen Spezialisten. Den „Betrieb" in den zahlreichen Privatkliniken rings um die Charité beschreibt Fritz Munk in seinen Erinnerungen an das medizinische Berlin:

Einen täglich auffallenden Glanz ins Klinikviertel brachte der berühmte Dermatologe Oskar Lassar, wenn er selbst sein hochelegantes Schimmelgespann von seiner Wohnung im Tiergartenviertel nach seiner Klinik in die Karlstraße lenkte. Als diese Erscheinung gehörte Lassar zum Bilde des medizinischen Berlins. Auch die Aufmachung seiner Klinik überragte damals alle übrigen ähnlichen Einrichtungen ...

Als Leiter seiner Klinik widmete er sich nebenher im Reichsgesundheitsamt auch hygienischen Fragen; insbesondere galt sein Interesse den städtischen Desinfektionsanstalten. Er war Gründer und Förderer der Volksbäder in Berlin. Die „Lassarschen Volksbrausebäder" wurden eine Wohltat für die Bevölkerung Berlins ...

In der Ziegelstraße ... bot die Poliklinik des Dermatologen Max Joseph das Gegenstück zur Lassarschen Pracht. Schon im Hausflur mußte man sich durch die Menge der Patienten hindurchdrängen, die zur „Sprechstunde für Hautkrankheiten bei Männern" in den drei primitiven Räumlichkeiten im Hochparterre herbeigekommen waren ... Die Organisation zur möglichst schnellen Bewältigung der großen Krankenzahl, bei der zudem jeder Kursist und Famulus jeden Kranken sehen und daran lernen sollte, war raffiniert ausgeklügelt. Auf einem gefährlich kleinen Podium stand Joseph. Neben ihm, an einem Tisch, in dessen Mitte ein großes Stempelkarussell mit den Rezeptvorschriften stand, saßen drei buchführende Famuli so, daß sie die vorgestellten Patienten sehen konnten. Um den Lehrer herum standen die jeweils zugelassenen sechs Kursisten zur gleichen Möglichkeit gruppiert. Dann ging es los. Vor Joseph trat der Patient. Der Lehrer sprach fortlaufend in drei Stimmlagen. Die höchste galt der Befragung des Patienten, die zweite dem belehrenden Vortrag für die Kursisten, der Erörterung der Diagnose und der Therapie, die dritte, flüsternde den Famuli zur Anweisung für die Notizen und die Wahl des zu verschreibenden bzw. zu stempelnden Rezeptes. Mit diesem Rezept in der Hand wechselte er wieder in die höchste Stimmlage zu näheren Angaben für den Patienten über den Gebrauch des Mittels. In einem Nebenraum waren der Assistent und eine Anzahl Wärter tätig zur Ausführung der nötigen antisyphilitischen Spritzen oder Harnröhrenspülungen, Prostatamassagen, Verbände usw. Alles ging sans gêne*, und kein Fußbreit Platz in dem bedrängten Raum blieb unbenützt.

Munk, Das Medizinische Berlin

In der Friedrichstadt, in der Zimmerstraße, praktiziert einer der umstrittensten Berliner Ärzte: Ernst Schweninger, Propagandist einer „natürlichen Heilkunde", einst Bismarcks Leibarzt, dann Chefarzt im Krankenhaus Groß Lichterfelde – und noch immer ein gesuchter Modearzt:

Ich erhielt meinen Platz in einem kleinen Ecksalon seiner Wohnung, in der Zimmerstraße, so daß ich alles hören konnte, was er mit seinen Patienten sprach. Wenn er ein herrisches „Bitte" rief, trat ich herein und schrieb auf einen großen Notizblock die wunderlichen Diätmaßnahmen auf, die er zu verordnen pflegte, wobei ich Gelegenheit hatte, mir die ausnahmslos den Kreisen der Diplomatie und der höchsten Geburts- und Geldaristokratie angehörenden Besucher flüchtig anzusehen. Dann verschwand ich wieder hinter dem Vorhang. Es fiel mir auf, daß ich niemals etwas von Bezahlen gesehen oder Geld habe klimpern hören. Es mußte sich das wohl anders als in üblicher Form der Bezahlung unmittelbar nach der Konsultation abgespielt haben. Übrigens soll er trotz des großen Zulaufes nicht reich geworden sein ... Sein erster Assistent bewohnte in der Voßstraße eine große, köstlich ausgestattete Wohnung und verdiente erheblich mehr als sein Meister, dessen Patienten er zwar nach Schweningers Methoden, aber im wahrscheinlich bewußten Gegensatz zu ihm mit ausgesuchter Höflichkeit behandelte. Man konnte also bei ihm „schweningern", ohne der fürchterlichen Grobheiten teilhaftig zu werden, die Schweninger für die Würze seiner Kuren hielt und die in der Tat auch auf viele seiner Patienten und namentlich Patientinnen ausgezeichnet wirkten. Er verbot, was damals ein unerhörtes Wagnis war, das Korsett. Ich hörte ihn selbst mehrmals Damen der Berliner Gesellschaft mit den Worten die Tür weisen: „Wenn Sie mir den Gefallen nicht tun wollen,

* ohne Scham

das Korsett wenigstens während meiner Behandlung fortzulassen, bleiben Sie ganz fort! Ich habe genug Patienten ohne Sie und Sie genug Ärzte außer mir!" In solchen Fällen rührte ihn dann kein Bitten mehr. Die Damen mußten hinaus und konnten sich höchstens bei seinen Assistenten in Behandlung begeben.

Sein Hauptmittel war die Verwendung des heißen Wassers ohne jeden Zusatz. Es gab kaum eine Krankheit, bei der nicht ein oder mehrere Körperteile täglich einige Male in heißes Wasser gesteckt werden mußten... Das eigentliche Rückgrat der Schweningerschen Kuren jedoch bildeten die Diätverordnungen, die er bezüglich Essen, Trinken und Schlafen seinen verwöhnten Patienten auferlegte. Sie beruhen lediglich auf Intuitionen und kaum irgendwie auf einer wissenschaftlich haltbaren Grundlage. Immer aber zeugten sie von einer genauen Beobachtung der fehlerhaften Gewohnheiten der feudalen Welt, die ihm ihre korpulenten Männer und ihre nervösen Frauen in die Sprechstunde sandte. Er behandelte eben den Gesamtmenschen und nicht, wie damals üblich, lediglich die sedes morbi*. Dadurch ist er zum Vorläufer der Konstitutionspathologie geworden, und zwar zu einer Zeit, in der Virchow mit seiner Überbetonung der sedes morbi noch im Mittelpunkt der gesamten Medizin stand... Wäre Schweninger ein vorsichtiger, besonnener Mann gewesen, so hätte seine Begabung hingereicht, ihn schon damals zum Begründer einer wissenschaftlich haltbaren Lehre von der Bedeutung der allgemeinen Körperkonstitution und ihre Beeinflussung durch physikalische Heilmethoden machen zu können. Leider neigte er gar zu sehr zu den Verblüffungskuren des Wunderdoktors, gefiel sich in überheblichen Renommistereien und entgleiste aus Eigensinn in Fällen, bei denen eine Operation oder die von ihm streng verpönten Arzneimittel sichere Heilung gebracht hätten. Halb Genie und halb Scharlatan, so ist er in die Geschichte der Medizin eingegangen...

Grotjahn, Erlebtes und Erstrebtes

* die Sitze der Krankheit

Wenn man den Fremdenführern glauben will, so ist Berlin „die gesündeste Stadt Europas". (Ich weiß Bescheid in Berlin)
Stolz weisen Magistrat und Stadtverordnete auf eine Fülle moderner Einrichtungen der Hygiene hin — auf das Reichsgesundheitsamt (Präsident bis 1905 Köhler, von 1905 an Bumm), auf das Kochsche Institut für Infektionskrankheiten (das 1900 seinen Neubau am Nordufer bezogen hat), auf das Hygienische Institut der Universität (unter Rubner, 1904 Neubau in der Hessischen Straße), auf die Impfanstalt, auf die modernen Grundwasserwerke am Tegeler See und in Friedrichshagen (1900 bzw. 1904 erbaut), auf die Volksbadeanstalten, auf die neuen Heimstätten für Tuberkulosekranke und anderes mehr. An der Medizinischen Fakultät beginnt der junge Arzt Alfred Grotjahn mit Vorlesungen über Sozialhygiene. Auf dem Gelände der alten Charité läßt der Ministerialdirektor Friedrich Althoff ein Dutzend neue Kliniken und Institute errichten, die mit modernen Laboratorien und Operationsräumen ausgestattet sind. Um dem Mangel an städtischen Krankenhausbetten abzuhelfen, errichtet Berlin selbst Krankenanstalten in Buch und ein auf dreitausend Patienten berechnetes, nach Rudolf Virchow benanntes Krankenhaus in Moabit.
Unentgeltliche Behandlung ist allerdings in den städtischen Krankenhäusern unbekannt:

Alle Patienten zahlen 2 Mark 50 Pfennig pro Tag. Einzelzimmer werden nicht besonders angerechnet, die Kranken werden nur dann in solche gebracht, wenn sie größerer Ruhe bedürfen. Für die Einheimischen entrichten die Gemeinden zwei bis drei Mark im Tag. Im allgemeinen sind die Arbeiter darauf bedacht, ihre Verpflegung zahlen zu können, um ihr Wahlrecht nicht zu verlieren, denn Unterstützte gehen dieses Rechtes verlustig. Aber die Krankenkassen, denen alle Lohnarbeiter angegliedert sind, erleichtern den Armen den Krankenhausaufenthalt.

Von den Dienstboten scheint man anzunehmen, daß sie die 2 Mark 50 Pfennig pro Tag leisten können. Ein Kindermädchen, das 25 Mark monatlich verdient, kann nicht unentgeltlich aufgenommen werden. In den ersten vier Wochen ist ihr Dienstherr verpflichtet, für sie zu zahlen, nach diesem Termin hat sie die Kosten aus eigener Tasche zu bestreiten.

Ein Assistenzarzt erzählte mir, daß ihm eines Tages eine Kranke, die er weinend getroffen und nach dem Grunde dieser Tränen gefragt habe, zur Antwort gab: „Ich habe heute früh die Meldung erhalten, daß die Armenverwaltung Beschlag auf meine Möbel gelegt habe, die nun verkauft werden, wenn ich meinen Aufenthalt hier nicht bezahlen kann."

Huret, Berlin

Bei allen Fortschritten im einzelnen – die öffentliche Gesundheitspflege überschreitet selten den Rahmen dessen, was zum Schutz von Leben und Gesundheit der Besitzenden nötig ist. Das gilt auch für den Kampf gegen die Säuglingssterblichkeit, die in den Proletarierviertln ungleich mehr Opfer fordert als in den wohlhabenden Gegenden Groß-Berlins:

Während die offizielle Statistik die Säuglingssterblichkeit für Berlin auf 18,1 Prozent beziffert, stand sie im reichen Tiergartenviertel auf 5,2 Prozent, auf dem Wedding, dem armen Proletarierquartier, auf 42 Prozent. Eine achtfache Verschlechterung für die Kinder der Armen! 1905 starben in den westlichen arbeiterfreien Vororten Berlins durchschnittlich 15,06 Prozent, im heißen Monat August sogar 27,8 Prozent; dagegen in den östlichen Vororten mit überwiegender Arbeiterbevölkerung 23,76 Prozent, im August 62,52 Prozent sämtlicher Lebendgeborenen im Säuglingsalter ...

Es ist eine gedankenlose Phrase zu sagen, der Sensenmann kenne keine Rücksicht der Person. Tatsachen beweisen, daß er gegen die Armut härter und rücksichtsloser ist als gegen den Besitz. Das reiche Kind verschont er, während er die Armen in Schwaden niedermäht. In den aristokratischen Familien Deutschlands sterben nach Ellen Key von 1000 Kindern jährlich etwa 57; in Berlins armer Bevölkerung dagegen 345. Der adlige Sprößling hat also sechsmal so gute Chancen, am Leben zu bleiben, als der proletarische.

Rühle, Das proletarische Kind

Straßenszene, 1906

Es ist kein Zufall, daß der 50. Gründungstag des Vereins Deutscher Ingenieure 1906 in Berlin begangen wird. Berliner Ingenieure und Technikwissenschaftler sind führend bei der immer intensiveren Verwandlung der Naturwissenschaften in eine industrielle Produktivkraft. Eine Auswahl aus Dutzenden von Namen: der Fototechniker Ottomar Anschütz; der Elektroingenieur Friedrich Dolezalek; der russische Pionier der Drehstromtechnik M. O. Dolivo-Dobrowolski, der die Elektroapparatefabrik der AEG in ein hochmechanisiertes Unternehmen verwandelt; der Pionier der Kinematographie Oskar Meßter; der Fotochemiker Adolf Miethe, der bis dahin unerreichte Farbaufnahmen herstellt und reproduziert; August Riebe, der das Kugellager vervollkommnet; Hermann Rietschel, der die moderne Klimatechnik begründet; und schließlich Alfred Wilm, der für die Deutsche Waffen- und Munitionsfabriken das Duralumin erfindet.

Ein Beispiel für das Tempo, mit dem wissenschaftliche Forschungen

in die Praxis Eingang finden, bietet die Entwicklung moderner Nachrichtenmittel.
1902 gelingt es Ernst Ruhmer, von einem auf der Havel kreuzenden Boot aus gesprochene Worte über sieben Kilometer hinweg drahtlos ans Ufer zu übertragen.

Ein Akkumulatorenboot fuhr über den See hin und trug eine kräftige elektrische Bogenlampe an Bord, die in einem großen Parabolspiegel stand. Weithin glitt der blendende Lichtkegel über die Seefläche. Es schien das gewöhnliche Bogenlicht zu sein, das da gleichmäßig dahinfloß. Kein Auge sah ihm irgend etwas Besonderes an. Und dennoch zuckte dieser Strahl wohl fünfhundertmal in jeder Sekunde im Rhythmus der Worte, die ein Mann im Boote in das Mikrofon sprach. Am Ufer aber stand ebensolch Parabolspiegel und trug in seinem Brennpunkt eine lichtempfindliche Selenzelle. Ein Telefon war mit dem Spiegel verbunden, und jedes Wort, was viele Kilometer entfernt der Mann auf dem Boote sprach, wurde hier deutlich gehört, sobald nur das Lichtbündel vom Boote her den Spiegel traf. Immer weiter wurden die Entfernungen genommen. Schließlich stand der empfangene Spiegel auf dem Karlsberg, während das Boot an der Pfaueninsel kreuzte, die Verbindung jedoch blieb gut und wurde keinen Augenblick unterbrochen.

Dominik, Technisches aus Groß Berlin

Für die AEG erforscht Slaby die Möglichkeiten des Einsatzes der Hochfrequenztechnik für die drahtlose Übertragung von telegrafischen Signalen. Der Siemenskonzern stützt sich auf die Entwicklungen des späteren Nobelpreisträgers Karl Ferdinand Braun. Das zeitweilige Gleichgewicht der ökonomischen Potenzen beider Konzerne und das lebhafte Interesse der Militärs an der neuen Kommunikationstechnik sind der Grund dafür, daß der Wettlauf der konkurrierenden Systeme schon 1903 abgebrochen wird:

Der Kaiser protegierte Slaby; Rathenau war bei ihm persona grata, und als dieser daher eines Tages eine Besprechung mit

Wilhelm von Siemens über die Möglichkeit eines Zusammengehens mit der Erzählung eröffnete, der Kaiser habe ihn soeben auf einem Spazierritt im Tiergarten gestellt und, von der beabsichtigten Verhandlung unterrichtet, sehr befriedigt geäußert, er wünsche einen Bericht über das hoffentlich positive Ergebnis, so bedeutete das einen Druck, dem zu widerstehen schwierig war ...

So kam nach einigem Hin und Her am 27. Mai 1903 ein Vertrag auf 25 Jahre zwischen der AEG und der „Gesellschaft für drahtlose Telegrafie System Professor Braun und Siemens & Halske" zustande ... Es war damals schon üblich, zusammengesetzte Wortbildungen als Telegrammadressen zu benutzen; die neue Gesellschaft wählte als solche „Telefunken", und obschon Wilhelm von Siemens das Wort als sprachliche Mißgeburt heftig bekämpfte, wurde es mit dem rasch wachsenden Ansehen des neuen Unternehmens schnell populär.

Siemens, Der Weg der Elektrotechnik

Geschäftsführer der Firma Telefunken wird Slabys Assistent Georg Graf von Arco, über dessen Eigenarten als Organisator des naturwissenschaftlichen Fortschritts zahlreiche Anekdoten im Umlauf sind.

Der Norweger Karl Holmvang erzählt über die Erfahrungen, die er beim Grafen Arco macht:

Er war immer und überall zugegen. War man beispielsweise im Senderlaboratorium mit Versuchen über einen Funkeninduktor beschäftigt und selbst darüber im Zweifel, ob man eine dünnere oder dickere Leitung zwischen den Sekundärklemmen und der Entladestrecke anbringen sollte, so konnte man durch den Grafen mit den fatalsten Fragen überrascht werden, wie etwa dieser: „Glauben Sie nicht, daß es besser wäre, einen stärkeren Draht zu wählen?" Wehe dem armen Teufel, der in diesem Falle auf den Leim ging und auf die dickere Leitung riet! Dann gab es immer eine Explosion!

Die Resonanz haben wir damals häufig dadurch ermittelt, daß wir auf den stärksten Schlag achteten, den der Finger bei der

Spuleneinstellung bekam. Es war daher für uns bereits ein Fortschritt, als wir die Slabystäbe erhielten, mit denen wir in der Dunkelkammer feine Illuminationen hervorbringen konnten. Wenigstens waren wir nun bei Resonanzabstimmungen nicht mehr so sehr auf die elektrischen Schläge angewiesen und konnten unsere Finger schonen!

Endlich war der große Tag gekommen, an dem wir die Laboratoriumsversuche im Freien praktisch verwerten konnten. Wir zogen damals mit unserem Hammerinduktor, der Leydener Flasche und der Funkenstrecke nach einem auf der Rückseite des Polizeipräsidiums gelegenen Hintergebäude. Auf der anderen Seite des Hauses, im Abstand von etwa 30 Meter über den Jüdenhof hinweg, war die Empfangseinrichtung, bestehend aus dem Fritter mit dazugehörigen Relaisanordnungen, untergebracht. Um diesen Apparat betriebsfähig zu erhalten, mußte man fast dauernd mit einem Fingerknöchel darauf klopfen. Erwartete man dagegen Empfang, so hieß es den Atem anhalten und sich auf Zehenspitzen stellen. Sowohl auf der Sender- wie auf der Empfängerseite war eine Holzstange aus dem Fenster gesteckt worden, die an ihrem Ende ein Drahtgeflecht von etwa $\frac{1}{2}$ Quadratmeter als Antenne trug. Der Erdanschluß war direkt an der Wasserleitung befestigt. Die drahtlose Verständigung wurde auf geniale Weise dadurch eingeleitet, daß wir die Fenster öffneten und uns gegenseitig anriefen. Nach Verlauf von mehr als drei Wochen, nach vielen, vielen mühsamen Stunden und mancher schlaflosen Nacht konnten wir die ersten Zeichen übertragen. Mit stolzem Gefühl benachrichtigten wir nun Graf Arco von dem Erreichten. Als er sich jedoch von unseren Leistungen überzeugen wollte, mochten die Apparate absolut nicht arbeiten. Einen Grund konnten wir nicht erkennen; wahrscheinlich waren sie müde geworden. Graf Arco setzte uns eine Frist von 24 Stunden. Wenn dann die Verbindung nicht zustandegebracht wäre – – –! Gott sei Dank verlief doch noch alles in bester Ordnung. Es war eine glückliche Stunde und unser schönster Lohn!

Nairz, Aus vergangenen Tagen

Für Telefunken erprobt Wilhelm Schloemilch, ob man nicht die elektromagnetischen Schwingungen, die von Lichtbögen ausgehen, für eine Telefonie ohne Draht benutzen kann. An die erste öffentliche Vorführung der neuen Erfindung erinnert sich Graf Arco:

Wieder war es Schloemilch, der, ohne sich mit der technischen Leitung von Telefunken weiter zu besprechen, den Versuch machte, ungedämpfte Lichtbogenschwingungen durch ein in die Antenne geschaltetes Mikrofon im Rhythmus und in der Dosierung der Sprache zu beeinflussen, oder, wie wir uns heutzutage ausdrücken, zu modulieren. Zunächst wurden in das Mikrofon Zahlen und Eigennamen hineingesagt oder besser: hineingeschrien, und der Empfang konnte schließlich als brauchbar bezeichnet werden. Nun ging Schloemilch von einigen Metern auf vier Kilometer Entfernung, indem er den Sender an seinem bisherigen Orte, Tempelhofer Ufer 9, beließ, den Empfänger aber im Verwaltungsgebäude der AEG, damals Schiffbauerdamm 24, aufstellte. Dieser Versuch glückte ebenfalls. Jetzt hörte auch ich von jenen Vorgängen und bat Schloemilch dringend, von solchen brotlosen Experimenten Abstand zu nehmen, da Telefunken Wichtigeres zu tun habe als eine derartige Telefonspielerei. Nachdem ich mich aber selbst überzeugt hatte, wie deutlich jedes am Tempelhofer Ufer gesprochene Wort noch am Schiffbauerdamm zu verstehen war, ließ mein Widerstand eben nur um so viel nach, daß ich in die Aufstellung des Empfangsapparates, weitere 40 Kilometer entfernt, in der damals gerade in ihren ersten Anfängen stehenden und in provisorischer Weise hergerichteten Großstation Nauen einwilligte. Zu meiner höchsten Überraschung war auch hier noch die Verständlichkeit vorhanden. Darauf wurde beschlossen, dies den deutschen Behörden vorzuführen, und zwar in erster Linie dem Reichspostministerium. Der damalige Staatssekretär Sydow erschien, und so konnte denn der historische Versuch in seiner Gegenwart sowie derjenigen des Altmeisters Slaby und hoher Postbeamten etwa am 15. Dezember 1906 steigen. Wie die „Berliner Neuesten Nachrichten" vom 16. Dezember mitteilten, sprach der Staatssekretär als erster in den Apparat und eröffnete somit eine neue

Ära der Telefontechnik. Er rief in das Mikrofon mehrfach die Frage hinein: „Was sagen Sie zur Reichstagsauflösung?" ...

Das Resultat der Vorführung war, daß Herr Schloemilch den Kronenorden bekam und ich als Direktor der Gesellschaft den Roten Adlerorden mit der Krone. Ich war hierüber etwas bestürzt, denn, wenn ich ganz offen sein soll, ich hatte das Gefühl, daß ich die Dekoration erhalten habe, weil ich Herrn Schloemilch nicht noch energischer an der Fortsetzung seiner Experimente gehindert hatte.

Nairz, Aus vergangenen Tagen

1907 gelingt mit Hilfe von Selenzellen die erste telegrafische Übermittlung einer Fotografie zwischen München und Berlin: „Nicht lange mehr dürfte es dauern, bis die großen Zeitungen sich alltäglich aus den fremden Hauptstädten Bildtelegramme ebenso regelmäßig zusenden lassen, wie es heute mit den Nachrichtentelegrammen geschieht." (Fürst, Weltreich der Technik/1)

Ja selbst das elektrische Fernsehen wird schon ernsthaft unter Berliner Fachleuten erörtert – mit einer Sicherheit in der Prognose der anzuwendenden Technik, die erstaunen läßt.

Zunächst wird es sich beim elektrischen Fernseher ebenso wie beim menschlichen Auge darum handeln, Lichteindrücke mit irgendwelchen Mitteln in korrespondierende Sprache umzusetzen. Da wäre an erster Stelle das Selen zu nennen, jenes wunderbare chemische Element, welches seinen elektrischen Widerstand abhängig von der jeweiligen Belichtung ändert und daher bisweilen das elektrische Auge genannt wird. In der Tat hat das Selen in der Fernfotografie zu großen Erfolgen geführt. Es braucht nur an die Fototelegrafie des bekannten Erfinders, des Professors Arthur Korn, erinnert zu werden, bei welcher mit Hilfe der Selenzellen ein Bild in Kabinettformat im Laufe von zwölf Minuten auf einen lichtempfindlichen Film der Empfängerstation sehr genau übertragen wird. Aber der gewaltige Unterschied ist der, daß man hierbei vielleicht zwölf Minuten Zeit braucht, um alle einzelnen Punkte des Bildes von der Geber-

Nach dem Weltrekord: der Versuchstriebwagen von Siemens, 1903

station nach der Empfängerstation zu senden, während das bei einem brauchbaren Fernseher im Laufe einer zehntel Sekunde geschehen muß, wenn wirklich für das menschliche Auge eine getreue Kopie des Bildes geschaffen werden soll. Für solche Geschwindigkeiten erscheint die Selenzelle viel zu träge ...

Aber noch eine andere Anordnung steht zur Verfügung und ist auch bereits für den Fernseher vorgeschlagen. Es ist wohlbekannt, daß ein Kathodenstrahl, der aus einer Röntgenröhre auf einen Fluoreszenzschirm fällt, diesen zum Leuchten bringt. Kathodenstrahlen aber sind durch elektrische Ströme und Magnete beeinflußbar. So kann man einen einzigen haarfeinen Strahl nach allen Richtungen hin über den Schirm, bald stärker, bald schwächer wirkend, hin- und herzucken lassen, und wenn der in einer zehntel Sekunde alle Punkte des Schirmes bearbeitet, muß das Bild der anderen Station in leuchtenden Farben auf dem Schirm stehen ...

Es ist erstaunlich, wieviel Reichtum an Geist und Ideen auf

das Problem verwendet werden. Bis jetzt ohne das gesteckte Ziel zu erreichen. Aber es steht wohl zu hoffen, daß die aufgewendete Arbeit nicht verloren ist, sondern über lang oder kurz ihre Früchte tragen wird.

Dominik, Elektrisches Fernsehen

Eine wichtige Rolle bei der Durchsetzung des technischen Fortschritts spielen die Technische Hochschule in Charlottenburg, die als erste technische Hochschule der Welt den Titel „Doktor-Ingenieur" verleiht, die Physikalisch-Technische Reichsanstalt in der Marchstraße (in deren Kuratorium Max Planck, Walther Nernst, Heinrich Rubens, Emil Warburg und später Albert Einstein wirken) und das Kaiserliche Patentamt, das 1905 einen Neubau in der Gitschiner Straße bezieht.

Über 78 000 Anmeldungen für Patente und Gebrauchsmuster gehen 1905 im Patentamt ein. In den Erinnerungen der Mitarbeiter dominieren die skurrilen Knobler, die das Perpetuum mobile ersonnen haben wollen:

Unter den ständigen Querulanten nahm der Pastor G. weitaus den ersten Platz ein. Er hatte, in seinen Mußestunden durch den märkischen Sand spazierend, das perpetuum mobile entdeckt und seine Entdeckung, durch geometrische Dreiecksfiguren erläutert, beim Patentamt angemeldet und sie zugleich dem Reich für einige hunderttausend Mark zum Kaufe angeboten. Von beiden Stellen abgewiesen, erneute er in kurzen Intervallen seine Eingaben und Beschwerden, und zwar stets mit kleinen Variationen, etwa: „a drückt nicht auf b, sondern auf c", und – wie bei den Sibyllinischen Büchern – unter ständiger Erhöhung der Preisforderung, zugleich aber mit der Drohung, sich an das Ausland zu wenden. Einige Unterredungen mit ihm verliefen recht unerquicklich. Seine Eingaben in Form von Eilbriefen, Telegrammen usw. wuchsen zu dicken Aktenbündeln an und belasteten den Geschäftsbetrieb empfindlich. Das Konsistorium, dem man das Material beschwerdeführend einsandte, untersagte ihm unter Androhung disziplinarischer Strafen jede weitere erfinderische Tätigkeit. Das hatte aber nur den Erfolg, daß seine weiteren Eingaben mit der Wendung einsetzten: „Obwohl mir das hochwürdige Konsistorium das Erfinden untersagt hat, so habe ich doch gefunden, daß der Winkel a nicht 45°, sondern 50° haben muß. Ich sehe binnen drei Tagen der Überweisung von einer Million entgegen, widrigenfalls ... usw." So ging das Spiel noch längere Zeit weiter, bis es plötzlich aussetzte. Wie mag der Unglückliche geendet haben?

Hauß, Erinnerungen

Die Hauptaufgabe des Patentamtes ist es jedoch, zu sichern, daß die Ausbeutung naturwissenschaftlicher und technischer Neuerungen weder von den Erfindern noch von der Konkurrenz gestört wird. Man kann sich die Denkweise der Berliner Großkapitalisten in dieser Hinsicht gar nicht pragmatisch genug vorstellen. Was sie an der Wissenschaft und am Wissenschaftler interessiert, ist die mögliche Erhöhung der Profitrate – sonst nichts.

W. Geyer, der Konstrukteur neuer elektrischer Hebezeuge:

Eines Tages wurde ich von Herrn Loewe zu einer Rücksprache mit dem Vorsitzenden des Direktoriums der Dresdner Bank, Generalkonsul Gutmann, mitgenommen. Nach einleitenden Worten sprach ich zusammengedrängt über die elektrischen Betriebsmittel; als ich jedoch von Elektromotoren, Widerständen, Bremsmagneten zu erzählen anfing, führte Herr Gutmann seinen Finger in der Tangentialebene seiner Stirn mehrfach im Kreise herum und sagte: „Lieber Loewe, gestatten Sie die Frage: ‚Wo liegt's Geschäft?'"

Geyer, Beitrag zur Geschichte des elektrischen Hebezeuges

Patentprozesse sind wichtige Feldzüge im Kampf um den Maximalprofit. Alfred Wilm über das Schicksal seiner Duralumin-Schutzrechte: „Wie eine Meute stürzte man sich auf die Patente. Es hagelte Nichtigkeitsklagen und Mitbenutzungsrechte nach der Klafter, erster Akt auf dem Patentamt, zweiter Akt auf dem Kammergericht und dritter Akt auf dem Reichsgericht in Leipzig. Da der Angriff scheiterte, wiederholte sich das Drama unter anderen Gesichtspunkten und durchlief ein zweites Mal die drei Instanzen." (Aluminium, 9/1935)

Die heftigsten Patentkämpfe werden auf dem Gebiet der Chemie und der Elektrotechnik ausgefochten. Ein Beispiel nur: Die Kämpfe um die Glühlampenpatente. Werner Bolton, Laborchef im Siemenskonzern, experimentiert mit einer Glühlampe mit Metallfaden, die dem elektrischen Licht zum Sieg über das Gasglühlicht verhelfen soll.

Es war in den letzten Tagen des März 1902 bei einem meiner regelmäßigen Besuche im Laboratorium. Ich fragte Bolton, was er Neues im Sinne habe. Da sagte er mir etwa folgendes: „Ich habe bisher viele Metalle ohne Erfolg durchprobiert. Jetzt habe ich einen Gedanken, der zum Ziele führen muß. Ich bin überzeugt, daß vor allen anderen die Metalle Vanadin, Niob und Tantal für Glühfäden geeignet sind... Das Vanadin bildet ein farbiges Oxyd. Das muß nach meiner Überzeugung gut elektrisch leiten, es muß sich also elektrolysieren lassen, falls man es im Vakuum durch Strom erhitzt. Ähnlich leitende Oxyde müssen sich bei Niob und Tantal finden lassen. Ich will darum solche leitenden Oxyde herzustellen suchen, ein Stäbchen daraus formen und einen Strom hindurchschicken. Ich bekomme dann unter dem Rezipienten der Luftpumpe einen zusammenhängenden Körper aus reinem Metall, der ohne weiteres als Glühkörper dienen kann; ich gehe unverzüglich an die Arbeit."

Ich war erstaunt über die Kühnheit dieser Gedankenreihe, die mir fast ganz in der Luft zu hängen schien...

Am nächsten Dienstag (es war der 1. April) klingelt er mich an und fragt, ob ich auch bestimmt am Mittwoch komme. Am anderen Tage führt er mich sofort in sein Laboratorium, noch ehe wir ein Wort über die Sache selbst gesprochen hatten. Dort zeigt er mir eine Lampe, die mit einem weißen Licht brennt, wie ich es bis dahin bei einer Glühlampe noch nicht gesehen hatte. „Für was halten Sie das?" Darauf ich: „Dem Anschein nach ist es eine Glühlampe, die mit sehr geringem Wattverbrauch brennt; es könnte eine Kohlenfadenlampe sein, die mit großer Überspannung brennt."

Bolton erwidert, die Lampe habe in der Tat, so wie sie da

brenne, weniger als ein Watt pro Kerze, aber eine Kohlenfadenlampe würde bei solcher Belastung längst zugrunde gegangen sein. Diese Lampe brenne bereits 18 Stunden so, und es liege kein Grund vor, anzunehmen, daß sie diese Leistung nicht noch wesentlich länger hergebe. Der Faden bestehe aus Tantalmetall und sei aus einem Oxydstäbchen unmittelbar durch Elektrolyse gewonnen, genau, wie er es vorausgesagt habe ...

Die erste Versuchslampe soll übrigens nach einer Aufzeichnung, die ich Mitte 1904 machte, noch mehrere hundert Stunden gehalten haben.

Ludwig Fischer, Zur Geschichte der Tantallampe

Während Werner Bolton seine Lampe mit einem Tantalfaden entwickelt, wird bekannt, daß auch der österreichische Chemiker Auer von Welsbach eine Glühlampe entwickelt, die statt eines Kohlefadens einen Faden aus metallischem Osmium enthält. So schnell wie irgend möglich muß der Siemenskonzern die eigene Lampe für die Massenproduktion reifmachen; fast noch wichtiger: Er muß dafür sorgen, daß um jede Errungenschaft der Mannschaft Boltons ein Wall von Schutzrechten aufgerichtet wird.

Ich hatte während der ganzen Zeit der Entwicklung unzählige Besprechungen mit allen Beteiligten, vor allem aber mit Bolton selbst. Dabei drehte es sich für mich in erster Linie um die Fragen: Was ist bis jetzt erreicht worden? – Ist das genügend geschützt? Oder wie wäre es wirksam zu schützen? – Welche weiteren technischen Möglichkeiten lägen vor, für uns oder für andere? – Welche Schutzrechte wären uns im Hinblick auf solche Möglichkeiten erwünscht? – Was müßten wir wissen und können, um solche Schutzrechte für uns zu beanspruchen? ...

Als die Anmeldungen in der Öffentlichkeit bekannt wurden, ahnte man noch nicht, daß sich da ein großes Ereignis vorbereitete, und spottete vielfach über die „wunderlichen" Anmeldungen. Als es aber später ernst wurde, rannte man in der ganzen Welt gegen die Patente an und suchte sie zu vernichten oder wenigstens beschränkt auszulegen ...

Die Lampe selbst und die gesamte Herstellung wurde im Laufe des Jahres 1904 bis zur Vollendung durchgebildet. Man hatte das Ziel von Anbeginn sehr hoch gesteckt, und erst, als alle Bedingungen restlos erfüllt waren, wurde die Öffentlichkeit unterrichtet und die Lampe dem Verkehr übergeben. Am 17. Januar 1905 berichteten Bolton und Feuerlein über das Errungene im Elektrotechnischen Verein.

Ludwig Fischer, Zur Geschichte der Tantallampe

Die Tantallampe erhöht den Umsatz von Glühlampen um ein Vielfaches. Inzwischen hat der Erfolg des Konkurrenten in der Direktion der AEG eine Panik ausgelöst.

Als einmal Felix Deutsch noch in der ersten Zeit der AEG von einer Geschäftsreise aus England zurückkehrte, empfing ihn Rathenau zu seiner großen Bestürzung mit den Worten: „Lieber Deutsch, Sie haben zwar sehr schöne Aufträge gebracht. Das nützt aber nichts. Wir sind kaputt. Siemens hat eine neue Lampe, die viel besser ist als die unsrige." Emil Rathenau setzte sich aber trotz dieses Anfalls von Resignation vier Wochen lang von morgens früh bis tief in die Nacht hinein in die Lampenfabrik und arbeitete mit den Konstrukteuren so lange, bis er eine Lampe fertiggebracht hatte, die dem Konkurrenzfabrikat mehr als ebenbürtig war. Unsäglich peinigte er die armen Techniker, denen er die knifflige Aufgabe zugewiesen hatte, die Nernstlampe aus einer geistreich ersonnenen in eine praktisch brauchbare Konstruktion umzuwandeln. Hier liegt vielleicht der einzige Fall vor, bei dem sich Rathenau in eine falsche Richtung verrannt oder doch die noch richtigere Bahn verfehlt hatte. Bei dieser Arbeit war der Verbrauch Rathenaus an Technikern ganz gewaltig gewesen, und einige von ihnen mußten Sanatorien aufsuchen, um sich von der Arbeit und Mitarbeit Emil Rathenaus zu erholen.

Pinner, Emil Rathenau

Emil Rathenau und Thomas Alva Edison im Kraftwerk Moabit, 1911

Während sich die AEG mit Nernsts komplizierter Lampe herumschlägt, bringt die Auer-Gesellschaft einen neuen Schlager auf den Markt: eine Lampe mit einem Wolframfaden, nach ihrer Entstehungsgeschichte „Osramlicht" genannt. „Infolge des hohen Schmelzpunktes des Wolframs, der bei 3370° liegt, konnte ihr Leuchtfaden mit höherer Temperatur als der Tantaldraht betrieben werden, und so ergab sich ein Energieverbrauch von etwas mehr als ein Watt für die Hefnerkerze, womit die Tantallampe im Stromverbrauch geschlagen war." (Siemens, Der Weg der Elektrotechnik)

Die zurückgebliebenen Konkurrenten treiben erneut ihre Ingenieure an – jetzt nicht mehr, um neue Lichtquellen auszuforschen, sondern um in den eigenen Patenten irgend etwas zu finden, womit man die Produktion der Wolframlampe blockieren kann. Tatsächlich: Siemens hat ein Patent auf die Halterung längerer Glühfäden in einem Glasgefäß. Der AEG wiederum gelingt es, ein amerikanisches Patent zu kaufen, das dem Wolframfaden eine höhere Festigkeit verleiht ...

So müssen sich, nach einigem Hin und Her, die Kontrahenten nolens volens einigen: auf eine Patentgemeinschaft, aus der später der „Osramkonzern" entsteht.

Während die Akademie der Wissenschaften zu dieser Zeit zwei Klassen unterscheidet – die physikalisch-mathematische Klasse mit den Sekretaren Wilhelm Waldeyer und Arthur Auwers (ab 1912 Max Planck) einerseits und die philosophisch-historische Klasse mit den Sekretaren Hermann Diels und Johannes Vahlen (ab 1912 Gustav Roethe) andererseits –, vereinigt die Berliner Universität alle geistes- und naturwissenschaftlichen Disziplinen mit Ausnahme der Juristen, der Theologen und der Mediziner in einer einzigen, der philosophischen Fakultät. In ihr haben die Naturwissenschaftler mit einer gewissen Überheblichkeit der Geisteswissenschaftler zu kämpfen: „Überhaupt komme ich fast nicht mehr in die Fakultätssitzungen, weil mir das Geschwätz der Philologen, die immer das große Wort haben, zuwider ist." (Emil Fischer)

Immerhin – auch die bürgerliche Geisteswissenschaft leistet in diesen Jahren einiges, was bedeutend bleibt und weiterwirkt.

Das gilt beispielsweise für die Gelehrten, die sich der Geschichte des Altertums zuwenden. Theodor Mommsen hält keine Vorlesungen mehr, aber er ist noch wissenschaftlich tätig. 1902 wird ihm der Nobelpreis verliehen.

Für meine Fahrten vom Charlottenburger nach dem Berliner Werk pflegte ich vom Knie an die Pferdebahn zu benutzen und hatte dabei öfter als einmal die Gelegenheit, einen interessanten Fahrgast zu beobachten. Es war Theodor Mommsen, der Antiquarius Lietzenburgiensis*, wie er sich selbst einmal in einem Telegramm an den Kaiser unterzeichnete. Jeder Straßenbahnschaffner kannte den damals schon dreiundachtzigjährigen Gelehrten und war ihm behilflich. Fast immer bekam der alte Mommsen einen Eckplatz, schob sich die Brille auf die Stirn, versenkte sich in einen Folianten und vergaß darüber Gott und die Welt, bis der Schaffner in der Nähe der Königlichen Bibliothek zum Aussteigen mahnte. Der durchgeistigte Gelehrtenkopf, die nervösen Hände, mit denen er die Seiten des Buches umblätterte, das alles steht mir heut noch vor Augen.

Dominik, Vom Schraubstock zum Schreibtisch

Während der freikonservative Historiker Hans Delbrück erklärt: „Es gibt keine Gesetze der Geschichte, und man kann keine Verhaltungsregeln aus ihr ableiten", erklärt Mommsen, daß die Völker aus der Geschichte lernen müssen, daß Geschichte auch ein Lehrstück ist. Temperamentvoll, wenn auch vergeblich, wendet er sich gegen die Feigheit seiner Klassengenossen, die sich lieber mit den Junkern arrangieren, als mit der Arbeiterklasse gegen die Reaktion zu gehen.

Neben Mommsen sind zu nennen die Altphilologen Hermann Diels und Ulrich von Wilamowitz-Moellendorf, mit dessen Namen die Sammlung griechischer Inschriften der Berliner Akademie verbunden ist. Zu nennen sind der Romanist Adolf Tobler, der Anglist Alois Brandl, der Indologe Heinrich Lüders und der Slawist Vratoslav Jagič.

Die philologische Akribie, die dazu beiträgt, Texte in verschollenen Sprachen wieder lesbar zu machen, wird jedoch zum leeren Formalismus,

---

* lat.: Lietzenburger Altertumsforscher; Anspielung auf die Lietzenburger Straße in Charlottenburg, wo Mommsen wohnte.

Der Germanist

(Zeichnung von Karl Arnold)

„Aus der von mir entdeckten Handschrift erhellt jetzt ohne jeden Zweifel, daß Goethe am 17. Juli 1793 seine Wäscherechnung nicht mit 2 Talern, 5 Silbergroschen und 4 Pfennigen, sondern, wie ich diese Ansicht schon längst vertrat, mit 2 Talern, 4 Silbergroschen und 14 Pfennigen bezahlte."

wenn sie sich, ohne der Inhalte und Ideengehalte zu achten, der Sprache zuwendet, die lebendig ist.

Es konnte nicht ausbleiben, daß ich mich bitter enttäuscht fühlte durch die trockene Realität des Lehrbetriebes an der Universität, der – mit wenigen Ausnahmen – an meine hochgesteckten Ziele und Erwartungen nicht heranreichte.

Selbst der berühmte Professor Erich Schmidt stellte sich als weniger gefährlich modern heraus, als ich erhofft und erwartet hatte. Nicht ohne leises Schaudern erfuhr ich, daß er für eine Doktorarbeit das Thema „Der Gebrauch des Kommas bei Lessing" vorgeschlagen hatte. Und in seinem Seminar über Heine, meinen Lieblingsdichter, mußten wir zwei Stunden lang die schwerwiegende Frage erörtern, ob ein parodistisches Gedicht des Schuljungen Heine – nicht besser, als ich auch schon welche gemacht hatte – als Epos oder Epopöe zu bezeichnen sei.

Ich selbst mußte mich sechs Monate lang mit der wichtigen Aufgabe befassen, die Beziehung zwischen Heine und Wilhelm Müller zu untersuchen. Es kam darauf an herauszufinden, welche Verszeilen Heine von Müller und welche Müller von Heine entlehnt hatte, soweit nicht beide aus der unversiegbaren Quelle deutscher Volkslieder „Des Knaben Wunderhorn" geschöpft hatten.

Ich widmete mich dieser wissenschaftlichen Kleinarbeit mit der verzweifelten Entschlossenheit eines jungen Mannes, der sich und anderen beweisen will, daß er schließlich und endlich fähig ist, diese Art philologischen Puzzle-Spiels genausogut zu spielen wie irgend sonst jemand.

Schoenberner, Bekenntnisse

Von 1901 bis 1912 wirkt der Schweizer Kunsthistoriker Heinrich Wölfflin an der Friedrich-Wilhelm-Universität. Als er Berlin verläßt, hat er erreicht, daß das kunstwissenschaftliche Ordinariat zu den angesehensten der Welt gehört. Wölfflin ist nicht nur ein begabter Erforscher der Formensprache der Künste, sondern auch ein bedeutender Lehrer, der jede ernsthafte wissenschaftliche Bemühung anerkennt.

Ein großer, schlanker, ernster Mann, den man kaum jemals lächeln sah oder gar einen Scherz machen hörte ...

Wölfflin war für die junge Generation von damals wesentlich der Verfasser der „Klassischen Kunst". Man hatte bei ihm manches sehen gelernt, und man ging in seine Vorlesung, um weiter sehen zu lernen. Er las über das Porträt im Zeitalter von Rembrandt und Rubens – und las über moderne Kunst. Der kleine kunsthistorische Lehrsaal im Westflügel der Universität (dicht bei den Mathematikern) reichte für die Anzahl seiner Hörer vollkommen aus ... Wölfflins Ruhm war erst im Werden; der „Dürer", die „Kunstgeschichtlichen Grundbegriffe" lagen noch in der Zukunft. Sein Vortrag war wie der Stil seiner Bücher, kühl, sachlich, ohne Pathos: er wäre niemals auf den Gedanken gekommen, wie Erich Schmidt ein Kolleg mit der lyrisch romantischen Rezitation von Heinrich Heines „Bimini" zu schließen – in diese Vorlesung, die man vorher wußte, liefen auch die, die sonst nicht kamen, und die jungen Mädchen vom Kurfürstendamm, soweit es sie damals schon gab, blieben auch nicht aus. Bei Wölfflin gab es von der Art nichts, er verzichtete auf jede Romantik, jeden Rausch des Vortrags und des Subjektiven. Ihm ging es um das Objektive und um seine Form, um das Werk ...

Fechter, Menschen und Zeiten

In den akademischen Buchhandlungen Unter den Linden hängen die Porträtfotografien der berühmtesten Berliner Universitätslehrer: des Theologen und Generaldirektors der Königlichen Bibliothek Adolf Harnack; der Philosophen Georg Simmel, Max Dessoir und Wilhelm Dilthey; der Nationalökonomen Gustav Schmoller und Adolf Wagner; der Juristen Josef Kohler und Franz von Liszt und anderer mehr. Freilich ist die Zeit vorüber, in der Berliner Gelehrte auf dem Gebiet von Philosophie, von Staat und Recht und Volkswirtschaft fruchtbare, fortschrittliche Theorien von nationaler Bedeutung hervorbrachten. Die gesellschaftlichen Zustände, wie sie sich in der Wilhelminischen Ära herausgebildet haben, werden in einzelnen ihrer Erscheinungen einer gelegentlichen Kritik unterzogen, im ganzen aber verteidigt und anerkannt.

Wilhelm Heinrich erinnert sich:

Lesesaal der Universitätsbibliothek, 1901

Naturrechtliche und überhaupt idealistische Anschauungen über das Wesen von Staat und Recht waren durchweg die herrschenden.

Das schloß nicht aus, daß unsere Professoren in den Einzelheiten theoretisch unterschiedliche Auffassungen vertraten, die man bei dem einen als „veraltet", bei dem anderen als „modern" empfand. Dabei spielte natürlich auch die durchaus unterschiedliche Gabe der einzelnen Universitätslehrer, ihre Auffassungen mehr oder weniger anschaulich und formgewandt vorzutragen, eine ganz wesentliche Rolle. So „mußte" man zu meiner Zeit in Berlin zum Beispiel bürgerliches Recht durchaus bei Kipp, Zivilprozeß bei Kohler, Strafrecht bei Liszt gehört haben usw. usf. Das gehörte einfach zum guten akademischen Ton und spiegelte sich in den Hörerzahlen der einzelnen Dozenten deutlich wider.

So war das wichtige Lehrfach der Politökonomie – man nannte es damals noch „Nationalökonomie" – zu meiner Zeit eine Domäne der „Kathedersozialisten" – von ihren manchesterlichen* Gegnern ironisch so getauft – Adolf Wagner und Gustav Schmoller. Sie anerkannten und untersuchten sogar gewisse „Mißstände", die als „unangenehme Begleiterscheinungen" in der kapitalistischen Wirtschaftsordnung aufträten, und lehrten, daß sie durch Reformen, vor allem staatliche sozialpolitische Maßnahmen, zu beseitigen seien, im ganzen genommen etwa im Sinne der opportunistischen Idee vom friedlichen Hineinwachsen des Kapitalismus in eine Ordnung, die man als „Sozialismus" bezeichnete. Daß dabei aber beileibe nicht der Marxismus gemeint und gutgeheißen wurde, bewiesen die beiden genannten Professoren selbst durch ihre von Staats wegen autorisierten „Volksvorträge", deren Ziel es war, der immer stärker vordringenden Sozialdemokratie das Wasser abzugraben. Schmoller wurde wegen dieser seiner Verdienste später von Wilhelm II. sogar geadelt.

Heinrich, Politische Erinnerungen

Je weiter die imperialistische Entwicklung voranschreitet, desto mehr wird der Geist der Fakultäten durch wissenschaftsfeindliche, rassistische und chauvinistische Anschauungen geprägt. Ein amerikanischer Austauschprofessor berichtet dem britischen Diplomaten C. S. Rice von den Eindrücken, die er unter Berliner Professoren gesammelt hat:

---

* manchesterlich, von Manchester-Schule: eine von England ausgehende Richtung der bürgerlichen Nationalökonomie, die das freie Schalten und Walten des Kapitals propagiert und jegliche staatliche Regelung der Ausbeutungsverhältnisse ablehnt.

Er erzählt mir, daß sein Aufenthalt in Berlin und der Verkehr mit seinen Kollegen an der Universität alle seine vorgefaßten Ideen über deutsches Professorenleben und -denken über den Haufen geworfen hat. Von Berlin sprechend, wo er Vorträge gehalten (und andere Teile Deutschlands, die er weniger gut kenne, vorsichtig ausschließend), könne er sagen, daß der Universitätsprofessor alle seine Hoffnungen hinsichtlich Beförderung, Titeln und Auszeichnungen auf die Regierung setze und sich bei allen seinen Meinungsäußerungen von dem Geiste leiten lasse, der in der preußischen Bürokratie herrsche, von der er einen tieferstehenden und untergeordneten Teil bilde. In bezug auf die auswärtige Politik und die Ausbreitung des „Deutschtums" (of Deutschtum) sei der Geist, der in der preußischen Bürokratie vorherrsche und von dem die Professoren im selben Maß beseelt seien, der einer reinen und uneingeschränkten Aggression, wobei Fragen des Rechts keinerlei Rolle spielten. Es handle sich nicht mehr um den Bismarckschen Glaubenssatz, daß Macht vor Recht gehe (that force was stronger than justice), sondern um einen neuen Glaubenssatz, daß Macht Recht sei. In bezug auf die ins Deutsche Reich eingegliederten untertanen Nationalitäten – Polen, Franzosen und Dänen – werde offen der Standpunkt vertreten, daß ihre Sprache und nationalen Überlieferungen unbarmherzig ausgetilgt werden müßten. Was die Deutschland benachbarten kleineren Nationalitäten betreffe, so scheine die amtliche Auffassung dahin zu gehen, daß man ihre Unabhängigkeit dulden könne, solange sie nicht in einer Weise benutzt werde, die mit den deutschen Interessen unvereinbar sei, daß es aber, da die Macht und Organisation Deutschlands der ihrigen überlegen sei, für alle in Betracht kommenden Teile ein klügeres und besseres Verfahren wäre, wenn die Verwaltung dieser kleineren Länder und ihre Besitzungen in stärkere und kompetentere Hände übergingen ...

Mein Gewährsmann fügte hinzu, er sehe sich, je länger er sich in Deutschland aufhalte und je vertrauter sein Verkehr mit der Professorenklasse werde, desto mehr in seiner Überzeugung bestärkt, daß die berühmte (great) Bürokratie Deutschlands von der Idee beherrscht werde, daß die Welt beherrscht werden

Festzug der studentischen Korporationen, 1913

müsse und daß Deutschland sie beherrschen könne ... Und was von seinem Gesichtspunkt aus die wichtigste Seite dieser Frage ist – die Bürokratie hat die vollkommene Überlegenheit über jenen Stamm von Professoren erlangt, deren Aufgeklärtheit und Unabhängigkeit so lange der Ruhm Deutschlands gewesen sind.
Britische Dokumente/ VI, 2

7100 immatrikulierte Studenten sowie 5750 männliche und 550 weibliche Gasthörer vereinigt die Friedrich-Wilhelm-Universität, die größte akademische Bildungsstätte Deutschlands, im Wintersemester 1906/07.

Eine Unzahl Vereine mit oder ohne Farben, mit unbedingter oder bedingter oder freigestellter Satisfaktion, mit Mensur oder mit Mensurverbot – Korps, Burschenschaften, Landsmannschaften, Turnvereine, Sängerschaften, wissenschaftliche Vereine und konfessionelle Verbindungen werben Mitglieder und Anhänger unter den Studierenden.

Am lautstärksten tritt das reaktionäre Korpsstudententum auf, „mit seinen bunten Mützen, Bändern und Zirkeln, seinen Mensuren und Kneipen und vor allem mit seiner Arroganz". (Dehn, Die alte Zeit) Die Mehrzahl der „farbentragenden Studenten" ist von einem zunehmend radikalen Nationalismus geprägt, der mit der bewußten Hervorkehrung aller sozialen Vorurteile verbunden ist.

Man sieht diese Herren häufig elegant bis zum Geckenhaften angezogen; die „Ehre" des Korps verlangt es, daß sie stets würdig nach außen hin auftreten, in den besten Lokalen verkehren, in der Eisenbahn zweiter oder gar erster Klasse fahren, im Theater teuere Plätze einnehmen usw. usw. Äußere Schneidigkeit um jeden Preis, lautet die Parole. In diesen Verbindungen werden Kastengeist und Hurrapatriotismus gezüchtet, nebst Arroganz und einem guten Teil Mißachtung gegenüber allen nichtinkorporierten Studenten ... Naturgemäß bleibt für das Studium gewöhnlich wenig Zeit übrig, da der strenge Drill der jungen Füchse von früh bis spät dauert. Nur feste Charaktere bringen es fertig, bei solcher Lebensweise nicht zu verbummeln. Mit Vorliebe treten geistig Minderbemittelte feudalen Verbindungen bei, weil sie so für ihre spätere Karriere Vorteile durch Protektion seitens hochgestellter „alter Herren" erhoffen, die ihre jungen Korpsbrüder gnädig unter ihre Fittiche nehmen und ihnen die Wege ebnen ... Ich kenne Beispiele von Korpsstudenten, welche während eines ganzen Semesters nur zweimal die Universität betraten, nämlich am Anfang und Schluß, lediglich um an- und abtestieren zu lassen. Aber auch dieser Arbeit unterziehen sich die Herren Korpsstudenten nicht einmal immer selbst, sondern sie beauftragen gute Freunde damit.

Reimèrdes, Studententypen

Der Arzt Carl Credé schildert die „Mensuren" der farbentragenden Verbindungen: „Nase abgeschlagen, Herzbeutel verletzt, Nervenlähmung: Das war ein stolzer Tag!"

Das Korps ging rücksichtslos über alles hinweg, wenn es sich um sein Ansehen, seine Ehre handelte. Von fünf bis sechs Leuten, die als Füchse eintraten, kam höchstens einer in den dauernden Besitz des Korpsbandes, so stark wurde ausgesiebt. Und das große Sieb hieß: die Mensur! das Fechten!

Die Anforderungen in dieser Beziehung waren geradezu rigoros. Nach jeder Partie, die gefochten war, trat ein Mensuren-Konvent zusammen, in dem alles, was zur Mensur gehörte, die Technik, der Schneid, die moralische Widerstandskraft, sogar die Körperhaltung, stark kritisiert wurden. Es genügte schon, wenn auch nur einer der Kritiker einen einzigen Gang von den ca. sechzig Gängen einer Mensur für ungenügend erklärte, um die ganze Mensur als „vorbeigefochten" zu erklären ...

Nach eineinhalb Semestern waren vierzehn von den sechsunddreißig Partien ausgefochten, davon blieben zwei unentschieden, zwölfmal hatten wir abgestochen, und „wie" hatten wir abgestochen. Mehrfach mußten unsere Gegenpaukanten zum Zusammenflicken in die chirurgische Universitätsklinik eingeliefert werden. Des öfteren hatten wir durch elegante Tiefterzen den ganzen Unterarm unserer Gegner bis auf den Knochen durchschlagen.

Gerhardt, wohl der eleganteste Fechter unter uns, schlug auf einer anderen Partie seinen Gegner nahezu tot. Er hatte ihm in einem Gange einen scharfen Hieb über die Brust gesetzt – bei schweren Säbelpartien ist Brust und Arm größtenteils frei, ebenso der ganze Kopf mit den Augen. Diesen erwähnten Bruststreicher hatte man unterschätzt. Ich war Sekundant auf dieser Partie. Auf meinen Rat schlug Gerhardt denselben forschen Hieb nochmals, bloß setzte er ihn jetzt etwas höher, ins Gesicht seines Gegners. Der Erfolg war katastrophal. Er fegte dem Preußen dicht am unteren Rand der Augen durch das Gesicht und schlug ihm dabei die ganze Nase so durch, daß man dem armen

Kerl beinahe in den Schädel sehen konnte. Er rasselte förmlich in seinem Paukzeug wie ein homerischer Held zusammen und wurde schleunigst im Auto in die Ziegelstraße in die chirurgische Universitätsklinik gebracht. Dort nahm ihn ein rasch in Kenntnis gesetzter Professor, der alter Korpsstudent war, in Empfang. Zu aller Umstehenden Erstaunen legte er aber auf den Gesichtshieb gar kein Gewicht, dagegen erklärte er den Brusthieb, der kaum blutete und wenig klaffte, für lebensgefährlich. Auch dieser Hieb war nämlich haarscharf gewesen – wir Ignoranten hatten es nicht gemerkt – und hatte sämtliche Rippen durchschlagen, außerdem noch den Herzbeutel verletzt ...

Ich selber hatte das Vergnügen, die letzte der vierzehn Partien zu fechten, und zwar mit einem mordsstrammen Normannen. Dieser hatte sich etwas zurückgehalten, kannte meine Art zu fechten genau und hatte sich ganz gehörig auf mich eingepaukt. Es war mir auch zu Ohren gekommen, daß er in vorgerückter Stunde auf seiner Korpskneipe geäußert hätte, er würde mich bestimmt „hinabtun" und mich gehörig „zudecken". Ich war also höllisch geladen auf ihn und entschlossen, alles an Fechtkunst herzugeben, was ich hatte. Es gelang mir, ihn im dritten Gang abzuführen.

Kaum war das Kommando „los" gegeben, fuhr ich ihm im langen Ausfall mit meiner Spezialität, einer raschen Anquart, auf die linke Backe. Resultat: Hochbein-Knochensplitter und drei Zähne entzwei, spätere Folge: Nervenlähmung, so daß er zeitlebens nur noch auf einer Seite lachen konnte. Er hat es trotzdem weit gebracht, und das einseitige Lachen gibt ihm etwas pikant Freundliches. Eine Sekunde später im gleichen Gang kippte ich ihm eine scharfe Terz auf die rechte Schläfe, und als Kompott folgte noch als dritter Hieb eine Tieferz auf den Unterarm, auch ein ganz ordentlicher Riegel! Das war ein stolzer Tag! ...

Wenn ich heute als reifer Mann über alle diese Korpssachen nachdenke, komme ich natürlich zu ganz anderen Feststellungen wie damals als junger Mensch. Ich habe längst klar erkannt, daß die Exklusivität des Korpsstudententums, die Abgeschlossenheit

vom ganzen übrigen Volk, in der wir lebten, geradezu ein Raub an der Nation war.
Credé, Vom Corpsstudenten zum Sozialisten

In der Korpskneipe versoffene Semester ("In die Kanne, Rest weg, Bierjunge!"), auf dem Paukboden verbummelte Studienjahre sind kein Hindernis für höchste Laufbahnen im preußischen Staate – im Gegenteil, sie empfehlen.
Conrad Haußmann zitiert Walther Rathenau:

Auf allen Gebieten leistet Deutschland Ausgezeichnetes, in der Technik, in der Industrie, in der angewandten Wissenschaft, weil überall der Fähigkeit nicht die Möglichkeit genommen ist, voranzukommen. Auf dem Gebiet der politischen Verwaltung, des Auswärtigen und des Krieges ist es anders. Kommt ein junger Mann, der irgendwo in die Karriere herein will, so fragt man: Wie heißen Sie? – von Soundso. – Hm. Bei welchem Regiment stehen Sie? – Bei den Garde-Ulanen. – Hm. Bei welchem Korps waren Sie aktiv? – Bei den Saxo-Borussen. – Hm. Haben Sie sonst noch etwas für sich anzuführen? – Ich habe eine Empfehlung von der Gräfin B. (den Namen habe ich mir nicht merken können) und vom Fürsten Pleß. – Nun, dann ist es gut.
Haußmann, Schlaglichter

In einem gewissen Gegensatz zu den reaktionären Korporationen entwickelt sich die liberale freistudentische Bewegung ("Die Finkenschaft"). Die Masse der Studenten hat freilich für das Verbindungswesen weder Sinn noch Geld noch Zeit:

Der zweite unter den Berliner Studententypen ist der bei weitem sympathischere; er erfreut sich auch im allgemeinen seitens der Dozenten größerer Beliebtheit. Ich meine den Durchschnittsstudenten, der keiner Verbindung, höchstens einem wissenschaftlichen Verein angehört. Man kann ihn als „den Studenten" im wahren Sinne des Wortes bezeichnen. Meistens geht er aus gut-

Eine Mensur, 1904

bürgerlichen Kreisen hervor, entbehrt nicht den nötigen Lebensernst, ist strebsam und fleißig, versäumt keine Vorlesung und kleidet sich im allgemeinen einfach und unauffällig. Er ist zuverlässig und pünktlich. Schon um 8 Uhr morgens sieht man ihn mit der Büchermappe unter dem Arm ins Kolleg eilen. Meistens verläßt er die Universität nicht vor 1 Uhr mittags. Im Restaurant findet man ihn sogar während des Essens mit einem Buche oder Kollegheft beschäftigt; stets rührig und bedacht, seine Kenntnisse zu vermehren. Fleiß und Pflichttreue sind seine

Haupteigenschaften, die ihn befähigen, meist im Leben etwas zu erreichen ... Jetzt möchte ich von einem Typus sprechen, dem man größte Hochachtung zollen muß. Es ist der Märtyrer der Wissenschaft, der arme Student. Meist aus einfachen Verhältnissen hervorgegangen, hat er schon von klein auf leiden und entbehren müssen. Unter den größten Demütigungen und Entsagungen hat er sich glücklich bis zum Abgangsexamen durch die Schule – gehungert, um auf der Universität weiter zu entbehren und zu hungern. Glühender Eifer für die Wissenschaft, eiserne Energie, strenges Pflichtgefühl, puritanische Enthaltsamkeit, Bescheidenheit und Zuvorkommenheit sind seine Haupteigenschaften. Männer, auf die Deutschland stolz sein kann, haben einst so ihre Laufbahn begonnen. – Seinen Lebensunterhalt erwirbt der arme Student, der sich ohne Zuschuß von Hause durchschlagen muß, nebenbei durch Stundengeben, Statieren im Theater usw., er spielt auch wohl abends in obskuren Lokalen Klavier, gibt Kindern Musikunterricht (für 50 Pfennig die Stunde) usw. Einzelne bemühen sich um eine Stellung als Hilfsstenograph im Reichstag, werden Vorleser oder betätigen sich journalistisch. – Die Universitätsverwaltung kommt den armen Studenten deutscher Nationalität insofern entgegen, indem sie ihnen die Kolleggelder stundet; eine Anzahl Freitische und Stipendien steht ebenfalls zur Verfügung. Für seine bescheidene Wohnung, die meistens nur aus einer Schlafstelle besteht, erteilt der arme Student häufig den Kindern des Wohnungsinhabers Nachhilfestunden; kurz, er bemüht sich, wo und wie es irgend möglich ist, Geld zu verdienen, um sein Leben zu fristen.

Reimèrdes, Studententypen

Dreizehn Stipendien vergibt die Stadt für Berliner Studenten „aus minderbemittelten Kreisen" – ganze dreizehn Stipendien! „Und diese Stipendien waren so minimal ..." (Liebknecht)

Zu den ärmsten – und zu den fleißigsten – Besuchern der Hohen Schulen zählen die russischen und polnischen Studenten. Von Bruno

H. Bürgel, dem „Arbeiterastronomen", der philosophische und naturwissenschaftliche Vorlesungen an der Berliner Universität hört, erfahren wir etwas über die russische Studentenschaft:

Einen großen Eindruck machte es auf mich, wie außerordentlich fleißig und gewissenhaft die weiblichen Studierenden bei der Sache waren. Auch der Blinde sah, daß sie darin die männlichen Hörer bei weitem übertrafen. Allen voran aber stand die russische Studentin. Trotz ihrer meist großen Schönheit armselig gekleidet, unglaublich genügsam, von eisernem Fleiß, geistvoll und mitten im gefährlichen politischen Kampf. Das erste Weib, das mir tiefe Achtung abnötigte, wenn ich es verglich mit den verputzten oberflächlichen Dämchen, die da überall Unter den Linden umherwimmelten und zwischen denen die Russinnen wie unscheinbare graue Nachtfalter ernst ihres Weges zogen. All das interessierte mich stark, und ich habe zu jener Zeit einen tiefen Einblick getan in die unglaublich armseligen Lebensverhältnisse dieser geistigen Minierarbeiter des Reiches im Osten. Der geringste Erdarbeiter hätte es abgelehnt, so zu wohnen, zu essen wie jene russischen Studenten männlichen und weiblichen Geschlechts. Aber ein heiliges Feuer glomm in ihnen, ließ sie einander mit einer wahrhaft großzügigen Brüderlichkeit aushelfen. Menschen von seltener Eigenart – viele jüdischen Glaubens waren darunter –, und sie alle einte nicht nur das Studium, nicht nur Armut, Rasse und Volksgemeinschaft: Ein Wille und ein Streben schmolz sie zusammen, der, das Rußland der Knute, der Dunkelheit, des Zarismus zu beseitigen und einem großen Volke die Freiheit und das Licht zu bringen. Ich empfand eine hohe Achtung vor diesen „Schnorrern und Verschwörern", die der speichelleckende Polizeigeist preußischer Politik dem Väterchen Zar nach der russischen Revolution wieder in die Hände spielen ließ, zu beliebiger Verwendung.

Bürgel, Vom Arbeiter zum Astronomen

Im Frühjahr 1904 unterschreiben 428 in Groß-Berlin studierende Russen einen Protestbrief gegen die unqualifizierten Anschuldigungen, die einer der höchsten preußischen Beamten gegenüber den russischen Studenten geäußert hat.

Bebel war mit einer Anfrage im Reichstag aufgetreten, in der er die Materialien ausnutzte, die wir unter Leitung Liebknechts über das Unwesen der russischen Polizeispitzel gesammelt hatten. Ihm entgegnete der Staatssekretär des Auswärtigen Richthofen. Seine unverschämte Antwort war: „Ja, wir sind hinter den russischen Studenten her, weil sie alle Anarchisten sind, und die russischen Studentinnen kommen bloß hierher, um sich der freien Liebe hinzugeben." Daraufhin geriet verständlicherweise die ganze russische Kolonie in Erregung. Es kam zu einem großen Meeting. Es kamen sogar diejenigen, die sonst nie an Versammlungen teilnahmen. Ich mußte die Versammlung leiten. Auf dieser Versammlung trat auch Liebknecht auf. Ich schlug vor, im Namen der ganzen Kolonie entschiedenen Protest gegen die freche Äußerung des Ministers zu erheben, diesen Protest an alle deutschen Zeitungen zu übersenden, ihn in alle europäischen Sprachen zu übersetzen und den wichtigsten europäischen Zeitungen zuzuschicken. Mit überwältigender Mehrheit wurde mein Vorschlag angenommen. Soweit ich mich erinnern kann, wurde unser Protest vollständig nur in den sozialdemokratischen Zeitungen abgedruckt. Die bürgerlich-liberalen deutschen Zeitungen erwähnten die Sache, ohne den Text des Protestes zu bringen. Die französischen und englischen Zeitungen druckten ihn ganz. Es war jedenfalls ein großer Skandal.
Bald darauf trat der Reichskanzler Bülow im Reichstag auf. Er erklärte, daß er den Ausländern, den „Vagabunden und Verschwörern", nicht gestatten werde, sich in die inneren Angelegenheiten Deutschlands einzumischen. Alle Ausländer, die sich erdreisten würden, auf Kundgebungen aufzutreten, würden aus Deutschland ausgewiesen ...
Ich erinnere mich daran, daß mich gleich nach diesem Ausfall Bülows der alte Ledebour aufsuchte und mir riet, sofort aus Berlin abzureisen. Er hatte in den Wandelgängen des Reichstags gehört, daß meine Ausweisung angeordnet sei ... Am folgenden Morgen zitierte man mich ins Polizeipräsidium und unterwarf

mich einem Verhör. Ich weigerte mich zu antworten. Man erklärte mir, ich hätte am nächsten Tage wieder zu erscheinen. Am Abend fand ein großes Protestmeeting statt, auf dem eine sehr entschiedene Resolution gegen Bülow angenommen wurde, die an die ausländischen Zeitungen geschickt wurde. Direkt vom Meeting fuhr ich, ohne noch einmal nach Hause zu gehen, wo mich die Verfolger erwarteten, mit dem Auto zu einer entfernteren Station, um über Österreich in die Schweiz zu reisen.

Ljadow, Aus dem Leben der Partei

Vierzehn russische Studenten werden ausgewiesen.

In der Nacht vom Mittwoch zum Donnerstag $\frac{1}{2}$1 Uhr sind, nachdem drei von ihnen der gastlichen Berolina schon tags zuvor den Rücken gekehrt hatten, zehn der Verbannten vom Anhalter Bahnhofe in das Ausland abgereist. Die Abfahrt gestaltete sich zum ergreifenden Vorgang. 120 bis 150 Landsleute geleiteten – unter der unvermeidlichen polizeilichen Eskorte – die zehn zum Zuge. In einem „Salonwagen" vierter Klasse, unter deutschen Proletariern, nahmen die Scheidenden Platz. Die Freunde und Leidensgefährten strömten herbei, und in ernster, ergreifender Begeisterung ertönte im hundertstimmigen Chor das Kampflied und Gelübde der Märtyrer: „Smelo, drusja, ne terjaite bodrost w nerawnoi borbe!" („Vorwärts, Freunde, nicht verzagt im ungleichen Kampf!") Nach der dritten Strophe setzte sich der Zug in Bewegung. Nicht enden will das „Hoch den Vertriebenen", das Tücher- und Hüteschwenken, an dem sich auch die deutschen Reisegefährten der „Zehn" beteiligen, bis der Zug aus der Halle verschwunden ist.

Vorwärts, 25. März 1904

Das literarische Berlin

Wenigstens vier bekannte Berliner Verlage widmen sich der um die Jahrhundertwende aufblühenden „Heimatliteratur".
Ein, wenn man so sagen darf, demokratischer Flügel der „Heimatkunst" folgt Raabes und Fontanes Spuren. Georg Hermann, der durch die Romane „Jettchen Gebert" (1906), „Henriette Jacoby" (1908) und „Kubinke" (1910) bekannt wird, schildert – in der Einleitung zu einer Berliner Bilderfolge von Rudolf Grossmann – den geographischen und sozialen Hintergrund, der in seinen Erzählungen immer wiederkehrt:

Viele Städte sind in Berlin eingeschachtelt. Drei Städte davon sind es, die ich vor allem liebe. Das eine ist die Gegend um den Kanal. Hinten am Hafenplatz, vom Anhalter Bahnhof, bis zur Hohenzollernstraße. Das dunkle Wasser, das sich zwischen den hohen Kurven der Steinböschungen, zwischen Kastanien, Rüstern und Platanen dahinschiebt, bildet den Mittelpunkt dieser Stadt, und es ist umgeben auf seinem kurzen Weg eigentlich von allem, was Berlin zu bieten hat. Zuerst von den Straßen alteingesessenen Reichtums, alteingesessener Kultur. Straßen, die ganz ruhig und vornehm sind, und in denen man noch heute zu gewissen Stunden des Tages minutenlang gehen kann, ohne einem Wagen zu begegnen. Auf diesen Dämmen, auf diesen Pflastersteinen habe ich meine Jugend verspielt. Im Fontane-Viertel. Damals war es neu; heute erscheint es schon historisch. Und ganz wenige Schritte davon, über die Potsdamer Brücke fort, geht dann das nimmermüde Spiel des Verkehrs. Und wieder wenige Schritte weiter hebt das nimmermüde Spiel der Arbeit an mit den langen Reihen seiner Schiffe, mit Dampfkränen und rasselnden Güterzügen. Schuppen tauchen auf, Stätteplätze,* Kohlenplätze – alle Waren der Welt lagern hier. Und zwischendurch treibt das ganze rastlose Leben selbst dahin ... Züge jeder Art kommen und schwinden ... Menschentransporte jeder Art,

* Umschlagplätze

durch die Stadt und hinaus in die Welt. Das ist die eine Stadt in der Stadt!

Und dann ein weiteres Jahrzehnt bin ich weit drinnen im Zentrum über die Asphaltdämme gelaufen, wo Geschäft sich an Geschäft reiht und die Häuser bis unters Dach voll von handelnden, schreibenden, erfindenden, sinnenden Menschen sind; wo Tausende von Waren sich aneinanderstoßen und Tausende von Schildern, langgestreckt, rund und viereckig, mit Goldbuchstaben am Tage und mit Lichtreklamen in der Nacht sich zu überschreien suchen. Jene Stadt, die um die Mittagsstunde wie ein Sudkessel und um die Mitternachtsstunde wie ein Kirchhof liegt; hie und da mit wenig Grün, mit wenigen Plätzen und nur noch wenigen Winkeln, die von ehedem erzählen. Das ist eine andere Stadt in der Stadt!

Und dann wieder gut ein weiteres Jahrzehnt war ich immer in den neuen Vierteln, draußen am Rand, an der Lisière, in den Vororten. Zehnmal wohl habe ich dasselbe Bild sich wiederholen sehen. Und stets war es ein wenig anders. Stets hat sich das Gesicht der Straßen, der Menschen, des Verkehrs etwas verändert und verschoben. Und noch bin ich nicht satt geworden, diesem Spiel zu folgen. Ja, es ist eigentlich für mich heute das Sinnbild dessen, was mir als Berlin erscheint. Und wenn ich irgendwo anders bin und ich denke an Berlin zurück, dann denke ich nicht an Schloß und Linden oder an all die Dinge, die man als Wahrzeichen von Berlin empfindet, sondern draußen an meine Gegend denke ich, an irgend etwas, das im vorigen Jahr noch Bauplatz war und in diesem Jahr schon eine Häuserreihe mit weißen geteilten Fenstern und mit runden, goldumgitterten Balkons trägt.

Hermann, Um Berlin

Clara Viebig schildert in dem Roman „Die vor den Toren" (1910) die sozialen Umschichtungen, die in den Vororten mit dem kapitalistischen Urbanisierungsprozeß verbunden sind. Hans Hyan recherchiert in den

Heinrich Zille: Titelzeichnung zu Georg Hermanns Roman „Kubinke"

Kubinke

Roman von Georg Hermann

Elendsvierteln Berlins für seine kriminalwissenschaftlichen Skizzen. Hans Ostwald, der Verfasser der „Berliner Nachtbilder" (1903), gibt von 1905 an eine vielbändige Reihe von „Großstadt-Dokumenten" heraus.

Hermann Heijermans, Johannes Trojan, Viktor Aubertin, Robert Walser und andere fangen in Feuilletons Großstadtatmosphäre ein.

Über dem Lustgarten in Berlin steht der Julitag klar und blau und rein und ist wie ein Tag Ioniens.

Ein Tag in Ionien an den weißumschäumten Küsten des Inselmeeres.

Auf diesen Vergleich kommt man vielleicht nur deshalb, weil am Lustgarten das Alte Museum steht und weil die Halle dieses Alten Museums von ionischen Säulen getragen wird. Achtzehn ionische Säulen, die sich in die Höhe recken, als mache das Tragen ihnen Freude und als schwölle durch ihre Schlankheit empor der Saft der Allmutter Erde.

Alles ist froh an diesem Tage. Die Kinder auf dem Platze spielen Reifen; die Kindermädchen haben ganz blaue Röcke an, und die Schwalben fliegen schreiend um die Säulen.

Sie haben ihre Nester da oben an den Säulen, die Schwalben. Sie haben ihre Nester angebracht an den ionischen Kapitälen und an den Rosetten der großen Kassettendecke. Schwarze dicke Nester, in denen es zirpt und mit kleinen Flügeln schlägt und Mäuler aufsperrt und piept und schreit. Und nun fliegen die Schwalbenmütter hin und her und holen Mücken in den Schnäbeln herbei und füttern ihre Brut. Ein Tag Ioniens, Ioniens.

Diesen Tag haben sich zwei preußische Beamte in Plattmützen ausgesucht, um in Aktion zu treten von wegen eben jener Schwalbennester. Sie haben wohl von ihrer Behörde den Auftrag in betreff der Beseitigung der vielen Schwalbennester bekommen und gehen nun pflichtgetreu an ihre Arbeit. Zu diesem Geschäfte bringen sie eine große Leiter herbei, einen Besen und eine lange Stange und begeben sich mit diesen Geräten in die Halle des Museums. Dort lehnen sie die Leiter an eine Säule und vollführen zunächst einmal eine kleine Absperrung, indem sie alle

Müßiggänger aus diesem Teil der Halle entfernen. Dann klettert die eine preußische Plattmütze auf die Leiter, ergreift die Stange und beginnt sorgsam die Schwalbennester abzukratzen und herunterzuschlagen.

Die Schwalbennester fallen klatschend auf den Steinboden; die bilden eine große Masse Unrat, und die gelben Kadaver der jungen Schwalben sehen ganz ekelhaft aus. Und die andere preußische Plattmütze greift nach dem Besen, der eben zu diesem Zwecke mitgenommen ist, und fegt den ganzen Dreck in die Ecke zu einem großen Haufen zusammen.

Da oben aber um die Kapitäle Ioniens kreisen die Schwalbenmütter und suchen und bringen das Futter für ihre Brut. Jede hat den Schnabel ganz voll von Mücken; und merkwürdig ist, daß sie trotzdem so herzzerreißend schreien können.

Dieses ist Berlin, Herrschaften. Berlin aber hat den Ruf, die sauberste Stadt der Welt zu sein, und wird diesen Ruf weiter wahren, wenn Sie nichts dagegen einzuwenden haben.

Aubertin, Sündenfälle

Eine reaktionäre Strömung innerhalb der Heimatkunst bezeichnet die Großstadt als „Kloake", als „steinerne Wüste". Sie strebt zurück ins ständische und zünftlerische Mittelalter. „An Telegraphen, Eisenbahnen, Dampfschiffe, elektrisches Licht, Börsenpapiere glauben wir allerdings nicht." (Adolf Bartels, Zur Heimatkunst) Fritz Lienhard, Hauslehrer in Berlin-Lichterfelde, Herausgeber der Zeitschrift „Die Heimat", feiert das dörfliche Leben und ruft zur Zerstörung der „Asphaltwüste" auf. „Los von Berlin" heißt eine Schrift, in der er sich 1900 gegen die „Vorherrschaft der Großstadt" wendet.

In der „Deutschen Buch-Gemeinschaft Berlin" wird Hermann Burtes Roman „Wiltfeber" veröffentlicht:

Wo sind die Leute dieses Hauses hingekommen? Und wenn sie gestorben sind, warum kommen keine andern und bauen das Gut? Diese Menschen sind in die Stadt, in die steinerne Wüste gezogen; dort sehen sie keinen ganzen Himmel, atmen keine reine Luft, haben keine hilfreichen Nachbarn; es ist nicht wie hier, im Wachstum der Dinge, wo über Nacht das Huhn Eier legt, die Kuh kalbt, der Salat wächst, die Frucht reift, wo der Mensch, in stetem Anblick stetigen Werdens, zur Verehrung der Zeugung, dieser Urmutter allen Seins, getrieben wird ... Warum sind die Leute weggezogen in die steinerne Verwesungsstätte, in die zementene Menschenschlingmaschine? Da leben sie, weiße Sklaven ...; von niemand geachtet; in einer Luft, welche ihnen aus dem Brustkasten die Lungen reißt und ihre Augen hohl macht wie leere Fenster ...

In der Stadt, in der steinernen Wüste, wo die Blonden verwesen und die Langbeinigen siechen, wo alles asphalten und backsteinen und eisern ist, wo man keinen unverschalten Boden mehr tritt, da lohnt es sich nicht zu leben; und was man zugunsten der Städte sagt, ist alles Trost von Sklaven für Kranke ...

Sehet, das ist Wiltfebers Lehre: ... Wegweiser tun not, und Befehler tun not: Feinde drohen an allen Ecken und Enden, und Feinde drohen in unsern Adern; gefallen scheinen die Vorgesetzten, denn man hört sie nicht; da ist es Zeit, daß einer aus der Reihe vorprellt und selbstsicher ruft: Auf meinen Befehl hören! ...

Du bist ein Mann aus deutschem Blute, aber deutsch heißt völkisch, und arisch heißt herrisch, und so bist du von den Deutschen der oberen Rasse, welche herrscht oder stirbt ...

Und Wiltfeber stand auf der staubigen Straße und zeichnete mit seinem Stocke ein Johanniterkreuz in den Staub, leicht und locker. Und dann zeichnete er das halbe Kreuz kräftiger aus, und da stand mit Lichtern und Schatten im Sande das uralte Hakenkreuz.

Der Reiter spie Blut von den Lippen und sagte: „Glaubst du daran? Ha, wenn das wieder lebendig würde!"

Burte, Wiltfeber

Stefan George und andere Vertreter des literarischen „Neuidealismus" huldigen einem extremen ästhetischen Formalismus, „einer Kunst aus Rausch und Klang und Sonne". Wer auf „Weltverbesserungen" sinne, sei „nicht einmal wert, in den Vorhof der Kunst einzudringen".

Alljährlich von Oktober bis Dezember hält sich George in Berlin auf, um seine Anhänger „bald in gemeinsamer Schulung, bald in leichterem Spiel, vor allem aber in gemeinsamer Feier" um sich zu sammeln.

Das Haus Lepsius bildete seit Mitte der Neunzigerjahre einen Mittelpunkt des George-Kultus in Berlin. Stefan George zählte Reinhold und Sabine zu seinen Freunden, und sie gaben dem damals noch völlig unbekannten Dichter mehrmals Gelegenheit, bei ihnen aus seinen Werken vor einem geladenen Kreise vorzulesen. Ich bin in ihrem Hause George nur einmal begegnet; es war bei einem größeren Empfang, aber der Dichter wurde nicht unseren profanen Augen ausgesetzt, sondern zog sich gleich in ein kleines Zimmer zurück, und nur jene Gäste, die er zu sich beschied, wurden zum Gespräch unter vier Augen vorgelassen ... Wäre bei einem anderen Volke in einem privaten Kreis ein solches Verlangen nach Unterwürfigkeit – und sei es von einem noch so bedeutenden Manne gestellt – unter selbstbewußten Menschen denkbar gewesen? ...

Von Georges Dichtungen kannte ich damals nur Bruchstücke aus seinen frühen Veröffentlichungen. Sie erschienen mir wie kostbar gefaßte, von einem exotischen Glanz umspielte Steine, ein Geschmeide, das als ein dem kristallenen Gefüge künstliche Form gebendes Werk seinen Kennerwert trägt, aber tiefere Bezirke der Seele fühlte ich nicht in mir berührt. Bewundernswert als „Kunst" vermochte mir die Form nicht zu ersetzen, was ich an leidenschaftlicher Regung oder Wärme des Herzens vermißte.

Weisbach, „Und alles ist zerstoben"

Die „kostbar gefaßten Geschmeide" und „kristallenen Gefüge" erweisen sich mehr und mehr als Ausdruck einer tiefen Volksverachtung („blöd trabt die menge drunten"). George predigt den Kult eines verantwortungsfreien „Übermenschen", der, als einsamer Priester eines Neuen Reiches, einer Schar von Auserlesenen den Weg in die Zukunft weist:

> *„Und winkt er: sind wir stark und stolz bereit*
> *Für seinen ruhm in nacht und tod zu gehn."*
> *(Teppich des Lebens)*

Für George und seine Adepten ist Humanität eine „Völkerkrankheit", der Krieg aber ein notwendiges Element der Menschheitshygiene:

> *„Zehntausend muß der heilige wahnsinn schlagen*
> *Zehntausend muß die heilige seuche raffen*
> *Zehntausende der heilige krieg."*
> *(Der Stern des Bundes)*

Verharrt der George-Kreis um die Jahrhundertwende noch in sektenartiger Abgesondertheit, so wendet er sich in den Jahren nach 1905 mit den in Berlin erscheinenden „Jahrbüchern für die geistige Bewegung" mehr und mehr an die Öffentlichkeit. Das klingt dann so:

Die allgemeine toleranz ist eine krankheit des geistes, wie eiweisszerfall oder gehirnerweichung eine des leibes: unfähigkeit zur anverwandlung und verarbeitung der zudringenden materie. Dass alles drängen, alles ringen ewige ruh in Gott dem Herrn ist, überhebt uns nicht des drängens und ringens, und erst der sieger, der herrscher, der bildner, der greis, der heilige darf sich das erhabene glück der duldung gestatten; sie ist ein kampfpreis! ... Der allgemeine duldende frieden ist ein müdes greisenideal. Wo jugend, wandlung, schöpfung möglich und nötig ist, da ist krieg nötig: er ist eine menschliche grundform, wie das wandern, die liebe, das beten und das dichten: er kann durch keine zivilisation überflüssig werden. Der „fortschritt" kann sekundäre, abgeleitete menschheits-institutionen überholen, aber nicht grundtriebe der welt.

Gundolf, Wesen und Beziehung

Berlins berühmtester Dramatiker ist zu dieser Zeit Gerhart Hauptmann, auch wenn er nur noch einen Teil des Jahres in seiner Wohnung in der Trabener Straße, in der Nähe des Grunewalds, verbringt. Fast jedes Jahr erscheint ein neues Werk des Dichters auf den hauptstädtischen

Melchior Lechter: Einbandgestaltung zu Stefan Georges Gedichtband „Der siebente Ring", 1907

Bühnen: 1900 „Michael Cramer", 1901 „Der rote Hahn", 1903 „Rose Bernd".

Gerhart Hauptmanns neues Schauspiel „Rose Bernd", das gestern im Deutschen Theater seine erste Aufführung erlebte, ist die Tragödie einer Kindesmörderin, ein Stoff, in dem der Dichter viele Vorgänger hat, von denen er sich allen aber durch die Art der Behandlung unterscheidet. Seine Rose ist keins von den leidenden Geschöpfen, die sich gleich ertränken, weil sie getäuscht worden sind, auch kein Gretchen, das ihr Kind umbringt, um der bürgerlichen Schande zu entgehen. Es ist eine schlesische Dorfmagd vom kräftigsten Schlage, die, unter den nicht zu anspruchsvollen moralischen Begriffen ihrer Umgebung aufgewachsen, einen Kampf des Trotzes und der Verstellung führt, um sich und das Kind zu retten, und wenn sie sich in eine Ehe mit einem ihr ziemlich gleichgültigen Manne hinüberretten sollte ... Wie kunstvoll und künstlich auch der Dichter die Knoten der Handlung geschürzt hat, um seiner sich trotzig wehrenden Heldin endlich die Schlinge um den Hals zu legen, das kann erst in einer ausführlichen Besprechung klargelegt werden. Zunächst nur die Bemerkung, daß das Publikum einige Mühe hatte, sich auf dem gewundenen Wege, der zur Katastrophe führt, zurechtzufinden ... Nach den beiden ersten Akten verhielten sich die Zuschauer stumm abwartend, während der Dichter nach den letzten drei Akten durch einen starken Beifall hervorgerufen wurde, dem die Würze des zischenden Widerspruchs nicht mangelte. Die Hauptlast des Abends trug Frau Else Lehmann, die auch die Hauptehre davontrug. Von ihrer Figur der Rose Bernd darf man mit einem Wort des Stückes sagen: „Man kann an was Ganzes denken."

Vossische Zeitung, 1. November 1903

1912 erhält Gerhart Hauptmann den Nobelpreis. Hauptmann, einer der Begründer des Naturalismus in der deutschen Literatur, bietet in diesen Jahren jedoch immer häufiger romantische Märchen und Phantasien an. „Zum Bohren in die Tiefen" ist der Meister, wie er selbst sagt, nicht mehr aufgelegt. Kopfschüttelnd erfährt man schließlich, daß Hauptmann ein „patriotisches Festspiel" für die Hundertjahrfeier von 1813 liefert, das unentschieden zwischen Reaktion und Fortschritt laviert.

Das Weihespiel von 1913 ist vergessen. Ein Drama aber jener Jahre bleibt, in dem Hauptmann noch einmal die Thematik der Werke seiner Frühzeit aufgegriffen hat: Die im finsteren Milieu der alten Kaserne in der Kleinen Alexanderstraße angesiedelte Geschichte vom vergeblichen Ringen einer Maurersfrau um Mutterglück.

2. Februar. Berlin. Lessingtheater, „Die Ratten". Ich habe seit Jahren im Theater Stärkeres nicht erlebt. Nichts, was mich so ganz in Menschlichkeit untertauchen ließ. Nichts, was mir so den Atem nahm. Nichts, was mich so tief in den Abgrund unseres Daseins warf. Da stehen auf einmal auf der Bühne, man weiß nicht woher, man weiß nicht warum, ohne Zusammenhang, eine Engelmacherin, ein Schutzmann, eine verluderte Person, ein Dienstmädchen, ein schwätzender Theatermensch und ein paar Jungen herum, und jedes redet vor sich hin und keins weiß, was das andere will, und plötzlich bemerkt eins, daß das Kindchen in den Armen der Engelmacherin schon tot ist, und nun sagen sie nichts mehr, nur der alte Komödiant schwätzt noch – darin ist für mein Gefühl das Leben und sein Schatten, der Tod, mit solcher Intensität da, wie nur noch etwa im Lear, wenn die drei Narren, der wirkliche, der von Beruf und der falsche, in der Hütte beisammen sind. Das läßt mich auf den Grund des Lebens sehen; wohin kein Gedanke, wohin nur Ahnung reicht.

Bahr, Tagebuch

Der Dramatiker Frank Wedekind, 1900 aus der Festung Königstein entlassen (wohin man ihn wegen „Majestätsbeleidigung" verbracht hatte), ist ebenfalls mit Berlins Literatur- und Theatergeschichte eng verbunden. „Es zieht mich mit allen Nervenfasern nach Berlin."

Im Dezember 1902 findet in dem von Max Reinhardt geleiteten Kleinen Theater Unter den Linden ein denkwürdiger Theaterabend statt. Man spielt Wedekinds „Erdgeist":

Frank und Tilly Wedekind

Es war der Abend, mit dem der Dramatiker Wedekind endgültig und unausrottbar dem Bewußtsein der Zeitgenossen eingepflanzt wurde. In der Maske des Tierbändigers hatte der Dichter polemisch gegen Ibsen und die ganze wehleidige Milieukunst der Naturalisten seinen Prolog hingeschmettert:

„Das wahre Tier, das schöne wilde Tier,
Das, meine Herrschaften, sehen Sie nur bei mir."

Tatsächlich war hier in einem beinahe abstrakten Zeitraum mit immergültiger Gewalt der Kampf der Geschlechter vorgeführt: die weibliche Riesenschlange, die voll kindlicher Unschuld die männlichen Raubtiere jeder Art erdrückt ... Für Dr. Schön, das Hauptopfer, setzte Emanuel Reicher das ganze auf dem Untergrunde seiner Natur schlummernde (gar nicht fest schlummernde) pastorale Pathos ein. Der Begründer des schauspielerischen Naturalismus half hier – vielleicht ohne daß er es merkte – einem bereits ganz unnaturalistischen Theater ans Licht. Das Urweib Lulu aber spielte Gertrud Eysoldt, und sie hatte in ihrem knabenhaft geschmeidigen Körper und ihrer resonanzlos hellen, flächigen Stimme großartiges Material, um das Schillernde, das Kühlglatte und das Giftige der Schlange (aber auch das Kindliche dieses Menschen) sinnbildlich stark herauszuarbeiten. Der Eindruck des Schlußakts mit dem zerschmetternden Gegeneinander dieser beiden Spieler war ungeheuer. Ein paar in der Moral ihrer Behaglichkeit verletzte Spießer zischten, aber die jungen Leute rasten vor Begeisterung (mir ist einer bekannt, der vom Bravoschreien vierzehn Tage heiser war).

Bab, Das Theater der Gegenwart

1904 bringt Wedekinds „Büchse der Pandora" dem Verleger Paul Cassirer eine Anklage wegen Verbreitung unzüchtiger Schriften ein. Im November 1906 inszeniert Max Reinhardt Wedekinds „Frühlings Erwachen" – ein Drama, das, 1890/91 verfaßt, lange als nicht aufführbar galt. Das Protestgeschrei der offiziellen Sittenwächter beantwortet das Publikum der Kammerspiele mit um so lebhafterem Applaus.

In dieser Zeit schließt der Schriftsteller Arthur Holitscher Bekanntschaft mit Frank Wedekind:

Als ich mit meinem Dramenmanuskript an einem Frühlingsabend in Berlin ankam, führte mich mein erster Weg zu Frank Wedekind. Wedekind hatte vor kurzem die Schauspielerin Tilly Newes geheiratet, die in Wien in einem seiner Stücke die Hauptrolle gespielt hatte. Ich lernte sie in der kleinen, mit bürgerlichem Geschmack eingerichteten Wohnung kennen, die Wedekind in der Kurfürstenstraße gemietet hatte.

Frau Tilly war ein junges, sehr liebreizendes Wesen, graziös und heiter, gar nicht der Inbegriff der dämonischen Lulu, die sie spielen mußte und deren Wesenszüge und Ausdruck ihr der Gatte mit großer Energie beizubringen suchte. In seinen Händen schien sie ganz und gar zum Werkzeug seines Willens geworden. Es war rührend, sie mit eifriger Gelehrigkeit ihrem Charakter und auch ihrer physischen Veranlagung diametral entgegengesetzte Gestalten verkörpern zu sehen. Aber die wunderbare Klarheit der Diktion, die Wedekind, den Sprecher, mehr den Sprecher als den Mimen seiner eigenen Werke, kennzeichnete, hatte sich Frau Tilly in vollstem Maße zu eigen gemacht, und wenn die suggestive Kraft ihrer Persönlichkeit auch nicht hinreichte, die Gewalt des Ausdruckes, der Gedanken wirkte überzeugend aus ihrem zarten, jungmädchenhaften Mund ...

„Frühlings Erwachen", ursprünglich gar nicht für die Bühne gedacht, erst durch die Lautenschlägersche Adaptierung der japanischen Drehbühne mit ihren Möglichkeiten eines raschen Szenenwechsels aufführungsfähig geworden, beherrschte den Spielplan des Deutschen Theaters bereits seit Monaten. Ich saß bei Wedekind, und wir sprachen von München. Wedekind bemerkte seufzend, wie wenig ihm das Leben in Berlin zusage, die geschäftige, anstrengende, vom Machertum übersaturierte Atmosphäre des Marktes. Aber, so bemerkte er: „Wie Christus nach Jerusalem gezogen sei, um sich dort kreuzigen zu lassen, so müsse der deutsche Dramatiker nach Berlin ziehen, um dort gekreuzigt zu werden und vielleicht später seine Himmelfahrt zu erleben!"

Er gab mir, noch ehe ich mein Manuskript aus der Tasche holte, einige praktische Winke. Zum Beispiel diesen: Man erreicht in Berlin beim Theater nur dann etwas, wenn es einem gelingt, zwei Direktoren gegeneinander zu hetzen. An einem Stück, möge es noch so wertvoll sein, ja selbst an einem hervorragenden Schauspieler bekundet ein Berliner Theaterdirektor erst dann Interesse, wenn er es, oder ihn, dem Konkurrenten vor der Nase wegschnappen kann.

Holitscher, Mein Leben

1911 unterschreiben Hermann Bahr, Lovis Corinth, Ludwig Ganghofer, Max Halbe, Leopold Jessner, Alfred Kerr, Max Liebermann, Heinrich Mann, Thomas Mann, Hans Pfitzner, Max Reinhardt, Arthur Schnitzler, Max Slevogt, Richard Strauss und Felix Weingartner einen Appell, in dem die Aufhebung der ständigen Zensurschikanen gegenüber Wedekinds Dramen gefordert wird. 1912 inszeniert Reinhardt einen Wedekind-Zyklus. Im Ersten Weltkrieg werden jedoch Wedekinds Stücke erneut verboten. Im März 1918 stirbt der Dichter in München, seiner zweiten Heimat. „Seine Gestalten sind groß genug, noch lange über den Horizont zu sehen." (Heinrich Mann)

1900 bezieht Rainer Maria Rilke eine Villa in Schmargendorf. Hier strömen ihm, wie er in seinem Tagebuch notiert, im Walde am Neuen See, bei Abendgängen „in stiller, weicher, dunkelnder Luft", seine empfindungstiefen Verse zu. Hier beendet er seine Dichtung „Weise von Liebe und Tod des Cornets Christoph Rilke". Hier wirtschaftet er, vorläufig noch Junggeselle, mit seinem amerikanischen Patentkochtopf. Hier träumt er von einer stimmungsvollen Mahlzeit mit Clara Westhoff, seiner Braut:

Im kleinen Häuschen würde Licht sein, eine sanfte, verhüllte Lampe, und ich würde an meinem Kocher stehen und Ihnen ein Abendbrot bereiten: ein schönes Gemüse oder Grütze – und auf einem Glasteller würde schwerer Honig glänzen, und kalte, el-

fenbeinreine Butter würde auf der Buntheit eines russischen Tischtuchs ruhig auffallen. Brot hätte da sein müssen, starkes, korniges Schrotbrot und Zwieback, und auf langer schmaler Schüssel etwas blasser westfälischer Schinken, von Streifen weißen Fetts durchzogen wie ein Abendhimmel mit langgezogenen Wolken. Zum Trinken stünde der Tee bereit, goldgelber Tee in Gläsern mit silbernen Untersätzen, leisen Duft ausatmend... Rote Mandarinen müßten da sein, in welche ein Sommer ganz klein zusammengefaltet ist, wie ein italienisches Seidentuch in eine Nußschale. Und Rosen wären um uns... So träumte ich. Voreilige Träume, das Häuschen ist leer und kalt, und auch meine hiesige Wohnung ist leer und kalt: Gott weiß, wie sie wohnlich werden soll. – Aber dennoch kann ich nicht glauben, daß die Wirklichkeit gar nicht soll Beziehung gewinnen zu dem, was ich träumte. Ich sandte Ihnen gestern zur Probe ein kleines Paket einer sehr trefflichen Hafergrütze. Gebrauchsanweisung auf dem Paket. Nur ist es gut, sie etwas länger als die angegebenen 15 Minuten kochen zu lassen. Vor dem Essen legen Sie ein Stück Butter hinein, oder Sie nehmen Apfelmus dazu. Ich esse sie am liebsten mit Butter, Tag für Tag. In 15 Minuten ist die ganze Speise fertig, das heißt, vorher muß schon siedendes Wasser gemacht sein; sie wird heiß aufgesetzt also und kocht 15–20 Minuten. Wenn Sie sich einen doppelwandigen Patent-Kochtopf „Kann alles" aus einem großen Haushaltungsgeschäft kommen ließen, müssen Sie kaum einmal durchrühren; die Gefahr des Anbrennens ist dann ganz gering. Versuchen Sie, und sagen Sie mir Bescheid. Die große kalifornische Firma hat auch sonst prächtige Präparate. Ich sende demnächst den Katalog. – Übrigens, Sie wissen, daß ich mir vor jenem reich geträumten Abendbrot einen fleißigen Tag gedacht habe. Nicht wahr?
Rilke, Briefe/1

Von Schmargendorf aus bricht Rilke zu einer Rußlandreise auf, die sein Weltbild tief beeinflußt. Nach einer Niederlage als Dramatiker (sein Schauspiel „Das tägliche Leben" endet im Hohngelächter des Publikums) verläßt der tiefgetroffene Dichter Berlin.

Der Theaterkritiker, Lyriker und Dramatiker Christian Morgenstern, seit 1894 in Berlin ansässig, lebt im Gedächtnis der Nachwelt vor allem als Verfasser hintergründiger Reime, in denen sich eine von Absurditäten geprägte Welt abbildet. Über seinen Freund Friedrich Kayssler finden die „Galgenlieder" den Weg zu Max Reinhardt, der in seinem Kabarett „Schall und Rauch" die ironischen Figuren des Palmström und des Korff erprobt. Weniger bekannt ist das Projekt, das Morgenstern 1905 in einem Brief an den Kunstkritiker Karl Scheffler entwirft:

Da ich nun einmal nach Berlin geraten bin und schließlich Berlin eine solche Fülle von Möglichkeiten in sich birgt wie heute keine andere deutsche Stadt, so ist es eben dies Berlin, worauf sich viel meiner Liebe und meines Hasses wirft. Auf diesem jungen Boden wäre noch etwas zu schaffen, und da der Kaiser dem Sinn seiner Zeit und damit auch dem Sinn seiner Stadt konstant fremd bleibt, so sollte ein junges Bürgertum noch weit mehr als bisher die Entwickelung seines Gemeinwesens selbst in die Hand nehmen. Ich meine, es müßte möglich sein, es müßte eine Gruppe von Intellektuellen führend werden können – bis in den letzten Hausbau hinein. Man müßte die wilde und scheußliche Barbarei ausrotten können, die das Bild der Stadt von Tag zu Tag mehr entstellt, man müßte im zwanzigsten Jahrhundert endlich so weit sein, eine neu heranwachsende Stadt, statt sie dem Zufall zu überlassen, zum Kunstwerk oder wenigstens zum Organismus gestalten zu können.

Halten Sie es für aussichtslos, hierfür das Gewissen der Berliner zu wecken? Ich meine, es käme erst noch auf den Versuch an. Und da wir armen Leute mit unsern Gedanken immer nur auf das Hilfsmittel der Publizistik angewiesen sind, schwebt mir eine Berliner Zeitschrift engsten Sinnes vor, Hefte, die sich lediglich mit der Entwickelung Berlins befassen, ihr auf Schritt und Tritt folgen, ihre Fehler schonungslos aufdecken und angreifen, ihr Gutes ans Licht stellen, kurzum: vorkämpferische Hefte für Berlin als einer Stadt, in der ein anständiger Mensch wenigstens notdürftig sein Leben fristen kann, ohne täglich einmal von Ekel befallen zu werden.

Morgenstern, Ein Leben in Briefen

Der sensible Dichter findet mit seinem Projekt keine Resonanz. „Alles ist hier auf Elefantennaturen mit Nerven aus Schiffstau berechnet", schreibt er resigniert.

Noch existieren die Reste des Friedrichshagener Dichterkreises um Wilhelm Bölsche, Bruno Wille, die Brüder Hart – eine Gruppe literarischer Bohemiens und pantheistischer Schwärmer. Wilhelm Bölsches bekanntestes Werk ist „Das Liebesleben in der Natur" (1900–1903), das von Fidus mit Illustrationen versehen wird. Bruno Wille veröffentlicht den reflexionsbeladenen Roman „Die Offenbarungen des Wacholderbaums". Der bürgerliche Held flieht aus dem modernen Großstadtwesen in die Mark, wo ihm zwischen Erikagestrüpp und Kiefernstämmen, Elfen und Undinen die „Allseele" ins Bewußtsein tritt ...
Friedrichshagen selbst aber ist längst nicht mehr die Idylle, die einst die Künstlergruppe in den stillen Vorort zog:

Am See, wo Kiefernheide war, ragen die Schlöte und roten Ziegelwände der Berliner Wasserwerke. An Stelle der dummen Akkerstreifen mit ihren unrentablen Ähren und nichtsnutzigen Blumen lauter gerade geschnittene Baustellen, von Stacheldrähten umhegt. Straßendämme, aus deren Sande schon die Kopfstücke der unterirdischen Kanalisation ragen. „Aufschwung!" höre ich ein paar Herren aus Berlin sagen, die sich offenbar auf Bauspekulation verstehen und mit Ehrfurcht konstatieren, was aus der Feldlandschaft geworden. Überall buddelt man den Naturboden um: jene künstlichen Eingeweide müssen angelegt werden – abziehen soll durch sie der viele Unrat, den die funktionierende Kultur mit sich bringt. Überall bekommt Mutter Erde einen Panzer vor den Busen. Nicht mehr nach Kuhstall duftet es, sondern nach Benzin; hupende Autos sausen die Friedrichstraße entlang, und die hat nichts mehr von der alten Dorfstraße. Der grasige Sandweg verschwunden; gediegenes Pflaster, Straßenbahnschienen. Keine Vorgärtchen mehr, dafür breite Bürgersteige. Die ländlichen Häuschen abgelöst durch hohe Mietshäuser mit Schaufenstern. Die knorrigen Maulbeerbäume verschwunden, ersetzt durch Bäume von vorschriftsmäßigem Wuchs. Ach, und die holländische Windmühle hinter Conrads

Tanzsaal verschwunden. Gänzlich weggeräumt vom märkischen Sande, der früher unverwüstlich konservativ erschien. Und dieser Sand selbst – wo ist er jetzt? Die Mühle stand doch auf einem Hügel! Wo blieb der Hügel? Mit Kalk vermischt, ward er in all die rings emporgewachsenen Maurermeisterstücke vermauert ...

Elektrische Flammen bestrahlen ein grellbuntes Plakat. Unter dem Titel eines Theaters hat sich ein Kintopp etabliert, von Stiergefecht und Detektivromantik flimmern seine Filme. Uff, und Grammophone lassen ihre Walzen wetteifern! Bei mildem Wetter sind ihre Besitzer so uneigennützig, die Fenster zu öffnen, damit nur ja die weite Nachbarschaft lauschen kann dem schelmisch quäkenden Damencouplet und der Arie eines Baßbuffo, der Stockschnupfen hat oder sich beim Singen die Nase zuhält. Und wenn auch noch das oberste Luftreich von der neuen Ära bebt! Wenn vom nahen Flugplatze Johannisthal eine Rumplertaube in brummenden Kreisen naht oder ein Parseval wie ein Fabeldrache angeschnoben kommt ... O Himmel, was für einen Aufschwung hast du über das gute Fritzenwalde verhängt!

Wille, Das Gefängnis zum Preußischen Adler

Neuer Treffpunkt für alle, die aus den Zwängen des kapitalistischen Literatur- und Kunstbetriebes in eine ungebundene Lebens- und Denkweise auszuweichen suchen, wird das Café des Westens – das „Café Größenwahn".

Die Cafés hatten damals noch eine Funktion, die verloren gegangen ist. Sie waren die Wechselstuben der Gedanken und Pläne, des geistigen Austauschs, die Produktenbörse der Dichtung, des künstlerischen Ruhms und auch des Untergangs ...

Das alte Café des Westens ist eine immer verräucherte Bruchbude mit knirschenden Holzdielen und böhmischen Kellnern gewesen. Es lag an der feinsten Straße des Berliner Westens, Ecke Kurfürstendamm/Joachimsthaler Straße. Diese Ecke bedeutete einen Einschnitt: Bis hierhin gab es noch Läden, dem

Café aber folgten pompöse Palazzi im Stil der Gründerzeit mit scheußlichen Aufbauten und vollbusigen Karyatiden*.

Das letzte Geschäft war ein Korsettladen für die Damen des Westens. Hier verweilte aber auch der weißbärtige Geheimrat Schmoller, der berühmte Kathedersozialist der Universität, gern einige Augenblicke, schmunzelnd strich er sich den Bart, vielleicht mit Gedanken über die innigen Zusammenhänge von Luxus, Eros und Volkswirtschaft beschäftigt ...

Das Café war schon am späten Vormittag voll besetzt, mit einer Einschränkung: an jedem der runden Marmortischchen saß nur ein Gast, denn hier wurde gearbeitet. Es konnte geschehen, daß ein unfreundliches Knurren laut wurde, wenn selbst ein guter Freund Miene machte, sich zu einem Schwatz niederzulassen. „In Wochenstuben stört man nicht", pflegte Wolfgang Goetz zu sagen.

Da saß stirnzerfurcht Leonhard Frank und schrieb an seinem Roman „Die Räuberbande". Da saß der Schachweltmeister Emanuel Lasker, klein und immer mit seinem Schnurrbart beschäftigt, umtürmt von den neuesten Journalen, aus denen er bienenfleißig die Winkelzüge der Konkurrenz in Moskau oder San Sebastian exzerpierte.

Auf allen diesen Journalen, die ihm der bucklige, rothaarige Zeitungskellner Richard ehrerbietig als erstem hinlegte, prangte der Stempel „Gestohlen im Café des Westens"; nicht weil wirklich gestohlen wurde, sondern weil die Schüler Balzacs oder Ibsens eine Zehnzeilennotiz ausschnitten, aus der sich vielleicht eine dramatische Fabel entwickeln ließe, zum Nachteil der Späterkommenden. Einzelne brachten zu diesem Zweck Taschenscheren mit. Lasker nicht, er schrieb sich ehrlich die Partien heraus und überreichte, ehe er aufbrach, die Blätter dem Zeitungskellner mit einem Trinkgeld: „Nichts gestohlen!"

Gesprächig war um diese Stunde nur Grete Meisel-Heß, während sie an ihrem nachmals berühmten Buch „Die sexuelle Krise" schrieb. Sie interviewte jeden, der es wollte oder auch nicht wollte, über seine sexuellen Probleme, wie es später der

---

* Gebälkträger in Form einer weiblichen Statue

Amerikaner Kinsey für seinen Rapport getan hat. Ihre beste Stunde war zwischen zwölf und eins. Dann flockte und schneite die weibliche Jugend herein, keineswegs kleine Ladenmädchen, die damals noch nicht intellektuell angereichert waren, dafür Elevinnen der Reinhardt-Schule, junge Kunstgewerblerinnen und Komparsinnen des eben aufstrebenden Films ...

Zu voller Orchesterbesetzung schwoll das Café des Westens am späten Abend an, vor und nach dem Theater. Da gab es keine Trennung der Generationen, der Stile, der Anschauungen, der Kunstsparten, und selbst die Träger von Frack und Abendkleid aus den Grunewaldvillen suchten an Premiereabenden Tuchfühlung mit den Habitués* des Cafés. Vielleicht versprachen sie sich Groteskbilder aus dem Zoologischen Garten der literarischen und künstlerischen Fauna und wurden darin sicherlich enttäuscht, denn wir waren im Grunde genommen zivilisierte Leute.

Der schon etwas angegreiste Paul Lindau, kaiserlicher Dramaturg, ließ sich von den ersten Expressionisten – Lautensack, Lasker-Schüler, Sternheim – ihre Ideen vortragen, taktierte mit dem Kneifer dazu und sagte: „Exzellent, exzellent!", aber er wagte doch nicht, seinem Chef Hülsen-Haeseler eines dieser taktlosen Stücke in Vorschlag zu bringen.

Und Abend für Abend hielt hier Carl Rößler cercle, wenn dieses Wort nicht zu preziös für den behäbig behaglichen Mann wäre. Rößler hatte den größten Lustspielerfolg der Vorkriegszeit mit den „Fünf Frankfurtern" errungen. Seine väterliche Leutseligkeit machte ihn zum Beichtvater der Frauen mittlerer Alterslagen.

Schweigend hörte August Gaul, der Bildhauer, zu, während er mit dem Stift Bären und Seehunde auf die Marmorplatte kritzelte, deren Gesichter eine frappante Ähnlichkeit mit denen der Umsitzenden hatten.

Aus einer Ecke leuchtete die Glatze des Philosophen Kurt Hiller; dort ließ man sich durch das Gesumme rundherum nicht in der Gründung einer neuen avantgardistischen Zeitschrift stö-

---

* Stammgäste

ren. In diesem Café ist viel gegründet worden, Waldens „Sturm" und Pfemferts „Aktion", die frische Luft in die Konvention bringen sollten.

Krell, Das alles gab es einmal

Stammgast im „Café Größenwahn" ist der Dichter Paul Scheerbart. Stammgäste sind Carl Einstein und Yvan Goll, René Schickele und Theodor Däubler. Und die exotischste in diesem Kreis: Else Lasker-Schüler, „der einzige Mensch in Berlin, der phantasieren kann" (Else Lasker-Schüler über sich selbst).

Gottfried Benn, Arzt, Schriftsteller und Freund der Dichterin:

Frau Lasker-Schüler wohnte damals in Halensee in einem möblierten Zimmer ... Sie war klein, damals knabenhaft schlank, hatte pechschwarze Haare, kurzgeschnitten, was zu der Zeit noch selten war, große rabenschwarze bewegliche Augen mit einem ausweichenden, unerklärlichen Blick. Man konnte weder damals noch später mit ihr über die Straße gehen, ohne daß alle Welt stillstand und ihr nachsah: extravagante weite Röcke oder Hosen, unmögliche Obergewänder, Hals und Arme behängt mit auffallendem, unechtem Schmuck, Ketten, Ohrringen, Talmiringe an den Fingern, und da sie sich unaufhörlich die Haarsträhnen aus der Stirn strich, waren diese, man muß schon sagen: Dienstmädchenringe, immer in aller Blickpunkt. Sie aß nie regelmäßig, sie aß sehr wenig, oft lebte sie wochenlang von Nüssen und Obst. Sie schlief oft auf Bänken, und sie war immer arm in allen Lebenslagen und zu allen Zeiten. Das war der Prinz von Theben, Jussuf, Tino von Bagdad, der schwarze Schwan.

Lasker-Schüler. Ein Buch zum 100. Geburtstag der Dichterin

Um 1910 war ich noch winzig kleiner freiwilliger Hilfsarbeiter am Berliner Kupferstichkabinett. Wenn ich dort bei einigen Museumsaufsehern dennoch in Ansehen stand, so verdanke ich dies Else Lasker-Schüler. Denn immer mal wieder wurde ich von einer Persönlichkeit aus fürstlichem Hause angerufen.

Else Lasker-Schüler: Einbandgestaltung mit Selbstporträt

Lovis Corinth: Peter Hille, 1902

„Ein Prinz wünschen Herrn Doktor zu sprechen" (vor lauter Respekt redete mich der subalterne Beamte sogar in der dritten Person an). „Seine Durchlaucht warten am Telefon."

Ach Gottchen, es war der „Prinz von Theben", Else Lasker-Schüler, die fragte, ob ich ihr mit drei Mark aushelfen könne. Oder sie verabredete eine Zusammenkunft, für die sie die ausgefallensten Orte vorschlug. Kastans Panoptikum in der Passage. Oder irgendein gräßliches vegetarisches Restaurant.

Aus einem vegetarischen Speisehaus stammt einer der drei zufällig geretteten Briefe. Einige Sätze seien daraus zitiert, weil sie in ihrer kindhaft verspielten Form für das Wesen der Dichterin kennzeichnend sind. Und weil Else Lasker-Schüler selber diese flüchtigen Erinnerungen mit einer anmutigen Arabeske beschließen soll:

„Ich habe keine Ruhe, immer unstet, kein Zuhaus. Ich wollte, ich wäre jemand sein Kind. Und es ging jemand mit mir in alle Spielläden und kaufte mir Schaukelpferde, kleine Bären, Schachteln voll Häuschen und Bäumchen und Schafe und Hühner. Es ist zwei Uhr. Ich sitze bei den Vegetariern, neben mir auch der Zwiebel-Asket als Grieche." (An dieser Briefstelle ist die Zeichnung eines Griechen eingefügt, der mit seinem wallenden Bart allerdings wie ein Assyrer aussieht.) „Mein Löffel, mit dem ich Apfelsinenspeise esse" (hier folgt die Zeichnung eines großen Blechlöffels), „riecht nach Zwiebel. Daß der Wirt nicht schimpft, habe ich gesagt, er sei auf die Erde gefallen. Nun hat er mir einen anderen Löffel gegeben."

Plietzsch, „... heiter ist die Kunst"

Zu den Gästen des Cafés des Westens gesellt sich gelegentlich Peter Hille, der gegen die Normen der bürgerlichen Gesellschaft protestiert, indem er sie nicht zur Kenntnis nimmt. Seine Verse sind voll poetischer Schönheit, seine Philosophie ist ohne Ausweg: „Die Moral der Geschichte ist ein Haarwuchsmittel, das nicht hilft." Hille erscheint als Romanfigur in Bierbaums „Stilpe" und Gerhart Hauptmanns „Der Narr in Christo Emanuel Quint".

Nur selten vernahmen die Berliner etwas von Peter Hille. Wenn verehrende Freunde seinen Namen ganz laut in den Weltstadtlärm riefen, dann sah man vergnügt auf den sonderlichen Mann herab, der zerzaust und ein wenig abgerissen daherging, ein schmutziges Notizbuch in der Hand, in das er fast unaufhörlich schrieb: Gedanken und Einfälle, Stimmungen und Randglossen über das, was er erblickte, erhorchte, ertastete; der jede Seite mit dem Bleistift sechsmal überquerte und sich um die spöttisch Blickenden nicht kümmerte, die von den Schönheiten nichts ahnten, die der Dichter für seinen persönlichen Bedarf aus ihrer Häßlichkeit hob. Und dann sprach man von ihm, als die Nachricht von seinem Tode durch die Blätter ging. Was erfand man nicht für Mordgeschichten, um sein Sterben interessant zu machen! Ermordet sollte er sein, und ganz mysteriöse Dinge sollten es veranlaßt haben, daß man ihn eines Tages mit blutendem Kopf ohnmächtig auf der Bank eines Berliner Vorortbahnhofes auffand. Die guten Leute, die sein Leben nie als ein tiefes, herrliches Geheimnis empfunden hatten, witterten hinter seinem Tode geheimnisvolle, poetisch-gruselige Umstände. Und doch war für jeden, der nicht mit des Dichters Sinnen fühlt, sein Tod so nüchtern, so unsagbar nüchtern! Ein fünfzigjähriger Organismus, geschändet von allen Entbehrungen, allen Strapazen materieller Not, war verbraucht. Auf der Heimfahrt von Berlin nach Schlachtensee, wo ihn Fremde zuletzt versorgten, brach er zusammen, die Lungen versagten, er schleppte sich auf einer Zwischenstation aus dem Zug, fiel und zerschlug sich den Kopf. Man setzte ihn auf eine Bank. Da wurde er gefunden. Man brachte ihn nach Groß-Lichterfelde ins Krankenhaus, und dort starb er. Das ist alles.

Peter Hille ist verhungert, ganz regelrecht verhungert; nicht, wie mancher andere Bettler, durch ein plötzliches Aufhören der Lebenszufuhr, nicht von heute auf morgen, sondern im jahrzehntelangen bitteren Kampf seines schwachen Leibes gegen die Bedürfnisse des Lebens, deren Befriedigung ihm vorenthalten war. Vorenthalten von der Gesellschaft, die ihn umgab, die ihn nicht bemerkt hatte im Getöse der Weltstadt, aber an sei-

nem Grabe nun plärrte: Seht doch, ein Dichter ist tot, ein Dichter!
Mühsam, Werke/1

Erich Mühsam, der diese Zeilen geschrieben hat, dichtet zu dieser Zeit bereits seine scharf pointierten gesellschaftskritischen Verse:

> *„Der Bürger blank von Stiebellack,*
> *mit Ordenszacken auf dem Frack,*
> *der Bürger mit dem Chapeau claque,*
> *fromm und voll Redlichkeit ...*
> *Wo hat der Bürger alles her:*
> *den Geldsack und das Schießgewehr?*
> *Er stiehlt es grad wie wir.*
> *Bloß macht man uns das Stehlen schwer.*
> *Doch er kriegt mehr als sein Begehr.*
> *Er schröpft dazu die Taschen leer*
> *von allem Arbeitstier."*

1902 redigiert Mühsam den anarchistischen „Armen Teufel"; 1904 bringt er die Gedichtsammlung „Die Wüste" heraus; 1905 verläßt er Berlin, um sich in München niederzulassen.

Mühsam war bis vor kurzem in Berlin, und alle Besucher der einschlägigen Lokalitäten kennen ihn, denn er trug sich wohl am auffallendsten schäbig und verwildert unter allen Berliner Zigeunern und – sehr viele der häufigeren Besucher werden wohl auch nicht sein, die er nicht angepumpt hat. Dieser bedrohlich aussehende Anarchist und krasse Egoist der Theorie war übrigens ein ungewöhnlich guter Kerl, ein aufopfernder Freund, der oft seinen Freunden von dem sauer erpumpten Geld mehr zuwandte als sich selbst und der noch mehr als Geld für sie aufwandte. Wenn man ihn dann etwa mit leichter Ironie fragte, wie sich das mit seiner leidenschaftlich verfochtenen Theorie des krassen Egoismus vertrage, erhielt man wohl die zornige Antwort: „Ich habe bloß gesagt, jeder soll das tun, was ihm Vergnügen macht – und mir macht eben das Vergnügen!" ...

Mühsam haßt die Bürger draußen, aber über die Wertlosigkeit seiner Zechgenossen, zu denen ihn die äußere Situation zwingt, ist er sich nicht minder unklar – er zeichnet sie bissig genug:

> Paar urnische Männlein, paar lesbische Weiber,
> paar Reimer, paar Zoter, paar Schnüffler, paar Schreiber –
> Kaffee, Zigaretten, Gefasel, Gegrein – –
> in summa: ein Literaturverein.

Das ist kein übles Bild der Afterboheme, wie sie sich jetzt in Berlins Nachtcafés breitmacht. Für die echte Boheme aber ist Mühsams „Wüste" mit ihrer wilden, gallschwarzen Bitterkeit, ihren verzweifelten Aufschreien und grellen Gelächtern, ihren taumelnden Verzückungen und weichen Sehnsuchtsrufen ein starker Typ.

Bab, Die Berliner Boheme

Theaterstadt Berlin

Über zwanzig Theater spielen zu Beginn des Jahrhunderts in Berlin. Das Hoftheater ist – trotz eines hervorragenden Ensembles mit Adalbert Matkowsky, Arthur Vollmer, Rosa Poppe, Amanda Lindner, Anna Schramm und vielen anderen – in Zopf und Tradition erstarrt. „Im Schauspielhaus des Königs von Preußen standen lederne Klassikeraufführungen und reizende Wiedergaben nichtiger Komtessenlustspiele, daneben vaterländische Paradestücke für den Gebrauch des hohen Hausherrn zur Auswahl." (Graetzer, Theaterstadt Berlin) Friedrich Düsel schreibt 1906 in einer Glosse, daß die Intendanz des Hoftheaters bei der Zusammenstellung des Spielplans nur eine Sorge habe: wie man jeden Stein des Anstoßes vermeide und Kopf und Herz vor Überanstrengung bewahre.

Die Gebildeten genierten sich eigentlich, noch in dieses Haus zu gehen. Gewiß, man konnte sich zuweilen mit dem Anblick einer entsetzlichen Lustspielnovität noch den Genuß Arthur Vollmers erkaufen, dessen edler Humor durch das Alter nur reiner und stärker wurde. Und man konnte einmal das Glück haben (etwa in Anzengrubers „G'wissenswurm"), mit Max Pohl, der an Kraft, Herz und Geist noch nichts eingebüßt hatte, ein wundervolles kleines Mädchen auf der Bühne zu sehen, die Helene Thimig hieß und die Tochter des Burgschauspielers aus Wien war. Aber das waren Oasen in einer Wüste, die immer grauer und trostloser wurde. Max Grube war als Intendant nach Meiningen abgewandert, und es gab (unter der Intendanz jetzt des jüngeren Grafen Georg von Hülsen-Haeseler) eine Zeitlang überhaupt keine künstlerische Leitung des Schauspiels. Paul Lindau funktionierte als „erster Dramaturg", war aber nachgerade uralt geworden und meist abwesend. Wilhelm II., der sich durchaus als persönlicher Besitzer dieses Hauses fühlte, hatte zwar in einer berühmt gewordenen Rede erklärt: „Auch das Theater ist eine meiner Waffen!" Aber was ihn mit dem Theater verband, war lediglich ein Sinn für äußere Repräsentation, für dekorative Betonungen. Gegen die eigentlichen Lebenskräfte der Kunst, die stets kritisch und in einem sehr tiefen Sinne „revolutionär" sind – weil sie die noch ungestalteten, noch unlegitimierten Lebenskräfte jeder Epoche aufspüren und aussprechend gestalten wollen –, gegen diese eigentlichen Kräfte der Kunst mußte dieser Monarch eine tiefe Abneigung empfinden ... Niemand dachte daran, das mächtige Instrument des Hoftheaters Max Reinhardt als dem einzig geeigneten Mann der Epoche anzuvertrauen. So blieb es vollkommen ungenutzt und verrostete. Dynastische Huldigungsstücke im Stile von Lauffs „Burggraf" und Wildenbruchs „Willehalm" oder so kostspielige und sinnlose Prunkvorstellungen wie „Sardanapal" waren es eigentlich allein, die dem Staatstheater ein bestimmtes, wennschon gewiß nicht künstlerisches Gesicht gaben. Sie entsprachen in ihrer lärmenden Leere durchaus dem, was der Herr des Hauses wünschte.

Bab, Das Theater der Gegenwart

Der große graue Schinkel-Bau am Gendarmenmarkt war nicht ehrfurchterregend, aber ehrfurchtgebietend. Er befahl gleichsam die Ehrfurcht. Das Haus war groß. Man konnte sich in dem weitläufigen Gebäude verirren. Einer, der sich mehrfach verlief, fragte schließlich verzweifelt: „Wo ist denn nun eigentlich das Theater?" Dabei standen überall galonierte Diener herum. Sie trugen dazu bei, das Theater zu einem Hoftheater zu machen ...

Auf den Reinhardt-Bühnen tobte sich das schauspielerisch-komödiantische Naturell aus. Auf der Bühne des Generalintendanten Graf von Hülsen-Haeseler agierten die königlichen Darstellungsbeamten Seiner Majestät. Sie waren pensionsberechtigt, und im Geist hielten sie vor jeder Vorstellung etwa folgende Ansprache: „Meine Herren! Meine Damen! Meine Damen! Meine Herren! Meine Herren Offiziere! Sie befinden sich heute abend im Theater. Aber wohlbemerkt: im Hoftheater. Wir selbst sind alle Mitglieder der Ersten Bühne Deutschlands, wir unterstehen dem Generalintendanten Exzellenz Graf von Hülsen-Haeseler und fühlen uns als unmittelbare Diener unseres Kaiserlichen Herrn, Seiner Majestät Wilhelm II. Hurra! Hurra! Hurra! Daß man aber woanders besser Theater spielen würde als bei uns, halten wir für

eine irrige Annahme. Denn was schließlich kann man anderes tun, als die herrlichen Verse eines Goethe, Schiller und last not least eines Shakespeare richtig zu betonen. Mehr können die anderen auch nicht. Vergessen Sie bitte nicht, daß diese Bühne die erlauchtesten Vertreter der deutschen Schauspielkunst betreten haben. Wir stehen gewissermaßen auf geheiligtem Boden."
Ullstein, Spielplatz meines Lebens

Otto Brahm, Mitbegründer der „Freien Bühne", Förderer des naturalistischen Dramas, leitet bis 1904 das Deutsche Theater in der Schumannstraße, das noch immer als „die erste, die führende Bühne deutscher Sprache" gilt (Eduard von Winterstein).

Brahms Bestreben hatte viel Ähnlichkeit mit Stanislawskis Regie. Er fing auch ungefähr zur selben Zeit damit an. Das Deutsche Theater, das er seit Jahren leitete, war für Berlin ein Begriff geworden. Sein Ensemble vereinigte die besten Kräfte: außer den bereits genannten Reinhardt, Kayssler, Reicher noch Bassermann, Sauer, Else Lehmann und Irene Triesch. Er spielte als erster Ibsen, Björnson, Hauptmann, Schnitzler und Hofmannsthal. Das Publikum sträubte sich, bei vielen dieser Stücke mitzugehen, aber Brahm hatte sein Budget so klug ausbalanciert, daß er es sich erlauben konnte, Ibsen zum Beispiel so lange vor leeren Bänken zu spielen, bis sich langsam eine Ibsengemeinde bildete, die schließlich das Theater zu füllen begann. Aber Brahms ruhige, trockene Regie, die einen wohltuenden Gegensatz zu dem Schlendrian an anderen Bühnen bildete, verknöcherte langsam mit den Jahren. Der Naturalismus, der erst so erfrischend gewirkt hatte, wurde bei ihm bis zum äußersten getrieben; auch in den Klassikern, die darin ein gewisses Maß verlangten.
Tilla Durieux, Eine Tür steht offen

1904 gibt Brahm das Haus in der Schumannstraße ab und siedelt in das Lessingtheater am Friedrich-Karl-Ufer über. Hier bringt er eine

"Speisenfolge aus Ibsen und Hauptmann, Schnitzler und Eulenberg" für den "konservativeren theatralischen Geschmack" (Graetzer, Theaterstadt Berlin).

Im Deutschen Theater beginnt – nach einem kurzen Intermezzo unter Paul Lindau – Max Reinhardts Direktion, die das Haus in der Schumannstraße in einen Wallfahrtsort deutscher Theaterkunst verwandelt.

Max Reinhardts Berliner Laufbahn hat im "Künstlerhaus" ihren Anfang genommen – mit einer Benefizvorstellung für den Dichter Christian Morgenstern.

"Schall und Rauch" nannte sich mit faustischer Verachtung jeder präzisen Bezeichnung ein Abend im damaligen Berliner Künstlerhaus in der Bellevuestraße gleich am Potsdamer Platz, zu dem eine Gruppe aufsteigender Schauspieler einlud. Es war der 23. Januar – ein denkwürdiges Datum für die Weltgeschichte des Theaters, wie wir sehen werden. Der Beginn war auf elf Uhr angesetzt, weil die Mitwirkenden zuerst ihre Verpflichtungen zu erfüllen hatten. Der Sinn der Veranstaltung war: für den Dichter Christian Morgenstern, der krank in Davos lag, Mittel für eine Verlängerung seines Winteraufenthalts im Hochgebirge aufzutreiben. Morgenstern, der spätere berühmte Erfinder der Figur des "Palmström", damals noch wenig bekannt, hatte besonders innige Freunde unter den jüngeren Mitgliedern des Brahmschen Ensembles, die sich zu einer locker gefügten Vereinigung "Die Brille" zusammengefunden hatten. Diese "Brille", die sich als Keimzelle einer wunderbaren Entwicklung erweisen sollte, hatte zur Begrüßung des 20. Jahrhunderts eine Silvesterfeier hergerichtet, bei der sie sich selbst und einige Freunde mit einer respektlosen Don-Carlos-Parodie amüsierte – mit so schallendem Lacherfolg, daß man jetzt beschloß, die fidele Gelegenheitsaufführung, noch ein wenig erweitert, öffentlich zu wiederholen; das Ergebnis aus dem Verkauf der saftig teuren Eintrittskarten sollte dann Morgenstern zukommen ...

Was sich nun an jenem Januarabend von "Schall und Rauch" begab, war der köstlichste Künstlerulk, den ich je erlebt habe. Die Don-Carlos-Parodie bestand aus vier Parodien, die hintereinander abrollten, um zugleich einen lustigen theaterhistorischen

Lehrgang zu absolvieren. Zuerst kam der Carlos einer Schmierenkomödianten-Truppe. Sodann eine Umwandlung des Dramas in den Stil des Naturalismus: mit „Carle" und „Markus aus Posen, Abgeordnetem der ganzen Menschheit". Ferner eine symbolische Maeterlinckiade „Carleas und Elisande". Schließlich das Schillerwerk auf dem Überbrettl, also höchst aktuell ... Die Zuhörer bogen sich vor Lachen. Minutenlang konnten die Darsteller nicht zu Worte kommen. Von einem unvergleichlichen, in allen Tiefen des Ulks hinableuchtenden Humor war namentlich der eine Schauspieler, der in den verschiedenen Fassungen den König Philipp spielte und sich als Heldenvater der Schmiere mit rollenden Augen den Leib rieb, wobei er schillertreu versicherte: „Der Aufruhr wächst in meinen Niederlanden".

Dieser Schauspieler hieß Max Reinhardt ...

Von dem aufsteigenden Stern, der mit einem Schlage aus den Wolken getreten war, wußte man vorher nur innerhalb eines winzig kleinen Kreises – am 23. Januar 1901 erfuhr es ganz Berlin, bald die ganze Welt. Max Reinhardts steiler Aufstieg begann.

Wenn er zunächst ohne Hast erfolgte, mit anständiger Langsamkeit sozusagen, so lag darin nur ein Zeichen für die innere Stärke und Gesundheit des Vorgangs. Noch im ersten Bühnenhaus, das der werdende Prinzipal bezog, wurden anfänglich die spaßhaften Nebendinge fortgesetzt und der Name „Schall und Rauch" beibehalten, der sich so glückverheißend bewährt hatte. Dann wurde er umgewandelt und lautete „Kleines Theater". Es wurde bald ein Großes Theater. Dann ging es hinüber ins „Neue Theater" am Schiffbauerdamm – 1905 ins „Deutsche Theater". Es kam zu dem wundervollen Nebeneinander von Brahm und Reinhardt, das im Wechsel, in gegenseitiger Befruchtung und Reibung die beiden Wirkungsmöglichkeiten der Bühnenkunst und damit die gesamte Kultur des Theaterwesens zu einem nie und nirgends erreichten Gipfel steigerte. Es kam zum Auftreten hochbegabter jüngerer Kräfte, die beide Felder bebauten. Victor Barnowsky, die Schauspielerfreunde Meinhard und Bernauer traten an die Spitze. Aus den mächtigen Antrieben erwuchsen neue Bestrebungen. Leopold Jessner ging von dem zur Macht gelangten Expressionismus, Erwin Piscator von den bedeutenden Reformen der modernen Russen aus. Das alles strömte aus jenem nachdenklich-heiteren Abend vom Januar 1901. Es war, wie wenn ein Zauberer aus einem Zylinderhut eine Knospe aufsteigen läßt, die größer wird, sich öffnet, erweitert, Nebenschößlinge hervorbringt, bis ein Rausch von Blüten und Blättern sich entfaltet und den ganzen Raum füllt.

Osborn, Der bunte Spiegel

Die Inszenierung von Einaktern von Schnitzler und Strindberg, die Einrichtung von Wildes „Salome" und Wedekinds „Erdgeist" markieren den Weg von „Schall und Rauch" zur seriösen Literaturbühne. Den durchschlagenden Erfolg aber erringt das junge Ensemble mit der deutschen Erstaufführung von Maxim Gorkis „Nachtasyl":

Der offizielle Regisseur dieser Vorstellung war Richard Vallentin, aber ich bin überzeugt, noch niemals war die Arbeit an einem künstlerischen Werk ein so ausgesprochenes Kollektivschaffen wie bei diesem „Nachtasyl". Vallentin besorgte wohl die mise en scène, aber darüber hinaus ging seine Tätigkeit eigentlich nicht ...

Eins ist sicher: Reinhardt, obschon er ja gar nicht offiziell die Regie dieses Stückes führte und obschon von seiner Regiebegabung sich keiner von uns etwas träumen ließ, hatte in seiner stillen, unaufdringlichen und bescheidenen, aber um so überzeugenderen Art, ohne daß uns und vielleicht auch ihm selbst dies bewußt wurde, den stärksten Einfluß auf das Entstehen dieser Vorstellungen. Und noch eins kam hinzu: „Nachtasyl" enthält rund zwölf wichtige Rollen. Es gibt keine eigentliche Hauptrolle in diesem Stück. Die zwölf Rollen waren so überaus glücklich besetzt, für jede einzelne Rolle war eine so geeignete Persönlichkeit gefunden, wie es in der Theatergeschichte vielleicht nicht wieder zusammentreffen kann. Hier die Besetzung des Stücks*:

* Eduard von Winterstein erwähnt nicht die Figur des Pilgers Luka, die von Max Reinhardt selbst verkörpert wurde.

Regie	Richard Vallentin
Musik (Gesänge)	Beermann
Kostilew	Victor Arnold
Wassilissa, seine Frau	Rosa Bertens
Natascha	Johanna Hus
Satin	Richard Vallentin
Schauspieler	Emanuel Reicher
Baron	Hans Waßmann
Nastja	Gertrud Eysoldt
Pepel	Ed. v. Winterstein
Aljoscha	Guido Herzfeld
Kleschtsch	Adolf Edgar Licho
Seine Frau	Elise Zachow-Vallentin
Medwedjew	Dill

Der Erfolg, den das „Nachtasyl" damals, am 23. Januar 1903, errang, war so groß, wie ich es in den langen Jahren meiner Berliner Tätigkeit nur wenige Male erlebt habe. Die Vorstellung wurde zunächst ein Jahr lang ununterbrochen vor stets ausverkauftem Hause gespielt, aber auch in den folgenden Jahren beherrschte sie noch das Repertoire, und ich glaube nicht zu übertreiben, wenn ich die Gesamtzahl der Aufführungen auf etwa 600 schätze.

Winterstein, Mein Leben und meine Zeit

Das „Nachtasyl" steht für lange Zeit täglich auf dem Spielplan des Kleinen Theaters. Ossip Pjatnizki schreibt am 7. März 1903 an Maxim Gorki: „Das Theater war stets voll. Hauptmann war da. Hat es sich angesehen und gesagt: ‚Eine große Sache, eine echte Sache' ... Mehrere Male hat Bebel das Stück gesehen. Er ist von ihm nicht weniger begeistert als Kautsky ... Bebel will Ihnen schreiben." (Gorki, Dramen/1) 1904 inszeniert Reinhardt – nun schon im Neuen Theater – Lessings „Minna von Barnhelm":

Es leben wohl nicht allzu viele mehr, die diese Aufführung gesehen haben, aber wer von ihnen noch lebt, der hat die starke Er-

Gorkis „Nachtasyl" im Kleinen Theater, 1903

innerung daran, der kann sie nie mehr vergessen. Die Aufführung wirkte wie eine Uraufführung. Es war, als ob das Publikum dieses Stück erst kennenlernte. Reinhardt behandelte es aber auch mit einer Intensität, als ob es sich um ein soeben geschriebenes Stück handelte ...

Mit der größten Vorsicht ging er an die Besetzung der Rollen. Allerdings standen ihm zu seinem Glück und zum Glück der Vorstellung in den vorhandenen Kräften Persönlichkeiten zur Verfügung, die fast hundertprozentig mit den von ihnen darzustellenden Rollen eins zu werden vermochten. Da war zunächst die Minna selbst. Es gab auf deutschen Bühnen keine Schauspielerin, die so viel persönlichen Charme, so viel Anmut und Grazie besaß wie Agnes Sorma. Sie konnte ausgelassen lachen und tollen, ja – sie konnte lachen und weinen zugleich. Und was wäre für die Darstellung der Minna von Barnhelm schöner, wichtiger, als lachen und weinen zu können! Neben ihr Lucie Höflich als Franziska. Das war nicht mehr das französische Kammerkätzchen, als das die naiven Liebhaberinnen bisher diese Rolle gespielt hatten, nein, das war wirklich die Müllerstochter aus Klein-Ramsdorf, die in ihrer rundlichen Derbheit das wundervolle Seitenstück zu dem zierlichen Edelfräulein der Sorma abgab. Das Terzett der Frauen in der Komödie vervollständigte Hedwig Wangel in der kleinen, aber so unendlich wirkungsvollen und erschütternden Rolle der Rittmeisterin Marloff, der Dame in Trauer.

Den Tellheim spielte ich, und da es mir naturgemäß nicht möglich ist, mich hier selbst zu kritisieren oder etwa gar zu loben, so begnüge ich mich mit der Feststellung, daß ich dank Reinhardts Führung, die ich in der Folge noch mehr beleuchten werde, hier vielleicht das Beste gegeben habe, was ich zu geben vermochte. Der Wachtmeister Werner wurde von Friedrich Kayssler gespielt. Das heißt, mit Kayssler hatte es vor der Hand noch Schwierigkeiten, er war ja noch bei Brahm am Deutschen Theater engagiert ... Brahm machte große Schwierigkeiten, bei den ersten Aufführungen mußte Reinhardt für jeden Abend tausend Mark Konventionalstrafe zahlen. Schließlich einigte man sich doch, und Kayssler konnte endgültig in Reinhardts Lager übergehen. Seine durch und durch ehrliche, wahrhaftige und urdeutsche Art prädestinierte ihn vollauf für den Wachtmeister Werner. Ich bin nach meiner Erinnerung kaum jemals mit einem Mitspieler so innig verbunden, so verwachsen gewesen wie damals mit diesem Friedrich Kayssler.

Reinhardt selbst spielte den Just, das immer etwas Knorrige seiner Persönlichkeit gab dieser herrlichen Figur ein ganz besonderes Gepräge.

Nun komme ich zu einer Leistung, die zu schildern und zu würdigen mir nicht leicht wird: das war der Wirt von Georg Engels. Diese Leistung war etwas Einmaliges. Ich kann mir nicht denken, daß jemals wieder ein Schauspieler sie erreichen wird ...

Wenn das Wort Charakterkomiker auf einen Schauspieler paßte, so auf Georg Engels. Er war viel mehr Charakterspieler als Komiker. Freilich war sein Gesicht an und für sich schon in

Umseitig:
Franz Skarbina: Winterlicher Spätnachmittag auf dem Gendarmenmarkt, 1910

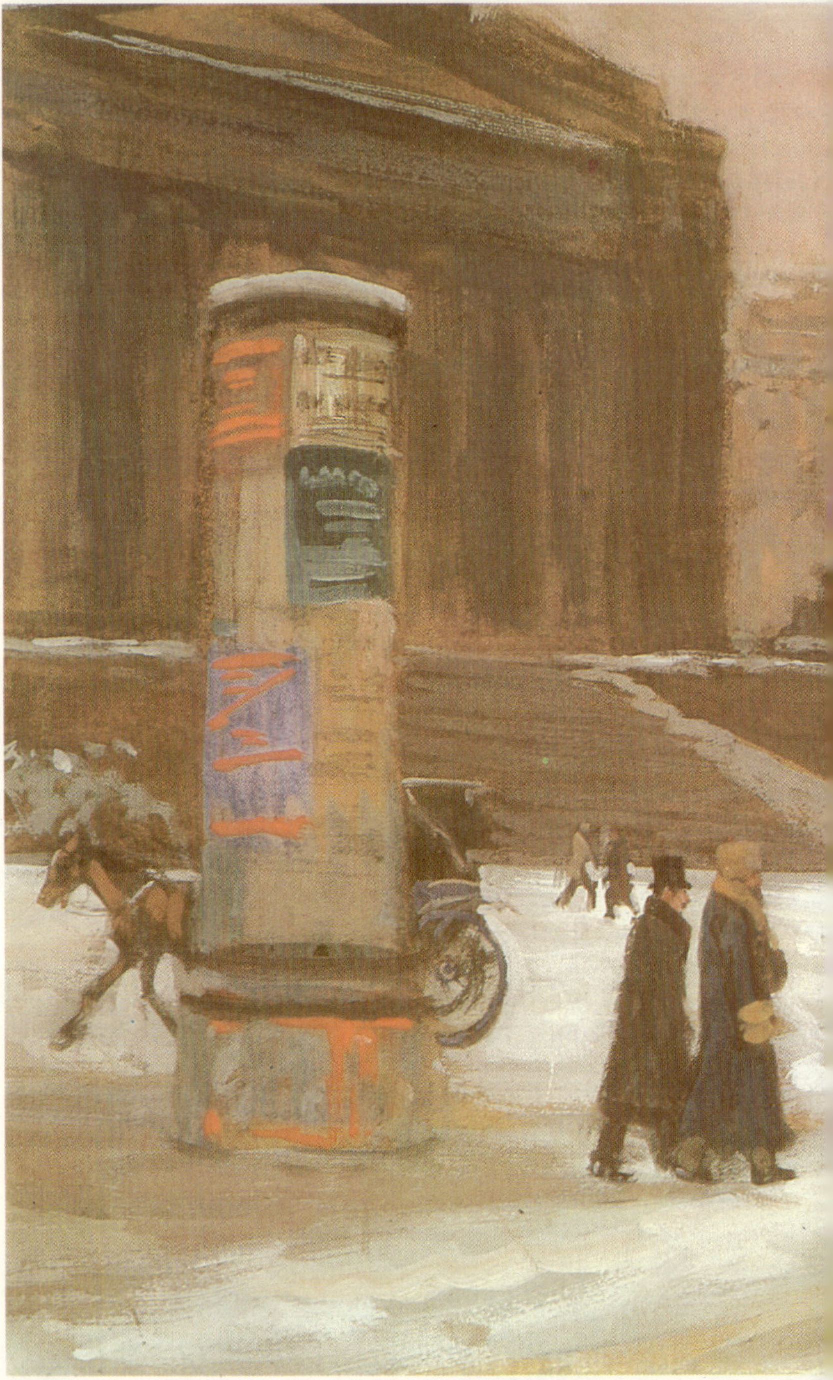

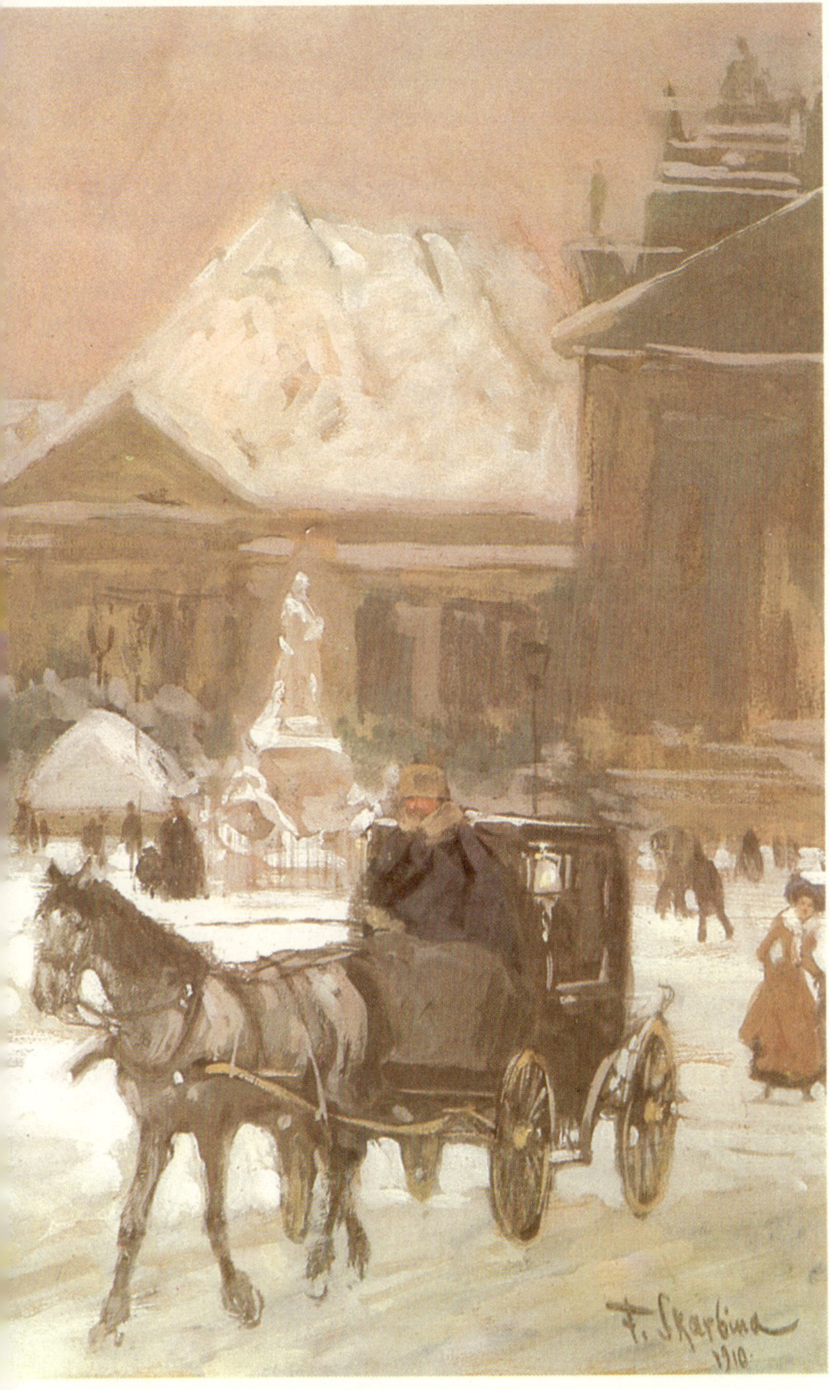
F. Skarbina
1910

normalem Zustand eine zum Lachen reizende Grimasse ... Die schleimige Unterwürfigkeit, mit der Engels in der großen Fremdenbuchszene vor dem Fräulein von Barnhelm herumdienerte, im Gegensatz zu dem geringschätzigen Ton, mit dem er von oben herab des Fräuleins Zofe Franziska behandelte, war von erschütternder Komik. Und wie drückte sich die entsetzliche Neugierde, die ihn fast krank machte, in dem Suchen seiner kleinen Schweinsäuglein, in der hastenden, tastenden Haltung seines ganzen Körpers aus, der wie von einem Magnet von der auf dem Tische stehenden Kassette angezogen schien, aus der das Fräulein den berühmten Ring genommen hatte! Ein Meisterstück war die Szene des dritten Aktes, in der er Werner und Franziska die Szene der Begegnung zwischen Minna und Tellheim schilderte. Er spielte diese ganze Szene förmlich vor, hüpfte von einem Platz auf den andern, kopierte sowohl Minna als Tellheim, rannte von Tür zu Tür, bis er schließlich ganz erschöpft von dieser Darstellung in einen Stuhl sank. Wer das erlebt hat, dem wird es unvergeßlich sein.

Es gab noch eine Leistung in dieser Vorstellung, die etwas Einmaliges bedeutete und meiner Meinung nach kaum wieder erreicht, geschweige denn überboten werden wird: das war Joseph Giampietros Riccaut de la Marlinière. Ich schicke voraus, daß Giampietro ein wundervolles Französisch sprach, und wie er in Haltung, Ton und Gebärde diesen großsprecherischen Prahlhans kennzeichnete, wie er andererseits in verlogener Sentimentalität Mitleid erregen wollte, das war verkörperte Schamlosigkeit. Ich glaube, der Höhepunkt dieser Leistung lag in dem Ton des einzigen Sätzchens: „Donnez toujours, Mademoiselle!" Wann werde ich so etwas Vollendetes wieder hören?
Winterstein, Mein Leben und meine Zeit

Reinhardt holt sich nicht nur die begabtesten Schauspieler seiner Zeit; er sucht auch für die Ausstattung seiner Inszenierung die besten bildenden Künstler heranzuziehen. Lange hält sich die Legende, an der Einrichtung der „Minna von Barnhelm" habe selbst Adolph Menzel mitgewirkt:

Es ist über diese Aufführung die irrige Meinung verbreitet – ich habe sie verschiedentlich gedruckt gelesen –, kein Geringerer als Adolph Menzel habe die Ausstattung geleitet. So war es nun durchaus nicht. Felix Hollaender war auf den Einfall gekommen, Menzels Namen als Reklamevorspann zu benutzen. Es wäre wirklich nicht nötig gewesen, die Inszenierung Reinhardts hätte für sich selbst gesprochen. Aber Hollaender konnte sich nicht genugtun. Er hatte es verstanden – auf welche Weise, das hat kein Mensch ergründet –, sich zu dem sonst unnahbaren und sich ängstlich vor aller Welt verschließenden Menzel Zutritt zu verschaffen. Zuvor hatte er sich der Beihilfe von Agnes Sorma versichert. Die beiden hatten ihren Besuch bei Menzel gemacht, dem Zauber und dem Charme Agnes Sormas hatte der griesgrämige, menschenfeindliche alte Herr nachgegeben, und wenn er es auch weit von sich wies, sich persönlich bei der Ausstattung des Stückes zu beteiligen, so erreichte die liebenswürdige Agnes es doch, ihn zu dem Versprechen zu bringen, einer Kostümprobe beizuwohnen.

Der Besuch Menzels auf der ersten Kostümprobe von „Minna von Barnhelm" im Neuen Theater war wohl ein Ereignis, wert, in seinen Einzelheiten geschildert zu werden. Hollaender hatte Menzel in einer Droschke abgeholt und fuhr ihn zum Theater. Als der alte Herr abgestiegen war, betrachtete er mißtrauisch die Front des Gebäudes und fragte: „Ist dieses Theater auch nach den neuesten feuerpolizeilichen Vorschriften gebaut?" Als ihm dies versichert wurde, ging er vorsichtig und bedächtig in das Haus hinein und ließ sich durch die dunklen Gänge in das Parkett geleiten, wo er in der fünften Reihe Platz nahm. Hollaender nahm ihm seinen mächtigen Zylinder ab und setzte diesen auf die Brüstung der Parkettloge. Es war deutlich zu bemerken, wie Menzel während der ganzen Probe immer wieder nach der Parkettloge schielte, um sich zu überzeugen, ob sein Zylinder noch dort stünde. Er sah sich die ganze Probe an, und am Schluß führte ihn Hollaender auf die Bühne, wo er sein Gutachten abgeben sollte. Er sagte nicht allzuviel. Auf die Frage, ob der Kapuzenmantel, den die Sorma im letzten Akt trug, richtig sei, meinte er: „Ä! Die Hauptsache ist, daß Sie hübsch aussehen!" Etwas eingehender beschäftigte er sich natürlich mit den Uniformen. An meiner Uniform wollte er irgendwelche Knöpfe etwas versetzt haben, und die Sporenleder sollten nicht an der Seite, sondern oben auf dem Spann geschlossen werden. Sehr zufrieden war er – und betonte es ausdrücklich – mit der Länge meines Zopfes, den ich entgegen allem Herkommen ziemlich lang, bis in das Kreuz hinunter, trug. Man spürte deutlich, wie glücklich er war, als er die Bühne verlassen konnte, als er seinen geliebten Zylinder wieder in der Hand hatte und nach Hause fahren durfte.

Das war die ganze Mitarbeit Adolph Menzels an dieser „Minna"-Aufführung, man konnte auch von einem Neunzigjährigen nicht mehr verlangen. Aber Hollaenders Reklame hatte ihre Wirkung nicht verfehlt, sie ging als Legende in die Theatergeschichte ein.

Winterstein, Mein Leben und meine Zeit

Am 31. Januar 1905 steht zum ersten Mal Shakespeares „Sommernachtstraum" auf dem Programm des Neuen Theaters:

Mit dieser Aufführung begannen eigentlich der Ruhm und die Popularität Max Reinhardts ...

Ich will mit dem Bühnenbild beginnen. Schon hier brachte Reinhardt etwas ganz Neues, etwas Umwälzendes, was zunächst von Zweiflern und Nörglern bekrittelt und bespöttelt wurde, was später sämtliche Theater, große und kleine, nachmachten, was heute eine unumgänglich notwendige Einrichtung jeder Bühne ist: die Drehbühne. Wir hatten uns vor einigen Jahren, anläßlich unseres ersten Wiener Gastspiels, auf der Durchreise in München im Residenztheater die Drehbühne, die der berühmte Theaterarchitekt Lautenschläger hauptsächlich für die Aufführungen Mozartscher Opern gebaut hatte, angesehen und hatten eifrigst diskutiert über die Verwendbarkeit dieser maschinellen Anlagen. Sicher reifte schon damals in Reinhardt der Plan, diese Erfindung für seine Zwecke auszunutzen. Ich glaube, in München ist man nie recht zur vollen Entfaltung aller durch Lauten-

Max Reinhardt, 1905

schlägers Drehbühne gegebenen Möglichkeiten gelangt; so ist Reinhardt im Grunde der eigentliche Schöpfer der Drehbühne ...

Dazu kamen nun noch viele andere Dinge, die das Bühnenbild von Grund aus änderten. Wie oft waren wir in unseren Gesprächen und Diskussionen darüber einig geworden, wie störend und phantasielos bei allen Szenen, die im Freien, das heißt nicht in einem geschlossenen Raum spielten, der nüchtern kahle Bretterboden der Bühne wirkte. Hier nun ließ sich Reinhardt durch eine Neuerung anregen, die von England kam. Beerbohm-Tree, der berühmte Shakespeare-Regisseur in London, hatte, um dem Mangel abzuhelfen, den Waldteppich geschaffen. Es war ein dicker Teppich mit eingeflochtenem künstlichem grünem Gras, das täuschend einen Wiesen- oder Waldboden nachahmte. Wir waren begeistert. Man darf nicht vergessen, daß wir aus dem Naturalismus kamen und bis über die Ohren in unseren naturalistischen Vorstellungen steckten. Die Bühne sollte eben durchaus Natur vortäuschen. Dazu gehörte aber noch mehr als der Waldteppich. Die bis dahin üblichen, auf starre Leinwand gemalten Bäume und Sträucher hätten zu diesem Waldboden nicht gepaßt. Nun setzte Reinhardts ureigene Erfindung ein. Er ließ naturähnliche Baumstämme herstellen, und zwar die kerzengeraden, glatten Stämme der Buche ebenso wie die knorrigen, zerrissenen Rinden der Eiche. Leimgetränkte Packleinwand wurde um ein leichtes, dünnes Holzgestell gelegt und von geschickten Händen zu Rinde geformt, die nach dem Trocknen des Leims die naturgetreue Farbe ergab. Ebenso künstlich wurden die belaubten Zweige hergestellt. Die ebene, glatte Fläche des Bühnenbodens kaschierte Reinhardt durch Anbringung kleiner hügelartiger Erhebungen.

Wir haben uns heutzutage von diesen naturalistischen Bühnenbildern wieder losgesagt, und was der Anblick dieses Waldes dem Auge, das bis dahin auf der Bühne meistens nur gemalte Kulissen und Soffitten gesehen hatte, bedeutete, kann man heute gar nicht mehr verstehen. Es war ein wirklicher, richtiger Wald, in den man beim Aufgehen des Vorhangs blickte. Ja, um die Täuschung vollkommen zu machen, wurde auf der Bühne mit großen Spritzen Tannenduft erzeugt, der sich bald im ganzen Zuschauerraum verbreitete ...

Die vielleicht revolutionärste Neuerung dieser Aufführungen – und damit gelange ich zur Schilderung der Darstellung – war die Darstellung des Puck. Wie hatte man diese Rolle bis jetzt gesehen? Man steckte die naive Liebhaberin in den obligaten rosafleischfarbenen Trikots in ein weißes griechisches Peplon und ließ sie womöglich einen Lilienstengel in der Hand halten. Und jetzt Gertrud Eysoldt! Sei gesegnet für das, was du uns in dieser Rolle gegeben hast! Ein kleiner zottiger Waldschrat mit Bockshörnern und kleinem Stummelschwänzchen, so sprang, hopste, kugelte und hüpfte dieser Irrwisch über die Bühne. Aber auch das Elfenkönigspaar, Oberon und Titania, bis dahin auf der Bühne nur Ballettgestalten, entsprachen ganz und gar dem Bilde, das man sich von einem solchen Paar gemacht hatte. Oberon – Tilla Durieux spielte ihn zuerst, während er später eine berühmte Rolle von Alexander Moissi wurde – trug ein Kostüm, das von Blättern gemacht schien, und als wehenden Mantel einen Grasteppich, ähnlich dem Bühnenboden. Titania – Camilla Eibenschütz – glich, in lichte wehende Schleier gekleidet, ebenfalls einer Waldblume, ihr Haar war eine bis an die Füße reichende Grasperücke. Georg Engels – der im Anfang den Zettel spielte, später löste ihn Hans Waßmann in unvergleichlicher Weise ab – ließ sich die Gelegenheit nicht entgehen, in seiner Eselsverwandlung diese Perücke anzuknabbern. Auch die kleinen Elfchen, die Titania herbeilockt, Senfsamen, Bohnenblüte, sahen aus wie Blumen und Gewächse. Ein unvergeßlicher Eindruck, wenn nach den Worten „Wir wollen still den Weg zur Laube finden" die schöne Musik Mendelssohns einsetzte, die Bühne sich vor den Augen der Zuschauer langsam zu drehen begann und Titania mit ihrem Pyramus-Esel, umtanzt und umhüpft von den winzigen kleinen Elfchen, im Mondschein, der durch die Blätter drang, durch den Wald den Gang zu ihrem Brautlager antrat.

Zwischen diese Elfenszenen hatte nun Reinhardt die Dispute, Streitigkeiten, Zänkereien und Verfolgungen der beiden Liebespaare verteilt – die langbeinige Else Heims war Helena, die kleinere und mollige Lucie Höflich Hermia, ich war Demetrius und Alexander Ekert Lysander. Wir mußten durcheinander wirbeln, daß uns die Puste ausging. Die Mitte der Bühne wurde beherrscht durch vier starke Bäume, die in Trapezform aufgestellt waren. An jedem dieser Bäume stand einer von uns und fand nach jedem Durcheinander wieder den Weg zu seinem Baum. Wie wir uns dann am Schluß dieser Szenen, einer nach dem an-

Plakat für Wolzogens „Buntes Theater"

dern, ermüdet in das tannenduftende Gras legten, während die Zauberklänge des Notturnos über uns hingingen, fühlten wir uns lebendig und leibhaftig in die Welt des Sommernachtstraums versetzt.

Winterstein, Mein Leben und meine Zeit

Dem heiteren Genre haben sich eine Vielzahl der Berliner Bühnen verschrieben. „Französische Auskleideschwänke, sehr hübsch verkörpert, hatten ihre Heimstatt im Residenz- und im Trianon-Theater, hausbackene deutsche Lustspiele im Lustspielhaus, neuberlinische Possen im Thalia-Theater, jüdische Jargonspäße in den Folies Caprices und bei den Gebrüdern Herrnfeld. Wer die Revue begehrte, traf sie in der Behrenstraße an, und der Liebhaber von Operetten wußte sich in der Kantstraße oder am Schiffbauerdamm bedient." (Graetzer, Theaterstadt Berlin)

Der Schriftsteller und Rezitator Ernst von Wolzogen eröffnet am 18. Januar 1901 das erste Berliner Kabarett:

Am Abend des 18. fuhr ich mit der Stadtbahn nach dem Alexanderplatz wie zu meiner Hinrichtung. Mein Hirn war wüst und leer. Alles, was ich mir für meine Eröffnungsansprache zurechtgelegt, hatte ich vergessen. Und da mußte mich auch noch jemand von den mitfahrenden Bekannten darauf aufmerksam machen, daß am selbigen Abend in dem festlich erleuchteten Saale des Königsschlosses von Berlin der Gedenktag des zweihundertjährigen Bestehens des Königreichs Preußen zugleich mit dem Ordensfest der Ritter vom Schwarzen Adler gefeiert werde. Ich dürfe keinesfalls versäumen, dieses bedeutsame Jubiläum in geistige Beziehung zu meinem theatralischen Tauffeste zu bringen.

Der gewaltige Andrang des besten Berliner Theaterpublikums zur Eröffnungsvorstellung hatte alle meine Mitglieder in jene nervöse Hochspannung versetzt, die mit allen theatralischen Entscheidungsschlachten verbunden ist und entweder ganz ungewöhnliche Leistungen aus dem Einzelnen herauslockt oder aber auch zu unbegreiflichem Versagen sonst unbedingt zuverlässiger Kräfte führt. Bis zu dem Augenblick, wo ich hinaus mußte auf die Bühne, um meine Programmrede zu halten, hatte ich keine Sekunde Ruhe zum Überlegen. Und als der Vorhang nun hochging und ich in meinem pflaumenblauen Frack mit goldenen Knöpfen und hechtgrauer Hose der erwartungsvollen Menschenmenge gegenüberstand, die Kopf an Kopf den mit grauem Rupfen ausgeschlagenen Saal füllte, da spürte ich mein Herz im Halse schlagen und meine Zunge im Munde vertrocknen. Ein tiefer Atemzug – dann stürzte ich mich in das Abenteuer, mir der Worte kaum bewußt werdend, die ich den Leuten da unten an den Kopf warf. Aber ich hatte ja so viele Zeitungsaufsätze geschrieben, um meine Absicht klarzulegen, daß ich mein diesbezügliches Sprüchl schließlich auch im Traume aufsagen konnte. Und als ich mich erst einmal ein wenig freigeredet hatte und wieder Feuchtigkeit im Gaumen spürte, da fiel mir auch plötzlich eine Beziehung zwischen dem Überbrettl und dem peußischen Königshause ein. Ich brachte etwas vor von der tieferen Bedeutung des mittelalterlichen Hofnarrenstandes und wünschte dem gekrönten Romantiker Wilhelm II. den nötigen biderben* Humor, um sich von wohlmeinenden Dichtern, tiefen Schauern und weisen Traumdeutern, als welche im lustigen Narrengewande auf meinem Brettergerüst ihr fröhliches Wesen treiben sollten, Wahrheiten sagen zu lassen. Das schlug ein und schuf mir einen guten Abgang. Die Stimmung war da.

Und von dieser Stimmung getragen, streiften auch meine Künstler ihre Nervosität im Nu ab und vermochten ihr Bestes zu geben. Die schon vorher als sicher erprobten Nummern fanden jubelnden Beifall, der „Lustige Ehemann" mußte dreimal wiederholt werden, und am Schlusse des zweiten Teiles wurde auch die höchst verfeinerte literarische Intelligenz behaglich zufriedengestellt durch eine sehr feine d'Annunzio-Parodie, die keinen Geringeren zum Verfasser hatte als Christian Morgenstern, den Sänger der vertrackten Galgenlieder und Erfinder des köstlichen Herrn Palmström. Derselbe Christian Morgenstern hatte auch eine Kritik über sein eignes Werkchen verfaßt, die den abson-

---

* biderb: bieder

derlichen Depeschenstil des originellsten unter den Berliner Kritikern, nämlich Alfred Kerrs, höchst drollig parodierte. Da Kerr selbst schon ein Parodist der Kritik war, stellte diese Leistung also eine Parodie der Parodie dar. Zu Beginn des dritten Teiles gab ich diesen Scherz als von Kerr selbst im Zwischenakt verfaßt zum besten, zum schmunzelnden Behagen aller gebeizten Theaterhasen. Im dritten Teil glückte auch die gefürchtete Pantomime. Und als Schlager ersten Ranges erwies sich die einzige einigermaßen politische Nummer, die uns die Zensur durchgelassen hatte, nämlich das Couplet „Zur Dichtkunst abkommandiert", das der Artilleriemajor Joseph Lauff, dieser liebenswürdige Mensch und leidenschaftlich starke Erzähler, als unglückliches Opfer der Wilhelminischen Cäsareneitelkeit selber im knallenden Kasernenhofton hinausschmetterte.

Die Schlacht war gewonnen, der Sieg war vollständig. Der strahlende Kassierer konnte die Tatsache bis in die Osterwoche hinein bestätigen; denn das kleine Theaterchen war auf Wochen hinaus Abend für Abend ausverkauft.

Wolzogen, Wie ich mich ums Leben brachte

Der Anfangserfolg von Wolzogens „Überbrettl" läßt mehr als drei Dutzend Nachahmungen aus dem Berliner Boden schießen. Im Hinterzimmer einer italienischen Weinstube etabliert der Maler Max Tilke das Kabarett „Zum hungrigen Pegasus". Im gleichen Raum gründet Erich Mühsam 1903 das „Cabaret zum Peter Hille". Das Kabarett „Im siebenten Himmel" spielt im Weinrestaurant des Theaters des Westens unter Leitung von Georg David Schulz. Die „Bösen Buben", von den Schauspielern des Deutschen Theaters Rudolf Bernauer und Carl Meinhard gegründet, spezialisieren sich auf Parodien des zeitgenössischen Kulturbetriebs.

Die große Zeit des literarischen Kabaretts währt nicht lange. „Was sich heute Kabarett nennt, ist ein besseres Tingeltangel mit Weinzwang, aber sein Besuch ist immerhin empfehlenswert für Leute, die gar nicht wissen, wie sie vor dem Zubettgehen und nach dem Gutenabendessen verdauen sollen", schreibt Edmund Edel resigniert.

Gepfefferte Eintrittspreise erlauben immerhin das Engagement prominenter Komponisten und Unterhaltungsstars.

1904 eröffnen der Chansonnier Paul Schneider-Duncker und der Komponist Rudolph Nelson in der Potsdamer Straße das Amüsierkabarett „Zum Roland von Berlin": Eintrittspreis zwanzig Mark.

Schneider-Duncker hatte ein erlesenes Künstlerpersonal verpflichtet. Es gab wohl keinen prominenten Komponisten, der nicht sein Scherflein zum Erfolg beitrug ...

Am Flügel saß – fast hätten wir's vergessen, so selbstverständlich erscheint es uns, kein Geringerer als Walter Kollo.

Und dieser Walter Kollo hatte es sich in den Kopf gesetzt, anläßlich der Eröffnung des „Roland von Berlin" eine Soubrette zu „lancieren", die, wie er seinem Kollegen von der andern Fakultät, Hermann Frey, auf die schwarze Seele band, nur eins „noch" brauchte, nämlich einen Schlager, der – Kollo ist und war, wie alle Komponisten es waren und sind, ganz ausgekocht – selbstverständlich auch ein Schlager für den Komponisten Kollo sein müsse ...

Also Kollo bestand auf etwas recht Originellem für Claire Waldoff, so hieß nämlich sein Protektionskind von anno dazumal. Aber woher nehmen und nicht stehlen?

„Halt, in Südende ist überall Klamauk in den Tanzbumsen, da hört man sicher neue Redensarten."

Ehe sich Hermann Frey den geweihten Stätten näherte, wurde er aufgeschreckt durch ein paar Bengels, die lange grüne Stengel mit Bürstenansatz trugen und mit ihnen Herrn Dichter Frey um die Nase herumfuchtelten und beängstigend laut brüllen:

„Schmackeduzchen, drei Stück eenen Groschen, nehmen Sie mit, Dicker, drei Stück Schmackeduzchen eenen Silbergroschen!"

Hermann Frey fühlte sich diesem Großangriff Berliner Lümmels bester Sorte wohl gewachsen, und da ihm der Ausdruck Schmackeduzchen noch unbekannt war, fragte er vorsichtig, was „Schmackeduzchen" bedeutete:

„Wat, Mensch, det wissen Se nich? Det sin doch die Bumskeulen mangs Schilf ans Wasser hier. Haben Se denn keene Oogen in Ihren wackligen Kopp, oder kieken Se mit de Ohren?"

Frey erstand die Schmackeduzchen. Claire hatte ihre große Nummer.

Schnell hin zum „Ringelpietzchen" in Südende; Schwof bis in die späte Nacht, und – am nächsten Morgen floß der Schlager schnellflüssig aus der Feder, die Geschichte vom Enterich, der sich ins Schmackeduzchen verliebt hatte und dem der böse Schwan das Glück verdarb, indem er ihm Schmackeduzchen abtrünnig machte. Aber ein glückliches Ende kam doch:

> Mein geliebtes Schmackeduzchen,
> Komm zu deinem Enterich,
> Laß uns beid von Liebe plauschen
> Innig, sinnig, minniglich.

Hermann Frey, Immer an der Wand lang

Ich sang damals acht Monate im Berliner „Roland". Nach Schluß der Saison hatte ich bereits einen neuen Vertrag für die kommende Saison mit der doppelten Gage bei der Konkurrenz abgeschlossen, am „Linden-Kabarett", Unter den Linden 22 ...

Ich war die sogenannte Rosine im Programm der internationalen Weltstadt. Man erschien erst zu meinem Auftreten nach dem Theaterbesuch und dem Souper bei Hiller oder bei Dressel Unter den Linden, und hinterher wurde die ganze Nacht in der leichtlebigen, springlebendigen, noch jungen Weltstadtmetropole gebummelt. Ich kenne viele internationale Menschen, die das Nachtleben von Berlin amüsanter und toller fanden als das des damaligen Paris.

Meine Lieder wurden von ganz Berlin gesungen. Es waren die Schlager:

> Wenn der Bräutjam mit der Braut
> So mang de Wälder jeht,
> Wenn der Weizen übern Meter
> Uff de Felder steht,
> Dann is alt und jung
> Mächtig uff 'n Sprung.
> Wenn der Bräutjam mit der Braut
> So mang de Wälder jeht,
> Wenn der Weizen übern Meter

               Uff de Felder steht,
               Dann schreit jroß und kleen:
               „Och, wie is det schön!"

und

               Was liegt bei Lehmann unterm Apfelbaum?
               Ein Kind, ein Kind, ein Kind!
               Was lacht so quietschvergnügt und lutscht
                 am Daum'?
               Det Kind, det Kind, det Kind.
               Nu sag mal bloß, wer hat 'n Storch verkohlt
               Mit 's Kind, mit 's Kind, mit 's Kind?
               Es ist bestellt und ist nicht abgeholt,
               Det Kind, det Kind, det Kind!

und

               Nach meine Beene ist ja janz Berlin verrückt,
               Mit meine Beene hab ick manches Herz jeknickt.

Es war die Zeit meines Lebens, wo ich am frechsten war, am übermütigsten auf der Bühne. Das Publikum, die internationale Welt, die sich in Berlin ein Rendezvous gab, konnte sich auf den Kopf stellen: Ich sang nur drei Lieder, ob sie noch so lange klatschten, ob sie noch so lange trampelten, ob sie „Bis, Bis!"* riefen – ich kam nicht mehr. – Es wurde dunkel gemacht, ganz gleich, ob die Leute noch warteten ... Ich war eben eine „Dolle Bolle" geworden, wie der Berliner sagte. Ich fing an, die Berlinerin zu werden, ein Prototyp der Berliner, ein Repräsentant des modernen Berlin. Das war auch die Zeit, wo mein „Hermann", mein Standardlied, zu blühen anfing:

               Hermann heeßt er,
               Mit de Knie stößt er,
               Hermann heeßt er!

Wieviel hunderttausendmal mag ich dieses Lied wohl gesungen haben? Immer stürmisch verlangt! Jahrzehntelang, jahrzehntelang ...

Claire Waldoff, Weeste noch ...!

* Noch einmal! Wiederholung!

Hofkunst und Sezession

Am 9. Februar 1905 schließt der große Berliner Maler und Grafiker Adolph Menzel die Augen. Der Kunstwissenschaftler Max Osborn erzählt aus Menzels letzten Lebensjahren:

Von der Wohnung im dritten Stock ging es – nicht etwa auf der Vordertreppe, sondern „hinten", über den Küchenaufgang – noch eine Stiege hinauf zu Menzels Atelier.* Ein großer nüchterner Raum, ohne jeden Komfort, ohne den letzten Schimmer von Atelier-Romantik. Nur – an einer Wand hing das stets unvollendet gebliebene Riesenbild „Friedrich der Große vor Leuthen", das später in die Nationalgalerie kam: eine der großartigsten Schöpfungen von Menzels Genie, die ihm selbst aber durch das für ihn ungewohnte Format gleichsam unheimlich geworden war. Er hatte das Gemälde verdammt und mit dem Pinselstiel wütend zerkratzt; die Spuren sind für alle Zeit deutlich geblieben. Durch die breiten Fenster der Werkstatt öffnete sich im Sommer ein weiter Ausblick über die blühenden Gärten der Villen ringsum, im Winter aber war sie ein „Eisstall" erster Ordnung. Darum stand in der Mitte ein niedriger eiserner Ofen, in den Menzel selbst die Kohlen schaufelte. Ein Stück Pappdeckel, oben aufgelegt, diente ihm dann als Instrument, die kleinen zarten Hände zu wärmen, wenn sie gar zu sehr froren. Er war sehr stolz auf diese sinnreiche Erfindung.

Donnerstags war hier oben „Empfangstag", das heißt für die Mitglieder der Berliner „Modellbörse" in der Akademie, und da man wußte, daß Menzel mehr das Charakteristische, Verschnörkelte, mit krausen Details Versehene liebte als süße Schönheit, so sammelte sich am bestimmten Tage die tollste Gesellschaft männlicher und weiblicher Altertümer, mit möglichst häßlichen, faltenreichen, zerschrumpelten Gesichtern, auf dem Treppenabsatz vor der Ateliertür und wartete. Dann trat der Alte heraus, bitterernst, und nahm wie ein inspizierender General die Parade

---

* Menzels Wohnung und Atelier befanden sich im Hause Sigismundstraße 3, in der Nähe des Tiergartens.

dieses shakespearehaften Fähnleins ab. Militärisch klangen seine Entscheidungen: „Hierbleiben!" – „Kann ich nicht brauchen!" – „Übermorgen 9 Uhr wiederkommen!" und dergleichen. Menzel verbrachte fast den ganzen Tag dort oben. Er arbeitete, kramte, wirtschaftete herum, immer mit neuen Plänen beschäftigt, bis ins neunzigste Lebensjahr. „Gezeichnet wird links, radiert rechts, gemalt mit beiden Händen", sagte er einmal zu mir ...

Der Alte ging gern ins Theater. Denn alles, was optisch reizte, hielt ihn fest. Auf der Straße, durch die seine sonderbare Gnomenfigur gravitätisch stapfte, während alle Vorübergehenden ihm nachblickten, blieb er vor jeder Buch- und Kunsthandlung, vor jeder ein bißchen ungewöhnlichen Auslage, vor jedem Photographenkasten lange stehen ...

Aber noch lieber ging Menzel ins Konzert. Hielt man ihn sonst für einen Mann trockenen norddeutschen Verstandes – hier befreite sich die scheue Verhaltenheit seines zarten Gefühls. Besonders fehlte er an keinem der unvergeßlichen Abende des Joachim-Quartetts. Die vier Musiker wollten darum auch dem Tage die Weihe geben, da man Adolph Menzels sterbliche Hülle in die Erde bettete. Man hatte damals den Sarg in der majestätischen Rundhalle des Schinkelschen Alten Museums aufgebahrt. Joachim und seine Freunde hatten sich frühzeitig unbemerkt auf der hoch oben umlaufenden Galerie eingefunden; niemand wußte etwas von ihrer Anwesenheit. Plötzlich, als nach dem Segen des Geistlichen lautlose Stille über dem erhabenen Raum lag, lösten sich, leise einsetzend, behutsam anschwellend, wie von unwirklichen, himmlischen Höhen, die klagenden Töne eines Beethovenschen Andante von der Kuppelwölbung der Rotunde und rauschten über die Häupter der Trauernden hin. Es war der langsame Satz eines Streichquartetts, das Menzel vor allen anderen in sein Herz geschlossen hatte. Mit tiefer Ergriffenheit horchten wir auf. Es war der würdigste Abschied von einem großen Künstler.

Osborn, Der bunte Spiegel

Die Berliner Akademie der Bildenden Künste gilt wenig in Deutschland, obwohl Männer wie Bode und Justi, Liebermann und Slevogt, Tuaillon und Gaul zu ihren Mitgliedern gehören. Die Akademie als Körperschaft verteidigt ohne Schwanken die offiziellen Kunstideale: die Schlachtengemälde und Historienschinken, die pathetischen Allegorien, den äußerlichsten Prunk und Pomp. „Es muß nach etwas aussehen." Und es sieht auch danach aus.

Einflußreichster Repräsentant der Berliner „Hofmalerei" ist der Direktor der Hochschule für Bildende Künste Anton von Werner.

Man kennt Herrn von Werners Bilder. Ihre Sujets haben ihnen eine große Verbreitung gesichert, die etwa der des Staatshandbuchs für die preußische Monarchie entspricht. Ministerien und Unterbeamtenwohnungen erhalten von ihnen ihre Stimmung. Sie gelten dort für Geschichtsbilder. Unendlich trocken und steif stehen meistens zwölf bis sechzig uniformierte, auffallend ausdruckslose Herren herum. Man denkt, ein Modebild für Militärschneider, eine Illustration zur Kleiderordnung; aber die Unterschrift stellt fest: ein Geschichtsbild, ein großer Moment aus einer großen Zeit; König Wilhelms Kriegsrat, die Kapitulation von Sedan, die Kaiserproklamation in Versailles. Vorher wollte man lachen; jetzt möchte man lieber weinen, wenn die Langeweile nicht jeden Affekt ausschlösse.

Was fühlt Herr von Werner selbst bei seinen Bildern? Auch er, darf man zuversichtlich sagen, nichts. In seinen Reden beruft er sich bei jeder Gelegenheit ausgiebig auf die Wärme seiner patriotischen Begeisterung. Aber dann sollte sich doch ein wenig wenigstens von dieser Erregung in seiner Handschrift, seiner Malerei, erkennen lassen. Menzel, wenn er Friedrich den Großen zeichnet, blitzt und zittert vor Erregung, die sich im Leben seiner Linien, Lichter, Schatten mitteilt ..., und Herr von Werner malt die Kaiserproklamation so. „Mehrere Dutzend Stiefel", hat er selbst gesagt ...

Den sichersten Bundesgenossen für seine Kunstauffassung sieht Herr von Werner noch immer im Staat. Der Staat soll den „Schönheitsgedanken", das heißt Herrn von Werners Auffassung von Natur und Kunst, aufrechterhalten „etwa ähnlich so,

Im Landesausstellungspark in Moabit, 1913

wie eine internationale Kommission über die Sicherheit und Zweifellosigkeit des modernen Metermaßes wacht". Ich habe das schon einmal zitiert; aber man kann es nicht oft genug wörtlich lesen. Denn es bezeichnet in einem unnachahmlich suggestiven Stil die Kunstpolitik, die Herr von Werner will.

Um dieses Metermaß in der Kunst aufrechtzuerhalten, ignoriert der Staat bei Aufträgen Künstler wie Liebermann, Klinger und Hildebrand. Herren (kein Schreibfehler!) von Werners Werke, die der Staat dem Metermaß zuliebe bevorzugt, sind bekannt.

Kessler, Herr von Werner

Begegnen die Werke der offiziellen Malkunst den Berlinern nur in der alljährlichen Kunstausstellung im Moabiter Glaspalast, so drängt sich die plastische Hofkunst jedermann auf, der sich zwischen Alexanderplatz und Zoo ergeht. „Berlin ist in letzter Zeit reichlich mit Standbildern geziert worden." (Brockhaus, 1908) Aber mit was für welchen!

Seit 1898 werden rechts und links der Siegesallee, die den Königsplatz mit dem Kemperplatz verbindet, 32 in Carraramarmor gehauene Denkmäler märkischer Landesherren und Fürsten von Brandenburg-Preußen aufgestellt, von Büsten ihrer adligen oder bürgerlichen Zeitgenossen flankiert, von breiten Steinbänken umgeben: ein persönliches Geschenk des Monarchen an die Stadt Berlin.

Goethe forderte, der Schauspieler solle beim bildenden Künstler in die Lehre gehen, jetzt ist es umgekehrt. Malerisch drapierte Mäntel, kühne Helmsilhouetten, gebietende Armbewegungen, protzige Schlächterstellungen, bohrende Blicke, Kostümexegesen vom Bärenfell zum Hermelinmantel, Kronen, Kanonenstiefel, kurz: Panoptikum. Alles hübsch der Ordnung gemäß; ein Hosenlatz ist so ausführlich behandelt wie ein Auge, ein Panzerhemd ist so wichtig wie ein Kopf.

Nicht einer, vielleicht mit Ausnahme von Begas und Brütt, hatte eine Ahnung, wie eine Büste mit dem Postament und dieses mit der Bank organisch zu verbinden sind. Einer sägt unter den Armen den Leib durch und stülpt das Fragment auf einen

Th. Th. Heine: Der kleine Willy spielt Berlin, 1902

vierkantigen Pfahl, und ein anderer komponiert die Hermenform individualistisch um. Die Hauptpostamente mit den Säulchen, Kartuschen und ornamentalen Bändern disponiert jeder bessere Stukkateurgehilfe geschickter; und die Eulen, Gänse, Schwäne, die Adler zu sein prätendieren, spotten in ihrer schreienden stilistischen Hilflosigkeit jeder Beschreibung. Ach – und die Ornamente! Mit romanischen Motiven fängt es an, mit klassizistischen hört es auf; der ganze Kreislauf, den das Kunstgewerbe der letzten dreißig Jahre gemacht hat: hier ist ihm in Stein ein bleibendes Denkmal gesetzt ... Außerdem merkt man überall die rohe Faust des Marmorarbeiters; die Künstler haben kaum hier und da die schematische Routine des Handwerkers überarbeitet, so daß überall eine gleichmäßige Brutalität der Ausführung herrscht. Das ist keine Technik, sondern Maschinenarbeit, nicht Marmor, sondern Zuckerguß. Diese ganze geschichtlich dozierende Plastik ist nicht in einer Linie persönlich; kaum eine Form ist recht verstanden, keine Silhouette schön: patriotische, schauderhaft verstimmte Blechmusik.

Scheffler, Moderne Baukunst

Fürsten, weltliche und geistliche Standesherren und bürgerliche Räte sind Holzschnitten und Kupferstichen aus alten Scharteken nachgebildet; wo niemand mehr weiß, wie die Gestalten in Kettenhemd oder Kutte wirklich ausgesehen haben, greifen die Bildhauer ins Berliner Leben: Für den Ritter Wedigo von Plotho steht Heinrich Zille seinem Freunde August Kraus Modell. „Das bärbeißige Raubrittergesicht des biederen Grafen Plotho mit der urgermanischen Kartoffelnase ist also das wohlgelungene Porträt des damaligen Mitarbeiters einer bekannten großen Kunstanstalt." (Nagel, Autobiographische Zeugnisse)
    Walter Schott verleiht einem brandenburgischen Markgrafen die Züge seines Selbstporträts.

Da von Otto von Bamberg sowohl wie von Wigger von Brandenburg gar nichts, von Albrecht dem Bären nur ein Siegel existierte, das ebensogut ein Pfund Wurst wie ein Gesicht darstellen konnte, so habe ich bei Albrecht dem Bären ein ganz klein bißchen in den Spiegel geguckt und meinen Kopf verwandt.
    Von Wiger von Brandenburg hatte ich mir die Vorstellung gemacht, daß es ein ganz magerer, halbverhungerter Priester gewesen sein müsse, da ja der Name schon so trocken und hart klingt und es in der Mark Brandenburg auch nicht viel zu essen gegeben hat.
    Da der Name Otto von Bamberg schon so rund und behäbig

klingt, er auch im Erzbistum Bamberg eine gute Futterstelle gehabt, habe ich mir von diesem die Vorstellung gebildet, daß er sehr behäbig und rund ausgesehen haben müsse.

Um mir nun nach Möglichkeit ein passendes Modell auswählen zu können, ließ ich eine Annonce erscheinen, in der ich ungefähr das skizzierte, was ich suchte.

Damals hatte ich gerade noch meinen „Hundevogel" und ging mit meiner ganzen Meute in den noch gänzlich unbebauten Wiesen von meinem Atelier bis zum Kurfürstendamm, wo ich in dieser Zeit auf der zu Wilmersdorf gehörigen Jagd eines Tages innerhalb zweier Stunden ganz in der Nähe des Kurfürstendammes siebenundzwanzig Rebhühner zur Strecke gebracht habe.

Also ich ging an diesem Morgen mit meinen Hunden durch diese Wiesen, dachte ganz und gar nicht an die inzwischen erschienene Annonce, dachte auch nicht an die Zeit, die ich angegeben, in der die eventuellen Bischöfe von Brandenburg und von Bamberg sich vorstellen sollten, und sah, als ich wieder in die Nähe meines Ateliers kam, etwa dreißig bis vierzig in schwarze Röcke gehüllte, teilweise mit Zylindern bewaffnete Menschen vor meiner Ateliertür stehen, so daß es aussah, als kämen die Leute zu meinem Begräbnis.

Als ich „im Bilde" war, suchte ich mir zwei passend scheinende Gestalten aus, für den Bamberger einen dicken Kölner Küfer, der seine Tage in Berlin beschließen wollte, und für den Brandenburger Bischof einen märkischen Fischer, einen reizenden alten Mann.

Wenn ich diese beiden Büsten ansehe, so glaube ich sagen zu können, daß es mir gelungen sei, zwei glaubwürdige Gestalten geschaffen zu haben.

Schott, Ein Künstler-Leben

Wilhelm II. benutzt die Einweihung des letzten Standbildes der Siegesallee, um sein Kunstideal zu propagieren und die Werke der Modernen zu verurteilen. Die Hohenzollernstatuen stehen für ihn, tatsächlich, neben den Werken von Michelangelo:

Aber mit Stolz und Freude erfüllt Mich am heutigen Tage der Gedanke, daß Berlin vor der ganzen Welt dasteht mit einer Künstlerschaft, die so Großartiges auszuführen vermag. Es zeigt das, daß die Berliner Bildhauerschule auf einer Höhe steht, wie sie wohl kaum je in der Renaissancezeit schöner hätte sein können ... Unter diesem Eindruck möchte Ich Ihnen dringend ans Herz legen: noch ist die Bildhauerei zum größten Teil rein geblieben von den sogenannten modernen Richtungen und Strömungen, noch steht sie hoch und hehr da – erhalten Sie sie so, und lassen Sie sich nicht durch Menschenurteil und allerlei Windlehre dazu verleiten, diese großen Grundsätze aufzugeben, worauf sie erbaut ist! ...

Wenn nun die Kunst, wie es jetzt vielfach geschieht, weiter nichts tut, als das Elend noch scheußlicher hinzustellen, wie es schon ist, dann versündigt sie sich damit am deutschen Volke. Die Pflege der Ideale ist zugleich die größte Kulturarbeit, und wenn wir hierin den andern Völkern ein Muster sein und bleiben wollen, so muß das ganze Volk daran mitarbeiten, und soll die Kultur ihre Aufgabe voll erfüllen, dann muß sie bis in die untersten Schichten des Volkes hindurchgedrungen sein. Das kann sie nur, wenn die Kunst die Hand dazu bietet, wenn sie erhebt, statt daß sie in den Rinnstein niedersteigt.

Vorwärts, 20. Dezember 1901

Diese Rede betrachten die Berliner Künstler, die sich nicht der offiziellen Hofästhetik unterwerfen, als eine Kampfansage. Thomas Theodor Heine antwortet mit einem Plakat: Ein Fräulein vom Hofe, in dessen Armen ein Rosentopf verdorrt, steht neben einer frischen, lebenskräftigen Blume, die aus der Gosse sprießt. Der „Simplicissimus" läßt eine Berliner Deputation den Kultusminister bitten, ob man nicht die Hauptstadt mit weiteren Hohenzollerndenkmälern verschonen könne. „Meine Herren", erwidert der Minister, „ich habe Ihnen zu eröffnen, daß, solange Berlin fortfährt, sozialdemokratisch zu wählen, solange auch mit der Enthüllung von Denkmälern fortgefahren werden muß."

Und so geschieht es. Reinhold Begas vollendet 1901 das Bismarck-

Denkmal auf dem Königsplatz, „ein ins Riesenhafte vergrößertes Tintenfaß". 1903 wird vor dem Brandenburger Tor eine Denkmalsanlage enthüllt, die, nach Entwürfen des Oberhofbaurats Ihne gestaltet, dem Kaiser Friedrich III. und seiner Gemahlin gewidmet ist. „Diese Geißelung des guten Geschmacks übersteigt in der Tat alles Maß." (Kunst und Künstler, 3/1903)
Im Oktober 1905 wird das Moltke-Denkmal am Königsplatz eingeweiht. Bekannt sind die Sätze des Kaisers, die er an diesem Tage spricht – es ist der Höhepunkt der ersten Marokko-Krise, die um Haaresbreite in den Weltkrieg führt:

Dem Marschall Moltke ist von dem in seiner Schule erwachsenen Heer in Berlin ein Denkmal errichtet worden; eins in Marmor vergeudendem Stil modischen Puppenstandes, von dem Parthenos* und die Musen das Antlitz wenden ... An der Paradetafel im Weißen Saal sprach dann der Kaiser ...: „Wie es in der Welt steht mit uns, haben die Herren gesehen. Darum das Pulver trocken, das Schwert geschliffen, das Ziel erkannt, die Kräfte gespannt und die Schwarzseher verbannt. Mein Glas gilt unserem Volk in Waffen. Das deutsche Heer und sein Generalstab: Hurra! Hurra! Hurra!"

Die Zukunft, 4. November 1905

Seltsame Schicksale haben einige der Werke der bürgerlichen Denkmalskunst. Siemerings Kollektivdenkmal für Haydn, Mozart und Beethoven wird zu nachtschlafender Zeit eingeweiht – „Enthüllung in aller Stille, ohne Militärmusik, ohne Hochs und Orden fallen die Hüllen, auch ohne offizielle Persönlichkeiten, nachts zwölf Uhr am Goldfischteich." (Franz, Zur Geschichte meiner Zeit)
Das von Fritz Klimsch entworfene Denkmal für Rudolf Virchow – ein Titan, der eine Sphinx erwürgt – mißfällt dem Hof, weil Virchow nur als Medaillon und nicht als Ganzfigur, „nicht in Hosen und Stiefeln" zu sehen ist.

---

* Parthenos: Jungfrau; Beiname der griechischen Göttin Athene, die als Beschützerin der Künste galt.

Der Kaiser hat seine Einwilligung zur Aufstellung des Virchow-Denkmals in Berlin versagt.

Die hunderttausend Hofschranzen in Preußen sagen, es sei dies geschehen, weil Seine Majestät künstlerische Bedenken gegen das Monument haben.

Wir wollen das künstlerische Moment lieber weglassen, denn ein Denkmal, das neben all den Plattheiten und Geschmacklosigkeiten nicht aufgestellt werden könnte, ein solches Denkmal existiert nicht.

Kein italienischer Marmorist hat jemals einen solchen Dreck gemeißelt, daß er das heutige Berlin noch verunzieren könnte ...

Jeder rechte Künstler würde gerne das Dynamit bezahlen, das zur Sprengung verschiedener Monumente nötig wäre, aber er geht vorüber und denkt sich was. Der Kaiser könnte das gleiche tun und bei seinen Automobilfahrten das Virchow-Denkmal übersehen.

Aber nein!

Es war notwendig, einen Künstler um die Arbeit zweier Jahre zu bringen! Die Entscheidung wirkt noch wohltuender, wenn man weiß, daß der Kaiser das von ihm verschmähte Monument nie gesehen hat.

Er kannte es nur nach einer Photographie.

März, 1. Mai 1908

Auch der Berliner Stadtbaurat Ludwig Hoffmann stößt mit dem Persönlichen Regiment zusammen, als er – mit städtischen Geldern auf städtischem Boden – einen städtischen Märchenbrunnen errichten will.

Schon im Jahre 1893 hatte die Städtische Kunstdeputation beschlossen, den Platz vor dem Friedrichshain nahe der Bartholomäuskirche künstlerisch zu schmücken. Bei meinem Amtsantritt 1896 lag ein Projekt vor, welches den Platz mit einer reich dekorierten Architektur in Art der Reichstagsarchitektur ausbauen wollte. Die Kunstdeputation hatte es angenommen und zur Ausführung bestimmt. Ein Besuch an Ort und Stelle zeigte mir, daß dieser Platz bei seiner an sich sehr ungünstigen Form und bei seiner unschönen Beziehung zu den anschließenden Straßen für eine künstlerische Betonung ganz ungeeignet ist und daß auch die vielen dort spielenden Kinder an einer Darstellung unserer deutschen Märchen mehr Freude erleben dürften als an einer hochgeschraubten Prunkarchitektur. In diesem Sinne berichtete ich der Kunstdeputation und fand dafür Verständnis. Nun sollten am Eingang zum Friedrichshain ein mittlerer und zwei seitliche Märchenbrunnen projektiert werden. Die Modelle hierzu, an welchen vier Bildhauer die Skulpturen gearbeitet hatten, waren in der Kunstausstellung den Berlinern bekannt geworden. Auf das Ersuchen, der Polizeipräsident möge sich mit der Ausführung der Brunnen einverstanden erklären, teilte dieser mit, der Kaiser habe anheimgegeben, die Brunnendarstellungen in mehrere kleine Gruppen aufzulösen, welche einzelne Episoden aus den Märchen zur Anschauung zu bringen hätten.

Alles, was auf öffentlichen Straßen oder Plätzen in Berlin errichtet werden sollte, bedurfte der Genehmigung des Kaisers, hier jedoch sollten die Brunnen am Eingang zum Friedrichshain

Der Märchenbrunnen im Friedrichshain, 1913

auf Parkterrain errichtet werden, sie waren deshalb nicht von einer kaiserlichen Genehmigung abhängig. Daß der Kaiser sich doch damit befaßte, verursachte in den städtischen Kreisen eine Erregung, als ob es sich um eine der wichtigsten kommunalen Angelegenheiten handle. Dabei wurde die künstlerische Frage kaum berührt, nur um die verwaltungstechnische Seite der Angelegenheit ging der Streit.

Ludwig Hoffmann, Lebenserinnerungen eines Architekten

Der friedfertige Ton des Stadtbaurats zeigt schon, daß er „von der Weisheit durchdrungen ist, daß ein Topf von Ton immer gut tut, sich zu bescheiden, wenn ein Topf von Eisen an ihn stößt" (Franz Mehring, Schloß und Rathaus). Eine Audienz, die Oberbürgermeister Kirschner und Stadtbaurat Hoffmann im Jagdschloß Hubertusstock erlangen, endet denn auch mit der Ausschaltung der widerspenstigen Städtischen Kunstdeputation. Hoffmann überarbeitet den Märchenbrunnen. Am 15. Juni 1913 kann endlich die Anlage eingeweiht werden. Von Josef Rauch stammen die vier Plastiken auf den Balustraden, von Ignaz Taschner die Märchenfiguren am Brunnenrand, von Georg Wrba die Plastiken des Menschenfressers und der Riesentochter, der Frau Holle und des Rübezahl.

An einem wunderschönen Frühlingstag saß ich zusammen mit Taschner auf einer Bank vor dem eben vollendeten Brunnenbecken. Die Abendsonne sandte ihre letzten Strahlen herab, wir waren allein, da gab ich das Zeichen zum ersten Wasserlauf. Überall plätscherte es jetzt los, an zweiundvierzig Stellen trat das Wasser hervor, bald füllte sich das oberste Wasserbecken, die Wasserbüschel trieben auf, die breiten Wasserflächen fielen schäumend in die unteren Becken, im Hintergrund stieg die Fontäne hoch auf. Und das alles glänzte im schönsten Abendsonnenschein. Taschner sah mich an, ihm liefen die Tränen herab, wir drückten uns die Hand und sprachen kein Wort. Ich war zufrieden. Wußte ich jetzt doch, daß der Brunnen mit den Jahrzehnten viel Tausenden Kindern Freude bereiten wird.

Ludwig Hoffmann, Lebenserinnerungen eines Architekten

Zu den begabtesten Berliner Bildhauern der Vorkriegszeit gehört August Gaul, der sich mit seinen sensibel gestalteten Tierplastiken einen Namen macht.

Eine öffentliche Probe seiner Meisterschaft kann Gaul freilich erst ablegen, als der Kunsthändler Paul Cassirer der Stadt Charlottenburg auf eigene Kosten einen Entenbrunnen schenkt:

Vor allem die Kinder haben ihn vom ersten Tage an liebgewonnen; man geht niemals vorbei, ohne ihn von Kindern umschwärmt zu sehen. Die Kleinen stehen im Wasserbecken, sie streicheln und tätscheln unausgesetzt das Bronzegefieder der Enten, so daß die vorspringenden Teile schon ganz blank gerieben sind, sie haben dem Werke Gauls schon einen populären Namen gegeben, kurz, sie machen den Brunnen in einer für Berlin ganz neuen Weise zum Mittelpunkt ihrer unschuldigen Spiele. Es ist damit der Beweis erbracht, daß es begründet war, wenn hier immer wieder gefordert wurde, die seltenen Fähigkeiten Gauls für solche Aufgaben in Groß-Berlin auszunutzen und die großen Aufträge nicht nur den langweiligen Akademikern zu überweisen ...

Wir haben zur Zeit keinen anderen Bildhauer, der die anspruchslose Naturform so meisterhaft klar und frisch, so deutlich und doch weich, so sinnlich innerhalb einer strengen Stilempfindung, so naiv bei einer japanisch scharfen Kunstintelligenz zu gestalten weiß. Gauls Formen in einem Entenkopf, einem Entengefieder rufen ästhetische Empfindungen hervor, die etwas Reinigendes haben. Die ruhige Klarheit der Form macht auch den Betrachter ruhig und klar ...

Alles in allem: ein Werk, wie wir es in Groß-Berlin noch nicht hatten. Wird es Schule machen? An Künstlern, die innerhalb dieser Kunstgesinnung schaffen könnten, fehlt es nicht.

Scheffler, Gauls Entenbrunnen

Der Gymnasiast Kurt Tucholsky schreibt ein Märchen, das 1907 in der satirischen Beilage des „Berliner Tageblatts" erscheint:

Es war einmal ein Kaiser, der über ein unermeßlich großes, reiches und schönes Land herrschte. Und er besaß wie jeder andere Kaiser auch eine Schatzkammer, in der inmitten all der glänzenden und glitzernden Juwelen auch eine Flöte lag. Das war aber ein merkwürdiges Instrument. Wenn man nämlich durch eins der vier Löcher in die Flöte hineinsah – oh! was gab es da alles zu sehen! Da war eine Landschaft darin, klein, aber voll Leben: Eine Thomasche Landschaft mit Böcklinschen Wolken und Leistikowschen Seen. Reznicksche Dämchen rümpften die Nasen über Zillesche Gestalten, und eine Bauerndirne Meuniers trug einen Arm voll Blumen Orliks – kurz, die ganze moderne Richtung war in der Flöte.

Und was machte der Kaiser damit? Er pfiff darauf.

Tucholsky, Werke/1

Tucholsky nennt in diesem „Märchen" mit Leistikow, Orlik und Zille drei Maler und Zeichner der Berliner „Sezession", die sich 1898, als die Auswahlkommission für die „Große Berliner Kunstausstellung" ein Grunewaldbild von Walter Leistikow zurückwies, vom Verein Berliner Künstler getrennt hat. Die jährlichen Sommerausstellungen der Sezession sind die wichtigste Tribüne der zeitgenössischen Malerei. Hier sehen die Berliner Kunstfreunde die Werke von Max Liebermann, Lovis Corinth, Max Slevogt, Walter Leistikow. Zugleich sind die Ausstellungen der Sezession ein Spiegel der wichtigsten modernen Kunstströmungen des Auslands. Sie zeigen Werke von Renoir, Pissarro, van Gogh, Munch, Manet, Gauguin und Cézanne. Daneben macht die Sezession in Winterausstellungen das grafische Werk von Klinger, Liebermann, Th. Th. Heine, Slevogt, Kollwitz und Zille in Berlin bekannt.

1905 eröffnet die Berliner Sezession ein eigenes Haus am Kurfürstendamm mit einer neuen Ausstellung. Max Liebermann schreibt im Vorwort zum Katalog:

Bei der Auswahl der Werke, welche unsere Ausstellung schmücken, war nur das Talent, in welcher Richtung es sich auch offenbarte, ausschlaggebend. Wir sind ebenso stolz darauf, die Werke eines Menzel als die des Böcklin dem Publikum zeigen zu dür-

Ausstellungsplakat der Berliner Sezession

fen. Für uns gibt es keine alleinseligmachende Kunst, sondern als Kunstwerk erscheint uns jedes Werk – welcher Richtung es angehören möge –, in dem sich eine aufrichtige Empfindung verkörpert. Nur die gewerbsmäßige Routine und die oberflächliche Mache derer, die in der Kunst nur die milchende Kuh sehen, bleiben grundsätzlich ausgeschlossen. Auch sind wir uns wohl bewußt, daß wir von seiten des Publikums, welches in der Kunst ungern von liebgewonnenen Gewohnheiten läßt, vielfachen Anfeindungen ausgesetzt sind. Doch im Vertrauen auf die siegreiche Kraft der Jugend und das wachsende Verständnis der Beschauer haben wir ein Unternehmen ins Leben gerufen, das einzig und allein der Kunst dienen will.

Hancke, Max Liebermann

Die Sezession ist jedoch vor allem Ausstellungsverein der Impressionisten, die an die Stelle der akademischen Malerei eine neue, unbefangenere Beziehung zum Sujet setzen. „Die gut gemalte Rübe ist ebensogut wie die gut gemalte Madonna", schreibt Liebermann in bewußter Provokation. Gleichzeitig vertreten die Impressionisten eine veränderte Auffassung vom Wesen der Malkunst. „Es soll nicht so gemalt werden, wie wir wissen, daß die Dinge sind, sondern so, wie sie in bestimmter Entfernung und Beleuchtung erscheinen, bei bestimmter Einstellung des Blickes und der Aufmerksamkeit. Man will nicht die Wirklichkeit wiedergeben, sondern ihre Erscheinung, sogar nur den augenblicklichen Eindruck der Erscheinung." (Justi, Von Corinth bis Klee)

Die Impressionisten stellen ihre Staffelei im Freien auf und entdecken in der Natur Feinheiten des Lichts und der Farbe, die bis dahin unbeachtet geblieben waren. Sie zitieren gern den französischen Maler Delacroix: „Es ist die erste Pflicht eines Bildes, ein Fest für die Augen zu sein."

Bekanntester Vertreter des Berliner Impressionismus ist Max Liebermann, von 1886 bis 1911 Vorsitzender der Sezession.

Umseitig:
Walter Leistikow: Am Schlachtensee

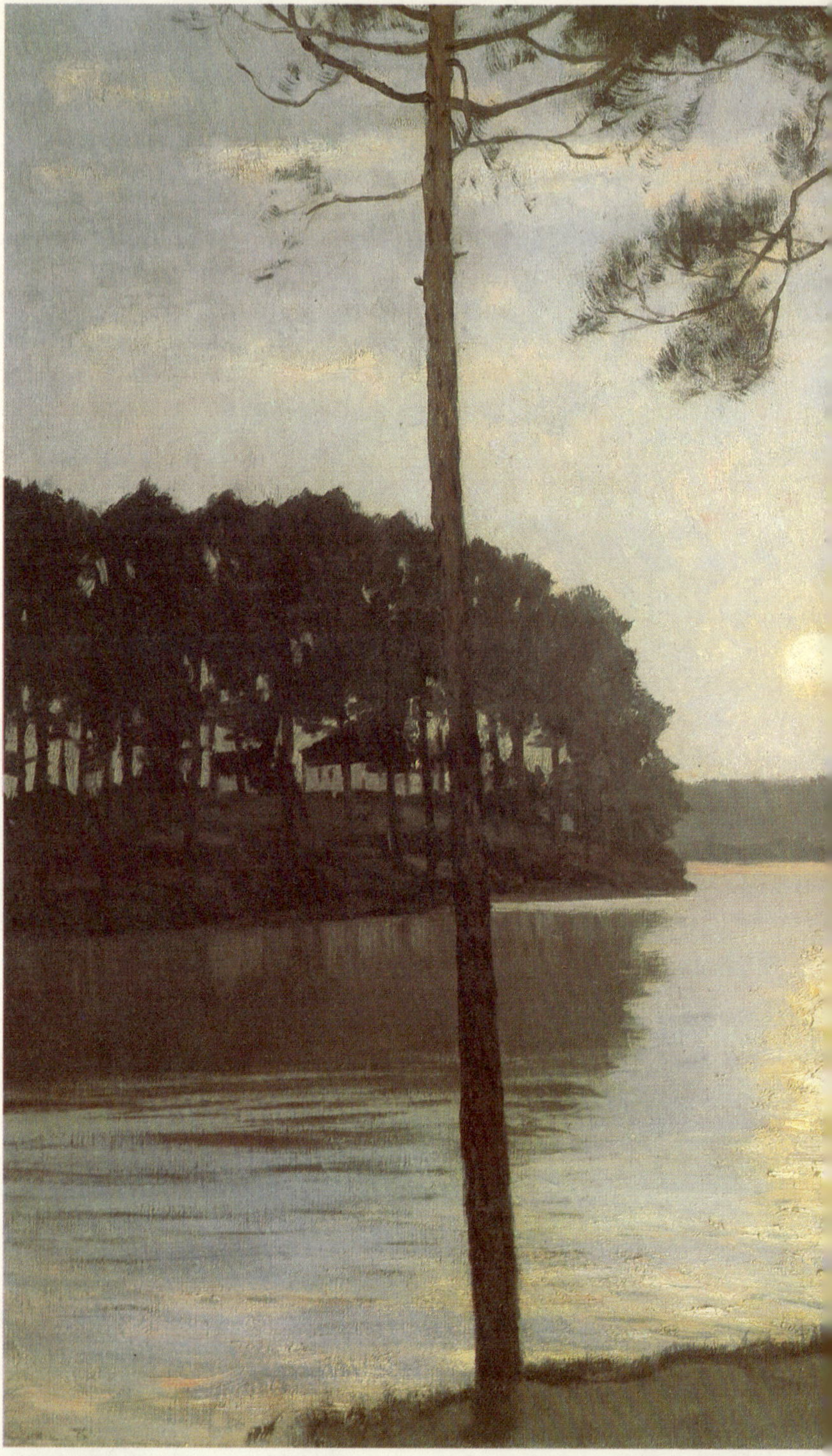

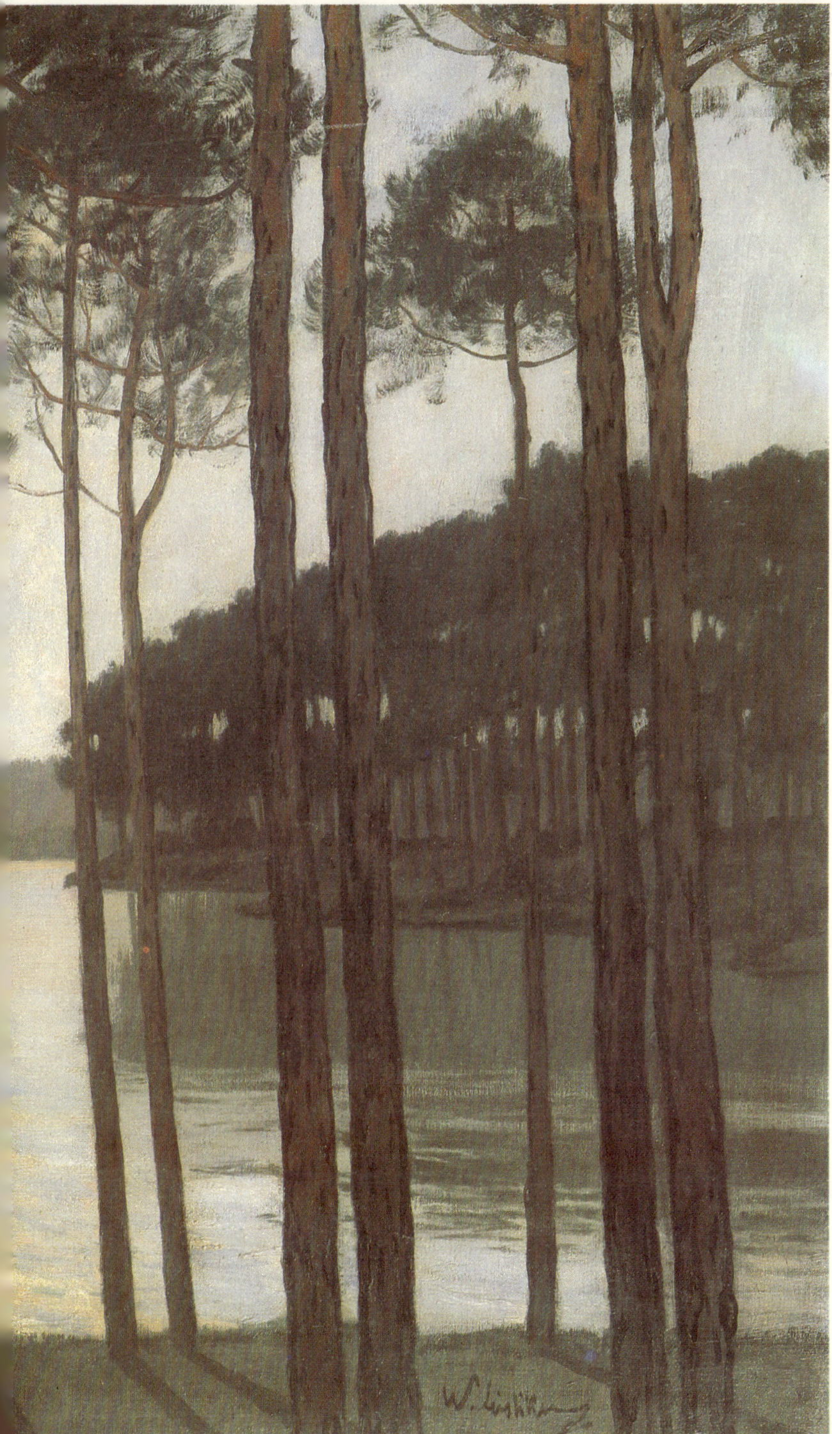

Ende des 19. und zu Beginn des 20. Jahrhunderts galt Liebermann nicht nur als einer der größten deutschen Maler, sondern er war auch unter allen Malern unbestritten der markanteste Geist, der kritischste Kopf, der schärfste Verstand.

Seines Witzes wegen wurde er gefürchtet. Dieser Witz hatte die bis zur Schnoddrigkeit gehende kühle Ironie des Urberliners. Aber er hatte neben der Schnoddrigkeit das Treffsichere eines souveränen Geistes, den Reichtum eines Humors, der entwaffnete. Es war – alles zusammengenommen – die eisigkühle Vernunft eines weltweisen Skeptikers. Nichts war ihm peinlicher als Pathos. Falsches Pathos gar oder große Worte reizten ihn zu einer kalten Dusche. Er verabfolgte sie gern und scheute auch vor ungerechten Abreibungen nicht zurück.

Er war ein ganz seltener Fall: als Maler und Zeichner der höchstgesteigerte Typus eines Intellektuellen. Sein kritischer Geist lebte in inniger Harmonie mit einer erstaunlichen universalen Bildung. Er kannte die Weltliteratur nicht weniger als die Kunstwerke aller Zeiten und Völker. Die Essays, die er über Maler wie Manet und Israëls, denen er sich am innigsten verbunden fühlte, und über Probleme der Malerei geschrieben hat, verraten einen Schriftsteller hohen Ranges.

Seine Persönlichkeit war ebenso aggressiv wie empfindsam, so kultiviert wie grob. Dies ergab eine ganz einzigartige Mischung, die nur er verkörperte: jene Mischung vom Urpreußen und stolzen Juden. Aus dieser ganz individuellen Struktur machte er nie einen Hehl. Er liebte sie im Gegenteil zu betonen und – oft herausfordernd – zu unterstreichen.

Jede Unterhaltung mit ihm entzückte durch die Lebendigkeit seiner Gedanken. Er war immer auf dem Quivive, immer stoßkräftig, immer sprungbereit. Von einer ungewöhnlichen, immer wieder überraschenden geistigen Vitalität. Daher hatten seine witzigen Bemerkungen nie etwas Gekünsteltes oder Forciertes. Sie waren vielmehr die Improvisationen eines scharfäugigen Beobachters, dessen skeptischer Humor ihn die Welt ertragen ließ. Er kannte den menschlichen Schwindel zu genau, um ihn nicht lächerlich zu finden und sich nicht über ihn lustig zu machen. Für ihn gab es keine heuchlerische Kulissenwelt. Wenn er irgendwo Kulissen sah, die etwas vortäuschen wollten, räumte er sie weg. Ganz spontan. Mit einer Handbewegung. Jeder Gefühlsüberschwang, jede Verstiegenheit in der Farbe oder im Wort, alles Überflüssige, nicht absolut Notwendige war ihm zuwider. Er selbst war karg, sparsam, ja geizig mit dem Wort. Er liebte in seiner Kunst wie im Leben die Knappheit und die äußerste Präzision.

Herzog, Menschen, denen ich begegnete

Liebermann hat oft das Leben einfacher Menschen festgehalten. Bekannt sind die Gänserupferinnen, die Korbflechter, die Konservenmacherinnen, die Flachsarbeiterinnen, die Arbeiterinnen im Rübenfeld. Um die Jahrhundertwende geht Liebermann zu „eleganteren Sujets" (Hancke) über. Neben die dörflichen Szenen, sommerlichen Biergärten und Judengassen treten als Motive Villen mit weiten Parks, Reiter am Strande, Tennis- und Polospieler. Gleichzeitig wird Liebermann zum geschätzten Porträtisten der Berliner Großbourgeoisie.

Zu den bekanntesten Malern der Sezession gehört Walter Leistikow. Von der Akademie zurückgewiesen, entwirft er zunächst Teppiche und Tapetenmuster. Dann werden Kunsthändler und Kunstfreunde auf seine märkischen Landschaften aufmerksam.

Im Juli 1908 stirbt Leistikow. Max Liebermann hält ihm die Gedenkrede:

Es ist Leistikows unvergängliches Verdienst – und es wird es bleiben –, den Stil gefunden zu haben für die Darstellung der melancholischen Reize der Umgegend Berlins.

Die Seen des Grunewalds oder an der Oberspree sehen wir mit seinen Augen; er hat uns ihre Schönheit sehn gelehrt.

Nicht nur die wenigen Bevorzugten, denen es vergönnt ist, sich mit Leistikows Bildern zu umgeben: wer von der Woche harter Arbeit und schwerer Mühe sonntags vor den Toren Berlins Erholung sucht, sieht Leistikow...

In den zehn Jahren, die ich Schulter an Schulter mit ihm im Vorstande der Berliner Sezession gekämpft, habe ich die Lauterkeit seines Charakters bewundern gelernt. Er lebte des Glau-

Max Liebermann: Die Papageienallee

bens, daß Recht auch Recht bleiben müsse, und kein Mißerfolg, keine hämische Anfeindung, keine scheinbar unüberwindliche Schwierigkeit konnten ihn in diesem schönen naiven Kindlichkeitsglauben erschüttern.

Leistikow war nicht nur der Vater der Berliner Sezession; er

war und blieb ihre treibende Kraft. Lauter und vernehmlicher als alles, was ich für die Vornehmheit seiner Gesinnung, für seinen uneigennützigen Charakter sagen könnte, spricht für Leistikows Wesenheit und Gründung der Berliner Sezession, die ohne seinen jugendlichen Idealismus undenkbar ist. Dieser immer seltener werdende Idealismus war der Grundzug seines Charakters, und er blieb ihm treu fast bis zu seinem letzten Atemzuge.
Liebermann, Gesammelte Schriften

Die Gemeinde Grunewald, deren Schönheiten Leistikow in Dutzenden von Gemälden gefeiert hat, hat für den „nicht Ortsangehörigen" keine letzte Ruhestätte. So werden Leistikows sterbliche Reste nach dem Friedhof in Steglitz überführt.
Führendes Mitglied der Berliner Sezession ist auch Max Slevogt, der 1901 in die deutsche Hauptstadt übersiedelt.

Slevogt hatte an zeichnerischen Improvisationen – auch seine Buchillustrationen erscheinen improvisiert – und an seiner eigenen Geschicklichkeit dazu ein so unbändiges Vergnügen, daß ihm jedes Blatt, jeder Zettel willkommen war, um sie mit Bleistift- oder Tintenszenen zu decken. Wenn er an seinem Schreibtisch telefonierte, hielt er den Hörer in der linken Hand und kritzelte während des Gesprächs mit der Rechten hunderterlei Augenblickserfindungen auf die herumliegenden Papierstücke. Er entfaltete in diesem Kleinwerk eine Meisterschaft, die Menzels friderizianische Holzschnitte aus jüngerem Geist fortsetzte und mit der erlesenen Reihe der französischen Matadore dieses Kunstzweiges in Wettbewerb trat ...
Ein rechter Berliner ist Slevogt nie geworden. Er genoß wohl den quirlenden Impetus der werdenden Weltstadt, saß auch nachmittags an seinem Stammtisch im Romanischen Café an der Kaiser-Wilhelm-Gedächtniskirche, aber vom Berliner Leben hielt er sich weit zurück. Er tauchte bei keiner Ausstellungseröffnung und in keiner Theaterpremiere auf – nur versäumte er nie eine Mozart-Aufführung im Opernhaus. Er nahm keine Einladungen an und lud keine Leute ein. Er wurde, selbstverständlich,

Mitglied der Preußischen Akademie der Künste, aber er war nicht zu bewegen, einer Sitzung beizuwohnen, und als man ihm nach Liebermanns Rücktritt vom Präsidium seine Nachfolge anbot, wehrte er lachend, aber energisch ab.

Osborn, Der bunte Spiegel

Wesentlich schneller als Slevogt lebt sich der Ostpreuße Lovis Corinth, seit 1902 Vorstandsmitglied der Sezession, in den hektischen, fordernden Kunstbetrieb der Großstadt ein.

Corinth ist der einzige im engeren Kreis der Berliner Sezessionisten, der populär geworden ist ... Als er um 1900 nach Berlin kam, entrüstete man sich über den Rücksichtslosen; bald aber wurde es deutlich, daß der Ostpreuße mit dem breiten Lachen, den klaren blauen Böcklinaugen und der Bärengrazie ein Gegenstand der Entrüstung nicht sein kann. Die Stimmung schlug um, als man instinktiv fühlte, daß Corinth die Kunst und das Handwerk zwar sehr ernst nimmt, aber keine peinlich strengen Forderungen an den Betrachter stellt, daß sein Talent von einem das Unterhaltende produzierenden künstlerischen Spieltrieb beherrscht wird, daß er nicht ein Prediger in der Wüste ist, sondern ein Genießer. Darum hat es amüsiert, wenn Corinth bluffend oft den ewigen Berliner Premierengeist für seinen Ruhm nützte. Man erkannte ihn, wie er ist, in jenen Selbstbildnissen, wo er entweder philosophisch neben einem Skelett und dann wieder faunisch mit offener borstiger Brust dasteht, das Weinglas in der Linken, im Arm das halb entblößte Liebchen, und mit der Rechten ihr holländisch derb in die Brust greifend, so daß das weiche Fleisch mit dem zierlichen Purpurhütchen darauf zwischen den Fingern hervorquillt ...

In Berlin erst hat er den Impressionismus recht kennen und für sich verwerten gelernt, was er im Laufe seiner Studienjahre den alten Niederländern abgesehen hatte; in Berlin ist er ein moderner Maler geworden. Der Kolonialpreuße hat in der Kolonialstadt Berlin recht eigentlich seine Heimat gefunden. Hier steht Corinth in seiner besonderen Mischung von ungebrochener Naturkraft und Konventionalismus, von Gründlichkeit und Bravour als eine der merkwürdigsten Persönlichkeiten unserer neuen Kunst da. An natürlichem Talent kommen ihm nur ganz wenige gleich.

Scheffler, Talente

Eine große Bedeutung für die Entwicklung des Berliner Impressionismus hat das persönliche Engagement der Kunsthändler und -verleger Bruno und Paul Cassirer.

Ernst Barlach, mit Paul Cassirer im Hause des Bildhauers August Gaul bekannt geworden, bezeugt in seinen Lebenserinnerungen dem eigennützig uneigennützigen Förderer vieler junger Künstler seine Dankbarkeit:

Im Frühjahr 1907 stellte ich zwei von Mutz gebrannte Terrakotten in der Berliner Sezession aus.

Es gab ein Aufatmen in meinem Gemüt und einen hübschen kleinen Tumult in meinem Kopfe, als ich mit zwei solchen Püppchen, wie die feiste Bettlerin und der betend lamentierende Bettler waren, den Beifall eines halben Dutzend Männer fand, deren Urteil ich nur zu gerne als unzweifelhaft verläßlich ansah. Der über alle Maßen selbstlose Gaul zeigte fast mehr Freude über diesen Anfang, als ich selbst haben konnte. Er baute seiner erstaunlichen Produktivität gerade das Heim am Roseneck – ein Mensch, an dem Zeit und Weile vorüberglitten, als sei er ihnen nichts schuldig, immer voll der Muße einer rein unbewußt selbsttätigen, unangetriebenen Seele, mit gleichzeitig arbeitenden Händen, waltend bei Telefongeschrei, Kindergeläut und dem Getrappel seiner kommenden oder scheidenden Besucher – Träger des geheimnisvollen Glücks, ohne Qual und Problem vollkommen in seiner Art zu sein. Bei ihm, an einem Sonntagnachmittag, wurde ich mit Paul Cassirer bekannt.

Ich hatte mich mit dem Esel und seinen kindlichen Tyrannen im Hof getummelt und ging hinein, um mich zu verabschieden. Gaul, Tuaillon und Cassirer standen qualmend im Dampf eines jener berühmten Gespräche, die auch damals schon der eine von ihnen begann, entspann, leitete, fortführte, belebte, erweiterte, verwickelte und auch beendete, wenn ein Ende unvermeidlich war. Cassirer kam mit mir ins nächste Zimmer und forderte mich auf, ihm Arbeiten zu senden. Da ich indes keine vorrätig hatte, so unterblieb auch ihre Absendung, und es verging ein halbes Jahr, wo mich denn Cassirer zu einem Besuch aufforderte und mir ein Abkommen vorlegte, nach dem ich meine zukünftigen Arbeiten ihm übergeben sollte ...

Er trieb meine Lämmer auf die Weide, meine erbärmlich frierenden plastischen Erstlinge, und, da er einmal die Hände rührte, so klinkte er zugleich ein Pförtchen für etwas anderes von mir auf. Als er mich aufforderte, ein lithographisches Werk für die Panpresse beizusteuern, erwähnte ich ein „Drama", das man vielleicht als Gerüst zur Aufreihung von Motiven benutzen könne. Er zuckte weder mit der Wimper, noch zögerte er einen Augenblick mit der Antwort: „Na ja, also zeichnen Sie."

Ich lithographierte, und die Mappe wurde eine regelrecht viereckige, normale und einstweilen unverkäufliche Mappe, einschließlich eines Textbandes zum „Toten Tag". Dieser Band sah aus, als wäre er gefunden und der Finder hätte ihm in der geräumigen Mappe einen vorläufigen Unterschlupf angewiesen. Cassirer, sonder Mitschuld an dem Drama, das er nicht gelesen, begann ein generöses Herumschenken in Stadt und Land, und der Textband, warm geworden im Nest, gab sich drein.

Barlach, Ein selbsterzähltes Leben

Der Berliner Impressionismus steht der inhaltlichen Auseinandersetzung mit den sich zuspitzenden politischen und sozialen Gegensätzen fern. Der Vorwurf der „Rinnsteinkunst" geht an seinem Programm vorbei. Andererseits ist der Schwung der Fronde gegen die offizielle Kunstauffassung so lebendig, daß die Sezession auch der sozialkritischen Kunst einer Käthe Kollwitz, eines Heinrich Zille, eines Hans Baluschek eine Heimstatt bieten kann.

Hans Baluschek stellt in harten Strichzeichnungen, in Gemälden mit dunklen, dumpfen Farben Szenen aus dem Leben des Großstadtvolkes vor. Neben zahlreichen Sujets aus den Werk- und Feiertagen der Berli-

Hans Baluschek: Berliner Volkslied.
„Pankow, Pankow, Pankow kille kille, Pankow kille kille hopsassa"

ner Arbeiter und Kleinbürger gestaltet er immer wieder Eindrücke aus der Entwicklung des modernen Verkehrswesens, was ihm den Beinamen „Der Eisenbahnmaler" eingetragen hat.

Ich erinnere mich noch deutlich der Wohnung, die Baluschek damals hatte. Heut vor zwölf, vierzehn Jahren. Oben in Schöneberg war es, in irgendeiner Straße, die nach irgendeinem vorsintflutlichen Germanenstamm benannt war und eine lange, kalte Fassadenreihe in dem Schwindelstil der ersten Hälfte der neunziger Jahre zeigte.* Fassaden, bei denen man nicht einmal mehr an Gips, sondern nur noch an Papiermaché dachte – irgendwo da ganz hoch oben wohnte Baluschek, und von seinem Fenster aus hatte man einen weiten Blick über ein endloses Gelände sich kreuzender Eisenbahnschienen, von denen etwelche weit hinaus in das Land führten, während andere wieder in kurzem Bogen hinter der Häuserreihe verschwanden. Und eingekeilt zwischen diesen Schienensträngen lagen die wirren Gebäude, lagen die Riesenkuppeln der Gaswerke, lagen all die seltsamen, maschinenartigen Anlagen, die zwischen den Kohlenbergen das Gesamtbild einer großen Gasanstalt ausmachen. Unaufhörlich schoben sich die Züge heran, und unaufhörlich rollten sie fort. Die D-Züge liefen mit frohem Wiehern hinaus in die Welt; die Stadtbahnzüge schlichen wie müde Straßenwandrer; und die Last- und Arbeitszüge, die Güterzüge schoben unsicher und ungewiß ihre Loris wie abgemattete, freudlose Arbeitstiere. Und über dem ganzen Bild lag weit und breit der trübe Himmel der Großstadt. Überall wehte und flammte Rauch empor. In der Gasanstalt brannten irgendwelche Essen; und ob ein Sommerhimmel sich breitete, ob ein früher Herbsttag seine Nebel spann, ob weiße Flecken von Schnee zwischen den Schienen lagen, ob der Abend Feuergluten aushauchte und alles als schwarze Silhouetten gegen seine helle Wand sich abhob – immer war in diesem Bilde etwas von der grandiosen Melancholie, die nur das tausendfache, namenlose Leben der Großstadt kennt. Und die gleiche innerliche Trostlosigkeit, die sich von Tag zu Tag hin-

---

* Hans Baluschek wohnte zu jener Zeit in Schöneberg, Cheruskerstraße 5.

schleppt, war auch über diese Häuserreihe gebreitet, in der Baluschek irgendwo hauste. Nicht, daß etwa dort arme Leute wohnten; nein, hier hauste der Kleinbürger, hier lebte das geheime Elend, diese Töchter, die noch gerade ein wenig Klavierspielen lernen, bevor sie ins Geschäft gehen müssen, kleine Kaufleute, Beamte, alle die, die nicht direkt zur Armut gehören, die aber ihr ganzes Leben hindurch fühlen und fühlen müssen, daß sie ein Fußtritt zu den andern da unten hinein in den brodelnden Kessel des Proletariats schleudern kann ... Es war Baluschekstimmung hier in allem, in Menschen, Häusern, Ausblick, Vergnügen und Laster, in Leben und Sterben ...

Der Architekt Endell schrieb vor kurzem ein sehr kluges Buch über die Schönheit der großen Stadt, und vieles von dem, was Endell emphatisch proklamiert, das hat der Maler Baluschek schon vor Jahrzehnten in Farbe und Zeichnung gesagt. Er sprach von den blauen Abenden über kahlen Häuserwellen, er sprach vom ersten Schnee in den Vorstadtstraßen, und er sprach immer wieder von der neuen Schönheit des Verkehrs, der Schönheit der Züge, die in den Abend hinausrollen, der Schienen, die sich kreuzen und verzweigen, der großen Rhythmen der Stadtbahnbögen und dem feinen Astwerk der Eisenstangen einer Bahnhofshalle, ... jener Eisenstangen, die, vom Rauchhauche der Lokomotiven umspielt, neues und gespenstisches Leben erhalten. Blau aufdämmernde Morgen findet man in Baluscheks Bildern, halbdunkle, dunstige Sommerabende und erleuchtete Fenster von Tanzböden oder Eisenbahnwagen, die in die warme, feuchte, violette Frühlingsnacht hinausstrahlen. Baluschek zeichnet Sonnenuntergänge mit rot bestrahlten Firsten der Häuser, Gluthimmel hinter schwarzen Fabrikschornsteinen, Wintermorgen mit gelben Strahlen auf weißen Dächern, auf die man hinausblickt durch eine schwüle, übernächtige Atmosphäre eines kümmerlichen Vorstadtzimmers. Vor allem liebt er aber Nachmittage, liebt die l'heure bleue* über den weißen, verschneiten Bahngleisen, auf denen die ersten bunten Signale aufflammen. Die Schönheit der verschiedenartigen Lichtquellen der Groß-

---

* blaue Stunde

stadt, von dem grellen elektrischen Licht, vom grünweißen Auerlicht bis zu dem kleinen gelben, zuckenden Gasflämmchen ganz draußen am Ring, sie kehrt immer wieder in seinen Bildern.

Kaum einer wagt sich sonst an diese Dinge heran, denn unsere meisten Maler schießen nicht auf so flüchtiges Wild. Wo auf Baluscheks Bildern die Natur rein und jungfräulich einmal uns entgegentritt, da ist es eben die ganze kahle Sandwelt, die im Licht des Tages so entzaubert aussieht und die bei Baluschek nichts von jener Wärme hat, die ihr Leistikow verlieh in den vollen Farben des Abends. Oder es ist die kümmerliche Buntheit der Laubenkolonien, der armselige Wirtsgarten mit der verstaubten Fliederhecke, ist jenes Stückchen Natur, das der gierige Städter, der kleine Mann bei Bier und Stullen am Sonntag in sich einsaugt.

Und auf diesen Hintergründen nun rollen die kleinen und großen Dramen der Baluschekschen Malerei an uns vorüber, denn Dramen sind es alle miteinander.

Hermann, Hans Baluschek

Beate Bonus-Jeep schildert die Atmosphäre, in der Käthe Kollwitz, die Frau des Arztes Karl Kollwitz, in Berlin lebt und wirkt:

Sie hatten ein halbes Stockwerk inne in der Weißenburger Straße 25, am Wörther Platz.* Es ist die Wohnung, von der sie sich in fünfzig Jahren nicht getrennt haben, bis während des Krieges Bomben dem Haus ein Ende machten. Innerhalb der Mauern führten sie aber allerhand Umzugstaten aus. In späteren Jahren gab es Zeiten, wo in drei Stockwerken übereinander der Kollwitz-Name an der Wohnungstür zu finden war. Jetzt stand er im zweiten Stock mit den ärztlichen Bezeichnissen zu lesen. Da war seine berufliche Einrichtung, dahinter ein weiter Raum als ihre Werkstatt, wo sie einen großen Tisch, die kleinen und großen Schalen zum Ätzen und die Wasserleitung zum Überspülen beisammen hatte. Die Häuslichkeit lag darüber im dritten

---

* Heute Kollwitzstraße bzw. Kollwitzplatz

Stock. Immer gastfrei, immer eine vertraute Zugehörigkeit für Freunde. Noch aus späteren Jahren finden sich bei mir Briefe und Postkarten, die meinem Kommen gelten. Die Hinderungsgründe waren vorübergehend. Es konnte die häufig wiederkehrende Grippe sein – bei einer solchen Gelegenheit sagt sie: „Von mir molschem Menschen hättest du nichts…!" Oder im Augenblick waren alle Schlafgelegenheiten besetzt. Sie scheint darüber Buch geführt zu haben, damit nicht ein Neuankömmling, wenn er das Licht ausgedreht hatte und sich zur Bettstelle hintastete, dort statt in kühles Leinen in ein warmes Menschengesicht faßte. So sagte sie einmal: „Die freigewordene obere Stube wurde sofort bezogen von meiner Kusine Gertrud, Heinrichs Frau. Aber unten ist frei…" und fügte hinzu: „Nein, ich sehe eben, daß am siebenundzwanzigsten das Bett unten besetzt ist. Aber vom achtundzwanzigsten an ist es frei, kannst du dann kommen? Komm doch!"

Dies Haus mit dem schauerlich häßlichen Treppenaufgang hatte für mich das Gewicht einer Schönheit bekommen. Wenn ich am Senefelder Platz aus der Untergrundbahn ans Licht kam und um die Ecke zur Weißenburger Straße umbog, bekam ich schon Sprungfedern unter die Füße, um bald das Eckhaus zu erkennen mit dem kümmerlichen Balkönchen im dritten Stock, wo sie auch draußen stand, wenn sie mein Kommen wußte. Der Wörther Platz unter ihr war anfänglich auch mit kümmerlichen Bäumen bestanden, aber die wuchsen der Großstadt zum Trotz, so daß die Schmidt* nach vielen Jahren von ihrem dritten Stockwerk her in ein grünes Baumkronendickicht hinabschauen konnte.

Beate Bonus-Jeep, Sechzig Jahre Freundschaft mit Käthe Kollwitz

Im Mietskasernenmeer des Prenzlauer Bergs begegnet Käthe Kollwitz den Arbeitern und Arbeiterfrauen, den Kindern der Armen, den Entrechteten und Hungernden, denen sie mit ihrer Kunst ein Denkmal setzt.

---

* Käthe Kollwitz' Mädchenname war Schmidt.

Käthe Kollwitz: Beim Arzt, 1908/09

Die Kollwitz ist unstreitig die Größte, Mutigste und Gewaltigste unter den naturalistischen Bildnerinnen. Ihre Bilder fahren einem entgegen wie Hundegebell in ausgedörrter Gegend. Ihre Bilder schütteln, pochen und rütteln. Hinter ihren Gestalten grinst das furchtbare Polichinellgesicht* der Not. In graukalter Stimmung, dumpfer Schwüle, die zur Explosion treibt, in rauchgeschwärzter Gegend, wo die Qualmschwaden der riesigen Fabrikschlote von Schweiß und Knechtschaft raunen, hocken und kriechen die Gestalten der großen Berlinerin.

Jene armseligen, leidumblühten Proletarier winseln und weinen nicht. Sie schreien und klagen nach Gerechtigkeit. Ihren Gesichtern fehlt das sonnige Lächeln. Der Schmerz durchfurcht die Stirn. In ihren Augen flackert oft eine Sehnsucht, liegt ein Vorwurf, der ins Herz frißt, blitzt feurige Glut, die erschrecken macht. Ihr Mund stammelt blutige Gebete. Auf ihren Lippen lebt der wuchtige Sang der Marseillaise. Die Kollwitz hat Frauen gezeichnet (die Frau steht im Mittelpunkt ihres Werkes!), die schindend, plackend, langsam verkommend durchs Leben kriechen. Frauen, die ihren Kindern den Mund zupressen, um nicht das herzzerreißende Wimmern: „Mich hungert!" zu hören. Frauen, die mit blutig-glücklichem Herzen ihre langsam verhungernden Kinder an die Brust pressen. Frauen, die voller Trostlosigkeit ihre zerarbeiteten, zermürbten Hände in den Schoß sinken lassen, die hochschwanger an die Türen schleichen, die wie Furien, vom Fanatismus des Hasses gepeitscht, mit ihren grollenden Männern ziehen, Steine für die Wütenden aus der Erde kratzen und wie Wahnsinnige um die Guillotine tanzen...

Und dann hat die Kollwitz Männer gezeichnet und radiert. Männer, voll von ohnmächtiger Verzweiflung. Männer, die vor Wut bersten wollen, die das Haus ihres Schinders stürmen. Man fühlt die tierische Wut, den rüttelnden, zermalmenden Zorn. Männer, die ihren geifernden Gram, ihr herzzerbrechendes Greinen vertrinken und auf das Weib, das überschuftet zusammenbrach, ihre Arbeitsfäuste sausen lassen. Männer, die vom

---

* Polichinelle – Diener, Charaktermaske in der neapolitanischen Volksposse

Schmerz erstarrt, ihren langsam verreckenden Leben einen Strick reichen.

Und dann hat sie Kinder gezeichnet, arme, kranke, verhungerte, schattenhafte Wesen. (Man muß die kleine Orloff als „Hannele" gesehen haben, um eine Vorstellung von jenen Armeleutekindern zu bekommen.) Aus den unschuldigen Zügen grinst und faucht schon die Not, daß es den Fühlenden wie ein Dolchstich ins Herz fährt.

Jungnickel, Käthe Kollwitz

Im Winter 1901/02 taucht zum ersten Mal der Name des Berliner Reproduktionstechnikers und Lithographen Heinrich Zille in einer Sezessionsausstellung auf. 1903 wird er als Mitglied in die Sezession aufgenommen. („Ich glaube aber, man lächelt darüber, meinen gewichtigen Namen dort zu lesen.") Vom gleichen Zeitpunkt an erscheinen Zilles Zeichnungen im „Simplicissimus", in den „Lustigen Blättern", im „Ulk", in der „Berliner Illustrirten" und in der „Morgenpost". 1907 wird Heinrich Zille als Mitarbeiter der Neuen Photographischen Gesellschaft entlassen. Sein Zeichnen, bis dahin bloße Feierabendkunst, wird ihm nun – notgedrungen – zum Broterwerb.

Zilles Illustrationen sind fast durchweg bedeutsame Kulturdokumente. Wer sich in späteren Zeiten einmal irgendwie mit der Kulturgeschichte Berlins zur Wilhelminischen Ära beschäftigen muß, wird in Zilles Alben die wertvollsten Aufschlüsse finden, kann an Zilles Illustrationen gar nicht vorübergehen. Das Kulturgeschichtliche ist bei Zille viel unmittelbarer, viel naiver erfaßt und bis in die kleinsten Einzelheiten viel getreuer wiedergegeben als bei irgendeinem seiner Vorgänger auf diesem Felde, selbst Hosemann nicht ausgenommen, der die gern beschönigende und deshalb leicht unecht-süßlich werdende Düsseldorfer Idyllen- und Genremanier auch in seinen Berliner Milieubildern nie ganz überwunden hat.

Vor Zilles Illustrationen fühlen wir sogleich, das ist Scheunenviertel, das hier Berlin N2, Hinterhaus, vier Treppen, und dies Berlin O, Zweiter Hof, Seitenflügel Keller, die Fischerstraße, die

Heinrich Zille: *Mutter mit zwei Kindern*

Waisenstraße, der Wedding, und fühlen uns mitten hineingestellt in dieses uns bekannte Milieu und sind nur erstaunt, wie viele kleine und doch so charakteristische Züge unserm Blick bis dahin entgangen sind.
Heilborn, Die Zeichner des Volkes

1908 erscheinen die „Kinder der Straße". Diesem ersten Bildband folgen die „Berliner Rangen" (1908), die „Erholungsstunden" (1912), „Berliner Luft" und „Mein Milljöh" (1913). Daneben liefert Zille Entwürfe für Bühnenbilder, zeichnet Plakate, die für die Anwendung der Elektrizität werben, entwirft Umschläge für Schlagersammlungen und tritt – 1912 – höchstpersönlich in einer Revue im Metropoltheater auf. Natürlich muß sich der Zeichner den Forderungen beugen, die seine Auftraggeber an seine Ware stellen: „Familienblätter wollen frisiert bleiben", antwortet er auf eine Umfrage des „Berliner Tageblatts".

Während noch der Impressionismus Liebermanns und seiner Freunde dem künstlerischen Leben der Hauptstadt seinen Stempel aufprägt, wendet sich ein Teil der Oberklasse neuen ästhetischen Strömungen zu.
1901 kommt August Endell nach Berlin, um für Wolzogens „Überbrettl" ein „Buntes Theater" einzurichten; es gilt als eines der ersten Berliner Werke des „Jugend"-Stils.

Wie hier die Farbe redet, redete sie bisher in Berlin an öffentlichem Orte noch nie. Vom Boden über die Wände hinauf zur leichtgewölbten Decke stufenweis sorgsam aufgelichtet, bleibt sie, von mannigfaltigem Tupf- und Aderwerk eigen durchmischt wie durchmustert, stets doch dezent im Hintergrunde. Eher schon ist den dekorativen Zierformen zittrige Unrast, jenes wirblichte Treiben einer ins Neue hinaustastenden Phantasie anzuspüren, wie sie Endell eignet. Die krause Reliefumrahmung der Bühne zeigt das, und die Beleuchtungskörper zum Beispiel, in dreikantiger Tütenform über die ganze Decke ausgestreut, hängen da gleichwie umgestülpte chinesische Türme... Kurz, wohin man sieht: Einfälle über Einfälle, bis zum Guckfensterausschnitt, zur Türklinke, zu den Platznummern hinab, oft barock, aber vor allem doch Einfälle aus fruchtbar treibendem Phantasieleben heraus, und gottlob ohne alles kostspielige Prunkwesen mit den einfachsten Mitteln verkörpert...

Was Wolzogen in solch hübschem Rahmen den reichen Leuten darbietet, schaut leider – ich urteile nach dem Eindrucke nur einer Vorstellung – vorläufig mehr ledern als witzig drein.

Der Kunstwart, 1. Januarheft 1902

Der nach den Illustrationen der Münchner Zeitschrift „Jugend" benannte Stil der rankenden Pflanzen und schwingenden Linien verbreitet sich in kürzester Zeit in Kunst und Kunstgewerbe, in Buchillustration und Fassadenkunst. Berlins entwickeltes Kunstgewerbe wirft sich – von den Zinkgießereien bis zur Stuckfabrik – auf die modische Neuerung.

Neulich ist die „Jugend" zum lieben Gott in den Himmel gekommen mit soooo langem Gesicht. Der Herr hat ihresgleichen nie gehaßt und sie recht gut aufgenommen, gefragt, wie's ihr gehe, wieviel sie Abonnenten habe, ob man sie schon eingesperrt habe usw. Zuletzt auch, warum sie so ärgerlich sei?

„Lieber Gott!" sagte die „Jugend", „man bringt mich um meinen guten Namen! Respektive man mißbraucht ihn! Die Leute verfertigen jetzt auf der Erde die haarsträubendsten Gegenstände aus Gips, Blech, Glas, Papier, Pappe, Leder, Zink und Weißtduwas und schreiben sie dann sozusagen mir auf die Rechnung. Jugendstil heißen sie jeden Topf, auf dem eine schauerlich stilisierte Lilie oder ein Frauenzimmer mit verrückter Frisur oder eine Orchidee abgebildet ist, Jugendstil heißen sie's, wenn sie irgendeinem Zigarrenetui oder einer Schatulle oder einem Photographierahmen ein groteskes Geschöpf aufgepreßt oder aufgeklebt oder aufgepinselt haben, das halb Mensch und halb Ornament und möglichst verzeichnet ist, Jugendstil heißt jede Tapete, jeder Krawattenstoff, jeder Kattun, dessen Muster halb scheußlich, halb japanisch ist, Jugendstil heißen sie Stühle, auf denen man nicht sitzen, Schränke, in die man nichts hineintun, Gläser, aus denen man nicht trinken, Löffel, mit de-

Otto Schmalz: Jugendstil-Treppenhaus im Landgericht Neue Friedrichstraße, heute Littenstraße

nen man nicht essen kann! Es ist um aus der Haut zu fahren! Ich bilde mir doch gar nicht ein, daß ich den neuen Stil erfunden habe; ich hab ihn nur gepflegt und nach bescheidenen Kräften gefördert. Und nun soll ich für alle Mißverständnisse und Auswüchse die Kosten tragen, für alle Verballhornung durch eine rohe Massenindustrie, die doch nur Jugendstil produziert, weil die Rokokomuster nimmer gehen! Daß ich doch schließlich eine Menge guter und schöner Dinge zutage gefördert habe, für die ich mir die Etikette Jugendstil recht gern gefallen ließe, das übersehen die Kerle! Ich mag nicht mehr! Ich tue nicht mehr mit, ich steige aus – ich lasse mich umtaufen!"

Die „Jugend" hatte sich arg in Eifer geredet und sah ganz echauffiert aus. Der liebe Gott aber sagte:...

„Geh hin, liebes Kind, und tröste dich und erkläre dir dein Malheur aus der Entwicklung der Arten! Wenn sich jener Unfug überlebt haben wird, dann bleibt der Titel Jugendstil für das Gute allein übrig, wie sich's gehört!"

Die „Jugend" machte einen schönen Knicks und ging getröstet. Bloß, als sie bei Nathansohn & Meyer vorbeikam und in der Auslage wieder bedruckte Nachthemden mit Iris und Kinderwindeln mit Alpenveilchen im Jugendstil sah, gab es ihr einen Stich durchs Herz. Aber nur einen ganz kleinen!

Gumppenberg, Jugend-Stil

Die „Stilkunst" lenkt mit dem Rückgriff auf Rokoko, Empire und Biedermeier von den „Häßlichkeiten der modernen Industriewelt" ab. Sie bietet kostbare Intarsien, lichtdurchglühte Mosaike, exklusive Gewänder und kostbare Dekorationen – „ein Reich von Pfefferminz und Flötenklang" (Richard Hamann).

Karl Walsers Bühnenbilder erhalten im Deutschen Theater den Sonderapplaus des Publikums.

Seine farbig rauschenden, architektonisch nuancierenden Dekorationen sind stets nur Andeutungen; ... sie sind wie ein Spiel mit dem Spiel. Aber in der Andeutung ist so viel Phantasie, daß der Zuschauer darüber hinaus allgemeine Stimmungen empfindet. Sie passen innerlich zu der Musik der romantischen Oper, zur leichten Unwirklichkeit oder Überwirklichkeit der Operette oder des phantastischen Lustspiels. Diese Dekorationen sind voller Klang und Reim, sie sind voller Musik. Sie singen mit, sie sprechen mit, sie lachen mit und sind gegenständlich nur wie nebenher. Insofern hat Walser etwas ganz Neues gebracht, etwas, das an seine Persönlichkeit gebunden ist. Seine Figurinen sind nicht Schneidervorlagen, sondern malerische Nuancen, die ihre Träger der groben Realität entkleiden. Und daneben haben sie noch einen köstlichen malerischen Eigenwert. Alle Theaterdekorationen Walsers haben etwas Lächelndes und Freudiges; sie alle geben die Illusion einer Romantik, die selbst bei Donner, Blitz und Mord noch heiter bleibt.

Scheffler, Talente

Otto Eckmann entwirft für die Wohlhabenden Tapeten und Knüpfteppiche mit stilisierten Formelementen der Natur. „Wenn ich erst all den Berlin-W-Protzen zu anständigem Wohnen verholfen haben werde, kann ich den ganzen Kram an den Nagel hängen und Pinsel und Palette wieder vorholen."

Eckmanns bekannteste Arbeit ist sein „Schwanenteppich". Von ihm ist auch im folgenden Ausschnitt aus Lily Brauns „Memoiren einer Sozialistin" die Rede. Otto Eckmann hat sich in Oskar Erdmann verwandelt; seine Frau ist die Schwester der Erzählerin.

Meine Schwester strahlte vor Glück. Mit jener geistigen Beweglichkeit, die ihr von jeher eigen gewesen war, ging sie vollkommen auf im Künstlertum ihres Verlobten. Sie schien wirklich die leere Leinwand, der unbehauene Stein, aus dem erst unter seinen Händen ein lebendiges Werk werden sollte. Selbst ihre Kleidung richtete sie nach seinem Geschmack; sie war eine der ersten, die jene malerischen Gewänder trug, wie sie aus den Köpfen der jungen Vorkämpfer des aufblühenden Kunstgewerbes hervorgingen und von den Frauenrechtlerinnen aus hygienischen, von den Malern aus künstlerischen Gründen geschaffen wurden. Jedes Stück ihrer zukünftigen Einrichtung wurde nach

Fassade am Warenhaus Tietz in der Leipziger Straße

den Zeichnungen Erdmanns angefertigt. „Oskars Stil entspricht so vollkommen meinem ästhetischen Empfinden", sagte sie, und ihr Blick flog ein wenig hochmütig über unsere Möbel hinweg, „daß ich in einer anderen Umgebung nicht leben könnte." Sie hatten nahe dem Kurfürstendamm eine Wohnung gemietet, die nach Erdmanns Angaben umgestaltet wurde ...
Alles nahm unter seiner Hand den Charakter seines Künstlertums an: der Vornehmheit, die jedes äußeren Schmuckes entbehren konnte, weil sie das Wesen des Materials zu reinstem Ausdruck brachte; der jedem lauten Ton abholden Ruhe, die wie Sonnenuntergang am Tage durch die orangeseidenen Vorhänge drang und am Abend in den Falten der grünen, die sich darüber breiteten, träumte; und der Liebe zur Natur, die sich in allem, was ihn umgab, widerspiegelte – in den dunkelroten Kastanienblättern der Tapete, den zarten Pflanzen- und Vögelstudien japanischer Holzschnitte, dem Wandteppich mit dem stillen Waldbach, auf dem die Schwäne ziehen. Es war gut sein bei ihnen, und wer davonging, dem kam die Welt draußen doppelt häßlich, unharmonisch, laut und herzlos vor. Aber es ging auch etwas wie Lähmung von dieser Umgebung aus, etwas, das vom wirklichen Leben gewaltsam abzog.
Die Gäste des Hauses entsprachen dieser Stimmung: keine der Fragen, die uns bewegten, trat mit ihnen über seine Schwelle. Die Kunst stand im Mittelpunkt all ihres Denkens und Fühlens; nicht jene eben absichtslose, die wächst wie ein Baum, gleichgültig, ob nur einsame Wanderer ihn finden, oder ob Scharen unter seinem Schatten ruhen, sondern jene märchenhafte Treibhausblume, die nur für die Auserwählten gezogen wird. Sie vertraten alle den Individualismus, aber hinter ihrer Forderung der höchsten Kultur des Individuums stand nur sein Kultus. Man sprach mit halber Stimme, man las Bücher, die in numerierten Exemplaren nur für einen kleinen Kreis von Freunden gedruckt wurden; am Flügel saß häufig ein katholischer Priester, der in dem milden Wachskerzenlicht des zartgetönten Salons Palestrinas feierliche Weisen ertönen ließ.
Dieselbe Atmosphäre, die sich weich um die Stirne legt, herrschte hier wie im Theater, wo Hofmannsthals Hochzeit der

Sobeïde jenen Haschischrausch hervorrief, der der Welt entrückt.
Lily Braun, Memoiren einer Sozialistin

Abkehr von den Zieraten vergangener Prunkstile, Vereinigung von Zweckmäßigkeit und Schönheit vertritt eine künstlerische Bewegung, die vor allem eine Reform der Alltagskultur propagiert:

Die Bewegung begann mit der Reform des Einzelgegenstandes, des Sofakissens, des Stuhles, des Schrankes; sie ging über auf das Zimmer, es in allen Teilen umbildend, sie reformierte das Haus, den Garten, sie griff auf die Bühnenkunst über und brachte uns dort nicht nur neue vereinfachte und veredelte Dekorationen, sondern auch ganz neue Ausgänge in der Personengruppierung und sogar eine neue Tanzkunst; sie veredelte den Grabstein, das Denkmal, das Schaufenster und den Laden; sie nahm sich der Industriebauten an und gestaltete die früher häßlichen Fabriken schön; sie widmete sich dem Geschäftshaus, dem Warenhaus, dem Bürohaus, dem Hotel, sie drang in den Schiffsbau ein und versuchte, den Unfug nachgeahmter Stile vor allem aus der Ausstattung der Kabinen und Repräsentationsräume zu verscheuchen; sie endete in der architektonischen Gestaltung ganzer Straßen und Siedelungen, die in der neuen Gartenstadtbewegung eines ihrer nächsten Ziele verfolgte und in einer vertieften Auffassung des gesamten Städtebaues den wichtigsten Ausklang fand.
Muthesius, Die Zukunft der deutschen Form

Auch der Belgier van de Velde, der um die Jahrhundertwende für kurze Zeit in Berlin wirkt, kämpft gegen die Nachahmung historischer Stile. Zweckmäßigkeit ist für ihn ein ästhetischer Wert; was keine Funktion erfüllt, ist nicht schön.

Niemals ist der Name eines Künstlers, auch heutzutage nicht der Name Picassos, so oft und in so vieler Hinsicht enthusiastisch, skeptisch, beschimpfend, lauwarm anerkennend, scharf ablehnend genannt worden wie im Verlaufe eines halben Jahrhunderts der Name Henry van de Velde. Seine Ideen und Forderungen müssen damals wie Ekrasit* gewirkt haben. Es war lehrreich, beim Studium der ihm gewidmeten Bücher, Kampfschriften, Aufsätze und Kritiken auch die Einwände von ihm persönlich wohlgesinnten Leuten, die seinem idealen Wollen die Achtung nicht versagten, kennenzulernen. Wenn zum Beispiel der Hamburger Museumsdirektor Alfred Lichtwark an van de Veldes Silberbestecken tadelt, sie seien nach dem Prinzip der Kohlenschaufel vereinfacht, dann ahnte er nicht, welch hohes Lob er spendete. Die Kohlenschaufel gehört bekanntlich zu jenen klassisch geformten Werkzeugen, die wie Sichel, Hammer, Sense, Schere seit Jahrhunderten ihre nicht zu überbietende Zweckmäßigkeit und sachliche Schönheit unverändert bewahrt haben. Max Liebermann mochte den geistsprühenden van de Velde sehr gern, lehnte aber seine eigenwilligen Möbel mit der Bemerkung ab: „Wenn ick meine Wohnung einrichte, dann will ick meinen eigenen Spaß haben. Aber nicht van de Velde seinen."

Einer der ersten Aufträge, die der Künstler in Berlin erhalten hat, war die Ausstattung des geräumigen Frisiersalons von François Haby, dem Erfinder der wilhelminischen Bartpracht „Es ist erreicht!" Den trivialen Auftrag hatte er außerordentlich geistreich gelöst. Nur war er in jenem frühen Entwicklungsstadium der Meinung, es sei verlogene Schamhaftigkeit, die Röhren der Wasserleitung, die Drähte des elektrischen Lichtes, den Abfluß der Waschbecken keusch in der Wand zu verbergen. Die Funktion der Drähte und Röhren müssen offen zutage liegen und ihr schlangenförmiges Gewinde dekorativ verwendet werden. Wogegen man den witzigen Einwand erhob, der Mensch trage seine Eingeweide und Därme ja auch nicht als Schmuck vor der Weste.

Plietzsch, „... heiter ist die Kunst"

* ein Sprengstoff

Van de Velde wehrt sich übrigens zeitlebens gegen den Ruf, einer der Propheten des Jugendstils gewesen zu sein.

Ach, diese Wellenlinien und Kurven! In meiner Jugend pflegte der Altenburger Hoftapezierer Müller seinen Möbel-Käufern zu erläutern: „Was schief ist, ist Sezession, und was geschweift ist, ist Jugendstil." Infolge des Mißverständnisses seiner unbegabten Nachahmer ist van de Velde der zweifelhafte Ruhm zuteil geworden, der Erfinder des Jugendstils zu sein. Bis dahin hatten die Möbeltischler sogenannte Renaissance-Zierate gestohlen und nannten ihre Erzeugnisse „Alt-Deutsch". Jetzt übernahmen sie verständnislos von van de Velde dessen funktionelle Linien, die sie lediglich für dekorative Ornamente hielten, und nannten das Ganze „Jugendstil".
Plietzsch, „... heiter ist die Kunst"

Einer der Anziehungspunkte Berlins sind seine Kunstsammlungen.
  In der Nationalgalerie hat Hugo von Tschudi entschlossen mit dem Sammelsurium der mehr oder weniger zufällig auf ihren Platz gelangten Werke aufgeräumt.

Unter der vorzüglichen Leitung Hugo von Tschudis, der 1895 als Nachfolger des ersten Direktors Max Jordan die Leitung der Galerie übernommen hatte, wurde mit aller Energie dafür Sorge getragen, daß das moderne Museum auf der Berliner Kunst-Insel wahrhaft zu einem Spiegelbild der Entwicklung während des 19. Jahrhunderts gestaltet wurde ... Er vereinigte in dem großen Vorsaal des zweiten Stockwerks Proben der ehrlichen und tüchtigen Kunst vom ausklingenden Rokoko, Gemälde von Chodowiecki, Graff, Tischbein und den Ihrigen, Skulpturen von Schadow und Tassaert, zumeist also Dokumente der norddeutschen, noch spezieller der berlinischen Kunst jener Übergangsepoche ... Der Berliner Kunst ward dann im Hauptstockwerk der Nationalgalerie ein bedeutender Raum angewiesen. Es ist Tschudis besonderes Verdienst, die große Linie aufgezeigt zu haben, die durch die Entwicklung des künstlerischen Schaffens in der preußischen Hauptstadt geht. Er zog die schlichten Meister aus der ersten Hälfte des 19. Jahrhunderts, die Krüger, Gaertner, Hintze, Carl Begas, Eduard Meyerheim usw. mehr in den Vordergrund, sorgte dafür, daß das vorwärtsstürmende Genie Karl Blechens seinem bedeutenden Werte nach erkannt wurde, und stellte in den Mittelpunkt dieser berlinischen Gruppe die großartig erweiterte und zumal durch verschollene Jugendarbeiten ergänzte Sammlung von Werken Adolph Menzels ... Dabei ward den geschichtlich denkwürdigen Werken des früheren Bestandes die schuldige Achtung nicht versagt; doch die übergroße Wertschätzung der historischen Darstellungen und Porträts, zumal der Schlachtenbilder aus der preußischen Geschichte, die in der früheren Anordnung zum Ausdruck gekommen war, ward ausgeglichen durch ein lediglich künstlerischen Rücksichten nachfragendes Arrangement.

Osborn, Berlin

Die Zurücksetzung der gemalten Heerführer und der Schlachtenpanoramen stößt der „Landeskunstkommission" übel auf, in der die Hofkünstler das Sagen haben. Als Tschudi für 400 000 Mark vier Bilder französischer Meister ankauft, weigert sich der Kaiser, die Rechnung gegenzuzeichnen. (Private Stifter bringen für Tschudi das Geld auf und schenken die Gemälde der Galerie.) Tschudi geht verärgert nach München.

Ludwig Justi, der als Nachfolger Tschudis berufen wird, macht den Hofkreisen einige Zugeständnisse. Seine kunstpolitische Strategie aber hebt die Qualität der Sammlungen weiter an.

Seine Freunde Alfred Hentzen, Paul Ortwin Rave und Ludwig Thormaehlen schreiben in einem Vorwort zu Justis „Gesammelten Schriften":

In Berlin standen die lebendigen Kräfte der neuen Kunst notwendig zur staatlichen Kunstpflege in einer Gegnerschaft, die in der Sezession ihren Mittelpunkt hatte. Tschudi wurde von ihr und der sie begleitenden Presse als Märtyrer gefeiert.

Als Justi sein Nachfolger wurde, betrachteten ihn beide Parteien mit äußerstem Mißtrauen: die Akademiker, weil sie die Wiederaufnahme des modernen Kurses fürchteten, die Sezessionisten, weil sie annahmen, Justi werde durch Zugeständnisse an den Kaiser das vor einem Jahrzehnt Begonnene wieder zerstören. Beide Lager haben ihm dieses Mißtrauen bis zuletzt bewahrt, in aufeinanderfolgenden Schichten, weil sich zeigte, daß er unabhängig seinen Weg ging und keinem von beiden dienstbar sein wollte.

Die Fülle des in fast fünfundzwanzigjähriger Leitung der Galerie Geleisteten kann hier nicht dargelegt werden; wir beschränken uns auf Andeutungen. In der – später gedruckten – Denkschrift „Die Zukunft der National-Galerie" hat Justi seine Pläne dem Kaiser unterbreitet, der sie genehmigte, und konnte sie noch vor dem Kriege ausführen. Neben kleinen Veränderungen fand er vier vorzügliche Lösungen.

1. Die vielen Schlachtengemälde, die den größten Saal des Hauptgeschosses füllten, wurden – soweit ihr geschichtlicher Wert den künstlerischen überwog – herausgenommen und dorthin gebracht, wo sie inhaltlich hingehörten: ins Zeughaus, hier aber in Verbindung mit Waffen, Plänen und Kriegszeugnissen aller Art zu einer Wirkung erhoben, die sie vorher nie hatten; nach dem Kriege bildete das Kriegsministerium aus ihnen das Garnisonmuseum in Potsdam.

2. Die Bildnisse, mit denen berühmte Generale und Gelehrte geehrt werden sollten und die in der Nationalgalerie durch ihre künstlerische Minderwertigkeit störten, wurden in einer neu begründeten Bildnissammlung vereinigt, in der alten Schinkelschen Bauakademie, und hier mit auch künstlerisch wertvollen Bildnissen – Standbildern und Büsten, Gemälden und Zeichnungen – hervorragender Deutscher vereinigt. Im Laufe der Jahre wurde die Sammlung im Rang gehoben durch Ausscheiden des Minderen und Zufügen von Gutem ...

3. Weiterhin wurde der Bestand der Galerie geklärt durch Ausscheiden von mehreren hundert weniger wertvoller Werke, darunter auch des weitaus größten Teiles der Marmorarbeiten, die im Erdgeschoß die Säulenhallen gefüllt hatten; die wenigen

übriggebliebenen kamen auf Plätze, an denen ihre bildhauerische Wirkung sich besonders gut entfalten konnte.

4. Das ganze Erdgeschoß wurde umgebaut, unter Schonung des Baukörpers. Durch Einziehen von Wänden wurde viel Behangfläche gewonnen, durch Einziehen von Decken und Böden die Raumverhältnisse und durch Verlegen der Türen der Lichteinfall verbessert. In den so geschaffenen Räumen wurden die Werke großer Künstler des neunzehnten Jahrhunderts vereinigt, mit ihren Bildnissen inmitten, so daß Ehrensäle entstanden für Menzel, Böcklin, Feuerbach, Marées, Thoma und Leibl.

Justi, Im Dienste der Kunst

Noch immer dürfen in der Nationalgalerie die Werke der Sezessionisten, ja selbst die Werke des idealistischen „Deutschrömers" Marées, nicht gehängt werden. Als eine Besichtigung der trotz des kaiserlichen Verbots erworbenen Werke – darunter Slevogts Bildnis des Sängers d'Andrade – droht, täuscht Justi, der sich der Hilfe des kunstbeflissenen Prinzen August Wilhelm versichert hat, den gekrönten Gegner der „Rinnsteinkunst":

Die Tage vor der angekündigten Besichtigung ließ Justi sich als abwesend verleugnen. Er stellte einen prächtigen Aufseher vor den Eingang der neuen Räume mit der Weisung, jedem, auch den Abgesandten des Ministeriums, den Eintritt zu verwehren. Dieses sandte in der Tat einen Ministerialdirektor, um sich von der Beachtung der ministeriellen Befehle zu überzeugen. Er drang nicht durch. Der neuerworbene Slevogt, das Bildnis des Sängers d'Andrade, wurde allerdings zunächst in einem der oberen Räume der Galerie untergebracht in der Erwartung, daß, wie mit dem Prinzen verabredet, das unverändert gelassene obere Stockwerk vom Kaiser nicht betreten würde. Dieses Bild Slevogts sollte, unmittelbar nachdem der Kaiser und sein Gefolge die neuen Säle durchschritten hatte, auf einer Seitentreppe in das Erdgeschoß gebracht und hier aufgehängt werden, so daß die Presse bereits eine andere Zusammenstellung vor Augen haben würde, als sie der Kaiser und sein Gefolge eben noch zu sehen bekommen hatten. So geschah es auch.

Für das Durchschreiten des Raumes mit den Werken des Hans von Marées – später wurden sie auf zwei Räume verteilt – hatte man Scherze und Witze bereit, die man dem Kaiser erzählen wollte, damit er abgelenkt vorüberginge. Dasselbe war vorgesehen für den Fall, daß der Kaiser schneller als berechnet die Räume passieren und etwa noch den Wunsch äußern sollte, auch die anderen Stockwerke, die er seit Jahren nicht betreten hatte, zu sehen.

Dies wurde in der Tat die einzige Schwierigkeit. In das Komplott eingeweihte Adjutanten wußten, als der Kaiser die Treppe zum oberen Stockwerk hinaufschreiten wollte, soviel wunderbare Geschichten, vor allem Künstler- und Modellanekdoten zu erzählen, wobei sie im Reden immer wieder ein paar Stufen rückwärts gingen, daß der Kaiser die Treppe nicht hinaufkam und endlich der Adjutant aufmerksam machen konnte, daß es Zeit sei aufzubrechen, da die Stunde der Eröffnung der Staatsbibliothek, die im Anschluß festgesetzt war, gekommen sei.

So bekam ich schon in den ersten Wochen Einblick in den Umgang mit hohen und höchsten Staatsstellen, mit Presse und öffentlicher Meinung und in die Kunst des Regierens.

Thormaehlen, Erinnerungen

1906 folgt Wilhelm von Bode Richard Schöne als Generaldirektor der Königlichen Museen. Bode, ursprünglich Assistent bei der Skulpturensammlung und der Gemäldegalerie, ist durch glänzende kunsthistorische und museumspädagogische Leistungen hervorgetreten. Auf ihn geht die Einrichtung des Kaiser-Friedrich-Museums zurück, das heute seinen Namen trägt.

Bei der Anordnung der Kunstschätze ist von der sonst allgemein üblichen schematischen Trennung der Künste Abstand genom-

Umseitig:
Max Fleischer: Das Kaiser-Friedrich-Museum, 1907

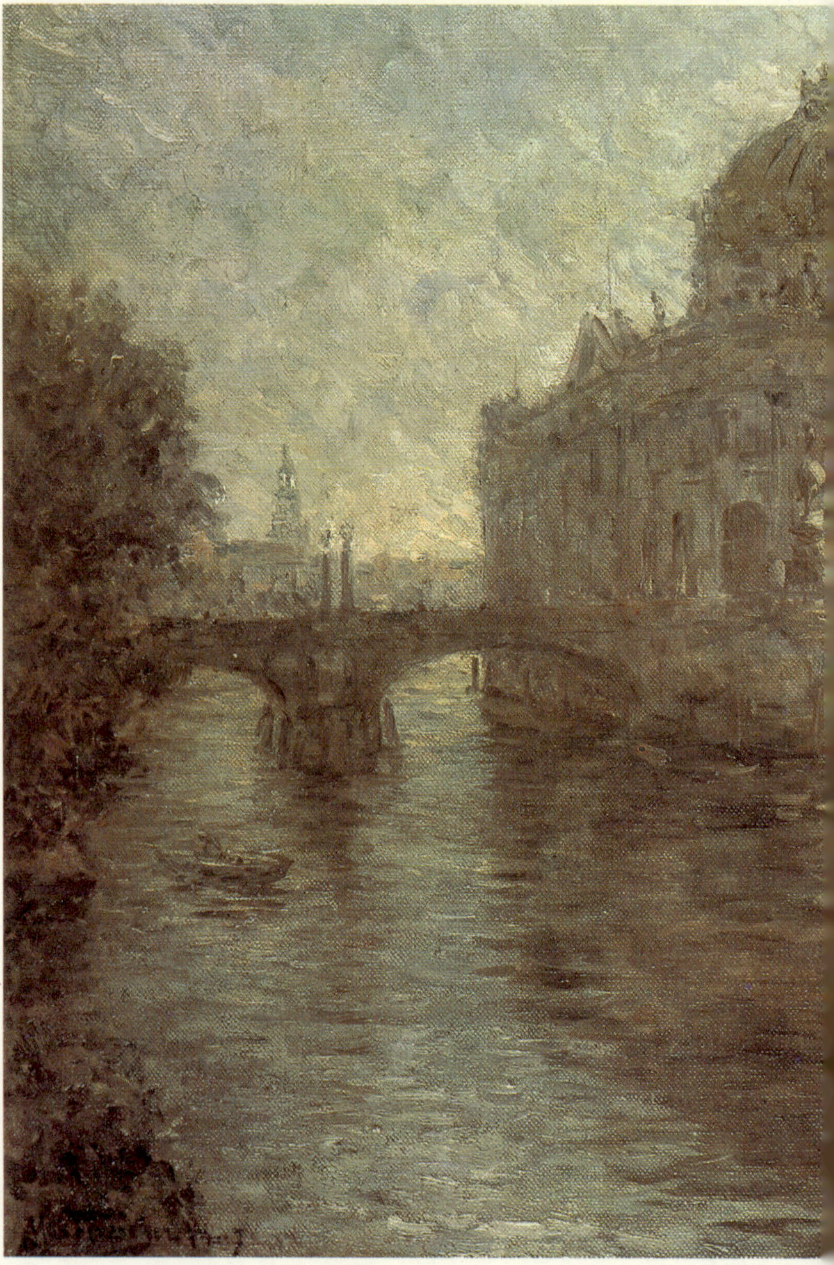

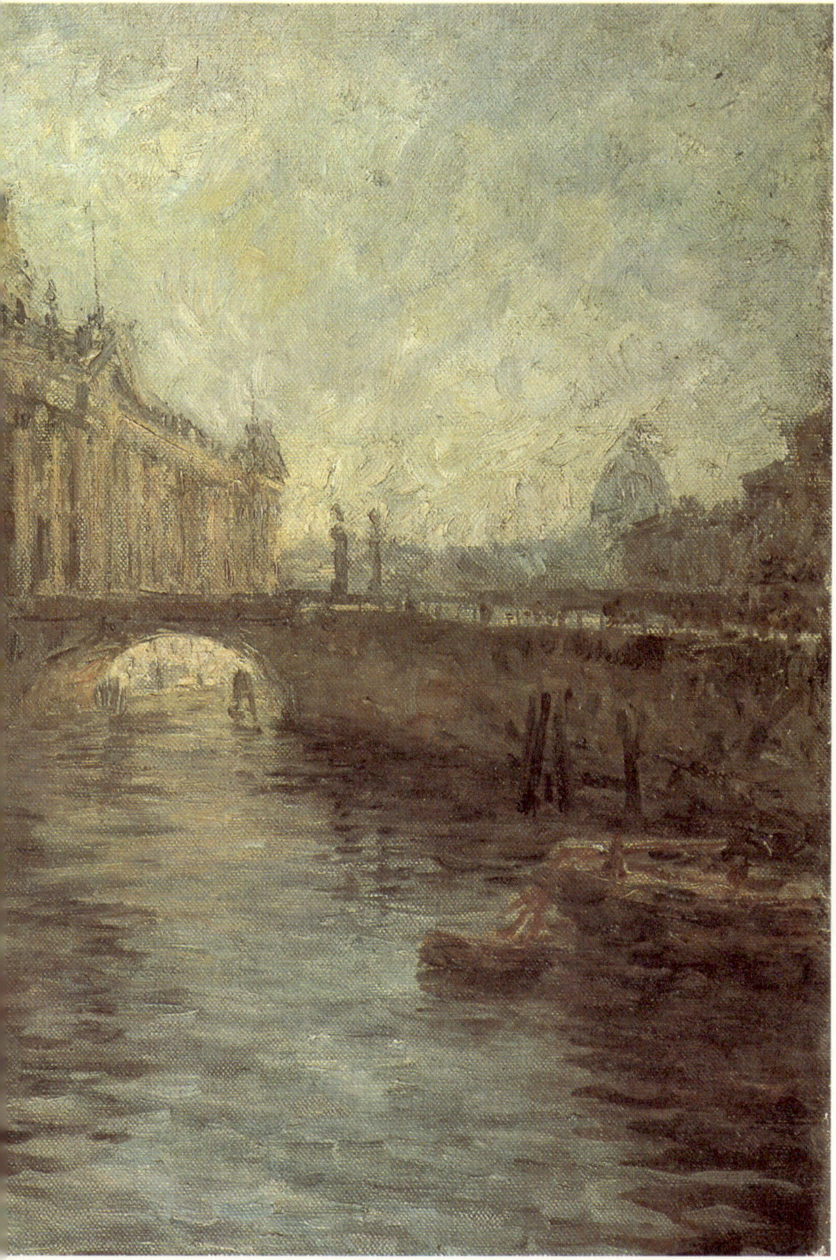

men worden, so findet man in der Abteilung für deutsche Klassik neben den Skulpturen auch Gemälde aus den gleichen Epochen; so ist ein Teil der italienischen Renaissanceplastik mit den Gemälden der italienischen Renaissance vereinigt worden ... Ferner sind in einer großen Reihe von Sälen Mobiliarstücke und Wandteppiche, zum Teil von hoher Schönheit, zur Ausstattung verwandt worden, die nach Zeit und Stil zu den darin aufgestellten Gemälden oder Bildhauerarbeiten passen ... Durch diese ganze Anordnung, die als das persönliche Verdienst Wilhelm Bodes gelten muß, ist in vielen Räumen eine glückliche historische Stimmung, vor allem aber durchgehendst ein anziehender Wechsel interessanter und geschlossener Raumbilder geschaffen.

Dresdner, Kunstsammlungen

Wilhelm von Bode ist nicht nur einer der gebildetsten Kunstkenner und Sammler; er zählt auch zu den eigenwilligsten Charakteren in der Kunstwelt seiner Zeit.

Hier ist es am Platze, einige Worte über den merkwürdigen und bedeutenden Mann zu sagen, der viele Jahrzehnte lang an der Spitze des Berliner Museumswesens gestanden und ihm den Stempel seiner starken Persönlichkeit aufgedrückt hat ... Nicht als ob Bode alles hätte durchsetzen können, was er gewollt hat, als sei er allmächtig gewesen; im Gegenteil, die Hälfte seiner Kraft hat er in Kämpfen mit Kollegen, in Ressortschwierigkeiten und Museumspolitik verbrauchen müssen. Dennoch kann in entscheidenden Zügen das Berliner Museumswesen sein Werk genannt werden ... Er hatte immer viele Eisen im Feuer. Und machte viele Kräfte seinem Willen dienstbar. So bedurfte er unbedingt der Hilfe des Privatkapitals. Er hat sie sich zu verschaffen gewußt; er gründete den Kaiser-Friedrich-Museums-Verein und förderte damit nicht nur seine Pläne, sondern gab auch den Anstoß zu einem neuen, lebendigen Kunstinteresse in der Hauptstadt. Darüber hinaus wurde er Berater fast aller Sammler alter Kunst. Zuerst in Berlin, dann aber auch, als sein Ruf wuchs, in ganz Europa und sogar in Amerika. Dieses brachte ihn mit dem Kunsthandel in Berührung, und er scheute sich keinen Augenblick, mit den internationalen Kunsthändlern und ihrem Anhang in Verbindung zu treten, so gefährlich es werden kann ... Dabei verstand er es, sich die Händler zu verpflichten. Nicht nur indem er ihnen gute Kunden zuführte, sondern auch indem er die großen Versteigerungen unterstützte, den Auktionskatalogen Vorworte schrieb oder von Mitarbeitern schreiben ließ und sich – das heißt immer wieder: den Museen – anstatt eines Honorars die ihm wichtigsten Kunstwerke der betreffenden Sammlungen schenken ließ. Die Zielpunkte für Bodes Interesse waren immer „seine" Museen; deren Bestand wurde unaufhörlich vermehrt durch die Gaben des Kunsthandels, durch Geschenke und Darleihung ganzer Sammlungen seitens der Vereinsmitglieder, nicht zuletzt durch Bodes eigene Geschenke glücklich entdeckter, seltner Stücke, deren Wert heute in viele Millionen geht, und endlich durch die Ankäufe aus den zur Verfügung stehenden Fonds. Tauchte irgendwo ein Kunstwerk auf, das Bode glaubte haben zu müssen, so war er wie ein Detektiv dahinter her, so bot er alle Mittel auf, um es zu erlangen. Und hierin war er so unermüdlich, daß der Besitz der Museen in wenigen Jahrzehnten quantitativ und qualitativ in einer fast unwahrscheinlichen Weise zugenommen hat, daß aus dürftigen Provinzsammlungen repräsentative reichshauptstädtische Museen geworden sind ...

Mit ihm ist ein neuer Typus des Galerieleiters aufgetaucht, durch ihn ist in das Museumswesen etwas Unternehmerhaftes gekommen. Ja, sogar etwas Sensationelles. Aber auch eine Arbeitskraft großen Ziels, die in Jahrzehnten leistet, wozu es sonst eines Jahrhunderts bedurfte ... Fehler drastischer Art konnten nicht ausbleiben, und die von der rücksichtslosen Art des Generalgewaltigen Verletzten ließen keinen dieser Fehler ungerügt hingehen. Das hat wieder und wieder zu Polemiken geführt, in denen Bode nicht eben immer eine gute Figur gemacht hat und die ihm doch nicht geschadet haben, eben weil er letzten Endes etwas Überpersönliches wollte. Bode ist Autokrat geworden, er mußte es wohl werden, und er hat im reichen Maße die Fehler der starken Männer. Nur wenige Aufrechte halten es in seiner Nähe aus; zu seinen Gegnern gehören die Besten. Aber bei alledem ist er eine Prachtgestalt in seiner Art. Nie hat es eine merkwürdigere Exzellenz gegeben.

Scheffler, Berliner Museumskrieg

Denke ich an Wilhelm v. Bode zurück, dann sehe ich ihn vor mir, wie seine Gestalt sich mir in den Jahren des Friedens vor 1914 eingeprägt hat. Schlank und hager, im leger und doch tadellos sitzenden grauen Anzug und hellen kurzen Paletot, den silbergrauen Hut keck auf dem scharf profilierten Kopf, schlendert er fröhlich pfeifend durch die Gemäldegalerie (und er hatte Anlaß genug, beim Durchschreiten seiner Museen zufrieden vor sich hin zu pfeifen!). Oder er kommt aus seinem Zimmer in das daneben gelegene Büro des Assistenten, setzt sich nonchalant auf die Tischecke, streckt das ständig durch Venenentzündung geplagte Bein auf einen Stuhl aus und beginnt zu plaudern. Ein paar dienstliche Obliegenheiten werden besprochen, einige bissige Bemerkungen über Gerechte und Ungerechte gemacht, und dann durfte man ihn weidlich über alles Wissens- und Lernenswerte auf dem Gebiete der Kunst ausholen ...

Führte er überhaupt ein Privatleben? Es fiel einem jedenfalls schwer, sich diesen Monomanen, dessen Dasein ganz in der Arbeit für die Museen und die kunstwissenschaftliche Forschung aufging, der nie ein Theater besuchte und wohl auch von moderner Literatur kaum etwas kannte, als Familienvater vorzustellen.

Am Tage vor der Hochzeit seiner ältesten Tochter hatte ihn nach Dienstschluß ein Museumsbeamter in einer dringenden Angelegenheit in seiner Villa in der Uhlandstraße aufgesucht. Das ganze Haus stand schon kopf. Tafeln wurden gedeckt, Möbel gerückt, Türen mit Girlanden umwunden. Unberührt von dem Trubel arbeitete Bode in seinem altmodisch behaglichen Zimmer. Nur als der Beamte sich verabschiedete, rief Bode ihm noch nach, morgen werde er voraussichtlich nicht ins Museum kommen können. „Morgen ist nämlich hier so 'ne Hochzeit." Zweimal bin ich vor 1914 zu einer großen Abendgesellschaft in seinem Haus eingeladen gewesen. Obwohl unter den Gästen würdige Museumsbeamte mit Gattin und erwachsenen Töchtern waren, blieb der Hausherr unsichtbar und überließ den ganzen Kram seiner Frau. Er saß in seiner Klause, wo er Abend für Abend ein Schock Briefe hastig hinfegte, die an Sammler, Künstler, Händler, Minister, Fürsten, an Zeitungsleute, Universitätsprofessoren, Verleger, Museumsdirektoren in alle Weltgegenden hinausflatterten.

Plietzsch, „... heiter ist die Kunst"

Zu den Fehlern, die auch einem Kunstkenner vom Range Bodes unterlaufen können, gehört der Ankauf einer Leonardo da Vinci zugeschriebenen Flora-Büste:

Meine Beziehungen zu Bode verschlechterten sich, als der Ankauf der von ihm als Werk Leonardos da Vinci um den Preis von mehr als 300 000 Mark für das Museum erworbenen Flora-Büste die Geister zum Für und Wider aufrief. Die Sache machte auch im Auslande ungeheures Aufsehen, zumal von London aus, wo das Stück gekauft war, verbreitet wurde, daß diese Wachsbüste aus dem 19. Jahrhundert stamme und von der Hand des englischen Bildhauers Lucas herrühre. Das Lager der deutschen Kunsthistoriker spaltete sich in Flora-Anhänger und Flora-Gegner, und man erging sich in Vermutungen, ob das Lächeln der Dame dem der Mona Lisa ebenbürtig sei. Für Bode wurde die Sache zur Frage des persönlichen Prestiges, und er verfolgte in seinem autokratischen Selbstgefühl, so weit sein Machtbereich sich erstreckte, alles, was nicht zu seiner Fahne hielt. Wer Karriere machen wollte, tat gut, sich als Flora-Anhänger zu bekennen. Da aber die gegnerischen Stimmen nicht verstummten und ihm, namentlich in Anbetracht des außerordentlichen Preises, den er für das Stück gezahlt, zu schaffen machten, griff er zu einem höchst seltsamen Mittel, seiner Meinung und seiner Stellung eine Stütze zu geben. Er veranlaßte die Mitglieder des Kai-

Umseitig: Wilhelm von Bode in der Gemäldegalerie, 1903

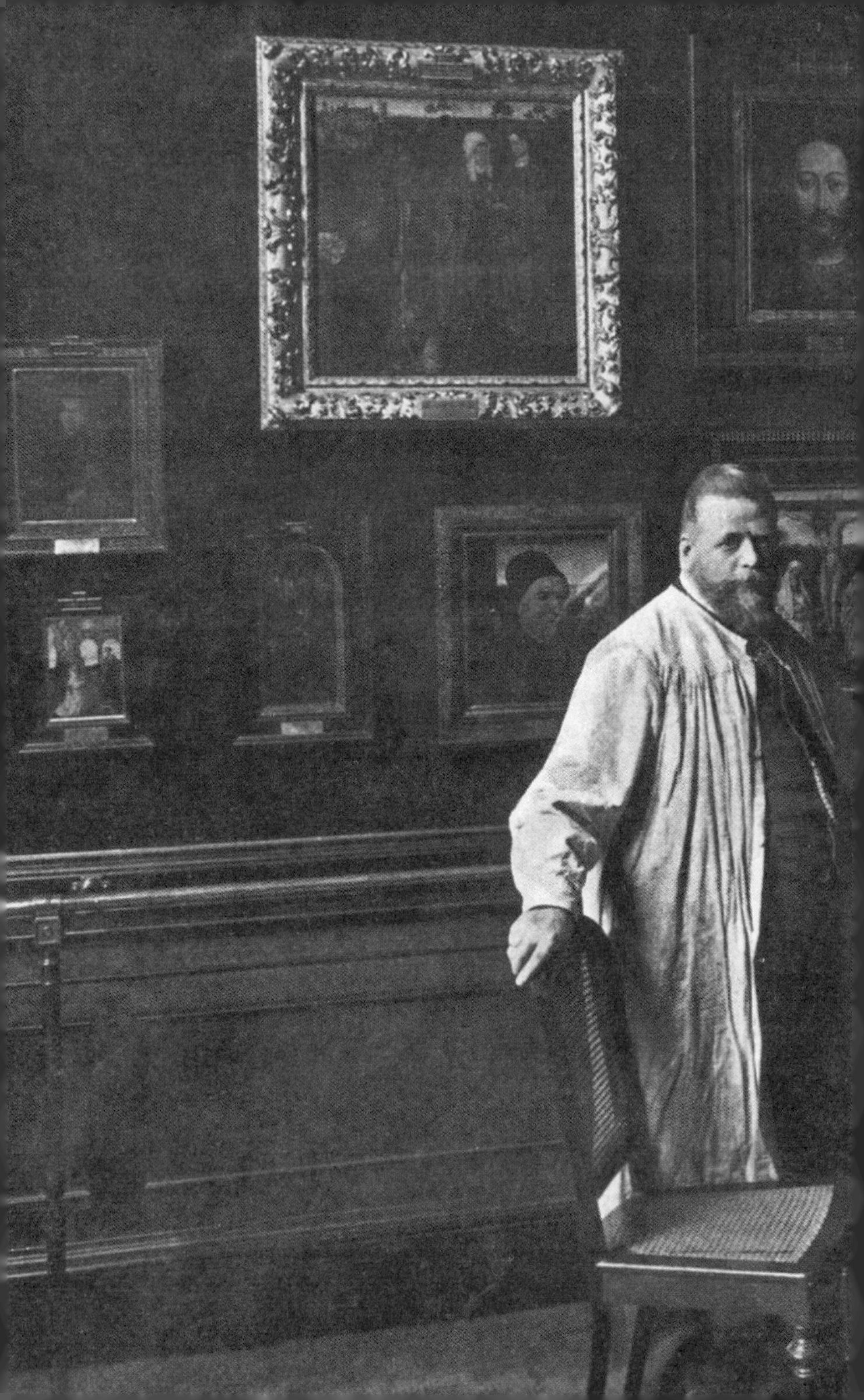

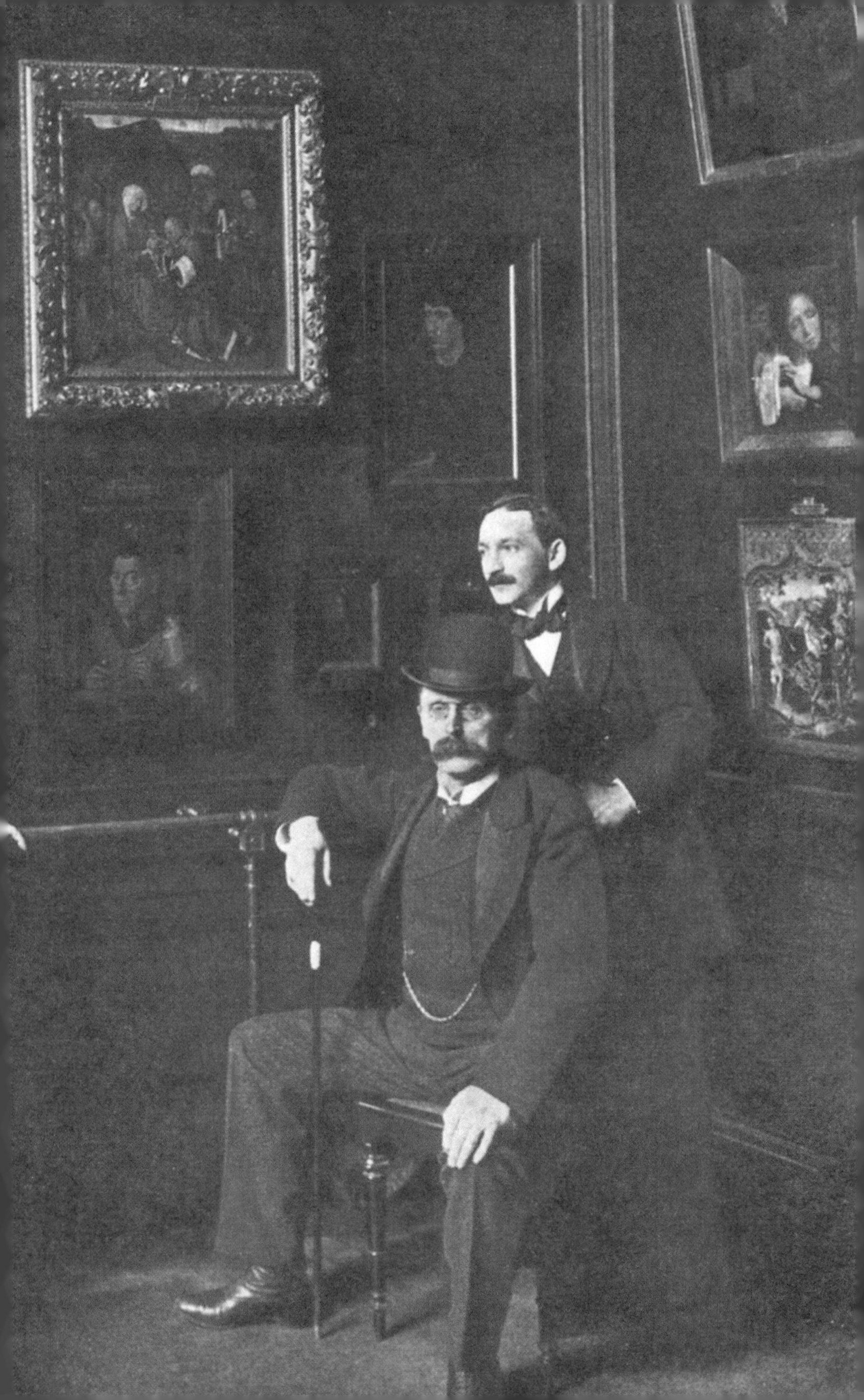

ser-Friedrich-Museum-Vereins, eine Adresse an ihn zu richten, in der diese ihre Überzeugung von der Echtheit der Flora-Büste bekundeten und ihm eine Art Ehrenerklärung ausstellten. Das bedeutete: Großkaufleute, Industrielle und Bankiers gaben ihre Stimme über eine Sache ab, von der sie keine Ahnung hatten, und maßten sich ein Urteil an, für das sie gar nicht zuständig waren. In solcher Komödie mitzuspielen, war für mich ausgeschlossen, und da ich die Wachsbüste nicht für ein Original Leonardos hielt, verweigerte ich meine Namensunterschrift für die Adresse. Das hat mir Bode niemals verziehen.

Weisbach, „Und alles ist zerstoben"

Schließlich holt man aus dem Innern der Renaissancebüste eine zerlumpte Weste heraus, die nur aus dem 19. Jahrhundert stammen kann: Ein Beweis für die Fälschung, dem gegenüber selbst Wilhelm von Bode kapitulieren muß.

Die Hauptstadt der Musik

Über eins sind sich die Zeitgenossen einig: Berlin ist die Musikstadt Deutschlands. „Wer die Frage aufwirft: Was bietet Berlin dem Musikfreund? darf nur auf die eine Antwort zählen: so gut wie alles, was er verlangen kann..." (Paetow, Berlin für den Musikfreund)
  Aus den Erinnerungen der Opernsängerin Frieda Hempel:

Sehe ich zurück auf das damalige Musikleben in Berlin, so erstaunt mich schon die Zahl der Konzertsäle. Da gab es die alte Singakademie im Kastanienwäldchen, deren Konzerte Georg Schumann leitete. Am Nollendorfplatz lockte, meist mit modernen Kompositionen, der Mozartsaal. Es gab einen Beethovensaal, den Bechsteinsaal, den Klindworth-Scharwenka-Saal. Im Opernhause veranstaltete die Königliche Kapelle in jedem Winter zehn Symphonieabende, und an zwei Tagen jeder Woche – wirklich, an zwei Tagen jeder Woche! – konzertierte in der Bernburger Straße das Philharmonische Orchester, das außerdem dann noch unter Arthur Nikisch im Winter seine zehn weltberühmten Philharmonischen Konzerte veranstaltete.

Noch zahlreicher und noch vielseitiger in ihren Programmen sind die Theater gewesen. Ich schätze, es gab deren beinahe drei Dutzend, mindestens fünf davon dienten der Oper oder der Operette. An der Spitze stand die Königliche Oper, nahe dem heute zerstörten Schlosse, Unter den Linden. Draußen im Tiergarten lag ihr Schwesterinstitut, die Kroll-Oper. An der Weidendammer Brücke hatte Hans Gregor die Komische Oper gegründet, die keineswegs der Unterhaltung dienen, sondern das Heim der klassischen heiteren Oper werden sollte. Ein Haus für die Oper ist auch das Theater des Westens gewesen, das Max Hofpauer mit einer Aufführung von Meyerbeers „Hugenotten" seiner musikalischen Aufgabe zugeführt hatte und in dem dann Aloys Prasch Smetanas Musik den Berlinern zu Gehör brachte. Am Lortzing-Theater, beim Halleschen Tor, hatten die Berliner eine eigene Volksoper. Erst Unter den Linden, dann in der

Behrenstraße war das weltbekannte Metropoltheater, dessen Sänger Joseph Giampietro der gefeierte Liebling der Berliner war.

Es war für mich selbstverständlich, jeden freien Abend im Theater oder Konzertsaal zu verbringen. Ich hörte Emmy Destinn das Evchen und die Santuzza singen, ich bewunderte die Koloraturen der berühmten Emilie Herzog, ich hörte Geraldine Farrar, deren Aussehen an Schönheit ihrer Stimme gleichkam. Ich kann und will nicht Namen um Namen aufzählen, manche habe ich wohl auch vergessen, es waren einfach zu viele.

Frieda Hempel, Mein Leben

Wohl der berühmteste Klangkörper Berlins ist das Philharmonische Orchester mit seinem Dirigenten Arthur Nikisch:

Man hat viel von dem „magnetischen Einfluß" Nikischs auf seine Musiker gelesen. Dieser Einfluß wurzelte zutiefst in einer Gegenseitigkeit, das heißt Nikisch gab nicht bloß, sondern er empfing auch, er ließ sich von dem anregen, was zu ihm emporrauschte, er griff Vortragsabsichten willig auf, er lebte mit und in seinen Künstlern. Er befahl nicht, sondern er überredete. Mit Worten sparte er, wagte auch nicht so kühne Vergleiche wie Bülow, der einmal von dem Hornisten verlangte, er müsse eine bestimmte Stelle „etwas semmelgelber" blasen. Doch konnte auch Nikisch sich durch bildkräftige Ausdrücke, beispielsweise: „Dieser Akkord überzeugt nicht, er soll wie ein Schuß wirken", verständlich machen. Passende Vergleiche gehören zum feineren Handwerkszeug des Dirigenten, seine Begründungen müssen kurz und dürfen dunkel sein, denn die Leute an den Pulten wollen keine Reden hören und schätzen nicht den Zwang der Logik. Nikisch verließ sich auf die Zeichengebung, er wußte, wie verschieden hoher, tiefer, kleiner, großer, gerader, runder Schlag wirken. Dazu kam die bezaubernde Liebenswürdigkeit im Verkehr mit den Musikern; er sagte etwa: „Bitte diese Stelle noch einmal, nur um meinetwillen", oder er mahnte, auf den von der Pauke angegebenen Rhythmus zu achten, legte bei der Wiederholung den Taktstock zur Seite und bemerkte dann lächelnd: „Wozu bin ich da?"

Dessoir, Buch der Erinnerung

Leiter der Symphoniekonzerte der Königlichen Kapelle ist zunächst Felix von Weingartner. „Da war kraftvolle Jugend, vornehme Haltung, feuriges Draufgängertum, Geist, Können und Persönlichkeit. Und vor solchen im Königlichen Opernhause bis dahin unerhörten Eigenschaften verflog der Staub der Tradition und des Schlendrians ... Das Ergebnis war und blieb: ‚ausverkauft'." (Weißmann, Berlin als Musikstadt)

Eines Tages kommt es aus beiläufigem Anlaß zu einem Streit zwischen Weingartner und der höfischen Opernleitung. Die Folge ist, daß Weingartner in Berlin und Umgebung ein Aufführungsverbot erhält. So gibt er mit dem Königlichen Orchester Beethoven-Konzerte in Fürstenwalde. Die Berliner Enthusiasten mieten einen Sonderzug.

Als Weingartner 1908 nach Wien geht, übergibt er sein Amt an Richard Strauss, der seit 1898 Hofkapellmeister ist.

Die Konzerte der Philharmonie galten als modern, die der Staatskapelle als traditionell, und es ist seltsam, daß man in dem schönen Hause Unter den Linden einen viel nüchterneren Eindruck empfing als in dem weniger schönen Saal der Philharmonie. In der Staatsoper ging alles ordentlicher, steifer und exklusiver vor sich. Zu der Nüchternheit trug auch die trockene Akustik des Raumes bei. Die Staatskapelle galt zwar als das gepflegtere Orchester, doch kam ihr glänzender Klang bei der Aufstellung auf der Bühne niemals recht zur Entfaltung.

Noch in späteren Jahren hat mir Richard Strauss einmal gesagt: „Wie gut die Staatskapelle ist, hören Sie erst, wenn sie in der Philharmonie spielt." ...

Schließlich war auch das Publikum in der Staatsoper anders als in der Philharmonie.

Meine Mutter hat sich jahrelang Mühe gegeben, dort einen festen Platz für die Konzerte zu bekommen; es ist ihr nicht gelungen. Wer in eine Hauptprobe wollte, mußte sich meist in der Nacht von Sonnabend auf Sonntag an der Billettkasse anstellen, um nach stundenlangem Warten möglicherweise sogar erfolglos heimzugehen. Die festen Plätze waren in den Händen alter musikbegeisterter Familien und vererbten sich meist; die Beamtenschaft, die Ministerien verfügten über Stammsitze, und dieses Publikum hatte von vornherein Mißtrauen gegen eine Musik, deren Komponisten womöglich noch nicht einmal gestorben waren. Hin und wieder wurde auch ein neueres Werk gespielt, aber das änderte nichts an dem Gesamtcharakter, der traditionell, wenn nicht gar reaktionär wirkte. Richard Strauss, der doch an der Staatsoper war, gab seine Berliner Erstaufführungen Nikisch.

Der Gegensatz zwischen den Philharmonischen Konzerten und den Symphoniekonzerten in der Staatsoper bestand für mich etwa darin, daß ein Nikisch-Konzert ein musikalisch hinreißendes Erlebnis war, während mir die Konzerte der Staatsoper zwar Köstlichkeiten in höchster Verfeinerung boten, aber immer etwas nüchterner, belehrender wirkten. Dort wurde mein

Max Liebermann: Im Konzert

ganzes Temperament gefangengenommen, hier aber erwuchsen Einsichten. Ich hing mehr an Nikisch, aber ich war restlos überzeugt von den Interpretationen von Strauss.

Butting, Musikgeschichte, die ich miterlebte

1902 sorgt Richard Strauss dafür, daß Arnold Schönberg eine Stelle am Sternschen Konservatorium erhält. Am 5. August schreibt er an den Komponisten:

Ich war heute bei Direktor Holländer ... (Direktor des Sternschen Konservatoriums). Er will Ihnen schon jetzt eine kleine Klasse einrichten (damit Sie sich wenigstens Lehrer am Sternschen Konserv. nennen können). Vorm 1. Januar aber hoffte er, Ihnen eine größere Klasse zu geben: Er hat auch Kopiaturarbeiten für Sie. Im übrigen wenden Sie sich in allen Nöten zu besserer Information an Herrn Inspektor Pohl, ein treuer lieber Freund von mir, der Ihnen gerne stets mit Rat und Tat beistehen wird. Sollten Sie dringend in Not sein, so schreiben [Sie] ein Gesuch um Unterstützung an mich als Vorsitzenden des Allgem. deutschen Musikvereins: Mit 50 Mark kann ich Ihnen schon aus der schlimmsten Patsche helfen ...

Arnold Schönberg. Zum 25. Todestag

Freilich kann sich Richard Strauss mit der ungewohnten Klangsprache Arnold Schönbergs nicht befreunden. Eine Aufführung seiner Werke lehnt er ab: „Ihre Stücke sind inhaltlich und klanglich so gewagte Experimente, daß ich vorläufig nicht wagen kann, sie einem mehr als konservativen Berliner Publikum vorzustellen." (Strauss an Schönberg, 1909) Das Stipendium für den Schöpfer der Zwölf-Ton-Musik befürwortet Strauss trotzdem mit dem weisen Satz: „Da man ja nie weiß, wie die Nachwelt darüber denken wird."

Die Schauspielerin Salka Viertel, Schwester des Schönberg-Anhängers Edward Steuermann, schildert, wie die Marotte einer reichen Dame zum Anlaß einer der ersten atonalen Schöpfungen Arnold Schönbergs wird:

Sonntags, wenn ich nicht spielte, fuhr ich oft mit Edward nach Zehlendorf, wo wir auch andere Schönberg-Schüler antrafen: Alban Berg, Anton Webern, Hanns Eisler und einen jungen Engländer, Edward Clark. Berg sah am interessantesten aus: schlank, zart, dunkelhaarig, sehr blaß. Irgendwie kamen mir die anderen viel jünger und robuster vor. Es gab immer herrlichen Kaffee und hausgebackenen Kuchen, was wir sehr schätzten. Schönberg beherrschte die Unterhaltung. Er war sehr vital, voll unerschöpflicher Einfälle ...

Bald brachte die Post jeden Morgen ein Kuvert mit einem Blatt Notenpapier, auf dem die am heftigsten umstrittene Musik des Jahrhunderts niedergeschrieben war. Als wäre es ihm etwas ganz Vertrautes, setzte sich Edward ans Klavier und spielte Schönbergs Vertonung von französischen Gedichten mit dem Titel „Pierrot lunaire", die der Dichter Hartleben ins Deutsche übersetzt hatte. Nachdem er sie gespielt hatte, fuhr Edward zu einer reichen älteren Dame, Frau Albertine Zehme, die, um der Langeweile ihrer bürgerlichen Existenz zu entkommen, beschlossen hatte, sich in eine künstlerische Karriere zu stürzen. Im Pierrot-Kostüm reiste sie durch Deutschland und rezitierte die verträumten, zarten Gedichte. Jemand hatte ihr gesagt, daß eine musikalische Untermalung die Wirkung erhöhen würde, und so hatte sie sich mit Schönberg in Verbindung gesetzt und ihn beauftragt, die Musik zu dem „Pierrot"-Zyklus zu schreiben. Weil er dringend Geld brauchte, hatte er eingewilligt, jedoch die völlige künstlerische Unterwerfung der Auftraggeberin verlangt ...

Die Interpretation des „Pierrot lunaire" verlangte bald nach einem Kammerorchester. Zu Edwards Klavier gesellten sich der junge Holländer Hans Kindler (später Dirigent des Washington Philharmonic Orchestra) mit dem Cello, ein Flötist und ein Klarinettist. Schönberg dirigierte. Da die Flöte kahlköpfig war, flehte Frau Zehme Schönberg an, niemand außer ihr solle vom Publikum gesehen werden. Schönberg entwarf daraufhin ein ausgeklügeltes System von Wandschirmen, welches die Musiker verbarg, Frau Zehme jedoch erlaubte, seinen Taktstock zu sehen.

Das Publikum begrüßte den Pierrot – in riesiger Halskrause unter dem angemalten ängstlichen Gesicht und kokett dargebotenen Beinen – mit unheilvollem Murmeln. Ich bewunderte es, wie Frau Zehme ihre Nervosität beherrschte und, ohne auf das Zischen und Buhrufe zu achten, mutig ein Gedicht nach dem anderen vortrug. Es gab natürlich auch fanatischen Beifall der jüngeren Zuhörer, aber die Mehrheit des Publikums war empört. Ein berühmter Cellist, der neben mir stand, rief, vor Wut puterrot im Gesicht: „Erschießen sollte man ihn! Erschießen!", womit er Schönberg und nicht den armen Pierrot meinte. Fünfzig Jahre später schrieb Edward über diesen Abend: „Es ist nicht ungewöhnlich bei künstlerischen Ereignissen wie diesen, daß die Menschen, konfrontiert mit dem Neuen, gar nicht erkennen, wie tief sie berührt wurden. Die Kritiker waren empört, aber es ist doch unglaublich, daß nicht ein einziger das Genie Schönbergs erkannte."

Salka Viertel, Das unbelehrbare Herz

Weltberühmte Solisten wie die Pianisten Eugen d'Albert und Ferruccio Busoni geben Gastspiele in Berlin. In der Lindenoper singt im April 1907 der russische Baß Fjodor Schaljapin. Siebenundzwanzigmal tritt zwischen 1906 und 1913 der italienische Tenor Enrico Caruso in der deutschen Hauptstadt auf.

Das erste Gastspiel des gefeierten Sängers ist allerdings alles andere als ein rauschender Erfolg:

Tage zuvor hatten Plakate ihn als den „größten Tenor aller Zeiten" angekündigt. Freund Plaut war der Meinung, diesen Sänger müßte ich gehört haben. Ich ging also mit Plaut in das Theater des Westens, nicht ohne mir schnell eine feuerrote Bluse genäht zu haben. Wir hatten unsere Plätze oben im Olymp, und wir trafen zahlreiche Freunde und Kollegen dort auf der Galerie.

Die vielen Reihen des Parketts jedoch waren leer, nicht einmal die Presse schien vollzählig vertreten zu sein. Und von den Logen des ersten Ranges, so habe ich es im Gedächtnis, schien

Enrico Caruso in Berlin, 1913

nur eine einzige verkauft zu sein. In dieser einen Loge saß einsam eine Dame. Ich habe sie mir sehr genau angesehen. Ihr nachtdunkles Haar war gescheitelt, im Knoten schimmerte ein mit Brillanten geschmückter Kamm. Ich weiß auch noch, daß die Dame ein königsblaues Kleid getragen hat, daß das Kleid über und über mit Pailletten benäht war.

Dann begann die Vorstellung: Verdi. Ich glaube, es wurde „Rigoletto" gegeben. Aber ich kann es nicht genau sagen, es ist auch gleichgültig. Denn alles war unwichtig, bedeutungslos neben dieser Stimme. Was besagen die üblichen Ausdrücke wie „Schmelz", „Bravour", „Glanz" und andere? Mit Worten kann nicht einmal ein Dichter den Eindruck dieser Stimme festhalten. Man muß Caruso gehört haben, oder man hat ihn nicht gehört.

Frieda Hempel, Mein Leben

Vier Jahre später reißen sich die Berliner Musikfreunde die Karten für ein Konzert Carusos aus der Hand.

Der Ruhm der Königlichen Oper, deren Intendanz 1902 von Bolko von Hochberg auf den Grafen Hülsen-Haeseler übergeht, gründet sich in erster Linie auf Dirigenten von Weltruf und ein Ensemble berühmter Gesangssolisten. Gepfefferte Eintrittspreise sorgen für eine auf „hohe und höchste Kreise" beschränkte Zusammensetzung des Publikums. „Gerade jetzt wieder sind die Opernhauspreise erhöht worden. Mit dem Preis von zehn Mark für den Parkettplatz, für drei und eine halbe Mark für den Galeriesitz ist die letzte Volkstümlichkeit abgestreift." (Die Schaubühne, 8. Oktober 1908)

So konservativ wie das Publikum ist der Spielplan der Königlichen Oper. Bei höfischen Anlässen werden vom Kaiser persönlich inspirierte Werke wie Leoncavallos „Roland von Berlin" – der Komponist darf die Partitur während einer Militärparade überreichen – oder Galaopern wie „Die Hugenotten" einstudiert.

An solchen Galaabenden zogen sich riesige Blumengirlanden die Ränge entlang. Jede einzelne Loge war mit Blumenbuketten geschmückt, auch der purpurne Baldachin der Königsloge war mit Flieder, Gladiolen oder anderen Blumen, je nach der Jahreszeit, eingehüllt. Das Auge des Betrachters war zunächst wie geblendet, er sah nur ein Lichtermeer, ein Flimmern von tausend Farbreflexen, ein glitzerndes Sprühen. Das Parkett war mit Offizieren aller Waffengattungen gefüllt: neben deutschen Uniformen entdeckte man die aller möglichen anderen Länder.

Wie zu den Festlichkeiten bei Hofe kamen auch zur Galavorstellung die Gäste in vorgeschriebener Reihenfolge. War das Parkett besetzt, so füllten sich die Logen der Botschafter und Gesandten und der deutschen Minister ... Dann sah man Herrn von Hülsen im Parkett, wo er rotberockten jungen Herren Instruktionen gab. Es waren Kadetten aus Lichterfelde, vom Adel natürlich, die dem Kaiser und seinen Gästen als Hof- und Leibpagen dienten.

Das leise Schwirren eines Glockenzeichens: alles erhebt sich; wer im Parkett seinen Platz hat, wendet sich der Hofloge zu. Als erster erscheint – der alte Kammerdiener der Kaiserin: Man hat vergessen, die Pelzboa zurechtzulegen! Wenige Sekunden Pause: sie genügen, nach diesem belächelten Intermezzo die Spannung zu erhöhen. Dann tritt Herr von Hülsen ein, an diesem Abend nicht in Intendantenuniform, sondern im weißen Koller der Gardekürassiere, aber den Zeremonienstab in der Hand. Ihm zur Seite sieht man Graf August Eulenburg, den Oberhofmarschall des Kaisers. Sodann – die Besucher verneigen sich – die Prinzen des Hohenzollernhauses: Eitel Friedrich, Adalbert, August Wilhelm, Oskar, Joachim, Friedrich Leopold, Friedrich Heinrich, Joachim Albrecht. Neues Verneigen, wenn Kronprinz Wilhelm und Kronprinzessin Cecilie die Loge betreten. Nun sind auch die Botschafter der Großmächte auf ihren Plätzen; man sieht den feinen Kopf von Jules Cambon, die nachdenkliche Stirn von Sir Edward Goschen.

Jetzt steht Exzellenz Hülsen dicht an der Brüstung und stößt dreimal mit seinem Stab auf den Boden. Der fürstliche Gast erscheint an der Seite der deutschen Kaiserin, dann, die Gemahlin des Gastes führend, der Kaiser. Leo Blech gibt das Zeichen, die Kapelle intoniert die Nationalhymnen der durch ihre Monarchen vertretenen Völker. Eine kurze Pause erwartungsvoller Stille. Dann ein neues Zeichen Leo Blechs, hinter der Bühne leuchten die Signallampen auf, schon spielt das Orchester; und der Vorhang gibt die Szene frei.

Frieda Hempel, Mein Leben

Richard Strauss' „Feuersnot" wird 1902 nach wenigen Aufführungen abgesetzt – „wegen Verletzung des sittlichen Empfindens". Auch Strauss' „Salome" kann erst in Berlin erscheinen, nachdem sie von zehn anderen deutschen Theatern angenommen ist. Der Ärger, den Strauss als Opernkomponist erduldet, führt dazu, daß er 1909 seinen Vertrag als Opernkapellmeister löst und als Generalmusikdirektor nur die Leitung der Symphoniekonzerte behält.

Am 14. November 1911 erscheint – nach einer Uraufführung in Dresden – in der Lindenoper der „Rosenkavalier". Diesmal sorgt des Kaisers oberster Opernbeamter selbst dafür, daß das Libretto von allem, was „sittlich anstößig" ist, gereinigt wird.

Es wurde vertraglich vereinbart, daß Strauss mit einer Milderung bzw. Streichung textlich beanstandeter Stellen sich einverstanden erkläre. Am peinlichsten in dieser Hinsicht war natürlich für ängstliche Gemüter die große Erzählung des Ochs im ersten Akt. Zu der von Hülsen geforderten Weglassung dieser ganzen Episode vermochte sich Strauss jedoch zunächst nicht zu verstehen ...

Hülsen antwortete hierauf:

„Daß Sie dem Ochs im 1. Akt sein Scherzo wenigstens teilweise erhalten möchten, stimmt mich vorläufig noch recht nachdenklich!! Die einmütige, wohlwollendste Ansicht aller Bühnenleiter, die ich jetzt gesprochen habe, ging dahin, daß das Werk sich nur mit tunlichst starken Kürzungen dauernd im Repertoire halten werde. In diesem Sinne kann die Berliner Aufführung für den ‚Rosenkavalier' zu einer neuen bahnbrechenden Premiere werden. Ich weiß ja, wie schwer es für den Komponisten sein muß, sich von ihm liebgewordenen Stellen der Partitur zu trennen. Wenn wir aber Ihrem Werke den Erfolg sichern wollen, den ich ihm so gern bereiten möchte, müßte, wie auch ich glaube, alles nur irgend Entbehrliche ausscheiden. Die großen Schönheiten der Partitur würden dann nur noch leuchtender hervortreten. Ich will mich andererseits Ihrem Wunsche gemäß herzlich gern mit der Frage beschäftigen, ob ich mit meiner armen Poeterei die Umdichtung der einzelnen Stellen gut und geschmackvoll lösen kann. Falls ja! wird es herzlich gern geschehen." (11. Mai 1911)

Er führte schließlich die für die Berliner Hofbühne unerläßlichen Milderungen und Umdichtungen selbst aus, und Strauss blieb nichts anderes übrig, als sich mit dieser „veredelten", in der ängstlichen Umschreibung alltäglichster Dinge und Vorgänge zuweilen allerdings unfreiwillig komischen Salonausgabe seines Werkes einverstanden zu erklären.

Als zeitgeschichtliches Dokument seien hier einige der lustigsten gegenübergestellt:

Originalfassung:
... Ochs: Das Frauenzimmer hat gar vielerlei Arten,
wie es will genommen sein.
Da ist, die kichernd und schluchzend
den Kopf verliert, die hab ich gern,
und jener wieder, der sitzt im Auge
ein kalter, rechnender Satan.
Aber es kommt eine Stunde,
da flackert dieses lauernde Auge,
und der Satan, indem er ersterbende
Blicke dazwischen schießt,
der würzt mir die Mahlzeit.
Da gibt es welche, die wollen beschlichen
sein,
sanft wie der Wind das frisch gemähte Heu
beschleicht.
Und welche – da gilt's,
wie ein Luchs hinterm Rücken heran,
und den Melkstuhl gepackt,
daß sie taumelt und hinschlägt.
Muß halt ein Heu
in der Nähe dabei sein!

Hülsens Bearbeitung:
... Das Frauenzimmer hat gar vielerlei Arten,
wie es will gewonnen sein.
Da ist, die kichernd und neckisch
das Köpfchen dreht, die hab ich gern,
und jene wieder, der sitzt im Aug
ein ernster, frostiger Schleier.
Aber es kommt eine Stunde,
da flackert dieses frostige Auge

und Cupido, indem er süß seligen
Fingers den Bogen spannt, zerreißt
diesen Schleier mit raschem Pfeil.
Da gibt es welche, die wollen hofiert sein,
sanft, wie der Wind das frisch gemähte Heu
umweht.
Und welche – da gilt's,
wie der Blitz aus der Wolke heraus –
um die Hüften gepackt,
und das Küßchen muß sitzen.
Gefällt ihr halt schon,
obgleich sie erschreckt tut ...

So zog denn der gefährliche „Rosenkavalier" unter Mucks Leitung (mit Hempel, Artôt, Dux, Knüpfer und Hoffmann in den Hauptrollen) am 14. November 1911 bei stark erhöhten Preisen mit sensationellem Erfolg auch im Königlichen Opernhaus in Berlin ein.

Richard Strauß und die Berliner Oper

1905 gründet Hans Gregor an der Weidendammer Brücke die „Komische Oper".

„Gregor war der erste, der eine Oper aus privaten Mitteln auf einem künstlerisch so hohen Niveau halten konnte, wie man es in Berlin nicht kannte. Er hat ohne Subvention ... die interessantesten Vorstellungen älterer und moderner Werke geboten. Er hat viele neue Autoren entdeckt, hat mit Geschick alte Werke ausgegraben, hat vergessenen zu neuer Blüte verholfen und hat bekannte Werke von ganz neuen Gesichtspunkten erstehen lassen ... Selbst da, wo Gregor irrte, war es interessant." (Fritz Jacobsohn, Komische Oper) Als erstes inszeniert Gregor „Hoffmanns Erzählungen", eine Aufführung, die es auf fünfhundert Vorstellungen bringt. Der Höhepunkt seiner Wirksamkeit aber ist die „Carmen"-Einstudierung, mit der er die zweite Spielzeit an der Weidendammer Brücke beginnt.

Umseitig: Die Weidendammer Brücke. Blick auf die Komische Oper, 1907

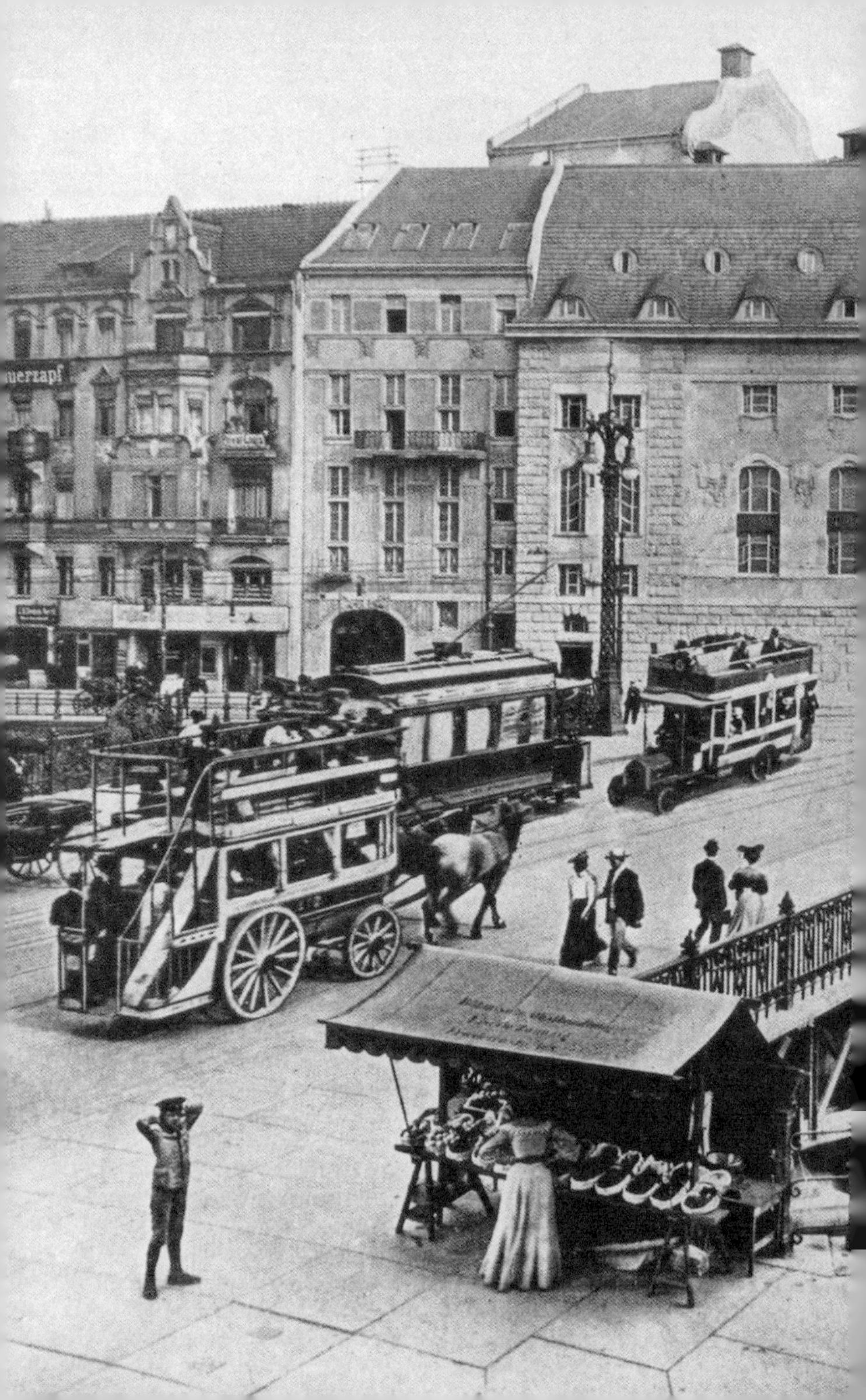
uerzapf

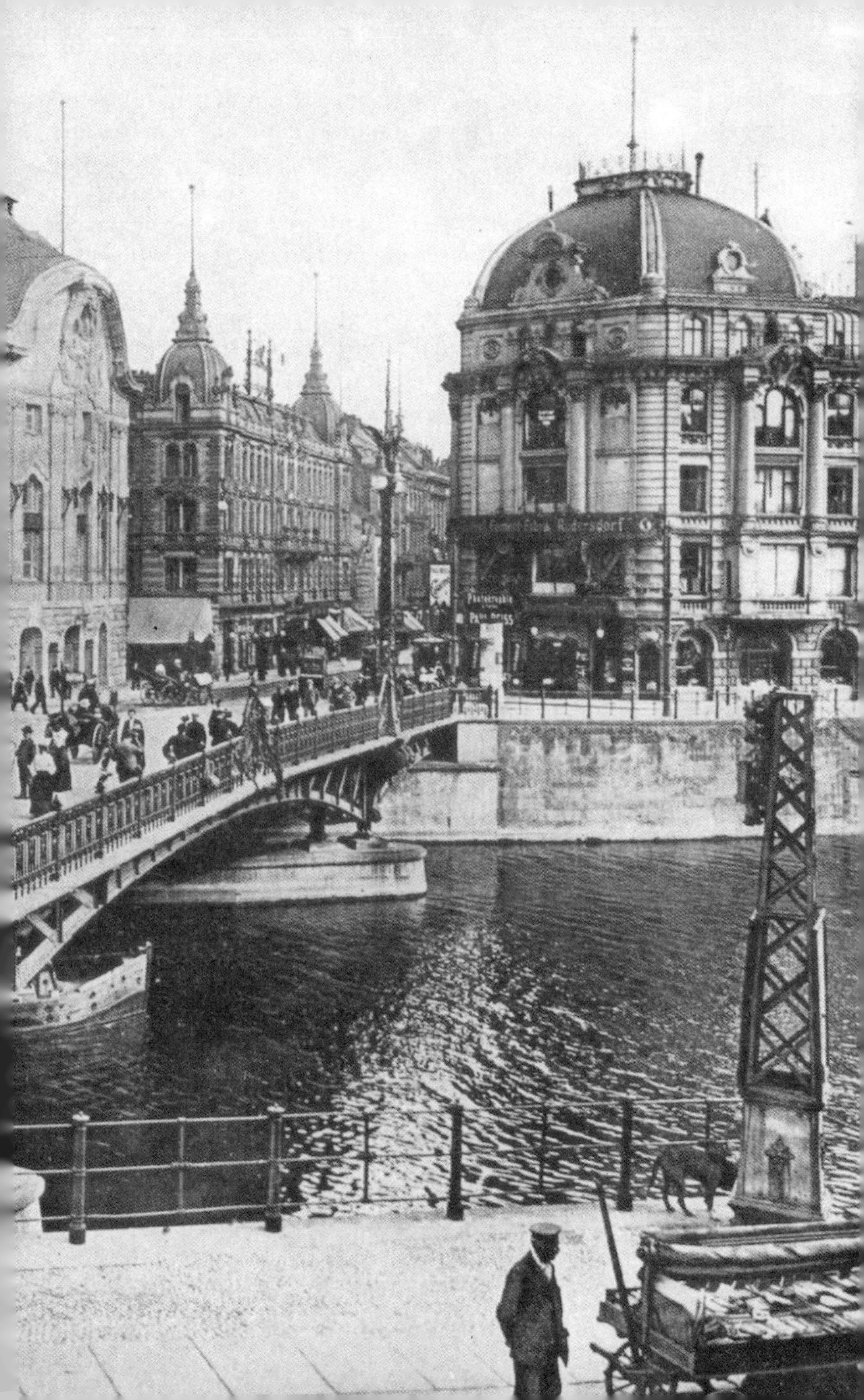

Die „Carmen"-Inszenierung Gregors war eine Kriegserklärung gegen alle Traditionen. Diese Tradition hatte aus dem rassigen Kind Spaniens eine Salondame gemacht, mit seidenen Gewändern, Tüchern und Brillanten, hatte aus einer Dirne eine Grande-Cocotte werden lassen. Und was gab es nicht an der landläufigen Szenerie auszusetzen! Es hatte sich eine schematische Inszenierung herausgebildet, an der niemand zu rütteln wagte. Gedankenlosigkeit bewahrte jeden Regisseur davor, zu fragen, ob es nicht auch einmal anders ginge. Gregors Frage war die Frage nach diesem „anders", und seine Lösung war verblüffend.

Das erste Bild war eine Überraschung, so groß, wie sie niemand erwarten konnte. Der Vorhang hebt sich, und statt des konventionellen, weiten, leeren Platzes mit der Tabakmanufaktur rechts und der Wache links sieht man unter der prallen spanischen Sonne einen Ausschnitt aus dem volkreichen Cordova. Ein viereckiger Platz, in den enge, krumme Gassen münden, mit kleinen, grell beleuchteten Häusern, mit Veranden, Galerien, lauschigen, winkligen Durchgängen und flachen Dächern. Gelb und blau herrscht vor, es wimmelt nur so von Volk, das erregt und hitzig herumkribbelt und -krabbelt. Eine schmale Gasse nach hinten führt mit ein paar Stufen zur Tabakmanufaktur. Um das Bild ganz echt zu gestalten, fehlte es auch nicht an dem bei den Spaniern mit ihren bartlosen Gesichtern besonders notwendigen Barbierladen, der sich bis auf die Straße verbreitert ...

Die beiden mittleren Akte waren fast noch gründlicher reformiert worden. Aus der Salonschenke Lillas Pastias war eine wirkliche Schmugglerkneipe geworden. Altes, verfallenes Gemäuer, durch dessen Dach der Nachthimmel schien, von drei kleinen Ölfunzeln spärlich beleuchtet, gibt den wirkungsvollen Rahmen für die leidenschaftlichen Gesänge der Schmugglerinnen ... Und die Schlußszene war eine gewagte, aber geniale Lösung. Sie stellt den Eingang zur Arena dar. Zwischen den Säulen dieses Eingangs findet eine letzte, herzbeklemmende Jagd statt, der Carmen zum Opfer fällt, wie ein gehetztes Tier dem grausamen Räuber.

In Gregors „Carmen"-Inszenierung war der Realismus besonders in den lärmenden Volksszenen auf die Spitze getrieben. Die Saite war vielleicht zu scharf gespannt. Es fehlte nicht etwa der Respekt vor der Musik; aber es fehlten die Mittel, zwischen dem ungeheuren Fortschritt, den hier Regiekunst geschaffen hatte, und zwischen der immerhin beschränkten musikalischen Kraft einen genügenden, befriedigenden Ausgleich zu schaffen.

Aber noch nie hatte leidenschaftliche Absicht ein Kunstwerk schöpferisch aus der Regiearbeit heraus so neu gestaltet. Und wenn es ein Zuviel war, war es eines aus genialischem Überfluß.

Fritz Jacobsohn, Hans Gregors Komische Oper

Der Komponist Emil Nikolaus von Rezniček, Kapellmeister an der Komischen Oper, überliefert einen skurrilen Zug des Operndirektors Gregor:

Gregor ... war ein Original. Zwar war er keineswegs zu großartigem Auftreten geneigt, wie später berühmte Theaterleute, aber er hatte ungezählte Tricks, wie er sich den zahlreichen Komplikationen entzog, die einem Bühnenleiter drohen. Sein Faktotum hieß Muster, und der gute Muster rief mindestens dreimal in der Woche bei mir an, weil irgend etwas schief gegangen war.

Er hat mich allerdings nur beim ersten Mal erreicht. Von da an ging ich nie mehr selbst ans Telefon, und das hatte seine Gründe. Eines Tages, nur wenige Stunden vor der Aufführung, rief Muster mich, flatternd vor Erregung, an. Frau Labia hatte abgesagt, der Tenor, Nadolowitsch, war wirklich schwer erkältet. Kein Ersatz da!

Muster erklärte, ich müsse sofort helfen.

„Wo ist denn der Herr Direktor?"

„Das weiß ich nicht."

Wie sich später herausstellte, wußte Muster wirklich nicht, wo Gregor war. Dieser pflegte, sobald Schwierigkeiten auftauchten, die Direktionsräume zu verlassen und sich auf eine Bank im Tiergarten zu begeben. Dort blieb er bis eine halbe Stunde vor Beginn der Vorstellung. Beim Theater pflegt sich alles von selbst zu erledigen, wenn man den Dingen ihren Lauf läßt.

Oder ein anderer erledigt es, und der hat dann die Aufregung und den Ärger. Das war mir aber nur einmal passiert. Da ich nicht gerne auf Bänken sitze, gewöhnte ich es mir an, beim geringsten Anzeichen eines Theaterkrachs einen ausgiebigen Spaziergang im Tiergarten zu machen.

Felizitas von Reznilček, Gegen den Strom

Obwohl Gregors Inszenierungen zu den herausragenden künstlerischen Ereignissen zwischen 1905 und 1910 gehören, kann sich sein Unternehmen nicht halten. Gregors künstlerische Ansprüche verlangen Aufwendungen, die mit den Einkünften eines Privattheaters nicht zu decken sind. 1911 verläßt er Berlin, um als Direktor der Hofoper nach Wien zu gehen.

Um die Jahrhundertwende bringt die Amerikanerin Isadora Duncan Bewegung in die in Konventionen erstarrte Kunst des Ausdruckstanzes.

Als ein wunderschönes Erlebnis steht die Nachmittagsstunde des Jahres 1903 vor meiner Erinnerung, da der „Verein Berliner Künstler" zu einer Probeveranstaltung ins Künstlerhaus in der Bellevuestraße geladen hatte, wo sich etwas Sonderbares begeben sollte. Es war ein geschlossener Kreis zusammengebeten, man traute sich mit der Sache nicht an die Öffentlichkeit. Wie vorher in Wien, hatte dies energische und kluge junge Mädchen sich zunächst des Interesses und Schutzes ernster künstlerischer Autoritäten versichert, um nicht mißverstanden zu werden. Denn sie wagte etwas, das damals für zweifelhaft und bedenklich, ja für unerhört galt; sie befreite ihren halben Körper von den einschnürenden Zwangshüllen, Trikots und Korsettpanzern der herrschenden Sitte und näherte die kostümliche Ausstattung ihres Auftretens von fern, halbwegs, für heutige Verhältnisse immer noch zaghaft genug, dem Zustande der Nacktheit, wie ihn die Tänzerinnen alter Zeiten und der exotischen Ferne, die sich ihrer Kunst gleichsam als Opfer darbrachten, mit selbstverständlicher Unbefangenheit oder aus den Tiefen eines naturhaften Weibraffinements stets gewählt hatten.

Mit leidenschaftlichem Eifer hatte Isadora Duncan, die das alles eingehend studierte, den maßgebenden Männern des Künstlervereins und der preußischen Akademie der Künste ihre sinnvollen und reinen Absichten dargelegt. Mit „Pikanterie" habe ihr Tanz nichts zu tun, sie sollten nur kommen und sehen. Sie hatten zugestimmt – und nun saßen sie in der ersten Reihe des Halbkreises, der sich um das niedrige Podium zog ...
Und zwischen ihnen stand plötzlich, lächelnd, die verkörperte Jugend, Botticellis Frühling vergleichbar, in ein lockeres, fast barock gebauschtes blaßviolettes Schleiergewand gehüllt, ein Frauenwesen von rosig überhauchten, an Renoir erinnernden, ein wenig zur Fülle neigenden Formen. Musik ertönte, sie begann ihr Spiel. Lautlos ergriffen folgten unsere Augen ihrer stummen Beredsamkeit. Was sie vorführte, hatte nichts mit dem zu tun, was wir zu jener Zeit Tanz nannten. Nichts mit unserem ungeschickten, bestenfalls einmal ein wenig routinierten Ballgehüpfe. Nichts mit der kunstmäßigen, aber in akademischem Drill erstarrten Übung, die das Ballett des Königlichen Opernhauses trieb ...
Sie gab etwas, aus eigener Erfindung, was uns tief bewegte: aus den Wendungen und Drehungen ihrer geschmeidigen Schultern und Hüften, ihres reizvoll gerundeten Halses, ihrer sehnsüchtig ausgreifenden Arme und Hände, aus dem Lächeln und Klagen ihres gesunden, blühenden Antlitzes, das sich wie eine Sommerlandschaft heiter und in zartem Leuchten vor den freudig verwandelten Zuschauern öffnete, sprach der Abglanz eines reichen seelischen Lebens, das beglückt war, sich auf solche Weise mitteilen zu können. Mit einer Mischung aus Naivität und Bewußtheit diente sie ihrem Abgott, dem Tanz, der in der allgemeinen Revolution der Künste, die seit Jahren ihre Fackeln entzündete, zurückgeblieben war.
Osborn, Der bunte Spiegel

In der Gemeinde Grunewald mietet Isadora Duncan 1903 eine Villa, um eine Ballettschule einzurichten.

Sobald wir das Haus halbwegs in Ordnung gebracht hatten, annoncierten wir in den Zeitungen, daß für die Schule Isadora Duncans begabte Kinder gesucht und aufgenommen werden; sie würden in der natürlichen Tanzkunst ausgebildet werden und sollten den Grundstock für eine weit größere Tanzschule darstellen ...

Wie wir die Kinder ausgewählt haben, weiß ich nicht mehr, denn ich war schon so erpicht darauf, die Grunewaldvilla und die vierzig kleinen Bettchen zu füllen, daß ich die Kinder ganz wahllos aufnahm, höchstens daß mir einmal ein hübsches Lächeln oder ein Paar schöne Augen auffielen und den Ausschlag gaben; ich stelle mir nicht einmal die Frage, ob das betreffende Kind wirklich die Eignung zu einer Tänzerin hätte ...

Dr. Hofer, der berühmte Chirurg, war ein vortrefflicher Mensch. Die Idee meiner Schule hatte ihn so begeistert, daß er ganz ohne Bezahlung bei mir den ärztlichen Dienst versah. Er untersuchte sofort alle Kinder aufs genaueste und erklärte, nachdem er seine Untersuchung beendet hatte: „Ich muß Ihnen leider mitteilen, daß Sie hier keine Schule führen, sondern ein Spital. Alle Kinder weisen irgendeinen ererbten Defekt auf. Sie werden die größte Mühe haben, sie am Leben zu erhalten, geschweige denn, ihnen Tanzunterricht zu erteilen." ...

Die Auswahl der Kinder, die Organisation der Schule, der Unterricht, die Tagesbeschäftigung, alles das nahm viel Zeit in Anspruch. Mein Impresario erhob seine warnende Stimme und wies darauf hin, daß ich bereits zahlreiche Nachahmerinnen gefunden hätte, die in London und anderswo Vermögen verdienten. Die Kinder machten phänomenale Fortschritte und blieben dank der von Dr. Hofer eingeführten vegetarischen Kost in glänzender Gesundheit.

Damals hatte meine Popularität in Berlin märchenhafte Dimensionen angenommen, man nannte mich die „göttliche Isadora", und es hatte sich das Gerücht verbreitet, daß Kranke geheilt würden, wenn man sie ins Theater brächte. Bei jeder Vorstellung trug man sieche Menschen auf Tragbahren ins Theater.

Isadora Duncan mit ihren Schülerinnen, 1905

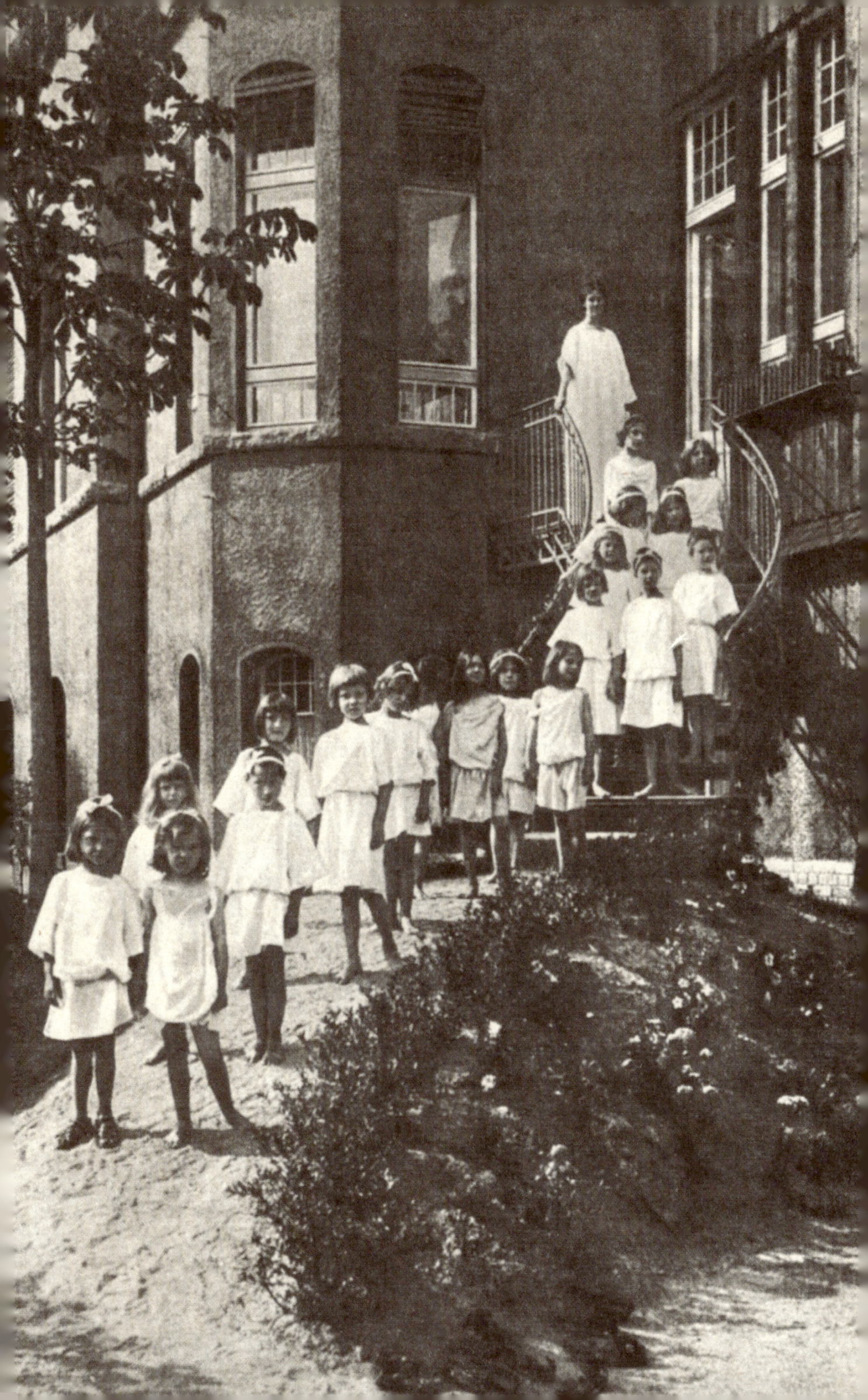

Meine Tanzkleidung bestand wie immer aus dem kurzen griechischen Kittel, Füße und Beine waren nackt. Das Publikum befand sich stets in einem Zustande religiöser Verzückung.

Eines Tages hatten mir die Studenten wieder die Pferde ausgespannt und zogen mich durch die Siegesallee. Ich erhob mich in meinem Wagen und hielt an sie folgende Ansprache:

„Es gibt keine erhabenere Kunst als jene des Bildhauers. Aber wie könnt ihr, kunstbegeisterte Jünglinge, diese scheußlichen Mißgeburten mitten in eurer Stadt dulden. Seht diese Statuen an! Wenn ihr wirkliche Kunstjünger wäret, so würdet ihr noch heute abend Steine sammeln und diese Scheußlichkeiten zertrümmern!"

Die Studenten waren begeistert und hätten meinen Rat befolgt, wäre nicht die Polizei eingeschritten.

Isadora Duncan, Memoiren

Isadora Duncans Aufenthalt in Deutschlands Hauptstadt ist nicht von Dauer. 1907 verläßt sie Berlin, ihre Schwester leitet fortan die Schule im Grunewald.

Tiefen Eindruck beim Berliner Publikum hinterläßt auch eine Gruppe russischer Ballettkünstler um Sergei Djagilew mit ihren phantasievollen Choreographien und außergewöhnlichen tänzerischen Leistungen. Stars der „Balletts russes" sind T. M. Karsawina, W. F. Nishinski und Anna Pawlowa vom Petersburger Marientheater.

Es waren die modernen russischen Maler von 1910, die Leon Bakst, Valentin Serow, Nicolas Roerich, Alexander Benois, diese Helfer Djagilews, die sich an ihre Kollegen in Berlin gewandt hatten, um dem Petersburger Ensemble den Weg zu ebnen. Die Männer von der Berliner Sezession zogen noch ein paar Schriftsteller hinzu, und wir taten, was des Landes der Brauch war: Wir bildeten ein Komitee, um den Gästen aus dem Osten einen anständigen Empfang zu bereiten ... Ehrlich gesagt: wir waren in Berlin alle sehr skeptisch. Werden die Herren aus Petersburg, so weit ab vom großen Strom des neuen europäischen Kunstwerdens, nicht übertrieben haben?

Aber dann kam der erste Abend in der Kroll-Oper, gegenüber dem Palais Wesendonck. Die unvergleichliche Phantasiekunst der neuen russischen Bühne umfing uns mit überwältigender Bezauberung, jene merkwürdige Mischung aus östlichen Volkstumselementen und allgemein-europäischen Zügen, aus asiatisch-hieratischem Pomp, raffinierter Modernität und hemmungslos quellender Erfindung traumhafter, hinreißender, auch gespenstischer Unwirklichkeiten. Dieser ganze Wirbel war in den märchenhaften Schimmer eines nie erlebten Farbenrausches gebettet. Dekorationen und Kostüme strahlten in gänzlich ungewohnten Kombinationen malerischer und stofflicher Reize. Das Temperament der Karsawina, die Schönheit der Eduardowa, die Raserei der „Polowezer Tänze", die federnden, aller Erdenschwere spottenden Sprünge Nishinskis offenbarten sich. Und, alle weit überflügelnd, unsere Zweifel immer vernichtender beschämend: das strahlende Gestirn Anna Pawlowa stieg vor uns auf. Jeder fühlte sofort: hier ist die köstlichste Reife dieser Kunst erreicht. Die kaum zu begreifende technische Meisterschaft, die Fertigkeit der Zehenspitzen-Schritte, nadelscharf in ihrer Exaktheit, doch fern von jedem Mechanismus ... Die Maler waren außer sich vor Begeisterung. Ernst Oppler, der ein ganzes Pawlowa-Epos von Bildern, Skizzen, Radierungen, von Studien in Kohle, Pastell, Gouache, Tusche, Aquarell hinterlassen hat, erfand sich damals seinen „leuchtenden Bleistift", der dann berühmt und zum gebräuchlichen Hilfsmittel der Theater- und Pressezeichner jeder Spezialität geworden ist: eine kleine Röhre mit einer Art Taschenlampen-Batterie, deren Licht sich um die zeichnende Spitze legt, so daß man damit im verdunkelten Saal arbeiten kann.

An jenem Eröffnungsabend holte einer von uns in der großen Pause einen gewaltigen Strauß üppiger La-France-Rosen, den wir der Pawlowa in die Garderobe schickten. Als der Vorhang sich wieder hob, trug sie, auf die Bühne schwebend, das breite Feld der rosa Blumen, das sich von ihrer schneeweißen Gewandung delikat abhob, in ihrem schlanken Arm und blickte darauf nieder wie eine Mutter auf ein verzaubertes Kind, das sie zärtlich und gerührt an sich drückt ...

Sie verschwindet und kehrt gleich wieder, mit einem weißen Pelzkäppchen, das ihre glorreichste Nummer ankündigt: den „Sterbenden Schwan". Das ist nie überboten worden, dieser Reichtum pantomimischer Erfindung, in tänzerische Formgebung übertragen, diese doppelt symbolische Spiegelung einer ergreifenden Skala von Empfindungen: wie sie angstvoll umherflatterte, in stummer Klage Rettung suchte, eine trügerische Hoffnung aufblinken sah, um in noch schrecklichere Erkenntnis zurückgeworfen zu werden; wie sie schließlich in süßem Schmerz ermattete und zusammensank.

Osborn, Der bunte Spiegel

Im Oktober 1900 meldet die „Vossische Zeitung", daß der Kapellmeister Paul Lincke vor die Zweite Strafkammer des Landgerichts I geladen ist, um in einem Urheberrechtsprozeß auszusagen. Die Herren Jaeger und Wolff wünschen gerichtlich zu klären, wer von beiden den genialen Kehrreim „Ist denn kein Stuhl da für meine Hulda" gedichtet hat ...

Paul Lincke ist zu dieser Zeit Berlins bekanntester Operettenkomponist. Sein „Glühwürmchen-Idyll" aus „Lysistrata" geht um die Welt. Der Titelmarsch aus der Operette „Berliner Luft" (1904) wird zu einem Schlager, der bis heute unvergessen ist. 1905 gelingen Lincke zwei weitere volkstümliche Melodien: „Heimlich, still und leise" und „Bis früh um fünfe, süße Maus".

Das „Neue Wiener Journal" druckt 1913 ein Gespräch mit Paul Lincke:

Wahrscheinlich hat Berlin überhaupt nur einen Operettenkomponisten: Paul Lincke. Die anderen (Gilbert, Hollaender, Nelson) schreiben im Grunde nur die Musik zu Berliner Possen. Zum mindesten ist Lincke unter den Berliner Komponisten der berlinischste. Nicht nur ist er mit echtem Spreewasser getauft, ein rechter Berliner von Geburt her und in Berlin erwachsen, noch viel mehr haben seine Melodien die unverkennbare Berliner Note: ursprünglich sind sie, offen und unbekümmert, losgängerisch, ungeniert, herb, ein wenig derb sogar. Jedenfalls ist sein Name mit den stärksten Berliner Operettenerfolgen verknüpft ...

„Die Zahl meiner Operetten kann ich auswendig nicht nennen", sagte er mir. „Aber über zwanzig sind es unbedingt. Die erste, die mich in Deutschland bekannt gemacht hat, hieß ‚Frau Luna', die zweite ‚Lysistrata'. Darin kam ein Walzerlied vor, ‚Das Glühwürmchen', und von diesem Lied sind mehr als eine Million Exemplare verkauft worden. Etliche Jahre war ich mit dem Apollotheater liiert, das heißt das Apollotheater brachte damals alle meine größten Novitäten heraus. Dann habe ich auch einige Revuen für das Metropoltheater geschrieben. Die eine nannten sie ‚Halloh! Die große Revue', und sie war die größte und die beste, die das Metropoltheater bis heute hatte. Sie geht heute noch durch die deutsche Provinz, und der bekannte Komiker Bender zog mit ihr mehrere Jahre mit einem eigenen Ensemble durch die Großstädte, wie Köln, Magdeburg, Hamburg, Hannover, Bremen, Düsseldorf, und kam sehr gut auf seine Rechnung. Daß ich jetzt für das Metropoltheater nicht mehr arbeite, liegt allein daran, daß mir Direktor Schultz keine höheren Tantiemen bewilligen will als früher. Solch eine Revue für das Metropoltheater, dessen Publikum außerordentlich verwöhnt ist, kostet aber viel Zeit und viel Mühe. Da heißt es, soundso oft nach Paris fahren, um den neuesten Revuengeschmack, die letzten Moden der Pariser zu studieren, dann muß man sich für vier gute Monate mit Direktor Schultz, mit dem Librettisten und den Solisten zusammensetzen, und während dieser fünf bis sechs Monate wird man so in Anspruch genommen, daß einem für etwas anderes überhaupt keine Stunde frei bleibt. Dazu kommt noch, daß man für diese Revue mindestens sechsmal so viele Musiknummern schreiben muß, wie man wirklich braucht – so viel wird bei den Proben geändert und gestrichen. Und schließlich ist das Berliner Lokalkolorit meist so stark aufgetragen, daß die Revue in der Regel nur in Berlin interessiert und außerhalb der Grenzen der Hauptstadt kaum unterzubringen ist. Unter solchen Umständen bin ich – ohne geldgierig zu sein – mit dem nicht zufrieden, was das Metropoltheater dem Komponisten bietet. Wegen eines halben Prozents von den Einnahmen können wir nicht zusammenkommen. Freilich macht dieses halbe Prozent mindestens zehntausend Mark aus. Direktor Schultz fragt mich in jedem Jahre mindestens einmal, ob ich es nicht doch wieder mit ihm versuchen wolle. Ich habe es ja aber nicht notwendig, billig zu arbeiten, und außerdem bietet mir die Ungebundenheit allerhand Chancen..."

Neues Wiener Journal, 27. Juli 1913

Die Revuen im Metropoltheater, die Lincke erwähnt, haben Theaterdirektor Richard Schultz, Textdichter Julius Freund und Komponist Victor Hollaender aus der Taufe gehoben. Sie sind eine mit aktuellen Pointen belebte Folge von Sprechszenen, Couplets und Ballettauftritten.
  "Neuestes, Allerneuestes" heißt die Revue, die am 6. Januar 1903 in Szene geht:

Im Metropoltheater kann der Hausdichter für einige Zeit auf Urlaub gehen. Die Revue, die gestern abend unter großem Beifall aufgeführt wurde, Extranummer-Feldgeschrei „Neuestes! Allerneuestes!", ist wirklich eine Extranummer. Die Erlebnisse des Jahres, heitere und ernste, werden in munteren Versen von Julius Freund noch einmal an uns vorübergejagt, und wenn manches auch etwas kürzer, anderes etwas geschmackvoller sein könnte: in dieser Zeit schlechter Lustspiele und alberner Possen wirkte die bunte Tollheit, die nach allen Seiten Peitschenschläge austeilt, um so siegreicher, je weniger sie sich mit literarischem Mäntelchen drapiert. Es muß sogar anerkannt werden, daß Julius Freund, der im Rollenzuschnitt nach den alten Mustern bereits eine unheimliche Fertigkeit erlangt hatte, diesmal weit mehr gibt, als man erwartet. Er hat drollige Einfälle und satirische Spitzen gefunden, die auch anderen Leuten gefallen werden als den Verehrern der sonst im Metropoltheater verhätschelten Trikotmuse. Hübsche Lieder erklingen, gut geschliffene Couplets reizen zum Lachen, und ein frischer Witz wagt sich in bisher in Berlin unerhörter Keckheit sogar an Exzellenzen heran und andere hervorragende Persönlichkeiten, über die früher der Zensor schützend den Rotstift hielt ... Es ist unmöglich, auch nur andeutend zu schildern, was diesmal von dem Direktor und Regisseur Schultz geboten ist. Ein Berliner Extra-Himmel, in dem eine Wachtparade von Engeln aufmarschiert, eine Luftballonfahrt zur Erde durch Donner und Blitz, bis sich das Luftschiff auf das weitgedehnte Häusermeer Berlins herniedersenkt, eine Kürassierkapelle zu Pferde, der Einzug der Buren, der Reichstagstrubel, das Treppenhaus des Metropoltheaters in voller Beleuchtung, blaues, grünes, gelbes, rotes, schwarzes, weißes und aus all diesen Farben gemischtes Ballett – wahrhaftig, wenn es schon schwer sein mag, ein Dichter zu sein, ein Direktor hat's auch nicht leicht!

Berliner Tageblatt, 7. Januar 1903

Wirkungselemente der „Jahresrevuen" sind neben der possenhaften Behandlung aktueller Begebenheiten aus Politik, Kommunalgeschichte, Literatur und Kunst und den einschmeichelnden Melodien die „Stars", wie man sie nach amerikanischem Muster nennt: der Henry Bender und der Josef Josephi, der Joseph Giampietro und der Guido Thielscher, den Richard Schultz von Otto Brahm für 10 000 Mark freikauft. Und natürlich, der Star der Stars: die Friederike Massaryk, genannt Fritzi Massary.

Ich hatte mir Karten zur Premiere von „Auf ins Metropol" besorgt. Ganz Berlin war gespannt auf diesen Abend, denn die Metropol-Premieren bedeuteten immer eine Sensation. Die schönsten Frauen und die besten Komiker sowie ein glänzendes Ballett waren aufgeboten, und das Ganze glich einer Revue. Die Aufführung bestand aus lose aneinandergefügten Szenen, die verbindenden Texte wurden von Madame Commère und Monsieur Compère, den Vorläufern der heutigen Conférenciers, gesprochen. Es war ein sehr elegantes Paar, nach der neuesten Mode gekleidet, das mit viel Witz und Charme das Publikum unterhielt. Die Massary als Star war selbstverständlich Mittelpunkt der Aufführung. Aber was leistete diese Künstlerin auch! Ihre Erscheinung wirkte wie ein funkelndes facettiertes Juwel, dazu kam ihr pointierter, aufs feinste abgestimmte Vortrag. Sie schuf einen neuen Typ der Operettendiva, den später viele vergeblich nachzuahmen suchten. Bei diesen Theaterbesuchen bekam ich erstmals einen Begriff von der unmittelbaren Wirkung des Künstlers auf das Publikum. Die Massary, der elegante, blasierte Giampietro – ein Vorläufer von Maurice Chevalier – und natürlich Guido Thielscher, der große Komiker und Berlins auserkorener Liebling, spielten gleichsam aus dem Handgelenk. Ihre Kunst war so sublim, daß die Wirkung auf das Publikum nie ausblieb.

Frida Leider, Das war mein Teil

Nur von kurzer Dauer ist der Erfolg einiger weiterer Operettenunternehmer: von José Ferenczy, der 1900 die erste amerikanische Operette nach Berlin bringt, von Victor Palfi, der Heubergers „Opernball" vermarktet, von Max Monti, der im Theater des Westens die Berliner Erstaufführung der „Lustigen Witwe" herausbringt.

Erfolgreicher sind Rudolf Bernauer und Carl Meinhard. Sie pachten 1908 das Berliner Theater in der Charlottenstraße. Das Eröffnungsprogramm, eine Altberliner Posse unter dem Titel „Die Bummelstudenten", läuft ein Jahr vor ausverkauftem Haus. Silvester 1911 hat das Lustspiel „Große Rosinen" Premiere, dessen erfolgreichste Musiknummern von einem Musiker eines Sommervarietés in der Hasenheide stammen – sein Name ist Walter Kollo. 1912 komponiert Kollo (für die Operette „Filmzauber") den Schlager „Untern Linden, untern Linden". 1913 findet er für die Operette „Wie einst im Mai" die schier unverwüstliche Melodie „Es war in Schöneberg..."

Der Dramaturg und Regisseur Rudolph Schanzer berichtet:

Daß es im Mai war, daran war nichts Besonderes. Denn zur Zeit, als ich mit Bernauer unsere Possen für das Berliner Theater schrieb, waren wir immer um die Frühlingszeit gezwungen, mit der Arbeit für die kommende Herbst-Novität zu beginnen. So setzten wir uns also damals zusammen, um uns auseinanderzusetzen. Denn die Vorarbeit begann immer mit einer lebhaften Debatte. Was macht man nach einem Erfolg wie „Filmzauber", der um diese Maienzeit bereits das zweihundertste ausverkaufte Haus gesehen hatte? Womit war dieser Rekord zu erreichen oder lieber noch zu übertrumpfen? Mit dem Milieu des damals so

Vor dem Metropoltheater: Julius Baron, Josef Giampietro, Joseph Josephi, Phila Wolff, Fritzi Massary, 1906

recht in der Entwicklung begriffenen Kinos waren wir so aktuell gewesen, daß wir eine Saison später kaum noch ein aktuelleres Thema finden konnten. Da es nun, wie gesagt, just Mai war und wir bei der Arbeit wenn auch nicht gerade die duftenden Reseden, aber die gleichfalls respektabel duftende Gilkaflasche auf den Tisch zu stellen pflegten, kam uns der Kehrreim des alten Gilka in den Sinn: „Wie einst im Mai". Und die Wendung „Wie einst" erschloß uns mit einemmal die Idee zu unserem Stück. Wäre es nicht reizvoll, diesem mächtig aufstrebenden Berlin den Spiegel der Vergangenheit vorzuhalten? Aus diesem Gedanken entspann sich der andere, diese Entwicklung in verschiedenen charakteristischen Etappen zu zeigen, die einen Rahmen für das Schicksal zweier Familien, für auf- und absteigende Lebenslinien bilden könnten.

Schneidereit, Berlin wie es weint und lacht

Am erfolgreichsten von allen Operettenkomponisten ist aber Max Winterfeld, der sich das Pseudonym Jean Gilbert zulegt. Seine „Polnische Wirtschaft" wird im Thalia-Theater mehr als 1500mal aufgeführt.

1912 komponiert Gilbert das „Autoliebchen" („Ja das haben die Mädchen so gerne") und das „Puppchen", das nicht etwa ein Mädchen, sondern der männliche Star des Ensembles ist.

Das Publikum, das sich – nach den stürmischen Beifallsäußerungen zu urteilen – köstlich amüsierte, war in der glücklichen Lage, den Text eines der Lieder geschlagene vier Mal mitzusingen, nachdem es ihn von der Bühne herab gehört und die vierfache Wiederholung der Melodie durch Händeklatschen und Fußgetrampel mit anerkennenswerter Ausdauer dem dirigierenden Komponisten abgenötigt hatte. Lorbeeren in Fülle, die nach dem zweiten Aktschluß auf die Bühne geschleppt wurden, vervollständigten das Bild des Theatererfolges. Was in dem Stück vorgeht, braucht man nicht zu erfahren ... Wer es nachzuerzählen vermag, verdient mindestens einen der vielen Lorbeerkränze. Der leitende Gedanke besteht darin, daß Herr Arnold Rieck zum Träger dieser Posse gemacht wurde. Das gibt ihr das Rückgrat. Arnold Rieck ist eben das „Puppchen", unter welcher Kosebezeichnung er den verliebten Damen des Stückes vorteilhaft bekannt ist; ein Jüngling noch vor dem Bartflaum, ein schlimmer Kleiner von der gesegneten Körperlänge, mit der die Natur diesen ausgezeichneten Komiker bedacht hat ... Seine Hauptpartnerin ist Fräulein Della Donna, die sich im Ensemble des Thalia-Theaters bereits einen Namen als temperamentvolle Possen- oder Operettensoubrette gemacht hatte. Es steckt Vollblut in ihrem Spiel, Gesang und Tanz. Die neue Rolle gibt ihr Gelegenheit, ihre anmutige Gestalt in einer ganzen Reihe schöner Kleider zu zeigen. Ein Tanzduett von ihr mit Rieck: „Heut gehn wir gar nicht erst ins Bett", mußte wiederholt werden. Den größten Anklang unter den Liedern fand aber das Duett Riecks mit Fräulein Elsa Grünberg „Puppchen, du bist mein Augenstern!", das dreimal zur Wiederholung verlangt und dann, wie erwähnt, vom Publikum viermal nachgesungen wurde. Das wird nun wohl die Errungenschaft für den ganzen Winter werden. Kann man's ändern?

Vossische Zeitung, 20. Dezember 1912

1913 setzt Jean Gilbert seine Erfolgsserie mit den Premieren „Kinokönigin" und „Reise um die Erde in 40 Tagen" fort, die vom Publikum des „Metropol" mit rauschendem Beifall bedacht werden. Dann schließt der „König der modernen Operette" das Vorkriegskapitel dieser Kunst so, wie es um 1900 begonnen hat: mit einem Prozeß um die Verteilung der Tantiemen. Herr Jean Gilbert, Komponist, streitet gegen Herrn Wolf Mandel, Musikverleger:

Der Prozeß des Herrn Jean Gilbert alias Winterfeld gegen den Herrn Wolf Mandel hat gezeigt, wie man eine Reißer-GmbH gründet ... Mandel gab das Geld (an die 30 000 Mark) zu einer Zeit, wo Winterfeld noch nicht Gilbert hieß und die Offenbarungen der „Polnischen Wirtschaft" das deutsche Volk noch nicht zu einer Millionen-Nationalspende bewegt hatten. Er riskierte sein Geld, und wenn es ihm nun in drei Jahren mit der Abfindung eine runde halbe Million eingetragen hat, so kann man ihm nur gratulieren. Herr Gilbert fühlt sich zwar bewuchert, das zeigt aber höchstens, wie weltfremd gerade die besten unsrer Kunstheroen sind ...

Daß der Blutsaft der Dummheit nicht restlos in seine Tasche geflossen ist, mag er bedauern. Er muß sich aber sagen, daß Herr Mandel es ihm erst ermöglicht hat, die grausamen Waffen zu schärfen, mit denen er vor allem den guten Berlinern das Fell über den Kopf gezogen hat ...

Man könnte jetzt ein ernstes Wort wagen. Prophetenhaft, mit fürchterlichem Fluch und Dräuen. Aber die süßen Melodien des Meisters umschmeicheln uns, Berlin wiegt sich zu seinen Schlagern in den Hüften, diese Liederchen liegen wie ein schlechtes Parfüm in der ebenfalls schon verkomponierten Berliner Luft, und so bleibt nichts übrig, als für den künftigen Kulturhistoriker eine geschichtliche Szene festzuhalten. „Puppchen" (der Name allein riecht wie die Friedrichstraße nachts um zwölf Uhr) wird im Berliner „Thalia-Theater" uraufgeführt. Der ganze Westen lauscht dem neuen Evangelium, wenn dies christliche Bild hier erlaubt ist. Jetzt hebt der Schlager an: „Puppchen, du bist mein Augenstern." Jubel! Ekstase! Es wird wiederholt. Schüchtern singt das Publikum den Refrain mit. Taumel! Gänzliches Außer-Rand-und-Band-Geraten. Es erklingt zum dritten, zum vierten Mal, bis ... ja, bis dieses Publikum von Börsianern, Warenhäuslern und Grundstückmaklern den Singsang auswendig gelernt hat, bis alle ihn können und mitsingen können, bis das Volk seine geistige Nahrung für eine Saison fehlerlos intus hat. Bis die Seuche sich in jeden hineingefressen hat. Und dann gingen sie hinaus und lehrten alle Völker.

Wenn nun Herr Wolf Mandel dem Gilbert das Geld nicht vorgestreckt hätte, das diesen in Stand setzte, sich voll und ganz seinem Schaffen zu widmen?

Schwabe, Polnische Wirtschaft

„Neuestes! Allerneuestes!!"

Um die Jahrhundertwende treten neue Medien auf den Plan, die zur Fixierung und Vervielfältigung von akustischen und visuellen Vorgängen – also auch künstlerischen Ereignissen – in der Lage sind.

Ihre ersten Erfahrungen mit dem Grammophon schildert die Sängerin Frieda Hempel:

Als ich 1907 an die Berliner Hofoper kam, steckte das Grammophon noch in den Kinderschuhen. Es gab schon die noch heute bekannte Firma „Odeon", und für „Odeon" habe ich meine erste Platte besungen. Ich erinnere mich nicht mehr, wo sich die Firma damals befand, ich glaube aber, ihre Büros lagen in der Friedrichstraße, in ihrem südlichen Teil, wo sich ja auch die ersten Filmfirmen ansiedelten. Ich wurde in ein verhältnismäßig kleines Zimmer geführt. Vor mir stand ein trichterförmiges Horn, in das ich singen sollte. Neben ihm waren Apparaturen, an denen mehrere Männer aufgeregt hantierten. Irgendeiner der Männer knuffte mich in den Rücken, es war das Zeichen, daß ich singen sollte, und ich sang. Wenn meine Partitur kräftige Töne verlangte, zog mich einer der Techniker am Rock, damit ich zurücktrat. Wenn ich piano zu singen hatte, schob er mich mit entsprechender Energie an den Trichter heran. Bei diesem handgreiflichen Verfahren die musikalische Kontinuität zu wahren, fiel nicht leicht. Die Aufnahmen mußten sehr oft wiederholt werden, weil die Stimme nicht gleichmäßig war. Und wenn eine Aufnahme wirklich glückte, dann zerbrach womöglich die Platte.

Besonderen Kummer machte die Begleitung. Noch war es nicht möglich, gleichzeitig mehrere Instrumente oder gar ein Orchester aufzunehmen. Auch die Arie aus „La Traviata" mußte ich mit Klavierbegleitung singen. Für das Klavier galt ähnliches wie für meine Stimme: Obwohl die Aufnahme an sich geglückt war, stellte sich oft heraus, daß das Klavier dem Apparat zu nahe gestanden hatte. Man mußte dann ein anderes Arrangement treffen und die Aufnahme wiederholen. Dieses Verfahren war oft mehrere Male nötig, bis die Begleitung endlich die richtige

Tonstärke hatte. Das erforderte manches Mal viel Zeit und war dann eine harte Geduldsprobe.

Aus Liebe zur Sache ertrug man alles.

Frieda Hempel, Mein Leben

Anderen Kunstfreunden gilt das Grammophon als Greuel, als Krebsschaden am Körper der Kultur.

Mit Grausen sieht man, wie diese neuen selbsttätigen Instrumente den natürlichen Tonsinn der Bevölkerung verderben. Daß die Musikautomaten den lebendigen braven Musikanten aus der Wirtsstube verdrängen, ist noch nicht einmal das Allerschlimmste dabei; daß insbesondere der Phonograph die beliebtesten Salonstücke des Tages oder die berühmtesten Arien des Königlichen Hofopernsängers X. gleich fix und fertig ins Bürgerhaus liefert, stimmt uns sehr bedenklich. Da steht die Familie erwartungsvoll um die „neue Platte". Ein Druck auf den Hebel, und ritsch, geht es los! Ein seelenloses Geklimper, ein häßlich näselnder, allen sinnlichen Reizes barer Ton – aber die Guten bemerken das Häßliche nicht. Sie glauben sogar, sich der Musik zu freuen, während sie eigentlich das Geheimnis der Mechanik bewundern. Und mit Stolz wird der Phonograph ans offene Fenster gestellt, damit auch die Nachbarn des Segens teilhaft werden. Auf die tonale Scheußlichkeit der mechanisch erzeugten Klangwerte hinzuweisen und die Lust am eigenen Musizieren im Volke wieder zu wecken, erscheint uns um so mehr an der Zeit, als es die Fabrikanten an Reklame für ihre Erzeugnisse wahrlich nicht fehlen lassen.

Der Kunstwart, 2. Oktoberheft 1904

Die Aufzeichnung stehender Bilder ist weiter entwickelt als die Aufzeichnung von Tönen. Längst gibt es Berufsphotographen, die für die illustrierten Zeitschriften und für die aufblühende Postkartenindustrie arbeiten. 1903 stellt die Neue Photographische Gesellschaft in der Leipziger Straße „die größte Photographie der Welt" aus: „12 Meter lang und

1½ Meter hoch, darstellend das Panorama des Golfes von Neapel ... Eine bisher unerreichte Leistung der fotografischen Industrie." (Vossische Zeitung, 8. November 1903)
Die Fotobox ermöglicht die Lichtbildnerei auch dem Amateur. Der Schlosser Fritz Apelt erzählt, wie er in der „Brockensammlung" eine Kodak-Box erwerben kann:

Nun wird man heut nicht wissen, was eine Brockensammlung war. Das war eine karitative Einrichtung. Reiche Leute gaben Gegenstände, die sie los sein wollten, kostenlos in diese Brockensammlung, wo sie gegen billiges Entgelt verkauft wurden. Der Gewinn wurde für wohltätige Zwecke verwendet. Die Brockensammlung befand sich im Berliner Elendsviertel in der Ackerstraße, und ich entdeckte sie auf einem Hinterhof, als ich meinen Freund Hermann besuchte. Ich sah dort Gebrauchs- und Kunstgegenstände, teils im guten, teils im schlechten Zustand, Kleidungs- und Möbelstücke und sonstigen Kram ...

In dieser Brockensammlung erwarb ich auch den Fotoapparat gleichzeitig mit einem Tageslicht-Vergrößerungs-Apparat. Beides aus der Anfangszeit der Amateurfotografie. Heute sind es Museumsstücke, denn ich sah tatsächlich vor einiger Zeit den gleichen Fotoapparat im Märkischen Museum. Vielleicht war es wirklich der gleiche, den ich einmal besaß, wer kann es wissen. Es war ein Kasten im Format 9 mal 12 mal 18 cm und besaß eine Einrichtung, sechs Platten zu wechseln, ohne den Apparat zu öffnen. Man konnte also verhältnismäßig schnell hintereinander sechs Aufnahmen machen, während bei den anderen damals üblichen Apparaten der Plattenwechsel durch Einschiebekassetten geschah, was zeitraubender war.

Es gab damals weder Entwicklungs- noch Kopiermaschinen. Man kaufte sich die entsprechenden Platten, Filme gab es erst viel später, entwickelte sie selbst und kopierte auch selbst. Ein Laboratorium stand mir nicht zur Verfügung, auch keine Dunkelkammer. Ich verdunkelte mein Zimmer, so gut es ging, riegelte mich ein, und beim Schein einer Rotlichtlampe entwickelte und fixierte ich meine Platten auf dem Waschtisch mit Marmorplatte. Als diese Marmorplatte eines schönen Tages braune Flek-

Kino in der Friedrichstraße 228

ken aufwies, die sich nicht mehr entfernen ließen, bekam ich Krach mit der Wirtin. Ich verzog mich daraufhin ins Klosett, wo ich mich für eine halbe Stunde einriegelte, wieder zum Leidwesen der Wirtin. Sie war erst zufriedengestellt, als ich von ihr eine Porträtaufnahme machte und ihr umsonst ein ganzes Dutzend Kopien schenkte.

Apelt, Erinnerungen

In den Kinderschuhen steckt noch der Film. „Der Kino", wie man damals sagt, ist um die Jahrhundertwende ein Vergnügen der Varietés und der Rummelplätze. Max Skladanowsky hat sich mit seiner Kinematographenbude auf der Schönholzer Festwiese etabliert. Der Kinematograph der Gebrüder Lindner reist mit einem großen Jahrmarktszelt. Auf *dem Programm des Sommerfestes des II. Wahlkreises der SPD 1905 rangiert der Kinematograph zwischen Tanzvergnügen und Kinderspiel ... Etwa um 1905/06 verläßt „der Kino" die Rummelplätze und richtet sich feste Quartiere ein: In Hinterhöfen und alten Läden – Eintritt 20 Pfennig – schießen die neuen Vergnügungsstätten wie Pilze aus dem Boden.*

Zwischen 8 und 9 Uhr abends (die Stunde des „Feierabends") vollzieht sich der große Wechsel des Kintopp-Publikums ... Ohne daß eine besondere Lüftungspause stattgefunden hätte, werden die neu andrängenden Schaulustigen verstaut. Der Projektionsapparat schnurrt schon wieder, die flimmernden Strahlen ruhen gespenstisch über der schwer atmenden Masse. Die kleine elektrische Taschenlampe des „Erklärers" leuchtet den tappend Hereinstolpernden auf den Weg. Der „Spritzenmann" tritt in Funktion. Aus einer großen Spritze stäubt er „Ozon" (so nennt man – seiner spottend, man weiß nicht wie – das Kintopp-Parfüm) über die Köpfe der Lufthungrigen. Durch den Wasserstaub wird die schon völlig verbrauchte Luft noch drückender. Die Menschen atmen, als wären sie allesamt asthmatisch; aber sie halten aus. Man riskiert lieber eine vorübergehende Ohnmacht, als daß man dem „Kintöpper" etwas schenkte (so wie man ja auch dem „Budiker" nichts schenken will, was man bezahlt hat). So sitzt man und stiert und starrt mit brennenden Augen. Man bekommt heiße Köpfe und sinkt, zitternd vor Aufgeregtheit, in sich zusammen. Die Lungen werden eingedrückt wie ein defekter Gummiball. Das Herz und die Hauptadern pochen fühlbar. Man läßt sich zu Schreckensschreien hinreißen und schämt sich glühend, wenn's hell um einen her wird. „Schlager" lautet der Fachausdruck für die brutalen „Film-Dramen". Sehr treffend! Sie schlagen dem Publikum auf die Nerven. Der Effekt ist Betäubung. Diese Menschen kommen erst wieder zu sich, wenn sie nach elf auf die Straße, in die frische Luft hinaustaumeln, wo es ja auch dem Betrunkenen gewöhnlich erst aufdämmert, daß er zu viel Alkohol genossen habe.
Noack, Der Kino

1910 gibt es rund 140 Kinos in Berlin; 1912 sollen es schon 260 gewesen sein. (Das Projekt, ein „Kinoboot" an der Weidendammer Brücke zu verankern, wird von den städtischen Behörden abgelehnt.)
Anfangs sind die „Kintöppe" kleine und kleinste Familienbetriebe:

Jede Arbeitskraft wurde aufs stärkste ausgenutzt. Ein findiger Kopf leitete den ablaufenden Filmstreifen während der Vorstellung vom Projektor über eine Blechschiene in den Kassenraum, dort saß Mutter und mußte mit der einen Hand die Karten austeilen, mit der anderen den Film auf Rollen wickeln ... Die tollsten Kinos aber waren jene, die der sprachschöpferische Berliner kurz und schlicht „Pferdestall" taufte, obwohl Pferde dabei keine Rolle spielten. Irgend jemand schien die Notwendigkeit, die Leinwand an einem Saalende anzubringen, nicht einzuleuchten ... Er hängte seine Leinwand in die Mitte des Raumes, das Bild war also von beiden Seiten zu sehen. Jedesmal vor Beginn einer Vorstellung erschien ein Mann mit einem Eimer voll Wasser und einer Spritze, wie man sie schon damals zum Kampf gegen Insekten benutzte. Damit tränkte er die Leinwand von oben bis unten mit Wasser, was den Zweck hatte, sie transparent zu machen ... Nun ist es klar, daß die Zuschauer, die hinter der Leinwand saßen, nur ein Kehrbild all dessen sahen, was auf der weißen Wand geschah. Da die Filme der damaligen Zeit zu einem guten Drittel aus erklärenden Zwischentexten bestanden, hätten sie nichts lesen können, und die Feinheiten der Handlungen wären ihnen auf ewig verborgen geblieben. Deshalb hängte man die Leinwand ein bißchen schief und brachte an einer Wand des Raumes einen Spiegel an. Erschien nun die Schrift, so sausten die Köpfe der Zuschauer herum, als hätte man sie an einer Schnur gezogen; sie lasen im Spiegel, worum es sich handelte – dann fuhren die Köpfe wieder zurück ... Die Spiegelabteilung erhielt den Namen „Pferdestall", sie zu besuchen kostete nur die Hälfte, denn es galt als zu anstrengend.

Marek, Die magische Leinwand

Im besseren Kintopp gibt es den Klavierspieler, der die stumme Handlung auf der Leinwand durch passende Musik belebt:

Unglaublich ist es ja, in wie parodistischer Weise die Handlungen des Films melodramatisiert werden! Zum „König Lear" im Film werden beispielsweise folgende Weisen gespielt: bei der Heimkehr des Königs von der Jagd: „Ich schieß den Hirsch im wilden Forst"; bei der Verstoßung Lears durch Goneril: „So leb denn wohl, du stilles Haus"; bei dem Auftreten Edgars auf der Heide: „Im Wald und auf der Heide"; beim Auftreten Lears auf der Heide: „Verlassen bin i"; bei Glosters Auftreten an der Küste von Dover: „Das Meer erglänzte weit hinaus"; beim Tode der Cordelia: „Es ist bestimmt in Gottes Rat" usw. usw. – In solcher Vertonung kann man in Berliner „Vorstadtkintöppen" den Shakespeare verzapft erhalten.

Möller, Film- und Schauspielkunst

Da auf das Wetter kein Verlaß ist und die erzählten Geschichten ohnehin keinen realen Hintergrund vertragen, vollzieht sich die dramatische Filmproduktion im wesentlichen im „Atelier".

Die ältesten Filmpioniere besinnen sich noch darauf, daß Oskar Meßter im Oktober 1897 in dem ersten illustrierten Kinokatalog bereits von einem „Aufnahmeatelier" sprach. Andere denken vielleicht zurück an die „Filmfabrik" auf dem flachen Dach eines Mietshauses der Berliner Friedrichstadt. Hier oben in den Lüften ging es besonders „windig" zu. An windigen Tagen mußten die unbeschäftigten Darsteller vereint die Dekorationen halten, damit sie nicht in der Nachbarschaft umhergondelten; vor jeder Aufnahme wurden die Vorhänge und Tischdecken sorgfältig mit Stecknadeln straffgespannt, und bei plötzlich einsetzendem Regen faßte alles begeistert mit an, um die Möbel in einer schützenden Bodenluke zu verstauen. Innenarchitekt, Maschinenmeister und gesamter technischer Stab war in der Person

Umseitig: Schallplattenkauf, 1908

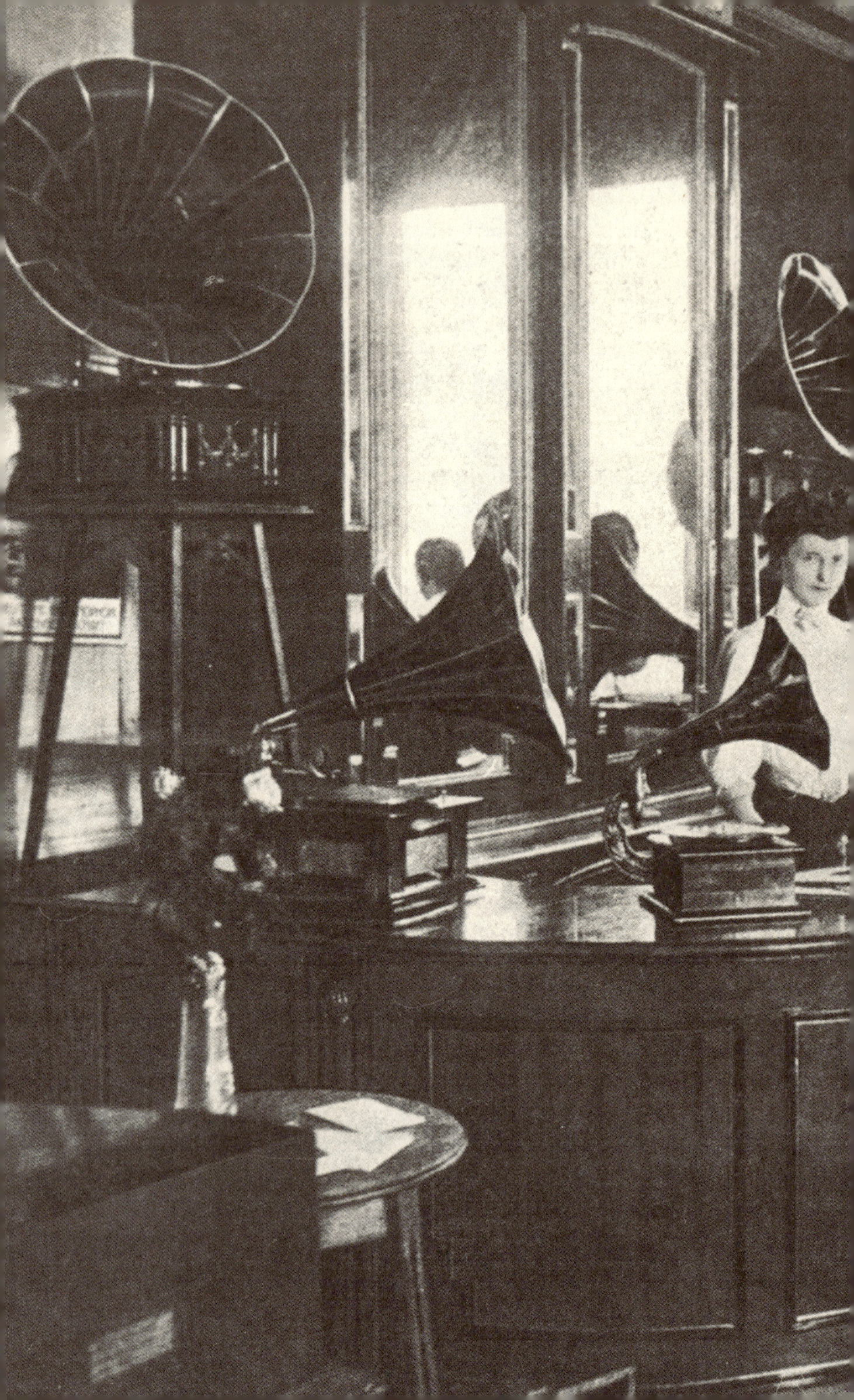

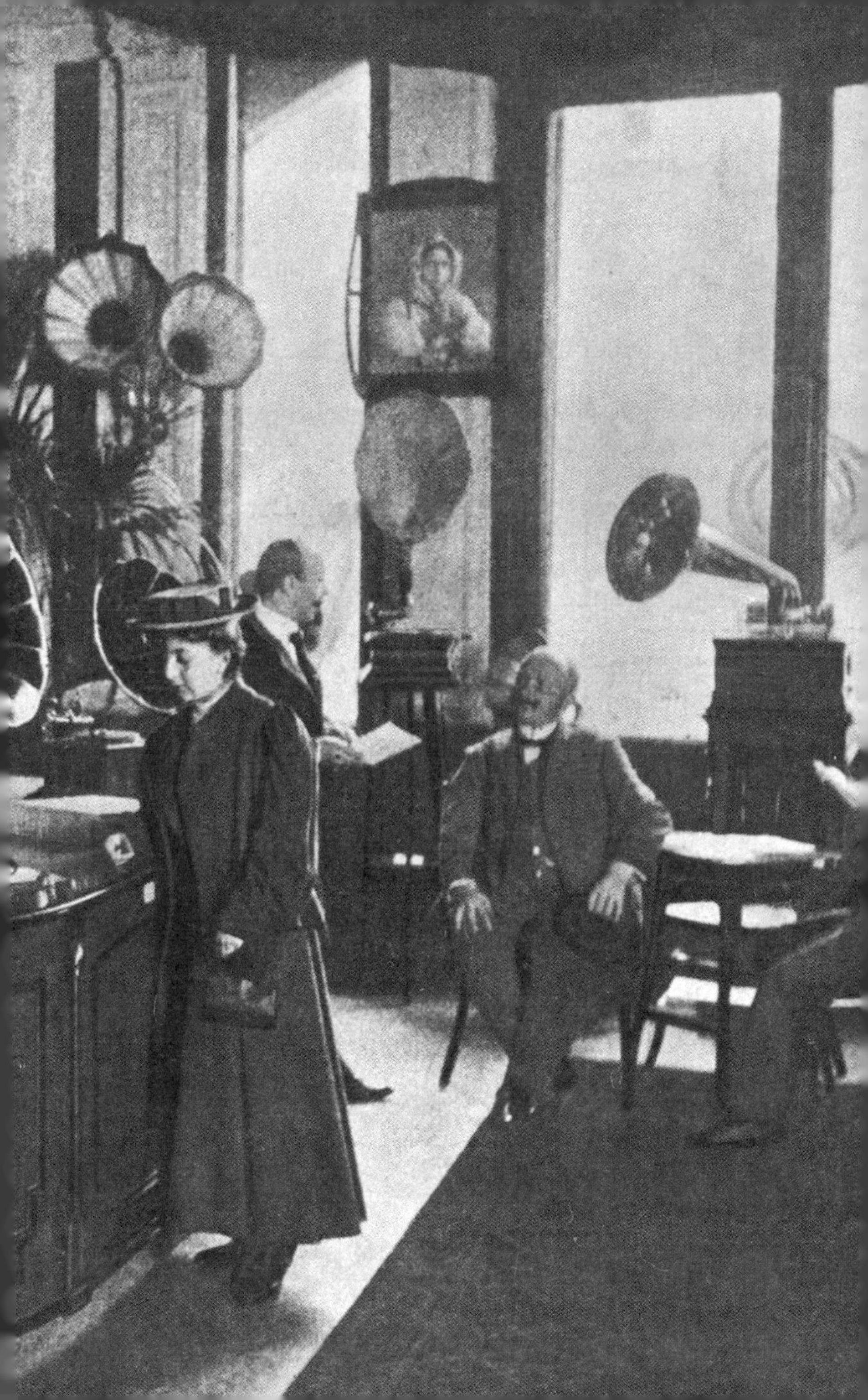

eines gewandten Arbeiters vertreten, der stets nach vollendetem Aufbau das Werk seiner Hände in stiller Verzückung betrachtete und die eventuellen Einwände der Darsteller lakonisch mit den Worten abwies: „Spielen Sie man so gut, wie meine Dekoration aussieht!" Am liebsten reagierte der Brave auf den Titel „Herr Oberbeleuchter", den man ihm verliehen hatte, weil er in ziemlich kurzen Abständen „einen auf die Lampe goß". Sonst hatte er eigentlich nichts zu beleuchten, denn dafür sorgte die liebe Sonne, und Lichteffekte brauchte man damals noch nicht, um Stimmungen zu erzeugen.

Ja, die liebe Sonne! Immer wieder mußte sie eingefangen werden. Also setzte man eine offene Bühne mit gemalten Dekorationen im Hintergrund auf eine Drehscheibe und drehte die Bühne und die mit ihr verbundene Aufnahmekamera nach dem jeweiligen Stand der Sonne. Die Kamera befand sich hierbei in einer abgeschlossenen Wellblechbude, während die aufzunehmenden Objekte im Freien blieben. Diese Aufnahmebühnen waren zwar sehr sinnreich, bei den unregelmäßigen Klimaverhältnissen in Mitteleuropa aber nicht zu allen Jahreszeiten verwendbar. Was lag näher, als daß man von dem Dache des Hauses die Filmarbeit in geschlossene Photographenateliers verlegte, hatte man doch auch inzwischen umgelernt, denn man ging nicht nur vom Freien ins Glashaus, sondern damit auch gleichzeitig vom Sonnenlicht zum Kunstlicht über.

In einem solchen mit Glasdach bedeckten Dachstübchen sind die ersten deutschen Asta-Nielsen-Filme entstanden. Bald wurde es aber doch zu eng. Man mußte sich ausdehnen. Man entschied sich für eine guterhaltene Ruine in der märkischen Sandwüste. Aus diesem Überbleibsel einer ehemaligen Kunstblumenfabrik hat gegen Ende 1911 Deutschlands bekanntester Kinotechniker und Kameramann, Guido Seeber, das erste deutsche Filmtheater zu ebener Erde entstehen lassen, in dem bereits Anfang Februar 1912 gekurbelt wurde. Dieses kleine Atelier nannte man von nun an „Glashaus". Bald danach entstand ein zweites Glashaus, und schließlich kaufte man ein angrenzendes, etwa 40000 Quadratmeter umfassendes Grundstück, auf dem sofort die ersten Freibauten, zum Beispiel ein orientalischer Stadtteil, ein Werk des Architekten Robert Dietrich, so solide entstand, daß es fast zehn Jahre den Unbilden der Witterung trotzte. So entstand das Filmland der Ufa in Neubabelsberg.

Kalbus, Vom Werden deutscher Filmkunst

Das „Filmdrama" besteht bis 1905 aus stummen Einaktern, wie „Die Spionin" 145 Meter lang; „Verzweifelt" 190 Meter; „Die arme Mutter" 115 Meter; „Eine fidele Hochzeit" 200 Meter ... Von 1906 an bietet man Mehrakter von 300 bis 500 Meter Länge, was einer Spieldauer von 10 bis 18 Minuten entspricht: Grotesken („Die Hauptrollen spielen Ohrfeigen, Fußtritte, Raufereien, die Treppe hinuntergeworfene Personen und Sachen, zerrissene und durchnäßte Kleider, eingetriebene Zylinderhüte, zerbrochene Eier, Teller, Flaschen, Gläser und anderes mehr"), Spannungsstoffe („Unglücksfälle und Verbrechen, Diebstähle, Einbrüche, Kämpfe, Überfälle, Verfolgungen, Morde, Selbstmorde, Hinrichtungen, kurz, der Stoff der Schund- und Detektivromane") und Melodramen („Das Abstoßendste an Rührseligkeit, was ich je sah, war eine in romantisches Drum und Dran eingehüllte Sterbeszene. In einer elenden Hütte starb einsam eine schwindsüchtige Frau. Die vielen krampfartigen Hustenanfälle waren mit so widerlicher Naturtreue vorgeführt, daß man kaum begriff, wie das Publikum so etwas mit ansehen konnte, ohne sichtbar aufs peinlichste davon berührt zu werden", schreibt 1909 Max Brethfeld in der Zeitschrift „In Freien Stunden").

Asta Nielsen, die mit dem dänischen Streifen „Abgründe" ihren großen Filmerfolg erringt, kommt 1911 nach Berlin:

Der Erfolg von „Abgründe" gipfelte in einem Angebot, zwei Filme bei der „Deutschen Bioscop" in Berlin zu drehen, und wie ein glücklicher Blinder stürzte ich mich mit all meiner aufgespeicherten Spielleidenschaft in eine Branche, deren einziger Gedanke, deren einziges Ziel es war, jede beliebige Ware auf wirtschaftlich vorteilhafte Weise umzusetzen. Dazu mußte man die Massen auf seine Seite ziehen, und das konnte man am schnellsten und bequemsten, wenn man einen Pakt mit den billigsten Formen der Unterhaltung schloß. Was die Wirklichkeit

„Der Kino"

ihnen versagte, gab ihnen für ein paar Cents die Leinwand. Der Schritt von der armen, jungen Stenotypistin zur gefeierten und beneideten Frau des hohen Chefs wurde so leicht und einfach dargestellt, daß nur komplette Idioten ihn nicht taten. Die Möglichkeiten, vom Bettler zum Millionär zu werden, lagen so dicht gesät auf jedermanns Weg, daß sie sich nur durch ein Wunder vermeiden ließen. Allen, die in dieser Lotterie des Schicksals spielten, in der jedesmal gewonnen wurde, winkte die Hoffnung, und die Lose, diese kleinen optimistisch bunten Eintrittskarten, waren billig und für jedermann erschwinglich. Von mittags bis Mitternacht wälzte sich ein ununterbrochener Strom an den Schalterklappen der Kinos vorüber, hinter denen das Kleingeld der Millionen die Kassen sprengte ...

Die Filmproduktion stand damals, 1911, in einem so großen Land wie Deutschland auf erstaunlich niedrigem Niveau.

Asta Nielsen, Die schweigende Muse

Der Dokumentarfilm, der von Anfang an zum Kino gehört – „Meerstürme und der Knospe leise Regung / Mensch und Wurm in der Bewegung / Und Hurra – selbst Kaiser Wilm / Zeigt der Film" –, sollte, so meint man, das Atelier entbehren können. Kurt Marek berichtet, daß das keineswegs der Fall gewesen ist:

1902 war das Erdbeben in Messina, eine grauenhafte Katastrophe. Zwei Tage darauf erhielten die Produktionsfirmen von mindestens hundert Schaustellern Telegramme: „Könnt ihr 50 Meter Erdbeben von Messina liefern?" Es war nutzlos, noch drei bis vier Wochen nach der Katastrophe fehlte jegliches Negativ aus dem Unglücksgebiet. In dieser Zeit hatte Paul Effing ein eigenes Aufnahmeatelier für sogenannte „Tonbilder" und als Aufnahmeleiter Franz Porten, den Vater von Henny ... Effing begab sich in eine Schallplattenhandlung und ließ sich stundenlang vorspielen. Er entschied sich für „Die Macht des Schicksals", gesungen von Caruso. Inzwischen engagierte Porten zwanzig Komparsen. Er legte ihnen höchst fachmännisch Verbände um die Köpfe und schminkte sie bleich wie der Tod, hohlwangig und verhungert. Einige ließ er den Arm in eine Schlinge legen, und zwei beauftragte er, einen Dritten auf der Bahre zu tragen. Diese zwanzig bereitwilligen Opfer arrangierte er zu einer Prozession, steckte einen Mann in einen Talar und hieß ihn, mit einem Kruzifix an die Spitze des Zuges treten.

Drei Tage später lief in den Schaubuden der Filmstreifen „Bittprozession der Opfer von Messina". Dazu sang Carusos unsterbliche Stimme von der Macht des Geschicks. Das wirkte. Das rührte. „Tränen flossen reichlich", so schrieb man Effing. Er verkaufte zweihundert Kopien. Schlimmer ist, daß diese Methode bald sehr im Schwange war ... Die gestellten Dokumente grassierten. Bilder aus dem russisch-japanischen Kriege, die „Beschießung der Taku-Forts" (1904), „Hinrichtung japanischer Spione", „Der Fall von Port Arthur" – alle waren in Pariser und Berliner Dachateliers aufgenommen.

Marek, Die magische Leinwand

Um 1910 existieren jedoch bereits feste Aufnahmestäbe, die an Ort und Stelle die Zeitereignisse dokumentieren. Sogar eine Art Tagesaktualität ist schon erreicht, so daß „irgend ein besonderes Ereignis, das sich am Vormittag in Berlin abspielt, schon am Abend in den Berliner Theatern verewigt ist". (Vorwärts, 12. September 1912)
Als das Luftschiff L2 über Johannisthal abgestürzt ist, kurbeln auch die Kameraleute der „Pagu" auf dem Trümmerfeld.

„Kurz nach der Katastrophe trafen Operateure von der Projektionsaktiengesellschaft Union auf dem Unglücksplatz ein. Zwischen den Fahrzeugen der Feuerwehren stellten sie ihre Apparate auf und kurbelten einige Szenen ab. Noch heute abend wird man in den UT-Theatern die Überreste des Luftschiffes im Film sehen können."

Achtundzwanzig Menschen, bis zur Unkenntlichkeit versengt, liegen auf der Bahre. Die traurigen Reste eines Luftschiffes stecken im Wiesengrund. Das Volk der Gaffer versammelt sich zum Picknick, und die Händler verteilen wie einst die Kriegsknechte auf Golgatha die Kleider und Fetzen als Andenken. Zwischen den Löschzügen der Feuerwehr kurbelt ein Kinomensch.

Kein Wort weiter. Knüppel her!

Bagusche, Der Zeitungsbericht

Der holländische Dramatiker Herman Heijermans, der unter dem Pseudonym Heinz Sperber für die sozialdemokratische Presse schreibt, stellt sich in einem Feuilleton auf den Standpunkt eines Lesers, der sich fünfzig Jahre später, im Jahre 1960, aus den Berliner Blättern von 1910 ein Bild von den wesentlichen Ereignissen und Entwicklungen jener Zeit zu machen sucht:

Mit gierigem Eifer durchblättere ich Monat auf Monat der damals angesehenen „Vossischen", des damals einflußreichen „Berliner Tageblatt" und des damals bei Hofe gelesenen Blatt Scherls. Ich trachte, ein Bild der damaligen großen Ereignisse in Deutschland, Frankreich, Spanien, Portugal, Rußland zu gewinnen, nötigenfalls ein photographisch-journalistisches Bild – und ich entdecke wohl sensationelle Telegramme, Spalten voll „Neuester Nachrichten" –, aber das Hauptsächlichste, Bedeutendste, Markanteste und Prägnanteste jener Zeit steht hinter einer spanischen Wand verborgen, um weniger Aufmerksamkeit zu erregen, wird mit „feiner Ironie" behandelt oder totgeschwiegen. So gut wie die berüchtigte „Elendsmalerei" aus der Kunst hinweggefegt ist, so gut werden auch die hervorragendsten Zeitungen mit Arbeiterangelegenheiten und Arbeiterinteressen so viel wie möglich verschont ... Ein durch einen Säbelhieb getöteter Arbeiter kommt nicht in Betracht. Leonidas, der mit seinen dreihundert Spartanern im Paß von Thermopylä kämpfte und starb, ist ein Held, ein von Gott erkorener Großer – die modernen Proletarier, die tagtäglich ohne viel Geschrei, ohne äußere Aufdringlichkeit gegen einen mächtigeren Feind standhalten, die oft aus Solidaritätsgefühl ihre Familie verhungern lassen und aus Solidaritätsgefühl zu den schönsten Taten gelangen, Taten, die eines Homer würdig wären, heißen nicht Helden, nicht vortreffliche Menschen, sie nennt man Vaterlandsverräter, unzufriedenes Gesindel, Ausschuß, wofür die Maschinengewehre noch zu gut sind.

Ich blättere weiter in der Journalistik aus 1910 ... Ich lese in einem Telegramm von vier Zeilen über eine Grubenexplosion irgendwo in Amerika, wobei 200 Bergarbeiter umgekommen sind. In vier kurzen, kaum die Aufmerksamkeit erregenden Reihen steht es da, die Todesnachricht von 200 Menschen – und gleich daneben wird ausführlich und anregend in stattlich-breiten Spalten die Beschreibung einer „Metropoltheaternacht" gegeben. In derselben Nacht ist ein neues Luxuslokal, wo nur Sekt getrunken werden darf, das „Trocadero" (Unter den Linden) eröffnet worden. Man höre, was der Journalist mit verklärten Augen darüber schreibt:

„½ 3 Uhr nachts. Ich sitze im „Trocadero" und muß die Füße hochhalten, weil unter mir eine Flasche Sekt auf dem neuen Teppich ihr Dasein aushaucht. Gott sei Dank habe ich zu ihr nicht die geringsten Beziehungen. Aber in diesem kleinen gelben Vergnügungsstempel tobt die Stimmung bis an die Decke.

Eng aneinandergedrückt sitzt die Gesellschaft. Entzückende Frauen und die dazu gehörenden Männer legitimen und illegitimen Charakters lachen und trinken und singen die Refrains der Walzer mit, die eine lustige Wiener Kapelle spielt. Herrgott san mer lustig! ... Auf den Gängen tanzen die Paare und stoßen die Sektflaschen mit den Lackstiefeln fort, daß sie herumkollern wie die Murmeln ... Ich bin so müde! Das Leben ist hart – – es ist zum ‚Sektfritze zu werden', sagt Giampietro als Gardeleutnant ..." (Edmund Edel)

Ich blättere weiter auf meinem Sofa im Jahre 1960, lese zehn Zeilen über ca. zweitausend Arbeiter, die arbeitslos sind, „weil eine momentane Überproduktion in der Industrie vorherrschte" – und daneben ein packend geschriebenes, literarisch-sorgfältiges Feuilleton über Essen und Trinken:

„Nicht lange mehr, und der Frack ist wieder das einzig unentbehrliche Kleidungsstück. Blicken wir jetzt schon tapfer dieser Zukunft ins Auge. Nur wenige Wochen noch, und sie ist wieder Gegenwart. Dann harren sie wieder unser: die Bouillon in Tassen, das Filet von Seezunge mit gebackenen Austern, der Rehrücken und die getrüffelte Pute, die kurzen dicken Spargel, Eis, Pudding und die Käseschüssel, die der Konditor herrichten muß, daß sie nicht nach Käse aussieht, sondern eher wie Petits Fours. Und um die Tische wandeln sie wieder, jene Männer, deren Exterieur ganz dem unseren gleicht, nur daß sie (hört, Leser!) Baumwolle an den Händen tragen und in den Händen eine Flasche, aus der es schäumt und die zum größten Teil durch eine Serviette verdeckt wird. Teils damit man nicht merkt, mit welcher Marke man zu kämpfen hat, und sie erst am anderen Morgen je nach der Art der Kopfschmerzen erkennt. Teils, damit man nicht sieht, daß die Flaschen nie voll sind. Und schließlich, damit die Herren in den Baumwollenen sich ungestört den beträchtlichen Rest jeder Flasche selbst einverleiben können. Die Eßouvertüre ist vorbei, die Saison hat uns wieder!" (Kurt Aram)

Ich blättere weiter, überfliege ganze Monate, lese endlose Spalten über Morde, Betrug, aufsehenerregende Prozesse, Theater und Börse – ich lese von dem welterschütternden Ereignis, daß eine Dame aus Berlin-Westen zu ihrem Vergnügen, nicht des Geldes wegen, in einem Berliner Kabarett auftritt, ich lese tausenderlei, aber ein wahres, unverfälschtes Bild von dem, was sich im Volke zuträgt, im arbeitenden Volk, das den Hauptteil jeder Nation ausmacht, bekomme ich nicht. Sonderbar, unerklärlich, dieses unbewußte und zum Teil bewußte Lügen, Schweigen, Nichtbeachten oder völlige Einverstandensein mit dem, was vorgeht, bei allen „Dichtern", Literaten, Journalisten – um 1910 ...

Sperber, Moderne Journalistik

Die technische Revolution in der Polygraphie, das Aufkommen leistungsfähiger Setz- und Druckmaschinen vergrößert den Einfluß der bürgerlichen Massenpresse auf das Weltbild breiter Leserschichten.

Der Diskussion über Fragen der Außen-, Innen- und Wirtschaftspolitik innerhalb der herrschenden Klasse dienen „Meinungsblätter" wie die freisinnige „Vossische Zeitung", die nationalliberale „Nationalzeitung", die konservative „Kreuz-Zeitung", die von Krupp und dem Magnaten Henckel von Donnersmarck finanzierten „Berliner Neuesten Nachrichten", die von der Discontogesellschaft gesteuerte „Post" und die „Deutsche Tageszeitung", in der der alldeutsche Junker Ernst Graf von Reventlow der imperialistischen Weltmachtspolitik das Wort redet. Wie es in den Redaktionsstuben der „nationalen" Meinungspresse zugeht, beschreibt ein anonymer Journalist in der Zeitschrift „März":

In größeren „nationalen" Betrieben herrscht ein Drill, gegen den der des preußischen Kasernenhofes ein Kinderspiel ist. Die Vertreter und Leiter der Interessentengruppen, die solche Blätter aushalten, lesen jede Nummer von der ersten Text- bis zur letzten Inseratenzeile mit peinlicher Sorgfalt durch und prüfen mit mikroskopischer Genauigkeit, ob auch nicht ein einziger Satz, ja nicht einmal der Ton oder Unterton eines Satzes den Vorschriften und dem gewollten Zwecke widersprechen. Man muß sich einmal von einem echten und rechten „Schornalisten" dieser Art erzählen lassen, wie sie beim Chefredakteur, dem Verleger, beim Auswärtigen Amte, beim Kriegsministerium und bei der Marine, oder beim industriellen Verbande, bei den Wortführern der Grundstücksspekulanten anzutreten und ihre „Überzeugung" fix und fertig in Empfang zu nehmen haben. Das ist grausig. Das spottet jeder Beschreibung. Und wenn es jemand beschriebe, würden es die durchschnittlichen Leser nicht glauben, sondern für eine alberne Übertreibung halten.

März, 31. Mai 1913

Während sich die „nationalen" Blätter ständiger Subventionen erfreuen, welken die bürgerlich-liberalen Zeitungen dahin. Die „Nation" Theodor Barths gibt auf. Die „Berliner Volkszeitung" erscheint monatelang nur im Broschürenformat. Die „Vossische Zeitung" muß bei Ullstein unterkriechen. An ihre Stelle tritt ein „unparteilicher" Zeitungstyp, der von riesigen „Annoncenplantagen" finanziert wird und rasch zum wichtigsten Medium bürgerlicher Masseninformation und Massenunterhaltung wird. Mit seiner Entwicklung aufs engste verknüpft sind die drei Berliner Pressekonzerne Ullstein, Mosse und Scherl. 1912 wird an der Ecke Kochstraße/Charlottenstraße das „Ullsteinhaus" gebaut.

Pressefotografen bei der Arbeit

Auf dem alten Kontinent gibt es jetzt keinen größern, keinen modernern Zeitungsbetrieb als den der Berliner Firma Ullstein & Co. ...

Ullstein & Co. geben unter anderm heraus: die „Berliner Morgenpost", die fast 400 000 Abonnenten hat, davon in Berlin allein mehr als 300 000; die „Berliner Zeitung am Mittag", von der an Wochentagen durchschnittlich 150 000 Exemplare verkauft werden; die „Berliner Illustrirte Zeitung", deren regelmäßige Auflage von einer Million nicht mehr weit entfernt ist; dann die Tageszeitungen: „Berliner Allgemeine Zeitung" (fast 200 000 Abonnenten) und „Berliner Abendpost"; ferner die Zeitschriften: „Musik für alle", „Die Bauwelt", „Die praktische Berlinerin", „Dies Blatt gehört der Hausfrau", „Die Dame".

Vor wenigen Wochen haben die Ullsteins auch die „Vossische Zeitung" erworben (für ca. sieben Millionen). Daß sich das in Jugendkraft aufstrebende Ullsteinsche Unternehmen die sehr alte Tante Voß zugelegt hat, die den rechten Anschluß an die moderne Entwicklung der Zeitung versäumte, wird sehr irrtümlich als das Streben der glücklichen Brüder Ullstein nach einem Wappen und einem (geistigen) Adelsbrief gedeutet. Vielmehr ist das in der Nähe des kaiserlichen Schlosses liegende weite Grundstück, auf dem die „Vossische Zeitung" gegenwärtig haust, so wertvoll, daß der von Ullstein für das Verlagsrecht der „Vossischen Zeitung" gezahlte Preis minimal ist ... Auch im Buchverlag haben sich die Ullstein mit Glück versucht.

Friedegg, Millionen und Millionäre

Mit der „BZ am Mittag" bricht der Ullstein-Verlag mit den Traditionen des Wochen- oder Monatsabonnements. Jede einzelne Zeitungsnummer wird zur selbständigen Ware, die auf der Straße, auf den Hauptverkehrsplätzen, in den öffentlichen Verkehrsmitteln, in den Cafés und Restaurants an den Mann zu bringen ist. Um in den wenigen Stunden bis zum Erscheinen der Abendzeitungen Zehntausende Exemplare loszuschlagen, muß jede Nummer mit journalistischen Attraktionen gefüllt werden, die zum Ausschreien im Großstadtverkehr geeignet sind: „Mord und Gewalttat, Krieg und Diplomatenränke, Fürstenreisen, Pferderennen,

Entdeckungen und Erfindungen, Expeditionen, Liebesverhältnisse, Bauten, Unfälle, Bühnenaufführungen, Spekulationsgeschäfte und Naturerscheinungen." (Walther Rathenau)
Wehe dem Journalisten, der eine echte Sensation verpaßt.

Etwas Ungeheuerliches hatte sich in der Welt ereignet: Das schnellste Schiff, die „Titanic", war auf der Fahrt von England nach New York auf einen Eisberg gelaufen und mit einem großen Teil der Passagiere und der Besatzung, insgesamt 1517 Menschen, untergegangen. Auf diesem Schiff hatten sich, vom Zwischendeck und der Zweiten Klasse abgesehen, die Krösusse aus aller Welt ein Stelldichein gegeben. Auch der amerikanische Dollar-Multimillionär Astor versank mit seiner Frau. Respektvoll war die Welt erschüttert ... Die „BZ am Mittag", nun in Berlin schon eine weithin bekannte Zeitung, erschien etwa gegen ein Uhr nachmittags. Die letzten Nachrichten, die diese Zeitung bringen konnte, mußten etwa eine Viertelstunde vor Druckbeginn in der Redaktion sein. In Schweiß gebadet standen die Redakteure, stand insbesondere der Chefredakteur in der Setzerei. Wie bei keinem anderen Blatt schwoll das Arbeitstempo kurz vor Schluß zu einem ungeheuerlichen Furioso an. Da ... es sollte schon geschlossen werden, hastete ein Bote zu dem Chef. Eine letzte Nachricht war eingelaufen: die Depesche, in der das „Titanic"-Unglück gemeldet wurde. Damit hätte die „BZ" eine Sensation von unvorstellbarem Ausmaß gehabt, die stärkste Sensation seit ihrem Erscheinen. Vom Tempo gehetzt, warf der Redakteur nur noch einen flüchtigen Blick auf diese Depesche und sagte nur: „Die Nachricht können wir noch auf der letzten Seite versteckt als letzte Meldung unterbringen." Wie die meisten Menschen wußte natürlich auch er nicht, daß dieser Augenblick über seine Karriere, ja im Grunde über sein weiteres Leben entschied. Daß er sich selbst durch eine Sekunde geistiger Abwesenheit sein eigenes Todesurteil sprach. Der Mann hat im Leben nie wieder etwas erreichen können.

Ullstein, Spielplatz meines Lebens

Rudolf Mosse beherrscht die „Berliner Volkszeitung", die „Berliner Morgenzeitung" und das „Berliner Tageblatt", das Hauptblatt der „linken Liberalen". Sein Chefredakteur Theodor Wolff macht gelegentlich kritische Anmerkungen zu chauvinistischen und byzantinischen Exzessen, zur allzu unverfrorenen Bevorzugung der Agrarier, zu besonders brutalen Übergriffen der Polizei. Ansonsten folgt das „Tageblatt" wie alle anderen „unpolitischen" Massenblätter den Winken, die von den literarischen Büros der Konzerne ausgehen, vom halbamtlichen Wolff'schen Telegraphenbüro oder vom Pressebüro des Auswärtigen Amtes, das im Sinne der Bülowschen Weltpolitik das journalistische Orchester dirigiert.

Übrigens haben Mosse und Ullstein einen Kartellvertrag geschlossen, auf den Siegfried Jacobsohns „Schaubühne" mit der Warnung vor einem privaten Berliner Pressemonopol reagiert:

Schon besteht ein Kartellvertrag zwischen Mosse und Ullstein, ein Bund, der zwar auch Scherl mitumfaßt, der aber seine eigentlichen Qualitäten ohne Scherl entfalten wird. Schon ist man sich über geschäftliche Dinge, über Inseratenannahme, Arbeiterkonditionen und sonst dergleichen, einig geworden; ist also bereits dazu geschritten, die lästige Konkurrenz untereinander zu einem Teil in ein (den Unternehmern) förderliches Zusammenwirken zu wenden ...

Das Prinzip: billig kaufen und teuer verkaufen, auf das Zeitungsgewerbe angewendet, bedeutet unter der Herrschaft des Trust das Schwinden der Intelligenzen aus der Tagespublizistik, bedeutet den geistigen Stillstand der Zeitung; und das Niveau des lesenden Publikums, sein intellektueller standard of life wird noch unter den heutigen Pegel sinken. Alle Umstände, die schon bis heute zu den Halbheiten, den Deviationen* und Mißbildungen im Zeitungswesen geführt haben, werden unterm Trust in verstärktem Maße um sich greifen. Die Blätter zwar werden sich nach wie vor so gebaren, als müsse man sie ernst und gewichtig nehmen; und sie mögen auch Gläubige finden. Selber aber werden sie sich nichts mehr glauben. Sie werden Überzeugungen, Gesinnungen, Thesen nur noch agieren, so wie Schauspieler ihre

* Verirrungen

Rolle; werden Gedankenfreiheit fordern und hinter die Szene gehen, sich abzuschminken.

Siegfried Jacobsohn, Zeitungstrust

August Scherl beherrscht den dritten Konzern. Scherl, ein bankrott gegangener rheinischer Kolportagebuchhändler, läßt sich als „mächtigen Geist" feiern: „Im persönlichen Verkehr einfach und liebenswürdig ... In der schlichten Hülle ein kraftvolles, nie rastendes Genie." (Berlin im Welthandel) In Wirklichkeit ist Scherl ein mürrischer Eigenbrötler, der einen Palast, den er seiner künftigen Frau im Berliner Westen errichten läßt, kurzerhand wieder abreißt, weil er seiner Auserwählten nicht gefällt.

Mit der geringen Habe, die er aus dem Kölner Zusammenbruch rettete, und mit ca. 30000 Mark, die ihm seine Schwester lieh, begründete er vor dreißig Jahren den „Berliner Lokal-Anzeiger" ... Er verwandte all seinen Kredit darauf, eine hohe Auflage des „Berliner Lokal-Anzeigers" herzustellen, und diese Auflage schenkte er den Berlinern monatelang. Die Gratiskostprobe schmeckte dem Publikum, zumal da Herr Scherl aus seiner Kölner Zeit einen sensationellen Roman „Pistole und Feder" ins Blatt gab. Diesen Roman wollten Tausende Menschen zu Ende lesen, nachdem sie viele Fortsetzungen konsumiert hatten, und Herr Scherl machte ihnen das nicht schwer: Er gab ihnen den „Lokal-Anzeiger", nachdem er ihn lange buchstäblich verschenkt hatte, für einen Spottpreis her – für zehn Pfennige im Monat. Nach einer Weile konnte ihm ein Notar bestätigen, daß er hunderttausend zahlende Abonnenten hatte. Darauf stellten sich die großen Inserenten ein, das Blatt entwickelte sich rapid, und Herr Scherl begann eine Reihe neuer Dinge; nun sind seine Unternehmungen schon seit langem in einem mächtigen Häuserblock untergebracht, der „Lokal-Anzeiger" wird in einer täglichen Auflage von einer Viertelmillion Exemplaren gedruckt; er ist noch immer nicht teuer, aber lange nicht mehr so billig, wie er einst war; er ist das Zentralorgan der Reichsregierung; ein ganzes Heer von Verlagsdirektoren und Chefredakteuren war stets bemüht, die Meinung des Herrn Scherl zu erforschen, und

Herr Scherl selbst kümmerte sich schon seit sehr, sehr langer Zeit nicht mehr um solche „Kleinigkeiten" wie die Auswahl eines Romans.

August Scherl war vielmehr seit mehr als einem Jahrzehnt für seine Angestellten völlig unsichtbar. Er betrat sein Büro durch einen für ihn reservierten Privateingang, und die stellvertretenden Geschäftsführer empfingen seine Aufträge entweder durch seinen Privatsekretär oder durch seinen Leibbarbier. Der Friseur übermittelte auch den Chefredakteuren die Befehle des Gebieters. Es gab und gibt im Hause zahlreiche leitende Redakteure, die Herrn Scherl niemals von Angesicht zu Angesicht gegenüberstanden und seine Ansichten lediglich durch den Mund des Leibbarbiers kennen.

Friedegg, Millionen und Millionäre

Um die zwei- bis dreihunderttausend Abonnenten des „Berliner Lokal-Anzeigers" bei der Stange zu halten, wird Leserfang mit billigsten Mitteln praktiziert. Am beliebtesten sind Mord und Totschlag, in aller Breite ausgemalt:

Ein Frauenmord. Gestern vormittag fischten zwei Schiffer bei der Gasanstalt in der Breslauer Straße aus der Spree den Rumpf einer weiblichen Person, der Kopf, Arme, Brüste und Unterleib fehlten ... Der zerstückelte Frauenrumpf war mit Papierfetzen und Bindfaden umwickelt und hat anscheinend acht bis vierzehn Tage im Wasser gelegen. Es ist fast nicht daran zu zweifeln, daß es sich um einen mit grausiger Bestialität ausgeführten Lustmord handelt ... Über den grausigen Fund mit seinen Begleitumständen erhalten wir folgende ausführliche Schilderung ...

Berliner Lokal-Anzeiger, Sonderausgabe, 6. Dezember 1909

Für die Reporter des „Lokal-Anzeigers", für die jede gedruckte Zeile bares Geld ist, muß der Fund der beiden Spreeschiffer ein Geschenk des Himmels sein. Und so erfährt der Berliner alles, aber auch alles über das Auffischen des gräßlichen Pakets, über das Entsetzen der Schiffer („hiel-

ten das Stück Fleisch zunächst für einen gekochten Hammelschinken"), über Packpapier und Bindfaden und vor allem über die mit letzter Akribie geschilderte Zerteilung der toten Frau – drei endlose Spalten auf Seite 1 und Seite 2.

Der Taillenschnitt weist die Spur eines wiederholten Ansetzen des Messers auf. Durch die ganze Brust zieht sich ein scharfer Längsschnitt. Der Kopf ist etwa fingerbreit über dem Nacken glatt abgeschnitten. Hier scheint das Messer verschiedene Male angesetzt zu sein. Die Arme sind aus den Kugelgelenken herausgedreht. Der rechte Arm ist roh herausgeschnitten; die Rippen unter ihm sind zum Teil bloßgelegt, zum Teil sogar angeschnitten. Die linke Brust ist teils bis auf die Rippen abgetrennt, zum Teil sind auch die Rippen verletzt. Die rechte Brust ist etwas höher glatt vom Körper abgetrennt. Ein großer Hautfetzen zeigt, daß das zum Schneiden benutzte Werkzeug zweimal angesetzt wurde. Weiter zeigt die Leiche an der linken Brustseite in der Gegend des Schlüsselbeins drei nebeneinanderliegende dreieckige Stiche; es scheint, als ob der Täter bei der Zerstückelung der Leiche ein Instrument, vielleicht eine dreizinkige Gabel, in den Körper hineingestoßen hat, um ihn beim Zertrennen besser halten zu können. Der Bindfaden, mit dem der Leichenrest zusammengeschnürt war, zeigt, daß er auf dem Rücken mehrfach geknotet und schließlich scharf angezogen war, so daß infolge der Verschnürung ein abgerundetes längliches, nicht allzu großes Paket entstand.

Berliner Lokal-Anzeiger, 6. Dezember 1909

Am nächsten Tage wandert – o welches Glück! – eine Gruppe aufmerksamer Männer quer übers Tempelhofer Feld:

Ein weiterer Fund, der zweifellos mit dem Frauenmord in Verbindung steht, ist heute morgen auf dem Tempelhofer Feld gemacht worden. Mehrere Männer, die sich kurz nach 7 Uhr auf dem Wege zur Arbeit befanden, entdeckten in der Nähe der Schultheißbrauerei an der verlängerten Katzbachstraße, etwa

zwanzig Schritt vom Fahrdamm entfernt, ein Paket und fanden beim Aufwickeln desselben zwei Frauenarme, die in eine weiße Frauenhose und ein schwarzes Jackett eingewickelt waren. Die Hände waren krampfhaft zusammengeballt, die Arme mit Blut besudelt. Was die Persönlichkeit der Toten betrifft, so hat sich Genaueres noch nicht ermitteln lassen; eine Spur weist nach Lichtenberg ...
Berliner Lokal-Anzeiger, 7. Dezember 1909

Nachdem der „Lokal-Anzeiger" zur Durchsuchung selbst der Mülltonnen aufgefordert hat, treffen aus allen Enden und Ecken der Großstadt Meldungen über den Fund von Leichenteilen ein. „In der Nähe des Zoologischen Gartens wurde heute nacht eine Menschenhand gefunden. Bei näherer Untersuchung stellte sich heraus, daß der Fund ein anatomisches Präparat darstellt." (8. Dezember) Immerhin – was macht die präparierte Hand am Zoo? „In Pankow fand ein Knabe ein Fleischstück, das von einer abgeschnittenen Nase herrühren soll." (9. Dezember) „Ein neuer Fund wurde gestern in der Spree gemacht. Beim Abfischen des Wassers fand die Polizei ein kleines Stück Eingeweide. Ob das gefundene Fragment zum Körper der Ermordeten gehört, muß die für heute vormittag angesetzte Besichtigung durch die Gerichtsärzte ergeben." (10. Dezember)

Und so weiter, und so fort. Am 11. Dezember heißt es schließlich in fetten Buchstaben: „Die Persönlichkeit der zerstückelten Leiche festgestellt." Das Opfer ist die „Stettiner Anna", die in Rixdorf auf den Strich gegangen ist.

Im Polizeipräsidium stellt man derweil die Kleider der „Stettiner Anna" aus:

Im Lichthofe des Polizeipräsidiums herrschte um die Mittagszeit ein reges Treiben. Von allen Seiten strömten die Leute herbei, um den Inhalt des kleinen, gelben Kastens zu betrachten, der die Kleidungsstücke enthält, mit denen die Leichenteile bedeckt waren. Wie zu einem Schauspiel zogen Männer und Frauen hin und reckten die Hälse. Die Prostitution mit ihrem männlichen Anhang stellte einen erheblichen Anteil der Schaulustigen ...

In der Friedrichstraße.

Müller'n, heite wird's en Jeschäft! Acht Prozesse, drei Morde, zwee Bankjehs, zwee Sitte, Spione und Attentate, zwee Flieger gestürzt, een Luftschiff verloofen —

Aber auch manch banges Familienmitglied, das eine Angehörige im Strudel der Großstadt verloren hat, fand sich ein. Ein schneller, scheuer Blick auf den gelben Kasten: „Gottlob, es sind nicht ihre Kleider!" ... Und dann schnell hinweg.
Berliner Lokal-Anzeiger, 8. Dezember 1909

Mitte Dezember spürt man, wie sich der Chefredakteur etwas überlegt; die zerstückelte Frauenleiche wandert auf Seite 6, dann auf Seite 10. Dann kommt die Story noch einmal ganz groß heraus: In der Brandenburgstraße will ein Zivilpolizist einen Zuhälter verhaften, der sich der Vernehmung in Sachen „Stettiner Anna" bisher entzieht. Eine mehrspaltige dramatische Reportage schildert, wie Zuhälter Schotte den Kriminalisten vor der Tür einer Kaschemme niederwirft, ihm erst das Messer an die Kehle setzt und dann die Gurgel abdrückt, bis der Unerschrockene in letzter Sekunde mit dem Dienstrevolver dem rabiaten Zeugen eine Kugel durch den Brustkorb schießt.

Dann aber braucht der „Lokal-Anzeiger" Weihnachtsstimmung. Der Berliner Frauenmord wird durch „Die Attentate der geheimnisvollen Nonne" und „Die Ermordung zweier Forscher in Arabien" abgelöst.

Zum Scherl-Konzern gehören neben dem „Berliner Lokal-Anzeiger" fünf weitere Zeitungen und elf Zeitschriften, ein Dutzend Adreß-Bücher, die „Gartenlaube", „Sport im Bild", „Sport im Wort" und nicht zuletzt „Die Woche": ein „journalistischer Ramschbasar" (Avenarius).

Es brauchte wirklich kein Milligramm eignen Geistes mehr, um die Ware dieser „Woche" zu kauen und zu verschlucken, vom Verdauen konnte man ja nicht reden, denn zu verdauen war da nichts. Brauchte auch nichts zu sein, denn der angenehme Reiz im Munde genügte ja. War es dem Leser doch so, als erführe man Wissenswertes von allem Möglichen, was geschah, während man in Wahrheit unter allem Möglichen nur das Allergleichgültigste erfuhr. Vom Wesen gar nichts, von der Erscheinung ein bißchen Zufall-Abfall – „Die Woche" unterwies das deutsche Volk, sich in der Aschen- und Müllgrube der Tagesgeschichte zu behagen ...

Im Privatgespräch äußerte man sich über das Blatt so geringschätzig wie nur möglich. Trotzdem stieg die Auflage von Nummer zu Nummer bis ins Unheimliche. Und worauf es uns heute ankommt: trotzdem wurde die „Woche" von ebensolchen Leuten, wie sie sich gar spöttisch über sie äußerten, auf die bereitwilligste Weise unterstützt, wenn sie die betreffenden Herrschaften selbst in ihrem Guckkasten zeigen wollte. Gelehrte, Künstler, Offiziere, Staatsmänner bis zu den Höchstgestellten hinauf mit Weib und Kind und Haus und Hof geizten augenscheinlich nach der Ehre, mit dem Einbrecher des Tages und dem Hochstapler der Saison in „Spezialaufnahmen für die Woche" zu erscheinen ...

Wir erinnern uns noch der Zeit, als wir zum ersten Mal die schöne Rubrik „Aus der Gesellschaft" auftauchen sahen. Sie muß sich rentiert haben, denn an allen Ecken begegnen wir ihr jetzt. Da wird von der Hochzeit der Komtesse X., da wird von dem großen Kostümfest beim Baron Y., da wird von dem herrlichen Konzert beim Bankier Z., da wird von jedem größeren Familienereignis der sogenannten „Gesellschaft" berichtet, nur weil es sich eben in der „Gesellschaft" begab. Ich bin politisch weder Demokrat, noch Radikaler, noch Liberaler, aber ich bekenne, daß mir dieses Treiben widerwärtig und schädlich scheint ...

Avenarius, Vom Veräußerlichen

„In Freien Stunden":
Arbeiterklasse und Kultur

„Wissen ist Macht", so hat Wilhelm Liebknecht eine vielgelesene Schrift genannt. Eine Umfrage unter Teilnehmern der „Studentischen Arbeiterunterrichtskurse", die Engelbert Graf 1909 veröffentlicht, zeigt, worauf das Bildungsstreben Berliner Arbeiter vor allem gerichtet ist:

„Für welche Wissensgebiete interessieren Sie sich am meisten?" Aus vier Semestern liegen nun 1 432 Antworten vor ... Sie lauten im einzelnen auf

Naturerkenntnis ...	553 mal	Geschichte	162 mal
Wirtschaftslehre und Politik	370 mal	Architektur, Zeichnen, Mathematik	61 mal
Kunst und Literatur	242 mal	Philosophie	45 mal
Technik	221 mal	Heilkunde	45 mal
Erd- und Völkerkunde	168 mal	Sprachen	41 mal

Graf, Die Bildung Berliner Arbeiter

Eine große Rolle für die naturwissenschaftliche Bildung spielen private „Volkshochschulen", in denen Wissenschaftler, Studenten, Lehrer, Ingenieure, Schriftsteller und Ärzte Allgemeinwissen vielerlei Art vermitteln. Die bekanntesten von ihnen sind die von Bölsche und Wille gegründete „Freie Hochschule" und die vom Wissenschaftlichen Zentralverein getragene „Humboldt-Akademie".

Die „Urania" – gleichfalls eine bürgerliche Gründung – bietet unter anderem Experimentalvorträge über die Röntgenstrahlung, über Radioaktivität, über die Funktelegrafie. Große Resonanz haben die Reiseberichte der Polarforscher – Nansen, Nordenskjöld, Amundsen – sowie die Erläuterungen über die Ursachen der Erdbeben von San Franzisco und Messina und über den großen Kometen, der 1910 am Berliner Himmel sichtbar wird. – Hans Dominik erzählt:

Da wurde beispielsweise ein farbiger Film vorgeführt, der noch so schauderhaft flimmerte, daß ich eine schwere Migräne davontrug. Da gab es die ersten lautsprechenden Grammophone zu hören, die zwar mächtig brüllten, aber jede Musikalität vermissen und eine kaum verständliche Sprache hören ließen. Da zeigte ein Mann die Herstellung künstlicher Rubine unter Verwendung von Thermit, viele Jahre bevor in Deutschland eine Industrie künstlicher Edelsteine entstand. Da wurde zum erstenmal in der Urania eine elektrische Hochspannung von einer Million Volt gezeigt, und die Berliner rissen angesichts der künstlichen Blitze Mund und Nase auf. Da führte ein indischer Physiologe seine wunderbaren Pflanzenexperimente vor und zeigte, wie die Pflanzen auf die verschiedensten Gifte reagieren. Da trat schließlich sogar der Nobelpreisträger Professor von Laue auf der Bühne der Urania auf und führte seine bahnbrechenden Versuche mit Kristallen und Röntgenstrahlen vor, durch die einerseits das Wesen der Röntgenstrahlung als reine Schwingungserscheinung und andererseits die Geheimnisse der Kristallstruktur entschleiert wurden. Man kann wohl sagen, daß es in jenen Jahren auf technischem und naturwissenschaftlichem Gebiet an Sensationen und Abwechslung nicht fehlte; fast jeder Tag, zum mindesten jede Woche brachte etwas Neues, und ich hatte Gelegenheit, immer dabei zu sein ...

Dominik, Vom Schraubstock zum Schreibtisch

An der Sternwarte der Urania am Lehrter Bahnhof arbeitet übrigens als Assistent ein Student namens Alfred Wegener, der 1912 eine der wichtigsten geophysikalischen Theorien dieses Jahrhunderts vorlegt: die Lehre von der Kontinentalverschiebung, die, damals von der Mehrzahl der Geologen abgelehnt, heute glänzend bestätigt ist.

Viel besucht wird die von Friedrich Simon Archenhold ins Leben gerufene Treptower Sternwarte. Die Holzhalle, die noch aus den Tagen der Gewerbeausstellung von 1896 stammt, ist baufällig:

Die Treptower Sternwarte, das populärste wissenschaftliche Institut Berlins, hat in der ganzen wissenschaftlichen Welt einen

Städtische Lesehalle in der Glogauer Straße

guten Namen. Der Auswärtige mag bei dem Wort an einen festen Steinbau mit stattlicher Kuppel denken, in der das Getriebe des drehbaren Riesenfernrohres ruht. Er würde sehr enttäuscht sein, wenn er das Gebäude sähe. Ein dürftiger Holzbau, alt, zum Teil vermorscht, in dem die Fugen nirgends mehr ganz dicht schließen ...

Der Direktor und sein Stab arbeiten in Räumen, die ihrer unwürdig sind. Betonfußböden in den Arbeitszimmern, kaum hier und da mit einer dürftigen Decke bekleidet, Holzwände, an denen das Wasser herabsickert. Draußen auf den Treppen stehen zum Schutze lange flache Blechkästen. Sie sind zur Hälfte mit Wasser gefüllt. Es regnet überall durch ...

Eine der kostbarsten Bibliotheken Berlins ist in dem alten Bau schwer gefährdet. Oben in den beiden engen Räumen des ersten Stocks steht sie, das Lebenswerk ihres Besitzers. Über 7000 Bände, die vollzählig die astronomisch-physikalische Literatur umfassen, von den wunderlichen astrologisch-astronomischen Versuchen der Araber und Spanier an bis auf die Höhen neuester Wissenschaft.

Wer einmal eine Bibliothek mitverwaltet hat, der weiß, daß man mit alten Büchern umgehen muß wie mit Patienten, wenn man sie erhalten will. Gleichmäßige Wärme und trockene Luft sind unbedingt nötig. Und hier hat man Scheuerlappen und Tücher von Wachsleinwand unter der Decke ausspannen müssen, sonst läuft das Regenwasser in die Bücher. Es hat schon manchen Band hier verdorben.

Es ist traurig zu sehen, daß ein Institut, dessen Wert jedem greifbar vor Augen liegt, im Lande der Dichter und Denker so um seine Existenz kämpfen muß.

Berliner Tageblatt, 4. Juli 1907

Mit Spenden der freien Gewerkschaften finanziert, wird schließlich ein neuer Bau errichtet und im April 1909 festlich eingeweiht:

Das Interessanteste des ganzen Baues ist die umfangreiche, einem Dachgarten ähnelnde, mit Tischen und Stühlen besetzte und abends elektrisch erleuchtete Plattform mit dem Fernrohr. Mit diesem Riesenteleskop, das nach Archenholds Plan nur 250 000 Mark gekostet hat, während es nach der alten Methode vier Millionen gekostet hätte, ist es möglich, in zwei Minuten von einem Punkte des Himmels zum anderen zu gelangen, ohne daß der Beobachter seinen Platz zu verlassen hat und erst eine Kuppel in horizontaler Richtung mitbewegt werden muß. Da liegt der Riese, der „Löcher in den Himmel sieht", einem Kruppschen Festungsgeschütz vergleichbar, nur in den Größenverhältnissen noch mächtiger – 21 Meter lang, 70 Zentimeter Linsendurchmesser, bei den allerbesten Luftverhältnissen sechstausendfach vergrößernd. Drehpunkt, Sehpunkt und auch der

Schwerpunkt, letzterer durch Anbringung von entsprechenden Gegengewichten zu beiden Seiten, sind zusammengelegt – ein astronomisches Ei des Kolumbus! ... Von der Plattform, die reichlich 500 Personen faßt, hat man einen hübschen Ausblick auf Treptower Land und Leute. Ob mal von hier aus der rastlos denkende Menschengeist mit den vermuteten Bewohnern anderer Planeten Fühlung nehmen wird?

Vorwärts, 23. Mai 1909

Grundwissen in den wichtigsten gesellschaftswissenschaftlichen, später auch naturwissenschaftlichen Disziplinen bieten die Kurse der von Wilhelm Liebknecht gegründeten Arbeiterbildungsschule in der Grenadierstraße. 1905/06 hat diese Schule 1282 eingeschriebene Teilnehmer. Zu den Vortragenden gehören August Bebel, Clara Zetkin, Emma Ihrer, Wilhelm Foerster und Friedrich Archenhold.

In der düsteren Berliner City, in der Grenadierstraße, war das Heim der Arbeiterbildungsschule; unten, parterre, eine Art Tempel für die ärmeren orthodoxen Juden und oben, eine Treppe hoch, die Stätte, von der aus viele Jünger, mit der marxistischen Lehre etwas vertraut, in die Welt hinausgingen. Beide in den Methoden und in ihren Grundansichten ganz verschieden, aber in der tiefen Überzeugung wohl doch etwas ähnlich.

Das Wirtschaftspolitische hatte im Lehrplan den Vorrang. Max Grunwald und Julian Borchardt waren die hauptsächlichsten Lehrer. Neben diesen Lehrgängen lief noch ein sogenannter Rednerkursus. Hier wurde versucht, das Gelernte zusammenzufassen und in einem Vortrag zum Ausdruck zu bringen. Geschichtliches wurde von Konrad Haenisch und anderen behandelt. Auf dem Darwinismus aufbauend, lehrten im naturwissenschaftlichen Kursus U. C. H. Baege und in späteren Jahren Käte Duncker. Auch spezielle Fragen wurden behandelt, so unter anderen die Agrarfrage durch Dr. David. Anschließend an die Vorträge haben wir uns dann oft bis spät in die Nacht in den Lokalen um den Alexanderplatz die Köpfe heiß geredet. Ein Diskutierklub wurde gebildet, der in einem vom Transportarbeiterverband zur Verfügung gestellten Zimmer im Gewerkschaftshaus zusammenkam. Wir hatten die Worte von Grunwald beherzigt, daß wir von dem Eingetrichterten loskommen müßten, um eigene Urteile bilden und begründen zu können. Wenn wir dann in Gewerkschaftsversammlungen unsere Kenntnisse an den Mann brachten, haben wir oft den Unwillen der älteren Gewerkschafter erregt. Blut und Wasser haben wir geschwitzt bei den ersten Versuchen, uns einem größeren Kreis von Personen verständlich zu machen.

Scheel, Wanderjahre

Daß allerdings auf den marxistischen Gehalt der Vorträge an der Arbeiterbildungsschule nicht durchweg geachtet wird, zeigen die Erinnerungen Rudolf Steiners, eines „Theosophen", der trotz seiner „mystischen Inspirationen" jahrelang als Lehrer für Geschichte und Rhetorik in der Grenadierstraße tätig ist:

Ich erklärte dem Vorstande, wenn ich den Unterricht übernähme, so würde ich ganz nach meiner Meinung von dem Entwickelungsgange der Menschheit Geschichte vortragen, nicht in dem Stil, wie das nach dem Marxismus jetzt in sozialdemokratischen Kreisen üblich ist. Man blieb dabei, meinen Unterricht zu wünschen.

Nachdem ich diesen Vorbehalt gemacht hatte, konnte es mich nicht mehr berühren, daß die Schule eine sozialdemokratische Gründung des alten Liebknecht (des Vaters) war. Für mich bestand die Schule aus Männern und Frauen aus dem Proletariat; mit der Tatsache, daß weitaus die meisten Sozialdemokraten waren, hatte ich nichts zu tun ...

Schwieriger wurde für mich die Sache, als zu dem geschichtlichen Unterricht der naturwissenschaftliche hinzuwuchs. Da war es besonders schwer, von den in der Wissenschaft, namentlich bei deren Popularisatoren, herrschenden materialistischen Vorstellungen zu sachgemäßen aufzusteigen. Ich tat es, so gut es ging.

Nun dehnte sich aber gerade durch die Naturwissenschaft

meine Unterrichtstätigkeit innerhalb der Arbeiterschaft aus. Ich wurde von zahlreichen Gewerkschaften aufgefordert, naturwissenschaftliche Vorträge zu halten. Insbesondere wünsche man Belehrung über das damals Aufsehen machende Buch Haeckels: „Welträtsel". Ich sah in dem positiv biologischen Drittel dieses Buches eine präzis-kurze Zusammenfassung der Verwandtschaft der Lebewesen. Was im allgemeinen meine Überzeugung war, daß die Menschheit von dieser Seite zur Geistigkeit geführt werden könne, das hielt ich auch für die Arbeiterschaft richtig. Ich knüpfte meine Betrachtungen an dieses Drittel des Buches an und sagte oft genug, daß man die zwei andern Drittel für wertlos halten muß und eigentlich von dem Buche wegschneiden und vernichten solle ...

Ich fand, daß meine Vorträge in den Seelen manches Gute wirkten. Es wurde aufgenommen, auch was dem Materialismus und der marxistischen Geschichtsauffassung widersprach. Als später die „Führer" von meiner Art Wirken erfuhren, da wurde es von ihnen angefochten. Es ging das darauf hinaus, mich gegen den Willen meiner Schüler aus der Schule hinauszutreiben. Mir wurde die Tätigkeit allmählich so erschwert, daß ich sie bald, nachdem ich anthroposophisch* zu wirken begonnen hatte, fallenließ.

Steiner, Mein Lebensgang

Mehr als zweihundert Funktionäre der Arbeiterbewegung werden an der 1906 eröffneten Parteischule der Sozialdemokratie in der Lindenstraße in historischem Materialismus, in Wirtschaftsgeschichte und Volkswirtschaftslehre, in deutscher Geschichte und Geschichte der internationalen sozialistischen Bewegung, in Rechtsfragen und Kommunalpolitik, in Literatur und Redekunst unterrichtet.

Clara Hacker-Törber besucht die Parteischule im Herbst 1910:

Am Anreisetag fand ich mich pünktlich in Berlin, Lindenstraße 3, ein. Die Schule befand sich im 5. Hof. Das Haus war ein gewalti-

---

* Anthroposophie: eine mystische Lehre, die den Menschen durch „geistige Schau" mit übersinnlichen Welten in Verbindung bringen will.

ges Industriegebäude ... Alle möglichen Betriebe waren vertreten, unter anderen auch die Druckerei der „National-Zeitung", eines erzreaktionären Blattes. Und mitten in dieser vom Kapitalismus geprägten Umgebung befand sich die Zentrale Parteischule ...

Der 1. Oktober war ein Sonnabend. Die Schüler hatten sich nach und nach eingefunden. Wir wurden einander vorgestellt: Name, Beruf, Funktion, Wohnort. Dann wurden der Stundenplan besprochen und Organisationsfragen geregelt. Jeder Schüler sollte monatlich 125 Mark und, wenn er verheiratet war, eine entsprechende Familienunterstützung erhalten. Wir hatten davon Miete, Essen und Bücher zu bezahlen. Die Bücher konnten wir zu Vorzugspreisen kaufen. Damit war der erste Schultag beendet.

Für Sonntag war ein Ausflug verabredet. Am Bahnhof Zehlendorf fanden sich alle Teilnehmer ein. Unter Führung der Genossen Heinrich Schulz und Wilhelm Pieck fuhr unsere kleine Gruppe nach Schlachtensee und tauchte im Grunewald unter. Wir führten Gespräche, lernten uns kennen und kamen abends todmüde nach Berlin zurück.

Dann kam der erste Unterrichtstag. Mit großer Spannung erwartete ich den Unterricht bei Rosa Luxemburg. Viel hatte ich schon über ihre Vorträge gehört. Nun fand ich alles bestätigt. Rosa Luxemburg besaß große pädagogische Fähigkeiten. Mit außerordentlichem Geschick und großer Überzeugungskraft konnte sie die komplizierten Probleme der politischen Ökonomie, die Karl Marx in seinem Werk „Das Kapital" darlegt, analysieren und uns verständlich machen. Dabei bediente sie sich zur Beweisführung der neuesten ökonomischen und historischen Forschungen. Ihre „Einführung in die Nationalökonomie" entstand aus diesen Vorträgen an der Zentralen Parteischule.

Der Unterricht an der Schule beschäftigte sich mit Grundfragen des Marxismus und vielfältigen Problemen des tagespolitischen Kampfes. Neben Rosa Luxemburg, die seit 1907 als Dozentin für Wirtschaftsgeschichte und Nationalökonomie wirkte, lasen in unserem Kursus Franz Mehring über deutsche Geschichte und Geschichte der Sozialdemokratie, Arthur Stadthagen über Arbeiterrecht, Heinrich Cunow über Kulturgeschichte und Emanuel Wurm über naturgeschichtliche Probleme. Gustav Eckstein referierte über Fragen der Philosophie und Sozialkunde, und Heinrich Schulz, der Leiter der Parteischule, Lehrer von Beruf, unterrichtete in Atemtechnik und lehrte uns den Aufbau von Rede und Gegenrede, von Artikel und Schriftsatz. Hugo Heinemann, ein vielbeschäftigter Anwalt, las Rechtslehre. Er hatte es immer sehr eilig, dozierte schon, wenn er seinen Mantel noch anhatte, und kurz vor Schluß der Stunde, noch sprechend, zog er seinen Mantel wieder über und eilte davon.

Das Bemühen der Lehrer, besonders die Tätigkeit Rosa Luxemburgs und Franz Mehrings, machte die Parteischule zu einer echten Lehrstätte marxistischen, klassenkämpferischen Gedankengutes ...

Die Leitung der Parteischule sorgte zudem zusätzlich für Vorträge und eindrucksvolle Erlebnisse. So hatte Rosa Luxemburg einen Abendvortrag über Leo Tolstoi übernommen, der uns außerordentlich anregte. Durch Vermittlung Hugo Heinemanns konnten wir in Moabit einer Gerichtsverhandlung beiwohnen. Tief erschüttert waren wir von einem Lichtbildervortrag über das Berliner Wohnungselend, das uns das Proletarierleben in den kapitalistischen Großstädten deutlich vor Augen führte. Imponierend war die Besichtigung des großen Baugeländes der Berliner Untergrundbahn. Ein besonderes Erlebnis ermöglichten uns die Frauen und Mädchen des Berliner Arbeiterchors, die die Neunte Symphonie von Beethoven vortrugen. Und unvergeßlich für uns alle war eine Aufführung des Schauspiels „König Ödipus" von Sophokles, die Max Reinhardt im großen Rund des Zirkus Schumann einstudiert hatte ...

Die letzte Stunde in der Schule hatten wir bei Rosa Luxemburg. Sie legte uns noch einmal ans Herz, in unserer praktischen Tätigkeit das in der Schule Gelernte nicht zu vergessen, sondern weiter an uns zu arbeiten. Sie ermahnte uns, Tag für Tag in irgendeinem guten und lehrreichen Buch zu lesen. Gewiß wisse sie, daß große Anforderungen an uns gestellt werden würden, aber ebenso, wie der Körper Pause haben müsse, um zu essen, so müsse auch der Geist eine Pause haben, um Nahrung einzunehmen, denn nur dann könne er elastisch genug bleiben, um den Anforderungen unseres Kampfes zu genügen.

Clara Hacker-Törber, Erinnerungen

Am Engelufer wird eine Gewerkschaftsschule eingerichtet. Der Inhalt der Lehrpläne wird von den Revisionisten bewußt dem marxistischen Unterricht an der Parteischule entgegengestellt. August Winnig, führender Funktionär im Deutschen Bauarbeiterverband, Mitarbeiter der revisionistischen „Sozialistischen Monatshefte", besucht die Schule im Herbst 1906:

In der Absicht, den Führernachwuchs im eigenen Sinne zu schulen, hatten die Vorstände eine Gewerkschaftsschule eingerichtet ... Als Lehrer hatten sie zwei der Partei zugehörende, aber längst kaltgestellte Volkswirtschafter, den früheren Theologen Richard Calwer und den kenntnisreichen Dr. Max Schippel, gewonnen. Auch Eduard Bernstein, der Vater des Revisionismus, gab einige Stunden ...

Im Herbst sandte unser Verband fünfzig seiner Orts- und Gaubeamten nach Berlin; auch ich wurde vier Wochen beurlaubt, um an den Kursen teilzunehmen. Es wäre von diesem Unterricht nichts der Erzählung wert, wenn nicht Calwer und Schippel gewesen wären. Was uns sonst geboten wurde, durfte eigentlich keinem unserer Beamten fremd sein; jene zwei aber erschlossen ihren Hörern die Zusammenhänge zwischen der Wirtschaft und der Politik. Wir sahen die Erdkugel als einen gewaltigen Kampfraum, in dem sich die Kräfte der Völker begegneten und maßen. Ein Zwang, dem sich keines entziehen konnte, trieb die Völker in den Wettbewerb um die Rohstoffgebiete und Absatzmärkte der Welt. „Es geht um Herrschen oder Dienen, um Gebieten oder Gehorchen; man kann nur Hammer oder Amboß sein! Wehe dem Volke, das unterliegt, wehe seiner Arbeiterschaft!" sagte Calwer. Seine kleine zierliche Gestalt reckte sich dann hoch, und seine lebendigen Augen sahen uns eine Weile prüfend an, ob wir verstanden, was er meinte ...

Anders, nämlich von unerschütterlicher Ruhe, war Schippel

und seine Art des Vortrages. Er unterrichtete meist mit dem Statistischen Jahrbuch vor sich und beschrieb uns den Weg der deutschen Wirtschaft vom Auftreten der Maschinen an. Anders als Marx, der die antreibende Kraft im Profithunger des Kapitals erblickte, ging Schippel der Bevölkerungsbewegung nach und ließ den Siegeszug der Industrie als eine Weltnotwendigkeit erscheinen. Mehr Menschen, mehr Bedarf, mehr Gütererzeugung hieß die logische Reihe der Tatsachen, die er uns aufzeigte. Aber die Welt sei keine Gesellschaft auf Gegenseitigkeit, kein Bund, sondern eine Vielheit von Völkern und Volkswirtschaften, die um den größten Anteil an den Weltwirtschaftsgütern kämpften.

Es war in der letzten Stunde, die Schippel uns gab. Er zog noch einmal zusammen, was er in den voraufgegangenen fünfzehn Stunden gesagt hatte, und vervollständigte das Bild durch einige Bemerkungen über die Kolonialpolitik und die Seerüstungen der großen Staaten.

Da erhob sich einer von uns, es war der Gaubeamte für Hessen, Georg Thöne, und sagte: „Genosse Schippel, ich hätte eine Frage!"

Schippel hielt an, damit Georg Thöne rede.

„Wenn das so ist, Genosse Schippel, daß die Völker aus wirtschaftlichen Gründen um den Weltmarkt kämpfen müssen und daß in diesem Kampfe Kolonien und Kriegsflotten nötig sind, ist es dann nicht verkehrt, daß wir als Sozialdemokraten Kolonialgegner sind und die Flottenvermehrung ablehnen? Müßten wir dann nicht für Kolonien, für Rüstungen zur See und für die Vermehrung der Armee eintreten?"

Wir alle schwiegen und hielten den Atem an. Georg Thöne fragte, was jetzt jeder gern gewußt hätte.

Schippel rückte an seiner Brille und sagte: „Ich habe Ihnen nur die Tatsachen vorzutragen; die Schlußfolgerungen zu ziehen, ist Ihre Sache."

In diesem Augenblick trat Legien ins Zimmer.

„Ich habe euch etwas mitzuteilen. Soeben ist der Reichstag aufgelöst. Die Schule ist geschlossen. Ich wünsche euch eine gute Heimreise."

> Wir brachen verstört auf. Der Reichstag war aufgelöst, weil die Regierung in einer wichtigen Frage der Kolonialpolitik in der Minderheit geblieben war.
>
> Winnig, Der weite Weg

In seiner bereits zitierten Umfrage unter 2026 Teilnehmern der „Studentischen Arbeiterunterrichtskurse" stellt Engelbert Graf auch die Frage nach der Lektüre schöngeistiger Literatur. (Bei dem Ergebnis muß man berücksichtigen, daß diese Frage Arbeitern vorgelegt wird, denen der Erwerb von Wissen und Bildung bereits zum Bedürfnis geworden ist.) Nur 318 Befragte haben noch kein literarisches Werk gelesen. 1 708 positive Auskünfte verteilen sich wie folgt:

Es hatten gelesen Werke von:

Schiller	1 390 Hörer	Hauff	125 Hörer
Goethe	772 Hörer	Gorki	123 Hörer
Heine	556 Hörer	Chamisso	112 Hörer
Reuter	248 Hörer	Uhland	101 Hörer
E. Zola	198 Hörer	Gerhart Hauptmann	82 Hörer
Lessing	177 Hörer	Lenau	72 Hörer
Körner	161 Hörer	G. Keller	67 Hörer
Shakespeare	155 Hörer	Rosegger	59 Hörer
Freiligrath	140 Hörer	Anzengruber	57 Hörer
Tolstoi	131 Hörer	Kleist	54 Hörer
Ibsen	127 Hörer		

Graf, Die Bildung Berliner Arbeiter

Nicht überall sähe das Ergebnis so günstig aus. Josef Kliche („Die Berliner Arbeiterbibliotheken im Jahre 1909") klagt darüber, daß bei den Ausleihungen in den Gewerkschaftsbüchereien die Unterhaltungsliteratur den ersten Platz einnehme: „So zum Beispiel ist bei den Buchdruckern der stärkstgelesenste Autor Karl May."
Otto Nagel schreibt über die Lesegewohnheiten in seinem Elternhaus:

An Büchern fanden sich außer einem zwölfbändigen Lexikon, das der Vater mal aus der Brockensammlung mitgebracht hatte und das aus dem Jahre 1826 stammte, nur ein paar mit banalem Inhalt. Unsere Mutter war auf Fortsetzungsromane abonniert, Groschenhefte wie „Das Geheimnis der Kammerzofe", „Entehrt und verstoßen", die ich begeistert mitlas. Vater hatte natürlich den „Vorwärts" und den „Wahren Jacob" abonniert. An der fürchterlichen Stubentapete hing neben einem „Proletarischen Haussegen", auf dem ein ovales Foto August Bebels zu sehen und der Text „Einigkeit macht stark" zu lesen war, ein schlecht gerahmter billiger Druck ...

Wie kam ich eigentlich zum Buch, ich meine zum guten Buch? Ein paar Häuser von uns entfernt war ja die bewußte Brockensammlung. Sie war verbunden mit der sogenannten „Schrippenkirche". Die Leute von der Brockensammlung holten aus allen möglichen Häusern, besonders von den Böden, Gerümpel zusammen, das sie dann in ihren Verkaufsräumen für ein paar Groschen verkauften.

In einem großen Raum waren viele Bücher untergebracht, und man konnte schon für Pfennige eins mitnehmen. In Erinnerung geblieben ist mir ein Buch, das den Titel „Der tolle Bomberg" hatte. Das übrige, was ich gekauft habe, muß wohl in der gleichen Richtung gelegen haben. Ich glaube, daß ich meine Bücher nach den Titeln auswählte. Und so kam eines Tages ein Buch „Schuld und Sühne" in meine Hand, das ich erwarb. Ich las die ganze Nacht hindurch, bis zum frühen Morgen, bis zur letzten Seite, und war innerlich völlig erschüttert. So etwas hatte ich bisher nicht erlebt. Ich hatte Bekanntschaft mit einem ganz Großen gemacht, mit dem russischen Schriftsteller Dostojewski. Von da an spürte ich, was ein gutes Buch war. Ich ging in die Städtische Bücherei, holte mir weitere Werke des russischen Schriftstellers, später auch von anderen guten Autoren, und setzte mich ernsthaft mit den Dingen und Problemen der Welt und der Zeit auseinander. Ich begnügte mich nicht mit der Romanliteratur, sondern ging daran, Karl Marx, Friedrich Engels, August Bebel, aber auch Werner Sombart oder gar Treitschke und andere zu lesen und zu studieren. Natürlich habe ich damals nicht alles verstanden, aber ich bemühte mich sehr, die Dinge zu begreifen und so mein Wissen zu vervollkommnen.

Nagel, Autobiographische Zeugnisse

Eine wichtige Rolle bei der Befriedigung des Lesehungers spielen die städtischen Volksbibliotheken, die Bibliotheken der freien Gewerkschaften und die von Hugo Heimann in der Alexandrinenstraße 26 eingerichtete Arbeiterbibliothek, die auch sonn- und feiertags geöffnet ist. 1904 werden die Lesesäle von mehr als 67 000 Personen besucht.

Die von Theodor Glocke, später von Ernst Preczang geleitete sozialdemokratische Romanbibliothek „In Freien Stunden" veröffentlicht Werke von Gorki („Im Banne der Dämonen"), Dickens („Oliver Twist"), Andersen Nexö („Die Mär vom Glück"), Zola („Germinal"), von Droste-Hülshoff („Die Judenbuche"), Clara Viebig („Das Weiberdorf"), von Storm, Raabe, Hauff, Jules Verne und Victor Hugo.

Auch die sozialistische Presse stellt sich in den Dienst der Verbreitung wertvoller Literatur: 1905 können die Arbeiter im „Vorwärts" Balzacs „Gobseck" lesen, 1907 Gorkis „Mutter" und Upton Sinclairs „Der Sumpf", 1909 Poes „Goldkäfer" und 1912 Tolstois „Hadschi Murat".

1910 erscheint im Vorwärts-Verlag die umfangreiche Lyriksammlung „Von unten auf", die sogleich die Wut der Polizei erregt:

Am Donnerstag morgen in aller Frühe war die Berliner Polizei in der Engrosabteilung der Buchhandlung Vorwärts, um nach Diederichs Buch der Freiheit „Von unten auf" zu haussuchen. Ausbeute: fünf Exemplare! Bei Gelegenheit dieser Fahndung nach freien Liedern erfuhr man auch, in welchen Gedichten Jagows Mannen nach dreivierteljährigem Forschen eine Staatsgefährlichkeit entdeckt haben. Da ist zunächst aus dem 1. Bande Ludwig Pfaus, des alten 48er Demokraten, prophetisches Gedicht „Der Tag wird kommen"; weiter Alfred Meißners bittere Anklage gegen die herrschenden Klassen „Den Reichen". Im 2. Bande haben es nicht weniger als sieben Dichtungen der Polizei angetan; an der Spitze steht Herweghs bekanntes Bundeslied „Bet' und arbeit' ruft die Welt"; ihm folgt ein anderes Herwegh-Lied: „Die Arbeiter an die Brüder"; und endlich verfiel

Nr. 27 1914
Preis pro Heft 10 Pf. Erscheint Sonnabends

In Freien Stunden

**Eine Wochenschrift
Romane und Erzählungen
für das arbeitende Volk**

Verlag: Buchhandlung Vorwärts Paul Singer G.m.b.H., Berlin

dem Zorn der Polizei eine dritte Dichtung Herweghs: „Achtzehnter März", eine in später Zeit entstandene Erinnerung an die Märztage von 1848. John Henry Mackay ist mit drei Dichtungen: „Gesang der Arbeiter", „Wehe der Welt", am Ausgange des Jahrhunderts, und „Selbstgespräch eines Proletariers" auf den polizeilichen Index gekommen. Den Beschluß endlich bildet Pottiers „Internationale", die schon fast im gleichen Maße Gemeingut der deutschen Arbeiter geworden ist wie die Arbeitermarseillaise.

Vorwärts, 29. Dezember 1911

Die Berliner Arbeiterfamilien mit wertvoller Dramatik bekanntzumachen, haben sich zwei Volksbühnenorganisationen zur Aufgabe gestellt.

1896 hatte sich die „Freie Volksbühne" aufgelöst, weil ein fortschrittlich orientierter Spielplan infolge der Zensur nicht zu verwirklichen war. Conrad Schmidt, Emil Rosenow, Kurt Baake und andere gründen sie 1897 neu. Im künstlerischen Ausschuß sitzen Kurt Eisner, Friedrich Stampfer, Johann Sassenbach, Robert Schmidt und andere Vertreter des rechten Flügels der Partei. Die Mitgliederzahl wächst von 1900/1901: 7 500 auf 1907/1908: 14 400 und 1912/1913: 18 000. Die soziale Zusammensetzung der Volksbühnenmitglieder geht aus einer Umfrage hervor, auf die 5 000 Antworten eingehen. Es antworten 357 Tischler, 252 Arbeiter, 238 Kaufleute, 230 Buchdrucker, 142 Schneider, 132 Bildhauer, 110 Mechaniker, 110 Maschinenmeister, 102 Dreher, 96 Gürtler, 86 Buchbinder und so weiter. Unter den weiblichen Mitgliedern finden sich 405 Arbeiterinnen, 276 Näherinnen, 270 Schneiderinnen, 74 Verkäuferinnen, 41 Buchhalterinnen, 30 Modistinnen.

Von Friedrich Stampfer stammt der folgende Bericht über das Organisationsprinzip der Volksbühnen:

Der Grundgedanke der Organisation war genossenschaftlicher Art. Jedes Mitglied zahlte einen monatlichen Beitrag und erwarb damit das Recht auf den Besuch einer Theatervorstellung an einem Sonntagnachmittag. Das Mitglied konnte aber weder den

Tag noch den Platz selber aussuchen. Es bekam eine Mitteilung, wann es an der Reihe war, und mußte dann seinen Platz auslosen. Für Ehepaare gab es Doppelbilletts, die gleichfalls ausgelost werden mußten. Auf diese Weise war die Vereinsleitung von dem Risiko der leeren Häuser befreit und konnte den Mitgliedern gute Vorstellungen für die Hälfte des Preises liefern, den sie sonst für den schlechtesten Platz hätten zahlen müssen. Für diesen geringen Betrag konnten sie auch, wenn ihnen das Lotterieglück günstig war, die allerbesten Plätze bekommen. Mußten sie aber bis unter das Dach hinaufklettern, nun, dann hatten sie eben beim Ziehen Pech gehabt und waren darum nicht weniger geschätzte Gäste als die anderen.

Stampfer, Erfahrungen und Erkenntnisse

Mehrere hundert Mitglieder wirken als ehrenamtliche Organisatoren. Jahrelang führt der Kassierer G. Winkler die Geschäfte des Vereins in seiner winzigen Wohnung in Rixdorf:

Dreizehn Jahre hindurch diente meine Privatwohnung – Stube und Küche – zur Abwicklung der Vereinsgeschäfte. Von einer geregelten Arbeitszeit konnte keine Rede sein. Die Sprechzeit wurde nur von den Nachtstunden unterbrochen. Bei den regelmäßig stattfindenden Kassenrevisionen mußte erst das Kinderbett meines bei meinem Amtsantritt dreijährigen Töchterchens Lisa in die Küche getragen werden, damit den Revisoren Platz geschaffen wurde. Beim Abtransport der zahlreichen Drucksachen, Marken- und Kartenpakete in die Zahlstellen half mir nebenamtlich meine Frau. Die Drucksachen wurden zu der kleinen Lisa im Kinderwagen verstaut, und so fuhr sie, aufs engste mit dem Volksbühnengedanken verbunden, kreuz und quer durch Berlin zu den 36 Zahlstellen, die wir eingerichtet hatten.

Nestriepke, Geschichte der Volksbühne

Den Kern des Theaterangebots der Freien Volksbühne – die die Inszenierungen verschiedener Berliner Theater für ihre Mitglieder mietet –

bilden Aufführungen von Werken der deutschen Klassik und des bürgerlichen kritischen Realismus. Shakespeare, Lessing, Molière, Goethe, Schiller, Kleist, Hauptmann, Ibsen, Wedekind, Shaw, Schnitzler stehen auf dem Programm.

Zu den bleibenden Verdiensten der Freien Volksbühne gehört es, die Berliner Arbeiter auch mit bedeutenden Werken der klassischen Musik bekannt gemacht zu haben. So führt sie, zum hundertsten Todestag Friedrich Schillers, Beethovens Neunte Sinfonie mit dem Schlußchor nach Schillers Ode „An die Freude" auf:

Der Erfolg übertraf alle Erwartungen.

Die erfolgreiche Aufführung der Neunten Sinfonie bedeutet die praktische Lösung eines vielumstrittenen Problems. Zunächst hat sich gezeigt, daß der Ruf, der der Neunten Sinfonie vorausging, nämlich, daß sie überaus „schwer" sei, nicht berechtigt war und daß ein für Schönheit naiv empfängliches Publikum auch ohne geschultes Musikverständnis sehr wohl imstande ist, die Größe und Gewalt des Werkes zu empfinden. Dabei ist hervorzuheben, daß diese Veranstaltung nicht das Experiment wohlwollender „Volkserzieher", sondern das selbständige Unternehmen eines Arbeitervereins gewesen ist, wozu unmittelbar im Schoße des Vereins die Anregung entsprungen war ...

Die Berliner Freie Volksbühne umfaßt 10000 Mitglieder. Etwa ein Viertel davon hatte sich bei einem Eintrittsgeld von 80 Pfennig zu dem Feste eingefunden. Indes konnten die Zahlstellen der Nachfrage nicht genügen, es ist darum sehr wahrscheinlich, daß die Aufführung in der allernächsten Zeit auf Wunsch der Mitglieder wiederholt werden wird. So ist auch die ökonomische Grundlage der Veranstaltung völlig solide; sie ruht ganz und gar auf der eigenen Kraft der Arbeiter.

Wie oft wird der Arbeiterbewegung von den Satten vorgeworfen, sie betrachte das soziale Problem als eine „bloße Magenfrage". Hier ward der deutliche Beweis dafür geliefert, wie sehr die Arbeiterschaft in ihren Kämpfen nach Höherem strebt als nur nach Brot allein. Brot für alle, das bedeutet für sie Gesundheit, Reinlichkeit, Schönheit und Wissen für alle. Das Lied an

Große öffentliche
Volks-Versammlung

Heute Montag,
den 13. Mai, abends 8½ Uhr, in den

Konkordia-Festsälen, Andreasstraße No. 64.

Die im Schatten leben

Der Polizeikampf gegen die Freie Volksbühne.

Referent: Reichstagsabg. **Dr. Ludwig Frank**

Diskussion.

Auf zum Protest!

Der Einberufer **G. Winkler**, Berlin SO. Michaelkirchplatz No. 2

die Freude, mit dessen hallenden Rhythmen die Neunte Sinfonie endet, klingt ihnen entgegen als ein Lied der Sehnsucht und Verheißung!
Vorwärts, 23. März 1905

1910 stellt Jagow die Freie Volksbühne unter Polizeiaufsicht. Einem bürgerlichen Journalisten erklärt er, diese Maßnahme diene „dem Schutz der Mitglieder vor Feuersgefahr". „Geschützt" wird das werktätige Publikum allerdings nicht vor einem Theaterbrand, sondern vor dem Bergarbeiterdrama „Die im Schatten leben", das der sozialdemokratische Redakteur Emil Rosenow geschrieben hat:

Ihrer namens des Vereins Freie Volksbühne eingelegten Beschwerde gegen das Verbot der öffentlichen Aufführung des Stückes „Die im Schatten leben" von Emil Rosenow vermag ich nicht stattzugeben.

Nach dem Inhalt des Stückes steht außer Zweifel, daß die darin gegebene Schilderung des Bergarbeiterloses eine gewisse Allgemeingültigkeit beansprucht und daß die darin auftretenden Personen danach weniger als Einzelpersonen, sondern als Vertreter gewisser Gesellschaftsgruppen in Betracht kommen. Von diesem Standpunkt muß es Bedenken erregen, daß den Kreisen des Unternehmertums und der Werkverwaltung durchweg eine Gesinnung unterlegt wird, welche auf eine gewissenlose Ausnutzung der wirtschaftlichen Abhängigkeit und der Notlage der Bergarbeiter und ihrer Angehörigen herauskommt. Ihre Höhepunkte erreicht diese Tendenz in der während der Beerdigung der verunglückten Bergarbeiter spielenden Verführungsszene und in dem gegen die Angehörigen der Verführten später ausgeübten Zwange, sich mit der lügenhaften Darstellung des Verführers abzufinden. Wenn derartige Vorgänge einer hauptsächlich aus Arbeiterfamilien bestehenden Zuhörerschaft nicht etwa als Einzelerscheinungen, sondern als Vorfälle vorgeführt werden, die für die Behandlung des abhängigen Arbeiters und seiner An-

Umseitig: Billettverlosung in der Neuen Freien Volksbühne, 1901

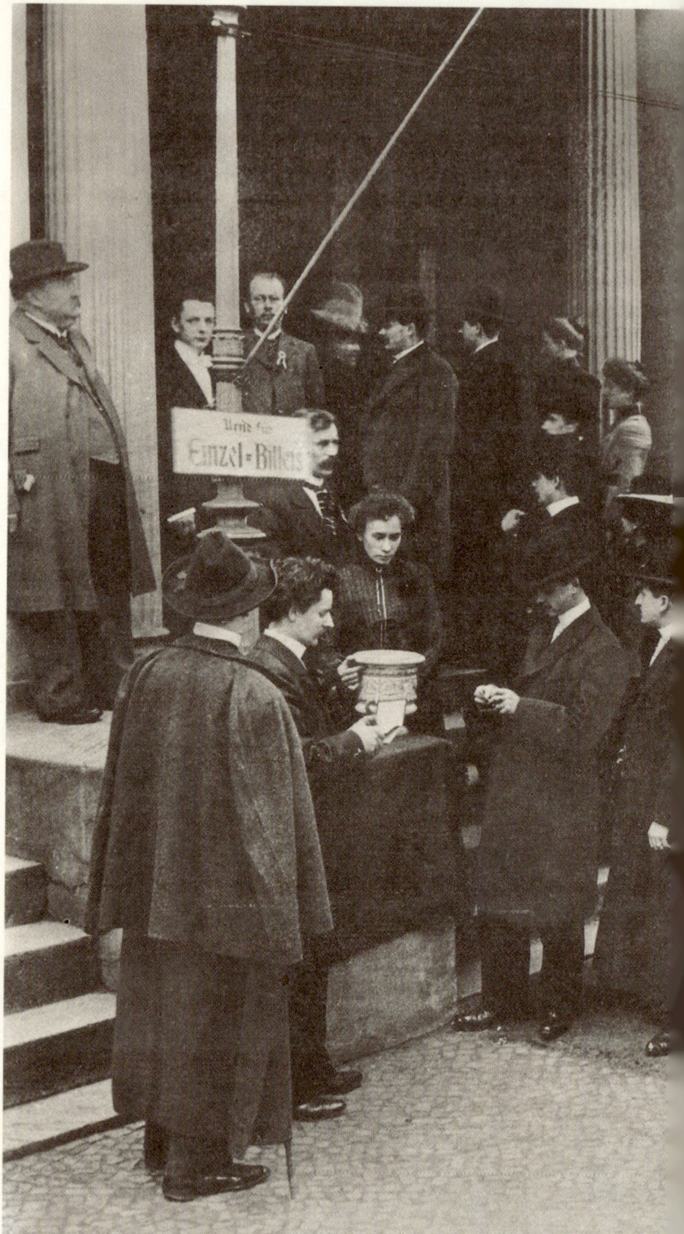
Einzel-Billets

Urne für
Doppel=Billets

Urne für
Einzel=Billets

gehörigen typisch seien, so muß notwendig in den Zuhörern ein ingrimmiger Haß gegen bestimmte Stände und Gesellschaftsgruppen hervorgerufen werden, dessen Entladung bei geeigneter Gelegenheit erwartet werden kann ...

I. A.: v. Gneist

Vorwärts, 23. August 1912

Die „Neue Freie Volksbühne", von dem Schriftsteller und Naturphilosophen Bruno Wille geleitet, kann ihre Mitgliederzahl noch rascher steigern. 1900/01 rekrutiert sie 1000, 1905/06 bereits 10000, 1912/13 bereits 50000 Mitglieder. Sie mietet Vorstellungen des Schillertheaters, des Deutschen Theaters, des Neuen Theaters, des Hebbeltheaters. Da die von der Neuen Freien Volksbühne organisierten Nachmittagsvorstellungen für die ständig wachsende Zahl der Mitglieder nicht mehr ausreichen, pachtet der Verein 1910 das Theater in der Köpenicker Straße, in dem einst Wolzogens „Überbrettl" seßhaft war.

Neben den Theateraufführungen organisiert die Neue Freie Volksbühne „Lebende Bilder" im Krollschen Etablissement und Kunstabende mit Vorträgen über das Leben Heines, Schillers, Mozarts, Beethovens, Wagners. Die Neue Freie Volksbühne lädt Richard Strauss zu einem Konzert vor Arbeitern in den Berliner Osten ein. Leo Kestenberg gewinnt die Schauspielerin Tilla Durieux für eine literarische Matinee:

Der einzige probenfreie Vormittag war Sonntag. Ich fuhr mit ihm nun Sonntagvormittag in die Hasenheide, eine Arbeitergegend, und nach anderen Vororten Berlins, wo sich die großen Versammlungssäle befanden. Das Programm stellten wir sehr sorgfältig zusammen, in dem Bestreben, nur das Beste zu bieten. Zuerst war ich sehr befangen, mehr als im Theater, als ich aber sah, mit welcher Dankbarkeit und mit welchem Interesse die Arbeiter unsere Leistungen aufnahmen, machte es mir bald ein großes Vergnügen. Kaum einen Sonntag ließ ich ohne einen Ausflug in die Arbeiterviertel vergehen. Das dauerte an, bis der Krieg diese Veranstaltungen unterbrach ... Wir wählten Melodramen, und Kestenberg begleitete mich, ich rezitierte Goethe, Schiller, Dehmel, Herwegh, Chamisso. Dazwischen spielte Kestenberg klassische Musik. Nach einem solchen Vortrag kam eine unscheinbare Frau auf mich zu und fragte mich: „Warum tun Sie das?" – Ich war erschrocken, denn meine Kollegen ließen es nicht an bissigen Bemerkungen fehlen, so daß ich wieder Vorwürfe befürchtete. Als ich sagte, daß es mir eben Spaß mache, lächelte sie mich an und sagte: „Ich bin Rosa Luxemburg." Das war der Anfang einer Reihe von Zusammenkünften mit dieser großen Frau, die ich allerdings geheimhielt, um nicht noch mehr auf mein schuldiges Haupt zu laden. Einmal lernte ich durch sie auf einer Versammlung flüchtig Karl Liebknecht kennen. Während des Krieges konnte ich sie im Gefängnis über Kestenberg unterstützen, und ihr schreckliches Ende war ein großer Schmerz für mich.

Tilla Durieux, Eine Tür steht offen

Die Pachtforderungen der bürgerlichen Theaterunternehmer erhöhen sich von Jahr zu Jahr. So beschließt die Neue Freie Volksbühne, ein eigenes Theater zu errichten. Ab 1909 werden Zuschläge auf die Mitgliedsbeiträge und mit sechs Prozent verzinste „Baumarken" eingeführt. 1911 kann ein Grundstück im ehemaligen Scheunenviertel erworben werden. Ein Kartellvertrag der beiden Volksbühnen und städtische Hypothekengelder retten das Vorhaben vor der Baukrise, die 1911/12 so viele andere Berliner Großbauten in die Pleite reißt. Am 14. September 1913 ist Grundsteinlegung:

Es war ein prächtiger Herbsttag, an dem die Grundsteinlegung des Theaters am Bülowplatz vor sich ging. Tausende hatten sich versammelt, um dem festlichen Akt beizuwohnen. Von behördlichen Stellen hatte freilich nur die Stadt Berlin Vertreter entsandt. Das offizielle Preußen-Deutschland stand der Volksbühne noch mit viel zu großem Mißtrauen gegenüber ... Dafür waren von den Organisationen der Bühnenschriftsteller und der Schauspieler Delegierte erschienen, um der Grundsteinlegung beizuwohnen.

Die Feier wurde eröffnet mit dem Lied „O Schutzgeist alles Schönen, steig hernieder", das der Gesangverein „Typographia"

vortrug. Dann ergriff Georg Springer, schon damals Vorsitzender des Vereins, als erster das Wort. Was er sagte, wirkt heute noch so lebendig wie damals. In einer Zeit, als es außerhalb Berlins noch kaum irgendwo eine Volksbühne gab, bekannte er sich zu der Überzeugung, daß dem Volksbühnengedanken eine große Zukunft bevorstehe ... „Mitten in das Herz des arbeitenden Volkes, abseits von den Gegenden des Genusses stellen wir unser Theater, in vollem Bewußtsein und mit der Absicht, daß es allezeit dem Volke dienen soll, wie unsere Bewegung aus dem Herzen des Volkes gewachsen ist." ...
Dann sprachen die Gäste der Neuen Freien Volksbühne. Zunächst Dr. Conrad Schmidt, damals Vorsitzender der mit der Neuen Freien Volksbühne im Kartellvertrag stehenden Freien Volksbühne ... Es folgte Bruno Wille, der einst den Aufruf zur Gründung der Berliner Volksbühne erlassen hatte ... Nun taten Oskar Kaufmann als Bauleiter, Heinrich Neft als Geschäftsführer der Neuen Freien Volksbühne, taten Vertreter der Ordnerschaft, der Vereinsverwaltung und der Vereinsmitgliedschaft ihre Hammerschläge und brachten dem Bau ihre guten Wünsche dar. Dann schloß Schillers „Lied an die Freude", das Bruno Wille schon zitiert hatte, vorgetragen wieder von der „Typographia", ergreifend die unvergeßliche Feier.
Die Volksbühne, 9/1928

Keine Feier, kein Fest der Berliner Arbeiterbewegung ist um die Jahrhundertwende ohne Mitwirkung der Arbeitersänger vorstellbar. Die Arbeitergesangsvereine treten zu den Gedenktagen der Revolution von 1848 und der Pariser Commune, zum 1. Mai, zum Todestag von Karl Marx, zu den Frühlings-, Sommer-, Herbst- und Winterfeiern und zu den Stiftungsfesten der Wahlvereine auf.
88 Vereine mit 123 Männerchören, 9 Frauenchören und einem gemischten Chor gehören 1913 dem Gau Berlin des Arbeitersängerbundes an. Den rund 6300 Mitgliedern stehen 94 Klaviere, 32 Geigen und eine Harmonika zur Übung zur Verfügung, wie man der „Deutschen Arbeitersängerzeitung" entnehmen kann.

Auf nach Friedrichshagen! So lautete am Sonntag die Parole für Tausende von Arbeiterfamilien. Dort an den waldbekränzten Ufern des Müggelsees feierte der Arbeiter-Sängerbund sein zwölftes Sängerfest ... Zug auf Zug rollte nach Friedrichshagen, einer immer voller wie der andre. Dampfer und Boote waren bis auf den letzten Platz besetzt. Fuhrwerke aller Art hatte man als Transportmittel benutzt, sogar Möbelwagen waren entsprechend ausstaffiert, um die Festteilnehmer zu befördern. Nach ungefährer Schätzung dürften mindestens 35 000 Personen auf dem geräumigen Festplatz gewesen sein. An der Fähre nach dem Müggelschloß zu staute sich die Menge zeitweise zu Tausenden. Das war nicht mehr die übliche „drangvoll fürchterliche Enge", nein, das Gedränge war mitunter geradezu beängstigend. Sorgende Mütter, die ihre Kleinen mitgenommen hatten, mögen diese Drängerei wohl mehr als Strapaze, denn als Vergnügen empfunden haben – und nicht nur die Mütter allein. Dennoch, drüben in dem schattigen Walde entschädigte sich die Masse mit echtem Arbeiterhumor dann von den ausgestandenen Unannehmlichkeiten. Bald glich der Wald einem mächtigen Heerlager. Kaum ein freies Plätzchen bis zum Müggelstrande herunter gab es, wo es sich nicht Freundes- und Familienzirkel bequem gemacht hatten. Hier wurde Kaffee und Kuchen „gepräpelt", dort ein Bierfaß belagert, auf einem andren Fleckchen Skat gedroschen; Karussells, Schaukeln und Rutschbahn wurden von der Jugend mit Beschlag belegt, und verstreut unter der Menge hatten sich die einzelnen Gesangsvereine gruppiert, wo sie das Publikum durch ihre Lieder erfreuten. Wer sich auf oder auch im Wasser erholte, dem stand der Schwimmerbund mit Rat und Tat zur Seite, und zur Hilfeleistung bei Erkrankungen oder Unglücksfällen hatte sich die Arbeiter-Sanitätskolonne unter Leitung zweier Ärzte dem Publikum zur Verfügung gestellt. Den Glanzpunkt des Festes bildete nach dem imposanten Festzuge der gemeinschaftliche Massengesang der Vereine. Etwa 1 200 Sänger nahmen daran teil, und machtvoll brauste der Gesang über die weite Halde, ein liebliches Echo in den dichten Baumgruppen hervorrufend.

Vorwärts, 11. August 1903

Wer heute in den Liederbüchern blättert, deren sich die Arbeiterchöre bedienten, muß Hermann Dunckers kritischer Einschätzung zustimmen: „Die überwiegende Mehrzahl der üblichen Programmnummern hat mit der Gefühlsstimmung des im Kampfe stehenden Proletariats auch nicht das geringste zu tun. Aus dem Bürgertum sind diese Gefühlsduseleien bis ins Proletariat durchgesickert, und es tut not, daß hier ein fester Damm aufgeworfen wird." (Lieder-Gemeinschaft, 1902)

Aber es ertönt auch das revolutionäre Arbeiterlied, wie etwa das bekannte „Bet und arbeit" mit den Zeilen: „Mann der Arbeit, aufgewacht / und erkenne Deine Macht! / Alle Räder stehen still, / wenn Dein starker Arm es will ... / Brecht das Doppeljoch entzwei, / brecht die Not der Sklaverei! / Brecht die Sklaverei der Not! / Brot ist Freiheit, Freiheit Brot!"

In jeder nationalen Kultur gibt es, wie Lenin 1913 schreibt, „Elemente einer demokratischen und sozialistischen Kultur", „denn in jeder Nation gibt es eine werktätige und ausgebeutete Masse, deren Lebensbedingungen unvermeidlich eine demokratische und sozialistische Ideologie erzeugen". Aufgabe der Arbeiterbewegung ist es, alle Werte und Werke der nationalen Kultur zu bewahren und zu pflegen, in denen Ideale der Demokratie und des Humanismus wirksam sind. Und Aufgabe der Arbeiterbewegung ist es in besonderem Maße, alle jene künstlerischen Werke zu fördern und zu verbreiten, die, aus den Erfahrungen der Arbeiterklasse heraus geschaffen, von sozialistischem Geist getragen sind.

1904 erscheint in Berlin ein Gedichtband des Fabrikarbeiters Otto Krille („Aus engen Gassen"), dem Clara Zetkin ein Vorwort voranstellt. Gedichte schreibt die Arbeiterin Emma Döltz, die der Berliner Kinderschutzkommission angehört. Ernst Preczang veröffentlicht Erzählungen („Die Glücksbude", 1903) und Volksstücke („Im Hinterhause", 1903; „Die Polizei als Ehestifterin", 1909; „Der Teufel in der Wahlurne", 1909). 1908 erscheint ein Sammelband seiner Lyrik unter dem Titel „Im Strom der Zeit": „Ein prächtiges Buch, dem wir gerne einen Platz auf recht vielen Weihnachtstischen von Arbeiterfamilien eingeräumt sehen möchten. Der Verfasser hat seine Lieder wirklich aus dem Strom der Zeit geschöpft." (Mehring)

Ein wichtiger Teil der proletarischen Literatur sind die Arbeiter-Autobiographien. August Bebel schreibt die dreibändige Selbstbiographie „Aus meinem Leben". Paul Göhre gibt eine Reihe von proletarischen Selbstbiographien heraus. Franz Rehbein, Lokalberichterstatter des „Vorwärts", schildert im „Leben eines Landarbeiters" die Durchreise eines Transports landwirtschaftlicher Saisonarbeiter durch Berlin:

In Schneidemühl nahmen uns die berüchtigten ostpreußischen IV.-Klassewagen auf; kleinfenstrig, niedrig, dreckig. Jeder suchte sich Platz, so gut er ihn fand. Bald war der Waggon so dick vollgepfropft, daß wir uns kaum rücken noch rühren konnten. Alles hockte auf seinen Kisten, Kästen oder Säcken im trautesten Durcheinander. Man sprach von der Zukunft, man sang, man rauchte, schnupfte und – trank. In kurzer Zeit herrschte in dem Raum eine Luft zum Schwindeligwerden ...

Die Zahl der Stationslichter mehrte sich jetzt zusehends. Abwechselnd steckten wir die Köpfe aus den Wagenfenstern und blickten nach vorwärts, dem hauptstädtischen Lichtmeer entgegen. Ausrufe des Staunens und der Überraschung: So viel Lichter gab's wohl in ganz Hinterpommern nicht, als wie uns hier im Fluge entgegenleuchteten. Dann mäßigte der Zug seine Fahrt und hielt kurz darauf in einer mächtigen Halle.

Berlin – Schlesischer Bahnhof! riefen die Schaffner. Berlin – Polnischer Bahnhof! echote es von irgendeinem Witzbold dazwischen. Alles stieg aus und folgte dem Agenten nach dem großen Wartesaal IV. Klasse. Halb neugierig, halb mitleidig betrachteten uns die Passanten. „Schon wieder 'n Haufen Polacken", hieß es ...

Wir Pommern und Westpreußen waren durchaus nicht die einzige Kolonne von Sachsengängern in diesem gewaltigen Raum. Schon vorher hatten die Züge mehrere Schwärme von Landsleuten aus Ostpreußen und Schlesien gebracht, dazu wirkliche Kassuben, Masuren, Litauer, Polen, Böhmaken, Galizier, ja sogar Ungarn und Slowaken, die nun gleich uns der Weiterbeförderung harrten. Es war, als hätten sich hier die Landarbeiter von ganz Ostelbien, der Wasserpolakei und Walachei ein internationales Stelldichein gegeben.

Da drängten sich Männer und Frauen aller Altersklassen, vom jüngst ausgeschulten Knaben und Mädchen bis zum bejahrten Ehepaar bunt durcheinander. Einen verblüffenden Eindruck machten auf mich die verschiedenartigen Trachten und Kopfbedeckungen. Man sah Männer in dem grauen „Eigengewebten" mit dem charakteristischen Dorfschnitt, andere in kurzen Joppen oder langen Tscherkessenröcken, wieder andere in Schafspelzen, deren unbenähte, fettglänzende Lederseite nach auswärts gekehrt war, Männer in Pumphosen und leinenen Knieschürzen. Alles mehr oder minder abgetragen, geflickt, strapaziert ... Dieser allgemeinen Armseligkeit entsprach auch die Fußbekleidung. Stiefel und Schuhe der unmöglichsten Sorten, schief und grade, mit Holzsohlen, polnischem Kropf oder Harmonikafalten, lang und plump wie ausgelatschte Trainpumper. Ja, die Söhne Galiziens und Ungarns hatten zum Teil überhaupt kein Leder an den Beinen, sondern gingen einher in den unaussprechlichen slowakischen Mausfallenmachersandalen, die mit kreuzweis um Fuß und Waden geschnürtem Bandwerk festgehalten wurden ...

Das Gepäck war bei Polen und Galiziern fast dasselbe wie bei Ostpreußen und Pommern. Allesamt verfügten sie über nur das gleiche Häufchen Armut in ihren Bündeln und Kästen. Daher kam es wohl auch, daß wir uns trotz der Nationalitäts- und Sprachunterschiede bis zum gewissen Grade zueinander hingezogen fühlten ...

Nach einigen Stunden rief uns der Agent und teilte uns mit, daß mehrere Rollwagen bereitständen, auf denen unsere Kisten und Säcke nach dem Lehrter Bahnhof überführt werden sollten, von wo die Weiterreise erfolgen mußte. Es ging alsbald ans Aufpacken unserer „nationalen Güter" ...

Unsere Wanderung nach dem Lehrter Bahnhof dauerte eine ganz geraume Zeit; schade nur, daß sie sich bei Nacht und Nebel vollzog. Wir bekamen mithin von Berlin weiter nichts zu sehen wie eine Reihe von Straßen und hohen Häusern, die alle ziemlich tot und still dalagen. „Nicht einmal den Kaiser kriegen wir zu sehen", meinte einer so recht wehmütig. „Na dann seht ihr wenigstens Berlin bei Nacht", lachte der Agent.

Auf dem Lehrter Bahnhof verging unserem Agenten aber das Lachen. Er hatte in der Wartehalle nämlich zu seinem Schmerze feststellen müssen, daß ihm unterwegs vier junge Leute entlaufen waren. Auch ihr Gepäck war verschwunden. Alles Fluchen darüber, daß es so grundschlechte Menschen geben könne, die ihn auf diese Weise um das Reisegeld prellten, nützte nichts; die Übeltäter kehrten nicht wieder ... Frühmorgens dampften wir dann nach Hamburg zu.

Rehbein, Das Leben eines Landarbeiters

Am Anfang der sozialistischen Dramatik stehen einfache Szenenfolgen, in denen aktuelle Erfahrungen des politischen und sozialen Kampfes in lebendigen Dialogen beleuchtet werden.

„Manchmal wurde ich von den Eltern mitgenommen zu Aufführungen des Arbeitertheatervereins ‚Fröhliche Proletarier‘, wo meine älteren Brüder mitwirkten. Dort wurden Stücke gespielt, die mich vom Inhalt her außerordentlich interessierten. Manchmal war es der ehrliche alte Tischler, der an der Hobelbank stand und sein Lied sang und der es verstand, der neugierigen Polizei ein Schnippchen zu schlagen, oder ein proletarischer Philosoph, eine Art Eckensteher Nante, der seine Philosophie auf geschickte Weise proletarisch verbrämt zum besten gab." (Otto Nagel)

Der sozialdemokratische Verleger Adolph Hoffmann führt in seinem Katalog fast vierhundert solcher Dialoge, Szenen und Dramen auf. Die amtlichen Anfragen aus allen Ecken und Enden Deutschlands, welche sozialistischen Stücke nun eigentlich verboten seien und welche nicht, beantwortet die Politische Polizei am Alexanderplatz der Einfachheit halber anhand der Nummern des Hoffmannschen Katalogs:

Seite 8	No. 251	„Eine lustige Flugblattverbreitung." Verboten ...
Seite 10	No. 353	„Gewalt geht vor Recht." Untersagt ...
Seite 10	No. 357	„Der Onkel aus Amerika." Verboten 18. August 98 ...
Seite 13	No. 363	„Die heilige Ehe." Verboten ...

Seite 13   No. 364   „Der Vagabund." Eignet sich nicht zu öffentlichen Aufführungen ...
Seite 13   No. 366   „Oh diese Sozialisten." Verboten ...
Seite 22   No. 368   „Ein Musterpfaffe." Verboten.

StA Potsdam, Akten des Polizeipräsidiums

Ende Januar 1900 zieht der sozialdemokratische Journalist Emil Rosenow nach Berlin. 1902 beendet er hier die Komödie „Kater Lampe". Christian Gaehde in der Einleitung zu Rosenows „Gesammelten Dramen", die 1912 in Berlin erscheinen:

Diese Komödie, die beste unserer ganzen neueren Literatur, entstand gewissermaßen nebenher, als der Dichter der meistbeanspruchte Parteiredner Berlins war. Kam er des Abends gegen zehn oder elf Uhr aus seinen Versammlungen nach Hause, so hatte er noch Kraft und Energie genug, dies lebenssprühende, witzige, humorvolle Werk abzufassen. Ein Entwerfen seiner Dramen, ein Anlegen von Plänen und Szenarien kannte er nicht. Er war, sobald es zur Niederschrift kam, innerlich mit dem Durchbilden und Gestalten völlig fertig und konnte so Akt für Akt und Szene für Szene hintereinanderweg schreiben. Seine plastische Phantasie sah alles deutlich und scharf umrissen, sein intuitives Erfassen der feinsten Regungen auch einer komplizierten Natur ließ ihn auch nicht den kleinsten Zug in der Komödie verfehlen. Sie spielt im sächsischen Erzgebirge und baut sich in prächtig komischer Steigerung auf einer ganz einfachen Fabel auf. Der Gemeindevorstand Ermischer, ein in die Höhe gekommener Bauer, ist vollkommen unfähig, die Gemeindegeschäfte genügend zu verwalten. In seinem Hause wie in seinem Dorfe geht es drunter und drüber. Ein Kater treibt sein Unwesen, bringt die Weiber der ganzen Ortschaft in Verzweiflung und jungt zu guter Letzt im Pelze der Frau Spielwarenverleger Neubert. Das geht zu weit ... Direktor Halm, den Rosenow als Vorstandsmitglied der Freien Volksbühne kennengelernt hatte, führte die Komödie am 2. August 1902 zum ersten Male im Breslauer Sommertheater auf. Im Herbst 1903 spielte er sie im

Berliner Theater 27mal. Dann übernahm sie das Lessingtheater, und seitdem hat man sie, immer mit starkem Erfolg, auf allen größeren Bühnen Deutschlands gegeben. Dieses Werk Rosenows im Repertoire zu halten ist nicht nur eine Ehrenpflicht unserer großen Bühnen, es ist auch ein gutes Geschäft, das kein geschickt geleitetes Bühnenunternehmen sich entgehen lassen sollte.

Als Rosenow die ersten Tantiemen für den „Kater Lampe" erhielt, war er schon todkrank. Ein Gelenkrheumatismus warf ihn im Januar 1904 nieder. Sein rastlos für alles Große und Gute im Menschen schlagendes Herz vermochte dem Ansturm der tückischen Krankheit nicht zu trotzen. In Fieberphantasien, mit seinem letzten Drama „Die Hoffnung des Vaganten" immerzu beschäftigt, starb er am 7. Februar 1904 in Schöneberg bei Berlin. Seine letzten Worte waren, von immerwährenden Schlägen auf das heftig arbeitende Herz begleitet: „Das ist die Stelle, wo die Erde lebt." Auf dem Schöneberger Gemeindefriedhof wurde er unter der tiefsten Teilnahme der gesamten Berliner Arbeiterbevölkerung begraben. Auf seinem Grabstein stehen die Worte: „Ein Sohn des Volkes wollt er sein und bleiben."

Rosenow, Dramen

Ganz in den Anfängen steckt noch die Entwicklung einer proletarischen bildenden Kunst. Otto Nagel schildert in seinen Erinnerungen, wie schwer es ein begabter Arbeiterjunge hat, sein gestalterisches Talent auszubilden:

Meine Schulentlassung stand vor der Tür. Es wurde zu Hause als selbstverständlich betrachtet, daß ich nun als Arbeitsbursche Geld verdienen würde. Die Mutter, mit ihren sieben Mark Kostgeld, die sie in der Woche vom Vater erhielt, wovon sie noch die Miete zu bezahlen hatte, rechnete bereits mit dieser lang erwarteten Geldeinnahme. Da ereignete sich etwas, das meinem Leben eine Wendung gab ... Herr Hölzelmeier ließ von meinem Vater für seine Kinder eine Puppenstube bauen, und ich durfte dafür kleine Wandbilder malen. Bei der Ablieferung war Hölzelmeier von diesen Bildchen ganz begeistert, und als er erfuhr, daß ich der Hersteller war, ließ er sich von mir Zeichnungen und Aquarelle zeigen, was zur Folge hatte, daß er mich zu Professor Bruno Paul führte, der damals Direktor der Königlichen Kunstgewerbeschule in Berlin war. Das war für mich ein großer Tag, als ich mit Hölzelmeier zusammen das Gebäude der Kunstgewerbeschule in der Prinz-Albrecht-Straße betreten durfte. Oben auf dem Korridor hörte ich die helle Stimme eines Tenors, die aus irgendeinem Zimmer kam. Der Sänger war Professor Bruno Paul, vor dem ich dann bald stand und der Gutes über meine Blätter sagte und mir auch eine Freistelle an der Schule anbot. Aber ich mußte vorher ein Kunsthandwerk erlernen; lernen bedeutete aber, auf das Geldverdienen verzichten. Ich weiß nicht, wie Herr Hölzelmeier es fertigbrachte, meine Eltern zu überreden. Ich wurde Glasmalerlehrling bei Gottfried Heinersdorff, der „Ersten Berliner Glasmalerei- und Mosaikwerkstatt" ...

Bei Heinersdorff war ich als Lehrling ein schlecht bezahlter Hausdiener. Die Glasmaler trugen Samtjacketts, Flatterschlipse und Hüte mit breiten Krempen, unter denen hinten die Haare als Mähne herauswuchsen. Sie fühlten sich als „Künstler" und sagten „Sie" zueinander, im Gegensatz zu den Bleiverglasern im Nebenraum, die sich duzten, gewerkschaftlich organisiert waren und mehr verdienten als die Maler ...

Am 1. Mai demonstrierte ich mit den Glasern, während die „Künstler" vollzählig zur Arbeit erschienen waren. Das war eine Selbstverständlichkeit, denn in meinem jungen Leben hatte es noch keinen Ersten Mai gegeben, wo ich nicht mit den Eltern zusammen die Maifeier beging, schon als Säugling war ich ja dabei. Diesmal ging es anders aus. Am zweiten Mai empfing mich Meister Benz mit einer Ohrfeige, was zur Folge hatte, daß ich die Lehre vorzeitig beendete und damit das Recht verlor, von der Freistelle an der Kunstgewerbeschule Gebrauch zu machen. Bruno Paul, mit dem ich dann viel später unter vollkommen anderen Umständen freundschaftlich zusammenarbeitete, hat wohl niemals erfahren, was sich damals ereignete. Meine Eltern waren nicht sonderlich böse, und ein paar Tage später saß ich in der Gormannstraße auf dem Arbeitsnachweis für ungelernte jugendliche Arbeiter. Es war damals gar nicht so einfach, Arbeit zu bekommen. Aber meine „Vorbildung als Künstler" brachte es mit sich, daß ich als Lackierer von Haushaltwaren und sonstigen Wirtschaftsartikeln im „Alexanderwerk" Arbeit bekam ... In den nachfolgenden Jahren arbeitete ich in allen möglichen Betrieben und Berufen: als Glassprenger, Transportarbeiter, als Verbleier, Riemensattler und was weiß ich noch alles. Und offen gestanden, ich habe diesen Wechsel und das Nichtbesuchen der Kunstgewerbeschule nie bedauert. Ich war ein Arbeiter unter Arbeitern und lernte so das Leben gründlich kennen. Ich zeichnete unaufhörlich die Köpfe meiner Kollegen. Sonntags ging ich in die Parkanlagen, auf die Rummelplätze und in die Vorstadtlokale. Jeden Pfennig, den ich erübrigen konnte, verbrauchte ich für Mal- und Zeichenmaterial ...

Meine proletarische Welt zu gestalten mit all ihren Schwächen und all ihren Stärken, den Leiden, Schicksalen und Forderungen ihrer Menschen war für mich ein Bedürfnis. Ich mußte aber auch feststellen, daß ich oft mehr und anders sah als meine Freunde. Was die für schön hielten, kam mir meist langweilig und bunt statt farbig vor. Oft sagten sie beim Betrachten meiner Arbeiten: „Nanu, das hab ich ja gar nicht gesehen, aber wirklich, es ist so."

Nagel, Autobiographische Zeugnisse

Im Winter 1909/1910 veranstaltet der Berliner Arzt Adolf Levenstein in der Potsdamer Straße eine Ausstellung von Bildwerken, die von Arbeitern gezeichnet und gemalt worden sind. „Höchst interessant", schreibt Käthe Kollwitz in ihr Tagebuch.

Man bekam die Einladung und fragte verblüfft: Was ist das? Man ging hin und sah, grenzenlos überrascht, eine Welt sich öffnen, von der man nichts gewußt hatte. Eine Welt von einem unerhörten Reichtum, einer seltsamen Kraft und einer ergreifenden Schönheit. Eine Welt der stürmischen, gierigen, leidenschaftlichen Sehnsucht. Davon war nichts zu uns gedrungen, daß im Proletariertum, das so viele ungenutzte Gaben und Energien birgt, auch eine solche Fülle künstlerischen Wollens und Könnens der Erlösung harrt ...

Levenstein berichtet, daß er die Exempel künstlerischer Betätigung lediglich in den Kreisen der sozialdemokratisch organisierten Arbeiterschaft angetroffen habe ... In diesen Bildern, Skizzen, Karikaturen, Phantasien brechen die Knospen naiver Talente auf, die ohne die Befruchtung durch den Sturm und das Gewitter der Arbeiterbewegung wohl verkümmert wären. Freilich, es fehlt nicht an Beweisen der Verbildung, der Ernährung mit allzu schwer verdaulicher (und auch unverdaut gebliebener) geistiger Speise, der Frühreife und übergroßen Schnelligkeit der Entwickelung. Viele machen hastend nach, was sie etwa auf Ausstellungen, vielleicht auch nur in Schaufenstern, gesehen haben. Einer tüpfelte sogar neoimpressionistisch drauf los, daß es nur so eine Art hatte; nicht unbegabt, aber doch so, daß man fühlte: hier steht es wie mit einem frühreifen Talent, das nicht weiterkommen wird. Aber andere wissen, wie man Anregungen in sich verarbeiten kann, daß sie mit dem Persönlichen zusammenwirken. Wieder andere stürmen ganz primitiv vor, völlig ohne Einflüsse und ohne Vorbilder, rein dem Drängen ihrer natürlichen Begabung folgend ...

Wochenlang kümmerte sich kein Mensch um diese Ausstellung. Nach einem Monat zählte man 180 Besucher, das macht gerade sechs auf den Tag! Und ich hätte geglaubt, die Räume müßten gestürmt werden; kein Künstler vor allem auch hätte es versäumt, sich hier darüber zu informieren, wie unverbildete Augen die Welt betrachten. Erst zum Schluß erwachte das Interesse, als die – bekanntlich so sinnlose, bekanntlich so entbehrliche – Presse der Bourgeoisie und den Maßgebenden die Augen geöffnet hatte. Nun gab's einen Strom von Neugierigen, die verblüfft umherwanderten und nachdenklich das Haus verließen.

Osborn, Arbeiterkunst

Wir haben dieses Kapitel mit der Umfrage über die geistig-kulturellen Interessen Berliner Arbeiter begonnen, die im Jahre 1909 im Druck erschienen ist. 1912 veröffentlicht Adolf Levenstein die Ergebnisse einer anderen Umfrage, in der sich mehr als tausend Berliner Textil- und Metallarbeiter äußern, welches ihre Ideale, ihre Hoffnungen und ihre Wünsche sind. Für uns geben die von Levenstein gesammelten Niederschriften, trotz der von seinen sozialreformerischen Vorstellungen bestimmten Auswahl, einen bemerkenswerten Einblick in die geistige Welt Berliner Arbeiter an der Schwelle des Jahrhunderts, in dem die sozialistische Revolution auf der Tagesordnung steht.

Werkzeugschlosser, 36 Jahre, 36 Mark Wochenlohn
„Ich wünsche mir ein Leben, das in zäher, selbstgewollter Arbeit aufgehen soll."

Metallarbeiter, 38 Jahre, 36 Mark Wochenlohn
„Trotz aller Erinnerungen an Werden und Vergehen hoffe ich doch, daß ich mit der Zeit so weit kommen werde, daß ich nicht mit Bangen ans Alter zu denken brauche. Darum wünsche ich auch recht sehnlich, daß ich in die Lage komme, meinen Buben etwas Tüchtiges lernen zu lassen, damit er dereinst imstande ist, wenn's gar nicht mehr mit mir gehen will, sagen zu können: ‚So, Vater, jetzt komm zu mir, und Du kannst ernten, was Du in meiner Jugend gesät hast.'"

Metallarbeiter, 39 Jahre, 38 Mark Wochenlohn
„Hoffnungen und Wünsche nur, welche sich für alle verwirklichen. Ich mag keinen Himmel, wenn meine Brüder in der Hölle schmachten."

Weber, 45 Jahre, 40 Mark Wochenlohn
„Ich bin nicht hoffnungslos, denn der politische und gewerkschaftliche Kampf schafft mir jene innere Befriedigung, für die es einen materiellen oder sonstigen Ersatz nicht geben kann."

Teppichweber, 35 Jahre, 31 Mark Wochenlohn
„Besser wird es ja ohne Zweifel schon jetzt. Wenn auch allerdings sehr langsam. Hoffe aber, daß es auch noch bedeutend besser wird, wenn alle oder ziemlich alle Arbeiter organisiert sind."

Fräser, 20 Jahre, 26 Mark Wochenlohn
„Ich möchte mein ganzes Wissen und mein Wollen, meine ganze Kraft zur Befreiung der Menschheit hergeben. Alsdann wollte ich ruhig sterben in der Gewißheit, meine mir von der Natur diktierte Pflicht erfüllt zu haben."

Dreher, 28 Jahre, 45 Mark Wochenlohn
„Ich habe die Hoffnung, daß es uns einst gelingen wird, die heutige Gesellschaftsordnung zu stürzen und an deren Stelle eine andere zu setzen, zum Wohle und Segen der ganzen Menschheit. Es werden kommen einst die goldenen Zeiten, wo sich die Menschen nicht ums Vorrecht streiten, wo Friede und Gerechtigkeit bilden höchste Erdenseligkeit. Wünschen werde ich, daß ich einst die Augen schließen werde mit dem Bewußtsein, mitgekämpft und mitgestritten zu haben an einer großen Sache, die es wohl wert ist, daß man ihr das Leben weiht."

Levenstein, Die Arbeiterfrage

Auf ins Grüne!

Je intensiver die Arbeit wird, je schneller der Puls des Großstadtlebens schlägt, desto mehr wird die Notwendigkeit empfunden, für den Verbrauch der Körperkräfte, für die zunehmende Anspannung der Nerven einen Ausgleich zu finden. Traditionelle Erholungsstätten der Berliner sind die Bier- und Kaffeegärten am Stadtrand, die „Etablissements".

Größere Biergärten mit Naturbaumbestand gibt es in Berlin kaum mehr. Man muß nach dem Nordosten in die Gegend des Friedrichshain, nach der Schönhauser Allee, Prenzlauer Allee, Landsberger Allee, um sie zu finden. Hier sind die Gärten der großen Berliner Brauereien wie:
Böhmisches Brauhaus, Landsberger Allee 11–13
Bötzow, Prenzlauer Allee 242
Friedrichshain, Am Friedrichshain 16/23
Königsstadt, Schönhauser Allee 10/11
Patzenhofer, Landsberger Allee 24
Pfefferberg, Schönhauser Allee 176
In allen diesen zum Teil sehr großen Biergärten ist täglich Konzert für geringen Eintrittspreis. In allen entfaltet sich im Sommer das gute bescheidene Berliner Familienleben mit Kind und Kegel und mitgebrachten Stullen. „Der alte Brauch wird nicht gebrochen, hier können Familien Kaffee kochen." ...
Aber auch der Süden Berlins ist nicht zu verachten. Die ganze Hasenheide ist ein Biergarten. Publikum dasselbe wie im Nordosten. Die Gärten der kleinen Leute. Überall Musik; Schießbuden, Würfelbuden. Hier sind die Ausschänke der Neuköllner Brauereien. Wer es kennenlernen will, wie der Berliner mit Kind und Kegel in diese Biergärten zieht und bei mitgebrachten Stullen harmlos und billig den Abend verbringt, besuche einmal diese Lokale.
Happoldt, Hasenheide 28–32.
Berliner Unions-Brauerei, Hasenheide 31–32.
Bergschloß-Brauerei, rechter Hand Nr. 108–114.

Heinrich Zille: Weißbiergarten, 1912

Die Bergschloß-Brauerei ist verbunden mit dem Etablissement „Neue Welt".

Berlin für Kenner

Unserer Mietskaserne gegenüber war ein großer Fuhrplatz, wo Sprengwagen, Straßenreinigungsmaschinen und ähnliche Vehikel aufgestellt waren, daneben eine Turnhalle, weiter ein Bauplatz, ein kleines Gartenlokal, in dem „Familien Kaffee kochen" konnten, und dann war man schon in Reinickendorf. Hier heraus zogen sonntags zu Tausenden die Berliner Familien mit Kind und Kegel in die vielen Gartenlokale; man kochte tatsächlich Kaffee, und der mitgebrachte „Selbstgebackene" wurde gefuttert. Abends hörte man sich die Musik einer Mandolinenkapelle an, trank Weißbier mit 'nem Schuß, und wenn es dunkel wurde, zog man mit leuchtenden Stocklaternen nach Hause. Einer sang: „Und scheint die Sonn auch noch so schön, einmal muß sie untergehn", und alle anderen fielen im Chor ein: „Musse auch, musse auch".

Auch unser Vater ging sonntags sehr oft mit meinen beiden ältesten Brüdern hinaus zu diesen Gartenlokalen, sie stellten sich aufs Podium und sangen die damals bekannten Arbeiterlieder, die große Begeisterung bei dem zumeist proletarischen Publikum hervorriefen.

Nagel, Autobiographische Zeugnisse

Den Höhepunkt des Sommers bedeutete für mich der Besuch im „Berliner Prater" ...

Zu meinem Leidwesen mußten wir schon mittags dort sein, um die besten Plätze an den billigen Tischen zu reservieren, während die Vorstellung erst um vier Uhr begann. Wir verteidigten unsere Plätze wie die Löwen, denn uns Kinder wollte man nur zu gern verjagen. Um zwei Uhr erschienen dann Gott sei Dank unsere Mütter, hochbeladen mit Kuchenpaketen. Ich konnte kaum noch still sitzen und wartete mit höchster Spannung auf das Hochgehen des Vorhangs. Arthur Seelen mit Frau und Tochter waren jahrelang die Koryphäen dieses echten Berliner Volkstheaters.

Zuerst wurde ein Volksstück gespielt, das ich nur zum Teil verstand, dann folgte ein Varietéteil, in dem der Komiker regierte. Seine Refrains wurden stürmisch bejubelt, wie zum Beispiel „Wenn die Eva Wäsche hat, wäscht sie nur ein Feigenblatt". Die Reaktion meines Vaters, als ich ihm abends dieses Verschen vorsang und nach seiner Bedeutung fragte, kann man sich vorstellen. Der größte Anziehungspunkt für Elly und mich war aber der Tanzsaal, der vor dem schönen alten Garten lag. Stundenlang beobachteten wir die Pärchen beim Tanz. Mitten im schönsten Walzer wurde durch den Maître de danse der Tanz unterbrochen: Ein eleganter Herr im Frack mit Kaiser-Wilhelm-Bart sammelte von jedem Paar den Tanzgroschen ein. Eine barbarische Sitte – fand ich – und höchst stimmungsraubend. Abends gab es natürlich noch heiße Würstchen, und endlich gegen zehn Uhr wurden wir, widerstrebend, buchstäblich nach Hause geschleppt.

„Hier können Familien Kaffee kochen"

Viel Spaß machten uns auch die Besuche im Treptower Eierhäuschen, einem beliebten Berliner Ausflugsziel ... Wir fuhren mit der Pferdebahn in östlicher Richtung weit hinaus, bis vor die Tore Berlins, mußten noch ein ziemliches Stück zu Fuß gehen und kamen dann in einen herrlichen Naturgarten an der Spree. Kleine Varietés, die auch am Nachmittag spielten, gehörten dort zum Berliner „Kaffeekochen". Die Programme waren drastisch und volkstümlich. Ich erinnere mich noch an eine Soubrette, ihre überreifen Reize in das damals hochmoderne Schnürkorsett gezwängt und mit einem kurzen knallroten Seidenröckchen bekleidet. Zum Schluß ihres Couplets lüftete sie ihr Röckchen mit zweideutiger Handbewegung und sang dazu: „... die beißt der Storch ins Bein!"

Frida Leider, Das war mein Teil

Die Sternsche Schiffahrtsgesellschaft, die die anderen Gesellschaften niederkonkurriert hat, besitzt 1905 eine Flotte von 44 Dampfschiffen und 6 Motorbooten. Anderthalb Millionen Personen befördert sie jährlich von der Weidendammer Brücke bis nach Spandau und Potsdam, von der Jannowitzbrücke nach Treptow, nach Schmöckwitz und zum Müggelsee.

Beliebt sind Kremserfahrten, etwa zur Prenzlauer und Schönhauser Allee hinaus. Im Norden locken die Ausflugslokale von Pankow, im Nordosten die Etablissements am Weißen See. Im Westen drängen sonntags Hunderttausende zum Grunewald und an die Havelseen:

Der erste Sonntag im Mai. Ein richtiges Frühlingsfest war es, das die Berliner gestern feierten ...

Viele zogen in die blühenden Gärten von Potsdam, wo eben der Flieder seine duftende Pracht zu entfalten beginnt, und andere blieben im Grunewald. Hier hatte sich neben Schlachtensee die neu eröffnete Station Nikolassee eines lebhaften Zuspruches zu erfreuen. Welch hübscher Kontrast zwischen dem stil-

Umseitig:
Hans Baluschek: Sonntag auf dem Tempelhofer Feld, 1907

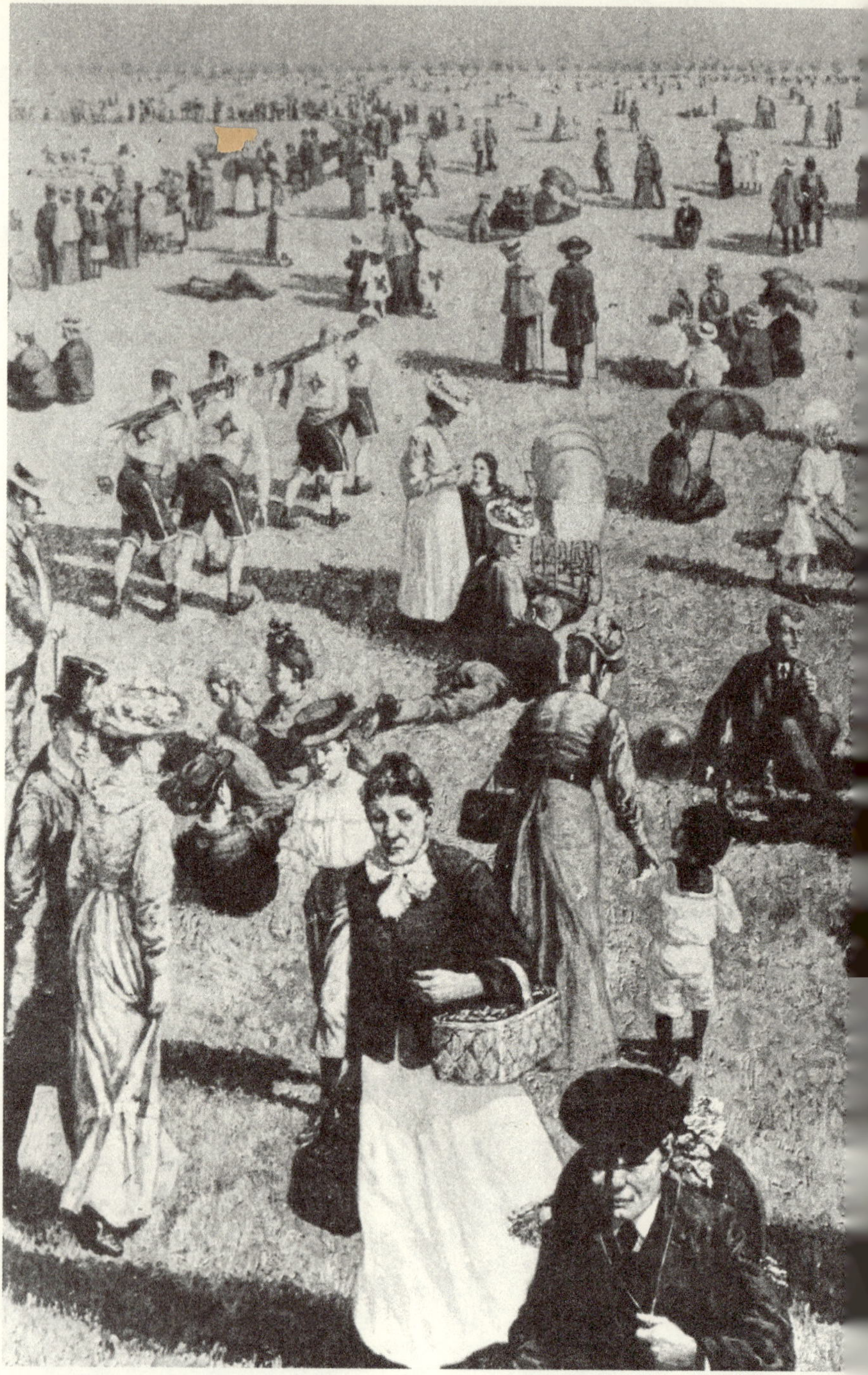

IBALUSCH

len, träumerischen Nikolas, dem letztentdeckten unter den Grunewaldseen, und dem nur wenige Minuten entfernten prächtigen Wannsee, auf dessen silberiger Wasserfläche an diesem gesegneten Sonntagmorgen zahllose Segler, Ruderboote und Motoren schwammen. Dazwischen mal ein Potsdamdampfer mit schwarzer Rauchsäule – gleichsam der Rabe unter den Schwänen. An dem Ufer des Wannsees, auf den steilen Klippen hinter Beelitzhof, entwickelte sich ein richtiges Strandleben. Oben im Walde unter den prächtigen, alten Kiefern überall rastende Gruppen von Menschen, die mit unendlichem Behagen die mit Wassergeruch und Fichtennadelduft geschwängerte, ozonreiche Luft einatmeten. Ging man tiefer in den Wald, so konnte man mit Freuden bemerken, wie ein glückliches Verständnis für den Umgang mit der Natur immer breitere Volksschichten ergreift. Fast gar kein Papier lag mehr umhergestreut, selbst die Apfelsinenschalen wanderten in die Tasche ...

Weniger naturalistisch einfach ging es am Schlachtensee zu. Da begegnete man prächtig geputzten Kindern, deren unpädagogische Mütter sie immerfort ermahnten, doch die „schmutzigen" Kiefernzapfen liegenzulassen, denn wenn das schöne Kleid fleckig würde, setze es Prügel. Oh, arme Kinderseele, welche unverdiente Qual; darum eine Landpartie, damit du dein Kleid schonen lernst!

... Oben in den Kaffeegärten sitzen die Eltern geduldig beim braunen Labetrunk oder beim Schoppen und freuen sich, wenn ihnen eine Blüte in die Tasse weht.

Berliner Tageblatt, 4. Mai 1903

Der Schrebergarten bietet rund fünfzigtausend Berliner „Pflanzern" eine willkommene Zubuße zur Alltagskost, eine Stätte der Geselligkeit, ein bißchen Licht, Luft und Grün. Auch die Kabarettistin Claire Waldoff siedelt in der Laubenkolonie:

Es war kurz vor dem Ersten Weltkrieg, da habe ich mir eine Laube gekauft. Sie war am Bahnhof Schmargendorf an der Gasanstalt. Die Laubenkolonie trug den holden Namen „Schmar-

Wer kennt August'n nicht!

Grünauerstr. 8   1 Minute vom Bahnhof Nieder-Schöneweide   **Grünauerstr. 8**

Garten und Kegelbahn wird allen Bekannten und Genossen empfohlen

☞ Geht hin, wo ihr wollt, nirgends ist's so schön, als wie bei mir! ☜   **August Kienast**

Restaurant Kyffhäuser :: Nieder-Schöneweide

Grösstes Lokal an der Ober-Spree   Jeden Sonntag, Montag, Donnerstag
Säle von 1000 bis 2000 Pers. fassend   Gartenkonzert, Donnerstag Elitetag

Dampferverbindung von der Schillings-Brücke am Schlesischen Bahnhof

Täglich früh um 9 Uhr und mittags 2 Uhr nach Woltersdorfer Schleuse :: Jeden Dienstag, Mittwoch und Freitag früh 10 Uhr nach Neue Mühle; hin und zurück 50 Pf. Jeden Sonntag früh 8 und 9 Uhr nach Woltersdorfer Schleuse; Einfache Fahrt 50 Pf. ::: Täglich von mittags 2 Uhr ab ca. halbstündlich nach Restaurant Kyffhäuser :::
Wochentags 20. Sonntags 30 Pf. :: Fahrgäste zahlen kein Entree.   **R. TISMER.**

☛ Treptow ☚
Beylers Gesellschaftshaus
Inh. Franz Drogge

Köpenicker Landstr. 20
Telephon: Amt IV, 7356

Großer schattiger Garten
Kegelbahn ∴ Saal für Vereine
500 Personen fassend

Gasthaus zur Palme am Seddin-See
=== Schmöckwitz ===

Empfehle den geehrten Vereinen und Gesellschaften mein herrlich am Wald und Wasser gelegenes Etablissement zu Land- und Dampferpartien.   **H. PETER.**

„Wöllsteins Lustgarten" Adlershof

Großer, schattiger Naturgarten :: 200 jähriger Linden-Baumbestand

Jeden Sonntag: Große Spezialitäten-Vorstellung. Auftreten von Spezialitäten ersten Ranges
Im neu renovierten Theatersaal Gr. Ball bei starkbesetztem Orchester

Vorzügliche Küche, gutgepflegte Biere.   Freundlichst ladet ein
                                                   Oskar Wöllstein.

gendorfer Alpen", sie lag am Rande der Großstadt noch vor Schöneberg, die schöne Luft des Grunewalds kam abends rüber. Mein Nachbar dort war ein Lehrer, mein Visavis war eine Schornsteinfegerfamilie. Es waren fleißige Menschen. Das war ein Wassergehole abends, wenn das Gemüse begossen werden mußte und die Blümchen und die Erdbeeren und die Kartoffeln. Die Netze und Taschen waren gefüllt mit Flaschen mit Berliner Weiße. Als wir eines Tages zum Abendbrot Appetit auf Setzeier und Rühreier hatten, merkten wir, daß wir keine Kochgelegenheit hatten! Am nächsten Tag zog ich aus, um ein Öfchen für meine Laube zu erstehen, ein eisernes Öfchen mit einem Ofenrohr. Auf einen kleinen Wagen wurde mein Öfchen aufgeladen in der Stadt, und ich ging stolz neben meinem Wägelchen durch ganz Schöneberg einher zu meiner Laube in den „Schmargendorfer Alpen", und es wurden mal wieder zur Einweihung sechs Berliner Weiße mit Schuß in die großen Gläser geschüttet und das neue Öfchen damit begossen. Viel Besuch bekam ich in meinen „Schmargendorfer Alpen": Nelson und Käthe Erlholz und viele arme schwitzende Großstädter fanden sich bei mir an den Sommerabenden ein, um die gute Luft des Grunewalds zu genießen. Es wurde Kaffee gekocht, und manches Kartenspielchen stieg, bis wir alle wieder in der Großstadt an unsere verschiedenen Arbeitsstätten mußten.

Claire Waldoff, Weeste noch …!

Die Laubenkolonie ist in der Regel in der Hand eines „Generalpächters", der brachliegendes Bauland von einer Terraingesellschaft übernimmt. Oft genug ist er gleichzeitig Budiker, und dann gilt das Motto: „Wer nicht sauft, der fliegt."

Um eine Laubenkolonie ins Leben zu rufen, pachtet zunächst ein Generalpächter mehrere Morgen Landes von ihrem Eigentümer, oft einer Terraingesellschaft. Er teilt dann das ganze in Parzellen von 10 bis 30 Ruten für 100 bis 200 Unterpächter oder Kolonisten. Während der Generalpächter gewöhnlich für die Rute 15 bis 25 Pfennig Pacht zahlt, erhält er von den Unterpächtern 40 Pfennig bis 1 Mark für die Rute, je nach der Güte des Bodens, der Entwicklung und Lage der Kolonie. Diese hat inzwischen einen recht hochtönenden oder drolligen Namen erhalten, wobei der Berliner Humor wieder zur vollen Geltung gekommen ist. Ich greife einige Beispiele heraus; da finden wir Laubenkolonien „Zum fleißigen Kartoffelbauer", „Zur großen Mohrrübe", „Zum Riesenkohl", „Zu den Laubenagrariern", „Sperlingslust", „Krähenheim" und „Mückenstich", „Zur Skatecke" und „Onkel Toms Hütte", „Zum süßen Mariechen", „Zum schlanken Emil" und „Heinsruh", „Blaue Nase" und „Eismeer", „Roosevelt" und „Rübezahl", „Frühauf" und „Morgenrot", „Kamerun" und „Klein Popo", „Samoa" und „Kiautschou", „Transvaal" und „Südwestafrika", „Japan" und „Helgoland". Das ist nur eine kleine Auslese.

Sobald es die Witterung gestattet, legen nun die Kolonisten Wege und Beete an, ziehen die erforderlichen Zäune und zim-

Hans Baluschek: *Sommerfest in der Laubenkolonie, 1909*

mern die Laube. Die weit über Berlin hinaus populäre Redensart „Fertig ist die Laube" hat von den Laubenkolonien ihren Ursprung genommen. Dann wird gesät und von Woche zu Woche sieht man mit Stolz und Freude die kleinen Felder blühen und reifen und die Früchte emsiger Arbeit tragen. Wird es wärmer, dann nächtigen sogar einige draußen, ja es ist vorgekommen, daß Frauen in der Laube entbunden haben.

Als Hauptperson aber thront inmitten der Mitglieder jeder einzelnen Kolonie der Laubenbudiker, der großen Wert darauf legt, daß die Einzelpächter und ihre Gäste auch bei ihm viel verkehren und „verzehren", nicht etwa Nahrungsmittel, die er gewöhnlich überhaupt nicht führt, sondern alkoholische Getränke. Denn in den meisten Fällen ist der Generalpächter selbst ein Gastwirt oder er hat die Schankstätte an einen „Budiker" verpachtet, der an seinem „Weiß- und Bayrischbierausschank", wie er ihn auf dem Aushängeschild benennt, ein gutes Stück Geld verdienen möchte und verdient. Sind doch sonntags nicht selten mit Gästen 2000 bis 3000 Personen auf einer Kolonie; da wird so manche „Lage geschmissen", so manches Achtel von der Bude in die Laube geschleppt ...

Je besser der Garten gepflegt wird, um so schöner wird er mit jedem Jahr, aber die Pachtverträge sind jährlich, und wenn jemand nicht genügend verzehrt oder gar ein Alkoholgegner ist – ich kenne solche Fälle –, dann kündigt ihm der Generalpächter, „er schiebt ihn ab" oder steigert ihn oder teilt seine Parzelle, um auf derselben noch einen zweiten Konsumenten unterbringen zu können.

Hirschfeld, Die Gurgel Berlins

An Spree und Dahme liegen auch die „Sommerfrischen" mit ihren kleinen Mietzimmern. Eichwalde („Privatwohnung 20 Mark pro Woche"), Friedrichshagen („schöner Badestrand"), Grünau („Privatwohnungen 25 bis 40 Mark für den Monat"), Hessenwinkel („Achtzig zum Teil preisgekrönte Landhäuser in malerischer Lage") und Schmöckwitz („anmutig gelegen, umgeben von Kiefernwald") bieten Privatquartiere in „ozonreicher Luft", in denen sich der Mittelstand einlogiert.

Aufbruch in die Ferien, 1908

Die „besseren Herrschaften" aber unternehmen eine Sommerreise – mit Vorliebe an die Ostsee, wo die Berliner Großfinanz die Strände von Usedom erschließt.

Es war der erste Tag der großen Ferien. Ganz Berlin, soweit es Kinder hatte und es sich leisten konnte, war im Aufbruch. Wir sahen wohl Gepäckdroschken, aber sie waren alle besetzt. Wir liefen hin und her, wir suchten mit immer größerem Eifer, denn wir wußten, mit welcher Ungeduld der pünktliche Vater auf unsere Rückkehr wartete. Aber es war wie verhext. Leere Droschken sahen wir genug, aber keine, deren Fassungsvermögen unserm Auszug angemessen war. Es mußte durchaus eine Gepäckdroschke sein, also ein schwarzer verschlossener Kasten mit stabilem, von einem Gitter begrenzten Dach, auf das die Mehrzahl der Koffer zusammen mit dem Bettsack getürmt werden konnte.

Endlich erwischten wir am Nollendorfplatz solch Ungetüm. Stolz stiegen wir ein und ließen uns vornehm in die dunkelblauen Kissen zurücksinken. Aber gleich waren wir wieder aufrecht und sahen zu den Fenstern hinaus. Es war erhebend anzuschauen, wieviel schweißtriefende Familienväter, Jungen, Dienstmädchen und Portiers nach Gepäckdroschken liefen.

„Beati possidentes!" sagte ich zu Ede und war stolz, daß er noch nicht soviel Latein konnte, sondern daß ich es ihm übersetzen mußte. „Glücklich, wer da hat!"

Ja, wir waren viel beneidet. Überall standen auf den Bürgersteigen hinter Kofferbastionen Familientrupps. Alte Großmütter winkten unserm Kutscher verzweifelt mit Regenschirmen. Jungens sprangen einfach auf das Trittbrett unserer Droschke und boten dem Kutscher eine Mark extra, wenn er sie fuhr. Wir schlugen sie so lange auf die Finger, bis sie loslassen und abspringen mußten.

Auch Vater stand in der Luitpoldstraße hinter einigen Koffern, hielt nach uns Ausschau und wollte schelten, weil wir so spät kamen. Aber der Kutscher nahm uns in Schutz. „Lassen Se man die Jungens!" sagte er. „Die haben noch Schwein jehabt, det se mir jekriegt haben! Heute jibt's in janz Berlin keine freie Jepäckdroschke. – Na, Herr Portier", wandte er sich an unsern Hausgewaltigen, der eben mit Minna einen Riesenkoffer heranschleppte, „is det det jrößte Stück? Na, denn wolln wa mal anfangen mit 's Bauen!"

Und sie fingen an ...

Endlich waren alle unten, endlich waren alle Koffer verladen und festgebunden. Endlich saßen alle ...

Mutter lehnte aus dem Fenster und gab Minna, die erst die Wohnung in Ordnung bringen sollte, ehe sie auf Urlaub ging, jene letzten Ratschläge, die wohl schon vor einigen Jahrtausenden die verreisende Hausfrau ihrer Schaffnerin gegeben hat: „Und sehen Sie, Minna, daß die Wasserleitung nicht tropft. Und der Gashaupthahn muß noch zugemacht werden. Ehe Sie im Speisezimmer einwachsen, reiben Sie die Stelle auf dem Parkett, wo Christa Glut verloren hat, mit Stahlspänen ab. Hänschen holt sich Frau Tieto selbst. Und die Blumen stellen Sie alle zusammen auf den Boden vom Balkon, dann hat es Frau Markuleit einfacher mit dem Gießen. Es wird ja auch einmal regnen. Und vergessen Sie nicht, die Schrippen und die Milch abzubestellen. Und die Zeitung soll der Junge so lange bei Eichenbergs abgeben ..."

„Los!" rief Vater dem Kutscher zu, und mit dem Anziehen der Pferde sank Mutter in ihren Sitz zurück.

„Ach, Vater!" rief sie ängstlich. „Ich habe sicher noch was vergessen ... Da war bestimmt noch was ..."

Unterdes war die Droschke, ächzend und klappernd, die Martin-Luther-Straße hinaufgefahren und bog jetzt auf den Lützowplatz ein. Der lag ganz in Morgensonne. Auf dem Herkulesbrunnen rauschte und strömte schon die Wasserkunst und blinkte im Licht mit tausend grünen, gelben und blauen Tropfen. Kinder saßen schon in den Sandkisten und spielten. Wir aber würden heute abend schon im Seesand spielen!

Fallada, Damals bei uns daheim

Wer sich die Annehmlichkeiten eines Ostseeurlaubs nicht leisten kann, der sucht vielleicht eine der zahlreichen Berliner Flußbadeanstalten – zum Beispiel an der Jannowitzbrücke und an der Inselbrücke – oder eine der städtischen Volksbadeanstalten – zum Beispiel in der Oderberger Straße oder in der Bärwaldstraße – auf. „Die Preise sind so gering bemessen, daß sich jeder, selbst der Ärmere, die Wohltat eines Bades zu gönnen vermag." (Proskauer, Berlins Hygiene) Das „freie" Baden an Spree, Dahme und Havel ist Anfang des Jahrhunderts noch verboten – nicht weil es gefährlich wäre, sondern weil es „nicht schicklich" ist. Unzählige Karikaturen zeichnen die Gendarmen, die an den Seeufern die Jagd auf Badende aufnehmen. Da ist es eine regelrechte Sensation, als 1907 Stubenrauch, der Landrat von Teltow, am Ufer des Großen Wannsees das Freibaden erlaubt. „Die Schutzmänner sahen, wie Frauen unter freiem Himmel ein Kleidungsstück nach dem anderen ablegten, sie sahen fast nackte Männer umherwandeln und arretierten sie nicht ... Das lenkbare Luftschiff und das preußische Freibad, zwei Weltwunder, durch die sich das Jahr des Heils 1907 in die Annalen der Geschichte für die Ewigkeit eingeschrieben hat." *(Hoeßlin, Das Wannseebad)*

In Wannsee, eine halbe Stunde von Berlin entfernt, erlebte ich eine große Überraschung ...

Enge Pfade schlängelten sich von der kleinen Anhöhe herunter, an deren Fuß der Strand sich lehnte. Völlig nackte Kinder, Männer, halbwüchsige Burschen, die größten nur mit einer Badehose oder einem Taschentuch angetan, Frauen mit einem Leibchen oder einem Korsettschoner und Beinkleidern bedeckt, trieben sich hier herum, tauchten ins Wasser und kamen triefend wieder heraus. Einer in Badehosen, rundem Filzhut auf dem Kopf rauchte badend seine Pfeife, ein anderer hatte Vorhemd und Weste dabei anbehalten.

Auf dem Sande warteten die Eltern, den Blick auf den schimmernden See gerichtet.

Die Badenden machen es durchaus nicht wie bei uns, wo man sich, kaum dem Wasser entstiegen, alsbald abtrocknet und in die Kleider schlüpft. Hier überlassen sie das Trocknen der Mutter Sonne, laufen, springen, treiben stundenlang allerlei Kurzweil. Manche vergraben sich in den Sand, bis nur noch der Kopf sichtbar ist und sie aussehen wie Mumien ...

Ich kann mich kaum erholen von meiner Verblüffung! Ich, der ich mir in Norderney um ein Haar einen Prozeß auf den Hals geladen hätte, weil ich, aus Unkenntnis der Vorschriften, der Frauenabteilung zu nahe gekommen war, ich stand heute inmitten Hunderter fast nackter Berlinerinnen, jungen Mädchen, die von ihren Müttern eben trocken gerieben werden, die vor meinen Augen ihr Hemd überwerfen, indes Hunderte von Männern und Knaben kaum mit einem Taschentuch, das lose mit einem Bindfaden an den Hüften befestigt ist, bekleidet, Seil tanzen, über Sandhaufen setzen, Ringkämpfe aufführen, Ball spie-

Freibad Wannsee, 1913

len, laufen, turnen, ihre Muskeln den Blicken des ganzen versammelten Geschlechts darbieten.

Im übrigen muß freilich hinzugefügt werden, daß das Bild nichts Prächtiges an sich hat. Haufen von Kleidern, Schuhen, Strümpfen, Röcken, Hosen, Hosenträgern, Korsetts, Hüten, Krawatten liegen umher. Von den Geschicktesten und Schämigsten sind Hütten nach Art der Wilden aus Tannenzweigen, Reisig und allen möglichen Abfällen errichtet worden. Andere suchen Deckung hinter ihren aufgespannten Schirmen, so gut es gehen will. Doch die Mehrzahl gibt sich nicht so viele Mühe und zieht sich kaltblütig unter dem blauen Zelt des Himmels aus.

Huret, Berlin

Bald wird das „Freibad", in dem es den Muckern zu toll hergeht, durch ein Damenbad, ein Herrenbad und ein Familienbad ersetzt. Aber auch das Familienbad sieht sich systematischen Angriffen ausgesetzt. Der

Flußbadeanstaltbesitzer Ziehm aus Treptow schickt einen Detektiv nach dem Wannsee, der bei der Konkurrenz „Gruppen in unanständigen Stellungen" fotografieren soll. Da der Detektiv sich jedoch als Erpresser betätigt, fliegt die Sache auf.
1908 wird auch ein Stück Strand am Müggelsee zum Baden freigegeben. Mehr als der Massenandrang von Zehntausenden und das Fehlen aller sanitären Einrichtungen ängstigt die Organisatoren die Beteiligung der Arbeitersportler an der „Vereinigung zur Ordnung des Badewesens im Müggelsee". Nach langen Auseinandersetzungen entsteht schließlich 1912 das Strandbad Müggelsee. „Als Badebekleidung ist für Personen männlichen Geschlechts mindestens eine die Oberschenkel zur Hälfte bedeckende, nicht dreieckige Badehose, für Personen weiblichen Geschlechts ein die Schultern, Brust, Leib und Beine etwa bis zum Kniegelenk bedeckender Badeanzug vorgeschrieben." (Vorwärts, 22. Juni 1912)
Ein anderer beliebter Wassersport ist das Angeln:

Noch immer rollt in den Adern der Kaiserstadtbewohner Fischerblut; der echte Berliner kann das Angeln ebenso wenig lassen wie die Katze das Mausen. Und so sehen wir denn an schönen Sommertagen, namentlich an Sonn- und Feiertagen oder während der fünf Wochen der großen Ferien, an den Ufern der Ober- und der Unterspree unentwegt die Angler sitzen. Sie sitzen und harren mit einer bewunderungswürdigen Ausdauer; sie sitzen nicht vereinzelt, sondern manchmal in ganzen Kolonnen. Aber auch weiter hinaus zieht der reichshauptstädtische Angler, um dem Hasten und Treiben der Millionenstadt zu entfliehen und sich gesund zu baden an Körper und Geist in der freien Natur. Die Mark Brandenburg mit den herrlichen, malerisch zwischen bewaldeten Höhen gelegenen Seen ist für den Angelsport wie geschaffen. Mit der Vorortbahn und dem Zweirade sind die um Berlin gelegenen Müggel-, Dämeritz-, Lange-, Seddiner-, Flaken-, Tegeler- und Havelseen bequem zu erreichen. Alle diese Gewässer haben einen reichen Fischbestand von Welsen, Aalen, Hechten, Karpfen, Bleien, Zandern, Döbeln, Barschen, Schleien, Rotaugen, Rotfedern, Plötzen etc. Die Fischerinnungen haben diese Gewässer fast Jahrhunderte in Pacht und geben

Angelkarten zum Preise von drei bis fünfzehn Mark aus. Namentlich seit der Gründung des Deutschen Anglerbundes steht der Angelsport in hoher Blüte, mehr als 10 000 Angler sammeln sich unter dem Bundesbanner, ganz ungerechnet die vielen Tausende, die „freie", das heißt nicht Vereinen angehörende Angler sind.

Laverrenz, Berlin als Sportstadt

Im Winter ist das Schlittschuhlaufen populär. Die Eisbahnen, die der Magistrat herrichten läßt, stehen der Jugend offen, jedoch „dürfen sie unerklärlicherweise nicht von Knaben und Mädchen gleichzeitig benutzt werden, während doch nirgendwoher, auch nicht aus dem allerprüdesten Winkel des weiten Deutschen Reichs, von solcher Scheidung der Geschlechter beim Schlittschuhlauf etwas verlautet hat". (Vossische Zeitung, 16. November 1900)

Johannes Rolle schildert eine Schlittschuhwanderung über die östliche Seenkette, die er mit seinem Freund vom Müggelsee aus unternimmt:

Heut lag Stille über dem weiten Rund, nur von den Wasserwerken her, wo geeist wurde, dröhnten dumpfe Schläge ...

Schlittschuhsegler durchmaßen blitzschnell die weitesten Entfernungen, und ihr großer Bruder, der Segelschlitten, entfaltete seine weißen Schwingen und sauste, in Eiswolken gehüllt, dahin, während die drei stahlbewehrten Fänge über die harte Fläche schurrten ...

Die lauschige Frühstücksecke, das Ziel so mancher sommerlichen Ruderfahrt, war erreicht. Wir entledigten uns der Eisen, um über die Höhen nach Müggelheim an der Großen Krampe zu gehen.

Der Pfad führte durch bereiften Wald, in dem die Kiefernsprossen wie die weißen Kerzen am Weihnachtsbaum leuchteten, über offene Lichtungen, auf denen jedes Hälmchen in diamantener Pracht glitzerte und die verdorrten Blütenstände der Sommerblumen mit neuen Blütenkrönchen aus zarten Eisflittern bekleidet waren ...

Müggelthurm.

Gruss aus Friedrichshagen.

Schon flimmerte uns das Eis der Großen Krampe entgegen, es knirschte und krachte unter den stählernen Läufen, und malerische, ewig wechselnde Szenerien umfingen uns. Kulissenartig schoben sich bald von rechts, bald von links bewaldete Landzungen vor und gewährten reizende Durchblicke. Allzu schnell hatten wir die liebliche Bucht, die sich wie ein Fjord weit in das hügelige Gelände erstreckt, durchflogen, die Schmöckwitzer Zugbrücke lag vor uns, und die übereinander geschobenen, zersplitterten Schollen der Dampferfahrstraße blinkten im Sonnenstrahl.

Linker Hand dehnte sich die unendliche Fläche des Seddinsees. Durch den leichten Nebeldunst, der wie ein zarter Hauch den Horizont umwob, leuchteten die bereiften Dächer von Gosen. Das Eis am Ufer war glasklar, so daß wir die Fische beobachten konnten, die vor unserem Schatten eilig Reißaus nahmen. Dann ging es quer über den See. Unterwegs begegnete uns der Briefträger aus Neu-Zittau. Er schien allerdings kein Kunstläufer zu sein, aber wir machten uns den Spaß, unseren Sportskollegen, der eifrig auf seinen Amerikanern dahinkrebste, auf dem Film festzuhalten ...

Die Häuser von Wernsdorf lagen vor uns, das Miniaturkirchlein reckte sein Türmchen empor, und am Ufer lagen einige eingefrorene Zillen, deren Kajüten, nach den rauchenden Schornsteinen zu urteilen, bewohnt waren.

Wir bogen in den Krossinsee ein. Seine spiegelglatte Oberfläche gab in wunderbarer Klarheit das Bild des Waldes, der die Ufer umkränzte, wieder.

Zu dreien hintereinander durchliefen wir den Großen Zug, die qualmenden Schlote der Schwartzkopffschen Maschinenfabrik bei Wildau kamen in Sicht, und in kühnem Übersetzer nahmen wir die Kurve zum Zeuthener See ...

Jenseits lag Zeuthen. Verführerisch winkte ein Wirtshausschild zu uns herüber und hätte uns wohl zur Einkehr verleitet, wenn wir nicht durch die Dampferstraße abgeschnitten gewesen wären.

Der Müggelturm

Umseitig:
Franz Heckendorf: Am Wannsee, 1910

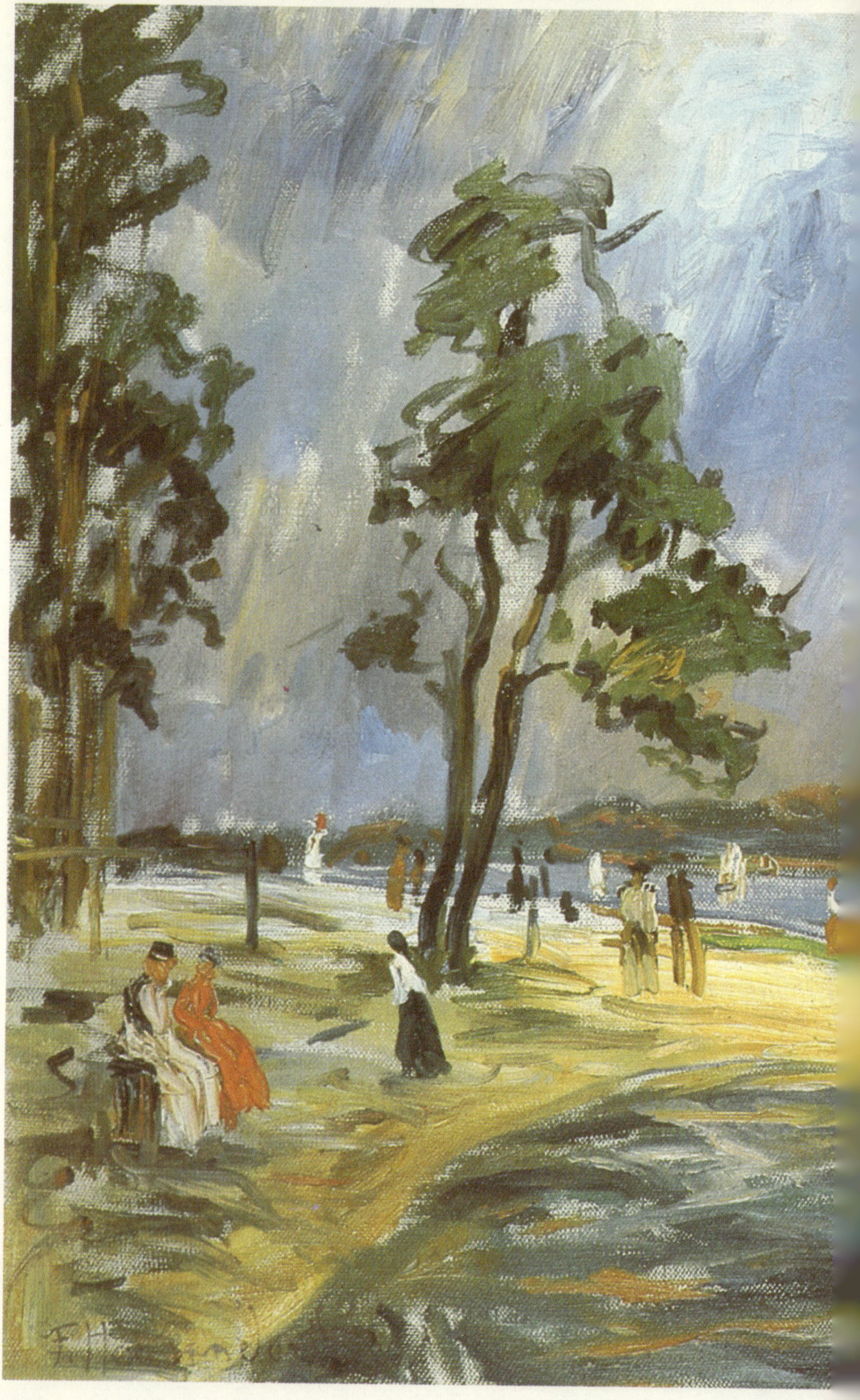

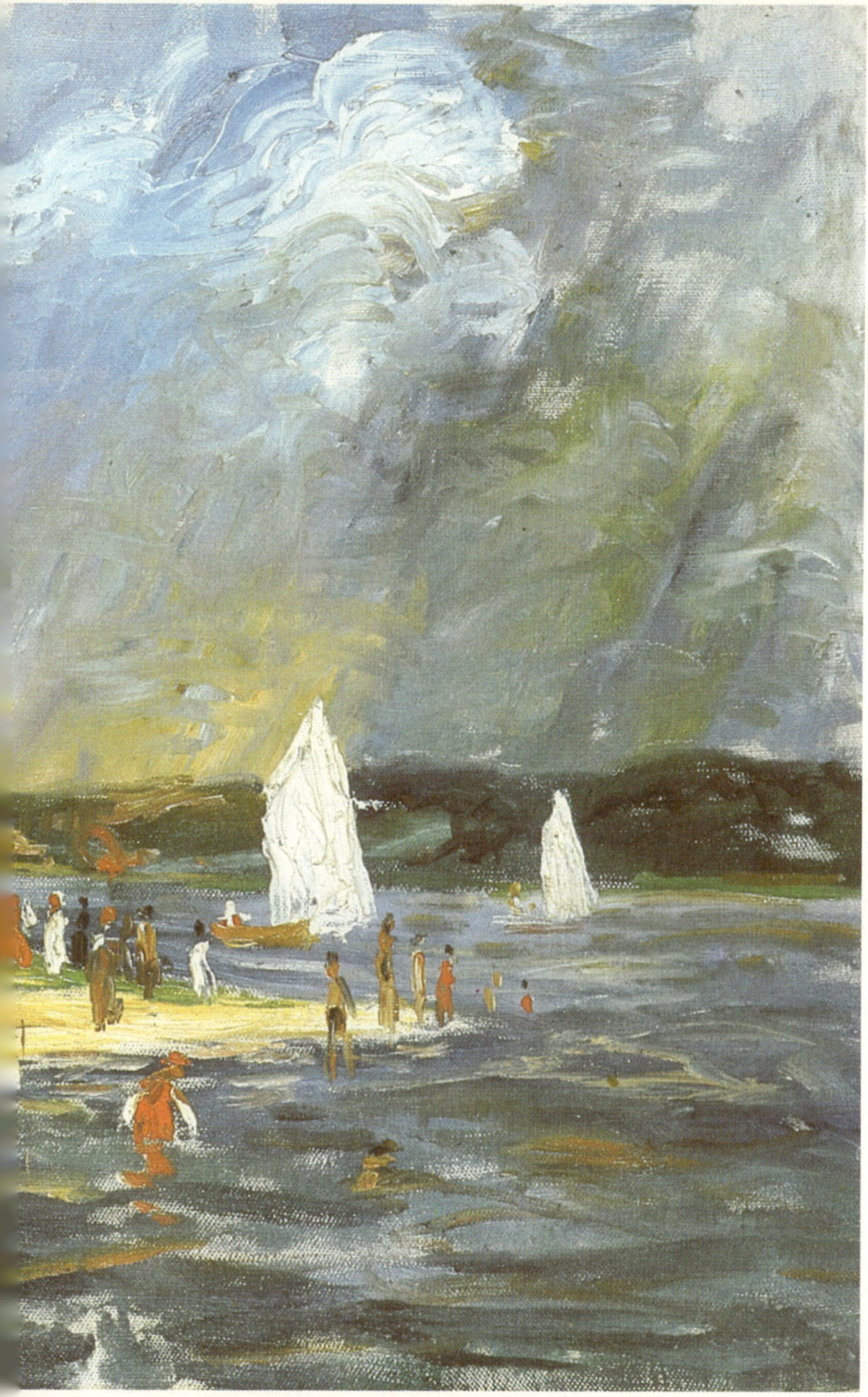

Die Breite des Sees nahm allmählich ab und in gleichem Maße die Stärke des Eises. Schon weit vor der Schmöckwitzer Brücke hatte die Strömung der Dahme alles offen gehalten, so daß wir abschnallen und ein gut Stück über Land gehen mußten.

Jenseits der Brücke betraten wir das herrliche Eis des Langen Sees, auf dem zahlreiche Läufer den schönen Nachmittag genossen und in mehr oder minder graziösem Bogen über die weiten Buchten dahinschwebten. Karolinenhof wurde passiert, wie am Morgen erhoben sich zu unserer Rechten die Müggelberge. Jetzt aber zeigten sie uns die südliche Seite.

Am Sportdenkmal setzten wir zu einem schneidigen Endspurt ein, und zehn Minuten später waren wir eifrig damit beschäftigt, unser ehrlich verdientes Mittagsmahl zu vertilgen.

Rolle, Eine Eistour

Sportstadt Berlin

Die „Deutschen Turner" vollführen noch immer nach straffem Reglement ein konservatives System von Körperübungen; sie sind längst von ihren ursprünglichen, bürgerlich-demokratischen Idealen abgerückt.

„Frisch, froh, fromm, frei", die bekannten vier F, arrangiert zu der eigentümlichen Kreuzformation, bilden die Devise für die Turnerwelt. „Schlicht und grade" könnte man noch hinzufügen, wenn diese Wörter mit dem Initial F begännen. Schlichtheit, das ist so recht der ureigene Charakterzug des deutschen Turners. Im einfachen Drellanzuge mit dem schmucklosen grauen Hute, die Hüften umspannt von dem Turnergurt, auf welchem das oben bezeichnete Symbol nicht fehlen darf, schreitet er einher, anspruchslos, fast unscheinbar, aber dennoch bereit, die Welt zum Kampfe herauszufordern ...

Eine besondere Abart bilden die sogenannten „Tambourkorps", denen man oft des Sonntags in der Umgebung Berlins begegnen kann.

Mit Pfeifensang und Trommelklang kommen sie in militärisch strammem Gleichtritt anmarschiert, an den Schultern die rot- und weißgestreiften Schwalbennester, welche sie nach soldatischem Vorbilde als „Musiker" kennzeichnen, voran ein Tambourmajor, der energisch seinen troddelgeschmückten Stab zu schwingen weiß und gewöhnlich der größte im Korps ist. Alle übrigen Mitglieder des Korps sind mit Trommeln und Querpfeifen nach Art der preußischen Infanterie ausgerüstet, welch letztere auch sonst diesen Vereinigungen in vielfacher Hinsicht zum Vorbilde dient.

Laverrenz, Berlin als Sportstadt

Neben den „Turnern" – und in gewissem Gegensatz zu ihnen – entwickelt sich eine breite Bewegung der Körperkultur, die wir heute „Sport" nennen und die die individuelle Ausbildung der körperlichen Leistungskräfte, den Einzel- und Mannschaftswettbewerb in den Vordergrund rückt.

Die Klassenschichtung des Wilhelminischen Kaiserreichs widerspiegelt sich im unterschiedlichen sozialen Rang der einzelnen Sportarten, ja innerhalb einer Disziplin. Ein Beispiel: Segeln.

Am Wannsee herrscht der Verein „Seglerhaus am Wannsee" ... Börsianer und Großindustrielle. Im Grunde sitzen sie lieber am Ofen als an Bord, wo sie seekrank werden. Aber der Kaiser ... Er segelt mit Leidenschaft und hat die Segelei ins Herz geschlossen. Daher die Liebe des Großkapitals zur Segelei. Es läßt sich so leicht Hofluft schnappen. Nicht in Berlin. Hier hat der Kaiser noch keine Segelregatta aufgesucht, wenn er auch Preise stiftet. Aber in der Kieler Woche, wohin die Wannseer in Scharen pilgern und Bücklinge machen, sind sie dem kaiserlichen Sportsmann nähergerückt.

Im Wannsee finden sie ihr größtes Glück, Bord an Bord neben dem jungen Kronprinzen zu fahren, der zuweilen die Regatten im Westen mitsegelt, aber immer nur ein seltener Gast ist.

Der Seglerhausklub hat eine goldgefüllte Kasse, er allein von den Berliner Klubs nagt nicht am Defizit, denn seine Leute haben es dazu. Außer ihm haben sich an der Havel die Akademiker und die Potsdamer Segler niedergelassen, brave und begeisterte Sportsleute.

Gesellschaftlich trennt sie eine weite Kluft von den Seglern an der Oberspree, die der Südosten Berlins hergibt.

So der Berliner Jachtklub, die Zeuthner, Ahoi und Jachtklub Müggelsee. Wegen einer gewissen Färbung sind sie den Herren vom Wannsee verdächtig. Hat es doch der Kronprinz nie über das Herz gebracht, auf der Oberspree zu segeln.

Als sportliches Gewässer ist die Müggel mit dem Wannsee gar nicht in einem Atem zu nennen. Dort ein ideales Segelterrain, daß dem Jachtmann das Herz im Leibe lacht. Auf dem Wannsee stete Flaute und ein Gelände landschaftlich von ewigem Reiz, aber nicht zu übersehen.

Und doch sind die Wannseer eigensinnig und halten daran fest, daß die große Berliner Segelwoche in zwei Teile geschnitten wird. Die erste Hälfte spielt sich im Westen, die zweite im Osten ab, und die Boote müssen mühsam vom Wannsee nach der Müggel durchgeschleust werden.

Arndt, Berliner Sport

Exklusive Züge trägt der Automobilsport. Im Kaiserlichen Automobilclub treffen sich der Monarch, der ein Autonarr ist, die Prinzen, „die in der bekannten wilden Weise durch die Straßen von Berlin und Umgebung rasen" (Liebknecht), die Militärs, die das leistungsfähige Transportmittel interessiert, und die Großbourgeoisie, die ihr Kapital in die neue „Wachstumsindustrie" steckt. Des Kaisers Automobilleidenschaft läßt das zunächst phantastisch anmutende Projekt einer Art Schnellstraße vom Brandenburger Tor quer durch Charlottenburg bis vor die Tore Spandaus Wirklichkeit werden: Auf einer 22 Kilometer langen, fast schnurgeraden Bahn saust der Monarch über die „Heerstraße" vom Berliner Stadtschloß bis zum Offizierskasino in Döberitz.

Die Automobilindustrie steht hinter dem Projekt der „Avus", einer kreuzungsfreien, nur dem Automobilsport dienenden Rennstraße quer durch den schönsten Berliner Wald:

Etwa zwei Jahre vor dem Krieg beschlossen Freunde des Kraftwagens die Herstellung einer besonderen Verkehrs- und Übungsstraße zwischen Berlin und Potsdam. Der Bau wurde bald darauf mit großen Mitteln begonnen. Die veränderten Zeitverhältnisse zwangen jedoch dazu, die Straße nur durch den Grunewald bis Nikolassee zu führen. Sie hat eine Länge von zehn Kilometern und besteht aus zwei voneinander gesonderten, je acht Meter breiten Streifen für die Hin- und Rückfahrenden. Am Eingang und am Ende sind Schleifen angeordnet, durch welche die beiden Straßenteile zu einer zusammenhängenden Rundbahn geschlossen werden. Ganz neu ist, daß alle Straßenkreuzungen untergeführt sind. Es gibt also auf der Kraftwagenstraße keinen querenden Verkehr, durch den die Fahrer zu einer Minderung der Geschwindigkeit gezwungen werden könnten. Sie ist ein Paradies für Kilometerfresser, da die Länge wegen der Schleifen an beiden Seiten unendlich ist.

Fürst, Das Weltreich der Technik/2

Zwischen Schiffbauerdamm und Luisenstraße liegt die große Reithalle, der Tattersall. Zentrum des Reitbetriebes aber ist der Tiergarten:

Man muß Frühaufsteher sein, wenn man den Sportbetrieb auf den Reitwegen und Bahnen des Berliner Tiergartens in voller Blüte sehen will. Denn schon vor sieben Uhr beginnt in den Ställen der zahlreichen Reitinstitute des Berliner Westens ein reges Leben ...
  Einen großen Teil der Reiter stellt das Militär. Auch der Kriegsminister und zahlreiche hohe Offiziere, zum Beispiel der Kommandant von Berlin, der Generalinspekteur der Kavallerie gehören zu den regelmäßigen Gästen des Tiergartens. Oft erscheinen auch der Reichskanzler, die Polizeipräsidenten von Berlin und Charlottenburg, der badische Gesandte, der amerikanische Botschafter, der Schöneberger Oberbürgermeister und viele andere bekannte Persönlichkeiten aus den Kreisen der Behörden und Aristokratie ...
  Während so die oberen Zehntausend sich beim Reitsport erholen, rollt zu ihren Köpfen ein Stadtbahnzug nach dem anderen vorbei, dicht gefüllt mit fleißigen Menschen, die trotz der frühen Morgenstunde schon ihrer Arbeitsstätte zustreben.
  Und wenn dann gegen Mittag der Sportbetrieb wieder zu Ende geht und die Reiter daran denken, sich ihren Berufsgeschäften zuzuwenden, da hat der Arbeiter oder der Beamte schon einen großen Teil seines Tagewerks hinter sich.
Berliner Volkszeitung, 24. Mai 1914

Soziale Unterschiede stufen auch das Publikum der Berliner Rennbahnen ab. Hoppegarten ist das Revier des Union-Clubs, einer aristokratischen Körperschaft. Der Verein für Hindernisrennen ist Herrscher von Karlshorst, der Stätte, „auf der die sogenannten Offiziersställe zu Hause sind". Die Deutsche Trabrenngesellschaft unterhält zwei Rennbahnen in Westend und in Weißensee. Budiker und Schlächter und ihr großer Anhang stellen das stärkste Kontingent.

Exklusive Züge trägt schließlich der Ballonsport, wobei in ihm das wettkampfmäßige Leistungsstreben mehr als in allen anderen Sportarten mit wissenschaftlichem Bemühen verbunden ist. So ist der Berliner „Verein für Luftschiffer" nicht nur das Zentrum für die Sportfahrten der Reichen, sondern auch der Organisator wissenschaftlicher Forschungsfahrten. Am 31. Juli 1901 starten die Professoren Berson und Süring mit dem Ballon „Preußen" zu ihrer berühmten Höhenfahrt:

Das Wetter war außerordentlich geeignet; es war ein heißer, ruhiger Tag, und der Ballon „Preußen" erhob sich nahezu senkrecht in die Höhe. Da er im Interesse von Ballast- und damit Kraftersparnis nur zu zwei Dritteln mit Gas gefüllt war, erreichte er gleichmäßig und rasch eine beträchtliche Höhe. Nach vierzig Minuten war er bereits bei 5000 Meter angekommen; ungefähr in dieser Höhe mußte auch mit dem Auswerfen von Ballast begonnen werden ...

Um 2¾ Uhr – vier Stunden nach dem Aufstieg –, bei 9000 Metern und minus 30 Grad hatten wir das stolze Bewußtsein, höher als alle Erhebungen der Erde zu sein, aber es machte wenig Eindruck. Schematisch wurde das vorgeschriebene Arbeitspensum erledigt; zur Unterhaltung spürte keiner von uns Lust; es war auch schwer, sich bei den über die Ohren gezogenen Pelzkappen verständlich zu machen. Eine Verschlechterung des Befindens war noch immer nicht festzustellen, aber es wurde immer schwerer, die Müdigkeit zu bekämpfen. Mir fielen sogar einmal die Augen zu, aber wieder aufgewacht, fühlte ich mich vollkommen frisch, und wir führten zwischen 9000 und 10000 Meter in Abständen von zirka sechs Minuten noch vier Beobachtungsreihen aus. Die Temperatur betrug hier zwischen 30 und 40 Grad Kälte. Ein anscheinend nebensächlicher Umstand beförderte nun vielleicht die Abnahme unserer Kräfte: das registrierende Barometer war eingefroren, sowohl das Uhrwerk wie die Tinte. Berson bemühte sich – wie vorauszusehen war, vergebens –, die Apparate wieder in Ordnung zu bringen; ich hatte in der Zwischenzeit nichts zu tun; meine Müdigkeit wurde daher wieder größer. Nachdem diese Versuche aufgegeben waren, machten wir noch eine gemeinschaftliche Ablesung in

Im Freiballon: Kollision beim Start

10230 Meter Höhe. Bemerkenswert – weil abweichend von früheren Erfahrungen – ist die Sicherheit, man kann sagen Mühelosigkeit, mit welcher diese Beobachtung ausgeführt werden konnte ...

Der Grund für das Wohlbefinden waren offenbar die konsequent durchgeführte Sauerstoffatmung und der gute Schutz gegen die Kälte. Kein Wunder, daß man glaubte, noch viel mehr ertragen zu können! Und doch befand sich der Körper nicht mehr im normalen Gleichgewicht.

Über 10250 Meter Höhe werden plötzlich die bis dahin so deutlich in der Erinnerung haftenden Vorgänge unklar; die Erinnerungen sind infolgedessen bei uns beiden scheinbar etwas abweichend. Zweifellos steht fest, daß Berson das Ventil zog und dadurch den Ballon zum Fallen brachte. Kurz vorher hatte er mit schnellem Blick am Barometer einen Luftdruck von 202 Millimeter – das entspricht einer Höhe von 10500 Meter – abgelesen. Diese Höhe ist somit sicher festgestellt. Naturgemäß hat das Ventilziehen nicht sofort gewirkt, um so weniger, weil unmittelbar vorher Ballast geworfen war. Der Ballon ist also noch gestiegen – wir nehmen aus verschiedenen Gründen an bis zu etwa 10800 Meter –, aber das ist eben nur eine Schätzung, keine Tatsache. Berson zog das Ventil, weil er auf Anruf und Schütteln von mir keine Antwort erhielt und daher eine Katastrophe befürchtete; das Ventilziehen aber verbrauchte den Rest seiner Kräfte, er brach erschöpft zusammen und fiel in eine lange, schwere Ohnmacht. Meine Erinnerungen besagen, daß ich meinen Kollegen anscheinend schlafend in sitzender Stellung vorfand, als ich – anscheinend noch ganz frisch – mich nach ihm umsah, um zu einer neuen Beobachtungsreihe aufzufordern. Schütteln war vergeblich; auch als ich ihm meinen Atmungsschlauch in den Mund steckte, um ihm mehr Sauerstoff zuzuführen, blieb er regungslos. Ich wollte daher das Ventil ziehen, dessen Leine für mich ziemlich schwer zu erreichen war, mußte aber wieder umkehren, um meinen bei Berson zurückgelassenen Atmungsschlauch zu holen. Mit der noch ganz deutlichen Erinnerung, daß die Kräfte rapide abnahmen, ergriff ich auch noch den Schlauch, aber dann schwand das Bewußtsein ...

Als wir aus der Ohnmacht erwachten, sahen wir eine ganz veränderte Landschaft; viel Wasser, besonders Seen waren zu erblicken, aber wir suchten vergebens die Elbe. Wie sich nachher herausstellte, waren wir, im Gegensatz zu der schwachen Luftströmung bis 8000 Meter, darüber plötzlich in einen stürmischen Westwind geraten, der uns in einer Stunde etwa 100 Kilometer nach Ost versetzte. Wir gelangten also in Folge dieser Richtungsänderung der oberen Luftströmungen nicht an die Elbe, sondern nach dem Spreewald und landeten bei Briesen unweit von Cottbus.

Süring, Wissenschaftliche Ballonhochfahrten

Berliner Freiballonführer legen bemerkenswerte Strecken zurück. Berson und Elias vom Meteorologischen Institut steigen im Januar 1902 früh in Berlin auf und landen am anderen Tage zwei Uhr nachmittags zwischen Kiew und Poltawa, 1400 Kilometer von Berlin entfernt.

1908 ist Berlin Austragungsort des Wettbewerbs für Ballonfernfahrten, für den James Gordon Bennett einen begehrten Wanderpokal gestiftet hat. Das Rennen, das am 11. Oktober in Schmargendorf gestartet wird, nimmt einen dramatischen Verlauf:

Von dem Feld vor der Gasanstalt ... stiegen dreiundzwanzig Ballone auf, die sich um den vom Besitzer des „New York Herald" ausgesetzten Gordon-Bennett-Preis der Lüfte bewerben wollten. Als neunter wurde der amerikanische Ballon „Conqueror" aufgelassen. Er war zu schwer abgehoben, so daß er zunächst sehr langsam stieg und mit seiner Gondel gegen einen Zaun prallte. Die Insassen gaben nun sehr rasch eine große Menge Ballast aus, um die dahinter stehenden Menschen nicht zu verletzen. Der „Conqueror" stieg darauf geschwind in große Höhe.

Plötzlich sah man, wie seine Hülle, die aus Goldschlägerhaut* bestand, schlaff wurde. Sie riß an beiden Seiten weit klaffend auf, so daß fast der gesamte Gasinhalt sofort entweichen mußte.

* Zur Herstellung von Blattgold benutzte, aus Rinder-Blinddärmen gewonnene feine Haut.

Tausende schrien entsetzt auf, als sie diese Katastrophe in den Lüften beobachteten, die, wie jeder meinte, den Gondelinsassen den sicheren Tod bringen mußte. Deutlich konnte man sehen, daß die Luftschiffer fieberhaft arbeiteten, um alle Ballastsäcke abzuschneiden und die Gondel auch von ihrem sonstigen Inhalt zu leeren. Aus 1000 Metern Höhe fiel der Ballon aber trotzdem so schnell, daß es im Vergleich zu seiner sehr rasch absteigenden Bewegung aussah, als wenn der Ballastsand emporgeworfen würde. Jetzt verschwand die Hülle, an der die Fetzen flatterten, hinter einer Tribüne den Blicken der Menge.

Schweigen herrschte auf dem Platz, und alles verharrte in schrecklichster Spannung, als die Sanitätskraftwagen sich mit möglichster Geschwindigkeit in der Richtung nach der Absturzstelle in Bewegung setzten. Nach kaum einer Viertelstunde kam jedoch die Nachricht, daß der Ballon sich zuletzt infolge Fallschirmwirkung der Hülle ganz sanft gesenkt hatte. Die beiden Insassen wurden von den herbeikommenden Hilfsmannschaften auf dem Dach eines Hauses in Friedenau ruhig sitzend vorgefunden. Die Gondelstricke waren von einem Schornstein festgehalten worden, die Hülle hing an der Hauswand hinunter und wurde von der Feuerwehr geborgen. Die Menge befreite sich von dem schweren Druck, der während all dieser Vorgänge auf ihr gelastet hatte, rasch durch die echt berlinische Bemerkung, die Luftfahrer wären aus Amerika nur zu dem Zweck nach Berlin gekommen, um von Schmargendorf nach Friedenau zu fliegen.

Fürst, Das Weltreich der Technik/3

Neben den im wesentlichen den oberen Zehntausend vorbehaltenen Sportarten entwickelt sich ein vereinsmäßiger Sportbetrieb, der von bürgerlichen Schichten getragen wird. Zu den beliebtesten Sportarten zählt in Berlin das Rudern. Für 90 000 Mark hat sich die Rudergesellschaft „Wiking" in Niederschöneweide ein Bootshaus zugelegt („dürfte auf dem Festland kaum seinesgleichen haben"). Die Großbanken und die AEG gründen Rudervereine für ihre „Beamten", denn sie sind der Ansicht, „daß ein gesunder, kräftiger Mitarbeiter leistungsfähiger oder – materiell ausgedrückt – seinem Chef rentabler ist". (Deutsches Fußball-Jahr-

Kaiser-Regatta in Grünau, um 1912

buch, 1909) Höhepunkt der Saison ist die mit allem Pomp veranstaltete „Kaiserregatta" auf dem Langen See bei Grünau:

Auf dem Papier ist die Regatta international. Aber nur darauf. Im Grunde trägt sie nicht viel mehr als lokalen Stempel. Und das, weil die Ruderer immer auf den Segen von oben warten. Sie wollen um jeden Preis den Kaiser auf der Regatta bei sich zu Gaste sehen. Nach der Kieler Woche hat Wilhelm II. keine Zeit übrig für Grünau, also wird der Termin vorher in den frühen Juni gelegt. Viel zu früh, denn die Wirkung sind: unfertige Mannschaften und Fernbleiben der außerberlinischen Klubs.

Nur wenige Fremdlinge sind Grünau noch treu geblieben. Hamburg am stärksten.

Die Kaiserregatta am Sonntag zaubert ein Riesenvolksfest aus der Erde. Auf der langgestreckten Tribüne und der breiten Wiese nebenan und am jenseitigen Ufer, wo bewimpelte Kähne verankert sind, lauter Menschengewürm. Es richtet die Augen

gen Osten auf die „Bammelecke", wo die ersten Boote nach dem Start in Sicht kommen müssen. Eben ist auf dem Müggelturm der dicke rote Ball niedergegangen. Zeichen, daß die Boote gestartet sind. Ein paar Sekunden, und sie biegen herum. Länge um Länge herankriechend, begleitet von johlendem Geschrei der Beschauer. Jeder Klub hat seinen Anhang, und der kräht sich die Kehle aus, um den Seinen Mut zu machen, und läßt den Kopf hängen, wenn eine andere Mannschaft als erste am Ziel vorbeigleitet.

Nach dem ersten Rennen rücken aller Augen nach Westen. Minute auf Minute rinnt fort. Dann zieht ganz hinten dunkler Rauch auf, und im nächsten Augenblick biegt der schlanke weiße Bug der Kaiserjacht „Alexandria" um die Ecke mit dem Hof an Bord.

Das stolze Schiff hält vor dem Pavillon zu seiten der großen Tribüne.

Ein dreifaches, jauchzendes Hipp, Hipp, Hurra!

Der Regattaausschuß steigt hinauf und begrüßt Kaiserpaar und Prinzen samt Gefolge, und schon dampft die Jacht davon

Wintertraining des Ruderclubs „Hellas" im Admiralsgartenbad, 1908

zum Start der nächsten Wettfahrt. Begleitet sie bis ins Ziel und hält wieder, um die Sieger aufzunehmen ...
Das geht Jahr um Jahr.
Arndt, Berliner Sport

Auf dem Gebiet des Radsport blüht ein vielfältiges Vereinsleben. Der Deutsche Radfahrerbund und seine Klubs pflegen das Kunstradfahren und das Straßenfahren mit seinem jährlichen Höhepunkt: dem 250-km-Rennen „Rund um Berlin".
1904 wird der Berliner Leichtathletikverband gegründet. 1908 organisiert er den ersten Staffellauf Potsdam–Berlin:

Wie aber ihn durchführen? Wie die hohen Behörden für einen solchen Plan gewinnen? War ich im Irrtum, wenn ich folgerte, daß dies auf dem Dienstweg unmöglich sei? Es bedurfte eines Gewaltakts von oben her. Nur der Kaiser konnte das durchsetzen. Und ich wählte eine Strecke, die das kaiserliche Gefühl rühren sollte, mögen mich die Demokraten steinigen, ich dachte an einen Lauf vom Königlichen Schloß in Potsdam zum Kaiserlichen Schloß in Berlin. Das waren rund 25 Kilometer, dies schien mir auch lang genug.

Eine unvorhergesehene Schwierigkeit stand noch im Weg. Ich trug Asseburg meinen Plan vor, der ihm gut gefiel. „Aber was ist denn ein Staffellauf?" fragte er. Mit Hilfe von Streichhölzern versuchte ich, ihm den Lauf darzustellen. Er schien das Geheimnis auch zu durchdringen, fragte aber am Schluß doch wieder, ob denn auch alle Läufer am Ziel gleichzeitig einträfen. Man möge darin nun nicht eine Begriffsstutzigkeit belächeln. Ich habe während der Zeit der Vorbereitung dieses Laufs diese Demonstration vor vielen einflußreichen Leuten wiederholen müssen und mir darum angewöhnt, immer eine Streichholzschachtel in der Tasche zu tragen. Ich mußte ihm dann eine schriftliche Aufzeichnung dalassen, die er sich auf eine weiße Manschette notierte. Als General der Kavallerie wurde er noch à la suite des Kaisers geführt. Am nächsten Paradetag in Potsdam galoppierte er nach dem Vorbeimarsch der Truppen in Galauniform zum

Kaiser und trug ihm den Plan vor, und der Kaiser, dem die sportliche Verbindung vom Potsdamer Schloß zu seinem Berliner Schloß zu gefallen schien, sagte kurzerhand zu. Asseburg veranlaßte das Oberhofmarschallamt zu einer entsprechenden Anweisung der Polizei. Nun schlug der Wind plötzlich um. Der vorher kaum erhörte Bittsteller wurde aufs Präsidium gebeten, von einem Major persönlich empfangen, und es begann ein artiger Handel. Man strich mir die Strecke durch Potsdam. Unmöglich, hieß es, vom Königlichen Schloß daselbst durch ganz Potsdam hindurch ein solches Verkehrshindernis aufzubauen. Man schlug mir den Start an der Glienicker Brücke vor, und ich sagte ja. Noch schlimmer war es mit der Strecke Unter den Linden. Unter den Linden, an einem Sonntag vormittag, wo die Spaziergänger zur Hedwigskirche eilen, wo die Damen ihre Sonnenschirme spazierenführen. Ich wurde händeringend gebeten, von diesem gefährlichen Unterfangen Abstand zu nehmen. Man versprach mir dafür jede Unterstützung und vollen polizeilichen Schutz, wenn ich nur vor dem Brandenburger Tor haltmachte. Da war ja der Platz zwischen Siegessäule und dem Reichstag. Dort stand Bismarck in Bronze auf seinem Postament. Dort gab die gewaltige Freitreppe eine herrliche Tribüne ab. Dieser Platz in weitem Umkreis abgesperrt wäre eine Arena von überwältigender Großartigkeit. Ich reichte zufrieden die Hand. Die Schlösser hatten für mich ihre Schuldigkeit getan ...

In der Ausschreibung wurden für den 25 Kilometer langen Lauf 50 Läufer pro Staffel gefordert. Als ich auf der Sitzung diesen Plan vorgetragen hatte, herrschte zunächst sprachloses Erstaunen. Welcher Verein hat denn 50 Läufer, um einen solchen Wettlauf zu bestreiten! Es gab damals in ganz Berlin überhaupt nur einen Verein, der mehr als 50 Mitglieder hatte. Darauf erklärte ich, daß die Vereine sich eben Läufer von der Straße und aus den Schulen zusammenkratzen müßten. Außerdem könnten auch mehrere Vereine sich zu einer Mannschaft zusammenschließen. Es wurde die Bestimmung außer Kraft gesetzt, daß jeder Verein nur mit eigenen Mitgliedern startberechtigt sei. Der

Umseitig: Das Herrenbad in Halensee, 1909

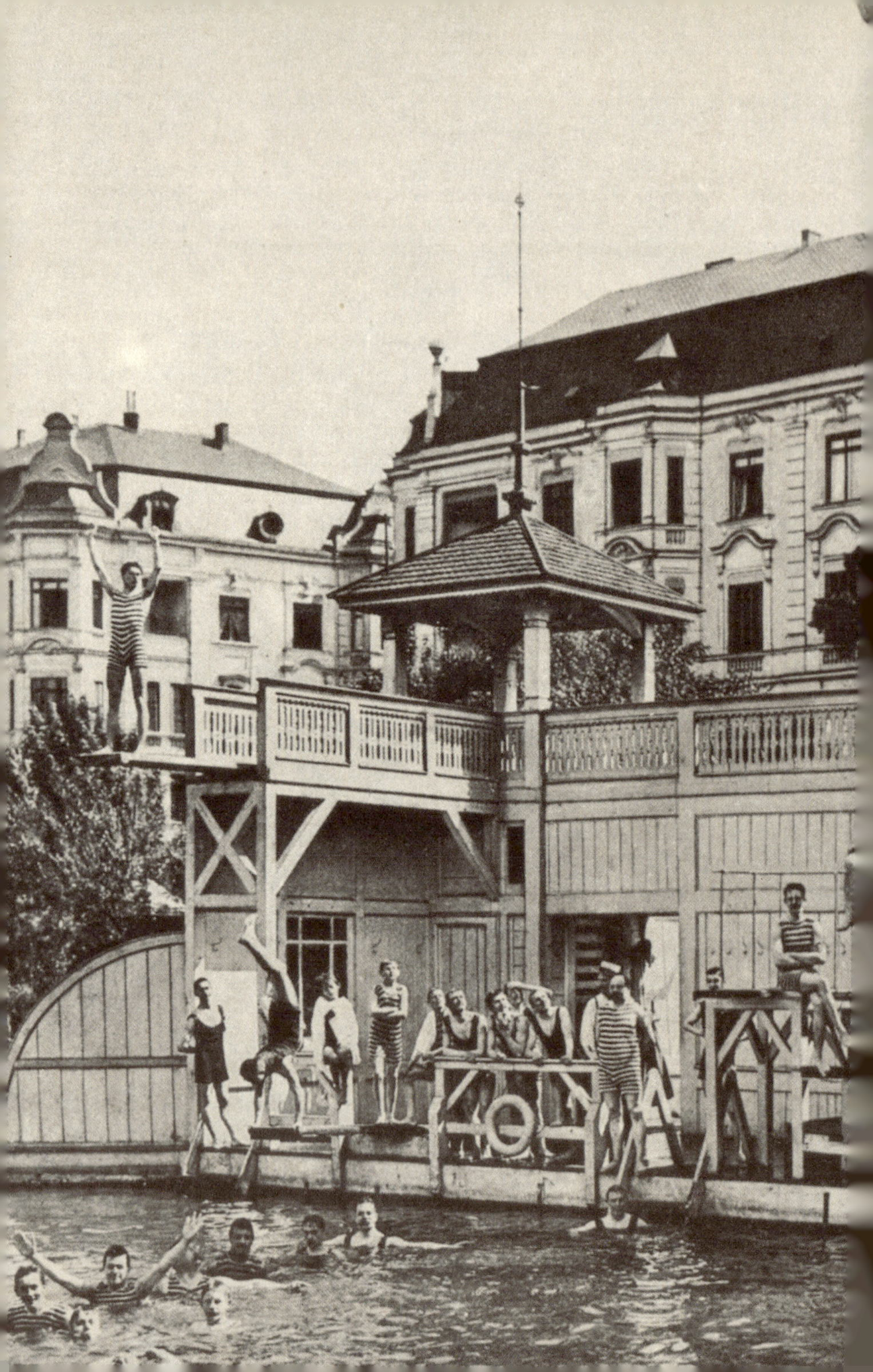

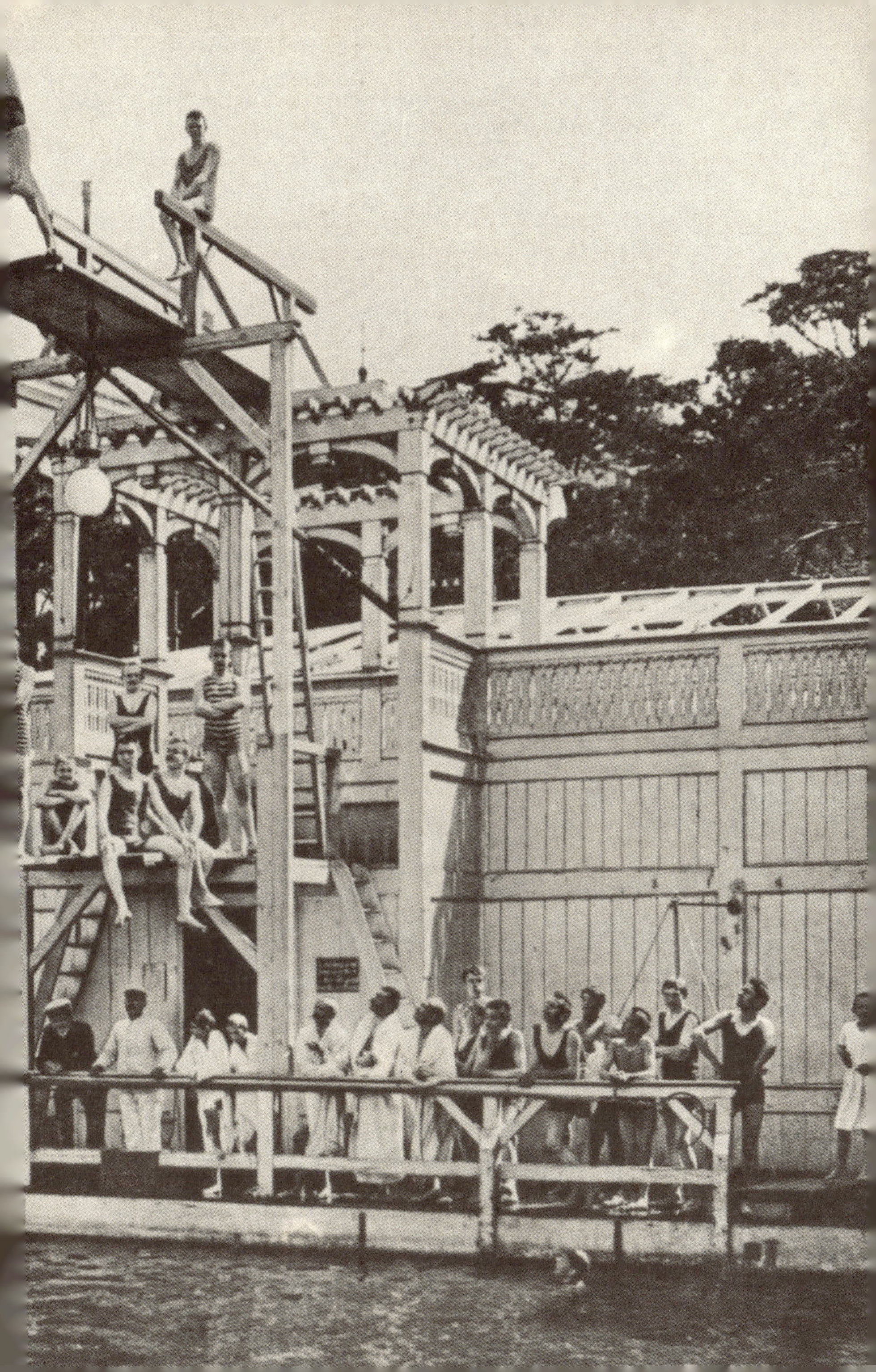

Versuch wurde gewagt, und es meldeten sich für das erste Mal am 14. Juni 1908 acht Mannschaften. Vierhundert Mann waren also aufgeboten, dazu natürlich die Schar der Organisatoren, die von den frühesten Morgenstunden auf den Beinen war. Um 8 Uhr sollte der Start sein. Im stillen wollten wir ihn noch gehörig hinausziehen, damit nirgendwo eine Panne entstand. Alles klappte wunderbar, auch mein Anschluß mit dem Zuge, denn bis zum Auto hatten wir es nicht gebracht. So konnte ich die Mannschaften am Start verabschieden und beglückt die Einlaufenden am Ziel empfangen. Eine große Schar Neugieriger hatte sich auf dem weiten Platz eingefunden, die meisten Anwesenden jedoch stellte die Polizei. Sie hatte sich unter dieser Aufgabe etwas sehr Schwieriges vorgestellt und ist den Verdacht nie losgeworden, daß zum Schluß nicht doch alle vierhundert Läufer durch das Ziel brausen würden. Der kommandierende Oberleutnant war menschgewordene Gekränktheit. Ich habe nie wieder einen Mann gesehen, der so bis zum Halskragen mit Empörung angefüllt war. Was hatte man da seiner Polizei und ihm selbst angetan! Er und seine braven Wachtmeister mußten in Uniform und Helm auf diesem heiligen Platz stehen, um zuzusehen, wie acht Jungens in bunten Hemden nacheinander durch ein Ziel liefen. „Ist das alles?" fragte er, als der achte Mann angekommen war, und ich mußte ihm dies errötend zugeben.
Diem, Ein Leben für den Sport

1901 ist Berlin der Tagungsort des Bundestages des 1899 gegründeten Deutschen Fußballbundes, dem nach und nach die Berliner Fußballvereine beigetreten sind. 1903 richtet der Fußballclub „Preußen" den ersten eigenen Fußballplatz an der Tempelhofer Berliner Straße ein. „Bis dahin wurde, wenn einmal ein Spiel einen besonderen Rahmen bekommen sollte oder mußte, im Innenraum der Radrennbahn gespielt." (Koppehel, Geschichte des deutschen Fußballsports)

Die Rasenspieler. Sie sind heute noch gegensätzlich zu Old England Stiefkinder des Sports. Ohne festen Halt und Gunst von außen.

Am stärksten treten die Fußballer auf. Hohe rindslederne Schnürschuhe. Dicke Strümpfe, die unterhalb des Knies endigen. Dünne weiße Flanellhose, die meist schwarz ist und das Knie nicht bedeckt, Flanellhemd in den Farben des Klubs. Breiten sich wie Kaninchen aus und sind in 300 Klubs zu je zehn und zwanzig und mehr Genossen organisiert. Sie stecken in zwei großen Gruppen, dem Verband Berliner Ballspielvereine und der Freien Berliner Fußballvereinigung. Jene geht ganz im Sport auf, diese vereinssimpelt und lebt im Verborgenen. Der Verband ist unermüdlich bei der Arbeit, den Fußballern Boden zu schaffen ...

Der Fußballsport hat an allen Ecken sich durchzukämpfen! Gesonderte Sportplätze sind ob der leeren Kassen rar, und das Tempelhofer Feld, das sonst widerhallt vom Tritt der Soldateska, ist noch ihr liebstes Spielfeld.

Es wird ihnen aber halb entzogen, da die Kommandostellen unter den Fußballern Sozialisten riechen. Noch lange mag es dauern, ehe die Fußballklubs auf gesicherter Grundlage ruhen und Massen anlocken, die zum Spiel ziehen wie zum Zirkus und zum Rennen.

Arndt, Berliner Sport

Temperamentvolle Verhaltensweisen zeigen die Berliner Fußballfans von Anfang an. Als am 1. April 1900 das Revanchespiel gegen Hamburg mit 1:2 verloren geht, stürmen dreitausend Zuschauer das Feld, um den Wiener Schiedsrichter zu massakrieren, der nur mit Mühe in den „Weißen Mohr" entfliehen kann.

1905 wird der Berliner Fußballclub „Union" Deutscher Meister; 1907/08 und 1910/11 geht die Würde des Deutschen Fußballmeisters an den „Berliner Tor- und Fußballclub Viktoria".

Fortschrittliche bürgerliche Kreise tragen die Wettkämpfe zur Werbung für die Olympischen Spiele, deren eifrigster Förderer in Deutschland der Berliner Chemiker Dr. Willibald Gebhardt ist.

Der Deutsche Reichsausschuß für Olympische Spiele erläßt folgende Bekanntmachung:

Frühjahrslauf des Verbandes Berliner Athletik-Vereine im Grunewald, 1913

Zum Zwecke der Entsendung deutscher Sportsleute und Turner zu den internationalen Wettkämpfen (Olympischen Spielen), die in diesem Jahre auf der Weltausstellung in St. Louis in glanzvoller Weise veranstaltet werden, hat sich auf Anregung der Reichsregierung und mit ihrer Unterstützung der „Deutsche Reichsausschuß für Olympische Spiele" gebildet, dessen Aufgabe gegenwärtig in erster Linie darin besteht, geeignete Sportsleute und Mannschaften auszuwählen.

Um nun den verschiedenen an den Reichsausschuß ergangenen Wünschen und Anregungen entsprechen zu können, hat er beschlossen, am Mittwoch, dem 4. Mai, im Zirkus Busch ein großes Olympisches Fest zu veranstalten, das durch seine Eigenart zweifellos Aufsehen erregen wird. Es soll den Beweis erbringen für die Vielseitigkeit einer im großartigen Maßstabe durchgeführten sportlichen Veranstaltung in einem künstlerischen Rahmen ...

Eintrittskarten zu folgenden Preisen: Loge 7 Mark, Parkett 5 Mark, Balkon 3 Mark ... Vorbestellungen sind zu richten an unseren Geschäftsführer Herrn Dr. W. Gebhardt, Berlin W, Leipziger Straße 102 (Equitable-Gebäude).

Sport im Bild, 8. April 1904

Kurz darauf wird Gebhardt beiseite geschoben. Er spricht zu oft von dem „völkerverbindenden Weltfriedensgedanken", der den Spielen der Neuzeit zugrunde liege. 1906 muß er die Leitung des von ihm gegründeten

Olympischen Komitees verlassen, 1909 tritt er, entmutigt, von seiner Mitgliedschaft im IOC zurück. Vorsitzender des Reichsausschusses für die Olympischen Spiele wird Viktor von Podbielski, als Führer des Bundes der Landwirte einer der Repräsentanten des preußischen Junkertums. Sein Generalsekretär wird Carl Diem, der den Spielen von 1916, die in Berlin stattfinden sollen, folgendes Motto unterlegt: „Nicht schnell und eindringlich genug kann sich die Kunde von der Bedeutung des deutschen Wirtschaftslebens und der deutschen Industrie, aber auch von Deutschlands kriegerischer Macht verbreiten. Die Spiele des Jahres 1916 werden und sollen mit ein Mittel sein, um die Völker von unserer Weltmachtstellung zu überzeugen." (Fußball und Leichtathletik, 28/1913)

Für diese Olympischen Spiele 1916 errichtet Otto March nördlich der Heerstraße, auf dem Gelände des Union-Clubs, eine Wettkampfarena. Am 8. Juni 1913 wird die Anlage unter der Losung „Allzeit bereit für des Reiches Herrlichkeit" eingeweiht:

Wenn alles Heil des Sports im Anhochen einer Hofloge liegen sollte, dann müßte wahrlich der Sport in Deutschland den Höhepunkt erreicht haben. Sie alle, ob Turner, Fechter, Schwimmer, Radfahrer oder Jungdeutschlandbündler, sie alle glaubten wohl der Sportsache einen besonderen Dienst zu leisten, als sie Seine Majestät im einstündigen Festzug immer wieder mit dem jeweiligen Bundesgruß begrüßten. Wie konnten da die honetten Zuschauer zurückstehen? ... Man muß gestehen, die Arrangeure hatten ihr Publikum richtig taxiert. Wurde doch der Jungdeutschlandbund beim Vorbeimarsch am lautesten begrüßt.

Nach einstündigem Heil- und Hurrarufen war man dann endlich soweit, die imposante Anlage ihrem eigentlichen Zwecke zuzuführen. Den Reigen eröffnete, wie sich das in Preußen-Deutschland gehört, das Militär mit Tiefsprung und Turnen an Kletterwand. Ihm folgten zirka 800 Turnerinnen, die Keulenschwingen, Geräteturnen und Spiele im bunten Wechsel zeigten. Ein Jugendlauf von zirka 2000 Teilnehmern, unter denen sicherlich manch Arbeiterkind zu zählen war, leitete hinüber zu einem Mannschaftsfahren für Radfahrer, dem ein mit großer Spannung verfolgter 1000-Meter-Staffettenlauf folgte; Süddeutschland siegte in der guten Zeit 1 Minute 49,4 Sekunden. Ein Mannschaftslaufen über 1500 Meter sah die Berliner in 4 Minuten 11,7 Sekunden in Front. Den Beschluß machten wieder die Turner, die, zirka 750 Mann stark, wirkungsvolle Freiübungen mit nachfolgendem Geräteturnen vorführten ...

Das Stadion war „geweiht". Es wird auch in Zukunft nur den Verbänden zur Verfügung stehen, die oben als „gut gesinnt" angeschrieben sind. Die Drangsalierung und Verfolgung der sporttreibenden Arbeiterschaft wird auch durch die höfische Kundgebung der Stadionweihe nicht unterbrochen werden.

Vorwärts, 9. Juni 1913

Sport – das wird schließlich eine immer wichtigere Sparte der kapitalistischen Vergnügungsindustrie. Der Profisport mit all seinen Begleiterscheinungen zieht in die Ringerarenen und in die Radrennbahnen ein.

Daß der Hofbildhauer Reinhold Begas Schirmherr der Weltmeisterschaften im Ringen ist, verhindert keineswegs, daß 1904 den beiden Finalisten vorgeworfen wird, sie hätten den Ausgang des Kampfes vorher abgesprochen:

Die Weltmeisterkämpfe, die sich soeben im Zirkus Busch abgespielt haben und sich sogar des wiederholten Besuches des Kronprinzen erfreuten, haben ein recht unrühmliches Ende genommen. Man wirft den beiden Gegnern des letzten Entscheidungskampfes vor, unehrlich gerungen, das heißt, den Sieg Kochs vorher vereinbart zu haben, um auf diese Weise einen großen Wettcoup zu landen ... Eberles Erliegen vor Koch war im höchsten Grade überraschend und befremdend. Nicht, daß Eberle unterlag, sondern vielmehr die Art und Weise, wie er den Entscheidungskampf führte und wie er ihn verlor, mußte jedem, der dem Kampf beiwohnte, auffallen. Koch ist ein vorzüglicher und starker Ringer und für jeden ein gefährlicher Gegner, aber er kann Eberle nicht in einer Weltmeisterschaft in so lächerlicher Weise werfen, wie es hier geschehen ist. Eberle war – das haben die übrigen von ihm ausgefochtenen Kämpfe bewiesen –

in vorzüglicher Kondition; er ist immer ein Mann der Initiative, des blitzschnellen Entschlusses gewesen, und nun auf einmal ringt er wie ein ängstlicher Neuling. Nie und nimmer war das ein ehrlicher Ringkampf! So sagen die Kenner, und so sagen auch die, die ihr Geld bei den Buchmachern auf Eberle verloren haben. Und es ist diesmal viel Geld in die Taschen der Buchmacher geflossen ...

Der Fall Eberle–Koch ... wird wahrscheinlich nie klargestellt werden, leider, denn das eine ist sicher: Er hat der Sache des professionellen Ringkampfes in den Augen der Öffentlichkeit großen Abbruch getan. Die großen Ereignisse der Zeit werden das Interesse an den Ringkämpfen schnell ersticken. Was heute Hunderttausende in Atem hielt, ist morgen vergessen. Und dann: Mit starken Männern wie Eberle und Koch verdirbt es niemand gern. Mit Leuten, die Handschuhnummer 14 haben, ist bekanntlich nicht gut Kirschen essen.

Sport im Bild, 13. Mai 1904

Auch im Radsport beginnt das professionelle Element zu überwiegen. Daß ein Radrennen in Berlin nicht „gefahren", sondern „geschoben" wird, ist damals eine bekannte Redensart.

Um 1909 gibt es drei Rennbahnen: in Steglitz, in Treptow (der „Nudeltopp", so genannt nach den steilen und hohen Kurven, die die Bahn umgrenzen) und in Zehlendorf. Dem Terraingeschäft zum Opfer gefallen sind um diese Zeit bereits die Zementbahn am Kurfürstendamm und das „Goldene Rad" von Friedenau:

Der Direktor des Sportparks Friedenau verlieh dem Radrennen auf der dortigen Bahn eine besondere Anziehungskraft, indem er den Besuchern die Aussicht verschaffte, für ein Programm ein vergoldetes Brennabor-Fahrrad zu bekommen. 10000 Programme wurden gedruckt, für 1700 Mark abgesetzt. Da das „goldene Rad" nur 240 Mark wert ist, so war das immerhin kein schlechtes Geschäft. Nun kam aber der Staatsanwalt und erklärte das etwas verwickelte Verfahren für eine Lotterie. Er stellte Direktor Hölscher wegen unerlaubter Veranstaltung einer

Lotterie und Gewerbesteuerhinterziehung unter Anklage, und das Gericht gab ihm gestern recht, indem es den Angeklagten zu einer Geldstrafe von 100 Mark verurteilte.

Vorwärts, 19. Oktober 1902

Der „Sportpalast", vom Trompetenkorps des Leibgarderegiments geweiht, wird zur Heimstätte des „Zirkus des Irrsinns", wie der „Vorwärts" das 1907 aus der Taufe gehobene Sechstagerennen der Profis nennt. Aus einer Reportage von Hermann Heijermans:

Das fünfte Berliner Sechstagerennen brachte es Donnerstagnacht im Sportpalast ... auf 4269 Kilometer, verschiedentlich besinnungslos vom Platz getragene „Favoriten", einige schwere Stürze, einen ausgerenkten Arm, ein gebrochenes Schlüsselbein, ein Tempo, das durch die Abspannung der Fahrer „leider" oft auf einen Durchschnitt von 25 Kilometer pro Stunde sank, einen vermutlich verbesserten Weltrekord (aber das wage ich nicht zu beschwören) und den erfreulichen Besuch des Kronprinzen in der 45. Stunde ... Dieses Auspowern von „Mannschaften" mit starken Waden, Lungen und Herzen, dieses Ausnutzen von Menschenmaterial mit Nummern auf dem Rücken, dieses Spekulieren auf die krankhafte Veranlagung eines Publikums, das selten wegen seiner unmoralischen Auffassungen verprügelt wird, dieses Aufreizen der allerbrutalsten Leidenschaften, dieses Vernichten gesunder Menschen für eine Prämie von 10000 bis 1000 Mark, dieses Begünstigen der Interessen von Sportpalast-Aktionären und Fahrräderfabriken – heißt Sport, Sport ...

Donnerstagabend, beim Schluß dieses unwürdigen, ein richtiges Bild der gesellschaftlichen Degeneration gebenden Vergnügens war der Saal des Sportpalastes brechend voll. Unten, inmitten der Rennbahn, rund ums Büfett, bei einem Glase Wein und einer guten Zigarre saßen die Besucher, die 25 Mark bezahlt hatten. Die konnten das Absteigen und Massieren der Fahrer in der Nähe genießen. Oben befanden sich die „billigeren" Plätze, wo man beim Glase Bier das monotone Ringen der Renner be-

„*Feste, Müller, festeee! – Immer treten! treten! treten! – Laß da' nich an'n Schlitten komm' von den vafluchten Engländer! – – Mülla! – Müllaa!! – Müllaa!! – – Berlin vorne! – Deutschland vor! – – Hurrah! Hurrah!!"* – –

Lyonel Feininger: *Radpatriotismus*

obachten konnte. Tausende von Köpfen drängten sich im Schatten der Balkone. Tausende von Menschen mit Herz und Verstand, die aufgeregt auf den Stühlen standen, wenn der eine oder der andere der Fahrer einen Vorstoß unternahm, die schrien, pfiffen, in die Hände klatschten oder empört „Schieber" riefen. Auf die Waden der „Favoriten", genau wie im Grunewald oder in Strausberg, aber ohne offiziellen Totalisator, wurde gewettet. Und bei dem Lärm, dem unaufhörlichen Summen der Stimmen, wenn die Militärkapelle nicht spielte, beim Qualm der Zigarren, radelten die Fahrer todmüde, wahnsinnig-abgespannt, nur durch ihre Nerven hochgehalten. Wenn sie abgelöst wurden, fiel es ihnen schwer, vom Rade zu steigen, wie sehr die Sportblätter auch von „erstaunlicher Frische" reden mögen. Wenn sie von ihrer Maschine befreit waren, lagen sie oft wie Kadaver auf den Matratzen, um sich für neues blödsinniges Trampeln durch Massieren ausrüsten zu lassen ...

Um zwölf Uhr ertönte ein Pistolenschuß, war das Vergnügen zu Ende.

Man schleppte Kränze von frischen Blumen herbei, Kränze und Blumen, die heutzutage bei Jubiläen, Kunstdarbietungen, Geburten und Todesfällen geschenkt werden.

Und die Militärkapelle spielte Volkshymnen zur Verherrlichung der ausgemergelten Sieger und der 4269 Kilometer, die von Jagow vielleicht als ein Beweis steigender Volkskultur betrachtet werden.

Hurra!

Vorwärts, 30. März 1912

Im August 1902 versammeln der Arbeiterturnerbund, der Arbeiterradfahrerbund, die Naturfreunde und der Arbeiterschwimmerbund Zehntausende zu einem Berliner Arbeitersportfest am Müggelsee:

Das große Sportfest am Müggelsee, das die Berliner Arbeiterschaft am Sonntag veranstaltet hatte, hat unter einem ungeheuren Andrang des Berliner Proletariats stattgefunden, ein Beweis für das große Interesse, das die Arbeiterschaft dem Sport als

TURNVEREIN FICHTE

Kartoffel- u. Herings-Kladderadatsch.

Zweite vermehrte und verbesserte (?) Auflage.

Fest-Blatt

zum

Kartoffel-Heringsschmaus hungriger Turnerinnen

aus Rixdorf, Johannisthal, Cöpenick, Adlershof,
Berlin und anderen märkischen Sandnestern, am 19. Oktober 1902 in

Schöneiche

redigiert von einigen

Schmierschwestern des Turnvereins „Fichte" Berlin.

Menu.

1. Gesalzene Schneider-Carpfen.
2. Märkische Erdäpfel, genannt Pellknollen.
3. Echte, unverfälschte Margarine.
4. Bier.

Vor und nach dem Essen: Gesang, Eiemium und Jungenunzucht.

Kräftiger des körperlichen und seelischen Organismus entgegenbringt ...

Es ist einfach unmöglich, die Zahl der Festbesucher annähernd zutreffend abzuschätzen, die sich auf dem ausgedehnten Festterrain, das mit bunten Fähnchen festlich geschmückt war, angefunden hatten. Jedenfalls zählte sie nach vielen Zehntausenden, und die Dampfer und Züge vermochten es kaum, die Menschenmassen nach dem Festplatz und zurück zu befördern. Überall herrschte die fröhlichste, angeregteste Stimmung, die sich auch durch einen programmwidrigen Regenschauer nicht im geringsten beeinträchtigen ließ.

Die sportlichen Vorführungen hielten sich diesmal in gewissen Grenzen, sie beschränkten sich auf Schwimmübungen, Produktionen der Radfahrvereine und Fußballwettspiele, während die Segelregatta ausfiel. Indes waren die Zuschauermassen von dem Gebotenen trotzdem hoch befriedigt, wie denn überhaupt vom Morgen bis zum Abend nicht ein einziger Mißton die harmlose Feststimmung trübte.

Vorwärts, 6. August 1902

Nach der endgültigen Trennung von der „Deutschen Turnerschaft" sind die proletarischen Sportvereine zu einem wichtigen Element der Kulturbewegung der Arbeiterklasse geworden.

Außerordentlich populär ist der Arbeiterradfahrerbund „Solidarität", ohne dessen Mitwirkung in diesen Jahren weder an eine Wahlagitation in Groß-Berlin und seinen Landgemeinden noch an eine proletarische Festveranstaltung zu denken ist. Fahrräder und Zubehör kaufen die Arbeiterradfahrer in der Brunnenstraße, im genossenschaftlichen Fahrradhaus „Frischauf", das 1908 und 1913 noch zwei Filialen eröffnen kann.

Neben dem Arbeiterradfahrerbund entstehen in Berlin der Arbeiterathletenbund (1906), der Arbeiterwassersportverband (1907) und der Arbeitersamariterbund (1909). Kern des Berliner Arbeitersports ist der Arbeiterturnverein „Fichte", der 1900 über tausend Mitglieder zählt.

Otto Giese beschreibt einen Tag auf dem „Fichte"-Sportplatz:

Schon am Sonntagmorgen trafen sich die Schüler des Vereins mit ihrem Turnwart, den Vorturnern und vielen Eltern, um nach Treptow zu wandern. Sie fuhren nicht mit der elektrischen „Siemensbahn", sondern liefen die 1½ Stunde bis zum Turnplatz zu Fuß.

Nicht selten wurden dabei, wie auf vielen Wanderungen,

Transparente mit Losungen für die Arbeiterturnbewegung getragen. Auf dem Weg durch den Südosten der Stadt schlossen sich weitere Mitglieder und Freunde des Vereins den wandernden Turnern an, und bald waren die letzten Großstadthäuser passiert und der Treptower Park erreicht ...

Am Ziel unserer Wanderung angelangt, wurden gleich die Frühstücksstullen ausgepackt und kräftig hineingehauen. Eine dazu für 15 Pfennig gekaufte „Bilzbrause" oder die billigere „Selters" ließen von dem mitgebrachten Hunger bald nichts mehr übrig.

Alle Kinder, auch die nicht zur Mitgliedschaft gehörenden, wurden jetzt zum Spielen gerufen. In mehreren Gruppen wurde Barlauf*, Schlagball, Völker- und auch Faustball gespielt. Niemals wurde der Wettlauf vergessen sowie das Springen über die Schnur. Als Ausgleich der für die Kinder schwer zu handhabenden gewichtigen Eisenkugel wurde der Schlagball geworfen, und bald bildeten sich zwanglos Gruppen von Eltern und Kindern, die sich an dem immer wieder beliebten Spiel „Dritten abschlagen" vergnügten ...

War der Betrieb am Vormittag noch zwanglos, so ging am Nachmittag alles seinen vorgeschriebenen Gang. Vorerst hieß es für die mit nacktem Oberkörper sonnenbadenden Turner: „Hemden anziehen, die Gäste kommen." Dann wurde abteilungsweise angetreten, die Präsenz festgestellt und ein Lied gesungen. Der diensthabende Turnwart teilte den Riegen die Geräte zu, und in flottem Marschtempo zogen alle zu ihren Übungsplätzen.

Es wurde hauptsächlich gelaufen, gesprungen, der Stein oder die Kugel gestoßen, der Schleuderball und auch schon der Speer geworfen. Ihre ersten Versuche in der Leichtathletik nannten die Turner damals „Volkstümliches Turnen" ...

Die Frauen- bzw. Damenabteilungen nahmen nicht am „Volkstümlichen Turnen" teil. Sie vergnügten sich beim damals sehr beliebten Tamburinspiel, oder sie spielten Völkerball. Die Geübteren unter ihnen versuchten sich auch schon beim Faust-

---

* Altes Lauf- und Fangspiel zweier Parteien.

ballspiel. Vielen kam es jedoch nur darauf an, sich in der frischen Luft, in der bequemen Turnkleidung zwang- und „korsettlos" zu bewegen ...

Inzwischen standen die nichtaktiven Frauen schon an der Kaffeeküche, um, wie es in den Sommerlokalen üblich war, ihren mitgebrachten Kaffee aufbrühen zu lassen. Dafür zahlten sie für eine kleine Kanne 20 Pfennige und für eine große 30 Pfennig. Natürlich wurde dann auch Geschirr mit der verlangten Anzahl Tassen geliehen. Dabei konnte es sich der Verein, der nach Abzug einer finanziellen Entschädigung an meine diensttuenden Eltern den Gewinn oder Verlust des Kantinengeschäftes trug, nicht leisten, leicht zerbrechliches Porzellangeschirr auszugeben. So wurde aus Emaillekannen und -tassen geschenkt und getrunken, auch wenn von der vielen Benutzung am Geschirr schon mehr Blech als Emaille zu sehen war ...

Bis in den späten Abend hinein blieben viele Turnerinnen und Turner mit ihren Angehörigen noch zusammen. An langen Tischen sitzend, wurden pausenlos Volks- und Wanderlieder gesungen und von geübten Gitarre- und Mandolinenspielern begleitet. Ein Kreis von besonders sangesfreudigen Turnern schloß sich dann dem „Männergesangverein Georgina" an, und unter dem dann neuen Namen „Fichte Georgina" errang dieser Gesangverein einen guten Ruf im „Arbeitersängerbund" und bei der Arbeiterschaft.

Der Turn- und Spielbetrieb endete damals auf unseren Turnplätzen nicht so abrupt, wie es heute nach Sportveranstaltungen üblich ist, bei denen der Schlußpfiff des Schiedsrichters alles beendet. Solange es der Tag erlaubte, tummelten sich bei uns die meisten Besucher noch mit „Kind und Kegel" bei allerlei Spielen und Belustigungen. Dabei wurde so manches neue Mitglied gewonnen. Bei Neuaufnahmen auf dem Turnplatz gab es dann noch manchen Spaß, weil ein „Neuer" mit einer „Turnerstulle" getauft wurde. Meine Mutter hielt dafür in der Kaffeeküche einen extra starken Senf bereit, den sie dem „Neuen" zum Verzehr auf die Stulle strich. Wenn er diese dann tränenden Auges schaffte, war er ein ganzer Mann.

Giese, Turner auf zum Streite!

Schauturnen der Männerabteilungen des Vereins „Fichte" auf dem Sportplatz in Baumschulenweg, 1906

Giese erzählt von den damals üblichen sportlichen Disziplinen, vom technischen Stand der Sportgeräte und von den Verfahren der Leistungsmessung in jener Zeit:

Beim 100-m-Lauf wurde meist nur der Sieger mit der Uhr gestoppt und die Zeiten der Nachfolgenden ausgezählt. Ungenau war auch das Ergebnis beim Hochsprung mit dem Sprungbrett, denn die dazu benutzte Sprungschnur hing in der Mitte immer durch. Auch die an den Enden zur strafferen Aufhängung befindlichen Ledersäcke änderten wenig daran. Sie bewirkten dafür oftmals, daß dem sich in die Schnur verwickelnden Springer die Sprungständer um die Ohren flogen ...

Beim Weitsprung wurde anfangs immer in eine Grube gesprungen, so daß die gemessenen Weiten immer irregulär waren. Zum damals oft geübten Weithochsprung mußte, etwa ein Meter hinter dem Absprungbalken, über eine in 50 bis 60 Zentimeter Höhe gespannte Schnur gesprungen werden. Der Stabhochsprung war nur ein Schatten dessen, was er heute leistungsmäßig bedeutet. Mit dem Holz-, dann Eisenrohrstab und später mit der Bambusstange wurden zu dieser Zeit von den Turnern keine drei Meter überquert.

Zu einer guten Technik brachten sie es jedoch bei dem damals beliebten Stabweitsprung. Dabei verstanden es die „Artisten" unter ihnen, während des Sprunges am Stab, der zwischen den Beinen geführt wurde, weiterzugreifen, um dadurch an Weite zu gewinnen ...

Die Staffetten wurden noch als Pendelstaffetten, der 1000-m-Lauf aber schon in der Runde ausgetragen. Daß dabei eine tolle Rekordzeit herauskam, lag wohl weniger an der Schnelligkeit der Läufer als an den schlechten geometrischen Kenntnissen der Bahnvermesser ...

Die Laufbahnen wurden damals noch nicht gekreidet, sondern mit weißem Band abgesteckt, das mit Riesenhaarnadeln am Boden befestigt wurde. Selbstverständlich wurde das Material nach Schluß der Veranstaltung wieder fein säuberlich eingesammelt.

Giese, Turner auf zum Streite!

Das Fußballspiel führte bei „Fichte" damals nur ein kümmerliches Dasein:

In „Fichte" begann man wettkampfmäßig mit dem Fußballspiel im Jahre 1910, und da man mit ihm auch im Winter den Turnplatz gut nutzen konnte, hatten bald alle Männer- und Jugendabteilungen eigene Mannschaften.

Bald aber gab es unter ihnen Spieler, die aus der Liebe zur „Knödelei" das Turnen vergaßen und den Ball auch in den Sommermonaten von Tor zu Tor jagen wollten. Das rief jedoch die „alten Turner" auf den Plan, weil sie ihre Traditionen angegriffen sahen, und so gab es Krach. Anträge, die einem Nur-Fußballer die Mitgliedschaft im Turnverein absprechen wollten, kamen zwar nicht durch, doch wurde in vielen Abteilungen den Fußballern zur Pflicht gemacht, in der Turnhalle zum Turnen zu erscheinen.

In der 7. Männer- und ihrer Jugendabteilung wurde der Streit so geschlichtet, daß die Fußballfreunde eine eigene Riege bildeten, die Sprung-, Lauf- und Gewichtübungen statt des Geräteturnens durchführte. Somit war der Friede wieder hergestellt, aber das Fußballspiel blieb auch in „Fichte" weiter Stiefkind des allmächtigen Bruders Turnen, zumal auch Neuzugänge unter diesen Zuständen kaum zu erwarten waren. Bezeichnend für diesen stiefmütterlichen Zustand war zum Beispiel die Spielplatzzuteilung auf dem Treptower Turnplatz. Als nach der 20-Jahr-Feier der Verein durch Zupachtung den Fichteplatz auf das doppelte Ausmaß erweiterte, bekamen die Fußballer für ihr Spiel das kurz vorher noch als Kartoffelacker genutzte Stück zugewiesen. Die Fußballer werden die Furchen schon breit und den Akker fest treten, war die Meinung der Turner, und da ich mit vierzehn Jahren selbst ein eifriger Fußballer wurde, kann ich berichten, daß wir in Treptow dieses Kunststück nie fertigbrachten.

Giese, Turner auf zum Streite!

Schließlich beschreibt uns Giese anschaulich das äußere Erscheinungsbild der „Turngenossen".
Die Sportbekleidung der Männer:

Sie trugen meist halblange, dunkle Trikothosen, lange Strümpfe, leichte Turnschuhe und ein langärmliges Hemd mit einem Binder. Mit der Zeit wurden die Strümpfe und die Binder weggelassen und ein ärmelloses Hemd getragen. Sensationell wirkte, als etwa im Jahre 1911 die Luckenwalder Turner auf dem Fichteplatz zu einem Barlauf- und Faustballwettkampf mit kurzen Sporthosen antraten und der auch noch bei „Fichte" in Kleidungsfragen herrschenden Prüderie einen gewaltigen Stoß versetzten.

Giese, Turner auf zum Streite!

Die Sportbekleidung der „Turnschwestern":

Sie trugen aus gelblichem Leinen einen bis über die Waden reichenden glockenförmigen Rock, dazu eine mit einem Matrosenkragen versehene lockere Bluse, die durch einen Hüftgurt zusammengehalten wurde. Kurz über dem Rocksaum sowie auf dem Kragen waren rote Besatzstreifen aufgenäht. In der „Freien Turnerschaft Rixdorf-Britz" und in Adlershof wurden blaue Kleider, die weiß aufbesetzt waren, getragen. Auf dem Kopf trugen alle ein sechseckiges Mützchen, und man mußte nach damaligen Begriffen schon sagen, schmuck sahen sie aus. Da beim Turnen, und besonders an den Geräten, der Rock sehr hinderlich war, wurde in weiten, bis über die Knie reichenden Pumphosen geturnt, die oftmals bei den Zuschauern viel Heiterkeit und auch Proteste hervorriefen ...

Bald wagte man sich dann weiter vor, zumal die Entwicklung des Geräteturnens bei den Frauen weniger hinderliche Kleidung verlangte. Die weiten Pumphosen und die Turnbluse wichen einer weniger weiten Hose und einem enganliegenden gestreiften Sweater. Ohne baumwollene Strümpfe ging es jedoch noch nicht, wobei die Gegner der nackten Waden meist von denen gestellt wurden, die hier nichts zu zeigen hatten.

Als kurz vor dem Ersten Weltkrieg die ersten mutigen Turnerinnen auf dem Fichteplatz strumpflos zum Turnen antraten, gab es wieder heftige Auseinandersetzungen, die jedoch so endeten wie später der Streit: langes Haar oder Bubikopf? Was beim Turnen hinderlich war, wurde weggelassen!

Giese, Turner auf zum Streite!

Weithochsprung der Damen, 1912

Der Geist proletarischer Solidarität, der unter den Arbeitersportlern herrscht, wird durch die Verfolgungen bestärkt, denen der Arbeitersport ausgesetzt ist. 1904 sperrt das Provinzialschulkollegium den Schülerabteilungen der Arbeitersportler die städtischen Turnhallen. Als sie in private Hallen ausweichen, verlangen die Behörden – aufgrund vergilbter Kabinettsordnungen von 1834 und 1839 – vom Turnwart einen „Unterrichtserlaubnisschein". 1910 entscheidet das Reichsgericht, Erlaubnisscheine könnten nur für einen Unterricht für schulpflichtige Jugendliche verlangt werden. Prompt wird in der Fortbildungsschule Turnunterricht eingeführt. So erscheint das Turnen in den proletarischen Vereinen aufs neue als „Schulersatz", den man verbieten kann.

1911 werden schließlich der Turnverein „Fichte" und die proletarischen Radfahrvereine zu politischen Vereinen erklärt, was allen Polizeischikanen freie Bahn gibt, die mit der Vereinsgesetzgebung verbunden sind.

Während die Linken in der Berliner Arbeiterbewegung dafür eintreten, der Reaktion Paroli zu bieten und die Arbeitersportverbände als proletarische Klassenorganisationen zu verteidigen – Karl Liebknecht geht mehrfach als Anwalt für Arbeitersportgruppen vor Gericht –, raten die Opportunisten, den Behörden keinen Anlaß zum „Einschreiten" zu geben.

Die Arbeiter aber reagieren auf die Nadelstichpolitik gegenüber dem Arbeitersport mit demonstrativen Aktionen. Als 1913 das Olympiastadion mit nationalistischem Gepränge eingeweiht wird, kommen mehr als 50 000 Besucher zu einem „Gegensportfest" nach Weißensee:

Der Verlauf des gestrigen Festes hat alle Erwartungen übertroffen. Schon in der Mittagsstunde eilten die Sportler aus allen Teilen Berlins nach den verschiedenen Treffpunkten im Friedrichshain zusammen ...

Punkt ½2 Uhr setzte sich der gewaltige Festzug unter Begleitung von drei Turner-Musikkapellen in Bewegung; an der Spitze die Turner, denen sich die Radfahrer und andere Sportler anschlossen. Von den Sportlern allein nahmen über 3 000 am Festzuge teil, hierzu kamen Tausende von Festbesuchern, die dem Zuge vorangingen oder sich ihm anschlossen. In allen Straßen flankierte das Publikum den Zug in dichter Reihe, so daß eine imposante und begeisternde Demonstration zustande kam. Besonderen Anklang fanden die einheitlichen Kostüme der Turnerinnen und das bunte Bild der Radfahrer und Radfahrerinnen.

Um 3 Uhr langte der eindrucksvolle Zug vor dem Festlokal an. In bester Ordnung ging der Einmarsch vonstatten, und nach kurzer Erholungspause konnten die Vorführungen ihren Anfang nehmen.

Trotzdem das Riesenlokal in Weißensee für 30 000 Personen Sitzplätze bietet, mußten Tausende mit einem Stehplatz vorliebnehmen. Das wird erklärlich, wenn man erfährt, daß sich 50 000

Personen eingefunden hatten, eine Teilnehmerzahl, die wohl noch kein Sportfest aufzuweisen hatte.

Bei der Fülle des Gebotenen, das in den verschiedensten Teilen des Lokals zur Vorführung kam, war es natürlich niemand möglich, auch nur annähernd alles sehen zu können. Auf den Bühnen zeigten die Athleten und Turner ihre Leistungen, zwischendurch erfreuten die Arbeitersänger durch ihre Vorträge und nahmen die Massen der Zuhörer gefangen.

Ganz besonderes Interesse wurde den Vorführungen der Schwimmer im Weißen See entgegengebracht, die einen gut gelungenen Reigen von über hundert Teilnehmern, Gruppenspringen und das beliebte Wasserballspiel vorführten. Kaum waren diese Vorführungen zu Ende, so begannen die Radfahrer auf dem Podium am See ihr Programm, das aus einem Zwölfer-Begrüßungsreigen, Kunstradfahren, Radballspiel usw. bestand und mit lebhaftem Beifall aufgenommen wurde ...

Das 1. allgemeine Sportfest ist mit gutem Erfolg beendet worden. Vieles hätte vollkommener ausgebaut werden können, wenn die Arbeiter heute schon die Macht hätten, auch für sich das Stadion zu verlangen, um alle Gebiete der Leibesübungen zur Entfaltung bringen zu können. Aber wir trösten uns:

> Einst muß der große Tag doch kommen
> Der Freiheit für das ganze Volk,
> Dafür zu kämpfen und zu streben
> Sei unser Ziel, trotz alledem!

Vorwärts, 9. Juni 1913